ハリー・ポッターと不死鳥の騎士団

J・K・ローリング

松岡佑子 訳

静山社

ハリー・ポッターと不死鳥の騎士団　目次

主な登場人物

ハリー・ポッター
主人公。ホグワーツ魔法魔術学校の五年生。緑の目に黒い髪、額には稲妻形の傷

ロン・ウィーズリー
ハリーの親友。大家族の末息子で、一緒にホグワーツに通う兄妹は、双子でいたずら好きのフレッドとジョージ、妹のジニーがいる

ハーマイオニー・グレンジャー
ハリーの親友。マグル（人間）の子なのに、魔法学校の優等生

ドラコ・マルフォイ
スリザリン寮の生徒。ハリーのライバル

アルバス・ダンブルドア
ホグワーツ魔法魔術学校の校長先生

ミネルバ・マクゴナガル
ホグワーツの副校長先生。変身術の先生

シリウス・ブラック（スナッフルズ、**またの名を**パッドフット）
ハリーの父親の親友で、ハリーの名付け親

ルビウス・ハグリッド
ホグワーツの鍵と領地を守る番人。魔法生物飼育学の先生

リーマス・ルーピン
元教師。ハリーの父親とは、学生時代の親友

セブルス・スネイプ
魔法薬学の先生。ハリーを憎んでいる

ドビー
元屋敷しもべ妖精。現在はホグワーツの厨房で働いている

マッド-アイ・ムーディ
魔法の目を持つ老練の闇払い

チョウ・チャン
レイブンクローのシーカー。セドリックの恋人だった

ダーズリー一家（バーノンおじさん、ペチュニアおばさん、ダドリー）
ハリーの親戚で育ての親とその息子。まともじゃないことを毛嫌いする

ヴォルデモート（**例のあの人**）
最強の闇の魔法使い。多くの魔法使いや魔女を殺した

私の世界に魔法をかけてくれた、
夫のニール、子供たちのジェシカとデイビッドに

Original Title: HARRY POTTER AND THE ORDER OF THE PHOENIX

First published in Great Britain in 2003
by Bloomsbury Publishing Plc, 50 Bedford Square, London WC1B 3DP

Japanese edition first published in 2004

This book is published in Japan by arrangement with
the author through The Blair Partnership

第1章　襲われたダドリー

この夏一番の暑い日が暮れようとしていた。プリベット通りの角張った大きな家々を、けだるい静けさが覆っていた。いつもならピカピカの車は家の前の路地でほこりをかぶったままだし、エメラルド色だった芝生もカラカラになって黄ばんでいる――日照りのせいで、ホースで散水することが禁止されたからだ。車を洗い上げたり芝生を刈ったりする、日ごろの趣味を奪われたプリベット通りの住人は、日陰を求めて涼しい屋内に引きこもり、吹きもしない風を誘い込もうと、窓を広々と開け放っていた。戸外に取り残されているのは、十代の少年がただ一人。四番地の庭の花壇に、仰向けに寝転んでいた。

やせた黒髪の、めがねをかけた少年は、短い間にぐんと背丈が伸びたようだが、少し具合の悪そうなやつれた顔をしていた。汚いジーンズはぼろぼろ、色のあせたTシャツはだぶだぶ、それにスニーカーの底がはがれかけている。こんな格好のハリー・ポッターが、ご近所のお気に召すわけはない。何しろ、みすぼらしいのは法律で罰するべきだと考えている連中だ。しかし、この日のハリー・ポッターは、紫陽花（あじさい）の大きな茂みの陰に隠されて、道行く人の目にはまったく見えない。もし見つかるとすれば、バーノンおじさんとペチュニアおばさんが居間の窓から首を突き出し、真下の花壇を見下ろした場合だけだ。

いろいろ考え合わせると、ここに隠れるというアイデアは、我ながらあっぱれとハリーは思った。熱い固い地面に寝転がるのは、確かにあまり快適とは言えないが、ここなら、にらみつける誰かさんも、ニュースが聞こえなくなるほどの音で歯がみしたり、意地悪な質問をぶつけてくる誰かさんもいない。何しろ、おじさん、おばさんと一緒に居間でテレビを見ようとすると、必ずそういうことになるのだ。

ハリーのそんな思いが羽を生やして、開いている窓から飛び込んでいったかのように、突然バーノン・ダーズリーおじさんの声がした。

「あいつめ、割り込むのをやめたようでよかったわい。ところで、あいつはどこにいるんだ？」

「知りませんわ」ペチュニアおばさんは、どうでもよいという口調だ。「家の中にはいないわ」

バーノンおじさんが、ウーッと唸った。

「**ニュース番組を見てるだと……**」おじさんが痛烈にあざけった。「やつのほんとうのねらいを知りたいもんだ。まともな男の子がニュースなんぞに興味を持つものか――ダドリーなんか、世の中がどうなっているかこれっぽっちも知らん。おそらく首相の名前も知らんぞ！　いずれにせよだ、**わしら**のニュースに、**あの連中**のことなぞ出てくるはずが――」

「バーノン、**シーッ！**」ペチュニアおばさんの声だ。「窓が開いてますよ！」

「ああ――そうだな――すまん」

ダーズリー家は静かになった。朝食用のシリアル「フルーツ・ン・ブラン」印のコマーシャルソングを聞きながら、ハリーは、フィッグばあさんがひょっこり、ひょっこり通り過ぎるのを眺めていた。ミセス・フィッグは近くのウィステリア通りに住む、猫好きで変わり者のばあさんだ。ひとりで顔をしかめ、ブツブツつぶやいている。ハリーは、茂みの陰に隠れていてほんとうによかったと思った。フィッグばあさんは、最近ハリーに道で出会うたびに、しつこく夕食に誘うのだ。ばあさんが角を曲がり姿が見えなくなったとき、バーノンおじさんの声が再び窓から流れてきた。

「ダッダーは夕食にでも呼ばれていったのか？」

「ポルキスさんの所ですよ」ペチュニアおばさんが愛しげに言った。「あの子はよいお友達がたくさんいて、ほんとうに人気者で……」

ハリーは噴き出したいのをぐっとこらえた。ダーズリー夫妻は息子のダドリーのことになると、あきれるほど親ばかだ。この夏休みの間、ダドリー軍団の仲間に夜な夜な食事に招かれているなどというしゃれにもならないうそを、この親はうのみにしてきた。ハリーはちゃんと知っていた。ダドリーは夕食に招かれてなどいない。毎晩、悪ガキどもと一緒になって公園で物を壊し、街角でたばこを吸い、通りがかりの車や子供たちに石をぶつけているだけだ。ハリーは夕方、リトル・ウィンジングを歩き回っているときに、そういう現場を目撃している。休みに入ってから毎日のように、ハリーは通りをぶらぶら歩いて、道端のごみ箱から新聞をあさっていたのだ。

七時のニュースを告げるテーマ音楽が聞こえてきて、ハリーの胃がざわめいた。きっと今夜だ――ひと月も待ったんだから――今夜にちがいない。

「**スペインの空港手荷物係のストが二週目に入り、空港に足止めされた夏休みの旅行客の数はこれまでの最高を記録し――**」

「そんなやつら、わしなら一生涯シエスタをくれてやる」

アナウンサーの言葉の切れ目で、バーノンおじさんが牙をむいた。それはどうでもよかった。外の花壇で、ハリーは胃の緊張がゆるむのを感じていた。何事かが起こったのなら、最初のニュースになったはずだ。死とか破壊とかのほうが、足止めされた旅行客より重要なんだから。

ハリーはゆっくりフーッと息を吐き、輝くような青空を見上げた。今年の夏は、毎日が同じだった。緊張、期待、つかの間の安堵感、そしてまた緊張がつのって……しかも、そのたびに同じ疑問がますます強くなる。**どうして**、まだ何も起こらないのだろう。

ハリーはさらに耳を傾けた。もしかしたら、マグルには真相がつかめないような、何か些細なヒントがあるかもしれない――謎の失踪事件とか、奇妙な事故とか……。しかし、手荷物係のストのあとは、南東部のかんばつのニュースが続き（「隣のやつに聞かせてやりたいもんだ！」バーノンおじさんが大声を出した。「あいつめ、朝の三時にスプリンクラーを回しくさって！」）、それからサレー州でヘリコプターが畑に墜落しそうになったニュース、なんとかという有名な女優が、これまた有名な夫と離婚した話（「こんな不潔なスキャンダルに、誰が興味を持つものですか」ペチュニアおばさんは口ではフンと言いながら、あらゆる雑誌でこの記事を執拗に読みあさっていた）。

空が燃えるような夕焼けになった。ハリーはまぶしさに目を閉じた。アナウンサーが別のニュースを読み上げた。

「**――最後のニュースですが、セキセイインコのバンジー君は、夏を涼しく過ごす新しい方法を見つけました。バーンズリー町のパブ、『ファイブ・フェザーズ』に飼われているバンジー君は、水上スキーを覚えました！　メアリー・ドーキンズ記者が取材しました**」

ハリーは目を開けた。セキセイインコの水上スキーまでくれば、もう聞く価値のあるニュースはないだろう。ハリーはそっと寝返りを打って腹ばいになり、ひじとひざとで窓の下から這い出す用意をした。数センチも動かないうちに、矢継ぎ早にいろいろな出来事が起こった。

銃声のような**バシッ**という大きな音が、眠たげな静寂を破って鳴り響いた。駐車中の車の下から猫が一匹サッと飛び出し、たちまち姿をくらました。ダーズリー家の居間からは、悲鳴と、悪態をつくわめき声と、陶器の割れる音が聞こえた。ハリーはその合図を待っていたかのように飛び起き、同時に、刀を鞘から抜くようにジーンズのベルトから細い杖を引き抜いた――しかし、立ち上がりきらないうちに、ダーズリー家の開いた窓に頭のてっぺんをぶつけた。**ガツーン**と音がして、ペチュニアおばさんの悲鳴が一段と大きくなった。

頭が真っ二つに割れたかと思った。涙目でよろよろしながら、ハリーは音の出所を突き止めようと、通りに目を凝らした。しかし、よろめきながらもなんとかまっすぐに立ったとたん、開け放った窓から赤紫の巨大な手が二本伸びてきて、ハリーの首をがっちりしめた。

「**そいつ――を――しまえ！**」バーノンおじさんがハリーの耳もとですごんだ。「**すぐにだ！　誰にも――見られない――うちに！**」

「は――放して！」ハリーがあえいだ。

二人は数秒間もみ合った。ハリーは上げた杖を右手でしっかり握りしめたまま、左手でおじさんのソーセージのような指を引っ張った。すると、ハリーの頭のてっぺんがひときわ激しくうずき、とたんにバーノンおじさんが、電気ショックを受けたかのようにギャッと叫んで手を離した。何か目に見えないエネルギーがハリーの体からほとばしり、おじさんはつかんでいられなくなったらしい。

ハリーはゼイゼイ息を切らしながら紫陽花の茂みに前のめりに倒れたが、体勢を立て直して周りを見回した。バシッという大きな音を立てた何ものかの気配はまったくなかったが、近所のあちこちの窓から顔がのぞいていた。ハリーは急いで杖をジーンズに突っ込み、何食わぬ顔をした。

「気持ちのよい夜ですな！」

バーノンおじさんは、レースのカーテン越しににらみつけている向かいの七番地の奥さんに手を振りながら、大声で挨拶した。

「いましがた、車がバックファイアしたのを、お聞きになりましたか？　わしもペチュニアもびっくり仰天で！」

詮索好きのご近所さんの顔が、あちこちの窓から全部引っ込むまで、おじさんは狂気じみた恐ろしい顔でニッコリ笑い続けた。それから、笑顔が怒りのしかめっ面に変わり、ハリーを手招きした。

ハリーは二、三歩近寄ったが、おじさんが両手を伸ばして再び首しめに取りかかれないよう用心し、距離を保って立ち止まった。

「小僧、**一体全体**あれはなんのつもりだ？」

バーノンおじさんのがなり声が怒りで震えていた。

「あれってなんのこと？」

ハリーは冷たく聞き返した。通りの右、左と目を走らせながら、あのバシッという音の正体が見えるかもしれないと、ハリーはまだ期待していた。

「よーいドンのピストルのような騒音を出しおって。わが家のすぐ前で――」

「あの音を出したのは僕じゃない」ハリーはきっぱりと言った。

今度はペチュニアおばさんの細長い馬面が、バーノンおじさんのでっかい赤ら顔の隣に現れた。ひどく怒った顔だ。

「おまえはどうして窓の下でコソコソしていたんだい？」

「そうだ――ペチュニア、いいことを言ってくれた！　**小僧、わが家の窓の下で、何をしとった？**」

「ニュースを聞いてた」ハリーがしかたなく言った。

バーノンおじさんとペチュニアおばさんは、いきり立って顔を見合わせた。

「ニュースを聞いてただと！　**またか？**」

「だって、ニュースは毎日変わるもの」ハリーが言った。

「小僧、わしをごまかす気か！　何をたくらんでおるのか、ほんとうのことを言え――**『ニュースを聞いてた』なんぞ**、たわごとは聞きあきた！　おまえにははっきりわかっとるはずだ。**あの輩**（やから）**は**――」

「バーノン、だめよ！」ペチュニアおばさんがささやいた。

バーノンおじさんは声を落とし、ハリーに聞き取れないほどになった。

「――**あの輩**のことは、**わしら**のニュースには出てこん！」

「おじさんの知ってるかぎりではね」ハリーが言った。

ダーズリー夫妻は、ほんのちょっとの間ハリーをじろじろ見ていたが、やがてペチュニアおばさんが口を開いた。

「おまえって子は、いやなうそつきだよ。それじゃあ、あの――」

おばさんもここで声をひそめ、ハリーはほとんど読唇術で続きの言葉を読み取らなければならなかった。

「――**ふくろうたち**は何してるんだい？　おまえにニュースを運んでこないのかい？」

「はっはーん！」バーノンおじさんが勝ち誇ったようにささやいた。

「まいったか、小僧！　おまえらのニュースは、すべてあの鳥どもが運んでくるということぐらい、わしらが知らんとでも思ったか！」

ハリーは一瞬迷った。ここでほんとうのことを言うのはハリーにとってつらいことだ。もっとも、それを認めるのが、ハリーにとってどんなにつらいかは、おじさんにもおばさんにもわかりはしないのだが。

「ふくろうたちは……僕にニュースを運んでこないんだ」ハリーは無表情な声で言った。

「信じないよ」ペチュニアおばさんが即座に言った。

「わしもだ」バーノンおじさんも力んで言った。

「おまえがへんてこりんなことをたくらんでるのは、わかってるんだよ」

「わしらはバカじゃないぞ」

「あ、**それこそ**僕にはニュースだ」

ハリーは気が立っていた。ダーズリー夫妻が呼び止める間も与えず、ハリーはくるりと背を向け、前庭の芝生を横切り、庭の低い塀をまたいで、大股で通りを歩きだした。

やっかいなことになったと、ハリーにはわかっていた。あとで二人と顔をつき合わせたとき、無礼のつけを払うことになる。しかし、いまはあまり気にならなかった。もっと差し迫った問題のほうが頭に引っかかっていたのだ。

あのバシッという音は、誰かが「姿あらわし」か「姿くらまし」をした音にちがいない。屋敷しもべ妖精のドビーが姿を消すときに出す、あの音そのものだ。もしや、ドビーがプリベット通りにいるのだろうか？　いまこの瞬間、ドビーが僕をつけているなんてことがあるだろうか？　そう思いついたとたん、ハリーは急に後ろを振り返り、プリベット通りをじっと見つめた。しかし、通りにはまったく人気がないようだった。それに、ドビーが透明になる方法を知らないのは確かだ。

ハリーはどこを歩いているのかほとんど意識せずに歩き続けた。このごろひんぱんにこのあたりを往き来していたので、足がひとりでに気に入った道へと運んでくれる。数歩歩くごとに、ハリーは背後を振り返った。ペチュニアおばさんの、枯れかけたベゴニアの花の中に横たわっていたとき、ハリーの近くに魔法界の誰かがいた。まちがいない。どうして僕に話しかけなかったんだ？　なぜ接触してこない？　どうしていまも隠れてるんだ？

いらいらが最高潮になると、確かだと思っていたことが崩れてきた。

結局あれは、魔法の音ではなかったのかもしれない。ほんのちょっとでいいから、自分の属するあの世界からの接触が欲しいと願うあまり、ごくあたりまえの音に過剰反応してしまっただけなのかもしれない。近所の家で何かが壊れた音だったのかもしれない。そうではないと自信を持って言いきれるだろうか？

ハリーは胃に鈍い重苦しい感覚を覚えた。知らず知らずのうちに、この夏中ずっとハリーを苦しめていた絶望感が、またしても押し寄せてきた。

明日もまた、目覚まし時計で五時に起こされるだろう。「日刊予言者新聞」を配達してくるふくろうにお金を払うためだ。――しかし、購読を続ける意味があるのだろうか？　このごろは、一面記事に目を通すとすぐ、ハリーは新聞を捨ててしまった。新聞を発行しているまぬけな連中は、いつになったらヴォルデモートが戻ってきたことに気づいて、大見出し記事にするのだろう。ハリーはその記事だけを気にしていた。

運がよければ、ほかのふくろうが親友のロンやハーマイオニーからの手紙も運んでくるだろう。もっとも、二人の手紙がハリーに何かニュースをもたらすかもしれないという期待は、とっくの昔に打ち砕かれていた。

例のあのことについてはあまり書けないの。当然だけど……手紙が行方不明になることも考えて、重要なことは書かないようにと言われているのよ……。私たち、とても忙しくしているけど、くわしいことはここには書けない……ずいぶんいろんなことが起こっているの。会ったときに全部話すわ……。

でも、いつ僕に会うつもりなのだろう？　はっきりした日付は、誰も書いてくれないじゃないか。ハーマイオニーが誕生祝いのカードに「**私たち、もうすぐ会えると思うわ**」と走り書きしてきたけど、もうすぐっていつなんだ？　二人の手紙の漠然としたヒントから察すると、ハーマイオニーとロンは同じ所にいるらしい。たぶんロンの両親の家だろう。自分がプリベット通りに釘(くぎ)づけになっているのに、二人が「隠れ穴」で楽しくやっていると思うとやりきれなかった。実は、あんまり腹が立ったので、誕生日に二人が送ってくれた「ハニーデュークス」のチョコレートをふた箱、開けもせずに捨ててしまったくらいだ。その夜の夕食に、ペチュニアおばさんがしなびたサラダを出してきたときに、ハリーはそれを後悔した。

それに、ロンもハーマイオニーも、何が忙しいのだろう？　どうして自分は忙しくないのだろう？　二人よりも自分のほうがずっと対処能力があることは証明済みじゃないのか？　僕のしたことを、みんなは忘れてしまったのだろうか？　あの墓地に入って、セドリックが殺されるのを目撃し、そしてあの墓石に縛りつけられ殺されかかったのは、**この僕**じゃなかったのか？

考えるな。ハリーはこの夏の間、もう何百回も、自分に厳しくそう言い聞かせていた。墓場でのことは、悪夢の中でくり返すだけで充分だ。覚めているときまで考え込まなくたっていい。

ハリーは角を曲がってマグノリア・クレセント通りの小道に入った。小道の中ほどで、ガレージに沿って延びる狭い路地の入口の前を通った。ハリーが初めて名付け親に目をとめたのは、そのガレージの所だった。少なくともシリウスだけはハリーの気持ちを理解してくれているようだ。もちろん、シリウスの手紙にも、ロンやハーマイオニーのと同じく、ちゃんとしたニュースは何も書かれていない。しかし、思わせぶりなヒントではなく、少なくとも、警戒やなぐさめの言葉が書かれている。

君はきっといらいらしていることだろう……おとなしくしていなさい。そうすればすべて大丈夫だ……気をつけるんだ。むちゃするなよ……。

そうだなぁ――マグノリア・クレセント通りを横切って、マグノリア通りへと曲がり、暗闇の迫る遊園地のほうに向かいながらハリーは考えた——これまで（たいていは）シリウスの忠告どおりに振る舞ってきた。少なくとも、箒にトランクをくくりつけて、自分勝手に「隠れ穴」に出かけたいという誘惑に負けはしなかった。こんなに長くプリベット通りに釘づけにされ、ヴォルデモート卿の動きの手がかりをつかみたい一心で、花壇に隠れるようなまねまでして、こんなにいらいら怒っているわりには、僕の態度は実際上出来だとハリーは思った。

それにしても、魔法使いの監獄、アズカバンに十二年間も入れられ、脱獄して、そもそも投獄されるきっかけになった未遂の殺人をやりとげようとし、さらに、盗んだヒッポグリフに乗って逃亡したような人間に、むちゃするなよと諭されるなんて、まったく理不尽だ。

ハリーは鍵のかかった公園の入口を飛び越え、乾ききった芝生を歩きはじめた。周りの通りと同じように、公園にも人気がない。ハリーはブランコに近づき、ダドリー一味がまだ壊しきっていなかった唯一のブランコに腰かけ、片腕を鎖に巻きつけてぼんやりと地面を見つめた。もうダーズリー家の花壇に隠れることはできない。あしたは、ニュースを聞く新しいやり方を何か考えないと。それまでは、期待して待つようなことは何もない。また落ち着かない苦しい夜が待ち受けているだけだ。

セドリックの悪夢からは逃れても、ハリーは別の不安な夢を見ていた——長い暗い廊下があり、廊下の先はいつも行き止まりで、鍵のかかった扉がある——。

目覚めているときの閉塞感と関係があるのだろうとハリーは思った。額の傷がしょっちゅうチクチクといやな感じで痛んだが、ロン、ハーマイオニー、シリウスがいまでもそれに関心を示してくれるだろうと考えるほど、ハリーは甘くはなかった。これまでは、傷痕の痛みはヴォルデモートの力が再び強くなってきたことを警告していた。しかし、ヴォルデモートが復活したいま、しょっちゅう痛むのは当然予想されることだと、みんなは言うだろう……心配するな……いまに始まったことじゃないと……。

何もかもが理不尽だという怒りが込み上げてきて、ハリーは叫びたかった。僕がいなければ、誰もヴォルデモートの復活を知らなかった！　それなのに、ごほうびは、リトル・ウィンジングにびっしり四週間も釘づけだ。魔法界とは完全に切り離され、枯れかかったベゴニアの中に座り込むようなまねまでして聞いたニュースが、セキセイインコの水上スキーだ！　ダンブルドアは、どうしてそう簡単に僕のことが忘れられるんだ？　僕を呼びもしないで、どうしてロンとハーマイオニーだけが一緒にいられるんだ？　シリウスがおとなしくいい子にしていろと諭すのを、あとどのくらいがまんして聞いてりゃいいんだ？　まぬけな「日刊予言者新聞」に投書して、ヴォルデモートが復活したと言ってやりたい衝動を、あとどのくらい抑えていればいいんだ？　あれやこれやの激しい憤りが頭の中で渦巻き、腸が怒りでよじれた。

そんなハリーを、蒸し暑いビロードのような夜が包んだ。熱い、乾いた草のにおいがあたりを満たし、公園の柵の外から低くゴロゴロと聞こえる車の音以外は、何も聞こえない。

どのくらいの時間ブランコに座っていたろうか。人声がして、ハリーは物思いから覚め、目を上げた。周囲の街灯がぼんやりとした明かりを投げ、公園のむこうからやってくる数人の人影を浮かび上がらせた。一人が大声で下品な歌を歌っている。ほかの仲間は笑っている。転がしている高級そうなレース用自転車から、カチッカチッという軽い音が聞こえてきた。

ハリーはこの連中を知っていた。先頭の人影は、まちがいなくいとこのダドリー・ダーズリーで、忠実な軍団を従えて家に帰る途中だ。

ダドリーは相変わらず巨大だったが、一年間の厳しいダイエットと、新たにある能力が発見されたことで、体格がきたえられ、相当変化していた。バーノンおじさんは、聞いてくれる人なら誰でもおかまいなしに自慢するのだが、ダドリーは最近、「英国南東部中等学校ボクシング・ジュニアヘビー級チャンピオン」になった。小学校のとき、ハリーはダドリーの最初のサンドバッグ役だったが、その時すでにものすごかったダドリーは、おじさんが「高貴なスポーツ」と呼んでいるもののおかげでいっそうものすごくなっていた。

ハリーはもうダドリーなどまったく怖いと思わなかったが、それにしても、ダドリーがより強力で正確なパンチを覚えたのは喜ばしいことではなかった。このあたり一帯の子供たちはダドリーを怖がっていた——「あのポッターって子」も札つきの不良で、「セント・ブルータス更生不能非行少年院」に入っているのだと警戒され怖がられていたが、それよりも怖いのだ。

ハリーは芝生を横切ってくる黒い影を見つめながら、今夜は誰をなぐってきたのだろうと思った。**こっちを見ろよ**——人影を見ながらハリーは心の中でそう言っている自分に気づいた。**ほーら……こっちを見るんだ……僕はたった一人でここにいる……さあ、やってみろよ……**。

ハリーがここにいるのをダドリーの取り巻きが見つけたら、まちがいなく一直線にこっちにやってくる。そしたらダドリーはどうする？　軍団の前でメンツを失いたくはないが、ハリーを挑発するのは怖いはずだ……ゆかいだろうな、ダドリーがジレンマにおちいるのを見るのは。からかわれてもなんにも反撃できないダドリーを見るのは……。ダドリー以外の誰かがなぐりかかってきたら、こっちの準備はできている——杖があるんだ。やるならやってみろ……昔、僕の人生をみじめにしてくれたこいつらを、うっぷんのはけ口にしてやる。

しかし、誰も振り向かない。ハリーを見もせずに、もう柵のほうまで行ってしまった。ハリーは後ろから呼び止めたい衝動を抑えた……けんかを吹っかけるのは利口なやり方ではない……魔法を使ってはいけない……さもないとまた退学の危険をおかすことになる。

ダドリー軍団の声が遠のき、マグノリア通りのほうへと姿を消した。

ほうらね、シリウス。全然むちゃしてない。おとなしくしているよ。シリウスがやったこととまるで正反対だ。――ハリーはぼんやり考えた。

ハリーは立ち上がってのびをした。ペチュニアおばさんもバーノンおじさんも、ダドリーが帰ってきたときが正しい帰宅時間で、それよりあとは遅刻だと思っているらしい。バーノンおじさんは、今度ダドリーより遅く帰ったら納屋に閉じ込める、とハリーを脅していた。そこでハリーは、あくびをかみ殺し、しかめっ面のまま、公園の出口に向かった。

マグノリア通りは、プリベット通りと同じく角張った大きな家が立ち並び、芝生はきっちり刈り込まれていたし、これまた四角四面の大物ぶった住人たちは、バーノンおじさんと同じく、磨き上げられた車に乗っていた。ハリーは夜のリトル・ウィンジングのほうが好きだった。カーテンのかかった窓々が、暗闇の中で点々と宝石のように輝いている。それに、家の前を通り過ぎるとき、ハリーの「非行少年」風の格好をブツブツ非難する声を聞かされる恐れもない。

ハリーは急ぎ足で歩いた。すると、マグノリア通りの中ほどで再びダドリー軍団が見えてきた。マグノリア・クレセント通りの入口で互いにさよならを言っているところだった。ハリーはリラの大木の陰に身を寄せて待った。

「……あいつ、豚みたいにキーキー泣いてたよな？」マルコムがそう言うと、仲間がバカ笑いした。

「いい右フックだったぜ、ビッグＤ」ピアーズが言った。

「またあした、同じ時間だな？」ダドリーが言った。

「俺んとこでな。親父(おやじ)たちは出かけるし」ゴードンが言った。

「じゃ、またな」ダドリーが言った。

「バイバイ、ダッド！」

「じゃあな、ビッグＤ！」

ハリーは、軍団が全員いなくなるまで待ってから歩きだした。みんなの声が聞こえなくなったとき、ハリーは角を曲がってマグノリア・クレセント通りに入った。急ぎ足で歩くと、ダドリーに声が届く所まですぐに追いついた。ダドリーはフンフン鼻歌を歌いながら、気ままにぶらぶら歩いていた。

「おい、ビッグＤ！」

ダドリーが振り返った。

「なんだ」ダドリーが唸るように言った。「おまえか」

「ところで、いつから『ビッグＤ』になったんだい？」ハリーが言った。

「だまれ」ダドリーは歯がみして顔をそむけた。

「かっこいい名前だ」ハリーはニヤニヤしながらいとこと並んで歩いた。「だけど、僕にとっちゃ、君はいつまでたっても『ちっちゃなダドリー坊や』だな」

「**だまれ**って言ってるんだ！」

ダドリーはハムのようにむっちりした両手を丸めて拳を握った。

「あの連中は、ママが君をそう呼んでいるのを知らないのか？」

「だまれよ」

「**ママにも**だまれって言えるかい？『かわい子ちゃん』とか『ダディちゃん』なんてのはどうだい？じゃあ、僕もそう呼んでいいかい？」

ダドリーはだまっていた。ハリーをなぐりたいのをがまんするのに、自制心を総動員しているらしい。

「それで、今夜は誰をなぐったんだい？」ニヤニヤ笑いをやめながらハリーが聞いた。「また十歳の子か？　おとといの晩、マーク・エバンズをなぐったのは知ってるぞ――」

「あいつがそうさせたんだ」ダドリーが唸るように言った。

「へー、そうかい？」

「ナマ言いやがった」

「そうかな？　君が後ろ足で歩くことを覚えた豚みたいだ、とか言ったかい？　そりゃ、ダッド、生意気じゃないな。ほんとだもの」

ダドリーのあごの筋肉がひくひくけいれんした。ダドリーをそれだけ怒らせたと思うと、ハリーは大いに満足だった。うっぷんを、唯一のはけ口のいとこに注ぎ込んでいるような気がした。

二人は角を曲がり狭い路地に入った。そこはハリーがシリウスを最初に見かけた場所で、マグノリア・クレセント通りからウィステリア通りへの近道になっていた。路地には人影もなく、街灯がないので、路地の両端に伸びる道よりずっと暗かった。路地の片側はガレージの壁、もう片側は高い塀になっていて、そのはざまに足音が吸い込まれていった。

「あれを持ってるから、自分は偉いと思ってるんだろう？」

ひと呼吸置いて、ダドリーが言った。

「あれって？」

「あれ——おまえが隠しているあれだよ」

ハリーはまたニヤッと笑った。

「ダド、見かけほどバカじゃないんだな？　歩きながら同時に話すなんて芸当は、君みたいなバカ面じゃできないと思ったけど」

ハリーは杖を引っ張り出した。ダドリーはそれを横目で見た。

「許されてないだろ」ダドリーがすぐさま言った。「知ってるぞ。おまえの通ってるあのへんちくりんな学校から追い出されるんだ」

「学校が校則を変えたかもしれないだろう？　ビッグＤ？」

「変えてないさ」そうは言ったものの、ダドリーの声は自信たっぷりとは言えなかった。

ハリーはフフッと笑った。

「おまえなんか、そいつがなけりゃ、おれにかかってくる度胸もないいんだ。そうだろう？」ダドリーが歯をむいた。

「君のほうは、四人の仲間に護衛してもらわなけりゃ、十歳の子供を打ちのめすこともできないんだ。君がさんざん宣伝してる、ほら、ボクシングのタイトルだっけ？　相手は何歳だったんだい？　七つ？八つ？」

「教えてやろう。十六だ」ダドリーが唸った。「それに、おれがやっつけたあと、二十分も気絶してたんだぞ。しかも、そいつはおまえの二倍も重かったんだ。おまえが杖を取り出したって、パパに言ってやるから覚えてろ――」

「今度はパパに言いつけるのかい？　パパのかわいいボクシング・チャンピオンちゃんはハリーのすごい杖が怖いのかい？」

「夜はそんなに度胸がないくせに。そうだろ？」ダドリーがあざけった。

「**もう夜だよ**、ダッド坊や。こんなふうにあたりが暗くなると、夜って呼ぶんだよ」

「おまえがベッドに入ったときのことさ！」ダドリーがすごんだ。

ダドリーは立ち止まった。ハリーも足を止め、いとこを見つめた。

ダドリーのでっかい顔から、ほんのわずかに読み取れる表情は、奇妙に勝ち誇っていた。

「僕がベッドでは度胸がないって、何を言ってるんだ？」

ハリーはさっぱりわけがわからなかった。

「僕が何を怖がるっていうんだ？　枕か何かかい？」

「きのうの夜、聞いたぞ」ダドリーが息をはずませた。「おまえの寝言を。**うめいてたぞ**」

「何を言ってるんだ？」

ハリーはくり返した。しかし、胃袋が落ち込むような、ヒヤリとした感覚が走った。昨夜、ハリーはあの墓場に戻った夢を見ていたのだ。

ダドリーは吠(ほ)えるような耳ざわりな笑い声を上げ、それから、かん高いヒイヒイ声で口まねをした。

「『セドリックを殺さないで！　セドリックを殺さないで！』セドリックって誰だ？　――おまえのボーイフレンドか？」

「僕――君はうそをついてる」

反射的にそう言ったものの、ハリーは口の中がカラカラだった。ダドリーがうそをついていないことはわかっていた――うそでセドリックのことを知っているはずがない。

「『父さん！　助けて、父さん！　あいつが僕を殺そうとしている。父さん！　うぇーん、うぇーん！』」

「だまれ」ハリーが低い声で言った。「だまれ、ダドリー。さもないと！」

「『父さん、助けにきて！　母さん、助けにきて！　あいつはセドリックを殺したんだ！　父さん、助けて！　あいつが僕を』――**そいつをおれに向けるな！**」

ダドリーは路地の壁際まであとずさりした。

ハリーの杖が、まっすぐダドリーの心臓を指していた。ダドリーに対する十四年間の憎しみが、ドクンドクンと脈打つのを感じた――いまダドリーをやっつけられたらどんなにいいか……徹底的に呪いをかけて、ダドリーに触角を生やし、口もきけない虫けらのように家まで這って帰らせたい……。

「そのことは二度と口にするな」ハリーがすごんだ。「わかったか？」

「そいつをどっかほかの所に向けろ！」

「聞こえないのか？　**わかったかって言ってるんだ**」

「そいつをほかの所に向けろ！」

「わかったのか？」

「そいつをおれから――」

ダドリーが冷水を浴びせられたかのように、奇妙な身の毛のよだつ声を上げて息をのんだ。

何かが夜を変えた。星を散りばめた群青色の空が、突然光を奪われ、真っ暗闇になった――星が、月が、路地の両端の道にある街灯のぼうっとした明かりが消え去った。遠くに聞こえる車の音も、木々のささやきもとだえた。とろりとした宵が、突然、突き刺すように、身を切るように冷たくなった。二人は、逃げ場のない森閑とした暗闇に、完全に取り囲まれた。まるで巨大な手が、分厚い冷たいマントを落として路地全体を覆い、二人に目隠しをしたかのようだった。

一瞬、ハリーは、そんなつもりもなく、必死でがまんしていたのに、魔法を使ってしまったのかと思った――やがて理性が感覚に追いついた――自分には星を消す力はない。ハリーは何か見えるものはないかと、あっちこっちに首を回した。しかし、暗闇はまるで無重力のベールのようにハリーの目をふさいでいた。

恐怖にかられたダドリーの声が、ハリーの耳に飛び込んできた。

「な、何をするつもりだ？　や、やめろ！」

「僕は何もしていないぞ！　だまっていろ。動くな！」

「み、見えない！　ぼく、め、目が見えなくなった！　ぼく――」

「だまってろって言ったろう！」

ハリーは見えない目を左右に走らせながら、身じろぎもせずに立っていた。激しい冷気で、ハリーは体中が震えていた。腕には鳥肌が立ち、首の後ろの髪が逆立った――ハリーは開けられるだけ大きく目を開け、周囲に目を凝らしたが何も見えない。

そんなことは不可能だ……あいつらがまさかここに……リトル・ウィンジングにいるはずがない……。ハリーは耳をそばだてた……あいつらなら、目に見えるより先に、音が聞こえるはずだ……。

「パパに、い、言いつけてやる！」ダドリーがヒィヒィ言った。「ど、どこにいるんだ？　な、何をして――？」

「だまっててくれないか？」ハリーは歯を食いしばったまま ささやいた。「聞こうとしてるんだから――」

ハリーは突然沈黙した。まさにハリーが恐れていた音を聞いたのだ。

路地には二人のほかに何かがいた。その何かが、ガラガラとしわがれた音を立てて、長々と息を吸い込んでいた。ハリーは恐怖に打ちのめされ、凍りつくような外気に震えながら立ち尽くした。

「や、やめろ！　こんなことやめろ！　なぐるぞ、本気だ！」

「ダドリー、だま――」

ボッカーン。

拳がハリーの側頭に命中し、ハリーは吹っ飛んだ。目から白い火花が散った。頭が真っ二つになったかと思ったのは、この一時間のうちにこれで二度目だ。次の瞬間、ハリーは地面に打ちつけられ、杖が手から飛び出した。

「ダドリーの大バカ！」

ハリーは痛みで目をうるませながら、あわてて這いつくばり、暗闇の中を必死で手探りした。ダドリーがまごまご走り回り、路地の壁にぶつかってよろける音が聞こえた。

「ダドリー、戻るんだ。あいつのほうに向かって走ってるぞ！」

ギャーッと恐ろしい叫び声がして、ダドリーの足音が止まった。同時に、ハリーは背後にゾクッとする冷気を感じた。まちがいない。相手は複数いる。

「ダドリー、口を閉じろ！　何が起こっても、口を開けるな！　杖は！」

ハリーは死に物狂いでつぶやきながら、両手をクモのように地面に這わせた。

「どこだ――杖は――出てこい――**ルーモス！　光よ！**」

杖を探すのに必死で明かりを求め、ハリーはひとりでに呪文を唱えていた。――すると、なんとうれしいことに、右手のすぐそばがぼうっと明るくなった。杖先に灯(あか)りがともったのだ。ハリーは杖を引っつかみ、あわてて立ち上がり振り向いた。

胃がひっくり返った。

フードをかぶったそびえ立つような影が、地上から少し浮かび、するするとハリーに向かってくる。足も顔もローブに隠れた姿が、夜を吸い込みながら近づいてくる。

よろけながらあとずさりし、ハリーは杖を上げた。

「**守護霊よ来たれ！　エクスペクト　パトローナム！**」

銀色の気体が杖先から飛び出し、吸魂鬼(ディメンター)の動きが鈍った。しかし、呪文はきちんとかからなかった。ハリーは覆いかぶさってくる吸魂鬼から逃れ、もつれる足でさらにあとずさりした。恐怖で頭がぼんやりしている――**集中しろ**――。

ぬるっとしたかさぶただらけの灰色の手が二本、吸魂鬼のローブの中からすべり出て、ハリーのほうに伸びてきた。ハリーはガンガン耳鳴りがした。

「**エクスペクト　パトローナム！**」

自分の声がぼんやりと遠くに聞こえた。最初のより弱々しい銀色の煙が杖から漂った——もうこれ以上できない。呪文が効かない。

ハリーの頭の中で高笑いが聞こえた。鋭い、かん高い笑い声だ……吸魂鬼のくさった、死人のように冷たい息がハリーの肺を満たし、おぼれさせた。——**考えろ……何か幸せなことを……**。

しかし、幸せなことは何もない……吸魂鬼の氷のような指が、ハリーののど元に迫った——かん高い笑い声はますます大きくなる。頭の中で声が聞こえた。

「**死におじぎするのだ、ハリー……痛みもないかもしれぬ……俺様にはわかるはずもないが……死んだことがないからな……**」

もう二度とロンやハーマイオニーに会えない——。

息をつこうともがくハリーの心に、二人の顔がくっきりと浮かび上がった。

「**エクスペクト　パトローナム！**」

ハリーの杖先から巨大な銀色の牡鹿（おじか）が噴出した。その角が、吸魂鬼の心臓にあたるはずの場所をとらえた。吸魂鬼は、重さのない暗闇のように後ろに投げ飛ばされた。牡鹿が突進すると、敗北した吸魂鬼はコウモリのようにすうっと飛び去った。

「**こっちへ！**」

ハリーは牡鹿に向かって叫んだ。同時にサッと向きを変え、ハリーは杖先の灯りを掲げて、全力で路地を走った。

「**ダドリー？　ダドリー！**」

十歩と走らずに、ハリーはその場所にたどり着いた。ダドリーは地面に丸くなって転がり、両腕でしっかり顔を覆っていた。二体目の吸魂鬼がダドリーの上にかがみ込み、ぬるりとした両手でダドリーの手首をつかみ、ゆっくりと、まるで愛しむように両腕をこじ開け、フードをかぶった顔をダドリーの顔のほうに下げて、まさに接吻（キス）しようとしていた。

「やっつけろ！」

ハリーが大声を上げた。するとハリーの創り出した銀色の牡鹿は、怒涛（どとう）のごとくハリーの脇を駆け抜けていった。吸魂鬼の目のない顔が、ダドリーの顔すれすれに近づいた。その時、銀色の角が吸魂鬼をとらえ、空中に放り投げた。吸魂鬼はもう一人の仲間と同じように、宙に飛び上がり、暗闇に吸い込まれていった。牡鹿は並足になって路地のむこう端まで駆け抜け、銀色の靄（もや）となって消えた。

月も、星も、街灯も急に生き返った。生温（なまぬる）い夜風が路地を吹き抜けた。周囲の庭の木々がざわめき、マグノリア・クレセント通りを走る車の世俗的な音が、再びあたりを満たした。

ハリーはじっと立っていた。突然正常に戻ったことを体中の感覚が感じ取り、躍動していた。ふと気がつくと、Tシャツが体に張りついていた。ハリーは汗びっしょりだった。

いましがた起こったことが、ハリーには信じられなかった。吸魂鬼がここに、リトル・ウィンジングに――。

ダドリーはヒンヒン泣き、震えながら体を丸めて地面に転がっていた。ハリーは、ダドリーが立ち上がれる状態かどうかを見ようと身をかがめた。

すると、その時、背後に誰かが走ってくる大きな足音がした。反射的に再び杖をかまえ、くるりと振り返り、ハリーは新たな相手に立ち向かおうとした。

近所に住む変わり者のフィッグばあさんが、息せき切って姿を現した。灰色まだらの髪はヘアネットからはみ出し、手首にかけた買い物袋はカタカタ音を立てて揺れ、タータンチェックの室内用スリッパは半分脱げかけていた。ハリーは急いで杖を隠そうとした。ところが――。

「バカ、そいつをしまうんじゃない！」

ばあさんが叫んだ。

「まだほかにもそのへんに残ってたらどうするんだね？　ああ、マンダンガス・フレッチャーのやつ、あたしゃ**殺してやる！**」

第2章　ふくろうのつぶて

「えっ?」ハリーはポカンとした。

「あいつめ、行っちまった!」フィッグばあさんは手をもみしだいた。

「ちょろまかした大鍋がまとまった数あるとかで、誰かに会いにいっちまった! そんなことしたら、生皮をはいでやるって、あたしゃ言ったのに。言わんこっちゃない! 吸魂鬼! あたしがミスター・チブルスを見張りにつけといたのが幸いだった! だけど、ここでぐずぐずしてる間はないよ! 急ぐんだ。さあ、あんたを家に帰してやんなきゃ! ああ、大変なことになった! あいつめ、**殺してやる!**」

「でも——」

路地で吸魂鬼に出会ったのもショックだったが、変人で猫狂いの近所のばあさんが吸魂鬼のことを知っていたというのも、ハリーにとっては同じくらい大ショックだった。

「おばあさんが——あなたが**魔女?**」

「あたしゃ、できそこないのスクイブさ。マンダンガス・フレッチャーはそれをよく知ってる。だから、あんたが吸魂鬼を撃退するのを、あたしが助けてやれるわけがないだろ? あんなにあいつに**忠告した**のに、あんたになんの護衛もつけずに置き去りにして——」

「そのマンダンガスが僕をつけてたの? それじゃ——あの音はその**マンダンガスだったの**か! 僕の家の前から『姿くらまし』したんだ!」

「そう、そう、**そうさ**。でも幸いあたしが、万が一を考えて、ミスター・チブルスを車の下に配置しといたのさ。ミスター・チブルスがあたしんとこに、危ないって知らせにきたんだ。でも、あたしがあんたの家に着いたときには、あんたはもういなくなってた――それで、いまみたいなことが――ああ、ダンブルドアが**いったいなんて**おっしゃるか。おまえさん！」

ばあさんがかん高い声で、まだ路地に仰向けにひっくり返ったままのダドリーを呼んだ。

「さっさとでかい尻を上げるんだ。早く！」

「ダンブルドアを知ってるの？」ハリーはフィッグばあさんを見つめた。

「もちろん知ってるともさ。ダンブルドアを知らん者がおるかい？　さあ、**さっさとするんだ**――またやつらが戻ってきたら、あたしゃなんにもできゃしない。ティーバッグ一つ変身させたことがないんだから」

フィッグばあさんはかがんで、ダドリーの巨大な腕の片方を、しなびた両手で引っ張った。

「**立つんだ**。役立たずのどてかぼちゃ。**立つんだよ！**」

しかし動けないのか動こうとしないのか、ダドリーは動かない。地面に座ったまま、口をギュッと結び、血の気の失せた顔で震えていた。

「僕がやるよ」

ハリーはダドリーの腕を取り、よいしょと引っ張った。さんざん苦労して、ハリーはなんとかダドリーを立ち上がらせたが、ダドリーは気絶しかけているようだった。小さな目がぐるぐる回り、額には汗が噴き出している。ハリーが手を離したとたん、ダドリーの体がグラッと危なっかしげに傾いだ。

「急ぐんだ！」フィッグばあさんがヒステリックに言った。

ハリーはダドリーの巨大な腕の片方を自分の肩に回し、その重みで腰を曲げながら、ダドリーを引きずるようにして表通りに向かった。フィッグばあさんは、二人の前をちょこまか走り、路地の角で不安げに表通りをうかがった。

「杖を出しときな」

ウィステリア通りに入るとき、ばあさんがハリーに言った。

『機密保持法』なんて、もう気にしなくていいんだ。どうせめちゃめちゃに高いつけを払うことになるんだから、卵泥棒より、いっそドラゴンを盗んで処刑されるほうがいいってもんさ。『未成年の制限事項』といえば……ダンブルドアが心配なすってたのは、**まさにこれ**だったんだ——通りのむこう端にいるのはなんだ？　ああ、ミスター・プレンティスかい……ほら、杖を下ろすんじゃないよ。あたしゃ役立たずだって、何度も言っただろう？」

杖を掲げながら、同時にダドリーを引っ張っていくのは楽ではなかった。ハリーはいらいらして、いとこの肋骨に一発お見舞いしたが、ダドリーは自分で動こうとする気持ちをいっさい失ったかのようだった。ハリーの肩にもたれかかったまま、でかい足が地面をずるずる引きずっていた。

「フィッグさん、スクイブだってことをどうして教えてくれなかったの？」

ハリーは歩き続けるだけで精いっぱいで、息を切らしながら聞いた。

「ずっとあなたの家に行ってたのに——どうしてなんにも言ってくれなかったの？」

「ダンブルドアのお言いつけさ。あたしゃ、あんたを見張ってたけど、なんにも言わないことになってた。あんたは若すぎたし。ハリー、つらい思いをさせてすまなかったね。でも、あんたがあたしんとこに来るのが楽しいなんて思うようじゃ、ダーズリーはあんたを預けなかったろうよ。わかるだろ。あたしも楽じゃなかった……しかし、ああ、どうしよう」

ばあさんは、また手をもみしだきながら悲痛な声を出した。

「ダンブルドアがこのことを聞いたら――マンダンガスのやつ、夜中までの任務のはずだったのになんで行っちまったんだい――**あいつはどこにいるんだ？**　ダンブルドアに事件を知らせるのに、どうしたらいいんだろ？　あたしゃ、『姿あらわし』できないんだ」

「僕、ふくろうを持ってるよ。使っていいです」ハリーはダドリーの重みで背骨が折れるのではないかと思いながらうめいた。

「ハリー、わかってないね！　ダンブルドアはいますぐ行動を起こさなきゃならないんだ。何せ、魔法省は独自のやり方で未成年者の魔法使用を見つける。もう見つかっちまってるだろう。きっとそうさ」

「だけど、僕、吸魂鬼を追い払ったんだ。魔法を使わなきゃならなかった――魔法省は、吸魂鬼がウィステリア通りを浮遊して、何をやってたのか、そっちのほうを心配すべきだ。そうでしょう？」

「ああ、あんた、そうだったらいいんだけど、でも残念ながら――**マンダンガス・フレッチャーめ、殺してやる！**」

バシッと大きな音がして、酒臭さとむっとするたばこのにおいがあたりに広がり、ぼろぼろのオーバーを着た、無精ひげのずんぐりした男が、目の前に姿を現した。ガニマタの短足、長い赤茶色のざんばら髪、それに血走った腫れぼったい目が、バセット・ハウンド犬の悲しげな目つきを思わせた。手には何か銀色のものを丸めて握りしめている。ハリーはそれが「透明マント」だとすぐにわかった。

「どーした、フィギー？」

男は、フィッグばあさん、ハリー、ダドリーと順に見つめながら言った。

「正体がばれねえようにしてるはずじゃねえのかい？」

「おまえを**ばらしてやる！**」フィッグばあさんが叫んだ。

「**吸魂鬼だ**。このろくでなしのくされ泥棒！」

「吸魂鬼？」マンダンガスが仰天してオウム返しに言った。「吸魂鬼？　ここにかい？」

「ああ、ここにさ。役立たずのコウモリのクソめ。ここにだよ！」フィッグばあさんがキンキン声で言った。「吸魂鬼が、おまえの見張ってるこの子を襲ったんだ！」

「とんでもねえこった」

マンダンガスは弱々しくそう言うと、フィッグばあさんを見て、ハリーを見て、またフィッグばあさんを見た。

「とんでもねえこった。おれは――」

「それなのに、おまえときたら、盗品の大鍋を買いにいっちまった。あたしゃ、行くなって言ったろう？　**言ったろうが？**」

「おれは――その、あの――」

マンダンガスはどうにも身の置き場がないような様子だ。

「その――いい商売のチャンスだったもんで、なんせ――」

フィッグばあさんは手さげ袋を抱えたほうの腕を振り上げ、マンダンガスの顔と首のあたりを張り飛ばした。ガンッという音からして、袋にはキャット・フーズの缶詰が詰まっているらしい。

「痛え――やーめろ――やーめろ、このくそばばぁ！　誰かダンブルドアに知らせねえと！」

「その――とおり――だわい！」

フィッグばあさんは缶詰入り手さげ袋をぶん回し、どこもかしこもおかまいなしにマンダンガスを打った。

「それに――おまえが――知らせに――行け――そして――自分で――ダンブルドアに――言うんだ――どうして――おまえが――その場に――いなかったのかって！」

「とさかを立てるなって！」マンダンガスは身をすくめて腕で顔を覆いながら言った。「行くから。おれが行くからよう！」

そしてまた**バシッ**という音とともに、マンダンガスの姿が消えた。

「ダンブルドアがあいつを**死刑**にすりゃあいいんだ！」フィッグばあさんは怒り狂っていた。

「さあ、ハリー、**早く**。何をぐずぐずしてるんだい？」

ハリーは、大荷物のダドリーの下で、歩くのがやっとだと言いたかったが、すでに息もたえだえで、これ以上息のむだ使いはしないことにした。半死半生のダドリーを揺すり上げ、よろよろと前進した。

「戸口まで送るよ」

プリベット通りに入るとフィッグばあさんが言った。

「連中がまだそのへんにいるかもしれん……ああ、まったく。なんてひどいこった……そいで、おまえさんは自分でやつらを撃退しなきゃならなかった……そいで、ダンブルドアは、どんなことがあってもおまえさんに魔法を使わせるなって、あたしらにお言いつけなすった……まあ、こぼれた魔法薬、盆に返らずってとこか……しかし、猫の尾を踏んじまったね」

「それじゃ」ハリーはあえぎながら言った。「ダンブルドアは……ずっと僕を……つけさせてたの？」

「もちろんさ」フィッグばあさんが急き込んで言った。「ダンブルドアがおまえさんをひとりでほっつき歩かせると思うかい？　六月にあんなことが起こったあとで？　まさか、あんた。もう少し賢いかと思ってたよ……さあ……家の中に入って、じっとしてるんだよ」

三人は四番地に到着していた。

「誰かがまもなくあんたに連絡してくるはずだ」

「おばあさんはどうするの？」ハリーが急いで聞いた。

「あたしゃ、まっすぐ家に帰るさ」フィッグばあさんは暗闇をじっと見回して、身震いしながら言った。「指令が来るのを待たなきゃならないんでね。とにかく家の中にいるんだよ。おやすみ」

「待って。まだ行かないで！　僕、知りたいことが――」

しかし、スリッパをパタパタ、手さげ袋をカタカタ鳴らして、フィッグばあさんはもう小走りに駆けだしていた。

「待って！」

ハリーは追いすがるように叫んだ。ダンブルドアと接触のある人なら誰でもいいから、聞きたいことがごまんとあった。しかし、あっという間に、フィッグばあさんは闇にのまれていった。顔をしかめ、ハリーはダドリーを背負いなおし、四番地の庭の小道を痛々しくゆっくりと歩いていった。

玄関の灯り(あか)はついていた。ハリーは杖をジーンズのベルトにはさみ込んで、ベルを鳴らし、ペチュニアおばさんがやってくるのを見ていた。おばさんの輪郭が、玄関のガラス戸のさざ波模様で奇妙にゆがみながら、だんだん大きくなってきた。

「ダドちゃん！　遅かったわね。ママはとっても――とっても――**ダドちゃん！　どうしたの？**」

ハリーは横を向いてダドリーを見た。そして、ダドリーのわきの下からサッと身を引いた。間一髪。ダドリーはその場で一瞬ぐらりとした。顔が青ざめている……そして、口を開け、玄関マットいっぱいに吐いた。

「**ダドちゃん！**　ダドちゃん、どうしたの？　バーノン？　**バーノン！**」

バーノンおじさんが、居間からドタバタと出てきた。興奮したときの常で、セイウチ口ひげをあっちへゆらゆらこっちへゆらゆらさせながら、おじさんはペチュニアおばさんを助けに急いだ。おばさんは反吐(へど)の海に足を踏み入れないようにしながら、ぐらぐらしているダドリーを何とかして玄関に上げようとしていた。

「バーノン、この子、病気だわ！」

「坊主、どうした？　何があった？　ポルキスの奥さんが、夕食に異物でも食わせたのか？」

「泥だらけじゃないの。坊や、どうしたの？　地面に寝転んでたの？」

「待てよ――チンピラにやられたんじゃあるまいな？　え？　坊主」

ペチュニアおばさんが悲鳴を上げた。

「バーノン、警察に電話よ！　警察を呼んで！　ダドちゃん。かわいこちゃん。ママにお話しして！　チンピラに何をされたの？」

てんやわんやの中で、誰もハリーに気づかないようだった。そのほうが好都合だ。ハリーはバーノンおじさんが戸をバタンと閉める直前に家の中にすべり込んだ。ダーズリー一家がキッチンに向かって騒々しく前進している間、ハリーは慎重に、こっそりと階段へと向かった。

「坊主、誰にやられた？　名前を言いなさい。捕まえてやる。心配するな」

「シッ！　バーノン、何か言おうとしてますよ！　ダドちゃん、なあに？　ママに言ってごらん！」

ハリーは階段の一番下の段に足をかけた。その時、ダドリーが声を取り戻した。

「**あいつ**」

ハリーは階段に足をつけたまま凍りつき、顔をしかめ、爆発に備えて身がまえた。

「**小僧！　こっちへ来い！**」

恐れと怒りが入りまじった気持ちで、ハリーはゆっくり足を階段から離し、ダーズリー親子に従った。

徹底的に磨き上げられたキッチンは、表が暗かっただけに、妙に現実離れして輝いていた。ペチュニアおばさんは、真っ青でじっとりした顔のダドリーを椅子のほうに連れていった。バーノンおじさんは水切りかごの前に立ち、小さい目を細くしてハリーをねめつけていた。

「息子に何をした？」おじさんは脅すように唸（うな）った。

「なんにも」ハリーには、バーノンおじさんがどうせ信じないことがはっきりわかっていた。

「ダドちゃん、あの子が何をしたの？」ペチュニアおばさんは、ダドリーの革ジャンの前をスポンジできれいにぬぐいながら、声を震わせた。

「あれ――ねえ、『例のあれ』なの？　あの子が使ったの？――あの子の**あれ**を？」

ダドリーがゆっくり、びくびくしながらうなずいた。

ペチュニアおばさんがわめき、バーノンおじさんが拳を振り上げた。

「やってない！」ハリーが鋭く言った。「僕はダドリーになんにもしていない。僕じゃない。あれは――」

ちょうどその時、コノハズクがキッチンの窓からサーッと入ってきた。バーノンおじさんの頭のてっぺんをかすめ、キッチンの中をスイーッと飛んで、くちばしにくわえていた大きな羊皮紙の封筒をハリーの足元に落とし、優雅に向きを変え、羽の先端で冷蔵庫の上を軽く払い、そして、再び外へと滑走し、庭を横切って飛び去った。

「**ふくろうめ！**」

バーノンおじさんがわめいた。こめかみに、おなじみの怒りの青筋をピクピクさせ、おじさんはキッチンの窓をピシャリと閉めた。

「**またふくろうだ！　わしの家でこれ以上ふくろうは許さん！**」

しかしハリーは、すでに封筒を破り、中から手紙を引っ張り出していた。心臓はのどぼとけのあたりでドキドキしている。

親愛なるポッター殿

我々の把握した情報によれば、貴殿は今夜九時二十三分すぎ、マグルの居住地区にて、マグルの面前で、守護霊の呪文を行使した。

「未成年魔法使いの妥当な制限に関する法令」の重大な違反により、貴殿はホグワーツ魔法魔術学校を退学処分となる。魔法省の役人がまもなく貴殿の住居に出向き、貴殿の杖を破壊するであろう。

貴殿には、すでに「国際魔法戦士連盟機密保持法」の第十三条違反の前科があるため、遺憾ながら、貴殿は魔法省の懲戒尋問への出席が要求されることをお知らせする。尋問は八月十二日午前九時から魔法省にて行われる。

貴殿のご健勝をお祈りいたします。

敬具

魔法省魔法不適正使用取締局

マファルダ・ホップカーク

ハリーは手紙を二度読んだ。バーノンおじさんとペチュニアおばさんが話しているのを、ハリーはぼんやりとしか感じ取れなかった。頭の中が冷たくしびれていた。一つのことが毒矢のように意識を貫き、しびれさせたのだ。僕はホグワーツを退学になった。すべておしまいだ。もう戻れない。

ハリーはダーズリー親子を見た。バーノンおじさんは顔を赤紫色にして叫び、拳を振り上げている。ペチュニアおばさんは両腕をダドリーに回し、ダドリーはまたゲーゲーやりだしていた。

一時的にまひしていたハリーの脳が、再び目を覚ましたようだ。**――魔法省の役人がまもなく貴殿の住居に出向き、貴殿の杖を破壊するであろう――**。道はただ一つだ。逃げるしかない――すぐに。どこに行くのか、ハリーにはわからない。しかし、一つだけはっきりしている。ホグワーツだろうとそれ以外だろうと、ハリーには杖が必要だ。ほとんど夢遊病のように、ハリーは杖を引っ張り出し、キッチンを出ようとした。

「いったいどこに行く気だ？」

バーノンおじさんが叫んだ。ハリーが答えないでいると、おじさんはキッチンのむこうからドスンドスンとやってきて、玄関ホールへの出入口をふさいだ。

「話はまだすんどらんぞ、小僧！」

「どいてよ」ハリーは静かに言った。

「おまえはここにいて、説明するんだ。息子がどうして――」

「どかないと、呪いをかけるぞ」ハリーは杖を上げた。

「その手は食わんぞ！」バーノンおじさんがすごんだ。「おまえが学校とか呼んでいるあのバカ騒ぎ小屋の外では、おまえは杖を使うことを許されていない！」

「そのバカ騒ぎ小屋が僕を追い出した。だから僕は好きなことをしていいんだ。三秒だけ待ってやる。一――二――」

バーンという音が、キッチン中に鳴り響いた。ペチュニアおばさんが悲鳴を上げた。バーノンおじさんも叫び声を上げて身をかわした。しかしハリーは、自分が原因ではない騒ぎの源を探していた。今夜はこれで三度目だ。すぐに見つかった。キッチンの窓の外側に、羽毛を逆立てたメンフクロウが目を白黒させながら止まっていた。閉じた窓に衝突したのだ。

バーノンおじさんがいまいましげに「**ふくろうめ！**」と叫ぶのを無視し、ハリーは走っていって窓をこじ開けた。ふくろうが差し出した脚に、小さく丸めた羊皮紙がくくりつけられていた。ふくろうは羽毛をプルプルッと震わせ、ハリーが手紙をはずすとすぐに飛び去った。ハリーは震える手で二番目のメッセージを開いた。大急ぎで書いたらしく、黒インクの字がにじんでいた。

ハリー――

ダンブルドアがたったいま魔法省に着いた。なんとか収拾をつけようとしている。おじさん、おばさんの家を離れないよう。これ以上魔法を使ってはいけない。杖を引き渡してはいけない。

アーサー・ウィーズリー

ダンブルドアが収拾をつけるって……どういう意味？　ダンブルドアは、どのくらい魔法省の決定をくつがえす力を持っているのだろう？　それじゃ、ホグワーツに戻るのを許されるチャンスはあるのだろうか？　ハリーの胸に小さな希望が芽生えたが、それもたちまち恐怖でねじれた――魔法を使わずに杖の引き渡しを拒むなんて、どうやったらいいんだ？　魔法省の役人と決闘しなくちゃならないだろうに。でもそんなことをしたら、退学どころか、アズカバン行きにならなけりゃ奇跡だ。

次々といろいろな考えが浮かんだ……逃亡して、魔法省に捕まる危険をおかすか、踏みとどまって、ここで魔法省に見つかるのを待つか。ハリーは最初の道を取りたいという気持ちのほうがずっと強かった。しかし、ウィーズリーおじさんがハリーにとって最善の道を考えてくれていることはわかっていた……それに、考えてみれば、ダンブルドアは、これよりもっと悪いケースを収拾してくれている。

「いいよ」ハリーが言った。「考えなおした。僕、ここにいるよ」

ハリーはサッとテーブルの前に座り、ダドリーとペチュニアおばさんと向き合った。ダーズリー夫妻は、ハリーの気が突然変わったので、あぜんとしていた。ペチュニアおばさんは、絶望的な目つきでバーノンおじさんをちらりと見た。おじさんの赤紫色のこめかみで、青筋のヒクヒクがいっそう激しくなった。

「いまいましいふくろうどもは誰からなんだ？」おじさんがガミガミ言った。

「最初のは魔法省からで、僕を退学にした」

ハリーは冷静に言った。魔法省の役人が近づいてくるかもしれないと、ハリーは耳をそばだて、外の物音を聞き逃すまいとしていた。それに、バーノンおじさんの質問に答えているほうが、おじさんを怒らせて吠えさせるより楽だったし、静かだった。

「二番目のは友人のロンのパパから。魔法省に勤めているんだ」

「**魔法省？**」バーノンおじさんが大声を出した。「おまえたちみたいな者が**政府**にいるだと？　ああ、それですべてわかったぞ。この国が荒廃するわけだ」

ハリーがだまっていると、おじさんはハリーをぎろりとにらみ、吐き捨てるように言った。

「それで、おまえはなぜ退学になった？」

「魔法を使ったから」

「**はっはーん！**」

バーノンおじさんは冷蔵庫のてっぺんを拳でドンとたたきながら吠えた。冷蔵庫がパカンと開いた。ダドリーの低脂肪おやつがいくつか飛び出してひっくり返り、床に広がった。

「それじゃ、おまえは認めるわけだ！　**いったいダドリーに何をした？**」

「なんにも」ハリーは少し冷静さを失った。「あれは僕がやったんじゃない――」

「**やった**」出し抜けにダドリーがつぶやいた。

バーノンおじさんとペチュニアおばさんはすぐさま手でシッシッとたたくようなしぐさをしてハリーをだまらせ、ダドリーに覆いかぶさるようにのぞき込んだ。

「坊主、続けるんだ」バーノンおじさんが言った。「あいつは何をした？」

「坊や、話して」ペチュニアおばさんがささやいた。

「杖をぼくに向けた」ダドリーがもごもご言った。

「ああ、向けた。でも、僕、使っていない――」ハリーは怒って口を開いた。しかし――。

「**だまって！**」バーノンおじさんとペチュニアおばさんが同時に吠えた。

「坊主、続けるんだ」バーノンおじさんが口ひげを怒りで波打たせながらくり返して言った。

「全部真っ暗になった」ダドリーはかすれ声で、身震いしながら言った。

「みんな真っ暗。それから、ぼく、き、聞いた……**何かを**。ぼ、ぼくの頭の中で」

バーノンおじさんとペチュニアおばさんは、恐怖そのものの目を見合わせた。二人にとって、魔法がこの世で一番嫌いなものだが――その次に嫌いなのが、散水ホース使用禁止を自分たちよりうまくごまかすお隣さんたちだ――ありもしない声が聞こえるのは、まちがいなくワースト・テンに入る。二人は、ダドリーが正気を失いかけていると思ったにちがいない。

「かわい子ちゃん、どんなものが聞こえたの？」

ペチュニアおばさんは蒼白(そうはく)になって目に涙を浮かべ、ささやくように聞いた。

しかし、ダドリーは何も言えないようだった。もう一度身震いし、でかいブロンドの頭を横に振った。最初のふくろうが到着したときから、ハリーは恐怖で無感覚になってしまっていたが、それでもちょっと好奇心が湧いた。吸魂鬼は、誰にでも人生最悪の時をまざまざと思い出させる。甘やかされ、わがままでいじめっ子のダドリーには、いったい何が聞こえたのだろう？

「坊主、どうして転んだりした？」バーノンおじさんは不自然なほど静かな声で聞いた。重病人の枕元でなら、おじさんはこんな声を出すのかもしれない。

「つ、つまずいた」ダドリーが震えながら言った。「そしたら――」

ダドリーは自分のだだっ広い胸を指差した。ハリーにはわかった。ダドリーは、望みや幸福感が吸い取られてゆくときの、じっとりした冷たさが肺を満たす感覚を思い出しているのだ。

「おっかない」ダドリーはかすれた声で言った。「寒い。とっても寒い」

「よしよし」

バーノンおじさんは無理に冷静な声を出し、ペチュニアおばさんは心配そうにダドリーの額に手を当てて熱を測った。

「それからどうした？」

「感じたんだ……感じた……感じた……まるで……まるで……」

「まるで、二度と幸福にはなれないような」ハリーは抑揚のない声でそのあとを続けた。

「うん」ダドリーは、まだ小刻みに震えながら小声で言った。

「さては！」上体を起こしたバーノンおじさんの声は、完全に大音量を取り戻していた。「おまえは、息子にへんてこりんな呪文をかけおって、何やら声が聞こえるようにして、それで――ダドリーに自分がみじめになる運命だと信じ込ませた。そうだな？」

「何度同じことを言わせるんだ」ハリーはかんしゃくも声も爆発した。「**僕じゃない！** 吸魂鬼がいたんだ！　二人も！」

「二人の――なんだ、そのわけのわからんなんとかは？」

「吸――魂――鬼」ハリーはゆっくりはっきり発音した。「二人の」

「それで、キューコンキとかいうのは、一体全体なんだ？」

「魔法使いの監獄の看守だわ。アズカバンの」ペチュニアおばさんが言った。

言葉のあとに、突然耳鳴りがするような沈黙が流れた。そして、ペチュニアおばさんは、まるでうっかりおぞましい悪態をついたかのように、パッと手で口を覆った。バーノンおじさんが目を丸くしておばさんを見た。ハリーは頭がくらくらした。フィッグばあさんもフィッグばあさんだが――しかし、**ペチュニアおばさんが？**

「どうして知ってるの？」ハリーはあぜんとして聞いた。

ペチュニアおばさんは、自分自身にぎょっとしたようだった。おどおどと謝るような目でバーノンおじさんをちらっと見て、口から少し手を下ろし、馬のような歯をのぞかせた。

「聞こえたのよ――ずっと昔――あのとんでもない若造が――**あの妹に、**やつらのことを話しているのを」ペチュニアおばさんはぎくしゃく答えた。

「僕の父さんと母さんのことを言ってるのなら、どうして名前で呼ばないの？」

ハリーは大声を出したが、ペチュニアおばさんは無視した。おばさんはひどくあわてふためいているようだった。

ハリーはぼうぜんとしていた。何年か前にたった一度、おばさんはハリーの母親を奇人呼ばわりしたことがあった。それ以外、おばさんが自分の妹のことに触れるのを、ハリーは聞いたことがなかった。普段は魔法界が存在しないかのように振る舞うのに全精力を注ぎ込んでいるおばさんが、魔法界についての断片的情報をこんなに長い間覚えていたことにハリーは驚愕（きょうがく）していた。

バーノンおじさんが口を開き、口を閉じ、もう一度開いて、閉じた。まるでどうやって話すのかを思い出すのに四苦八苦しているかのように、三度目に口を開いて、しわがれ声を出した。

「それじゃ――じゃ――そいつらは――えー――そいつらは――あー――ほんとうにいるのだな――えー――キューコンなんとかは？」

ペチュニアおばさんがうなずいた。

バーノンおじさんは、ペチュニアおばさんからダドリー、そしてハリーと順に見た。まるで、誰かが、「エイプリルフール！」と叫ぶのを期待しているかのようだ。誰も叫ばない。そこでもう一度口を開いた。しかし、続きの言葉を探す苦労をせずにすんだ。今夜三羽目のふくろうが到着したのだ。まだ開いたままになっていた窓から、羽の生えた砲弾のように飛び込んできて、キッチン・テーブルの上にカタカタと音を立てて降り立った。ダーズリー親子三人がおびえて飛び上がった。ハリーは、二通目の公式文書風の封筒を、ふくろうのくちばしからもぎ取った。ビリビリ開封している間に、ふくろうはスイーッと夜空に戻っていった。

「たくさんだ――クソ――**ふくろうめ**」バーノンおじさんは気をそがれたようにブツブツ言うと、ドスドスと窓際まで行って、もう一度ピシャリと窓を閉めた。

ポッター殿

約二十二分前の当方からの手紙に引き続き、魔法省は、貴殿の杖を破壊する決定を直ちに変更した。貴殿は、八月十二日に開廷される懲戒尋問まで、杖を保持してよろしい。公式決定は当日下されることになる。

ホグワーツ魔法魔術学校校長との話し合いの結果、魔法省は、貴殿の退学の件についても当日決定することに同意した。したがって、貴殿は、更なる尋問まで停学処分であると理解されたし。

貴殿のご多幸をお祈りいたします。

敬具

魔法省魔法不適正使用取締局

マファルダ・ホップカーク

ハリーは手紙を立て続けに三度読んだ。まだ完全には退学になっていないと知って、胸につかえていたみじめさが少しゆるんだ。しかし、恐れが消え去ったわけではない。どうやら八月十二日の尋問にすべてがかかっている。

「それで？」バーノンおじさんの声で、ハリーはいまの状況を思い出した。

「今度はなんだ？　何か判決が出たか？　ところでおまえらに、死刑はあるのか？」

おじさんはいいことを思いついたとばかり言葉をつけ加えた。

「尋問に行かなきゃならない」ハリーが言った。

「そこでおまえの判決が出るのか？」

「そうだと思う」

「それでは、まだ望みを捨てずにおこう」バーノンおじさんは意地悪く言った。

「じゃ、もういいね」

ハリーは立ち上がった。ひとりになりたくてたまらなかった。考えたい。それに、ロンやハーマイオニー、シリウスに手紙を送ったらどうだろう。

「**だめだ、もういいはずがなかろう！**」バーノンおじさんがわめいた。「**座るんだ！**」

「**今度は**なんなの？」ハリーはいらいらしていた。

「**ダドリーだ！**」バーノンおじさんが吠えた。「息子に何が起こったのか、はっきり知りたい」

「**いいとも！**」

　ハリーも叫んだ。腹が立って、手に持ったままの杖の先から、赤や金色の火花が散った。ダーズリー親子三人が、恐怖の表情であとずさりした。

「ダドリーは僕と、マグノリア・クレセント通りとウィステリア通りを結ぶ路地にいた」

　ハリーは必死でかんしゃくを抑えつけながら、早口で話した。

「ダドリーが僕をやり込めようとした。僕が杖を抜いた。でも使わなかった。そしたら吸魂鬼が二人現れて――」

「しかし、いったい**なんなんだ？**　そのキューコントイドは？」バーノンおじさんが、カッカしながら聞いた。「そいつら、いったい**何をするんだ？**」

「さっき、言ったよ――幸福感を全部吸い取っていくんだ」ハリーが答えた。「そして、機会があれば、接吻（キス）する――」

「キスだと？」バーノンおじさんの目が少し飛び出した。「**キスする**だと？」

「そう呼んでるんだ。口から魂を吸い取ることを」

　ペチュニアおばさんが小さく悲鳴を上げた。

「この子の**魂**？　取られてないわ――まだちゃんと持って――」

　おばさんはダドリーの肩をつかみ、揺り動かした。まるで、魂がダドリーの体の中でカタカタ音を立てるのが聞こえるかどうか、試しているようだった。

「もちろん、あいつらはダドリーの魂を取らなかった。取ってたらすぐわかる」

ハリーはいらいらをつのらせていた。

「追っ払ったんだな？　え、坊主？」

バーノンおじさんが声高に言った。なんとかして話を自分の理解できる次元に持っていこうと奮闘している様子だ。

「パンチを食らわしたわけだ。そうだな？」

「吸魂鬼に**パンチなんて**効かない」ハリーは歯ぎしりしながら言った。

「それなら、いったいどうして息子は無事なんだ？」バーノンおじさんがどなりつけた。「それなら、どうして息子はもぬけの殻にならなかった？」

「僕が守護霊を使ったから――」

シューッ。カタカタという音、羽ばたき、パラパラ落ちるほこりとともに、四羽目のふくろうが暖炉から飛び出した。

「**なんたることだ！**」わめき声とともに、バーノンおじさんは口ひげをごっそり引き抜いた。ここしばらく、そこまで追い詰められることはなかったのだが。

「**この家にふくろうは入れんぞ！　こんなことは許さん。わかったか！**」

しかし、ハリーはすでにふくろうの脚から羊皮紙の巻紙を引き取っていた。ダンブルドアからの、すべてを説明する手紙にちがいない――吸魂鬼、フィッグばあさん、魔法省の意図、ダンブルドアがすべてをどう処理するつもりなのかなど――そう強く信じていただけに、シリウスの筆跡を見てハリーはがっかりした。そんなことはこれまで一度もなかったのだが。ふくろうのことでわめき続けるバーノンおじさんを尻目に、いま来たふくろうが煙突に戻るときに巻き上げたもうもうたるほこりに目を細めて、ハリーはシリウスの手紙を読んだ。

　アーサーが、何が起こったのかを、いま、みんなに話してくれた。何があろうとも、けっして家を離れてはいけない。

これだけいろいろな出来事が今夜起こったというのに、その回答がこの手紙じゃ、あまりにもお粗末じゃないか、とハリーは思った。そして、羊皮紙を裏返し、続きはないかと探した。しかし何もない。

ハリーのかんしゃく玉がまたふくらんできた。二人の吸魂鬼をたった一人で追い払ったのに、**誰も**「よくやった」って言わないのか？　ウィーズリーおじさんもシリウスも、まるでハリーが悪さをしたかのような反応で、被害がどのくらいかを確認するまでは、ハリーへの小言もお預けだとでも言わんばかりだ。

「……ふくろうがつっつき、もとい、ふくろうが次々、わしの家を出たり入ったり。許さんぞ、小僧、わしは絶対――」

「僕はふくろうが来るのを止められない」

ハリーはシリウスの手紙を握りつぶしながらぶっきらぼうに言った。

「今夜何が起こったのか、ほんとうのことを言え！」バーノンおじさんが吠えた。「キューコンダーとかがダドリーを傷つけたのなら、なんでおまえが退学になる？　おまえは『例のあれ』をやったのだ。自分で白状しただろうが！」

ハリーは深呼吸して気を落ち着かせた。また頭が痛みはじめていた。何よりもまず、キッチンを出て、ダーズリーたちから離れたいと思った。

「僕は吸魂鬼を追い払うのに守護霊の呪文を使った」ハリーは必死で平静さを保った。「あいつらに対しては、それしか効かないんだ」

「しかし、キューコントイドとかは、**なんでまた**リトル・ウィンジングにいた？」バーノンおじさんが憤激して言った。

「教えられないよ」ハリーがうんざりしたように言った。「知らないから」

今度はキッチンの照明のギラギラで、頭がずきずきした。怒りはだんだん収まっていたが、ハリーは力が抜け、ひどくつかれていた。ダーズリー親子はハリーをじっと見ていた。

「おまえだ」バーノンおじさんが力を込めて言った。「おまえに関係があるんだ。小僧、わかっているぞ。それ以外、ここに現れる理由があるか？　それ以外、あの路地にいる理由があるか？　おまえだけがただ一人の——ただ一人の——」おじさんが、「魔法使い」という言葉をどうしても口にできないのは明らかだった。「このあたり一帯でただ一人の、『**例のあれ**』だ」

「あいつらがどうしてここにいたのか、僕は知らない」

しかし、バーノンおじさんの言葉で、つかれきったハリーの脳みそが再び動きだした。なぜ吸魂鬼がリトル・ウィンジングに**やってきた**のか？　ハリーが路地にいるとき、やつらがそこにやってきたのは**はたして偶然**だろうか？　誰かがやつらを送ってよこしたのか？　魔法省は吸魂鬼を制御できなくなったのか？　やつらはアズカバンを捨てて、ダンブルドアが予想したとおりヴォルデモートに与（くみ）したのか？

「そのキュウコンバーは、妙ちきりんな監獄とやらをガードしとるのか？」

バーノンおじさんは、ハリーの考えている道筋に、ドシンドシンと踏み込んできた。

「ああ」ハリーが答えた。

頭の痛みが止まってくれさえしたら。キッチンから出て、暗い自分の部屋に戻り、**考えることさえで**きたら……。

「おっほー！　やつらはおまえを捕まえにきたんだ！」

バーノンおじさんは絶対まちがいない結論に達したときのような、勝ち誇った口調で言った。

「そうだ。そうだろう、小僧？　おまえは法を犯して逃亡中というわけだ！」

「もちろん、ちがう」ハリーはハエを追うように頭を振った。いろいろな考えが目まぐるしく浮かんできた。

「それならなぜだ――？」

「『あの人』が送り込んだにちがいない」ハリーはおじさんにというより自分に聞かせるように低い声で言った。

「なんだ、それは？　誰が送り込んだと？」

「ヴォルデモート卿（きょう）だ」ハリーが言った。

ダーズリー一家は、「魔法使い」とか「魔法」、「杖」などという言葉を聞くと、あとずさったり、ぎくりとしたり、ギャーギャー騒いだりするのに、歴史上最も極悪非道の魔法使いの名を聞いてもピクリともしない。なんて奇妙なんだろうとハリーはぼんやりそう思った。

「ヴォルデ――待てよ」バーノンおじさんが顔をしかめた。豚のような目に、突如わかったぞという色が浮かんだ。「その名前は聞いたことがある……確か、そいつは――」

「そう、僕の両親を殺した」ハリーが言った。

「しかし、そやつは死んだ」バーノンおじさんがたたみかけるように言った。ハリーの両親の殺害が、つらい話題だろうなどという気配は微塵(みじん)も見せない。「あの大男のやつが、そう言いおった。そやつが死んだと」

「戻ってきたんだ」ハリーは重苦しく言った。

外科手術の部屋のように清潔なペチュニアおばさんのキッチンに立って、最高級の冷蔵庫と大型テレビのそばで、バーノンおじさんにヴォルデモート卿のことを冷静に話すなど、まったく不思議な気持ちだった。吸魂鬼がリトル・ウィンジングに現れたことで、プリベット通りという徹底した反魔法世界と、そのかなたに存在する魔法世界を分断していた、目に見えない大きな壁が破れたかのようだった。ハリーの二重生活が、なぜか一つに融合し、すべてがひっくり返った。ダーズリーたちは魔法界のことを細かく追及するし、フィッグばあさんはダンブルドアを知っている。吸魂鬼はリトル・ウィンジング界隈(かいわい)を浮遊し、ハリーは二度とホグワーツに戻れないかもしれない。ハリーの頭がますます激しく痛んだ。

「戻ってきた?」ペチュニアおばさんがささやくように言った。

ペチュニアおばさんはこれまでとはまったくちがったまなざしでハリーを見ていた。そして、突然、生まれて初めてハリーは、ペチュニアおばさんが自分の母親の姉だということをはっきり感じた。なぜその瞬間そんなにも強く感じたのか、言葉では説明できなかったろう。ただ、ヴォルデモート卿が戻ってきたことの意味を少しでもわかる人間が、ハリーのほかにもこの部屋にいる、ということだけがわかった。ペチュニアおばさんはこれまでの人生で、一度もそんなふうにハリーを見たことはなかった。色の薄い大きな目を(妹とはまったく似ていない目を)、嫌悪感や怒りで細めるどころか、恐怖で大きく見開いていた。ハリーが物心ついて以来、ペチュニアおばさんは常に激しい否定の態度を取り続けてきた——魔法は存在しないし、バーノンおじさんと一緒に暮らしているこの世界以外に、別の世界は存在しないと——それが崩れさったかのように見えた。

「そうなんだ」今度は、ハリーはペチュニアおばさんに直接話しかけた。「一か月前に戻ってきた。僕は見たんだ」

おばさんの両手が、ダドリーの革ジャンの上から巨大な肩に触れ、ギュッと握った。

「ちょっと待った」

バーノンおじさんは、妻からハリーへ、そしてまた妻へと視線を移し、二人の間に前代未聞の理解が湧き起こったことにとまどい、ぼうぜんとしていた。

「待てよ。そのヴォルデなんとか卿が戻ったと、そう言うのだな」

「そうだよ」

「おまえの両親を殺したやつだな」

「そうだよ」

「そして、そいつが今度はおまえにキューコンバーを送ってよこしたと？」

「そうらしい」ハリーが言った。

「なるほど」

バーノンおじさんは真っ青な妻の顔を見て、ハリーを見た。そしてズボンをずり上げた。おじさんの体がふくれ上がってきたかのようだった。でっかい赤紫色の顔が、見る見る巨大になってきた。

「さあ、これで決まりだ」おじさんが言った。体がふくれ上がったので、シャツの前がきつくなっていた。

「**小僧！　この家を出ていってもらうぞ！**」

「えっ？」

「聞こえたろう――**出ていけ！**」

バーノンおじさんが大声を出した。ペチュニアおばさんやダドリーでさえ飛び上がった。

「**出ていけ！　出ていけ！**　とっくの昔にそうすべきだった！　ふくろうはここを休息所扱いするし、デザートは破裂するわ、客間の半分は壊されるわ、ダドリーにしっぽだわ、マージはふくらんで天井をポンポンするわ、その上空飛ぶフォード・アングリアだ――**出ていけ！　出ていけ！**　もうおしまいだ！　おまえのことはすべて終わりだ！　狂ったやつがおまえをつけているなら、ここに置いてはおけん。おまえのせいで妻と息子を危険にさらさせはせんぞ。もうおまえに面倒を持ち込ませはせん。おまえがろくでなしの両親と同じ道をたどるのなら、わしはもうたくさんだ！　**出ていけ！**」

ハリーはその場に根が生えたように立っていた。魔法省の手紙、ウィーズリーおじさんとシリウスからの手紙が、みんなハリーの左手の中でつぶれていた。

――何があろうとも、けっして家を離れてはいけない。おじさん、おばさんの家を離れないよう。

「聞こえたな！」バーノンおじさんが今度はのしかかってきた。巨大な赤紫色の顔がハリーの顔にぐんと接近し、つばが顔に降りかかるのを感じた。

「行けばいいだろう！　三十分前はあんなに出ていきたかったおまえだ！　大賛成だ！　出ていけ！　二度とこの家の敷居をまたぐな！　そもそも、なんでわしらがおまえを手元に置いたのかわからん。マージの言うとおりだった。孤児院に入れるべきだった。わしらがお人好しすぎた。あれをおまえの中からたたき出してやれると思った。おまえをまともにしてやれると思った。しかし、おまえは根っからくさっていた。もうこれ以上は――**ふくろうだ！**」

五番目のふくろうが煙突を急降下してきて、勢い余って床にぶつかり、大声でギーギー鳴きながら再び飛び上がった。ハリーは手を上げて、真っ赤な封筒に入った手紙を取ろうとした。しかし、ふくろうはハリーの頭上をまっすぐ飛び越し、ペチュニアおばさんのほうに一直線に向かった。おばさんは悲鳴を上げ、両腕で顔を覆って身をかわした。ふくろうは真っ赤な封筒をおばさんの頭に落とし、方向転換してそのまま煙突に戻っていった。

ハリーは手紙を拾おうと飛びついた。しかし、ペチュニアおばさんのほうが早かった。

「開けたきゃ開けてもいいよ」ハリーが言った。「でもどうせ中身は僕にも聞こえるんだ。それ、『吠えメール』だよ」

「ペチュニア、手を離すんだ！」バーノンおじさんがわめいた。「さわるな。危険かもしれん！」

「私宛だわ」ペチュニアおばさんの声が震えていた。「私宛なのよ、バーノン。ほら！　**プリベット通り四番地、キッチン、ペチュニア・ダーズリー様——**」

おばさんは真っ青になって息を止めた。真っ赤な封筒がくすぶりはじめたのだ。

「開けて！」ハリーがうながした。「すませてしまうんだ！　どうせ同じことなんだから」

「いやよ」

ペチュニアおばさんの手がブルブル震えている。おばさんはどこか逃げ道はないかと、キッチン中をきょろきょろ見回したが、もう手遅れだった——封筒が燃え上がった。ペチュニアおばさんは悲鳴を上げ、封筒を取り落とした。

テーブルの上で燃えている手紙から、恐ろしい声が流れてキッチン中に広がり、狭い部屋の中で反響した。

「**ペチュニア、私の最後のあれを思い出すのだ**」

ペチュニアおばさんは気絶するかのように見えた。両手で顔を覆い、ダドリーのそばの椅子に沈むように座り込んだ。沈黙の中で、封筒の残骸がくすぶり、灰になっていった。

「なんだ、これは？」

バーノンおじさんがしわがれ声で言った。

「なんのことか――わしにはとんと――ペチュニア？」

ペチュニアおばさんは何も言わない。ダドリーは口をポカンと開け、バカ面で母親を見つめていた。沈黙が恐ろしいほど張りつめた。ハリーはあっけに取られて、おばさんを見ていた。頭はずきずきと割れんばかりだった。

「ペチュニアや？」バーノンおじさんがおどおどと声をかけた。「ペ、ペチュニア？」

おばさんが顔を上げた。まだブルブル震えている。おばさんはごくりと生つばを飲んだ。

「この子――この子は、バーノン、ここに置かないといけません」

おばさんが弱々しく言った。

「な――なんと？」

「ここに置くのです」

おばさんはハリーの顔を見ないで言った。おばさんが再び立ち上がった。

「こいつは……しかしペチュニア……」

「私たちがこの子を放り出したとなれば、ご近所のうわさになりますわ」

おばさんは、まだ青い顔をしていたが、いつものつっけんどんで、ぶっきらぼうな言い方を急速に取り戻していた。

「面倒なことを聞いてきますよ。この子がどこに行ったか知りたがるでしょう。この子を家に置いておくしかありません」

バーノンおじさんは中古のタイヤのようにしぼんでいった。

「しかし、ペチュニアや――」

ペチュニアおばさんはおじさんを無視してハリーのほうを向いた。

「おまえは自分の部屋にいなさい」とおばさんが言った。「外に出てはいけない。さあ、寝なさい」

ハリーは動かなかった。

「吠えメールは誰からだったの?」

「質問はしない」ペチュニアおばさんがピシャリと言った。

「おばさんは魔法使いと接触してるの?」

「寝なさいと言ったでしょう!」

「どういう意味なの? 最後の何を思い出せって?」

「寝なさい!」

「どうして――?」

「**おばさんの言うことが聞こえないの! さあ、寝なさい!**」

第3章　先発護衛隊

僕はさっき吸魂鬼に襲われた。それに、ホグワーツを退学させられるかもしれない。何が起こっているのか、いったい僕はいつここから出られるのか知りたい。

暗い寝室に戻るやいなや、ハリーは同じ文面を三枚の羊皮紙に書いた。最初のはシリウス宛、二番目はロン、三番目はハーマイオニー宛だ。ハリーのふくろう、ヘドウィグは狩に出かけていて、机の上の鳥かごはからっぽだ。ハリーはヘドウィグの帰りを待ちながら、部屋を往(い)ったり来たりした。目がチクチク痛むほどつかれてはいたが、頭がガンガンし、次々といろいろな思いが浮かんで眠れそうになかった。ダドリーを家まで背負ってきたので、背中が痛み、窓にぶつけたときとダドリーになぐられたときのこぶがずきずき痛んだ。

歯がみし、拳を握りしめ、部屋を往ったり来たりしながら、ハリーは怒りと焦燥感でつかれはてていた。窓際を通るたびに、なんの姿も見えない星ばかりの夜空を、怒りを込めて見上げた。ハリーを始末するのに吸魂鬼が送られた。フィッグばあさんとマンダンガス・フレッチャーがこっそりハリーのあとをつけていた。その上、ホグワーツの停学処分に加えて魔法省での尋問――それなのに、まだ誰もなんにも教えてくれない。

それに、あの「吠(ほ)えメール」はなんだ。**いったいなんだったんだ?**　キッチン中に響いた、あの恐ろしい、脅すような声は誰の声だったんだ?

どうして僕は、なんにも知らされずに閉じ込められたままなんだ？　どうしてみんな、僕のことを聞き分けのない小僧扱いするんだ？

――これ以上魔法を使ってはいけない。家を離れるな……。

通りがかりざま、ハリーは学校のトランクを蹴飛ばした。しかし、怒りが収まるどころか、かえって気がめいった。体中が痛い上に、今度はつま先の鋭い痛みまで加わった。

片足を引きずりながら窓際を通り過ぎたとき、やわらかく羽をこすり合わせ、ヘドウィグが小さなゴーストのようにスイーッと入ってきた。

「遅かったじゃないか！」ヘドウィグがかごのてっぺんにふわりと降り立ったとたん、ハリーが唸るように言った。「それは置いとけよ。僕の仕事をしてもらうんだから！」

ヘドウィグは、死んだカエルをくちばしにくわえたまま、大きな丸い琥珀色の目で恨めしげにハリーを見つめた。

「こっちに来るんだ」

ハリーは小さく丸めた三枚の羊皮紙と革ひもを取り上げ、ヘドウィグのうろこ状の脚にくくりつけた。

「シリウス、ロン、ハーマイオニーにまっすぐに届けるんだ。相当長い返事をもらうまでは帰ってくるなよ。いざとなったら、みんながちゃんとした手紙を書くまで、ずっとつっついてやれ。わかったかい？」

ヘドウィグはまだくちばしがカエルでふさがっていて、くぐもった声でホーと鳴いた。

「それじゃ、行け」ハリーが言った。

ヘドウィグはすぐさま出発した。そのあとすぐ、ハリーは着替えもせずベッドに寝転び、暗い天井を見つめた。みじめな気持ちに、今度はヘドウィグにいらいらをぶつけた後悔が加わった。プリベット通り四番地で、ヘドウィグは唯一の友達なのに。シリウス、ロン、ハーマイオニーから返事をもらって帰ってきたらやさしくしてやろう。

三人とも、すぐに返事を書くはずだ。吸魂鬼の襲撃を無視できるはずがない。明日の朝、目が覚めたら、ハリーをすぐさま「隠れ穴」に連れ去る計画を書いた、同情に満ちた分厚い手紙が三通来ていることだろう。そう思うと気が休まり、眠気がさまざまな思いを包み込んでいった。


しかし、ヘドウィグは次の朝に戻ってはこなかった。ハリーはトイレに行く以外は一日中部屋に閉じこもっていた。ペチュニアおばさんが、その日三度、おじさんが三年前の夏に取りつけた猫用のくぐり戸から食事を入れてよこした。おばさんが部屋に近づくたびに、ハリーは「吠えメール」のことを聞き出そうとしたが、おばさんの答えときたら、石に聞いたほうがまだましだった。ダーズリー一家は、それ以外ハリーの部屋には近づかないようにしていた。無理やりみんなと一緒にいてなんになる、とハリーは思った。また言い争いをして、結局ハリーが腹を立て、違法な魔法を使うのが落ちじゃないか。

そんなふうに丸三日が過ぎた。あるときは、いらいらと気がたかぶり、何も手につかず、部屋をうろつきながら、自分がわけのわからない状況にもんもんとしているのに、ほったらかしにしているみんなに腹を立てた。そうでないときは、まったくの無気力に襲われ、一時間もベッドに横になったままぼんやり空を見つめ、魔法省の尋問を思って恐怖にさいなまれていた。

不利な判決が出たらどうしよう？　**ほんとうに**学校を追われ、杖を真っ二つに折られたら？　何をしたら、どこに行ったらいいんだろう？　ここに帰ってずっとダーズリー一家と暮らすことなんてできない。自分がほんとうに属している別な世界を知ってしまったいま、それはできない。シリウスの家に引っ越すことができるだろうか？　一年前、やむなく魔法省の手から逃亡する前にシリウスが誘ってくれた。まだ未成年のハリーが、そこに一人で住むことを許されるだろうか？　それとも、どこに住むということも判決で決まるのだろうか？　国際機密保持法に違反したのは、アズカバンの独房行きになるほどの重罪なのだろうか？　ここまで考えると、ハリーはいつもベッドからすべり下り、また部屋をうろうろしはじめるのだった。

ヘドウィグが出発してから四日目の夜、ハリーは何度目かの無気力のサイクルに入り、つかれきって何も考えられずに天井を見つめて横たわっていた。その時、バーノンおじさんがハリーの部屋に入ってきた。ハリーはゆっくりと首を回しておじさんを見た。おじさんは一張羅の背広を着込み、ご満悦の表情だ。

「わしらは出かける」おじさんが言った。

「え？」

「わしら――つまりおまえのおばさんとダドリーとわしは――出かける」

「いいよ」ハリーは気のない返事をして、また天井を見上げた。

「わしらの留守に、自分の部屋から出てはならん」

「オーケー」

「テレビや、ステレオ、そのほかわしらの持ち物にさわってはならん」

「ああ」

「冷蔵庫から食べ物を盗んではならん」

「オーケー」

「この部屋に鍵をかけるぞ」

「そうすればいいさ」

バーノンおじさんはハリーをじろじろ見た。さっぱり言い返してこないのを怪しんだらしい。それから足を踏み鳴らして部屋を出ていき、ドアを閉めた。鍵を回す音と、バーノンおじさんがドスンドスンと階段を下りていく音が聞こえた。数分後にバタンという車のドアの音、エンジンのブルンブルンという音、そして紛れもなく車寄せから車がすべり出る音が聞こえた。

ダーズリー一家が出かけても、ハリーにはなんら特別な感情も起こらなかった。連中が家にいようがいまいが、ハリーにはなんのちがいもない。起き上がって部屋の電気をつける気力もなかった。

ハリーを包むように、部屋がだんだん暗くなっていった。横になったまま、ハリーは窓から入る夜の物音を聞いていた。ヘドウィグが帰ってくる幸せな瞬間を待って、窓はいつも開けっ放しにしてあった。からっぽの家が、ミシミシきしんだ。水道管がゴボゴボいった。ハリーは何も考えず、ただぼうぜんとみじめさの中に横たわっていた。

突然、階下のキッチンで、はっきりと、何かが壊れる音がした。

ハリーは飛び起きて、耳を澄ました。ダーズリー親子のはずはない。帰ってくるには早すぎる。それにまだ車の音を聞いていない。

一瞬シーンとなった。そして人声が聞こえた。

泥棒だ。ハリーはベッドからそっとすべり下りて立ち上がった。――しかし、次の瞬間、泥棒なら声をひそめているはずだと気づいた。キッチンを動き回っているのが誰であれ、声をひそめようとしていないことだけは確かだ。

ハリーはベッド脇の杖（つえ）を引っつかみ、部屋のドアの前に立って全神経を耳にした。次の瞬間、鍵がガチャッと大きな音を立てドアがパッと開き、ハリーは飛び上がった。

ハリーは身動きせず、開いたドアから二階の暗い踊り場を見つめ、何か聞こえはしないかと、さらに耳を澄ました。なんの物音もしない。ハリーは一瞬ためらったが、すばやく、音を立てずに部屋を出て、階段の踊り場に立った。

心臓がのどまで跳び上がった。下の薄暗いホールに、玄関のガラス戸を通して入ってくる街灯の明かりを背に、人影が見える。八、九人はいる。ハリーの見るかぎり、全員がハリーを見上げている。

「おい、坊主、杖を下ろせ。誰かの目玉をくりぬくつもりか」低い唸り声が言った。

ハリーの心臓はどうしようもなくドキドキと脈打った。聞き覚えのある声だ。しかし、ハリーは杖を下ろさなかった。

「ムーディ先生？」ハリーは半信半疑で聞いた。

『先生』かどうかはよくわからん」声が唸った。「わしが教える機会はそうそうなかったろうが？　ここに下りてくるんだ。おまえさんの顔をちゃんと見たいからな」

ハリーは少し杖を下ろしたが、握りしめた手をゆるめず、その場から動きもしなかった。疑うだけのちゃんとした理由があった。この九か月もの間、ハリーがマッド‐アイ・ムーディだと思っていた人は、なんと、ムーディどころかペテン師だった。それればかりか、化けの皮がはがれる前に、ハリーを殺そうとさえした。

しかし、ハリーが次の行動を決めかねているうちに、二番目の、少しかすれた声が昇ってきた。

「大丈夫だよ、ハリー。私たちは君を迎えにきたんだ」

ハリーは心が躍った。もう一年以上聞いていなかったが、この声も知っている。

「ル、ルーピン先生？」信じられない気持ちだった。「ほんとうに？」

「わたしたち、どうしてこんな暗い所に立ってるの？」

三番目の声がした。まったく知らない声、女性の声だ。

「**ルーモス、光よ**」

杖の先がパッと光り、魔法の灯がホールを照らし出した。ハリーは目をしばたたいた。階段下に固まった人たちが、いっせいにハリーを見上げていた。よく見ようと首を伸ばしている人もいる。

リーマス・ルーピンが一番手前にいた。まだそれほどの年ではないのに、ルーピンはくたびれて、少し病気のような顔をしていた。ハリーが最後にルーピンに別れを告げたときより白髪が増え、ローブは以前よりみすぼらしく、継ぎはぎだらけだった。それでも、ルーピンはハリーにニッコリ笑いかけていた。ハリーはショック状態だったが、笑い返そうと努力した。

「わぁぁあ、わたしの思ってたとおりの顔をしてる」杖灯り（つえあかり）を高く掲げた魔女が言った。中では一番若いようだ。色白のハート形の顔、キラキラ光る黒い瞳、髪は短く、強烈な紫で、ツンツン突っ立っている。「よっ、ハリー！」

「うむ、リーマス、君の言っていたとおりだ」一番後ろに立っているはげた黒人の魔法使いが言った――深いゆったりした声だ。片方の耳に金の耳輪をしている――「ジェームズに生き写しだ」

「目だけがちがうな」後ろのほうの白髪の魔法使いが、ゼイゼイ声で言った。「リリーの目だ」

灰色まだらの長い髪、大きくそぎ取られた鼻のマッド-アイ・ムーディが、左右不ぞろいの目を細めて、怪しむようにハリーを見ていた。片方は小さく黒いキラキラした目、もう片方は大きく丸い鮮やかなブルーの目――この目は壁もドアも、自分の後頭部さえも貫いて透視できるのだ。

「ルーピン、確かにポッターだと思うか？」ムーディが唸った。「ポッターに化けた『死喰い人（デス・イーター）』を連れ帰ったら、いい面の皮だ。本人しか知らないことを質問してみたほうがいいぞ。誰か『真実薬（ベリタセラム）』を持っていれば話は別だがな？」

「ハリー、君の守護霊はどんな形をしている？」ルーピンが聞いた。

「牡鹿（おじか）」ハリーは緊張して答えた。

「マッド-アイ、まちがいなくハリーだ」ルーピンが言った。

みんながまだ自分を見つめていることをはっきり感じながら、ハリーは階段を下りた。下りながら杖をジーンズの尻ポケットにしまおうとした。

「おい、そんな所に杖をしまうな！」マッド-アイがどなった。「火がついたらどうする？　おまえさんよりちゃんとした魔法使いが、それでケツをなくしたんだぞ！」

「ケツをなくしたって、いったい誰？」紫の髪の魔女が興味津々でマッド-アイに尋ねた。

「誰でもよかろう。とにかく尻ポケットから杖を出しておくんだ！」マッド-アイが唸った。「杖の安全の初歩だ。近ごろは誰も気にせん」

マッド-アイはコツッコツッとキッチンに向かった。

「それに、わしはこの目でそれを見たんだからな」

魔女が「やれやれ」というふうに天井を見上げたので、マッド-アイがいらいらしながらそうつけ加えた。

ルーピンは手を差し伸べてハリーと握手した。

「元気か？」ルーピンはハリーをじっとのぞき込んだ。

「ま、まあ……」

ハリーは、これが現実だとはなかなか信じられなかった。四週間も何もなかった。プリベット通りからハリーを連れ出す計画の気配さえなかったのに、突然、あたりまえだという顔で、まるで前々から計画されていたかのように、魔法使いが束になってこの家にやってきた。ハリーはルーピンを囲んでいる魔法使いたちをざっと眺めた。みんな貪るようにハリーを見たままだ。ハリーは、この四日間髪をとかしていなかったことが気になった。

「僕は――みなさんは、ダーズリー一家が外出していて、ほんとうにラッキーだった……」ハリーが口ごもった。

「ラッキー？　へ！　フ！　ハッ！」紫の髪の魔女が言った。

「わたしよ、やつらをおびき出したのは。マグルの郵便で手紙を出して、『全英郊外芝生手入れコンテスト』で最終候補に残ったって書いたの。いまごろ授賞式に向かってるわ……そう思い込んで」

「全英郊外芝生手入れコンテスト」がないと知ったときの、バーノンおじさんの顔がちらっとハリーの目に浮かんだ。

「出発するんだね？」ハリーが聞いた。「すぐに？」

「まもなくだ」ルーピンが答えた。「安全確認を待っているところだ」

「どこに行くの？『隠れ穴』？」ハリーはそうだといいなと思った。

「いや、『隠れ穴』じゃない。ちがう」

ルーピンがキッチンからハリーを手招きしながら言った。魔法使いたちが小さな塊になってそのあとに続いた。まだハリーをしげしげと見ている。

「あそこは危険すぎる。本部は見つからない所に設置した。しばらくかかったがね……」

マッド-アイ・ムーディはキッチン・テーブルの前に腰かけ、携帯用酒瓶からグビグビ飲んでいた。魔法の目が四方八方にくるくる動き、ダーズリー家のさまざまな便利な台所用品をじっくり眺めていた。

「ハリー、この方はアラスター・ムーディだ」ルーピンがムーディを指して言った。

「ええ、知ってます」

ハリーは気まずく思いながら言った。一年もの間知っていると思っていた人を、改めて紹介されるのは変な気持ちだった。

「そして、こちらがニンファドーラ――」

「リーマス、わたしのことニンファドーラって呼んじゃ**だめ**」若い魔女が身震いして言った。「トンクスよ」

「ニンファドーラ・トンクスだ。苗字のほうだけを覚えてほしいそうだ」ルーピンが最後まで言った。

「母親に『かわいい水の精**ニンファドーラ**』なんてばかげた名前をつけられたら、あなただってそう思うわよ」トンクスがブツブツ言った。

「それからこちらは、キングズリー・シャックルボルト」

ルーピンは、背の高い黒人の魔法使いを指していた。紹介された魔法使いが頭を下げた。

「エルファイアス・ドージ」

ゼイゼイ声の魔法使いがこくんとうなずいた。

「ディーダラス・ディグル――」

「以前にお目にかかりましたな」

興奮しやすいたちのディグルは、紫色のシルクハットを落として、キーキー声で挨拶した。

「エメリーン・バンス」

エメラルド・グリーンのショールを巻いた、堂々とした魔女が、軽く首をかしげた。

「スタージス・ポドモア」

あごの角張った、麦わら色の豊かな髪の魔法使いがウィンクした。

「そしてヘスチア・ジョーンズ」

ピンクのほおをした黒髪の魔女が、トースターの隣で手を振った。

紹介されるたびに、ハリーは一人一人にぎこちなく頭を下げた。みんなが何か自分以外のものを見てくれればいいのにと思った。突然舞台に引っ張り出されたような気分だった。どうしてこんなに大勢いるのかも疑問だった。

「君を迎えにいきたいと名乗りを上げる者が、びっくりするほどたくさんいてね」

ルーピンが、ハリーの心を読んだかのように言った。口の端がおもしろそうにヒクヒク動いている。

「うむ、まあ、多いに越したことはない」ムーディが暗い顔で言った。「ポッター、わしらは、おまえの護衛だ」

「私たちはいま、出発しても安全だという合図を待っているところなんだが」ルーピンがキッチンの窓に目を走らせながら言った。「あと十五分ほどある」

「すっごく**清潔**なのね、ここのマグルたち。ね？」

トンクスと呼ばれた魔女が、興味深げにキッチンを見回して言った。

「あ――うん」ハリーが言った。「あの――」ハリーはルーピンのほうを見た。「いったい何が起こってるんですか？　誰からもなんにも知らされない。いったいヴォル――？」

「わたしのパパはマグル生まれだけど、とってもだらしないやつで。魔法使いもおんなじだけど、人によるのよね？」

何人かがシーッと奇妙な音を出した。ディーダラス・ディグルはまた帽子を落とし、ムーディは「**だまれ！**」と唸った。

「えっ？」ハリーが言った。

「ここでは何も話すことができん。危険すぎる」ムーディが普通の目をハリーに向けて言った。魔法の目は天井を向いたままだ。

「**くそっ**」ムーディは魔法の目に手をやりながら、怒ったように毒づいた。「動きが悪くなった――あのろくでなしがこの目を使ってからずっとだ」

流しの詰まりをくみ取るときのようなブチュッといういやな音を立て、ムーディは魔法の目を取り出した。

「マッド-アイ、それって、気持ち悪いわよ。わかってるの？」トンクスがなにげない口調で言った。

「ハリー、コップに水を入れてくれんか？」ムーディが頼んだ。

ハリーは食器洗浄機まで歩いていき、きれいなコップを取り出し、流しで水を入れた。その間も、魔法使い集団はまだじっとハリーに見入っていた。あまりしつこく見るので、ハリーはわずらわしくなってきた。

「や、どうも」ハリーがコップを渡すと、ムーディが言った。

ムーディは魔法の目玉を水に浸け、つついて浮き沈みさせた。目玉はくるくる回りながら、全員を次々に見すえた。

「帰路には三百六十度の視野が必要なのでな」

「どうやって行くんですか？——どこへ行くのか知らないけど」ハリーが聞いた。

「箒だ」ルーピンが答えた。「それしかない。君は『姿あらわし』には若すぎるし、煙突ネットワークは見張られている。未承認の移動キーを作れば、我々の命がいくつあっても足りないことになる」

「リーマスが、君はいい飛び手だと言うのでね」キングズリー・シャックルボルトが深い声で言った。

「すばらしいよ」ルーピンが自分の時計で時間をチェックしながら言った。「とにかく、ハリー、部屋に戻って荷造りしたほうがいい。合図が来たときに出発できるようにしておきたいから」

「わたし、手伝いに行くわ」トンクスが明るい声で言った。

トンクスは興味津々で、ホールから階段へと、周りを見回しながらハリーについてきた。

「おかしなとこね」トンクスが言った。

「あんまり清潔**すぎるわ**。言ってることとわかる？　ちょっと不自然よ。ああ、ここはまだましだわ」ハリーが部屋に入って明かりをつけると、トンクスが言った。

ハリーの部屋は、確かに家の中のどこよりずっと散らかっていた。最低の気分で四日間も閉じこもっていたので、後片づけなどする気にもなれなかったのだ。本は、ほとんど全部床に散らばっていた。気を紛らそうと次々引っ張り出しては放り出していたのだ。ヘドウィグの鳥かごは掃除しなかったので悪臭を放ちはじめていた。トランクは開けっ放しで、マグルの服やら魔法使いのローブやらがごちゃまぜになり、周りの床にはみ出していた。

ハリーは本を拾い、急いでトランクに投げ込みはじめた。トンクスは開けっ放しの洋だんすの前で立ち止まり、扉の内側の鏡に映った自分の姿を矯めつ眇めつ眺めていた。

「ねえ、わたし、紫が似合わないわね」ツンツン突っ立った髪をひと房引っ張りながら、トンクスが物思わしげに言った。「やつれて見えると思わない？」

「あー——」手にした『イギリスとアイルランドのクィディッチ・チーム』の本の上から、ハリーはトンクスを見た。

「うん、そう見えるわ」

トンクスはこれで決まりとばかり言い放つと、何かを思い出すのに躍起になっているかのように、目をギュッとつぶって顔をしかめた。すると、次の瞬間トンクスの髪は、風船ガムのピンク色に変わった。

「どうやったの？」ハリーはあっけに取られて、再び目を開けたトンクスを見た。

「わたし、『七変化』なの」

鏡に映った姿を眺め、首を回して前後左右から髪が見えるようにしながらトンクスが答えた。

「つまり、外見を好きなように変えられるのよ」

鏡に映った自分の背後のハリーが、けげんそうな表情をしているのを見て、トンクスが説明を加えた。

「生まれつきなの。闇祓い(オーラー)の訓練で、全然勉強しないでも『変装・隠遁(いんとん)術』は最高点を取ったの。あれはよかったわねえ」

「闇祓い(やみばら)なんですか？」

ハリーは感心した。闇の魔法使いを捕らえる仕事は、ホグワーツ卒業後の進路として、ハリーが考えたことのある唯一の職業だった。

「そうよ」トンクスは得意げだった。「キングズリーもそう。わたしより少し地位が高いけど。わたし、一年前に資格を取ったばかり。『隠密追跡術』では落第すれすれだったの。おっちょこちょいだから。ここに到着したときにわたしが一階でお皿を割った音、聞こえた？」

「勉強で『七変化』になれるんですか？」ハリーは荷造りのことをすっかり忘れ、姿勢を正してトンクスに聞いた。

トンクスがクスクス笑った。

「その傷をときどき隠したいんでしょ？　ン？」

トンクスは、ハリーの額の稲妻形の傷に目をとめた。

「うん、そうできれば」ハリーは顔をそむけて、もごもご言った。誰かに傷をじろじろ見られるのはいやだった。

「習得するのは難しいわ。残念ながら」トンクスが言った。「『七変化』って、めったにいないし、生まれつきで、習得するものじゃないのよ。魔法使いが姿を変えるには、だいたい杖か魔法薬を使うわ。でも、こうしちゃいられない。ハリー、わたしたち、荷造りしなきゃいけないんだった」

トンクスはごちゃごちゃ散らかった床を見回し、気がとがめるように言った。

「あ――うん」ハリーは本をまた数冊拾い上げた。

「バカね。もっと早いやり方があるわ。わたしが――**パック！　詰めろ！**」

トンクスは杖で床を大きく掃(はら)うように振りながら叫んだ。本も服も、望遠鏡もはかりも、全部空中に舞い上がり、トランクの中にごちゃごちゃに飛び込んだ。

「あんまりすっきりしてないけど」トンクスはトランクに近づき、中のごたごたを見下ろしながら言った。「ママならきちんと詰めるコツを知ってるんだけどね――ママがやると、ソックスなんかひとりでにたたまれてるの――でもわたしはママのやり方を絶対マスターできなかった――振り方はこんなふうで――」トンクスは、もしかしたらうまくいくかもしれないと杖を振った。

ハリーのソックスが一つ、わずかにごにょごにょ動いたが、またトランクのごたごたの上にポトリと落ちた。

「まあ、いいか」トンクスはトランクのふたをパタンと閉めた。「少なくとも全部入ったし。あれもちょっとお掃除が必要だわね」トンクスは杖をヘドウィグのかごに向けた。

「**スコージファイ、清めよ**」

羽根が数枚、フンと一緒に消え去った。

「うん、**少しは**きれいになった。――わたしって、家事に関する呪文はどうしてもコツがわからないのよね。さてと――忘れ物はない？　鍋は？　箒は？　ワァーッ！――**ファイアボルトじゃない？**」

ハリーの右手に握られた箒を見て、トンクスは目を丸くした。ハリーの誇りでもあり喜びでもある箒、シリウスからの贈り物、国際級の箒だ。

「わたしなんか、まだコメット２６０に乗ってるのよ。あーあ」トンクスがうらやましそうに言った。

「……杖はまだジーンズの中？　お尻は左右ちゃんとくっついてる？　オッケー、行こうか。**ロコモーター　トランク、トランクよ動け**」

ハリーのトランクが床から数センチ浮いた。トンクスはヘドウィグのかごを左手に持ち、杖を指揮棒のように掲げて浮いたトランクを移動させ、先にドアから出した。ハリーは自分の箒を持って、あとに続いて階段を下りた。

キッチンではムーディが魔法の目を元に戻していた。洗った目が高速で回転し、見ていたハリーはめまいがした。キングズリー・シャックルボルトとスタージス・ポドモアは電子レンジを調べ、ヘスチア・ジョーンズは引き出しをひっかき回しているうちに見つけたジャガイモの皮むき器を見て笑っていた。ルーピンはダーズリー一家に宛てた手紙に封をしていた。

「よし」トンクスとハリーが入ってくるのを見て、ルーピンが言った。「あと約一分だと思う。庭に出て待っていたほうがいいかもしれないな。ハリー、おじさんとおばさんに、心配しないように手紙を残したから――」

「心配しないよ」ハリーが言った。

「――君は安全だと――」

「みんながっかりするだけだよ」

「――そして、君がまた来年の夏休みに帰ってくるって」

「そうしなきゃいけない？」

ルーピンはほほえんだが、何も答えなかった。

「おい、こっちへ来るんだ」ムーディが杖でハリーを招きながら、乱暴に言った。「おまえに『目くらまし』をかけないといかん」

「何をしなきゃって?」ハリーが心配そうに聞いた。

「『目くらまし術』だ」ムーディが杖を上げた。「ルーピンが、おまえには透明マントがあると言っておったが、飛ぶときはマントが脱げてしまうだろう。こっちのほうがうまく隠してくれる。それ――」

ムーディがハリーの頭のてっぺんをコツンとたたくと、ハリーはまるでムーディがそこで卵を割ったような奇妙な感覚を覚えた。杖で触れた所から、体全体に冷たいものがとろとろと流れていくようだった。

「うまいわ、マッド-アイ」トンクスがハリーの腹のあたりを見つめながら感心した。

ハリーは自分の体を見下ろした。いや、体だった所を見下ろした。もうとても自分の体には見えなかった。透明になったわけではない。ただ、自分の後ろにあるユニット・キッチンと同じ色、同じ質感になっていた。人間カメレオンになったようだ。

「行こう」ムーディは裏庭へのドアの鍵を杖で開けた。全員が、バーノンおじさんが見事に手入れした芝生に出た。

「明るい夜だ」魔法の目で空を入念に調べながら、ムーディがうめいた。「もう少し雲で覆われていればよかったのだが。よし、おまえ」ムーディが大声でハリーを呼んだ。「わしらはきっちり隊列を組んで飛ぶ。トンクスはおまえの真ん前だ。しっかりあとに続け。ルーピンはおまえの下をカバーする。わしは背後にいる。ほかの者はわしらの周囲を旋回する。何事があっても隊列を崩すな。わかったか?誰か一人が殺されても――」

「そんなことがあるの?」ハリーが心配そうに聞いたが、ムーディは無視した。

「――ほかの者は飛び続ける。止まるな。列を崩すな。もし、やつらがわしらを全滅させておまえが生き残ったら、ハリー、後発隊がひかえている。東に飛び続けるのだ。そうすれば後発隊が来る」

「そんなに威勢のいいこと言わないでよ、マッド-アイ。それじゃハリーが、わたしたちが真剣にやってないみたいに思うじゃない」

　トンクスが、自分の箒からぶら下がっている固定装置に、ハリーのトランクとヘドウィグのかごをくくりつけながら言った。

「わしは、この子に計画を話していただけだ」ムーディが唸った。「わしらの仕事はこの子を無事本部へ送り届けることであり、もしわしらが使命途上で殉職しても――」

「誰も死にはしませんよ」キングズリー・シャックルボルトが、人を落ち着かせる深い声で言った。

「箒に乗れ。最初の合図が上がった！」ルーピンが空を指した。

　ずっとずっと高い空に、星にまじって、明るい真っ赤な火花が噴水のように上がっていた。それが杖から出る火花だと、ハリーにはすぐわかった。

　ハリーは右足を振り上げてファイアボルトにまたがり、しっかりと柄を握った。柄がかすかに震えるのを感じた。また空に飛び立てるのを、ハリーと同じく待ち望んでいるかのようだった。

「第二の合図だ。出発！」

　ルーピンが大声で号令した。今度は緑の火花が、真上に高々と噴き上げていた。

　ハリーは地面を強く蹴った。冷たい夜風が髪をなぶった。プリベット通りのこぎれいな四角い庭々がどんどん遠のき、たちまち縮んで暗い緑と黒のまだら模様になった。魔法省の尋問など、まるで風が吹き飛ばしてしまったかのように跡形もなく頭から吹っ飛んだ。ハリーは、うれしさに心臓が爆発しそうだった。また飛んでいるんだ。夏中胸に思い描いていたように、プリベット通りを離れて飛んでいるんだ。家に帰るんだ……このわずかな瞬間、この輝かしい瞬間、ハリーの抱えていた問題は無になり、この広大な星空の中では取るに足らないものになっていた。

「左に切れ。左に切れ。マグルが見上げておる！」

で、トランクが大きく揺れるのが見えた。

「もっと高度を上げねば……四百メートルほど上げろ！」

上昇するときの冷気で、ハリーは目がうるんだ。眼下にはもう何も見えない。車のヘッドライトや街灯の明かりが、針の先でつついたように点々と見えるだけだった。その小さな点のうちの二つが、バーノンおじさんの車のものかもしれない……ダーズリー一家がありもしない芝生コンテストに怒り狂って、いまごろからっぽの家に向かう途中だろう……そう思うとハリーは大声で笑った。しかしその声は、ほかの音にのみ込まれてしまった――みんなのローブがはためく音、トランクと鳥かごをくくりつけた器具のきしむ音、空中を疾走する耳元でシューッと風を切る音。この一か月、ハリーはこんなに生きていると感じたことはなかった。こんなに幸せだったことはなかった。

「南に進路を取れ！」マッド-アイが叫んだ。「前方に町！」

一行は右に上昇し、クモの巣状に輝く光の真上を飛ぶのをさけた。

「南東を指せ。そして上昇を続けろ。前方に低い雲がある。その中に隠れるぞ！」ムーディが号令した。

「雲の中は通らないわよ！」トンクスが怒ったように叫んだ。「ぐしょぬれになっちゃうじゃない、マッド-アイ！」

ハリーはそれを聞いてホッとした。ファイアボルトの柄を握った手がかじかんできていた。オーバーを着てくればよかったと思った。ハリーは震えはじめていた。

一行はマッド-アイの指令に従って、ときどきコースを変えた。氷のような風をよけて、ハリーは目をギュッと細めていた。耳も痛くなってきた。箒に乗っていて、こんなに冷たく感じたのはこれまでたった一度だけだ。三年生のときの対ハッフルパフ戦のクィディッチで、嵐の中の試合だった。護衛隊はハリーの周りを、巨大な猛禽類のように絶え間なく旋回していた。ハリーは時間の感覚がなくなっていた。もうどのくらい飛んでいるのだろう。少なくとも一時間は過ぎたような気がする。

「南西に進路を取れ！」ムーディが叫んだ。「高速道路をさけるんだ！」

体が冷えきって、ハリーは、眼下を走る車の心地よい乾いた空間をうらやましく思った。もっとなつかしく思ったのは、煙突飛行粉の旅だ。暖炉の中をくるくる回転して移動するのは快適ではないかもしれないが、少なくとも炎の中は暖かい……。キングズリー・シャックルボルトが、ハリーの周りをバサーッと旋回した。はげ頭とイヤリングが月明かりにかすかに光った……今度はエメリーン・バンスがハリーの右側に来た。杖をかまえ、左右を見回している……それからハリーの上を飛び越し、スタージス・ポドモアと交代した……。

「少し後戻りするぞ。あとをつけられていないかどうか確かめるのだ！」ムーディが叫んだ。

「**マッド-アイ、気は確か？**」トンクスが前方で悲鳴を上げた。「みんな箒に凍りついちゃってるのよ！　こんなにコースをはずれてばかりいたら、来週まで目的地には着かないわ！　もうすぐそこじゃない！」

「下降開始の時間だ！」ルーピンの声が聞こえた。「トンクスに続け、ハリー！」

ハリーはトンクスに続いて急降下した。一行は、ハリーがいままで見てきた中でも最大の光の集団に向かっていた。縦横無尽に広がる光の線、網。そのところどころに真っ黒な部分が点在している。下へ、下へ、一行は飛んだ。ついにハリーの目に、ヘッドライトや街灯、煙突やテレビのアンテナの見分けがつく所まで降りてきた。ハリーは早く地上に着きたかった。ただし、きっと、箒に凍りついたハリーを、誰かが解凍しなければならないだろう。

「さあ、着陸！」トンクスが叫んだ。

数秒後、トンクスが着地した。そのすぐあとからハリーが着地し、小さな広場のぼさぼさの芝生の上に降り立った。トンクスはもうハリーのトランクをはずしにかかっていた。寒さに震えながら、ハリーはあたりを見回した。周囲の家々のすすけた玄関は、あまり歓迎ムードには見えなかった。あちこちの家の割れた窓ガラスが、街灯の明かりを受けて鈍い光を放っていた。ペンキがはげかけたドアが多く、何軒かの玄関先には階段下にごみが積み上げられたままだ。

「ここはどこ？」ハリーの問いかけに、ルーピンは答えず、小声で「あとで」と言った。ムーディは節くれだった手がかじかんでうまく動かず、マントの中をゴソゴソ探っていた。

「あった」ムーディはそうつぶやくと、銀のライターのようなものを掲げ、カチッと鳴らした。

一番近くの街灯が、ポンと消えた。ムーディはもう一度ライターを鳴らした。次の街灯が消えた。広場の街灯が全部消えるまで、ムーディはカチッをくり返した。そして残る灯りは、カーテンからもれる窓明かりと頭上の三日月だけになった。

「ダンブルドアから借りた」ムーディは「灯消しライター」をポケットにしまいながら唸るように言った。「これで、窓からマグルがのぞいても大丈夫だろうが？　さあ、行くぞ、急げ」

ムーディはハリーの腕をつかみ、芝生から道路を横切り、歩道へと引っ張っていった。ルーピンとトンクスが、二人でハリーのトランクを持って続いた。ほかの護衛は全員杖を掲げ、四人のわきを固めた。

一番近くの家の二階の窓から、押し殺したようなステレオの響きが聞こえてきた。壊れた門の内側に置かれた、パンパンにふくれたごみ袋の山から漂うくさったごみの臭気が、ツンと鼻を突いた。

「ほれ」ムーディはそうつぶやくと、「目くらまし」がかかったままのハリーの手に、一枚の羊皮紙を押しつけた。そして自分の杖灯りを羊皮紙のそばに掲げ、その照明で読めるようにした。

「急いで読め、そして覚えてしまえ」

ハリーは羊皮紙を見た。縦長の文字はなんとなく見覚えがあった。こう書かれている。

不死鳥の騎士団の本部は、

ロンドン　グリモールド・プレイス　十二番地に存在する。

第4章　グリモールド・プレイス十二番地

「なんですか？　この騎士団って――？」ハリーが言いかけた。

「ここではだめだ！」ムーディが唸った。「中に入るまで待て！」

ムーディは羊皮紙をハリーの手から引ったくり、杖先でそれに火をつけた。メモが炎に包まれ、丸まって地面に落ちた。ハリーはもう一度周りの家々を見回した。いま立っているのは十一番地。左を見ると十番地と書いてある。右は、なんと十三番地だ。

「でも、どこが――？」

「いま覚えたばかりのものを考えるんだ」ルーピンが静かに言った。

ハリーは考えた。そして、グリモールド・プレイス十二番地という所まで来たとたん、十一番地と十三番地の間にどこからともなく古びて傷んだ扉が現れ、たちまち、薄汚れた壁とすすけた窓も現れた。まるで、両側の家を押しのけて、もう一つの家がふくれ上がってきたようだった。ハリーはポカンと口を開けて見ていた。十一番地のステレオはまだ鈍い音を響かせていた。どうやら中にいるマグルは何も感じていないようだ。

「さあ、急ぐんだ」ムーディがハリーの背中を押しながら、低い声でうながした。

ハリーは、突然出現した扉を見つめながら、すり減った石段を上がった。扉の黒いペンキがみすぼらしくはがれている。訪問客用の銀のドア・ノッカーは、一匹の蛇がとぐろを巻いた形だ。鍵穴も、郵便受けもない。

ルーピンは杖を取り出し、扉を一回たたいた。カチッカチッと大きな金属音が何度か続き、鎖がカチャカチャいうような音が聞こえて扉がギーッと開いた。

「早く入るんだ、ハリー」ルーピンがささやいた。「ただし、あまり奥には入らないよう。なんにもさわらないよう」

ハリーは敷居をまたぎ、ほとんど真っ暗闇の玄関ホールに入った。湿ったほこりっぽいにおいと、すえたにおいがした。ここには打ち捨てられた廃屋の気配が漂っている。振り返ると、一行が並んで入ってくるところだった。ルーピンとトンクスはハリーのトランクとヘドウィグのかごを運んでいる。ムーディは階段の一番上に立ち、灯消しライターで盗み取った街灯の灯りの玉を返していた。灯りが街灯の中に飛び込むと、広場は一瞬オレンジ色に輝いた。ムーディが足を引きずりながら中に入り玄関の扉を閉めると、ホールはまた完璧な暗闇になった。

「さあ――」

ムーディがハリーの頭を杖でコツンとたたいた。今度は何か熱いものが背中を流れ落ちるような感じがして、ハリーは「目くらまし術」が解けたにちがいないと思った。

「みんな、じっとしていろ。わしがここに少し灯りをつけるまでな」ムーディがささやいた。

みんながヒソヒソ声で話すので、ハリーは何か不吉なことが起こりそうな、奇妙な予感がした。まるで、この家の誰かが臨終の時に入ってきたようだった。やわらかいジュッという音が聞こえ、旧式のガスランプが壁に沿ってポッとともった。長い陰気なホールの、はがれかけた壁紙とすり切れたカーペットに、ガスランプがぼんやりと明かりを投げかけ、天井には、クモの巣だらけのシャンデリアが一つ輝き、年代をへて黒ずんだ肖像画が、壁全体に斜めに傾いでかかっている。壁の腰板の裏側を、何かがガサゴソ走っている音が聞こえた。シャンデリアも、すぐそばの華奢なテーブルに置かれた燭台も、蛇の形をしている。

急ぎ足にやってくる足音がして、ホールの一番奥の扉からロンの母親のウィーズリーおばさんが現れた。急いで近づきながら、おばさんは笑顔で歓迎していた。しかしハリーは、おばさんが前に会ったときよりやせて青白い顔をしているのに気づいた。

「まあ、ハリー、また会えてうれしいわ！」

ささやくようにそう言うと、おばさんは肋骨(ろっこつ)がきしむほど強くハリーを抱きしめ、それから両腕を伸ばして、ハリーを調べるかのようにまじまじと眺めた。

「やせたわね。ちゃんと食べさせなくちゃ。でも残念ながら、夕食までもうちょっと待たないといけないわね」

おばさんはハリーの後ろの魔法使いの一団に向かって、せかすようにささやいた。

「あの方がいましがたお着きになって、会議が始まっていますよ」

ハリーの背後で魔法使いたちが興奮と関心でざわめき、次々とハリーの脇を通り過ぎて、ウィーズリーおばさんがさっき出てきた扉へと入っていった。ハリーはルーピンについていこうとしたが、おばさんが引き止めた。

「だめよ、ハリー。騎士団のメンバーだけの会議ですからね。ロンもハーマイオニーも上の階にいるわ。会議が終わるまで一緒にお待ちなさいな。それからお夕食よ。それと、ホールでは声を低くしてね」おばさんは最後に急いでささやいた。

「どうして？」

「なんにも起こしたくないからですよ」

「どういう意味――？」

「説明はあとでね。いまは急いでるの。私も会議に参加することになっているから――あなたの寝る所だけを教えておきましょう」

昼にシーッと指を当て、おばさんは先に立って、虫食いだらけの長い両開きカーテンの前を、抜き足差し足で通った。その裏にはまた別の扉があるのだろうとハリーは思った。トロールの足を切って作ったのではないかと思われる巨大なかさ立ての脇をすり抜け、暗い階段を上り、しなびた首がかかった飾り板がずらりと並ぶ壁の前を通り過ぎた。よく見ると、首は屋敷しもべ妖精のものだった。全員、なんだか豚のような鼻をしていた。

一歩進むごとに、ハリーはますますわけがわからなくなっていた。闇も闇、大闇の魔法使いの家のような所で、いったいみんな何をしているのだろう。

「ウィーズリーおばさん、どうして――?」

「ロンとハーマイオニーが全部説明してくれますよ。私はほんとに急がないと」おばさんは上の空でささやいた。

「ここよ――」二人は二つ目の踊り場に来ていた。「――あなたのは右側のドア。会議が終わったら呼びますからね」

そしておばさんは、また急いで階段を下りていった。

ハリーは薄汚れた踊り場を歩いて、寝室のドアの取っ手を回した。取っ手は蛇の頭の形をしていた。ドアが開いた。

ほんの一瞬、ベッドが二つ置かれ、天井の高い陰気な部屋が見えた。次の瞬間、ホッホッという大きなさえずりと、それより大きな叫び声が聞こえ、ふさふさした髪の毛でハリーは完全に視界を覆われてしまった。ハーマイオニーがハリーに飛びついて、ほとんど押し倒しそうになるほど抱きしめたのだ。

一方、ロンのチビふくろうのピッグウィジョンは、興奮して、二人の頭上をブンブン飛び回っていた。

「**ハリー！** ロン、ハリーが来たわ。ハリーが来たのよ！　到着した音が聞こえなかったわ！　ああ、**元気なの？** 大丈夫なの？　私たちのこと、怒ってた？　怒ってたわよね。私たちの手紙が役に立たないことは知ってたわ——だけど、あなたになんにも教えてあげられなかったの。ダンブルドアに、教えないって誓わせられて。ああ、話したいことがいっぱいあるわ。あなたもそうでしょうね。——吸魂鬼ですって！　それを聞いたとき——それに魔法省の尋問のこと——とにかくひどいわ。私、すっかり調べたのよ。魔法省はあなたを退学にできないわ。できないのよ。『未成年魔法使いの妥当な制限に関する法令』で、生命をおびやかされる状況においては魔法の使用が許されることになってるの——」

「ハーマイオニー、ハリーに息ぐらいつかせてやれよ」ハリーの背後で、ロンがニヤッと笑いながらドアを閉めた。一か月見ないうちに、ロンはまた十数センチも背が伸びたかのようで、これまでよりずっとひょろひょろのっぽに見えた。しかし、高い鼻、真っ赤な髪の毛とそばかすは変わっていない。

ハーマイオニーは、ニコニコしながらハリーを放した。ハーマイオニーが言葉を続けるより早く、やわらかいシューッという音とともに、何か白いものが黒っぽい洋だんすの上から舞い降りて、そっとハリーの肩に止まった。

「ヘドウィグ！」

白ふくろうはくちばしをカチカチ鳴らし、ハリーの耳をやさしくかんだ。ハリーはヘドウィグの羽をなでた。

「このふくろう、ずっといらいらしてるんだ」ロンが言った。「この前手紙を運んできたとき、僕たちのことつっついて半殺しの目にあわせたぜ。これ見ろよ——」

ロンは右手の人差し指をハリーに見せた。もう治りかかってはいたが、確かに深い切り傷だ。

「へえ、そう」ハリーが言った。「悪かったね。だけど、僕、答えが欲しかったんだ。わかるだろ――」

「そりゃ、僕らだってそうしたかったさ」ロンが言った。「ハーマイオニーなんか、心配で気が狂いそうだった。君が、なんのニュースもないままで、たった一人でいたら、何かバカなことをするかもしれないって、そう言い続けてたよ。だけどダンブルドアが僕たちに――」

「――僕に何も言わないって誓わせた」ハリーが言った。「ああ、ハーマイオニーがさっきそう言った」

氷のように冷たいものがハリーの胃の腑にあふれ、二人の親友に会って胸の中に燃え上がっていた温かな光を消した。突然――一か月もの間あんなに二人に会いたかったのに――ハリーは、ロンもハーマイオニーも自分をひとりにしてくれればいいのにと思った。

張り詰めた沈黙が流れた。ハリーは二人の顔を見ずに、機械的にヘドウィグをなでていた。

「それが最善だとお考えになったのよ」ハーマイオニーが息を殺して言った。「ダンブルドアが、ってことよ」

「ああ」ハリーはハーマイオニーの両手にもヘドウィグのくちばしの印があるのを見つけたが、それをちっとも気の毒に思わない自分に気づいた。

「僕の考えじゃ、ダンブルドアは、君がマグルと一緒のほうが安全だと考えて――」ロンが話しはじめた。

「へー?」ハリーは眉を吊り上げた。「**君たちの**どっちかが、夏休みに吸魂鬼に襲われたかい?」

「そりゃ、ノーさ――だけど、だからこそ不死鳥の騎士団の誰かが、夏休み中、君のあとをつけてたんだ――」

ハリーは、階段を一段踏みはずしたようなガクンという衝撃を内臓に感じた。それじゃ、僕がつけられてるって、僕以外はみんな知ってたんだ。

「でも、うまくいかなかったようじゃないか？」ハリーは声の調子を変えないよう最大限の努力をした。

「結局、自分で自分の面倒を見なくちゃならなかった。そうだろ？」

「先生がお怒りだったわ」ハーマイオニーは恐れと尊敬の入りまじった声で言った。「ダンブルドアが。私たち、先生を見たわ。マンダンガスが自分の担当の時間中にいなくなったと知ったとき。怖かったわよ」

「いなくなってくれてよかったよ」ハリーは冷たく言った。

「そうじゃなきゃ、僕は魔法も使わなかったろうし、ダンブルドアは夏休み中、僕をプリベット通りにほったらかしにしただろうからね」

「あなた……あなた心配じゃないの？　魔法省の尋問のこと？」ハーマイオニーが小さな声で聞いた。

「ああ」ハリーは意地になってうそをついた。

ハリーは二人のそばを離れ、満足そうなヘドウィグを肩にのせたまま部屋を見回した。この部屋はハリーの気持ちを引き立ててくれそうになかった。じめじめと暗い部屋だった。壁ははがれかけ、無味乾燥で、せめてもの救いは、装飾的な額縁に入った絵のないカンバス一枚だった。カンバスの前を通ったとき、ハリーは、誰かが隠れて忍び笑いする声を聞いたような気がした。

「それじゃ、ダンブルドアは、どうしてそんなに必死で僕になんにも知らせないようにしたんだい？」ハリーは普通の気軽な声を保つのに苦労しながら聞いた。「君たち――えーと――理由を聞いてみたのかなぁ？」

ハリーがちらっと目を上げたとき、ちょうど二人が顔を見合わせているのを見てしまった。ハリーの態度が、まさに二人が心配していたとおりだったという顔をしていた。ハリーはますます不機嫌になった。

「何が起こっているかを君に話したいって、ダンブルドアにそう言ったよ」ロンが答えた。

「ほんとだぜ、おい。だけど、ダンブルドアはいま、めちゃくちゃ忙しいんだ。僕たち、ここに来てから二回しか会っていないし、あの人はあんまり時間が取れなかったし。ただ、僕たちが手紙を書くとき、重要なことはなんにも書かないって誓わせられて。ダンブルドアは、ふくろうが途中で奪い取られるかもしれないって言った」

「それでも僕に知らせることはできたはずだ。ダンブルドアがそうしようと思えば」ハリーはズバリと言った。「ふくろうなしで伝言を送る方法を、ダンブルドアが知らないなんて言うつもりじゃないだろうな」

ハーマイオニーがロンをちらっと見て答えた。

「私もそう思ったの。でも、ダンブルドアはあなたに**なんにも**知ってほしくなかったみたい」

「僕が信用できないと思ったんだろうな」二人の表情を見ながらハリーが言った。

「バカ言うな」ロンがとんでもないという顔をした。

「じゃなきゃ、僕が自分で自分の面倒を見られないと思った」

「もちろん、ダンブルドアがそんなこと思うわけないわ！」ハーマイオニーが気づかわしげに言った。

「それじゃ、君たち二人はここで起こっていることに加わってるのに、どうして僕だけがダーズリーの所にいなくちゃいけなかったんだ？」言葉が次々と口をついて転がり出た。一言しゃべるたびに声がだんだん大きくなった。「どうして君たち二人だけが、何もかも知ってもいいんだ？」

「何もかもじゃない！」ロンがさえぎった。「ママが僕たちを会議から遠ざけてる。若すぎるからって言って――」

ハリーは思わず叫んでいた。

「それじゃ、君たちは会議には参加してなかった。だからどうだって言うんだ！　君たち

はここにいたんだ。そうだろう？　君たちは一緒にいたんだ！　僕は、一か月もダーズリーの所に釘づけだ！　だけど、僕は、君たち二人の手に負えないようなことでもいろいろやりとげてきた。ダンブルドアはそれを知ってるはずだ――賢者の石を守ったのは誰だ？　リドルをやっつけたのは誰だ？　君たちの命を吸魂鬼から救ったのは誰だって言うんだ？」

この一か月積もりに積もった恨みつらみがあふれ出した。何もニュースがなかったことのあせり、みんなが一緒にいたのに、ハリーだけがのけ者だったことの痛み、監視されていたのにそれを教えてもらえなかった怒り――自分でも半ば恥じていたすべての感情が、一気にせきを切ってあふれ出した。ヘドウィグは大声に驚いて飛び上がり、また洋だんすの上に舞い戻った。ピッグウィジョンはびっくりしてピーピー鳴きながら、頭上をますます急旋回した。

「四年生のとき、いったい誰が、ドラゴンやスフィンクスや、ほかの汚いやつらを出し抜いた？　誰があいつの復活を目撃した？　誰があいつから逃げおおせた？　僕だ！」

ロンは、度肝を抜かれて言葉も出ず、口を半分開けてその場に突っ立っていた。ハーマイオニーは泣きだしそうな顔をしていた。

「だけど、何が起こってるかなんて、どうせ僕に知らせる必要ないよな？　誰もわざわざ僕に教える必要なんてないものな？」

「ハリー、私たち、教えたかったのよ。ほんとうよ――」ハーマイオニーが口を開いた。

「それほど教えたいとは思わなかったんだよ。そうだろう？　そうじゃなきゃ僕にふくろうを送ったはずだ。だけど『ダンブルドアが君たちに誓わせたから』――」

「だって、そうなんですもの――」

「四週間もだぞ。僕はプリベット通りに缶詰で、何がどうなってるのか知りたくて、ごみ箱から新聞をあさってた――」

「私たち、教えてあげたかった――」

「君たち、さんざん僕を笑い物にしてたんだ。そうだろう？　みんな一緒に、ここに隠れて――」

「ちがうよ。まさか――」

「ハリー、ほんとにごめんなさい！」ハーマイオニーは必死だった。目には涙が光っていた。「あなたの言うとおりよ、ハリー――私だったら、きっとカンカンだわ！」

ハリーは息を荒らげたまま、ハーマイオニーをにらみつけた。それから二人から離れ、部屋を往ったり来たりした。ヘドウィグは洋だんすの上で、不機嫌にホーと鳴いた。しばらくみんなだまりこくった。ハリーの足元で、床がうめくようにきしむ音だけがときどき沈黙を破った。

「ここは**いったい**どこなんだ？」ハリーが突然ロンとハーマイオニーに聞いた。

「不死鳥の騎士団の本部」ロンがすぐさま答えた。

「どなたか、不死鳥の騎士団が何か、教えてくださいますかね――？」

「秘密同盟よ」ハーマイオニーがすぐに答えた。「ダンブルドアが率いてるし、設立者なの。前回『例のあの人』と戦った人たちよ」

「誰が入ってるんだい？」ハリーはポケットに手を突っ込んで立ち止まった。

「ずいぶんたくさんよ――」

「僕たちは二十人ぐらいに会った」ロンが言った。「だけど、もっといると思う」

ハリーは二人をじろっと見た。

「**それで？**」二人を交互に見ながら、ハリーが先をうながした。

「え？」ロンが言った。「それでって？」

「**ヴォルデモート！**」

ハリーは怒り狂った。ロンもハーマイオニーも身をすくめた。「どうなってるんだ？　やつは何をたくらんでる？　どこにいる？　やつを阻止するのに何をしてるんだ？」

「**言ったでしょう？**　騎士団は、私たちを会議に入れてくれないって」ハーマイオニーが気を使いながら言った。

「だから、くわしくは知らないの――だけど大まかなことはわかるわ」ハリーの表情を見て、ハーマイオニーは急いでつけ加えた。

「フレッドとジョージが『伸び耳』を発明したんだ。うん」ロンが言った。「なかなか役に立つぜ」

「伸び――？」

「耳。そうさ。ただ、最近は使うのをやめざるをえなくなった。ママが見つけてカンカンになってね。ママが『耳』をごみ箱に捨てちゃわないように、フレッドとジョージは『耳』を全部隠さなくちゃならなくなった。だけど、ママにばれるまでは、かなり利用したぜ。騎士団が、面の割れてる死喰い人を見張ってることだけはわかってる。つまり、様子を探ってるってことさ。うん――」

「騎士団に入るように勧誘しているメンバーも何人かいるわ――」ハーマイオニーが言った。

「それに、何かの護衛に立ってるのも何人かいるな」ロンが言った。「しょっちゅう護衛勤務の話をしてる」

「もしかしたら僕の護衛のことじゃないのかな？」ハリーが皮肉った。

「ああ、そうか」ロンが急に謎が解けたような顔をした。

ハリーはフンと鼻を鳴らした。そしてロンとハーマイオニーのほうを絶対見ないようにしながら、また部屋を往ったり来たりしはじめた。

「それじゃ、君たちはここで何してたんだい？　会議に入れないなら」ハリーは問い詰めた。「二人とも忙しいって言ってたろう」

「そうよ」ハーマイオニーがすぐ答えた。「この家を除染していたの。何年も空き家だったから、いろんなものが巣食っているのよ。厨房はなんとかきれいにしたし、寝室もだいたいすんだわ。それから、客間に取りかかるのがあした――**ああーっ！**」

バシッバシッと大きな音がして、ロンの双子の兄、フレッドとジョージが、どこからともなく部屋の真ん中に現れた。ピッグウィジョンはますます激しくさえずり、洋だんすの上のヘドウィグのそばにブーンと飛んでいった。

「いいかげんにそれ**やめて！**」ハーマイオニーがあきらめ声で言った。

双子はロンと同じ鮮やかな赤毛だが、もっとがっちりしていて背は少し低い。

「やあ、ハリー」ジョージがハリーにニッコリした。「君の甘ーい声が聞こえたように思ったんでね」

「怒りたいときはそんなふうに抑えちゃだめだよ、ハリー。全部吐いっちまえ」フレッドもニッコリしながら言った。「百キロぐらい離れたとこに、君の声が聞こえなかった人が一人ぐらいいたかもしれないじゃないか」

「君たち二人とも、それじゃ、『姿あらわし』テストに受かったんだね？」ハリーは不機嫌なまま言った。

「優等でさ」フレッドが言った。手には何やら長い薄オレンジ色のひもを持っている。

「階段を下りたって、三十秒も余計にかかりゃしないのに」ロンが言った。

「弟よ、『時はガリオンなり』さ」フレッドが言った。「とにかく、ハリー、君の声が受信をさまたげているんだ。『伸び耳』のね」

ハリーがちょっと眉を吊り上げるのを見て、フレッドがひもを持ち上げながら説明をつけ加えた。そのひもの先が踊り場に伸びているのが見える。

「下で何してるのか、聞こうとしてたんだ」

「気をつけたほうがいいぜ」ロンが「耳」を見つめながら言った。「ママがまたこれを見つけたら……」

「その危険をおかす価値ありだ。いま、重要会議をしてる」フレッドが言った。

ドアが開いて、長いふさふさした赤毛が現れた。

「ああ、ハリー、いらっしゃい！」ロンの妹、ジニーが明るい声で挨拶した。「あなたの声が聞こえたように思ったの」

「伸び耳は効果なしよ。ママがわざわざ厨房の扉に『邪魔よけ呪文』をかけたもの」

フレッドとジョージに向かってジニーが言った。

「どうしてわかるんだ？」ジョージががっくりしたように聞いた。

「トンクスがどうやって試すかを教えてくれたわ」ジニーが答えた。「扉に何か投げつけて、それが扉に接触できなかったら、扉は『邪魔よけ』されているの。私、階段の上からクソ爆弾をポンポン投げつけてみたけど、みんな跳ね返されちゃった。だから、伸び耳が扉のすきまから忍び込むことは絶対できないわ」

フレッドが深いため息をついた。

「残念だ。あのスネイプのやつが何をするつもりだったのか、ぜひとも知りたかったのになあ」

「スネイプ！」ハリーはすぐに反応した。「ここにいるの？」

「ああ」ジョージは慎重にドアを閉め、ベッドに腰を下ろしながら言った。ジニーとフレッドも座った。

「マル秘の報告をしてるんだ」

「いやな野郎」フレッドがのんびりと言った。

「スネイプはもう私たちの味方よ」ハーマイオニーがとがめるように言った。

ロンがフンと鼻を鳴らした。「それでも、いやな野郎はいやな野郎だ。あいつが僕たちのことを見る目つきときたら」

「ビルもあの人が嫌いだわ」ジニーが、まるでこれで決まりという言い方をした。

ハリーは怒りが収まったのかどうかわからなかったが、情報を聞き出したい思いのほうが、どなり続けたい気持ちより強くなっていた。ハリーはみんなと反対側のベッドに腰かけた。

「ビルもここにいるのかい？」ハリーが聞いた。「エジプトで仕事をしてると思ってたけど？」

「事務職を希望したんだ。家に帰って、騎士団の仕事ができるようにって」フレッドが答えた。「エジプトの墓場が恋しいって言ってる。だけど」フレッドがニヤッとした。「その埋め合わせがあるのさ」

「どういう意味？」

「あのフラー・デラクールって子、覚えてるか？」ジョージが言った。「グリンゴッツに勤めたんだ。

えいーごがうまーくなるよーに――」

「それで、ビルがせっせと個人教授をしてるのさ」フレッドがクスクス笑った。

「チャーリーも騎士団だ」ジョージが言った。「だけど、まだルーマニアにいる。ダンブルドアは、なるべくたくさんの外国の魔法使いを仲間にしたいんだ。それでチャーリーが、仕事休みの日にいろいろと接触してる」

「それは、パーシーができるんじゃないの？」ハリーが聞いた。

ウィーズリー家の三男が魔法省の国際魔法協力部に勤めているというのが、ハリーの知っている一番新しい情報だった。

とたんに、ウィーズリー兄弟妹(きょうだい)とハーマイオニーが暗い顔でわけありげに目を見交わした。

「どんなことがあっても、パパやママの前でパーシーのことを持ち出さないで」

ロンが、緊張した声でハリーに言った。

「どうして？」

「なぜって、パーシーの名前が出るたびに、親父は手に持っているものを壊しちゃうし、おふくろは泣きだすんだ」フレッドが言った。

「大変だったのよ」ジニーが悲しそうに言った。

「あいつなんかいないほうがせいせいする」ジョージが、柄にもなく顔をしかめて言った。

「何があったんだい？」ハリーが聞いた。

「パーシーが親父(おやじ)と言い争いをしたんだ」フレッドが言った。「親父が誰かとあんなふうに言い争うのを初めて見た。普通はおふくろが叫ぶもんだ」

「学校が休みに入ってから一週間目だった」ロンが言った。「僕たち、騎士団に加わる準備をしてたんだ。パーシーが家に帰ってきて、昇進したって言った」

「冗談だろ？」ハリーが言った。

パーシーが野心家だということはよく知っていたが、ハリーの印象では、パーシーの魔法省での最初の任務は、大成功だったとは言えない。上司がヴォルデモート卿(きょう)に操作されていて（魔法省がそれを信じていたわけではない――みんな、クラウチ氏は気が触れたと思い込んでいた）、それに気づかなかったのは、パーシーが相当大きなポカをやったということになる。

「ああ、俺たち全員が驚いたさ」ジョージが言った。「だって、パーシーはクラウチの件でずいぶん面倒なことになったからな。尋問だとかなんだとか。パーシーはクラウチが正気を失っていることに気づいて、それを上司に知らせるべきだったって、みんながそう言ってたんだぜ。だけど、パーシーのことだから、クラウチに代理を任せられて、そのことで文句を言うはずがない」

「じゃ、なんで魔法省はパーシーを昇進させたの？」

「それこそ、僕らも変だと思ったところさ」ロンが言った。ハリーがわめくのをやめたので、ロンは普通の会話を続けようと熱心になっているようだった。「パーシーは大得意で家に帰ってきた――いつもよりずっと大得意さ。そんなことがありうるならね――そして、親父に言った。ファッジの大臣室勤務を命ぜられたって。ホグワーツを卒業して一年目にしちゃ、すごくいい役職さ。大臣付下級補佐官。パーシーは親父が感心すると期待してたんだろうな」

「ところが親父はそうじゃなかった」フレッドが暗い声を出した。

「どうして？」ハリーが聞いた。

「うん。ファッジはどうやら、魔法省をひっかき回して、誰かダンブルドアと接触している者がいないかって調べてたらしい」ジョージが言った。

「ダンブルドアの名前は、近ごろじゃ魔法省の鼻つまみなんだ」フレッドが言った。「ダンブルドアが『例のあの人』が戻ったと言いふらして問題を起こしてるだけだって、魔法省じゃそう思ってる」

「親父は、ファッジが、ダンブルドアとつながっている者は机を片づけて出ていけって、はっきり宣言したって言うんだ」ジョージが言った。

「問題は、ファッジが親父を疑ってるってこと。親父がダンブルドアと親しいって、ファッジは知ってる。それに、親父はマグル好きだから少し変人だって、ファッジはずっとそう思ってた」

「だけど、それがパーシーとどういう関係？」ハリーは混乱した。

「そのことさ。ファッジがパーシーを大臣室に置きたいのは、家族を――それとダンブルドアを――スパイするためでしかないって、親父はそう考えてる」

ハリーは低く口笛を吹いた。

「そりゃ、パーシーがさぞかし喜んだろうな」

ロンがうつろな笑い方をした。

「パーシーは完全に頭に来たよ。それでこう言ったんだ――うーん、ずいぶんひどいことをいろいろ言ったな。魔法省に入って以来、父さんの評判がぱっとしないから、それと戦うのに苦労したとか、父さんはなんにも野心がないとか、それだからいつも――ほら――僕たちにはあんまりお金がないとか、つまり――」

「**なんだって？**」ハリーは信じられないという声を出し、ジニーは怒った猫のような声を出した。

「そうなんだ」ロンが声を落とした。「そして、ますますひどいことになってさ。パーシーが言うんだ。父さんがダンブルドアと連んでいるのは愚かだとか、ダンブルドアは大きな問題を引き起こそうとしているとか、父さんはダンブルドアと落ちる所まで落ちるんだとか。そして、自分は――パーシーのことだけど――どこに忠誠を誓うかわかっている、魔法省だ。もし父さんと母さんが魔法省を裏切るなら、もう自分はこの家の者じゃないってことを、みんなにはっきりわからせてやるって。そしてパーシーはその晩、荷物をまとめて出ていったんだ。いま、ここ、ロンドンに住んでるよ」

ハリーは声をひそめて毒づいた。ロンの兄弟の中では、ハリーは昔からパーシーとは一番気が合わなかった。しかし、パーシーが、ウィーズリーおじさんにそんなことを言うとは、考えもしなかった。

「ママは気が動転してさ」ロンが言った。「わかるだろ――泣いたりとか。ママはロンドンに出てきて、パーシーと話をしようとしたんだ。ところがパーシーはママの鼻先でドアをピシャリさ。職場でパパに出会ったら、パーシーがどうするかは知らない——無視するんだろうな、きっと」

「だけど、パーシーは、ヴォルデモートが戻ってきたことを**知ってるはずだ**」ハリーが考え考え言った。「バカじゃないもの。君のパパやママが、なんの証拠もないのにすべてを懸けたりしないとわかるはずだ」

「ああ、うーん、君の名前も争いの引き合いに出された」ロンがハリーを盗み見た。「パーシーが言うには、証拠は君の言葉だけだ……なんて言うのかな……パーシーはそれじゃ不充分だって」

「パーシーは『日刊予言者新聞』を真に受けてるのよ」ハーマイオニーが辛辣な口調で言った。すると、全員が首をこっくりした。

「いったいなんのこと？」ハリーがみんなを見回しながら聞いた。どの顔もハラハラしてハリーを見ていた。

「あなた——あなた、読んでなかったの？『日刊予言者新聞』？」ハーマイオニーが恐る恐る聞いた。

「読んでたさ！」ハリーが言った。

「読んでたって——あの——完全に？」ハーマイオニーがますます心配そうに聞いた。

「隅から隅までじゃない」ハリーは言い訳がましく言った。「ヴォルデモートの記事がのるなら、一面大見出しだろう？　ちがう？」

みんながその名を聞いてぎくりとした。ハーマイオニーが急いで言葉を続けた。

「そうね、隅から隅まで読まないと気がつかないけど、でも、新聞に——うーん——一週間に数回はあなたのことがのってるわ」

「でも、僕、見なかったけど——」

「一面だけ読んでたらそうね。見ないでしょう」ハーマイオニーが首を振りながら言った。

「大きな記事のことじゃないの。決まり文句のジョークみたいに、あちこちにもぐり込んでるのよ」

「どういう――？」

「かなり悪質ね、はっきり言って」ハーマイオニーは無理に平静を装った声で言った。「リータの記事を利用してるの」

「だけど、リータはもうあの新聞に書いていないんだろ？」

「ええ、書いてないわ。約束を守ってる――選択の余地はないけどね」ハーマイオニーは満足そうにつけ加えた。「でも、リータが書いたことが、新聞がいまやろうとしていることの足がかりになっているの」

「やるって、**何を？**」ハリーはあせった。

「あのね、リータは、あなたがあちこちで失神するとか、傷が痛むと言ったとか書いたわよね？」

「ああ」リータ・スキーターが自分について書いた記事を、ハリーがそんなにすぐに忘れられるわけがない。

「新聞は、そうね、あなたが思い込みの激しい目立ちたがり屋で、自分を悲劇のヒーローだと思っている、みたいな書き方をしているの」

ハーマイオニーは一気に言いきった。こういう事実は大急ぎで聞くほうが、ハリーにとって不快感が少ないとでも言うかのようだった。

「新聞はあなたをあざける言葉を、しょっちゅうもぐり込ませるの。信じられないような突飛な記事の場合だと、『ハリー・ポッターにふさわしい話』だとか、誰かがおかしな事故にあうと、『この人の額に傷が残らないように願いたいものだ。そうしないと、次に我々はこの人を拝めと言われかねない』――」

「僕は誰にも拝んでほしくない――」ハリーが熱くなってしゃべりはじめた。

「わかってるわよ」ハーマイオニーは、びくっとした顔であわてて言った。

「私には**わかってる**のよ、ハリー。だけど新聞が何をやってるか、わかるでしょう？　あなたのことを、まったく信用できない人間に仕立て上げようとしてる。ファッジが糸を引いているわ。そうに決まってる。一般の魔法使いに、あなたのことをこんなふうに思い込ませようとしてるのよ――愚かな少年で、お笑いぐさ。ありえないばかげた話をする。なぜなら、有名なのが得意で、ずっと有名でいたいから」

「僕が頼んだわけじゃない――望んだわけじゃない――**ヴォルデモートは僕の両親を殺したんだ！**」ハリーは急き込んだ。「僕が有名になったのは、あいつが僕の家族を殺して、僕を殺せなかったからだ！　誰がそんなことで有名になりたい？　みんなにはわからないのか？　僕は、あんなことが起こらなかったらって――」

「**わかってるわ**、ハリー」ジニーが心から言った。

「それにもちろん、吸魂鬼があなたを襲ったことは一言も書いてない」ハーマイオニーが言った。「誰かが口止めしたのよ。ものすごく大きな記事になるはずだもの。制御できない吸魂鬼なんて。あなたが『国際機密保持法』を破ったことさえ書いてないわ。書くと思ったんだけど。あなたが愚かな目立ちたがり屋だっていうイメージとぴったり合うもの。あなたが退学処分になるまでがまんして待っているんだと思うわ。その時に大々的に騒ぎ立てるつもりなのよ――**もしも**退学になったらっていう意味よ。当然だけど」ハーマイオニーは急いで言葉をつけ加えた。「退学になるはずがないわ。魔法省が自分の法律を守るなら、あなたにはなんにも罪はないもの」

話が尋問に戻ってきた。ハリーはそのことを考えたくなかった。ほかの話題はないかと探しているうちに、階段を上がってくる足音に救われた。

「う、ワ」

フレッドが伸び耳をぐっと引っ張った。また大きなバシッという音がして、フレッドとジョージは消えた。次の瞬間、ウィーズリーおばさんが部屋の戸口に現れた。

「会議は終わりましたよ。下りてきていいわ。夕食にしましょう。ハリー、みんながあなたにとっても会いたがってるわ。ところで、厨房の扉の外にクソ爆弾をごっそり置いたのは誰なの?」

「クルックシャンクスよ」ジニーがけろりとして言った。「あれで遊ぶのが大好きなの」

「そう」ウィーズリーおばさんが言った。「私はまた、クリーチャーかと思ったわ。あんな変なことばかりするし。さあ、ホールでは声を低くするのを忘れないでね。ジニー、手が汚れてるわよ。何してたの? お夕食の前に手を洗ってきなさい」

ジニーはみんなにしかめっ面をして見せ、母親について部屋を出た。部屋にはハリーとロン、ハーマイオニーだけが残った。ほかのみんながいなくなったので、ハリーがまた叫びだすかもしれないと恐れているかのように、二人は心配そうにハリーを見つめていた。二人があまりにも神経をとがらせているのを見て、ハリーは少し恥ずかしくなった。

「あのさ……」ハリーがぼそりと言った。しかし、ロンは首を振り、ハーマイオニーは静かに言った。

「ハリー、あなたが怒ることはわかっていた。無理もないわ。でも、わかってほしい。私たち、**ほんとに努力した**のよ。ダンブルドアを説得するのに――」

「うん、わかってる」ハリーは言葉少なに答えた。

ハリーは、校長がかかわらない話題はないかと探した。ダンブルドアのことを考えるだけで、またも怒りで腸(はらわた)が煮えくり返る思いがするからだ。

「クリーチャーって誰?」ハリーが聞いた。

「ここにすんでる屋敷しもべ妖精」ロンが答えた。「いかれたやつさ。あんなの見たことない」

ハーマイオニーがロンをにらんだ。

「**いかれたやつ**なんかじゃないわ、ロン」

「あいつの最大の野望は、首を切られて、母親と同じように楯に飾られることなんだぜ」ロンがじれったそうに言った。「ハーマイオニー、それでもまともかい?」

「それは――それは、ちょっと変だからって、クリーチャーのせいじゃないわ」

ロンはやれやれという目でハリーを見た。

「ハーマイオニーはまだ『反吐(へど)』をあきらめてないんだ」

「『反吐(スピュー)』じゃないってば!」ハーマイオニーが熱くなった。「エス・ピー・イー・ダブリュー、しもべ妖精福祉振興協会です。それに、私だけじゃないのよ。ダンブルドアもクリーチャーにやさしくしなさいっておっしゃってるわ」

「はい、はい」ロンが言った。「行こう。腹ぺこだ」

ロンは先頭に立ってドアから踊り場に出た。しかし、三人が階段を下りる前に――。

「ストップ!」ロンが声をひそめ、片腕を伸ばして、ハリーとハーマイオニーを押しとどめた。

「みんな、まだホールにいるよ。何か聞けるかもしれない」

三人は慎重に階段の手すりからのぞき込んだ。階下の薄暗いホールは、魔法使いと魔女たちでいっぱいだった。ハリーの護衛隊もいた。興奮してささやき合っている。グループの真ん中に、脂っこい黒髪で鼻の目立つ魔法使いが見えた。ホグワーツでハリーが一番嫌いな、スネイプ先生だ。ハリーは階段の手すりから身を乗り出した。スネイプが不死鳥の騎士団で何をしているのかがとても気になった……。

細い薄オレンジ色のひもが、ハリーの目の前を下りていった。見上げると、フレッドとジョージが上の踊り場にいて、下の真っ黒な集団に向かってそろりそろりと伸び耳を下ろしていた。しかし次の瞬間、集団は全員、玄関の扉に向かい、姿が見えなくなった。

「チッキショー」

ハリーは、伸び耳を引き上げながらフレッドが小声で言うのを聞いた。

玄関の扉が開き、また閉まる音が聞こえた。

「スネイプは絶対ここで食事しないんだ」ロンが小声でハリーに言った。「ありがたいことにね。さあ」

「それと、ホールでは声を低くするのを忘れないでね、ハリー」ハーマイオニーがささやいた。

しもべ妖精の首がずらりと並ぶ壁の前を通り過ぎるとき、ルーピン、ウィーズリーおばさん、トンクスが玄関の戸口にいるのが見えた。みんなが出ていったあとで、魔法の錠前やかんぬきをいくつもかけているところだった。

「厨房で食べますよ」階段下で三人を迎え、ウィーズリーおばさんが小声で言った。「さあ、ハリー、忍び足でホールを横切って、ここの扉から――」

バタッ。

「**トンクス!**」おばさんがトンクスを振り返り、あきれたように叫んだ。

「ごめん!」トンクスは情けない声を出した。床に這(は)いつくばっている。「このバカバカしいかさ立てのせいよ。つまずいたのはこれで二度目――」

あとの言葉は、耳をつんざき血も凍る、恐ろしい叫びにのみ込まれてしまった。

さっきハリーがその前を通った、虫食いだらけのビロードのカーテンが、左右に開かれていた。その裏にあったのは扉ではなかった。一瞬、ハリーは窓のむこう側が見えるのかと思った。窓の向こうに黒い帽子をかぶった老女がいて、叫んでいる。まるで拷問を受けているかのような叫びだ――次の瞬間、ハリーはそれが等身大の肖像画だと気づいた。ただし、ハリーがいままで見た中で一番生々しく、一番不快な肖像画だった。

老女はよだれを垂らし、白目をむき、叫んでいるせいで、黄ばんだ顔の皮膚が引きつっている。ホール全体にかかっているほかの肖像画も目を覚まして叫びだした。あまりの騒音に、ハリーは目をギュッとつぶり、両手で耳をふさいだ。

ルーピンとウィーズリーおばさんが飛び出して、カーテンを引き老女を閉じ込めようとした。しかしカーテンは閉まらず、老女はますます鋭い叫びを上げて、二人の顔を引き裂こうとするかのように、両手の長い爪を振り回した。

「穢(けが)らわしい！　クズども！　塵芥(ちりあくた)の輩(やから)！　雑種、異形、できそこないども。ここから立ち去れ！　わが祖先の館を、よくも汚してくれたな――」

トンクスは何度も何度も謝りながら、巨大などっしりしたトロールの足を引きずって立て直していた。ウィーズリーおばさんはカーテンを閉めるのをあきらめ、ホールを駆けずり回って、ほかの肖像画に杖で「失神術」をかけていた。すると、ハリーの行く手の扉から、黒い長い髪の男が飛び出してきた。

「だまれ。この鬼婆(おにばば)。**だまるんだ！**」

男は、ウィーズリーおばさんがあきらめたカーテンをつかんで吠(ほ)えた。

老女の顔が血の気を失った。

「こいつぅぅぅぅ！」老女がわめいた。男の姿を見て、両眼が飛び出していた。

「血を裏切る者よ。忌まわしや。わが骨肉の恥！」

「聞こえないのか――**だ――ま――れ！**」

男が吠えた。そして、ルーピンと二人がかりの金剛力で、やっとカーテンを元のように閉じた。

老女の叫びが消え、シーンと沈黙が広がった。

少し息をはずませ、長い黒髪を目の上からかき上げ、男がハリーを見た。ハリーの名付け親、シリウスだ。

「やあ、ハリー」シリウスが暗い顔で言った。「どうやら私の母親に会ったようだね」

第5章　不死鳥の騎士団

「誰に――？」

「わが親愛なる母上にだよ」シリウスが言った。「かれこれ一か月もこれを取りはずそうとしているんだが、この女は、カンバスの裏に『永久粘着呪文』をかけたらしい。さあ、下に行こう。急いで。ここの連中がまた目を覚まさないうちに」

「だけど、お母さんの肖像画がどうしてここにあるの？」

ホールから階下に下りる扉を開けると、狭い石の階段が続いていた。その階段を下りながら、わけがわからず、ハリーが聞いた。ほかのみんなも、二人のあとから下りてきた。

「誰も君に話していないのか？　ここは私の両親の家だった」シリウスが答えた。「しかし、私がブラック家の最後の生き残りだ。だから、いまは私の家だ。私がダンブルドアに本部として提供した。――私には、それぐらいしか役に立つことがないんでね」

シリウスはハリーが期待していたような温かい歓迎をしてくれなかったが、シリウスの言い方がなぜか苦渋に満ちていることに、ハリーは気づいていた。ハリーは名付け親について階段を一番下まで下り、地下の厨房（ちゅうぼう）に入る扉を通った。

そこは、上のホールとほとんど同じように暗く、あらい石壁のがらんとした広い部屋だった。明かりといえば、厨房の奥にある大きな暖炉の火ぐらいだ。パイプの煙が、戦場の焼け跡の煙のように漂い、その煙を通して、暗い天井から下がった重い鉄鍋や釜が、不気味な姿を見せていた。会議用に椅子ががたくさん詰め込まれていたらしい。その真ん中に長い木のテーブルがあり、羊皮紙の巻紙やゴブレット、ワインの空き瓶、それにボロ布の山のようなものが散らかっていた。ウィーズリーおじさんは、テーブルの端のほうで長男のビルと額を寄せ合い、ヒソヒソ話していた。

ウィーズリーおばさんが咳払いをした。角縁めがねをかけ、やせて、赤毛が薄くなりかかったウィーズリーおじさんが、振り返って、勢いよく立ち上がった。

「ハリー！」おじさんは急ぎ足で近づいてきて、ハリーの手を握り、激しく振った。「会えてうれしいよ！」

おじさんの肩越しに、ビルが見えた。相変わらず長髪をポニーテールにしている。ビルがテーブルに残っていた羊皮紙をサッと丸めるのが見えた。

「ハリー、旅は無事だったかい？」十二本の巻紙を一度に集めようとしながら、ビルが声をかけた。「それじゃ、マッド‐アイは、グリーンランド上空を経由しなかったんだね？」

「そうしようとしたわよ」トンクスがそう言いながら、ビルを手伝いにすたすた近づいてきたが、たちまち、最後に一枚残っていた羊皮紙の上にろうそくをひっくり返した。

「あ、しまった――**ごめん**――」

「任せて」

ウィーズリーおばさんが、あきれ顔で言いながら、杖のひと振りで羊皮紙を元に戻した。おばさんの呪文が放った閃光で、ハリーは建物の見取り図のようなものをちらりと見た。

ウィーズリーおばさんはハリーが見ていることに気づき、見取り図をテーブルからサッと取り上げ、すでにあふれそうになっているビルの腕の中に押し込んだ。

「こういうものは、会議が終わったら、すぐに片づけないといけません」おばさんはピシャリと言うと、さっさと古びた食器棚のほうに行き、中から夕食用のお皿を取り出しはじめた。

ビルは杖を取り出し、「**エバネスコ！　消えよ！**」とつぶやいた。巻紙が消え去った。

「かけなさい、ハリー」シリウスが言った。「マンダンガスには会ったことがあるね？」

ハリーがボロ布の山だと思っていたものが、クウーッと長いいびきをかいたと思うと、がばっと目を覚ました。

「だンか、おンの名、呼んだか？」マンダンガスが眠そうにボソボソ言った。「俺は、シリウスンさン成する……」マンダンガスは投票でもするように、汚らしい手を挙げた。血走った垂れ目はどろんとして焦点が合っていない。

ジニーがクスクス笑った。

「会議は終わってるんだ、ダング」シリウスが言った。周りのみんなもテーブルに着いていた。

「ハリーが到着したんだよ」

「はぁ？」マンダンガスは赤茶けたくしゃくしゃの髪の毛を透かして、ハリーをみじめっぽく見た。

「ほー。着いたンか。ああ……元気か、アリー？」

「うん」ハリーが答えた。

マンダンガスは、ハリーを見つめたままそわそわとポケットをまさぐり、すすけたパイプを引っ張り出した。パイプを口に突っ込み、杖で火をつけ、深く吸い込んだ。緑がかった煙がもくもくと立ち昇り、たちまちマンダンガスの顔に煙幕を張った。

「あんたにゃ、あやまンにゃならん」臭い煙の中から、ブツブツ言う声が聞こえた。

「マンダンガス、何度言ったらわかるの」ウィーズリーおばさんがむこうのほうから注意した。

「お願いだから、厨房ではそんなもの**吸わないで**。特にこれから食事っていう時に！」

「あー」マンダンガスが言った。「うン。モリー、すまン」

マンダンガスがポケットにパイプをしまうと、もくもくは消えた。しかし、靴下の焦げるような刺激臭が漂っていた。

「それに、真夜中にならないうちに夕食を食べたいなら、手を貸してちょうだいな」ウィーズリーおばさんがみんなに声をかけた。

「あら、ハリー、あなたはじっとしてていいのよ。長旅だったもの」

「モリー、何しようか？」トンクスが、なんでもするわとばかり、はずむように進み出た。

ウィーズリーおばさんが、心配そうな顔でとまどった。

「えーと――けっこうよ、トンクス。あなたも休んでらっしゃい。今日は充分働いたし」

「ううん。わたし、手伝いたいの！」トンクスが明るく言い、ジニーがナイフやフォークを取り出している食器棚のほうに急いで行こうとして、途中の椅子を蹴飛ばして倒した。

まもなく、ウィーズリーおじさんの指揮下で、大きな包丁が何丁も勝手に肉や野菜を刻みはじめた。おばさんは火にかけた大鍋をかき回し、ほかのみんなは皿や追加のゴブレット、貯蔵室からの食べ物を運んでいた。ハリーはシリウス、マンダンガスとテーブルに取り残され、マンダンガスは相変わらず申し訳なさそうに目をしょぼつかせていた。

「フィギーばあさんに、あのあと会ったか？」マンダンガスが聞いた。

「ううん」ハリーが答えた。「誰にも会ってない」

「なあ、おれ、持ち場をあなれたンは」すがるような口調で、マンダンガスは身を乗り出した。「商売のチャンスがあったンで――」

ハリーは、ひざを何かでこすられたような気がしてびっくりしたが、なんのことはない、ハーマイオニーのペットで、オレンジ色の猫、ガニマタのクルックシャンクスだった。甘え声を出してハリーの足の周りをひとめぐりし、それからシリウスのひざに飛び乗って丸くなった。シリウスは無意識に猫の耳の後ろをカリカリかきながら、相変わらず固い表情でハリーのほうを見た。

「夏休みは、楽しかったか？」

「ううん、ひどかった」ハリーが答えた。

シリウスの顔に、初めてニヤッと笑みが走った。

「私に言わせれば、君がなんで文句を言うのかわからないね」

「**えっ？**」ハリーは耳を疑った。

「私なら、吸魂鬼に襲われるのは歓迎だったろう。命を賭けた死闘でもすれば、このたいくつさも見事に破れたろうに。君はひどい目にあったと思っているだろうが、少なくとも外に出て歩き回ることができた。手足を伸ばせたし、けんかも戦いもやった……私はこの一か月、ここに缶詰だ」

「どうして？」ハリーは顔をしかめた。

「魔法省がまだ私を追っているからだ。それに、ヴォルデモートはもう私が『動物もどき（アニメーガス）』だと知っているはずだ。ワームテールが話してしまったろうから。だから私のせっかくの変装も役に立たない。不死鳥の騎士団のために私ができることはほとんどない……少なくともダンブルドアはそう思っている」

ダンブルドアの名前を言うとき、シリウスの声がわずかに曇った。それがハリーに、シリウスもダンブルドア校長に不満があることを物語っていた。名付け親のシリウスに対して、ハリーは急に熱い気持ちが込み上げてきた。

「でも、少なくとも、何が起きているかは知っていたでしょう？」ハリーは励ますように言った。

「ああ、そうとも」シリウスは自嘲的な言い方をした。「スネイプの報告を聞いて、あいつが命を懸けているのに、私はここでのうのうと居心地よく暮らしているなんて、いやみな当てこすりをたっぷり聞いて……大掃除は進んでいるか、なんてやつに聞かれて――」

「大掃除って？」ハリーが聞いた。

「ここを人間が住むのにふさわしい場所にしている」シリウスが、手を振るようにして陰気な厨房全体を指した。「ここには十年間誰も住んでいなかった。親愛なる母上が死んでからはね。年寄りの屋敷しもべ妖精を別にすればだが。やつはひねくれている――何年もまったく掃除していない」

「シリウス」マンダンガスは、話のほうにはまったく耳を傾けていなかったようだが、からのゴブレットをしげしげと眺めていた。「こりゃ、純銀かね、おい？」

「そうだ」シリウスはいまいましげにゴブレットを調べた。「十五世紀に小鬼（ゴブリン）がきたえた最高級の銀だ。ブラック家の家紋が型押ししてある」

「どっこい、そいつは消せるはずだ」マンダンガスはそで口で磨きをかけながらつぶやいた。

「フレッド――ジョージ、**おやめっ、普通に運びなさい！**」ウィーズリーおばさんが悲鳴を上げた。

ハリー、シリウス、マンダンガスが振り返り、間髪を容（い）れず、三人ともテーブルから飛びのいた。フレッドとジョージが、シチューの大鍋、バタービールの大きな鉄製の広口ジャー、重い木製のパン切り板、しかもナイフつきを、一緒くたにテーブルめがけて飛ばせたのだ。シチューの大鍋は、木製のテーブルの端から端まで、長いこげ跡を残してすべり、落ちる寸前で止まった。バタービールの広口ジャーがガシャンと落ちて、中身があたりに飛び散った。パン切りナイフは板からすべり落ち、切っ先を下にして着地し、不気味にプルプル振動している。いましがたシリウスの右手があった、ちょうどその場所だ。

「まったくもう！」ウィーズリーおばさんが叫んだ。**「そんな必要ないでしょっ――もうたくさん――おまえたち、もう魔法を使ってもいいからって、なんでもかんでもいちいち杖を振る必要はないのっ！」**

「俺たち、ちょいと時間を節約しようとしたんだよ！」フレッドが急いで進み出て、テーブルからパン切りナイフを抜き取った。「ごめんよ、シリウス――わざとじゃないぜ――」

ハリーもシリウスも笑っていた。マンダンガスは椅子から仰向けに転げ落ちていたが、悪態をつきながら立ち上がった。クルックシャンクスはシャーッと怒り声を出して食器棚の下に飛び込み、真っ暗な所で、大きな黄色い目をギラつかせていた。

「おまえたち」シチューの鍋をテーブルの真ん中に戻しながら、ウィーズリーおじさんが言った。「母さんが正しい。おまえたちも成人したんだから、責任感というものを見せないと――」

「兄さんたちはこんな問題を起こしたことがなかったわ！」

ウィーズリーおばさんが二人を叱りつけながら、バタービールの新しい広口ジャーをテーブルにドンとたたきつけた。中身がさっきと同じぐらいこぼれた。

「ビルは、一メートルごとに『姿あらわし』する必要なぞ感じなかったわ！　チャーリーは、なんにでも見境なしに呪文をかけたりしなかった！　パーシーは――」

突然おばさんの言葉がとぎれ、息を殺し、こわごわウィーズリーおじさんの顔を見た。おじさんは、急に無表情になっていた。

「さあ、食べよう」ビルが急いで言った。

「モリー、おいしそうだよ」おばさんのために皿にシチューをよそい、テーブル越しに差し出しながら、ルーピンが言った。

しばらくの間、皿やナイフ、フォークのカチャカチャいう音や、みんながテーブルに椅子を引き寄せる音がするだけで、誰も話をしなかった。そして、ウィーズリーおばさんがシリウスに話しかけた。

「ずっと話そうと思ってたんだけどね、シリウス、客間の小机に何か閉じ込められているの。しょっちゅうガタガタ揺れているわ。もちろん単なるまね妖怪（ボガート）かもしれないけど、出してやる前に、アラスターに頼んで見てもらわないといけないと思うの」

「お好きなように」シリウスはどうでもいいというような口調だった。

「客間のカーテンはかみつき妖精のドクシーがいっぱいだし」ウィーズリーおばさんはしゃべり続けた。

「あしたあたり、みんなで退治したいと思ってるんだけど」

「楽しみだね」シリウスが答えた。ハリーは、その声に皮肉な響きを聞き取ったが、ほかの人もそう聞こえたかどうかはわからなかった。

ハリーのむかい側でトンクスが、食べ物をほおばる合間に鼻の形を変えて、ハーマイオニーとジニーを楽しませていた。ハリーの部屋でやって見せたように、「痛いっ」という表情で目をギュッとつぶったかと思うと、トンクスの鼻がふくれ上がってスネイプの鉤（かぎ）鼻のように盛り上がったり、縮んで小さなマッシュルームのようになったり、鼻の穴からワッと鼻毛が生えたりしている。どうやら、食事のときのおなじみの余興になっているらしく、まもなくハーマイオニーとジニーが、お気に入りの鼻をせがみはじめた。

「豚の鼻みたいの、やって。トンクス」

トンクスがリクエストに応えた。目を上げたハリーは、一瞬、女性のダドリーがテーブルのむこうから笑いかけているような気がした。

ウィーズリーおじさん、ビル、ルーピンは小鬼について話し込んでいた。

「連中はまだ何ももらしていないんですよ」ビルが言った。「『例のあの人』が戻ってきたことを、連中が信じているのかいないのか、僕にはまだ判断がつかない。むろん、連中にしてみれば、どちらにも味方しないでいるほうがいいんだ。なんにもかかわらずに」

「連中は『例のあの人』側につくことはないと思うね」ウィーズリーおじさんが頭を振りながら言った。「連中も痛手をこうむったんだ。前回、ノッティンガムの近くで『あの人』に殺された小鬼の一家のことを覚えてるだろう？」

「私の考えでは、見返りが何かによるでしょう」ルーピンが言った。「金貨のことじゃないんですよ。我々魔法使いが、連中に対して何世紀も拒んできた自由を提供すれば、連中も気持ちが動くでしょう。ビル、ラグノックの件はまだうまくいかないのかね？」

「いまのところ、魔法使いへの反感が相当強いですね」ビルが言った。「バグマンの件で、まだののしり続けていますよ。魔法省が隠蔽工作をしたと考えています。例の小鬼たちは、結局バグマンから金貨をせしめることができなかったんです。それで――」

テーブルの真ん中から大爆笑が上がり、ビルの言葉をかき消してしまった。フレッド、ジョージ、ロン、マンダンガスが椅子の上で笑い転げていた。

「……ソンでよぅ」マンダンガスが涙を流し、息を詰まらせながらしゃべっていた。「ソンで、信じられねえかもしンねえけどよぅ、あいつが俺に、俺によぅ、こう言うんだ。『あー、ダング、ヒキガエルをそんなにたくさん、どっから手に入れたね？　なんせ、どっかのならずもンが、俺のヒキガエルを全部盗みやがったんで』。俺は言ってやったね。『ウィル、おめえのヒキガエルを全部？　次は何が起こるかわかったもんじゃねえなぁ？　ソンで、おめえは、ヒキガエルを何匹か欲しいってぇわけだな？』。ソンでよぅ、信じられるけぇ？　あのアホのガーゴイルめ、俺が持ってた、やつのヒキガエルをそっくり買い戻しやがった。最初にやつが払った値段よりずンと高い金でよぅ――」

　ロンがテーブルに突っ伏して、大笑いした。

「マンダンガス、あなたの商売の話は、もうこれ以上聞きたくありません。もうけっこう」ウィーズリーおばさんが厳しい声で言った。

「ごめんよ、モリー」マンダンガスが涙をぬぐい、ハリーにウィンクしながら謝った。「だけンどよぅ、もともとそのヒキガエル、ウィルのやつがウォーティ・ハリスから盗んだんだぜ。だから、おれはなンも悪いことはしちゃいねえ」

「あなたが、いったいどこで善悪を学んだかは存じませんがね、マンダンガス、でも、大切な授業をいくつか受けそこねたようね」ウィーズリーおばさんが冷たく言った。

　フレッドとジョージはバタービールのゴブレットに顔を隠し、ジョージはしゃっくりしていた。ウィーズリーおばさんは、立ち上がってデザートの大きなルバーブ・クランブルを取りにいく前に、なぜかいやな顔をして、シリウスをちらりとにらみつけた。ハリーは名付け親を振り返った。

「モリーはマンダンガスを認めていないんだ」シリウスが低い声で言った。

「どうしてあの人が騎士団に入ってるの？」ハリーもこっそり聞いた。

「あいつは役に立つ」シリウスがつぶやいた。「ならず者を全部知っている――そりゃ、知っているだろう。あいつもその一人だしな。しかし、あいつはダンブルドアに忠実だ。一度危ないところを救われたから。ダングのようなのが一人いると、それなりに価値がある。あいつは私たちの耳に入ってこないようなことを聞き込んでくる。しかし、モリーは、あいつを夕食に招待するのはやりすぎだと思ってる。君を見張るべきときに、任務をほったらかしにして消えたことで、モリーはまだあいつを許していないんだよ」

ルバーブ・クランブルにカスタードクリームをかけて、三回もおかわりしたあと、ハリーは、ジーンズのベルトが気持ち悪いほどきつく感じた（これはただごとではなかった。何しろダドリーのお下がりジーンズなのだから）。ハリーがスプーンを置くころには、会話もだいたい一段落していた。ウィーズリーおじさんは満ち足りてくつろいだ様子で椅子に寄りかかり、トンクスは鼻が元どおりになり大あくびをしていた。ジニーはクルックシャンクスを食器棚の下から誘い出し、床にあぐらをかいてバタービールのコルク栓を転がし、猫に追わせていた。

「もうおやすみの時間ね」ウィーズリーおばさんが、あくびしながら言った。

「いや、モリー、まだだ」

シリウスがからになった自分の皿を押しのけ、ハリーのほうを向いて言った。

「いいか、君には驚いたよ。ここに着いたとき、君は真っ先にヴォルデモートのことを聞くだろうと思っていたんだが」

部屋の雰囲気がサーッと変わった。吸魂鬼が現れたときのような急激な変化だと、ハリーは思った。一瞬前は、眠たげでくつろいでいたのに、いまや警戒し、張り詰めている。ヴォルデモートの名前が出たとたん、テーブル全体に戦慄が走った。ちょうどワインを飲もうとしていたルーピンは、緊張した面持ちで、ゆっくりとゴブレットを下に置いた。

「聞いたよ！」ハリーは憤慨した。「ロンとハーマイオニーに聞いた。でも、二人が言ったんだ。僕たちは騎士団に入れてもらえないから、だから――」

「二人の言うとおりよ」ウィーズリーおばさんが言った。「あなたたちはまだ若すぎるの」

おばさんは背筋をぴんと伸ばして椅子にかけていた。椅子のひじかけに置いた両手を固く握りしめ、眠気などひとかけらも残っていない。

「騎士団に入っていなければ質問してはいけないと、いつからそう決まったんだ？」シリウスが聞いた。「ハリーはあのマグルの家に一か月も閉じ込められていた。何が起こったのかを知る権利がある――」

「ちょっと待った！」ジョージが大声でさえぎった。

「なんでハリーだけが質問に答えてもらえるんだ？」フレッドが怒ったように言った。

「**俺たちだって**、この一か月、みんなから聞き出そうとしてきた。なのに、誰も何一つ教えてくれやしなかった！」ジョージが言った。

「『**あなたたちはまだ若すぎます。まだ騎士団に入っていません**』」フレッドが紛れもなく母親の声だとわかる高い声を出した。「ハリーはまだ成人にもなってないんだぜ！」

「騎士団が何をしているのか、君たちが教えてもらえなかったのは、私の責任じゃない」シリウスが静かに言った。「それは、君たちのご両親の決めたことだ。ところが、ハリーのほうは――」

「ハリーにとって何がいいのかを決めるのは、あなたではないわ！」

ウィーズリーおばさんが鋭く言った。いつもはやさしいおばさんの顔が、険しくなっていた。

「ダンブルドアがおっしゃったことを、よもやお忘れじゃないでしょうね？」

「どのお言葉でしょうね？」シリウスは礼儀正しかったが、戦いに備えた男の雰囲気を漂わせていた。

「**ハリーが知る必要があること**以外は話してはならない、とおっしゃった言葉です」ウィーズリーおばさんは最初のくだりをことさらに強調した。

ロン、ハーマイオニー、フレッド、ジョージの四人の頭が、シリウスとウィーズリー夫人の間を、テニスのラリーを見るように往復した。ジニーは、散らばったバタービールのコルク栓の山の中にひざをつき、口をかすかに開けて、二人のやりとりを見つめていた。ルーピンの目は、シリウスに釘（くぎ）づけになっていた。

「私は、**ハリーが知る必要があること**以外を、この子に話してやるつもりはないよ、モリー」シリウスが言った。「しかし、ハリーがヴォルデモートの復活を目撃した者である以上（ヴォルデモートの名が、またしてもテーブル中をいっせいに身震いさせた）、ハリーは大方の人間以上に——」

「この子は不死鳥の騎士団のメンバーではありません！」ウィーズリーおばさんが言った。「この子はまだ十五歳です。それに——」

「それに、ハリーは騎士団の大多数のメンバーに匹敵するほどの、いや、何人かをしのぐほどのことをやりとげてきた」

「誰も、この子がやりとげたことを否定しやしません！」ウィーズリーおばさんの声が一段と高くなり、拳が椅子のひじかけで震えていた。「でも、この子はまだ——」

「ハリーは子供じゃない！」シリウスがいらいらと言った。

「大人でもありませんわ！」ウィーズリーおばさんは、ほおを紅潮させていた。

「シリウス、この子は**ジェームズ**じゃないのよ！」

「お言葉だが、モリー、私は、この子が誰か、はっきりわかっているつもりだ」シリウスが冷たく言った。

「私にはそう思えないわ！」ウィーズリーおばさんが言った。「ときどき、あなたがハリーのことを話すとき、まるで親友が戻ってきたかのような口ぶりだわ！」

「そのどこが悪いの？」ハリーが言った。

「どこが悪いかというとね、ハリー、あなたはお父さんとは**ちがう**からですよ。どんなにお父さんにそっくりでも！」ウィーズリーおばさんが、えぐるような目でシリウスをにらみながら言った。

「あなたはまだ学生です。あなたに責任を持つべき大人が、それを忘れてはいけないわ！」

「私が無責任な名付け親だという意味ですかね？」シリウスが、声を荒らげて問いただした。

「あなたは向こう見ずな行動を取ることもあるという意味ですよ、シリウス。だからこそ、ダンブルドアがあなたに、家の中にいるようにと何度もおっしゃるんです。それに――」

「ダンブルドアが私に指図することは、よろしければ、この際別にしておいてもらいましょう！」シリウスが大声を出した。

「アーサー！」おばさんは歯がゆそうにウィーズリーおじさんを振り返った。「アーサー、なんとか言ってくださいな！」

ウィーズリーおじさんはすぐには答えなかった。めがねをはずし、妻のほうを見ずに、ローブでゆっくりとめがねをふいた。そのめがねを慎重に鼻にのせなおしてから、初めておじさんが口を開いた。

「モリー、ダンブルドアは立場が変化したことをご存じだ。いま、ハリーは本部にいるわけだし、ある程度は情報を与えるべきだと認めていらっしゃる」

「そうですわ。でも、それと、ハリーになんでも好きなことを聞くようにとうながすのとは、全然別です！」

「私個人としては」シリウスから目を離したルーピンが、静かに言った。ウィーズリーおばさんは、やっと味方ができそうだと、急いでルーピンを振り返った。「ハリーは事実を知っておいたほうがよいと思うね――何もかもというわけじゃないよ、モリー。でも、全体的な状況を、私たちから話したほうがよいと思う――歪曲(わいきょく)された話を、誰か……ほかの者から聞かされるよりは」

ルーピンの表情はおだやかだったが、ウィーズリーおばさんの追放をまぬかれた「伸び耳」がまだあることを、少なくともルーピンは知っていると、ハリーははっきりそう思った。

「そう」ウィーズリーおばさんは息を深く吸い込み、支持を求めるようにテーブルをぐるりと見回したが、誰もいなかった。「そう……どうやら私は却下されるようね。これだけは言わせていただくわ。ダンブルドアがハリーにあまり多くを知ってほしくないとおっしゃるからには、ダンブルドアなりの理由がおありのはず。それに、ハリーにとって何が一番よいことかを考えている者として――」

「ハリーはあなたの息子じゃない」シリウスが静かに言った。

「息子も同然です」ウィーズリーおばさんが激しい口調で言った。「ほかに誰がいるっていうの？」

「私がいる！」

「そうね」ウィーズリーおばさんの口元がくいっと上がった。「ただし、あなたがアズカバンに閉じ込められていた間は、この子の面倒を見るのが少し難しかったのじゃありません？」

シリウスは椅子から立ち上がりかけた。

「モリー、このテーブルに着いている者で、ハリーのことを気づかっているのは、君だけじゃない」ルーピンは厳しい口調で言った。「シリウス、**座るんだ**」

ウィーズリーおばさんの下唇が震えていた。シリウスは蒼白(そうはく)な顔で、ゆっくりと椅子に腰かけた。

「ハリーも、このことで意見を言うのを許されるべきだろう」ルーピンが言葉を続けた。「もう自分で判断できる年齢だ」

「僕、知りたい。何が起こっているのか」ハリーは即座に答えた。

ハリーはウィーズリーおばさんのほうを見なかった。おばさんがハリーを息子同然だと言ったことに胸を打たれていた。しかし、おばさんに子供扱いされることにがまんできなかったのも確かだった。シリウスの言うとおりだ。僕は**子供じゃない**。

「わかったわ」ウィーズリーおばさんの声がかすれていた。「ジニー――ロン――ハーマイオニー――フレッド――ジョージ――。みんな厨房から出なさい。すぐに」

たちまちどよめきが上がった。

「俺たち成人だ！」フレッドとジョージが同時にわめいた。

「ハリーがよくて、どうして僕はだめなんだ？」ロンが叫んだ。

「ママ、あたしも**聞きたい！**」ジニーが鼻声を出した。

「**だめ！**」ウィーズリーおばさんが叫んで立ち上がった。目がらんらんと光っている。「絶対に許しません――」

「モリー、フレッドとジョージを止めることはできないよ」ウィーズリーおじさんがつかれたように言った。「二人とも**確かに**成人だ」

「まだ学生だわ」

「しかし、法律ではもう大人だ」おじさんが、またつかれた声で言った。

おばさんは真っ赤な顔をしている。

「私は――ああ――しかたがないでしょう。フレッドとジョージは残ってよろしい。だけど、ロン――」

「どうせハリーが、僕とハーマイオニーに、みんなの言うことを全部教えてくれるよ！」ロンが熱くなって言った。

「そうだよね？――ね？」ロンはハリーの目を見ながら、不安げに言った。

ハリーは一瞬、ロンに、一言も教えてやらないと言ってやろうかと思った。なんにも知らされずにいることがどんな気持ちか味わってみればいい、と言おうかと思った。しかし、意地悪な衝動は、互いの目が合ったとき、消え去った。

「もちろんさ」ハリーが言った。

ロンとハーマイオニーがニッコリした。

「そう！」おばさんが叫んだ。「そう！　ジニー――**寝なさい！**」

ジニーはおとなしく引かれてはいかなかった。階段を上がる間ずっと、母親にわめき散らし、暴れているのが聞こえた。二人がホールに着いたとき、ブラック夫人の耳をつんざく叫び声が騒ぎにつけ加わった。ルーピンは静寂を取り戻すため、肖像画に向かって急いだ。ルーピンが戻り、厨房の扉を閉めてテーブルに着いたとき、シリウスがやっと口を開いた。

「オーケー、ハリー……何が知りたい？」

ハリーは深く息を吸い込み、この一か月間ずっと自分を悩ませていた質問をした。

「ヴォルデモートはどこにいるの？」

名前を口にしたとたん、またみんながぎくりとし、身震いするのをハリーは無視した。

「あいつは何をしているの？　マグルのニュースをずっと見てたけど、それらしいものはまだなんにもないんだ。不審な死とか」

「それは、不審な死がまだないからだ」シリウスが言った。「我々が知るかぎりでは、ということだが……それに我々は、相当いろいろ知っている」

「とにかく、あいつの想像以上にいろいろ知っているんだがね」ルーピンが言った。

「どうして人殺しをやめたの？」ハリーが聞いた。去年一年だけでも、ヴォルデモートが一度ならず人を殺したことをハリーは知っていた。

「それは、自分に注意を向けたくないからだ」シリウスが答えた。「あいつにとって、それが危険だからだ。あいつの復活は、自分の思いどおりにはいかなかった。わかるね。しくじったんだ」

「というより、君がしくじらせた」ルーピンが、満足げにほほえんだ。

「どうやって？」ハリーは当惑した。

「君は生き残るはずじゃなかった！」シリウスが言った。「死喰い人以外は、誰もあいつの復活を知るはずじゃなかった。ところが、君は証人として生き残った」

「しかも、よみがえったときに、それを一番知られたくない人物がダンブルドアだった」ルーピンが言った。「ところが、君がすぐさま、確実にダンブルドアに知らせた」

「それがどういう役に立ったの？」ハリーが聞いた。

「役立ったどころじゃない」ビルが信じられないという声を出した。「ダンブルドアは、『例のあの人』が恐れた唯一の人物だよ！」

「君のおかげで、ダンブルドアは、ヴォルデモートの復活から一時間後には、不死鳥の騎士団を呼び集めることができた」シリウスが言った。

「それで、騎士団は何をしているの？」ハリーが、全員の顔をぐるりと見渡しながら聞いた。

「ヴォルデモートが計画を実行できないように、できるかぎりのことをしている」シリウスが言った。

「あいつの計画がどうしてわかるの？」ハリーがすぐ聞き返した。

「ダンブルドアは洞察力が鋭い」ルーピンが言った。「しかも、その洞察は、結果的に正しいことが多い」

「じゃ、ダンブルドアは、あいつの計画がどんなものだと考えてるの？」

「そう、まず、自分の軍団を再構築すること」シリウスが言った。「かつて、あいつは膨大な数を指揮下に収めた。脅したり、魔法をかけたりして従わせた魔法使いや魔女、忠実な死喰い人、ありとあらゆる闇の生き物たち。やつが巨人を招集しようと計画していたことは聞いたはずだ。そう、巨人は、やつが目をつけているグループの一つにすぎない。やつが、ほんのひと握りの死喰い人だけで、魔法省を相手に戦うはずがない」

「それじゃ、みんなは、あいつが手下を集めるのを阻止しているわけ？」

「できるだけね」ルーピンが言った。

「どうやって？」

「そう、一番重要なのは、なるべく多くの魔法使いたちに、『例のあの人』がほんとうに戻ってきたのだと信じさせ、警戒させることだ」ビルが言った。「だけど、これがなかなかやっかいだ」

「どうして？」

「魔法省の態度のせいよ」トンクスが答えた。「『例のあの人』が戻った直後のコーネリウス・ファッジの態度を、ハリー、君は見たよね。そう、大臣はいまだにまったく立場を変えていないの。そんなことは起こらなかったと、頭っから否定してる」

「でも、どうして？」ハリーは必死の思いだった。「どうしてファッジはそんなにまぬけなんだ？だって、ダンブルドアが――」

「ああ、そうだ。君はまさに問題の核心を突いた」ウィーズリーおじさんが苦笑いした。「**ダンブルドアだ**」

「ファッジはダンブルドアが怖いのよ」トンクスが悲しそうに言った。

「ダンブルドアが怖い？」ハリーは納得がいかなかった。

「ダンブルドアがくわだてていることが怖いんだよ」ウィーズリーおじさんが言った。「ファッジは、ダンブルドアがファッジの失脚をたくらんでいると思っている。ダンブルドアが魔法省乗っ取りをねらっているとね」

「でもダンブルドアはそんなこと望んで――」

「いないよ、もちろん」ウィーズリーおじさんが言った。「ダンブルドアは一度も大臣職を望まなかった。ミリセント・バグノールドが引退したとき、ダンブルドアを大臣にと願った者が大勢いたにもかかわらずだ。かわりにファッジが権力を握った。しかし、ダンブルドアがけっしてその地位を望まなかったにもかかわらず、いかに人望が厚かったかを、ファッジが完全に忘れたわけではない」

「心の奥で、ファッジはダンブルドアが自分より賢く、ずっと強力な魔法使いだと知っている。就任当初は、しょっちゅうダンブルドアの援助と助言を求めていた」ルーピンが言った。「しかし、ファッジは権力の味を覚え、自信をつけてきた。魔法大臣であることに執着し、自分が賢いと信じ込もうとしている。そして、ダンブルドアは単に騒動を引き起こそうとしているだけなんだとね」

「いったいどうして、そんなことを考えられるんだ？」ハリーは腹が立った。「ダンブルドアがすべてをでっち上げてるなんて――僕がでっち上げてるなんて？」

「それは、ヴォルデモートが戻ってきたことを受け入れれば、魔法省がここ十四年ほど遭遇したことがないような大問題になるからだ」シリウスが苦々しげに言った。「ファッジはどうしても正面きってそれと向き合えない。ダンブルドアがうそをついて、自分の政権を転覆させようとしていると信じ込むほうが、どんなに楽かしれない」

「何が問題かわかるだろう？」ルーピンが言った。「魔法省が、ヴォルデモートのことは何も心配する必要がないと主張し続けるかぎり、やつが戻ってきたと説得するのは難しい。そもそも、そんなことは誰も信じたくないんだから。その上、魔法省は『日刊予言者新聞』に圧力をかけて、いわゆる『ダンブルドアのガセネタ』はいっさい報道しないようにさせている。だから、一般の魔法族は、何が起こっているかまったく気がつきもしない。死喰い人にとっては、それがもっけの幸いで、『服従の呪い』をかけようとすれば、いいカモになる」

「でも、みんなが知らせているんでしょう？」ハリーは、ウィーズリーおじさん、シリウス、ビル、マンダンガス、ルーピン、トンクスの顔を見回した。「みんなが、あいつが戻ってきたって、知らせてるんでしょう？」

　全員が、苦笑いした。

「さあ、私は気の触れた大量殺人者だと思われているし、魔法省が私の首に一万ガリオンの懸賞金を賭けているとなれば、街に出てビラ配りを始めるわけにもいかない。そうだろう？」シリウスがじりじりしながら言った。

「私はとくれば、魔法族の間では特に夕食に招きたい客じゃない」ルーピンが言った。「狼人間につきものの職業上の障害でね」

「トンクスもアーサーも、そんなことを触れ回ったら、職を失うだろう」シリウスが言った。「それに、魔法省内にスパイを持つことは、我々にとって大事なことだ。何しろ、ヴォルデモートのスパイもいることは確かだからね」

「それでもなんとか、何人かを説得できた」ウィーズリーおじさんが言った。「このトンクスもその一人――前回は不死鳥の騎士団に入るには若すぎたんだ。それに、闇祓いを味方につけるのは大いに有益だ――キングズリー・シャックルボルトもまったく貴重な財産だ。シリウスを追跡する責任者でね。だから、魔法省に、シリウスがチベットにいると吹聴している」

「でも、ヴォルデモートが戻ってきたというニュースを、この中の誰も広めていないのなら――」ハリーが言いかけた。

「一人もニュースを流していないなんて言ったか？」シリウスがさえぎった。「ダンブルドアが苦境に立たされているのはなぜだと思う？」

「どういうこと？」ハリーが聞いた。

「連中はダンブルドアの信用を失墜させようとしている」ルーピンが言った。「先週の『日刊予言者新聞』を見なかったかね？　国際魔法使い連盟の議長職を投票で失った、という記事だ。老いぼれて判断力を失ったからというんだが、ほんとうのことじゃない。ヴォルデモートが復活したという演説をしたあとで、魔法省の役人たちの投票で職を追われた。ウィゼンガモット法廷——魔法使いの最高裁だが——そこの主席魔法戦士からも降ろされた。それに、勲一等マーリン勲章を剥奪する話もある」

「でも、ダンブルドアは『蛙チョコレート』のカードにさえ残れば、なんにも気にしないって言うんだ」ビルがニヤッとした。

「笑い事じゃない」ウィーズリーおじさんがビシッと言った。「ダンブルドアがこんな調子で魔法省に楯突き続けていたら、アズカバン行きになるかもしれない。ダンブルドアが幽閉されれば、我々としては最悪の事態だ。ダンブルドアが立ちはだかり、たくらみを見抜いていると知っていればこそ、『例のあの人』も慎重になる。ダンブルドアが取り除かれたとなれば——そう、『例のあの人』にもはや邪魔者はいない」

「でも、ヴォルデモートが死喰い人をもっと集めようとすれば、どうしたって復活したことが表ざたになるでしょう？」ハリーは必死の思いだった。

「ハリー、ヴォルデモートは魔法使いの家を個別訪問して、正面玄関をノックするわけじゃない」シリウスが言った。「だまし、呪いをかけ、恐喝する。隠密工作は手なれたものだ。いずれにせよ、やつの関心は、配下を集めることだけじゃない。ほかにも求めているものがある。やつがまったく極秘で進めることができる計画だ。いまはそういう計画に集中している」

「配下集め以外に、何を？」ハリーがすぐ聞き返した。シリウスとルーピンが、ほんの一瞬目配せしたような気がした。それからシリウスが答えた。

「極秘にしか手に入らないものだ」

ハリーがまだキョトンとしていると、シリウスが言葉を続けた。

「武器のようなものというかな。前のときには持っていなかったものだ」

「前に勢力を持っていたときってこと？」

「そうだ」

「それ、どんな種類の武器なの？」ハリーが聞いた。『アバダ　ケダブラ』呪文より悪いもの——？」

「もうたくさん！」

扉の脇の暗がりから、ウィーズリーおばさんの声がした。ハリーは、ジニーを上に連れていったおばさんが、戻ってきていたのに気づかなかった。腕組みをして、カンカンに怒った顔だ。

「いますぐベッドに行きなさい。全員です」おばさんはフレッド、ジョージ、ロン、ハーマイオニーをぐるりと見渡した。

「僕たちに命令はできない——」フレッドが抗議を始めた。

「できるかできないか、見ててごらん」おばさんが唸るように言った。

シリウスを見ながら、おばさんは小刻みに震えていた。

「あなたはハリーに充分な情報を与えたわ。これ以上何か言うなら、いっそハリーを騎士団に引き入れたらいいでしょう」

「そうして！」ハリーが飛びつくように言った。「僕、入る。入りたい。戦いたい」

「だめだ」答えたのは、ウィーズリーおばさんではなく、ルーピンだった。

「騎士団は、成人の魔法使いだけで組織されている」ルーピンが続けた。「学校を卒業した魔法使いたちだ」フレッドとジョージが口を開きかけたので、ルーピンがつけ加えた。「危険がともなう。君たちには考えもおよばないような危険が……シリウス、モリーの言うとおりだ。私たちはもう充分話した」

シリウスは中途半端に肩をすくめたが、言い争いはしなかった。ウィーズリーおばさんは威厳たっぷりに息子たちとハーマイオニーを手招きした。一人、また一人とみんなが立ち上がった。ハリーは敗北を認め、みんなに従った。

第6章　高貴なる由緒正しきブラック家

ウィーズリーおばさんは、みんなのあとからむっつりと階段を上った。

「まっすぐベッドに行くんですよ。おしゃべりしないで」

最初の踊り場に着くとおばさんが言った。

「あしたは忙しくなるわ。ジニーは眠っていると思います」最後の言葉はハーマイオニーに向かって言った。「だから、起こさないようにしてね」

「眠ってる。ああ、絶対さ」ハーマイオニーがおやすみを言って別れ、あとのみんなが上の階に上るとき、フレッドが小声で言った。「ジニーは目をぱっちり開けて寝てる。下でみんなが何を言ったか、ハーマイオニーが全部教えてくれるのを待ってるさ。もしそうじゃなかったら、俺、レタス食い虫（フロバーワーム）並みだ」

「さあ、ロン、ハリー」二つ目の踊り場で、二人の部屋を指差しながらおばさんが言った。「寝なさい。二人とも」

「おやすみ」ハリーとロンが双子に挨拶した。

「ぐっすり寝ろよ」フレッドがウィンクした。

おばさんはハリーが部屋に入ると、ピシャッと勢いよくドアを閉めた。寝室は、最初に見たときより、一段と暗くじめじめしていた。絵のないカンバスは、まるで姿の見えない絵の主が眠っているかのように、ゆっくりと深い寝息を立てていた。ハリーはパジャマに着替え、めがねを取って、ヒヤッとするベッドにもぐり込んだ。ヘドウィグとピッグウィジョンが洋だんすの上でカタカタ動き回り、落ち着かない様子で羽をこすり合わせていたので、ロンは、おとなしくさせるのに「ふくろうフーズ」を投げてやった。

「あいつらを毎晩狩に出してやるわけにはいかないんだ」栗色のパジャマに着替えながら、ロンが説明した。「ダンブルドアは、この広場のあたりであんまりたくさんふくろうが飛び回るのはよくないって。怪しまれるから。あ、そうだ……忘れてた……」

ロンはドアの所まで行って、鍵をかけた。

「どうしてそうするの？」

「クリーチャーさ」ロンが灯りを消しながら言った。「僕がここに来た最初の夜、クリーチャーが夜中の三時にふらふら入ってきたんだ。目が覚めたとき、あいつが部屋の中をうろついてるのを見たらさ、まじ、いやだぜ。ところで……」

ロンはベッドにもぐり込んで上掛けをかけ、暗い中でハリーのほうを向いた。すすけた窓を通して入ってくる月明かりで、ハリーはロンの輪郭を見ることができた。

「**どう思う？**」

ロンが何を聞いたのか、聞き返す必要もなかった。

「うーん、僕たちが考えつかないようなことは、あんまり教えてくれなかったよね？」

ハリーは、地下で聞いたことを思い出しながら言った。

「つまり、結局何を言ったかというと、騎士団が阻止しようとしてるってこと――みんながヴォル――」

ロンが突然息をのむ音がした。

「――**デモート**に与するのを」ハリーははっきり言いきった。「いつになったら、あいつの名前を言えるようになるんだい？　シリウスもルーピンも言ってるよ」

ロンはその部分は無視した。

「うん、君の言うとおりだ」ロンが言った。「みんなが話したことは、僕たち、だいたいもう知ってた。伸び耳を使って。ただ、一つだけ初耳は――」

バシッ。

「**あいたっ！**」

「大きな声を出すなよ、ロン。ママが戻ってくるじゃないか」

「二人とも、僕のひざの上に『姿あらわし』してるぞ！」

「そうか、まあ、暗いとこじゃ、少し難しいもんだ」

フレッドとジョージのぼやけた輪郭が、ロンのベッドから飛び下りるのを、ハリーは見ていた。ハリーのベッドのバネがうめくような音を出したと思うと、ベッドが数センチ沈み込んだ。ジョージがハリーの足元に座ったのだ。

「それで、もうわかったか？」ジョージが急き込んで言った。

「シリウスが言ってた武器のこと？」ハリーが言った。

「うっかり口がすべったって感じだな」今度はロンの隣に座って、フレッドがうれしそうに言った。

「愛しの伸び耳でも、**そいつは**聞かなかったな？　そうだよな？」

「なんだと思う？」ハリーが聞いた。

「なんでもありだな」フレッドが言った。

「だけど、『アバダ　ケダブラ』の呪いより恐ろしいものなんてありえないだろ？」ロンが言った。「死ぬより恐ろしいもの、あるか？」

「何か、一度に大量に殺せるものかもしれないな」ジョージが意見を述べた。

「何か、とっても痛い殺し方かも」ロンが怖そうに言った。

「痛めつけるなら、『磔呪文』が使えるはずだ」ハリーが言った。「やつには、あれより強力なものはいらない」

しばらくの間、みんなだまっていた。みんなが、自分と同じように、いったいその武器がどんな恐ろしいことをするのか考えているのだと、ハリーにはわかった。

「それじゃ、いまは誰がそれを持ってると思う？」ジョージが聞いた。

「僕たちの側にあればいいけど」ロンが少し心配そうに言った。

「もしそうなら、たぶんダンブルドアが持ってるな」フレッドが言った。

「どこに？」ロンがすぐに聞いた。「ホグワーツか？」

「きっとそうだ！」ジョージが言った。「『賢者の石』を隠した所だし」

「だけど、武器はあの石よりずっと大きいぞ！」ロンが言った。

「そうとはかぎらない」フレッドが言った。

「うん。大きさで力は測れない」ジョージが言った。「ジニーを見ろ」

「どういうこと？」ハリーが聞いた。

「あの子の『コウモリ鼻糞の呪い』を受けたことがないだろう？」

「シーッ！」フレッドがベッドから腰を浮かしながら言った。「静かに！」

みんなシーンとなった。階段を上がってくる足音がする。

「ママだ」ジョージが言った。間髪を容れず、**バシッ**という大きな音がして、ハリーはベッドの端から重みが消えたのを感じた。二、三秒後、ドアの外で床がきしむ音が聞こえた。ウィーズリーおばさんが、二人がしゃべっていないかどうか、聞き耳を立てているのだ。

ヘドウィグとピッグウィジョンが哀れっぽく鳴いた。床板がまたきしみ、おばさんがフレッドとジョージを調べに上がっていく音が聞こえた。

「ママは僕たちのこと全然信用してないんだ」ロンが悔しそうに言った。

ハリーはとうてい眠れそうにないと思った。今夜は考えることがあまりにいろいろ起こって、何時間も悶々として起きているだろうと思った。ロンと話を続けたかったが、ウィーズリーおばさんがまた床をきしませながら階段を下りていく音が聞こえた。おばさんが行ってしまうと、何か別なものが階段を上がってくる音をはっきり聞いた……それは、肢が何本もある生き物で、カサコソと寝室の外を駆け回っている。「魔法生物飼育学」の先生、ハグリッドの声が聞こえる。「**どうだ、美しいじゃねえか、え？　ハリー？　今学期は、武器を勉強するぞ……**」ハリーはその生き物が頭に大砲を持っていて、自分のほうを振り向いたのを見た……ハリーは身をかわした……。

次に気がついたときには、ハリーはベッドの中でぬくぬくと丸まっていた。ジョージの大声が部屋中に響いた。

「おふくろが起きろって言ってるぞ。朝食は厨房だ。それから客間に来いってさ。ドクシーが、思ったよりどっさりいるらしい。それに、ソファの下に死んだパフスケインの巣を見つけたんだって」

三十分後、急いで服を着て朝食をすませたハリーとロンは、客間に入っていった。二階にある天井の高い、長い部屋で、オリーブグリーンの壁は汚らしいタペストリーで覆われていた。じゅうたんは、誰かが一歩踏みしめるたびに、小さな雲のようなほこりを巻き上げた。モスグリーンの長いビロードのカーテンは、まるで姿の見えない蜂が群がっているかのようにブンブン唸っていた。その周りに、ウィーズリーおばさん、ハーマイオニー、ジニー、フレッド、ジョージが集まっていた。みんな鼻と口を布で覆って、奇妙な格好だ。手に手に黒い液体が入った噴射用ノズルつきの瓶を持っている。

「顔を覆って、スプレーを持って」

ハリーとロンの顔を見るなり、おばさんが言った。紡錘(ぼうすい)形の脚のテーブルに、黒い液体の瓶があと二つあり、それを指差している。

「ドクシー・キラーよ。こんなにひどくはびこっているのは初めて見たわ――あの屋敷しもべ妖精は、この十年間、**いったい何を**してたことやら――」

ハーマイオニーの顔は、キッチン・タオルで半分隠れていたが、ウィーズリーおばさんにとがめるような目を向けたのを、ハリーはまちがいなく見た。

「クリーチャーはとっても年を取ってるもの、とうてい手が回らなくって――」

「ハーマイオニー、クリーチャーが本気になれば、君が驚くほどいろいろなことに手が回るよ」

ちょうど部屋に入ってきたシリウスが言った。血に染まった袋を抱えている。死んだネズミが入っているらしい。

「バックビークに餌をやっていたんだ」ハリーがけげんそうな顔をしているので、シリウスが言った。

「上にあるお母上さまの寝室で飼ってるんでね。ところで……この机か……」

シリウスはネズミ袋をひじかけ椅子に置き、鍵のかかった机の上からかがみ込むようにして調べた。机が少しガタガタ揺れているのに、ハリーはその時初めて気づいた。

「うん、モリー、私もまね妖怪にまちがいないと思う」鍵穴からのぞき込みながら、シリウスが言った。

「だが、中から出す前に、マッド-アイの目でのぞいてもらったほうがいい――何しろ私の母親のことだから、もっと悪質なものかもしれない」

「わかったわ、シリウス」ウィーズリーおばさんが言った。

二人とも、慎重に、なにげない、ていねいな声で話をしていたが、それがかえって、どちらも昨夜のいさかいを忘れてはいないことをはっきり物語っているとハリーは思った。

下の階で、カランカランと大きなベルの音がした。とたんに、耳を覆いたくなる大音響で嘆き叫ぶ声が聞こえてきた。昨夜、トンクスがかさ立てをひっくり返したときに引き起こした、あの声だ。

「扉のベルは鳴らすなと、あれほど言ってるのに！」

シリウスは憤慨して、急いで部屋から出ていった。シリウスが嵐のように階段を下りていき、ブラック夫人の金切り声が、たちまち家中に響き渡るのが聞こえてきた。

「不名誉な汚点、穢らわしい雑種、血を裏切る者、汚れた子らめ……」

「ハリー、扉を閉めてちょうだい」ウィーズリーおばさんが言った。

ハリーは、変に思われないぎりぎりの線で、できるだけゆっくり客間の扉を閉めた。下で何が起こっているか聞きたかったのだ。シリウスは母親の肖像画を、なんとかカーテンで覆ったようだ。肖像画が叫ぶのをやめた。シリウスがホールを歩く足音が聞こえ、玄関の鎖がはずれるカチャカチャという音、そして聞き覚えのあるキングズリー・シャックルボルトの深い声が聞こえた。

「いま、ヘスチアが私とかわってくれたんだ。だからムーディのマントはいま、ヘスチアが持っている。ダンブルドアに報告を残しておこうと思って……」

頭の後ろにウィーズリーおばさんの視線を感じて、ハリーはしかたなく客間の扉を閉め、ドクシー退治部隊に戻った。

ウィーズリーおばさんは、ソファの上に開いて置いてある『ギルデロイ・ロックハートのガイドブック――一般家庭の害虫』をのぞき込み、ドクシーに関するページを確かめていた。

「さあ、みんな、気をつけるんですよ。ドクシーはかみつくし、歯に毒があるの。毒消しはここに一本用意してあるけど、できれば誰も使わなくてすむようにしたいわ」

おばさんは体を起こし、カーテンの真正面で身がまえ、みんなに前に出るように合図した。

「私が合図したら、すぐに噴射してね」おばさんが言った。「ドクシーはこっちをめがけて飛んでくるでしょう。でも、たっぷり一回シューッとやればまひするって、スプレー容器にそう書いてあるわ。動けなくなったところを、このバケツに投げ入れてちょうだい」

おばさんは、みんながずらりと並んだ噴射線から慎重に一歩踏み出し、自分のスプレー瓶を高く掲げた。

「用意――**噴射！**」

ハリーがほんの数秒噴霧したかというとき、成虫のドクシーが一匹、カーテンのひだから飛び出してきた。妖精に似た胴体はびっしりと黒い毛で覆われ、輝くコガネムシのような羽を震わせ、針のように鋭く小さな歯をむき出し、怒りで四つの小さな拳をギュッと握りしめて飛んでくる。ハリーはその顔に、まともにドクシー・キラーを噴きつけた。ドクシーは空中で固まり、そのまま**ズシン**とびっくりするほど大きな音を立ててすり切れたじゅうたんの上に落ちた。ハリーはそれを拾い、バケツに投げ込んだ。

「フレッド、何やってるの？」おばさんが鋭い声を出した。「すぐそれに薬をかけて、投げ入れなさい！」

ハリーが振り返ると、フレッドが親指と人差し指でバタバタ暴れるドクシーをつまんでいた。

「がってん承知」

フレッドがほがらかに答えて、ドクシーの顔に薬を噴きかけて気絶させた。しかし、おばさんがむこうを向いたとたん、フレッドはそれをポケットに突っ込んでウィンクした。

「『ずる休みスナックボックス』のためにドクシーの毒液を実験したいのさ」ジョージがヒソヒソ声でハリーに言った。

鼻めがけて飛んできたドクシーを器用に二匹まとめて仕留め、ハリーはジョージのそばに移動して、こっそり聞いた。

「『ずる休みスナックボックス』って、何？」

「病気にしてくれる菓子、もろもろ」おばさんの背中を油断なく見張りながら、ジョージがささやいた。

「といっても、重い病気じゃないさ。サボりたいときに授業を抜け出すのには充分な程度に気分が悪くなる。フレッドと二人で、この夏ずっと開発してたんだ。二色のかむキャンディで、半分ずつ色分けしてある。『ゲーゲー・トローチ』は、オレンジ色の半分をかむと、ゲーゲー吐く。あわてて教室から出され、医務室に急ぐ道すがら、残り半分の紫色を飲み込む――」

「『――すると、たちまちあなたは元気いっぱい。無益なたいくつさに奪われるはずの一時間、お好みどおりの趣味の活動に従事できるというすぐれもの』。とにかく広告のうたい文句にはそう書く」

おばさんの視界からじりじりと抜け出してきたフレッドがささやいた。フレッドは床にこぼれ落ちたドクシーを二、三匹、サッと拾ってポケットに入れるところだった。「だけどもうちょい作業が残ってるんだ。いまのところ、実験台にちょいと問題があって、ゲーゲー吐き続けなもんだから、紫のほうを飲み込む間がないのさ」

「実験台？」

「俺たちさ」フレッドが言った。「かわりばんこに飲んでる。ジョージは『気絶キャンディ』をやったし――『鼻血ヌルヌル・ヌガー』は二人とも試したし――」

「おふくろは、俺たちが決闘したと思ってるんだ」ジョージが言った。

「それじゃ、『いたずら専門店』は続いてるんだね？」ハリーはノズルの調節をするふりをしながらこっそり聞いた。

「うーん、まだ店を持つチャンスがないけど」フレッドがさらに声を落とした。ちょうどおばさんが、次の攻撃に備えてスカーフで額をぬぐったところだった。「だから、いまんとこ、通販でやってるんだ。先週『日刊予言者新聞』に広告を出した」

「みんな君のおかげだぜ、兄弟」ジョージが言った。「だけど、心配ご無用……おふくろは全然気づいてない。もう『日刊予言者新聞』を読んでないんだ。君やダンブルドアのことで新聞が嘘八百だからって」

ハリーはニヤッとした。三校対抗試合の賞金一千ガリオンを、ウィーズリーの双子に無理やり受け取らせ、いたずら専門店を開きたいという志の実現を助けたのは、ハリーだった。しかし、双子の計画を推進するのにハリーがかかわっていることが、ウィーズリーおばさんにばれていないのはうれしかった。おばさんは、二人の息子の将来に、「いたずら専門店経営」はふさわしくないと考えているのだ。

カーテンのドクシー駆除に、午前中まるまるかかった。ウィーズリーおばさんが覆面スカーフを取ったのは正午を過ぎてからだった。おばさんは、クッションのへこんだひじかけ椅子にドサッと腰を下ろしたが、ギャッと悲鳴を上げて飛び上がった。死んだネズミの袋に腰かけてしまったのだ。カーテンはもうブンブンいわなくなり、スプレーの集中攻撃で、湿ってだらりと垂れ下がっていた。その下のバケツには、気絶したドクシーが詰め込まれ、その脇には黒い卵の入ったボウルが置かれていた。クルックシャンクスがボウルをフンフンかぎ、フレッドとジョージは欲しくてたまらなそうにちらちら見ていた。

「**こっちのほうは**、午後にやっつけましょう」

ウィーズリーおばさんは、暖炉の両脇にある、ほこりをかぶったガラス扉の飾り棚を指差した。中には奇妙なものが雑多に詰め込まれていた。さびた短剣類、鉤爪、とぐろを巻いた蛇の抜け殻、ハリーの読めない文字を刻んだ、黒く変色した銀の箱がいくつか、それに、一番気持ちの悪いのが、装飾的なクリスタルの瓶で、栓に大粒のオパールがひと粒はめ込まれている。中にたっぷり入っているのは血にちがいないと、ハリーは思った。

玄関のベルがまたカランカランと鳴った。全員の目がウィーズリーおばさんに集まった。

またしても、ブラック夫人の金切り声が階下から聞こえてきた。

「ここにいなさい」おばさんがネズミ袋を引っつかみ、きっぱりと言い渡した。「サンドイッチを持ってきますからね」

おばさんは部屋から出るとき、きっちりと扉を閉めた。とたんに、みんないっせいに窓際に駆け寄り、玄関の石段を見下ろした。赤茶色のもじゃもじゃ頭のてっぺんと、積み上げた大鍋が、危なっかしげにふらふら揺れているのが見えた。

「マンダンガスだわ！」ハーマイオニーが言った。「大鍋をあんなにたくさん、どうするつもりかしら？」

「安全な置き場所を探してるんじゃないかな」ハリーが言った。「僕を見張っているはずだったあの晩、取引してたんだろ？　うさんくさい大鍋の？」

「うん、そうだ！」

フレッドが言ったとき、玄関の扉が開いた。マンダンガスがよっこらしょと大鍋を運び込み、窓からは見えなくなった。

「うへー、おふくろはお気に召さないぞ……」

フレッドとジョージは扉に近寄り、耳を澄ました。ブラック夫人の悲鳴は止まっていた。

「マンダンガスがシリウスとキングズリーに話してる」フレッドが、しかめっ面で耳をそばだてながらつぶやいた。「よく聞こえねえな……伸び耳の危険をおかすか？」

「その価値ありかもな」ジョージが言った。「こっそり上まで行って、ひと組取ってくるか――」

しかし、まさにその瞬間、階下で大音響が炸裂し、伸び耳は用なしになった。ウィーズリーおばさんが声をかぎりに叫んでいるのが、全員にはっきり聞き取れた。

「ここは盗品の隠し場所じゃありません！」

「おふくろが誰かほかのやつをどなりつけるのを聞くのは、いいもんだ」

フレッドが満足げにニッコリしながら、扉をわずかに開け、ウィーズリーおばさんの声がもっとよく部屋中に行き渡るようにした。

「気分が変わって、なかなかいい」

「――無責任もいいとこだわ。それでなくても、いろいろ大変なのに、その上あんたがこの家に盗品の大鍋を引きずり込むなんて――」

「あのバカども、おふくろの調子を上げてるぜ」ジョージが頭を振り振り言った。「早いとこ矛先をそらさないと、おふくろさん、だんだん熱くなって何時間でも続けるぞ。しかも、ハリー、マンダンガスが君を見張っているはずだったのにドロンしてから、おふくろはあいつをどなりたくて、ずっとうずうずしてたんだ――ほーら来た、またシリウスのママだ」

ウィーズリーおばさんの声は、ホールの肖像画の悲鳴と叫びの再開でかき消されてしまった。

ジョージは騒音を抑えようと扉を閉めかけたが、閉めきる前に屋敷しもべ妖精が部屋に入り込んできた。

腹に腰布のように巻いた汚らしいボロ以外は、すっぱだかだった。相当の年寄りに見えた。皮膚は体の数倍あるかのようにだぶつき、しもべ妖精に共通のはげ頭だが、コウモリのような大耳からは白髪がぼうぼうと生えていた。どんよりとした灰色の目は血走り、肉づきのいい大きな鼻は豚のようだ。

しもべ妖精は、ハリーにもほかの誰にもまったく関心を示さない。まるで誰も見えないかのように、背中を丸め、ゆっくり、執拗に、部屋のむこう端まで歩きながら、ひっきりなしに、食用ガエルのようなしわがれた太い声で何かブツブツつぶやいていた。

「……ドブくさい、おまけに罪人だ。あの女も同類だ。いやらしい血を裏切る者。そのガキどもが奥様のお屋敷を荒らして。ああ、おかわいそうな奥様。お屋敷にカスどもが入り込んだことをお知りになったら、このクリーチャーめになんとおおせられることか。おお、なんたる恥辱。穢れた血、狼人間、裏切り者、泥棒めら。哀れなこのクリーチャーは、どうすればいいのだろう……」

「おーい、クリーチャー」フレッドが扉をピシャリと閉めながら、大声で呼びかけた。

屋敷しもべ妖精はぱたりと止まり、ブツブツをやめ、大げさな、しかしうそくさい様子で驚いてみせた。

「クリーチャーめは、お若い旦那様に気づきませんで」そう言うと、クリーチャーは回れ右して、フレッドにおじぎをし、うつむいてじゅうたんを見たまま、はっきりと聞き取れる声でそのあとを続けた。

「血を裏切る者の、いやらしいガキめ」

「え？」ジョージが聞いた。「最後になんて言ったかわからなかったけど」

「クリーチャーめは何も申しません」しもべ妖精が、今度はジョージにおじぎしながら言った。そして、低い声ではっきりつけ加えた。「それに、その双子の片割れ。異常な野獣め。こいつら」

ハリーは笑っていいやらどうやら、わからなかった。しもべ妖精は体を起こし、全員を憎々しげに見つめ、誰も自分の言うことが聞こえないと信じきっているらしく、ブツブツ言い続けた。

「……それに、穢れた血め。ずうずうしく鉄面皮で立っている。ああ、奥様がお知りになったら、ああ、どんなにお嘆きか。それに、一人、新顔の子がいる。クリーチャーは名前を知らない。ここで何をしているのか？　クリーチャーは知らない……」

「こちら、ハリーよ、クリーチャー」ハーマイオニーが遠慮がちに言った。「ハリー・ポッターよ」

クリーチャーのにごった目がカッと見開かれ、前よりもっと早口に、怒り狂ってつぶやいた。

「穢れた血が、クリーチャーに友達顔で話しかける。クリーチャーめがこんな連中と一緒にいるところを奥様がご覧になったら、ああ、奥様はなんとおおせられることか――」

「ハーマイオニーを穢れた血なんて呼ぶな！」ロンとジニーがカンカンになって同時に言った。

「いいのよ」ハーマイオニーがささやいた。「正気じゃないのよ。何を言ってるのか、わかってないんだから――」

「甘いぞ、ハーマイオニー。こいつは、何を言ってるのか**ちゃーんと**わかってるんだ」

いやなやつ、とクリーチャーをにらみながらフレッドが言った。

クリーチャーはハリーを見ながら、まだブツブツ言っていた。

「ほんとうだろうか？　ハリー・ポッター？　クリーチャーには傷痕が見える。ほんとうにちがいない。闇の帝王をとどめた男の子。どうやってとどめたのか、クリーチャーは知りたい――」

「みんな知りたいさ、クリーチャー」フレッドが言った。

「ところで、いったいなんの用だい？」ジョージが聞いた。

クリーチャーの巨大な目が、サッとジョージに走った。

「クリーチャーめは掃除をしております」クリーチャーがごまかした。

「見え透いたことを」ハリーの後ろで声がした。

シリウスが戻ってきていた。戸口から苦々しげにしもべ妖精をにらみつけている。ホールの騒ぎは静まっていた。ウィーズリーおばさんとマンダンガスの議論は、厨房にもつれ込んだのだろう。

シリウスの姿を見ると、クリーチャーは身を躍らせ、ばかていねいに頭を下げて、豚の鼻を床に押しつけた。

「ちゃんと立つんだ」シリウスがいらいらと言った。「さあ、いったい何がねらいだ？」

「クリーチャーめは掃除をしております」しもべ妖精は同じことをくり返した。「クリーチャーめは高貴なブラック家にお仕えするために生きております――」

「そのブラック家は日に日にますますブラックになっている。汚らしい」シリウスが言った。

「ご主人様はいつもご冗談がお好きでした」クリーチャーはもう一度おじぎをし、低い声で言葉を続けた。「ご主人様は、母君の心をめちゃめちゃにした、ひどい恩知らずの卑劣漢でした――」

「クリーチャー、私の母に、心などなかった」シリウスがバシリと言った。「母は怨念だけで生き続けた」

クリーチャーはしゃべりながらまたおじぎをした。

「ご主人様のおおせのとおりです」クリーチャーは憤慨してブツブツつぶやいた。「ご主人様は母君の靴の泥をふくのにもふさわしくない。ああ、おかわいそうな奥様。クリーチャーがこの方にお仕えしているのをごらんになったら、なんとおおせられるか。どんなにこの人をお嫌いになられていたか。この方がどんなに奥様を失望させたか――」

「何がねらいだと聞いている」シリウスが冷たく言った。「掃除をしているふりをして現れるときは、おまえは必ず何かをくすねて自分の部屋に持っていくな。私たちが捨ててしまわないように」

「クリーチャーめは、ご主人様のお屋敷で、あるべき場所から何かを動かしたことはございません」そう言ったすぐあとに、しもべ妖精は早口でつぶやいた。「タペストリーが捨てられてしまったら、奥様はクリーチャーめをけっしてお許しにはならない。七世紀もこの家に伝わるものを、クリーチャーは守らなければなりません。クリーチャーはご主人様や血を裏切る者や、そのガキどもに、それを破壊させはいたしません――」

「そうじゃないかと思っていた」シリウスはさげすむような目つきで反対側の壁を見た。「あの女は、あの裏にも『永久粘着呪文』をかけているだろう。まちがいなくそうだ。しかし、もし取りはずせるなら、私は必ずそうする。クリーチャー、さあ、立ち去れ」

クリーチャーは、ご主人様直々の命令にはどんなことがあろうと逆らえないかのようだった。にもかかわらず、のろのろと足を引きずるようにしてシリウスのそばを通り過ぎるときに、ありったけの嫌悪感を込めてシリウスを見た。そして、部屋を出るまでブツブツ言い続けた。

「――アズカバン帰りがクリーチャーに命令する。ああ、おかわいそうな奥様。いまのお屋敷の様子をごらんになったら、なんとおおせになることか。カスどもが住み、奥様のお宝を捨てて。奥様はこんなやつは自分の息子ではないとおおせられた。なのに、戻ってきた。その上、人殺しだとみんなが言う――」

「ブツブツ言い続けろ。本当に人殺しになってやるぞ！」しもべ妖精をしめ出し、バタンと扉を閉めながら、シリウスがいらいらと言った。

「シリウス、クリーチャーは気が変なのよ」ハーマイオニーが弁護するように言った。「私たちには聞こえないと思っているのよ」

「あいつは長いことひとりでいすぎた」シリウスが言った。「母の肖像画からの狂った命令を受け、ひとり言を言って。しかし、あいつは前からずっと、くさったいやな――」

「自由にしてあげさえすれば」ハーマイオニーが願いを込めて言った。「もしかしたら――」

「自由にはできない。騎士団のことを知りすぎている」シリウスはにべもなく言った。「それに、いずれにせよショック死してしまうだろう。君からあいつに、この家を出てはどうかと言ってみるがいい。あいつがそれをどう受け止めるか」

シリウスが壁のほうに歩いていった。そこには、クリーチャーが守ろうとしていたタペストリーが壁いっぱいにかかっていた。ハリーもほかの者もシリウスについていった。

タペストリーは古色蒼然（そうぜん）としていた。色あせ、ドクシーが食い荒らしたらしい跡があちこちにあった。しかし、縫い取りをした金の刺繍（ししゅう）糸が、家系図の広がりをいまだに輝かせていた。時代は（ハリーの知るかぎり）、中世にまでさかのぼっている。タペストリーの一番上に、大きな文字で次のように書かれている。

高貴なる由緒正しきブラック家
〝純血よ永遠なれ〟

「シリウスおじさんがのっていない！」家系図の一番下をざっと見て、ハリーが言った。

「かつてはここにあった」

シリウスが、タペストリーの小さな丸い焼け焦げを指差した。たばこの焼け焦げのように見えた。

「おやさしいわが母上が、私が家出したあとに抹消してくださってね――クリーチャーはその話をブツブツ話すのが好きなんだ」

「家出したの？」

「十六のころだ」シリウスが答えた。「もうたくさんだった」

「どこに行ったの？」ハリーはシリウスをじっと見つめた。

「君の父さんの所だ」シリウスが言った。「君のおじいさん、おばあさんは、ほんとうによくしてくれた。私を二番目の息子として養子同然にしてくれた。そうだ、学校が休みになると、君の父さんの所に転がり込んだ。そして十七歳になると、ひとりで暮らしはじめた。おじのアルファードが、私にかなりの金貨を残してくれていた——このおじも、ここから抹消されているがね。たぶんそれが原因で——まあ、とにかく、それ以来自分ひとりでやってきた。ただ日曜日の昼食は、いつでもポッター家で歓迎された」

「だけど……どうして……？」

「家出したか？」

シリウスは苦笑いし、くしの通っていない髪を指ですいた。

「なぜなら、この家の者全員を憎んでいたからだ。両親は狂信的な純血主義者で、ブラック家の者は事実上王族だと信じていた……愚かな弟は、軟弱にも両親の言うことを信じていた……それが弟だ」

シリウスは家系図の一番下の名前を突き刺すように指差した。

「レギュラス・ブラック」

生年月日のあとに、死亡年月日（約十五年ほど前だ）が書いてある。

「弟は私よりもよい息子だった」シリウスが言った。「私はいつもそう言われながら育った」

「でも、死んでる」ハリーが言った。

「そう」シリウスが言った。「バカなやつだ……死喰い人に加わったんだ」

「うそでしょう！」

「おいおい、ハリー、これだけこの家を見れば、私の家族がどんな魔法使いだったか、いいかげんわかるだろう？」シリウスはいらだたしげに言った。

「ご——ご両親も死喰い人だったの？」

「いや、ちがう。しかし、なんと、ヴォルデモートが正しい考え方をしていると思っていたんだ。魔法族の浄化に賛成だった。マグル生まれを排除し、純血の者が支配することにね。両親だけじゃなかった。

ヴォルデモートが本性を現すまでは、ずいぶん多くの魔法使いが、やつの考え方が正しいと思っていた……そういう魔法使いは、やつが権力を得るために何をしようとしているかに気づくと、怖気づいた。しかし、私の両親は、はじめのうちは、死喰い人に加わったレギュラスを、まさに小さな英雄だと思っていたことだろう」

「弟さんは闇祓いに殺されたの？」ハリーは遠慮がちに聞いた。

「いいや、ちがう」シリウスが言った。「ちがう。ヴォルデモートに殺された。というより、ヴォルデモートの命令で殺されたと言ったほうがいいかな。レギュラスはヴォルデモート自身が手を下すには小者すぎた。死んでからわかったことだが、弟はある程度まで入り込んだとき、命令されて自分がやっていることに恐れをなして、身を引こうとした。まあしかし、ヴォルデモートに辞表を提出するなんていうわけにはいかない。一生涯仕えるか、さもなくば死だ」

「お昼よ」ウィーズリーおばさんの声がした。

おばさんは杖を高く掲げ、その杖先に、サンドイッチとケーキを山盛りにした大きなお盆をのせて、バランスを取っていた。顔を真っ赤にして、まだ怒っているように見えた。みんなが、何か食べたくて、いっせいにおばさんのほうに行った。しかしハリーは、さらに丹念にタペストリーをのぞき込んでいるシリウスと一緒にいた。

「もう何年もこれを見ていなかったな。フィニアス・ナイジェラスがいる……高祖父だ。わかるか？……ホグワーツの歴代の校長の中で、一番人望がなかった……。アラミンタ・メリフルア……母のいとこだ……マグル狩を合法化する魔法省令を強行可決しようとした……。親愛なるおばのエラドーラだ……屋敷しもべ妖精が年老いて、お茶の盆を運べなくなったら首をはねるというわが家の伝統を打ち立てた……。当然、少しでもまともな魔法使いが出ると、勘当だ。どうやらトンクスはここにいないな。

だからクリーチャーはトンクスの命令には従わないんだろう――家族の命令ならなんでも従わなければならないはずだから――」

「トンクスと親せきなの？」ハリーは驚いた。

「ああ、そうだ。トンクスの母親、アンドロメダは、私の好きないとこだった」シリウスはタペストリーを入念に調べながら言った。「いや、アンドロメダものっていない。見てごらん――」

シリウスはもう一つの小さい焼け焦げを指した。ベラトリックスとナルシッサという二つの名前の間にあった。

「アンドロメダのほかの姉妹はのっている。すばらしい、きちんとした純血結婚をしたからね。しかし、アンドロメダはマグル生まれのテッド・トンクスと結婚した。だから――」

シリウスは杖でタペストリーを撃つまねをして、自嘲的に笑った。しかし、ハリーは笑わなかった。アンドロメダの焼け焦げの右にある名前に気を取られて、じっと見つめていたのだ。金の刺繍の二重線がナルシッサ・ブラックとルシウス・マルフォイを結び、その二人の名前から下に金の縦線が一本、ドラコという名前につながっていた。

「マルフォイ家と親せきなんだ！」

「純血家族はみんな姻戚関係だ」シリウスが言った。「娘も息子も純血としか結婚させないというのなら、あまり選択の余地はない。純血種はほとんど残っていないのだから。モリーも結婚によって私といとこ関係になった。アーサーは私の遠縁の、またいとこに当たるかな。しかし、ウィーズリー家をこの図で探すのはむだだ――血を裏切る者ばかりを輩出した家族がいるとすれば、それがウィーズリー家だからな」

しかしハリーは、今度はアンドロメダの焼け焦げの左の名前を見ていた。ベラトリックス・ブラック。

二重線で、ロドルファス・レストレンジと結ばれている。

「レストレンジ……」

ハリーが読み上げた。この名前は、何かハリーの記憶を刺激する。どこかで聞いた名だ。しかし、どこだったか、とっさには思い出せない。ただ、胃の腑に奇妙な、ぞっとするような感触がうごめいた。

「この二人はアズカバンにいる」シリウスはそれしか言わなかった。

ハリーはもっと知りたそうにシリウスを見た。

「ベラトリックスと夫のロドルファスは、バーティ・クラウチの息子と一緒に入ってきた」シリウスは、相変わらずぶっきらぼうな声だ。「ロドルファスの弟のラバスタンも一緒だった」

そこでハリーは思い出した。ベラトリックス・レストレンジを見たのは、ダンブルドアの「憂いの篩」の中だった。思いや記憶を蓄えておける、あの不思議な道具の中だ。背の高い黒髪の女性で、厚ぼったいまぶたの半眼の魔女だった。裁判の終わりに立ち上がり、ヴォルデモート卿への変わらぬ恭順を誓い、ヴォルデモートが失脚したあとも卿を探し求めたことを誇り、その忠誠ぶりをほめてもらえる日が来ると宣言した魔女だ。

「いままで一度も言わなかったね。この魔女が――」

「私のいとこだったらどうだって言うのかね?」シリウスがピシャリと言った。「私に言わせれば、ここにのっている連中は私の家族ではない。**この魔女は**、絶対に家族ではない。君ぐらいの年のときから、この女には一度も会っていない。アズカバンでちらりと見かけたことを勘定に入れなければだが。こんな魔女を親戚に持ったことを、私が誇りにするとでも思うのか?」

「ごめんなさい」ハリーは急いで謝った。「そんなつもりじゃ――僕、ただ驚いたんだ。それだけ――」

「気にするな。謝ることはない」シリウスが口ごもった。

シリウスは両手をポケットに深く突っ込み、タペストリーから顔をそむけた。

「ここに戻ってきたくなかった」客間を見渡しながら、シリウスが言った。「またこの屋敷に閉じ込められるとは思わなかった」

ハリーにはよくわかった。自分が大きくなって、プリベット通りから完全に解放されたと思ったとき、またあの四番地に戻って住むとしたら、どんな思いがするかわかっていた。

「もちろん、本部としては理想的だ」シリウスが言った。「父がここに住んでいたときに、魔法使いが知るかぎりのあらゆる安全対策を、この屋敷にほどこした。位置探知は不可能だ。だから、マグルは絶対にここを訪れたりはしない――もっともそうしたいとは思わないだろうが――それに、いまはダンブルドアが追加の保護策を講じている。ここより安全な屋敷はどこにもない。ダンブルドアが、ほら、『秘密の守人』だ――ダンブルドア自身が誰かにこの場所を教えないかぎり、誰も本部を見つけることはできない――ムーディが昨晩君に見せたメモだが、あれはダンブルドアからだ……」

シリウスは、犬が吠えるような声で短く笑った。

「私の両親が、いまこの屋敷がどんなふうに使われているかを知ったら……まあ、母の肖像画で、君も少しはわかるだろうがね……」

シリウスは一瞬顔をしかめ、それからため息をついた。

「ときどきちょっと外に出て、何か役に立つことができるなら、私も気にしないんだが。ダンブルドアに、君の尋問についていくことはできないかと聞いてみた――もちろん、スナッフルズとしてだが――君を精神的に励ましたいんだが、どう思うかね？」

ハリーは胃袋がほこりっぽいじゅうたんの下まで沈み込んだような気がした。尋問のことは、昨夜の夕食のとき以来、考えていなかった。一番好きな人たちと再会した喜びと、何が起こっているかを聞いた興奮で、尋問は完全に頭から吹っ飛んでいた。しかし、シリウスの言葉で、押しつぶされそうな恐怖感が戻ってきた。ハリーはサンドイッチを貪っているウィーズリー兄弟妹とハーマイオニーをじっと見た。みんなが自分を置いてホグワーツに帰ることになったら、僕はどんな気持ちがするだろう。

「心配するな」シリウスが言った。

ハリーは目を上げ、シリウスが自分を見つめているのに気づいた。

「無罪になるに決まっている。『国際機密保持法』に、自分の命を救うためなら魔法を使ってもよいと、まちがいなく書いてある」

「でも、もし退学になったら」ハリーが静かに言った。「ここに戻って、おじさんと一緒に暮らしてもいい？」

シリウスはさびしげに笑った。

「考えてみよう」

「ダーズリーの所に戻らなくてもいいとわかっていたら、僕、尋問のこともずっと気が楽になるだろうと思う」ハリーはシリウスに答えを迫った。

「ここのほうがいいなんて、連中はよっぽどひどいんだろうな」シリウスの声が陰気に沈んでいた。

「そこの二人、早くしないと食べ物がなくなりますよ」ウィーズリーおばさんが呼びかけた。

シリウスはまた大きなため息をつき、タペストリーに暗い視線を投げた。それから二人はみんなの所へ行った。

その日の午後、ガラス扉の飾り棚をみんなで片づける間、ハリーは努めて尋問のことは考えないようにした。ハリーにとって都合のよいことに、中に入っているものの多くが、ほこりっぽい棚から離れるのをとてもいやがったため、作業は相当集中力が必要だった。シリウスは銀のかぎたばこ入れにいやというほど手をかまれ、あっという間に気持ちの悪いかさぶたができて、手が硬い茶色のグローブのようになった。

「大丈夫だ」

シリウスは興味深げに自分の手を調べ、それから杖で軽くたたいて元の皮膚に戻した。

「たぶん『かさぶた粉』が入っていたんだ」

シリウスはそのたばこ入れを、棚からの廃棄物を入れる袋に投げ入れた。その直後、ジョージが自分の手を念入りに布で巻き、すでにドクシーでいっぱいになっている自分のポケットにこっそりそれを入れるのを、ハリーは目撃した。

気持ちの悪い形をした銀の道具もあった。毛抜きに肢(あし)がたくさん生えたようなもので、つまみ上げると、ハリーの腕をクモのようにガサゴソ這(は)い上がり、刺そうとした。シリウスが捕まえて、分厚い本でたたきつぶした。本の題は『生粋の貴族——魔法界家系図』だった。オルゴールは、ネジを巻くと何やら不吉なチンチロリンという音を出し、みんな不思議に力が抜けて眠くなった。ジニーが気づいて、ふたをバタンと閉じるまでそれが続いた。誰も開けることができない重いロケット、古い印章がたくさん、それに、ほこりっぽい箱に入った勲章。魔法省への貢献に対して、シリウスの祖父に贈られた勲一等マーリン勲章だった。

「じいさんが魔法省に、金貨を山ほどくれてやったということさ」

シリウスは勲章を袋に投げ入れながら軽蔑するように言った。

クリーチャーが何度か部屋に入ってきて、品物を腰布の中に隠して持ち去ろうとした。捕まるたびに、ブツブツと恐ろしい悪態をついた。シリウスがブラック家の家紋が入った大きな金の指輪をクリーチャーの手からもぎ取ると、クリーチャーは怒りでワッと泣きだし、すすり泣き、しゃくり上げながら、部屋を出ていくとき、ハリーが聞いたことがないようなひどい言葉でシリウスをののしった。

「父のものだったんだ」シリウスが指輪を袋に投げ入れながら言った。

「クリーチャーは父に対して、**必ずしも**母に対するほど献身的ではなかったんだが、それでも、先週あいつが、父の古いズボンを抱きしめている現場を見た」

ウィーズリーおばさんは、それから数日間みんなをよく働かせた。客間の除染にはまるまる三日かかった。最後に残ったいやなものの一つ、ブラック家の家系図タペストリーは、壁からはがそうとするあらゆる手段に、ことごとく抵抗した。もう一つはガタガタいう小机だ。ムーディがまだ本部に立ち寄っていないので、中に何が入っているのか、はっきりとはわからなかった。

客間の次は一階のダイニング・ルームで、そこの食器棚には、大皿ほどもある大きなクモが数匹隠れているのが見つかった（ロンはお茶を入れると言って出ていったきり、一時間半も戻ってこなかった）。ブラック家の紋章と家訓を書き入れた食器類は、シリウスが全部、無造作に袋に投げ込んだ。黒ずんだ銀の枠に入った古い写真類も同じ運命をたどった。写真の主たちは、自分を覆っているガラスが割れるたびに、かん高い叫び声を上げた。

スネイプはこの作業を「大掃除」と呼んだかもしれないが、屋敷に対して戦いを挑んでいるというのがハリーの意見だった。屋敷は、クリーチャーにあおられて、なかなかいい戦いぶりを見せていた。このしもべ妖精は、みんなが集まっている所にしょっちゅう現れ、ごみ袋から何かを持ち出そうとするときのブツブツも、ますますいやみったらしくなっていた。

シリウスは、洋服をくれてやるぞとまで脅したが、クリーチャーはどんよりした目でシリウスを見つめ、「ご主人様はご主人様のお好きなようになさいませ」と言ったあと、背を向けて大声でブツブツ言った。

「しかし、ご主人様はクリーチャーめを追い払うことはできません。できませんとも。なぜなら、クリーチャーめはこいつらが何をたくらんでいるか知っているからです。ええ、そうですとも。ご主人様の闇の帝王に抵抗するたくらみです。穢れた血と、裏切り者と、クズどもと……」

この言葉で、シリウスは、ハーマイオニーの抗議を無視して、クリーチャーの腰布を後ろから引っつかみ、思いっきり部屋から放り出した。

一日に何回か玄関のベルが鳴り、それを合図にシリウスの母親がまた叫びだした。そして同じ合図で、ハリーもみんなも訪問客の言葉を盗み聞きしようとした。しかし、ちらっと姿を見て、会話の断片を盗み聞きしたところで、ウィーズリーおばさんに作業に呼び戻されるので、ほとんど何も収穫がなかった。スネイプはそれから数回、あわただしく出入りしたが、ハリーとは、うれしいことに、一度も顔を合わせなかった。「変身術」のマクゴナガル先生の姿も、ハリーはちらりと見かけた。マグルの服とコートを着て、とても奇妙な姿だった。マクゴナガル先生も忙しそうで、長居はしなかった。

時には訪問客が手伝うこともあった。トンクスが手伝った日の午後は、上階のトイレをうろついていた年老いたグールお化けを発見した記念すべき午後になった。ルーピンは、シリウスと一緒に屋敷に住んでいたが、騎士団の秘密の任務で長いこと家を空けていた。古い大きな床置時計に、誰かがそばを通ると太いボルトを発射するといういやなくせがついたので、それを直すのをルーピンが手伝った。マンダンガスは、ロンが洋だんすから取り出そうとした古い紫のローブが、ロンを窒息させようとしたところを救ったので、ウィーズリーおばさんの手前、少し名誉挽回した。

ハリーはまだよく眠れなかったし、廊下と鍵のかかった扉の夢を見て、そのたびに傷痕が刺すように痛んだが、この夏休みに入って初めて楽しいと思えるようになっていた。忙しくしているかぎり、ハリーは幸せだった。しかし、あまりやることがなくなって、気がゆるんだり、つかれて横になり、天井を横切るぼんやりした影を見つめたりしていると、魔法省の尋問のことが重苦しくのしかかってくるのだった。

退学になったらどうしようと考えるたび、恐怖が針のようにチクチクと体内を突き刺した。考えるだけで空恐ろしく、言葉に出して言うこともできず、ロンやハーマイオニーにさえも話せなかった。二人が、ときどきヒソヒソ話をし、心配そうにハリーのほうを見ていることに気づいてはいたが、二人ともハリーが何も言わないのならと、そのことには触れてこなかった。時には、考えまいと思っても、どうしても想像してしまうことがあった。顔のない魔法省の役人が現れ、ハリーの杖を真っ二つに折り、ダーズリーの所へ戻れと命令する……しかしハリーは戻りはしない。ハリーの心は決まっていた。グリモールド・プレイスに戻り、シリウスと一緒に暮らすんだ。

水曜の夕食のとき、ウィーズリーおばさんがハリーのほうを向いて、低い声で言った。

「ハリー、あしたの朝のために、あなたの一番よい服にアイロンをかけておきましたよ。今夜は髪を洗ってちょうだいね。第一印象がいいとずいぶんちがうものよ」

ハリーは胃の中にれんがが落ちてきたような気がした。

ロン、ハーマイオニー、フレッド、ジョージ、ジニーがいっせいに話をやめ、ハリーを見た。ハリーはうなずいて、肉料理を食べ続けようとしたが、口がカラカラでとてもかめなかった。

「どうやって行くのかな？」ハリーは平気な声をつくろって、おばさんに聞いた。

「アーサーが仕事に行くときに連れていくわ」おばさんがやさしく言った。

ウィーズリーおじさんが、テーブルのむこうから励ますようにほほえんだ。

「尋問の時間まで、私の部屋で待つといい」おじさんが言った。

ハリーはシリウスのほうを見たが、質問する前にウィーズリーおばさんがその答えを言った。

「ダンブルドア先生は、シリウスがあなたと一緒に行くのは、よくないとお考えですよ。それに、私も

――」

「――ダンブルドアが『**正しいと思いますよ**』」シリウスが、食いしばった歯の間から声を出した。

ウィーズリーおばさんが唇をキッと結んだ。

「ダンブルドアは、いつ、そう言ったの?」ハリーはシリウスを見つめながら聞いた。

「昨夜、君が寝ているときにお見えになった」ウィーズリーおじさんが答えた。

シリウスはむっつりと、ジャガイモにフォークを突き刺した。ハリーは自分の皿に目を落とした。ダンブルドアが尋問の直前の夜にここに来ていたのに、ハリーに会おうとしなかった。そう思うと、すでに最低だったはずのハリーの気持ちが、また一段と落ち込んだ。

第7章　魔法省

次の朝、ハリーは五時半に目覚めた。まるで誰かが耳元で大声を出したかのように、突然、しかもはっきりと目覚めた。しばらくの間、ハリーはじっと横になっていた。しかし、懲戒尋問のことが頭の隅々まで埋め尽くし、ついに耐えられなくなってベッドから飛び出し、めがねをかけた。ウィーズリーおばさんがベッドの足元に、洗い立てのジーンズとTシャツを置いてくれていた。ハリーは急いでそれを着込んだ。壁の絵のない絵がせせら笑った。

ロンは大の字になり、大口を開けて眠りこけていた。ハリーが部屋を横切り、踊り場に出てそっとドアを閉めるまで、ロンはピクリとも動かなかった。次にロンに会うときは、もはやホグワーツの生徒同士ではなくなってしまっているかもしれない。その時のことは考えまいと思いながら、ハリーはそっと階段を下り、クリーチャーの先祖たちの首の前を通り過ぎ、厨房(ちゅうぼう)に下りていった。

厨房には誰もいないだろうと思っていたが、扉の所まで来ると、中からザワザワと低い話し声が聞こえてきた。扉を開けると、ウィーズリーおじさん、おばさん、シリウス、ルーピン、トンクスが、ハリーを待ち受けていたかのように座っていた。みんな着替えをすませていたが、おばさんだけは紫のキルトの部屋着をはおっていた。ハリーが入っていくと、おばさんが勢いよく立ち上がった。

「朝食ね」おばさんは杖(つえ)を取り出し、暖炉のほうに急いだ。

「お――お――おはよう。ハリー」トンクスがあくびをした。今朝はブロンドの巻き毛だ。「よく眠れた?」

「うん」ハリーが答えた。

「わたし、ず――ず――ずっと起きてたの」トンクスはもう一つブルルッと体を震わせてあくびをした。「ここに座りなさいよ……」

トンクスが椅子を引っ張り、ついでに隣の椅子をひっくり返してしまった。

「何を食べる？」おばさんが呼びかけた。「オートミール？　マフィン？　ニシンの燻製（くんせい）？　ベーコンエッグ？　トースト？」

「あの――トーストだけ、お願いします」ハリーが言った。

ルーピンがハリーをちらっと見て、それからトンクスに話しかけた。

「スクリムジョールのことで、何か言いかけていたね？」

「あ……うん……あのね、わたしたち、もう少し気をつける必要があるってこと。あの男、キングズリーやわたしに変な質問するんだ……」

会話に加わる必要がないことを、ハリーはぼんやりとありがたく思った。腸（はらわた）がのたうち回っていた。ウィーズリーおばさんがハリーの前に置いてくれた、マーマレードを塗ったトーストを二枚、なんとか食べようとしたが、じゅうたんをかみしめているようだった。

おばさんが隣に座って、ハリーのＴシャツのタグを内側に入れたり、肩のしわを伸ばしたり、面倒を見はじめた。ハリーは、やめてくれればいいのにと思った。

「……それに、ダンブルドアに言わなくちゃ。あしたは夜勤できないわ。わたし、と――と――とってもつかれちゃって」トンクスはまた大あくびをした。

「私がかわってあげよう」ウィーズリーおじさんが言った。「私は大丈夫だ。どうせ報告書を一つ仕上げなきゃならないし」

ウィーズリーおじさんは、魔法使いのローブではなく、細縞(ほそじま)のズボンにそで口と腰のしまった古い革のボマージャケットを着ていた。おじさんはトンクスからハリーのほうに向きなおった。

「気分はどうかね？」

ハリーは肩をすくめた。

「すぐ終わるよ」おじさんは元気づけるように言った。「数時間後には無罪放免だ」

ハリーはだまっていた。

「尋問は、私の事務所と同じ階で、アメリア・ボーンズの部屋だ。魔法法執行部の部長で、君の尋問を担当する魔女だがね」

「アメリア・ボーンズは大丈夫よ、ハリー」トンクスがまじめに言った。「公平な魔女だから。ちゃんと聞いてくれるわよ」

ハリーはうなずいた。何を言っていいのかまだ考えつかなかった。

「カッとなるなよ」突然シリウスが言った。「礼儀正しくして、事実だけを言うんだ」

ハリーはまたうなずいた。

「法律は君に有利だ」ルーピンが静かに言った。「未成年魔法使いでも、命をおびやかされる状況では魔法を使うことが許される」

何かとても冷たいものが、ハリーの首筋を流れ落ちた。一瞬、ハリーは誰かに「目くらまし術」をかけられたかと思ったが、おばさんがぬれたくしでハリーの髪をなんとかしようとしているのだと気づいた。おばさんはハリーの頭のてっぺんをギュッと押さえた。

「まっすぐにはならないのかしら？」おばさんが絶望的な声を出した。

ハリーは首を横に振った。

ウィーズリーおじさんは時間をチェックし、ハリーのほうを見た。

「そろそろ出かけよう」おじさんが言った。「少し早いが、ここでぐずぐずしているより、魔法省に行っていたほうがいいだろう」

「オーケー」ハリーはトーストを置き、反射的に答えながら立ち上がった。

「大丈夫よ、ハリー」トンクスがハリーの腕をポンポンとたたいた。

「がんばれ」ルーピンが言った。「必ずうまくいくと思うよ」

「そうじゃなかったら」シリウスが怖い顔で言った。「私が君のためにアメリア・ボーンズにひと泡吹かせてやる……」

ハリーは弱々しく笑った。ウィーズリーおばさんがハリーを抱きしめた。

「みんなでお祈りしてますよ」

「それじゃ」ハリーが言った。「あの……行ってきます」

ハリーはウィーズリーおじさんについて階段を上がり、ホールを歩いた。シリウスの母親がカーテンの陰でグーグー寝息を立てているのが聞こえた。おじさんが玄関のかんぬきをはずし、二人は外に出た。冷たい灰色の夜明けだった。

「いつもは歩いていくんじゃないんでしょう？」

二人で広場を足早に歩きながら、ハリーが聞いた。

「いや、いつもは『姿あらわし』で行く」おじさんが言った。

「しかし、当然君にはそれができないし、完全に魔法を使わないやり方でむこうに到着するのが一番いいと思う……君の懲戒処分の理由を考えれば、そのほうが印象がいいし……」

ウィーズリーおじさんは、片手をジャケットに突っ込んだまま歩いていた。その手が杖を握りしめていることを、ハリーは知っていた。荒れはてた通りにはほとんど人影もなかったが、みすぼらしい小さな地下鉄の駅にたどり着くと、そこはすでに早朝の通勤客でいっぱいだった。いつものことだが、マグルが日常の生活をしているのを身近に感じると、おじさんは興奮を抑えきれないようだった。

「まったくすばらしい」おじさんは自動券売機を指差してささやいた。「驚くべき思いつきだ」

「故障してるよ」ハリーが貼り紙を指差した。

「そうか。しかし、それでも……」おじさんは機械に向かって愛しげにニッコリした。

二人は機械ではなく、眠そうな顔の駅員から切符を買った（おじさんはマグルのお金にうといので、ハリーがやりとりした）。そして五分後、二人は地下鉄に乗り、ロンドンの中心部に向かってガタゴト揺れていた。ウィーズリーおじさんは窓の上に貼ってある地下鉄の地図を、心配そうに何度も確かめていた。

「あと四駅だ、ハリー……これであと三つになった……あと二つだ、ハリー」

ロンドンの中心部の駅で、ブリーフケースを抱えたスーツ姿の男女の波に流されるように、二人は電車を降りた。エスカレーターを上り、改札口を通り（自動改札機に切符が吸い込まれるのを見て、おじさんは大喜びだった）、広い通りに出た。通りには堂々たるビルが立ち並び、すでに車で混雑していた。

「ここはどこかな？」

おじさんはポカンとして言った。ハリーは一瞬心臓が止まるかと思った。あんなにひっきりなしに地図を見ていたのに、降りる駅をまちがえたのだろうか。しかし、次の瞬間、おじさんは「ああ、そうか……ハリー、こっちだ」と、ハリーを脇道に導いた。

「すまん」おじさんが言った。「何せ電車で来たことがないので、マグルの視点から見ると、何もかもかなりちがって見えたのでね。実を言うと、私はまだ外来者用の入口を使ったことがないんだ」

さらに歩いていくと、建物はだんだん小さくなり、厳めしくなくなった。最後にたどり着いた通りには、かなりみすぼらしいオフィスが数軒とパブが一軒、それにごみのあふれた大型ごみ容器が一つあった。ハリーは、魔法省のある場所はもう少し感動的な所だろうと期待していたのだが——。

「さあ着いた」

ウィーズリーおじさんは、赤い古ぼけた電話ボックスを指差して、明るく言った。ボックスはガラスが数枚なくなっていたし、後ろの壁は落書きだらけだ。

「先にお入り、ハリー」おじさんは電話ボックスの戸を開け、ハリーに言った。

いったいどういうことなのかわけがわからなかったが、ハリーは中に入った。おじさんも、ハリーの脇に体を折りたたむようにして入り込み、戸を閉めた。ぎゅうぎゅうだった。ハリーの体は電話機に押しつけられていた。電話機をはずそうとした野蛮人がいたらしく、電話機は斜めになって壁にかかっていた。おじさんはハリー越しに受話器を取った。

「おじさん、これも故障してるみたいだよ」ハリーが言った。

「いやいや、これは大丈夫」

おじさんはハリーの頭の上で受話器を持ち、ダイヤルをのぞき込んだ。

「えーと……六……」おじさんが六を回した。「二……四……もひとつ四と……それからまた二……」

ダイヤルがなめらかに回転し終わると、おじさんが手にした受話器からではなく、電話ボックスの中から、落ち着き払った女性の声が流れてきた。まるで二人のすぐそばに姿の見えない女性が立っているように、大きくはっきりと聞こえた。

「魔法省へようこそ。お名前とご用件をおっしゃってください」

「えー……」

おじさんは、受話器に向かって話すべきかどうか迷ったあげく、受話器の口の部分を耳に当てることで妥協した。

「マグル製品不正使用取締局のアーサー・ウィーズリーです。懲戒尋問に出廷するハリー・ポッターに付き添ってきました……」

「ありがとうございます」落ち着き払った女性の声が言った。

「外来の方はバッジをお取りになり、ローブの胸にお着けください」

カチャ、カタカタと音がして、普通なら釣りが出てくるコイン返却口の受け皿に、何かがすべり出てきた。拾い上げると銀色の四角いバッジで、「ハリー・ポッター　懲戒尋問」と書いてある。ハリーはTシャツの胸にバッジをとめた。また女性の声がした。

「魔法省への外来の方は、杖を登録いたしますので、守衛室にてセキュリティ・チェックを受けてください。守衛室はアトリウムの一番奥にございます」

電話ボックスの床がガタガタ揺れたと思うと、ゆっくりと地面にもぐりはじめた。ボックスのガラス窓越しに地面がだんだん上昇し、ついに頭上まで真っ暗になるのを、ハリーはハラハラしながら見つめていた。何も見えなくなった。電話ボックスがもぐっていくガリガリいう鈍い音以外は何も聞こえない。

一分も経ったろうか、ハリーにはもっと長い時間に感じられたが、ひと筋の金色の光が射し込み、足元を照らした。光はだんだん広がり、ハリーの体を照らし、ついに、パッと顔を照らした。ハリーは涙が出そうになり、目をパチパチさせた。

「魔法省です。本日はご来省ありがとうございます」女性の声が言った。

電話ボックスの戸がサッと開き、ウィーズリーおじさんが外に出た。続いて外に出たハリーは、口があんぐり開いてしまった。

そこは長い豪華なホールの一番端で、黒っぽい木の床はピカピカに磨き上げられていた。ピーコック・ブルーの天井には金色に輝く記号が象嵌（ぞうがん）され、その記号が絶え間なく動き変化して、まるで空にかかった巨大な掲示板のようだった。両側の壁はピカピカの黒い木の腰板で覆われ、そこに金張りの暖炉がいくつも設置されていた。左側の暖炉からは、数秒ごとに魔法使いや魔女がやわらかい**ヒューッ**という音とともに現れ、右側には、暖炉ごとに出発を待つ短い列ができていた。

ホールの中ほどに噴水があった。丸い水盆の真ん中に、実物大より大きい黄金の立像がいくつも立っている。一番背が高いのは、高貴な顔つきの魔法使いで、天を突くように杖を掲げている。その周りを囲むように、美しい魔女、ケンタウルス、小鬼（ゴブリン）、屋敷しもべ妖精の像がそれぞれ一体ずつ立っていた。ケンタウルス以下三体の像は、魔法使いと魔女をあがめるように見上げている。二本の杖の先、ケンタウルスの矢尻、小鬼の帽子の先、そして屋敷しもべ妖精の両耳の先から、キラキラと噴水が上がっている。それがパチパチと水面を打つ音や、「姿あらわし」する**ポン**、**バシッ**という音、何百人もの魔法使いや魔女の足音が混じり合って聞こえてくる。魔法使いたちの多くは、早朝のむっつりした表情で、ホールの一番奥に立ち並ぶ黄金のゲートに向かって足早に歩いていた。

「こっちだ」

ウィーズリーおじさんが言った。

二人は人波にまじり、魔法省で働く人たちの間を縫うように進んだ。羊皮紙の山をぐらぐらさせながら運んでいる役人もいれば、くたびれたブリーフケースを抱えている者や、歩きながら「日刊予言者新聞」を読んでいる魔法使いもいる。噴水のそばを通るとき、水底にシックル銀貨やクヌート銅貨が光るのが見えた。噴水脇の小さな立て札に、にじんで薄くなった字でこう書いてあった。

「魔法族の和の泉」からの収益は、
聖マンゴ魔法疾患傷害病院に寄付されます。

もしホグワーツを退学にならなかったら、十ガリオン入れよう。ハリーはすがる思いでそんなことを考えている自分に気づいた。

「こっちだ、ハリー」

おじさんが言った。二人は、黄金のゲートに向かって流れていく魔法省の役人たちから抜け出した。左のほうに「守衛」と書かれた案内板があり、その下の机に、ピーコック・ブルーのローブを着た無精ひげの魔法使いが座っていて、二人が近づくのに気づき、「日刊予言者新聞」を下に置いた。

「外来者の付き添いです」

ウィーズリーおじさんはハリーのほうを見ながら言った。

「こっちへどうぞ」守衛がつまらなそうに言った。

ハリーが近づくと、守衛は、車のアンテナのように細くてへなへなした、長い金の棒を取り出し、ハリーの体の前と後ろで上下させた。

「杖」

金の棒を下に置き、無愛想にそう言うと、守衛は片手を突き出した。

ハリーは杖を差し出した。守衛はそれを奇妙な真鍮(しんちゅう)の道具にポンと落とした。皿が一つしかないはかりのような道具が、震えはじめた。台の部分にある切れ目から、細長い羊皮紙がすっと出てきた。守衛はそれをピリリと破り取り、書かれている文字を読み上げた。

「二十八センチ、不死鳥の尾羽根の芯、使用期間四年。まちがいないか？」

「はい」ハリーは緊張して答えた。

「これは保管する」守衛は羊皮紙の切れ端を小さな真鍮の釘に突き刺した。「これはそっちに返す」守衛は杖をハリーに突っ返した。

「ありがとうございます」

「ちょっと待て……」守衛がゆっくりと言った。

守衛の目が、ハリーの胸の銀バッジから額へと走った。

「ありがとう、エリック」

ウィーズリーおじさんはきっぱりそう言うと、ハリーの肩をつかみ、守衛の机から引き離して、黄金のゲートに向かう魔法使いや魔女の流れに連れ戻した。

流れにもまれるように、ハリーはおじさんのあとに続いてゲートをくぐり、そのむこう側の小ホールに出た。そこには少なくとも二十機のエレベーターが、各々がっしりした金の格子の後ろに並んでいた。ハリーはおじさんと一緒に、そのうちの一台の前に集まっている群れに加わった。そばにひげ面の大柄な魔法使いが、大きな段ボール箱を抱えて立っていた。箱の中から、ガリガリという音が聞こえる。

「やあ、アーサー」ひげ面がウィーズリーおじさんに向かってうなずいた。

「ボブ、何が入ってるんだい？」おじさんが箱に目をやった。

「よくわからないんだ」ひげ面が深刻な顔をした。「ごくありきたりの鶏だと思っていたんだが、火を吐いてね。どうも、『実験的飼育禁止令』の重大違反らしい」

ジャラジャラ、カタカタと派手な音を立てながら、エレベーターが目の前に下りてきた。金の格子がするすると横に開き、ハリーとウィーズリー氏はみんなと一緒に乗り込んだ。気がつくと、ハリーは後ろの壁に押しつけられていた。魔法使いや魔女が数人、ものめずらしげにハリーを見ている。ハリーは目が合わないように足元を見つめ、同時に前髪をなでつけた。格子がするするすべり、ガチャンと閉まった。エレベーターはチェーンをガチャガチャいわせながら、ゆっくりと昇りはじめた。同時に、ハリーが電話ボックスで聞いた、あの落ち着き払った女性の声がまた鳴り響いた。

「七階。魔法ゲーム・スポーツ部がございます。そのほか、イギリス・アイルランド・クィディッチ連盟本部、公式ゴブストーン・クラブ、奇抜な特許庁はこちらでお降りください」

エレベーターの扉が開いた。雑然とした廊下と、壁に曲がって貼ってあるクィディッチ・チームのいろいろなポスターが目に入った。腕いっぱいに箒を抱えた魔法使いが一人、やっとのことでエレベーターから降り、廊下のむこうに消えていった。扉が閉まり、エレベーターはまた激しくきしみながら昇っていった。女性のアナウンスが聞こえた。

「六階。魔法運輸部でございます。煙突ネットワーク庁、箒規制管理課、移動キー局、姿あらわしテストセンターはこちらでお降りください」

扉が再び開き、四、五人の魔法使いと魔女が降りた。同時に、紙飛行機が数機、スイーッと飛び込んできた。ハリーは、頭の上をのんびり飛び回る紙飛行機を見つめた。薄紫色で、両翼の先端に「魔法省」とスタンプが押してある。

「省内連絡メモだよ」ウィーズリーおじさんが小声でハリーに言った。「昔はふくろうを使っていたんだが、とんでもなく汚れてね……机はフンだらけになるし……」

ガタゴトと上へ昇る間、メモ飛行機は天井から下がって揺れているランプの周りをはたはたと飛び回った。

「五階。国際魔法協力部でございます。国際魔法貿易基準機構、国際魔法法務局、国際魔法使い連盟イギリス支部は、こちらでお降りください」

扉が開き、メモ飛行機が二機、二、三人の魔法使いたちと一緒にスイーッと出ていった。しかし、入れ替わりに数機飛び込んできて、ランプの周りをビュンビュン飛び回るので、灯りがちらついて見えた。

「四階。魔法生物規制管理部でございます。動物課、存在課、霊魂課、小鬼連絡室、害虫相談室はこちらでお降りください」

「失礼」

火を吐く鶏を運んでいた魔法使いが降り、あとを追ってメモ飛行機が群れをなして出ていった。扉がまたガチャンと閉まった。

「三階。魔法事故惨事部がございます。魔法事故リセット部隊、忘却術士本部、マグル対策口実委員会はこちらでお降りください」

この階でほとんど全員が降りた。残ったのは、ハリー、ウィーズリー氏、それに、床まで垂れる長い羊皮紙を読んでいる魔女が一人だった。残ったメモ飛行機は、エレベーターが再び揺れながら昇る間、ランプの周りを飛び回った。そしてまた扉が開き、アナウンスの声がした。

「二階。魔法法執行部でございます。魔法不適正使用取締局、闇祓い本部、ウィゼンガモット最高裁事務局はこちらでお降りください」

「ここで降りるよ、ハリー」ウィーズリーおじさんが言った。

二人は魔女に続いて降り、扉がたくさん並んだ廊下に出た。

「私の部屋は、この階の一番奥だ」

「おじさん」陽の光が流れ込む窓のそばを通りながら、ハリーが呼びかけた。「ここはまだ地下でしょう?」

「そうだよ」おじさんが答えた。「窓に魔法がかけてある。魔法ビル管理部が、毎日の天気を決めるんだ。この間は二か月もハリケーンが続いた。賃上げ要求でね……。もうすぐそこだよ、ハリー」

角を曲がり、樫材のどっしりした両開きの扉を過ぎると、雑然とした広い場所に出た。そこは小部屋に仕切られていて、話し声や笑い声でさざめいていた。メモ飛行機が小型ロケットのように、小部屋からビュンビュン出入りしている。一番手前の小部屋に、表札が曲がってかかっている。

闇祓い本部

通りすがりに、ハリーは小部屋の入口からこっそり盗み見た。闇祓いたちは、小部屋の壁にいろいろと貼りつけていた。お尋ね者の人相書きやら、家族の写真、ひいきのクィディッチ・チームのポスター、「日刊予言者新聞」の切り抜きなどだ。ビルより長いポニーテールの魔法使いが、真紅のローブを着て、ブーツをはいた両足を机にのせ、羽根ペンに報告書を口述筆記させていた。そのちょっと先で、片目に眼帯をした魔女が、間仕切り壁の上からキングズリー・シャックルボルトに話しかけている。

「おはよう、ウィーズリー」

二人が近づくと、キングズリーがなにげなく挨拶した。

「君と話したいと思っていたんだが、ちょっとお時間をいただけますかね？」

「ああ、ほんのちょっとだけなら」ウィーズリーおじさんが言った。「かなり急いでるのでね」

二人はほとんど互いに知らないような話し方をした。ハリーがキングズリーに挨拶しようと口を開きかけると、おじさんがハリーの足を踏んだ。キングズリーのあとについて、二人は小部屋の列に沿って歩き、一番奥の部屋に行った。

ハリーはちょっとショックを受けた。四方八方からシリウスの顔がハリーを見下ろし、目をパチパチさせていたのだ。新聞の切り抜きや古い写真など――ポッター夫妻の結婚式で新郎の付き添い役を務めたときの写真まで――壁にびっしり貼ってある。ただ一か所、シリウス抜きの空間には、世界地図があり、赤い虫ピンがたくさん刺されて宝石のように光っていた。

「これだがね」

キングズリーは、羊皮紙の束をおじさんの手に押しつけながら、きびきびと話しかけた。

「過去十二か月間に目撃された、空飛ぶマグルの乗り物について、できるだけたくさん情報が欲しい。ブラックがいまだに自分の古いオートバイに乗っているかもしれないという情報が入ったのでね」

キングズリーがハリーに特大のウィンクをしながら、小声でつけ加えた。「雑誌のほうは彼に渡してくれ。おもしろがるだろう」

そして普通の声に戻って言った。

「それから、ウィーズリー、あまり時間をかけすぎないでくれ。あの『足榴弾（そくりゅうだん）』の報告書が遅れたせいで、我々の調査が一か月も滞ったのでね」

「私の報告書をよく読めば、正しい言い方は『**手榴弾（しゅりゅうだん）**』だとわかるはずだが」

ウィーズリー氏が冷ややかに言った。

「それに、申し訳ないが、オートバイ情報は少し待ってもらいませんとね。いま我々は非常に忙しいので」

それからウィーズリー氏は声を落として言った。

「七時前にここを出られるかね。モリーがミートボールを作るよ」

ウィーズリー氏はハリーに合図して、キングズリーの部屋から外に出ると、また別の樫の扉を通って別の廊下へと導いた。そこを左に曲がり、また別の廊下を歩き、右に曲がると、薄暗くてとびきりみすぼらしい廊下に出た。そして、最後のどん詰まりにたどり着いた。左側に半開きになった扉があり、中に箒置き場が見えた。右側の扉には黒ずんだ真鍮の表札がかかっている。

マグル製品不正使用取締局

ウィーズリー氏のしょぼくれた部屋は、箒置き場より少し狭いように見えた。机が二つ押し込まれ、壁際には書類であふれ返った棚が立ち並んでいる。棚の上も崩れ落ちそうなほどの書類の山だ。おかげで、机の周りは身動きする余地もない。わずかに空いた壁面には、ウィーズリー氏が取り憑かれている趣味の証で、自動車のポスターが数枚、そのうちの一枚はエンジンの分解図、マグルの子供の本から切り取ったらしい郵便受けのイラスト二枚、プラグの配線の仕方を示した図、そんなものが貼りつけてあった。

ウィーズリー氏の「未処理」の箱は書類であふれ、その一番上に座り込んだ古いトースターは、気のめいるようなしゃっくりをしているし、革の手袋は勝手に両方の親指をくるくる回して遊んでいた。ウィーズリー家の家族の写真がその箱の隣に置かれている。ハリーは、パーシーがそこからいなくなったらしいことに気づいた。

「窓がなくてね」

おじさんはすまなそうにそう言いながら、ボマージャケットを脱いで椅子の背にかけた。

「要請したんだが、我々には必要ないと思われているらしい。さあ、ハリー、かけてくれ。パーキンズはまだ来てないようだな」

ハリーは体を押し込むように、パーキンズの机の後ろの椅子に座った。おじさんはキングズリー・シャックルボルトから渡された羊皮紙の束をパラパラめくっていた。

「ああ」おじさんは束の中から、『ザ・クィブラー』という雑誌を引っ張り出し、ニヤッと笑った。「なるほど……」おじさんはざっと目を通した。「なるほど、シリウスがこれを読んだらおもしろがるだろうと言っていたが、そのとおりだ――おや、今度はなんだ？」

メモ飛行機が開けっ放しの扉からブーンと入ってきて、しゃっくりトースターの上にハタハタと降りた。おじさんは紙飛行機を開き、声を出して読んだ。

「『ベスナル・グリーンで三つ目の逆流公衆トイレが報告されたので、ただちに調査されたし』――こうなると度がすぎるな……」

「逆流トイレ？」

「マグル嫌いの悪ふざけだ」ウィーズリーおじさんが眉根を寄せた。

「先週は二件あった。ウィンブルドンで一件、エレファント・アンド・キャッスルで一件。マグルが水を流そうとレバーを引くと、流れてゆくはずが逆に――まあ、わかるだろう。かわいそうな被害者は、助けを求めて呼ぶわけだ、そのなんだ――**管配工**を。確かマグルはそう呼ぶな――ほら、パイプなんかを修理する人だ」

「配管工？」

「そのとおり、そう。しかし、当然、呼ばれてもまごまごするだけだ。誰がやっているにせよ、取っ捕まえたいものだ」

「捕まえるのは闇祓いなの？」

「いやいや、闇祓いはこんな小者はやらない。普通の魔法警察パトロールの仕事だ――ああ、ハリー、こちらがパーキンズさんだ」

猫背でふわふわした白髪頭の、気の小さそうな年寄り魔法使いが、息を切らして部屋に入ってきたところだった。

「ああ、アーサー！」パーキンズはハリーには目もくれず、絶望的な声を出した。「よかった。どうするのが一番いいかわからなくて。ここであなたを待つべきかどうかと。たったいま、お宅にふくろうを送ったところです。でも、もちろん行きちがいで——十分前に緊急通達が来て——」

「逆流トイレのことなら知っているが」ウィーズリーおじさんが言った。

「いや、いや、トイレの話じゃない。ポッター少年の尋問ですよ——時間と場所が変わって——八時開廷で、場所は下にある古い十号法廷——」

「下の古い——でも私が言われたのは——なんたるこった！」

ウィーズリーおじさんは時計を見て、短い叫び声を上げ、椅子から立ち上がった。

「急げ、ハリー。もう五分前にそこに着いていなきゃならなかった！」

ウィーズリーおじさんがワッと部屋を飛び出し、ハリーがそのすぐあとに続いた。パーキンズは、その間、書類棚にペタンとへばりついていた。

「どうして時間を変えたの？」

闇祓いの小部屋の前を矢のように走り過ぎながら、ハリーが息せき切って聞いた。駆け抜ける二人を、闇祓いたちが首を突き出して見ていた。ハリーは内臓をそっくりパーキンズの机に置き去りにしてきたような気がした。

「私にはさっぱり。しかし、よかった、ずいぶん早く来ていたから。もし出廷しなかったら、とんでもない大惨事になっていた！」

ウィーズリーおじさんは、エレベーターの前で急停止し、待ちきれないように「▼」のボタンを何度もつっつついた。

「早く！」

エレベーターがガタガタと現れた。二人は急いで乗った。途中で止まるたびに、おじさんはさんざん悪態をついて、「9」のボタンを拳でたたき続けた。

「あそこの法廷はもう何年も使っていないのに」おじさんは憤慨した。「なぜあそこでやるのか、わけがわからん――もしや――いや、まさか――」

その時、小太りの魔女が、煙を上げているゴブレットを手にして乗り込んできたので、ウィーズリーおじさんはそれ以上説明しなかった。

「アトリウム」

落ち着き払った女性の声が言った。金の格子がするすると開いた。ハリーは遠くに噴水と黄金の立像群をちらりと見た。小太りの魔女が降り、土気色の顔をした陰気な魔法使いが乗り込んできた。

「おはよう、アーサー」エレベーターが下りはじめたとき、その魔法使いが葬式のような声で挨拶した。

「ここらあたりではめったに会わないが」

「急用でね、ボード」じれったそうに体を上下にピョコピョコさせ、ハリーを心配そうな目で見ながら、おじさんが答えた。

「ああ、そうかね」ボードは瞬きもせずハリーを観察していた。「なるほど」

ハリーはボードのことなど、とても気にするどころではなかったが、それにしても無遠慮に見つめられて気分がよくなるわけはなかった。

「神秘部でございます」

落ち着き払った女性の声が言った。それだけしか言わなかった。

「早く、ハリー」

エレベーターの扉がガラガラと開いたとたんに、おじさんが急き立てた。二人は廊下を疾走した。そこは、上のどの階ともちがっていた。壁はむき出しで、廊下の突き当たりにある真っ黒な扉以外は、窓も扉もない。ハリーはその扉を入るのかと思った。ところがおじさんは、ハリーの腕をつかみ、左のほうに引っ張っていった。そこにぽっかり入口が開き、下への階段が続いていた。

「下だ、下」ウィーズリーおじさんは、階段を二段ずつ駆け下りながら、あえぎあえぎ言った。「こんな下まではエレベーターも来ない……**いったいどうして**こんな所でやるのか、私には……」

階段の下まで来ると、また別の廊下を走った。そこは、ゴツゴツした石壁に松明がかかり、ホグワーツのスネイプの地下牢教室に行く廊下とそっくりだった。どの扉も重そうな木製で、鉄のかんぬきと鍵穴がついていた。

「法廷……十号……たぶん……ここいらだ……あったぞ」

おじさんがつんのめるように止まった。巨大な鉄の錠前がついた、黒々と厳めしい扉の前だった。おじさんはみずおちを押さえて壁にもたれかかった。

「さあ」おじさんはゼイゼイ言いながら親指で扉を指した。「ここから入りなさい」

「おじさんは――一緒じゃないの――?」

「いや、いや、私は入れない。がんばるんだよ!」

ハリーの心臓が、ドドドドッと激しくのどぼとけを打ち鳴らした。ぐっと息をのみ、重い鉄の取っ手を回し、ハリーは法廷に足を踏み入れた。

第8章　尋問

ハリーは思わず息をのんだ。この広い地下牢(ろう)は、不気味なほど見覚えがある。以前に見たことがあるどころではない。ここに**来たことが**ある。ダンブルドアの「憂いの篩(ふるい)」の中で、ハリーはこの場所に来た。ここで、レストレンジたちがアズカバン監獄での終身刑を言い渡されるのを目撃した。

黒ずんだ石壁を、松明(たいまつ)がぼんやり照らしている。ハリーの両側のベンチには誰も座っていなかったが、正面のひときわ高いベンチに、大勢の影のような姿があった。みんな低い声で話していたが、ハリーの背後で重い扉がバタンと閉まると、不吉な静けさがみなぎった。

法廷のむこうから、男性の冷たい声が鳴り響いた。

「遅刻だ」

「すみません」ハリーは緊張した。「僕――僕、時間が変更になったことを知りませんでした」

「ウィゼンガモットのせいではない」声が言った。「今朝、君の所へふくろうが送られている。着席せよ」

ハリーは部屋の真ん中に置かれた椅子に視線を移した。ひじかけに鎖がびっしり巻きついている。椅子に座る者を、この鎖が生き物のように縛り上げるのをハリーは前に見ている。石の床を歩くハリーの足音が、大きく響き渡った。恐る恐る椅子の端に腰かけると、鎖がジャラジャラと脅すように鳴ったが、ハリーを縛りはしなかった。吐きたいような気分で、ハリーは前のベンチに座る影たちを見上げた。

五十人もいるだろうか。ハリーの見える範囲では、全員が赤紫のローブを着ている。胸の左側に、複雑な銀の飾り文字で「W」の印がついている。厳しい表情をしている者も、率直に好奇心をあらわにしている者も、全員がハリーを見下ろしている。

最前列の真ん中に、魔法大臣コーネリウス・ファッジが座っていた。ファッジはでっぷりとした体つきで、ライムのような黄緑色の山高帽をかぶっていることが多かったが、今日は帽子なしだった。その上、これまでハリーに話しかけるときに見せた、寛容な笑顔も消えていた。

ファッジの左手に、白髪を短く切った、えらのがっちり張った魔女が座っている。かけている片めがねが、近寄りがたい雰囲気をかもしだしていた。ファッジの右手も魔女だったが、ぐっと後ろに身を引いて腰かけているので、顔が陰になっていた。

「よろしい」ファッジが言った。

「被告人が出廷した――やっと。――始めよう。準備はいいか？」

ファッジが列の端に向かって呼びかけた。

「はい、閣下」

意気込んだ声が聞こえた。ハリーの知っている声だ。ロンの兄のパーシーが前列の一番端に座っていた。ハリーは、パーシーがハリーを知っているそぶりを少しでも見せることを期待したが、何もなかった。角縁めがねの奥で、パーシーの目はしっかりと羊皮紙を見つめ、手には羽根ペンをかまえていた。

「懲戒尋問、八月十二日開廷」

ファッジが朗々と言った。パーシーがすぐさま記録を取りだした。

「未成年魔法使いの妥当な制限に関する法令と国際機密保持法の違反事件。被告人、ハリー・ジェームズ・ポッター。住所、サレー州、リトル・ウィンジング、プリベット通り四番地」

「尋問官、コーネリウス・オズワルド・ファッジ魔法大臣、アメリア・スーザン・ボーンズ魔法法執行部部長、ドローレス・ジェーン・アンブリッジ上級次官。法廷書記、パーシー・イグネイシャス・

ウィーズリー――」

「被告側証人、アルバス・パーシバル・ウルフリック・ブライアン・ダンブルドア」

ハリーの背後で、静かな声がした。ハリーがあまりに急に振り向いたので、首がグキッとねじれた。濃紺のゆったりと長いローブを着たダンブルドアが、この上なく静かな表情で、部屋のむこうから粛々と大股に歩いてきた。ダンブルドアはハリーの横まで来ると、折れ曲がった鼻の中ほどにかけている半月めがねを通して、ファッジを見上げた。長い銀色のひげと髪が、松明にきらめいている。

ウィゼンガモットのメンバーがざわめいた。目という目が、いまやダンブルドアを見ていた。当惑した顔もあり、少し恐れている表情もあった。しかし、後列の年老いた二人の魔女は、手を振って歓迎した。

ダンブルドアの姿を見て、ハリーの胸に力強い感情が湧き上がった。不死鳥の歌がハリーに与えてくれたと同じような、勇気と希望が湧いてくる気持ちだった。ハリーはダンブルドアと目を合わせたかったが、ダンブルドアはこちらを見なかった。明らかに不意をつかれた様子のファッジを見つめ続けていた。

「アー」ファッジは完全に落ち着きを失っているようだった。「ダンブルドア。そう。あなたは――アー――こちらからの――えー――それでは、伝言を受け取ったのかな？――時間と――アー――場所が変更になったという？」

「受け取りそこねたらしいのう」

ダンブルドアはほがらかに言った。

「しかし、幸運にも勘ちがいしましてな。魔法省に三時間も早く着いてしまったのじゃ。それで、仔細なしじゃ」

「そうか――いや――もう一つ椅子がいるようだ――私が――ウィーズリー、君が――？」

「いや、いや、おかまいくださるな」ダンブルドアは楽しげに言うと、杖を取り出し、軽く振った。すると、どこからともなく、ふかふかしたチンツ張りのひじかけ椅子が、ハリーの隣に現れた。ダンブルドアは腰をかけ、長い指の先を組み合わせ、その指越しに、礼儀正しくファッジに注目した。ウィゼンガモット法廷はまだざわつき、そわそわしていたが、ファッジがまた口を開いたとき、やっと静まった。

「よろしい」ファッジは羊皮紙をガサガサめくりながら言った。

「さて、それでは。そこで。罪状。そうだ」ファッジは目の前の羊皮紙の束から一枚抜いて、深呼吸し、読み上げた。「被告人罪状は以下のとおり」

「被告人は、魔法省から前回、同様の咎にて警告状を受け取っており、被告人の行動が違法であると充分に認識し、熟知しながら、意図的に、去る八月二日九時二十三分、マグルの居住地区にて、マグルの面前で、守護霊の呪文を行った。これは、一八七五年制定の『未成年魔法使いの妥当な制限に関する法令』C項、並びに『国際魔法戦士連盟機密保持法』第十三条の違反に当たる」

「被告人は、ハリー・ジェームズ・ポッター、住所はサレー州、リトル・ウィンジング、プリベット通り四番地に相違ないか？」ファッジは羊皮紙越しにハリーをにらみつけた。

「はい」ハリーが答えた。

「被告人は三年前、違法に魔法を使った廉で、魔法省から公式の警告を受け取った。相違ないか？」

「はい、でも――」

「そして被告人は八月二日の夜、守護霊を出現させたか？」ファッジが言った。

「はい、でも――」

「十七歳未満であれば、学校の外で魔法を行使することを許されていないと承知の上か？」

「はい、でも――」

「マグルだらけの地区であることを知っての上か？」

「はい、でも――」

「その時、一人のマグルが身近にいたのを充分認識していたか？」

「**はい**」ハリーは腹が立った。「でも魔法を使ったのは、僕たちがあの時――」

片めがねの魔女が低く響く声でハリーの言葉をさえぎった。

「完全な守護霊を創り出したのか？」

「はい」ハリーが答えた。「なぜなら――」

「有体守護霊か？」

「ゆ――なんですか？」ハリーが聞いた。

「創り出した守護霊ははっきりとした形を持っていたか？　つまり、霞（かすみ）か雲か以上のものだったか？」

「はい」ハリーはいらいらしていたし、やけくそ気味だった。

「牡鹿（おじか）です。いつも牡鹿の姿です」

「いつも？」マダム・ボーンズが低く響く声で聞いた。

「前にも守護霊を出したことがあるのか？」

「**はい**」ハリーが答えた。「もう一年以上やっています」

「しかし、十五歳なのだね？」

「そうです、そして――」

「学校で学んだのか？」

「はい。ルーピン先生に三年生のときに習いました。なぜなら――」

「驚きだ」マダム・ボーンズがハリーをずいっと見下ろした。「この年で、本物の守護霊とは……まさに驚きだ」

周りの魔法使いや魔女はまたざわついた。何人かはうなずいていたが、あとは顔をしかめ、頭(かぶり)を振っていた。

「どんなに驚くべき魔法かどうかは、この際問題ではない」ファッジはいらいら声で言った。「むしろ、この者は、あからさまにマグルの面前でそうしたのであるから、驚くべきであればあるほど質(たち)が悪いと、私はそう考える！」

顔をしかめていた者たちが、そのとおりだとざわめいた。それよりも、パーシーが殊勝ぶって小さくうなずいているのを見たとき、ハリーはどうしても話をせずにはいられなくなった。

「吸魂鬼のせいなんだ！」ハリーは、誰にも邪魔されないうちに、大声で言った。ざわめきが大きくなるだろうと、ハリーは期待していた。ところが、沈黙だった。なぜか、これまでよりもっと深い沈黙だった。

「吸魂鬼？」

しばらくしてマダム・ボーンズが言った。げじげじ眉が吊(つ)り上がり、片めがねが危うく落ちるかと思われた。

「君、どういうことかね？」

「路地に、吸魂鬼が二人いたんです。そして、僕と、僕のいとこを襲ったんです！」

「ああ」

ファッジが、ニヤニヤいやな笑い方をしながら、ウィゼンガモット法廷を見回した。あたかも、冗談を楽しもうじゃないかと誘いかけているかのようだった。

「うん、うん、こんな話を聞かされるのではないかと思った」

「リトル・ウィンジングに吸魂鬼？」

マダム・ボーンズが度肝を抜かれたような声を出した。

「わけがわからない――」

「そうだろう、アメリア？」ファッジはまだ薄ら笑いを浮かべていた。「説明しよう。この子は、いろいろ考え抜いて、吸魂鬼がなかなかうまい口実になるという結論を出したわけだ。まさにうまい話だ。マグルには吸魂鬼が見えないからな。そうだろう、君？　好都合だ、まさに好都合だ……君の証言だけで、目撃者はいない……」

「うそじゃない！」

またしてもざわめきだした法廷に向かって、ハリーが大声を出した。

「二人いたんだ。路地の両端からやってきた。周りが真っ暗になって、冷たくなって。いとこも吸魂鬼を感じて逃げ出そうとした――」

「たくさんだ。もうたくさん！」

ファッジが小ばかにしたような顔で、傲然と言った。

「せっかく何度も練習してきたにちがいないうそ話を、さえぎってすまんが――」

ダンブルドアが咳払い（せき）をした。ウィゼンガモット法廷が、再びシーンとなった。

「実は、路地に吸魂鬼が存在したことの証人がおる。ダドリー・ダーズリーのほかに、という意味じゃが」ダンブルドアが言った。

ファッジのふっくら顔が、誰かに空気を抜き取られたようにたるんだ。ひと呼吸、ふた呼吸、ダンブルドアをぐいと見下ろし、それから、かろうじて体勢を立て直した感じでファッジが言った。

「残念ながらダンブルドア、これ以上、たわ言を聞いているひまはない。この件は早く片づけたい――」

「まちがっておるかもしれんが」ダンブルドアは心地よく言った。「ウィゼンガモット権利憲章に、確かにあるはずじゃ。被告人は自分に関する事件の証人を召喚する権利を有するとな？　マダム・ボーンズ、これは魔法法執行部の方針ではありませんかの？」

　ダンブルドアは片めがねの魔女に向かって話を続けた。

「そのとおり」マダム・ボーンズが言った。「まったくそのとおり」

「ああ、けっこう、けっこう」ファッジがバシリと言った。「証人はどこかね？」

「一緒に連れてきておる」ダンブルドアが言った。「この部屋の前におるが。それでは、わしが――？」

「いや――ウィーズリー、君が行け」ファッジがパーシーにどなった。

　パーシーはすぐさま立ち上がり、裁判官バルコニーから石段を下りて、ダンブルドアとハリーには一瞥（いちべつ）もくれずに、急いで脇を通り過ぎた。

　パーシーは、すぐ戻ってきた。後ろにフィッグばあさんを従えている。おびえた様子で、いつにも増して風変わりに見えた。いつものスリッパをはき替えてくる気配りが欲しかったと、ハリーは思った。

　ダンブルドアは立ち上がって椅子をばあさんにゆずり、自分用にもう一つ椅子を取り出した。

「姓名は？」フィッグばあさんがおどおどと椅子の端に腰かけると、ファッジが大声で言った。

「アラベラ・ドーリーン・フィッグ」フィッグばあさんはいつものわなわな声で答えた。

「それで、何者だ？」ファッジはうんざりしたように高飛車な声で聞いた。

「あたしゃ、リトル・ウィンジングに住んどりまして、ハリー・ポッターの家の近くです」

　フィッグばあさんが言った。

「リトル・ウィンジングには、ハリー・ポッター以外に魔法使いや魔女がいるという記録はない」

マダム・ボーンズが即座に言った。

「そうした状況は常に、厳密にモニターしてきた。過去の事件が……事件だけに」

「あたしゃ、できそこないのスクイブで」フィッグばあさんが言った。「だから、あたしゃ登録なんかされていませんでしょうが？」

「スクイブ、え？」ファッジが疑わしそうにじろりと見た。「それは確かめておこう。助手のウィーズリーに両親についての詳細を知らせておくよう。ところで、スクイブは吸魂鬼が見えるのかね？」

ファッジは裁判官席の左右を見ながら聞いた。

「見えますともさ！」フィッグばあさんが怒ったように言った。

ファッジは眉を吊り上げて、またばあさんを見下ろした。

「けっこうだ」ファッジは超然とした様子を装いながら言った。「話を聞こうか？」

「あたしは、ウィステリア通りの奥にある、角の店までキャット・フーズを買いに出かけてました。八月二日の夜九時ごろです」

フィッグばあさんは、これだけの言葉を、まるで暗記してきたかのように早口で一気にまくし立てた。

「そん時に、マグノリア・クレセント通りとウィステリア通りの間の路地で騒ぎを聞きました。路地の入口に行ってみると、見たんですよ。吸魂鬼が走ってまして——」

「走って？」マダム・ボーンズが鋭く言った。「吸魂鬼は走らない。すべる」

「そう言いたかったんで」フィッグばあさんが急いで言った。しわしわのほおのところどころがピンクになっていた。「路地をすべるように動いて、どうやら男の子二人のほうに向かってまして」

「どんな姿をしていましたか？」マダム・ボーンズが聞いた。眉をひそめたので、片めがねの端がまぶたに食い込んで見えなくなっていた。

「えー、一人はとても大きくて、もう一人はかなりやせて――」

「ちがう、ちがう」マダム・ボーンズは性急に言った。「吸魂鬼のほうです……どんな姿か言いなさい」

「あっ」フィッグばあさんのピンク色は今度は首の所に上ってきた。

「でっかかった。でかくて、マントを着てまして」

ハリーは胃の腑がガクンと落ち込むような気がした。フィッグばあさんは見たと言うが、せいぜい吸魂鬼の絵しか見たことがないように思えたのだ。絵ではあの生き物の本性を伝えることはできない。地上から数センチの所に浮かんで進む、あの気味の悪い動き方、あのくさったようなにおい、周りの空気を吸い込むときの、あのガラガラという恐ろしい音……。

二列目の、大きな黒い口ひげを蓄えたずんぐりした魔法使いが、隣の縮れっ毛の魔女のほうに身を寄せ、何か耳元でささやいた。魔女はニヤッと笑ってうなずいた。

「でかくて、マントを着て」マダム・ボーンズが冷たくくり返し、ファッジはあざけるようにフンと言った。「なるほど、ほかに何かありますか？」

「あります」フィッグばあさんが言った。

「あたしゃ、感じたんですよ。何もかも冷たくなって、しかも、あなた、とっても暑い夏の夜で。それで、あたしゃ、感じましたね……まるでこの世から幸せってもんがすべて消えたような……。それで、あたしゃ、思い出しましたよ……恐ろしいことを……」

ばあさんの声が震えて消えた。

マダム・ボーンズの目が少し開いた。片めがねが食い込んでいた眉の下に、赤い痕が残っているのをハリーは見た。

「吸魂鬼は何をしましたか？」マダム・ボーンズが聞いた。ハリーは希望が押し寄せてくるのを感じた。

「やつらは男の子に襲いかかった」

フィッグばあさんの声が、今度はしっかりして、自信があるようだった。顔のピンク色もひいていた。

「一人が倒れた。もう一人は吸魂鬼を追い払おうとしてあとずさりしていた。それがハリーだった。二回やってみたが銀色の霞しか出なかった。三回目に創り出した守護霊が、一人目の吸魂鬼に襲いかかった。それから、ハリーに励まされて、二人目の吸魂鬼をいとこから追っ払った。そしてそれが……それが起こったことで」

フィッグばあさんは尻切れトンボに言い終えた。

マダム・ボーンズはだまってフィッグばあさんを見下ろした。ファッジはまったくばあさんを見もせず、羊皮紙をいじくり回していた。最後にファッジは目を上げ、つっかかるように言った。

「それがおまえの見たことだな？」

「それが起こったことで」フィッグばあさんがくり返して言った。

「よろしい」ファッジが言った。「退出してよい」

フィッグばあさんはおびえたような顔でファッジを見て、ダンブルドアを見た。それから立ち上がって、せかせかと扉に向かった。扉が重い音を立てて閉まるのをハリーは聞いた。

「あまり信用できない証人だった」ファッジが高飛車に言った。

「いや、どうでしょうね」マダム・ボーンズが低く響く声で言った。

「吸魂鬼が襲うときの特徴を実に正確に述べていたのも確かです。それに、吸魂鬼がそこにいなかったのなら、なぜ、いたなどと言う必要があるのか、その理由がない」

「しかし、吸魂鬼がマグルの住む郊外をうろつくかね？　そして**偶然に**、魔法使いに出くわすかね？」

ファッジはフンと言った。「確率はごくごく低い。バグマンでさえそんなのには賭けない――」

「おお、吸魂鬼が偶然そこにいたと信じる者は、ここには誰もおらんじゃろう」ダンブルドアが軽い調子で言った。

ファッジの右側にいる、顔が陰になった魔女が少し身動きしたが、ほかの全員はだまったまま動かなかった。

「それは、どういう意味かね？」ファッジが冷ややかに聞いた。

「それは、連中が命令を受けてそこにいたということじゃ」ダンブルドアが言った。

「吸魂鬼に二人でリトル・ウィンジングをうろつくように命令したのなら、我々のほうに記録があるはずだ！」ファッジが吠えた。

「吸魂鬼が、このごろ魔法省以外から命令を受けているとなれば、そうとはかぎらんのう」

ダンブルドアが静かに言った。

「コーネリウス、この件についてのわしの見解は、すでに述べてある」

「確かにうかがった」ファッジが力を込めて言った。「しかし、ダンブルドア、どこをどうひっくり返しても、あなたの意見はたわ言以外の何物でもない。吸魂鬼はアズカバンにとどまっており、すべて我々の命令に従って行動している」

「それなれば」ダンブルドアは静かに、しかし、きっぱりと言った。「我々は自らに問うてみんといかんじゃろう。魔法省内の誰かが、なぜ二人の吸魂鬼に、八月二日にあの路地に行けと命じたのか」

この言葉で、全員が完全にだまり込んだ。その中で、ファッジの右手の魔女が身を乗り出し、ハリーはその顔を初めて目にした。

まるで、大きな青白いガマガエルのようだ、とハリーは思った。ずんぐりして、大きな顔はしまりがない。首はバーノンおじさん並みに短く、口はぱっくりと大きく、だらりとだらしがない。丸い大きな目は、やや飛び出している。短いくるくるした巻き毛にちょこんとのった黒いビロードの小さな蝶結びまでが、ハリーの目には、大きなハエに見えた。いまにも長いねばねばした舌が伸びてきて、ぺろりと捕まりそうだ。

「ドローレス・ジェーン・アンブリッジ上級次官に発言を許す」ファッジが言った。

魔女が、女の子のようにかん高い声でひらひらと話しだしたのには、ハリーはびっくり仰天した。ゲロゲロというしわがれ声だろうと思っていたのだ。

「わたくし、きっと誤解してますわね、ダンブルドア先生」

顔はニタニタ笑っていたが、魔女の大きな丸い目は冷ややかだった。

「愚かにもわたくし、ほんの一瞬ですけど、まるで先生が、魔法省が命令してこの男の子を襲わせた！　そうおっしゃってるように聞こえましたの」

魔女はさえた金属音で笑った。ハリーは頭の後ろの毛がぞっと逆立つような気がした。ウィゼンガモットの裁判官も数人、一緒に笑った。その誰もが、別におもしろいと思っているわけではないのは明白だった。

「吸魂鬼が魔法省からしか命令を受けないことが確かだとなれば、そして、一週間前、二人の吸魂鬼がハリーといとこを襲ったことが確かだとなれば、論理的には、魔法省の誰かが、襲うように命令したということになるじゃろう」ダンブルドアが礼儀正しく述べた。「もちろん、この二人の吸魂鬼が魔法省の制御できない者だったという可能性は――」

「魔法省の統制外にある吸魂鬼はいない！」ファッジは真っ赤になってかみついた。

ダンブルドアは軽く頭を下げた。

「それなれば、魔法省は、必ずや徹底的な調査をなさることでしょう。二人の吸魂鬼がなぜアズカバンからあれほど遠くにいたのか、なぜ承認も受けず襲撃したのか」

「魔法省が何をするかしないかは、ダンブルドア、あなたが決めることではない！」

ファッジがまたかみついた。今度は、バーノンおじさんも感服するような赤紫色の顔だ。

「もちろんじゃ」ダンブルドアはおだやかに言った。「わしはただ、この件は必ずや調査がなされるものと信頼しておると述べたまでじゃ」

ダンブルドアはマダム・ボーンズをちらりと見た。マダム・ボーンズは片めがねをかけなおし、少し顔をしかめてダンブルドアをじっと見返した。

「各位に改めて申し上げる。これら吸魂鬼が、もし本当にこの少年のでっち上げでないとしたならだが、その行動は本件の審理事項ではない！」ファッジが言った。「本法廷の事件は、ハリー・ポッターの尋問であり、『未成年魔法使いの妥当な制限に関する法令』の違反事件である！」

「もちろんじゃ」ダンブルドアが言った。「しかし、路地に吸魂鬼が存在したということは、本件において非常に関連性が高い。法令第七条によれば、例外的状況においては、マグルの前で魔法を使うことが可能であり、その例外的状況にふくまれる事態とは、魔法使い、もしくは魔女自身の生命をおびやかされ、もしくはその時に存在するそのほかの魔法使い、魔女、もしくはマグルの生命――」

「第七条は熟知している。よけいなことだ！」ファッジが唸（うな）った。

「もちろんじゃ」ダンブルドアはうやうやしく言った。「それなれば、我々は同意見となる。ハリーが守護霊の呪文を行使した状況は、この条項に述べられるごとく、まさに例外的状況の範疇（はんちゅう）に属するわけじゃな？」

「吸魂鬼がいたとすればだ。ありえんが」

「目撃者の証言をお聞きになりましたな」ダンブルドアが口をはさんだ。「もし証言の信憑（しんぴょう）性をお疑いなら、再度喚問なさるがよい。証人に異存はないはずじゃ」

「私は――それは――否だ――」

ファッジは目の前の羊皮紙をかき回しながら、たけり狂った。

「それは――私は、本件を今日中に終わらせたいのだ、ダンブルドア！」

「しかし、重大な誤審をさけんとすれば、大臣は、当然、何度でも証人喚問をなさることをいとわぬはずじゃ」ダンブルドアが言った。

「重大な誤審、まさか！」ファッジはあらんかぎりの声を振りしぼった。「この少年が、学校外であからさまに魔法を不正使用して、それをごまかすのに何度でっち上げ話をしたか、数え上げたことがあるかね？　三年前の浮遊術事件を忘れたわけではあるまいが――」

「あれは僕じゃない。屋敷しもべ妖精だった！」ハリーが言った。

「**そーれ、聞いたか？**」ファッジが吠えて、派手な動作でハリーを指した。「しもべ妖精！　マグルの家で！　どうだ」

「問題の屋敷しもべ妖精は、現在ホグワーツ校にやとわれておる」ダンブルドアが言った。「ご要望とあらば、すぐにでもここに召喚し、証言させることができる」

「私は――いや――しもべ妖精の話など聞いているひまはない！　とにかく、それだけではない――自分のおばをふくらませた！　言語道断！」

ファッジは叫ぶとともに、拳で裁判官のデスクをバンとたたき、インク瓶をひっくり返した。

「そして、大臣はご厚情をもって、その件は追及しないことになさった。確か、最良の魔法使いでさえ、自分の感情を常に抑えることはできないと認められた上でのことと、推定申し上げるが」

ダンブルドアは静かに言った。ファッジはノートに引っかけたインクをふき取ろうとしていた。

「さらに、私はまだ、この少年が学校で何をやらかしたかに触れていない」

「しかし、魔法省はホグワーツの生徒の学校における不品行について、罰する権限をお持ちではありませんな。学校におけるハリーの態度は、本件とは無関係じゃ」

ダンブルドアの言葉は相変わらずていねいだったが、いまや言葉の裏に、冷ややかさが漂っていた。

「おっほー！」ファッジが言った。「学校で何をやろうと、魔法省は関係ないと？　そうですかな？」

「コーネリウス、魔法省には、ホグワーツの生徒を退学にする権限はない。八月二日の夜に、念を押したはずじゃ」ダンブルドアが言った。「さらに、罪状が黒とはっきり証明されるまでは、杖を取り上げる権限もない。これも、八月二日の夜に、念を押したはずじゃ。大臣は、法律を擁護せんとの情熱黙しがたく、性急に事を運ばれるあまり、どうやらうっかり、うっかりに相違ないが、ほかのいくつかの法律をお見逃しのようじゃ」

「法律は変えられる」ファッジが邪険に言った。

「そのとおりじゃ」ダンブルドアは小首をかしげた。「そして、コーネリウス、君はどうやらずいぶん法律を変えるつもりらしいの。わしがウィゼンガモットを去るように要請されてからのほんの二、三週間の間に、単なる未成年者の魔法使用の件を扱うのに、なんと、刑事事件の大法廷を召集するやり方になってしもうたとは！」

後列の魔法使いが何人か、居心地悪そうにもぞもぞ座りなおした。ファッジの顔はさらに深い暗褐色になった。しかし、右側のガマガエル魔女は、ダンブルドアをぐっと見すえただけで、顔色一つ変えない。

「わしの知るかぎり」ダンブルドアが続けた。「現在の法律のどこをどう探しても、本法廷がハリーのこれまで使った魔法を逐一罰する場であるとは書いてない。ハリーが起訴されたのは、ある特定の違反事件であり、被告人はその抗弁をした。被告人とわしがいまできることは、ただ評決を待つことのみじゃ」

ダンブルドアは再び指を組み、それ以上何も言わなかった。ファッジは明らかに激怒してダンブルドアをにらんでいる。ハリーは、大丈夫なのかどうか確かめたくて、横目でダンブルドアを見た。ウィゼンガモットに対して、ダンブルドアが事実上、すぐ評決するようながしたのが正しかったのかどうか、ハリーには確信が持てなかった。しかし、またしてもダンブルドアは、ハリーが視線を合わせようとしているのに気づかないかのように、裁判官席を見つめたままだった。ウィゼンガモット法廷は、全員が、あわただしくヒソヒソ話を始めていた。

ハリーは足元を見つめた。心臓が不自然な大きさにふくれ上がったかのようで、肋骨(ろっこつ)の下でドクンドクンと鼓動していた。尋問手続きはもっと長くかかると思っていた。自分がよい印象を与えたのかどうか、まったく確信が持てなかった。まだほとんどしゃべっていない。吸魂鬼のことや、自分が倒れたこと、自分とダドリーが接吻(キス)されかかったことなど、もっと完全に説明すべきだった……。

ハリーは二度ファッジを見上げ、口を開きかけた。しかしそのたびに、ふくれた心臓が気道をふさぎ、ハリーは深く息を吸っただけで、また下を向いて自分の靴を見つめるしかなかった。

そして、ささやきがやんだ。ハリーは裁判官たちを見上げたかったが、靴ひもを調べ続けるほうがずっと楽だとわかった。

「被告人を無罪放免とすることに賛成の者?」マダム・ボーンズの深く響く声が聞こえた。

ハリーはぐいと頭を上げた。手が挙がっていた。たくさん……半分以上! 息をはずませながら、ハリーは数えようとした。しかし、数え終える前に、マダム・ボーンズが言った。

「有罪に賛成の者?」

ファッジの手が挙がった。そのほか五、六人の手が挙がった。右側の魔女と、二番目の列の、口ひげの立派な魔法使いと縮れっ毛の魔女も手を挙げていた。

ファッジは全員をざっと見渡し、何かのどに大きなものがつかえたような顔をして、それから手を下ろした。二回大きく息を吸い、怒りを抑えつける努力にゆがんだ声で、ファッジが言った。

「けっこう、けっこう……無罪放免」

「上々」

ダンブルドアは軽快な声でそう言うと、サッと立ち上がり、杖を取り出し、チンツ張りの椅子を二脚消し去った。

「さて、わしは行かねばならぬ。さらばじゃ」

そして、ただの一度もハリーを見ずに、ダンブルドアはすみやかに地下室から立ち去った。

第9章　ウィーズリーおばさんの嘆き

ダンブルドアがあっという間にいなくなったのは、ハリーにとってはまったくの驚きだった。鎖つきの椅子に座ったまま、ハリーはホッとした気持ちと、ショックとの間で葛藤していた。ウィゼンガモットの裁判官たちは全員立ち上がり、しゃべったり、書類を集めたり、帰り支度をしていた。ハリーは立ち上がった。誰もハリーのことなど、まったく気にかけていないようだ。ただ、ファッジの右隣のガマガエル魔女だけが、今度はダンブルドアではなくハリーを見下ろしていた。その視線を無視し、ハリーはファッジかマダム・ボーンズの視線をとらえようとした。もう行ってもいいのかどうか聞きたかったのだ。

しかし、ファッジは意地でもハリーを見ないようにしているらしく、マダム・ボーンズは自分の書類鞄（かばん）の整理で忙しくしていた。試しに一歩、二歩、遠慮がちに出口に向かって歩いてみた。呼び止める者がいないとわかると、ハリーは早足になった。

最後の数歩は駆け足になり、扉をこじ開けると、危うくウィーズリーおじさんに衝突しそうになった。おじさんは心配そうな青い顔で、すぐ外に立っていた。

「ダンブルドアはなんにも言わな――」

「無罪だよ」ハリーは扉を閉めながら言った。「無罪放免！」

ウィーズリーおじさんはニッコリ笑って、ハリーの両肩をつかんだ。

「ハリー、そりゃ、よかった！　まあ、もちろん、君を有罪にできるはずはないんだ。証拠の上では。

しかし、それでも、正直言うと、私はやっぱり――」

しかし、ウィーズリーおじさんは突然口をつぐんだ。法廷の扉が開き、ウィゼンガモットの裁判官たちがぞろぞろ出てきたからだ。

「なんてこった！」おじさんは、ハリーを脇に引き寄せてみんなをやり過ごしながら、愕然（がくぜん）として言った。「大法廷で裁かれたのか？」

「そうだと思う」ハリーが小声で言った。

通りすがりに一人か二人、ハリーに向かってうなずいたし、マダム・ボーンズをふくむ何人かはおじさんに、「おはよう、アーサー」と挨拶したが、ほかの大多数は目を合わせないようにして通った。コーネリウス・ファッジとガマガエル魔女は、ほとんど最後に地下室を出た。ファッジはウィーズリーおじさんとハリーが壁の一部であるかのように振る舞ったが、ガマガエル魔女のほうは、通りがかりにまたしてもハリーを、まるで値踏みするような目つきで見た。

最後にパーシーが通った。ファッジと同じに、父親とハリーを完全に無視して、大きな羊皮紙の巻紙と予備の羽根ペンを何本か握りしめ、背中を突っ張らせ、ツンと上を向いてすたすたと通り過ぎた。ウィーズリーおじさんの口の周りのしわが少し緊張したが、それ以外、自分の三男を見たようなそぶりは見せなかった。

「君をすぐ連れて帰ろう。吉報を君からみんなに伝えられるように」

パーシーのかかとが地下九階への石段を上がって見えなくなったとたん、おじさんはハリーを手招きして言った。

「ベスナル・グリーンのトイレに行くついでだから。さあ……」

「それじゃ、トイレはどうするつもりなの？」

ハリーはニヤニヤしながら聞いた。突然、何もかもが、いつもの五倍もおもしろく思われた。だんだん実感が湧いてきた。無罪なんだ。**ホグワーツに帰れるんだ。**

「ああ、簡単な呪い破りですむ」

二人で階段を上がりながら、おじさんが言った。

「ただ、故障の修理だけの問題じゃない。むしろ、ハリー、公共物破壊の裏にある態度が問題だ。マグルをからかうのは、一部の魔法使いにとってはただゆかいなことにすぎないかもしれないが、しかし、実はもっと根の深い、質(たち)の悪い問題の表れなんだ。だから、私なんかは——」

ウィーズリーおじさんはハッと口をつぐんだ。地下九階の廊下に出たところだったが、目と鼻の先にコーネリウス・ファッジが立っていて、背が高く、なめらかなプラチナ・ブロンドの、あごがとがった青白い顔の男と、ヒソヒソ話をしていた。

足音を聞きつけて、その男がこちらを向いた。その男もハッと会話を中断した。冷たい灰色の目を細め、ハリーの顔をじっと見た。

「これは、これは、これは……守護霊ポッター殿」ルシウス・マルフォイの冷たい声だった。

ハリーは何か固いものに衝突したかのように、うっと息が止まった。その冷たい灰色の目を最後に見たのは、死喰(しく)い人のフードの切れ目からだった。そのあざける声を最後に聞いたのは、暗い墓場でヴォルデモートの拷問を受けていたときだった。ルシウス・マルフォイが、臆面もなくハリーの顔をまともに見ようとは。しかも事もあろうに魔法省にマルフォイがいる。コーネリウス・ファッジがマルフォイと話している。信じられなかった。ほんの数週間前、マルフォイが死喰い人だと、ファッジに教えたばかりだというのに。

「たったいま、大臣が、君が運良く逃げおおせたと話してくださったところだ、ポッター」マルフォイ氏が気取った声で言った。「驚くべきことだ。君が相変わらず危ういところをすり抜けるやり方ときたら……じつに、**蛇のようだ**」

ウィーズリーおじさんが、警告するようにハリーの肩をつかんだ。

「ああ」ハリーが言った。「ああ、僕は逃げるのがうまいよ」

ルシウス・マルフォイが目を上げてウィーズリー氏を見た。

「なんとアーサー・ウィーズリーもか！　ここになんの用かね、アーサー？」

「ここに勤めている」おじさんがそっけなく言った。

「まさか、**ここでは**ないでしょう？」

マルフォイ氏は眉をキュッと上げ、おじさんの肩越しに、後ろの扉をちらりと見た。

「君は地下二階のはず……マグル製品を家にこっそり持ち帰り、それに魔法をかけるような仕事ではありませんでしたかな？」

「いいや」ウィーズリーおじさんはきっぱりと言った。ハリーの肩に、いまやおじさんの指が食い込んでいた。

「**そっちこそ**、いったいなんの用だい？」ハリーがルシウス・マルフォイに聞いた。

「私と大臣との私的なことは、ポッター、君には関係がないと思うが」

マルフォイがローブの胸のあたりをなでつけながら言った。金貨がポケットいっぱいに詰まったような、チャリンチャリンというやわらかい音を、ハリーははっきり聞いた。

「まったく、君がダンブルドアのお気に入りだからといって、ほかの者もみな君を甘やかすとは期待しないでほしいものだ……では、大臣、お部屋のほうに参りますか？」

「そうしよう」ファッジはハリーとウィーズリー氏に背を向けた。「ルシウス、こちらへ」

二人は低い声で話しながら、大股で立ち去った。ウィーズリーおじさんは、二人がエレベーターに乗り込んで姿が見えなくなるまで、ハリーの肩を放さなかった。

「何か用があるなら、なんであいつは、ファッジの部屋の前で待っていなかったんだ?」ハリーは憤慨して、吐き捨てるように言った。「ここで何してたんだ?」

「こっそり法廷に入ろうとしていた。私はそう見るね」

おじさんはとても動揺した様子で、誰かが盗み聞きしていないかどうか確かめるように、ハリーの肩越しに目を走らせた。

「君が退学になったかどうか確かめようとしたんだ。君を屋敷まで送ったら、ダンブルドアに伝言を残そう。マルフォイがまたファッジと話をしていたと、ダンブルドアに知らせないと」

「二人の私的なことって、いったい何があるの?」

「金貨だろう」おじさんは怒ったように言った。「マルフォイは長年、あらゆることに気前よく寄付してきた……。いい人脈が手に入る……そうすれば、有利な計らいを受けられる……都合の悪い法律の通過を遅らせたり……ああ、あいつはいいコネを持っているよ。ルシウス・マルフォイってやつは」

エレベーターが来た。メモ飛行機の群れ以外は誰も乗っていない。おじさんがアトリウム階のボタンを押し、扉がガチャリと閉まる間、メモ飛行機がおじさんの頭上をハタハタと飛んだ。おじさんはわずらわしそうに払いのけた。

「おじさん」ハリーが考えながら聞いた。「もしファッジが、マルフォイみたいな死喰い人と会っていて、しかもファッジ一人で会っているなら、あいつらに『服従の呪文』をかけられてないって言える?」

「我々もそれを考えなかったわけではないよ、ハリー」ウィーズリーおじさんがひっそり言った。「しかし、ダンブルドアは、いまのところ、ファッジが自分の考えで動いていると考えている──だが、ダンブルドアが言うには、それだから安心というわけではない。ハリー、いまはこれ以上話さないほうがいい」

扉がするすると開き、二人はアトリウムに出た。いまはほとんど誰もいない。ガード魔ンのエリックは、また「日刊予言者新聞」の陰に埋もれていた。金色の噴水をまっすぐに通り過ぎたとたん、ハリーはふと思い出した。

「待ってて……」

おじさんにそう言うと、ハリーはポケットから巾着を取り出し、噴水に戻った。

ハリーはハンサムな魔法使いの顔を見上げた。しかし近くで見ると、どうも弱々しいまぬけな顔だとハリーは思った。魔女は美人コンテストのように意味のない笑顔を見せていた。ハリーの知っている小鬼やケンタウルスは、どう考えても、こんなふうにおめでたい顔でうっとりとヒト族を見つめたりはしない。屋敷しもべ妖精の、這いつくばった追従の態度だけが真実味があった。このしもべ妖精の像を見たら、ハーマイオニーがなんと言うだろうとひとり笑いしながら、ハリーは巾着を逆さに空け、十ガリオンどころか中身をそっくり泉に入れた。

「思ったとおりだ！」ロンが空中にパンチをかました。「君はいつだってちゃんと乗り切るのさ！」

「無罪で当然なのよ」

ハリーが厨房に入ってきたときは心配で卒倒しそうだったハーマイオニーが、今度は震える手で目頭を押さえながら言った。

「あなたにはなんの罪もなかったんだから。なーんにも」

「僕が許されるって思っていたわりには、みんなずいぶんホッとしてるみたいだけど」

ハリーがニッコリした。

ウィーズリーおばさんはエプロンで顔をぬぐっていたし、フレッド、ジョージ、ジニーは戦いの踊りのようなしぐさをしながら歌っていた。

「**ホーメン、ホーメン、ホッホッホー……**」

「たくさんだ！　やめなさい！」

ウィーズリーおじさんはどなりながらも笑っていた。

「ところでシリウス、ルシウス・マルフォイが魔法省にいた──」

「何？」シリウスが鋭い声を出した。

「**ホーメン、ホーメン、ホッホッホー……**」

「三人とも、静かにせんか！　そうなんだ。地下九階でファッジと話しているのを、私たちが目撃した。それから二人は大臣室に行った。ダンブルドアに知らせておかないと」

「そのとおりだ」シリウスが言った。「知らせておく。心配するな」

「さあ、私は出かけないと。ベスナル・グリーンで逆流トイレが私を待っている。モリー、帰りが遅くなるよ。トンクスとかわってあげるからね。ただ、キングズリーが夕食に寄るかもしれない──」

「**ホーメン、ホーメン、ホッホッホー……**」

「いいかげんになさい──フレッド──ジョージ──ジニー！」

おじさんが厨房を出ていくと、おばさんが言った。

「ハリー、さあ、座ってちょうだい。何かお昼を食べなさいな。朝はほとんど食べていないんだから」

ロン、ハーマイオニーがハリーのむかい側にかけた。ハリーがグリモールド・プレイスに到着したとき以来、二人がこんなに幸せそうな顔を見せたのは初めてだ。ハリーも、ルシウス・マルフォイとの出会いで少ししぼんでいた有頂天な安堵感が、また盛り上がってきた。陰気な屋敷が、急に温かく歓迎しているように感じられた。騒ぎを聞きつけて、様子を探りに厨房に豚鼻を突っ込んだクリーチャーでさえ、いつもより醜くないように思えた。

「もち、ダンブルドアが君の味方に現れたら、やつらは君を有罪にできっこないさ」

マッシュポテトをみんなの皿に山盛りに取り分けながら、ロンがうれしそうに言った。

「うん、ダンブルドアのおかげで僕が有利になった」ハリーが言った。

ここでもし、「僕に話しかけてほしかったのに。せめて僕を**見てくれる**だけでも」なんて言えば、とても恩知らずだし、子供っぽく聞こえるだろうと思った。

そう考えたとき、額の傷痕が焼けるように痛み、ハリーはパッと手で覆った。

「どうしたの?」ハーマイオニーが驚いたように聞いた。

「傷が」ハリーは口ごもった。「でも、なんでもない……いまじゃ、しょっちゅうだから……」

ほかには誰も何も気づかない。誰もかれもが、ハリーの九死に一生を喜びながら、食べ物を取り分けているところだった。フレッド、ジョージ、ジニーはまだ歌っていた。ハーマイオニーは少し心配そうだったが、何も言えないでいるうちに、ロンがうれしそうに言った。

「ダンブルドアはきっと今晩来るよ。ほら、みんなとお祝いするのにさ」

「ロン、いらっしゃれないと思いますよ」

ウィーズリーおばさんが巨大なローストチキンの皿をハリーの前に置きながら言った。

「いまはとってもお忙しいんだから」

「**ホーメン、ホーメン、ホッホッホー……**」

「**おだまり！**」ウィーズリーおばさんが吠えた。

数日がたち、ハリーは、このグリモールド・プレイス十二番地に、自分がホグワーツに帰ることを心底喜んではいない人間がいることに気づかないわけにはいかなかった。シリウスは、最初にこの知らせを聞いたとき、ハリーの手を握り、みんなと同じようにニッコリして、うれしそうな様子を見事に演じて見せた。しかし、まもなくシリウスは、以前よりもふさぎ込み、不機嫌になり、ハリーとさえもあまり話さなくなった。そして、母親が昔使っていた部屋に、ますます長い時間バックビークと一緒に閉じこもるようになった。

数日後、ロン、ハーマイオニーと四階のかびだらけの戸棚をこすりながら、ハリーは二人に自分の気持ちの一端を打ち明けた。

「自分を責めることはないわ！」ハーマイオニーが厳しく言った。「あなたはホグワーツに帰るべきだし、シリウスはそれを知ってるわ。個人的に言わせてもらうと、シリウスはわがままよ」

「それはちょっときついぜ、ハーマイオニー」指にこびりついたかびをこそげ取ろうと躍起になって、顔をしかめながらロンが言った。「**君だって**、この屋敷にひとりぼっちで、釘づけになってたくないだろう」

「ひとりぼっちじゃないわ！」ハーマイオニーが言った。「ここは『不死鳥の騎士団』の本部じゃない？　シリウスは高望みして、ハリーがここに来て一緒に住めばいいと思ったのよ」

「そうじゃないと思うよ」ハリーが雑巾をしぼりながら言った。「僕がそうしてもいいかって聞いたとき、シリウスははっきり答えなかったんだ」

「あんまり期待しちゃいけないって、自分でそう思ったんだわ」ハーマイオニーは明晰だった。「それに、きっと少し罪悪感を覚えたのよ。だって、心のどこかで、あなたが退学になればいいって願っていたと思うの。そうすれば二人とも追放された者同士になれるから」

「やめろよ！」

ハリーとロンが同時に言った。しかし、ハーマイオニーは肩をすくめただけだった。

「いいわよ。だけど、私、ときどきロンのママが正しいと思うの。シリウスはねえ、ハリー、あなたがあなたなのか、それともあなたのお父さんなのか、ときどき混乱してるわ」

「じゃ、君は、シリウスが少しおかしいって言うのか？」ハリーが熱くなった。

「ちがうわ。ただ、シリウスは長い間ひとりぼっちでさびしかったと思うだけ」ハーマイオニーがさらりと言いきった。

その時、ウィーズリーおばさんが、三人の背後から部屋に入ってきた。

「まだ終わらないの？」おばさんは戸棚に首を突っ込んだ。

「休んだらどうかって言いにきたのかと思ったよ！」ロンが苦々しげに言った。「この屋敷に来てから、僕たちがどんなに大量のかびを処理したか、ご存じですかね？」

「あなたたちは騎士団の役に立ちたいと、とても熱心でしたね」おばさんが言った。「この本部を住める状態にすることで、お役目がはたせるのですよ」

「屋敷しもべみたいな気分だ」ロンがブツブツ言った。

「さあ、しもべ妖精がどんなにひどい暮らしをしているか、やっとわかったようだから、もう少し『S・P・E・W』に熱心になってくれるでしょ！」

おばさんが三人に任せて出ていったあと、ハーマイオニーが期待を込めて言った。

「ねえ、もしかしたら、お掃除ばかりしていることがどんなにひどいかを、みんなに体験させるのも悪くないかもね——グリフィンドールの談話室を磨き上げるスポンサーつきのイベントをやって、収益はすべて『S・P・E・W』に入ることにして。意識も高まるし、基金も貯まるわ」

「僕、君が『反吐(スピュー)』のことを言わなくなるためのスポンサーになるよ」ロンは、ハリーにしか聞こえないようにいらいらとつぶやいた。

夏休みの終わりが近づくと、ハリーはホグワーツのことを、ますますひんぱんに思い出すようになっていた。早くハグリッドに会いたい。クィディッチをしたい。「薬草学」の温室に行くのに、野菜畑をのんびり横切るのもいい。このほこりっぽいかびだらけの屋敷を離れられるだけでも大歓迎だ。ここでは、戸棚の半分にまだかんぬきがかかっているし、クリーチャーが、通りがかりの者に暗がりからゼイゼイと悪態をつく。もっとも、シリウスに聞こえる所ではこんなことは何も言わないように、ハリーは気づかった。

事実、反ヴォルデモート運動の本部で生活していても、特におもしろおかしいわけではなかった。経験してみるまでは、ハリーにはそれがわからなかった。騎士団のメンバーが定期的に出入りして、食事をしていくときもあれば、時にはほんの数分間のヒソヒソ話だけのこともあった。しかし、ウィーズリーおばさんが、ハリーやほかの子供たちの耳には（本物の耳にも「伸び耳」にも）届かないようにしていた。誰もかれも、シリウスでさえも、ここに到着した夜に聞いたこと以外は、ハリーは知る必要がないと考えているかのようだった。

夏休み最後の日、ハリーは自分の寝室の洋だんすの上を掃いて、ヘドウィグのフンを掃除していた。そこへロンが、封筒を二通持って入ってきた。

「教科書のリストが届いたぜ」

ロンが椅子を踏み台にして立っているハリーに、封筒を一枚投げてよこした。

「遅かったよな。忘れられたかと思ったよ。普通はもっと早く来るんだけど……」

ハリーは最後のフンをごみ袋に掃き入れ、それをロンの頭越しに投げて、隅の紙くずかごに入れた。かごは袋を飲み込んでゲプッと言った。ハリーは手紙を開いた。羊皮紙が二枚入っていて、一枚はいつものように九月一日に学期が始まるというお知らせ、もう一枚は新学期に必要な本が書いてある。

「新しい教科書は二冊だけだ」ハリーは読み上げた。「『ミランダ・ゴズホーク著『基本呪文集』の五学年用と、ウィルバート・スリンクハード著『防衛術の理論』だ」

バシッ。

フレッドとジョージがハリーのすぐ脇に「姿あらわし」した。もうハリーも慣れっこになっていたので、椅子から落ちることもなかった。

「スリンクハードの本を指定したのは誰かって、二人で考えてたんだ」

フレッドがごくあたりまえの調子で言った。

「なぜって、それは、ダンブルドアが『闇の魔術に対する防衛術』の先生を見つけたことを意味するからな」ジョージが言った。

「やっとこさだな」フレッドが言った。

「どういうこと？」椅子から飛び下りて二人のそばに立ち、ハリーが聞いた。

「うん、二、三週間前、親父とおふくろが話してるのを伸び耳で聞いたんだが」フレッドが話した。

「二人が言うにはだね、ダンブルドアが今年は先生探しにとても苦労してたらしい」

「この四年間に起こったことを考えりゃ、それも当然だよな？」ジョージが言った。

「一人は辞めさせられ、一人は死んで、一人は記憶がなくなり、一人は九か月もトランク詰め」ハリーが指折り数えて言った。「うん、君たちの言うとおりだな」

「ロン、どうかしたか？」フレッドが聞いた。

ロンは答えなかった。ハリーが振り返ると、ロンは口を少し開けて、ホグワーツからの手紙をじっと見つめ、身動きせずに突っ立っていた。

「いったいどうした？」

フレッドがじれったそうに言うと、ロンの後ろに回り込み、肩越しに羊皮紙を読んだ。

フレッドの口もぱっくり開いた。

「監督生？」目を丸くして手紙を見つめ、フレッドが言った。「**監督生？**」

ジョージが飛び出して、ロンがもう片方の手に持っている封筒を引っつかみ、逆さにした。中から赤と金の何かがジョージの手のひらに落ちるのをハリーは見た。

「まさか」ジョージが声をひそめた。

「まちがいだろ」フレッドがロンの握っている手紙を引ったくり、透かし模様を確かめるかのように光にかざして見た。

「正気でロンを監督生にするやつぁいないぜ」

双子の頭が同時に動いて、二人ともハリーをじっと見つめた。

「君が本命だと思ってた」

フレッドが、まるでハリーがみんなをだましたのだろうという調子だった。

「ダンブルドアは**絶対**君を選ぶと思った！」ジョージが怒ったように言った。

「三校対抗試合に優勝したし！」フレッドが言った。

「ぶっ飛んだことがいろいろあったのが、マイナスになったかもな」ジョージがフレッドに言った。

「そうだな」フレッドが考えるように言った。「うん、相棒、君はあんまりいろいろトラブルを起こしすぎたぜ。まあ、少なくともご両人のうち一人は、何がより大切か、わかってたってこった」

フレッドが大股でハリーに近づき、背中をバンとたたいた。一方ロンには軽蔑したような目つきをした。

「監督生……ロニー坊やが、監督生」

「おうおう、ママがむかつくぜ」

ジョージは、監督生のバッジが自分を汚すかのようにロンに突っ返し、うめくように言った。

ロンはまだ一言も口をきいていなかったが、バッジを受け取り、一瞬それを見つめた。それから、本物かどうか確かめてくれとでも言うように、無言でハリーに差し出した。

ハリーはバッジを手にした。グリフィンドールのライオンのシンボルの上に、大きく「P」の文字が書かれている。これと同じようなバッジがパーシーの胸にあったのを、ハリーは、ホグワーツでの最初の日に見ていた。

ドアが勢いよく開いた。ハーマイオニーがほおを紅潮させ、髪をなびかせて猛烈な勢いで入ってきた。手に封筒を持っている。

「ねえ――もらった――？」

ハーマイオニーはハリーが手にしたバッジを見て、歓声を上げた。

「そうだと思った！」

興奮して、自分の封筒をひらひら振りながら、ハーマイオニーが言った。

「私もよ、ハリー、私も！」

「ちがうんだ」ハリーはバッジをロンの手に押しつけながら、急いで言った。「ロンだよ。僕じゃない」

「誰――え？」

「ロンが監督生。僕じゃない」ハリーが言った。

「**ロン？**」ハーマイオニーの口があんぐり開いた。「でも……確かなの？　だって――」

ロンが挑むような表情でハーマイオニーを見たので、ハーマイオニーは赤くなった。

「手紙に書いてあるのは僕の名前だ」ロンが言った。

「私……」ハーマイオニーは当惑しきった顔をした。「私……えーと……わーっ！　ロン、おめでとう！　ほんとに――」

「予想外だった」ジョージがうなずいた。

「ちがうわ」ハーマイオニーはますます赤くなった。「ううん、そうじゃない……ロンはいろんなことを……ロンはほんとうに……」

後ろのドアが前よりもう少し広めに開き、ウィーズリーおばさんが、洗濯したてのローブを山のように抱えて後ろ向きに入ってきた。

「ジニーが、教科書リストがやっと届いたって言ってたわ」

おばさんはベッドのほうに洗濯物を運び、ローブを二つの山に選り分けながら、みんなの封筒にぐるりと目を走らせた。

「みんな、封筒を私にちょうだい。午後からダイアゴン横丁に行って、みんなが荷造りしている間に教科書を買ってきてあげましょう。ロン、あなたのパジャマも買わなきゃ。全部二十センチ近く短くなっちゃって。おまえったら、なんて背が伸びるのが早いの……どんな色がいい？」

「赤と金にすればいい。バッジに似合う」ジョージがニヤニヤした。

「何に似合うって？」

ウィーズリーおばさんは、栗色のソックスを丸めてロンの洗濯物の山にのせながら、気にもとめずに聞き返した。

「**バッジ**だよ」いやなことは早くすませてしまおうという雰囲気でフレッドが言った。「新品ピッカピカのすてきな**監督生バッジ**さ」

フレッドの言葉が、パジャマのことでいっぱいのおばさんの頭を貫くのにちょっと時間がかかった。

「ロンの……でも……ロン、まさかおまえ……？」

ロンがバッジを掲げた。

ウィーズリーおばさんは、ハーマイオニーと同じような悲鳴を上げた。

「信じられない！　信じられないわ！　ああ、ロン、なんてすばらしい！　監督生！　これで子供たち全員だわ！」

「俺とフレッドはなんなんだよ。お隣さんかい？」

おばさんがジョージを押しのけ、末息子を抱きしめたとき、ジョージがふてくされて言った。

「お父さまがお聞きになったら！　ロン、母さんは鼻が高いわ。なんてすてきな知らせでしょう。おまえもビルやパーシーのように、首席になるかもしれないわ。これが第一歩よ！　ああ、こんな心配事だらけのときに、なんていいことが！　母さんはうれしいわ。ああ、**ロニーちゃん**――」

おばさんの後ろで、フレッドとジョージがオエッと吐くまねをしていたが、おばさんはさっぱり気づかず、ロンの首にしっかり両腕を回して顔中にキスしていた。ロンの顔はバッジよりも鮮やかな赤に染まった。

「ママ……やめて……ママ、落ち着いてよ……」

ロンは母親を押しのけようとしながら、もごもごと言った。

おばさんはロンを放すと、息をはずませて言った。

「さあ、何にしましょう？　パーシーにはふくろうをあげたわ。でもおまえはもう、一羽持ってるしね」

「な、なんのこと？」ロンは自分の耳がとても信じられないという顔をした。

「ごほうびをあげなくちゃ！」ウィーズリーおばさんがかわいくてたまらないように言った。

「すてきな新しいドレスローブなんかどうかしら？」

「僕たちがもう買ってやったよ」

そんな気前のいいことをしたのを心から後悔しているという顔で、フレッドが無念そうに言った。

「じゃ、新しい大鍋かな。チャーリーのお古はさびて穴が開いてきたし。それとも、新しいネズミなんか。スキャバーズのことかわいがっていたし――」

「ママ」ロンが期待を込めて聞いた。「新しい箒、だめ？」

ウィーズリーおばさんの顔が少し曇った。箒は高価なのだ。

「そんなに高級じゃなくていい！」ロンが急いでつけ足した。「ただ――ただ、一度くらい新しいのが……」

おばさんはちょっと迷っていたが、ニッコリした。

「**もちろん**いいですとも……さあ、箒も買うとなると、もう行かなくちゃ。みんな、またあとでね……ロニー坊やが監督生！　みんな、ちゃんとトランクに詰めるんですよ……監督生……ああ、私、どうしていいやら！」

おばさんはロンのほおにもう一度キスして、大きく鼻をすすり、興奮して部屋を出ていった。

フレッドとジョージが顔を見合わせた。

「僕たちも君にキスしなくていいかい、ロン？」フレッドがいかにも心配そうな作り声で言った。

「ひざまずいておじぎしてもいいぜ」ジョージが言った。

「バカ、やめろよ」ロンが二人をにらんだ。

「さもないと？」フレッドの顔に、いたずらっぽいニヤリが広がった。「罰則を与えるかい？」

「やらせてみたいねぇ」ジョージが鼻先で笑った。

「気をつけないと、ロンはほんとうにそうできるんだから！」ハーマイオニーが怒ったように言った。

フレッドとジョージはゲラゲラ笑いだし、ロンは「やめてくれよ、ハーマイオニー」ともごもご言った。

「ジョージ、俺たち、今後気をつけないとな」フレッドが震えるふりをした。「この二人が我々にうるさくつきまとうとなると……」

「ああ、我らが規則破りの日々もついに終わりか」ジョージが頭を振り振り言った。

そして大きな**バシッ**という音とともに、二人は「姿くらまし」した。

「あの二人ったら！」

ハーマイオニーが天井をにらんで怒ったように言った。天井を通して、今度は上の部屋から、フレッドとジョージが大笑いしているのが聞こえてきた。

「あの二人のことは、ロン、気にしないのよ。やっかんでるだけなんだから！」

「そうじゃないと思うな」

ロンも天井を見上げながら、ちがうよという顔をした。

「あの二人、監督生になるのはアホだけだって、いつも言ってた……でも」ロンはうれしそうにしゃべり続けた。「あの二人は新しい箒を持ったことなんかないんだから！　ママと一緒に行って選べるといいのに……ニンバスは絶対買えないだろうけど、新型のクリーンスイープが出てるんだ。あれだといいな……うん、僕、ママの所に行って、クリーンスイープがいいって言ってくる。ママに知らせておいたほうが……」

ロンが部屋を飛び出し、ハリーとハーマイオニーだけが取り残された。

なぜかハリーは、ハーマイオニーのほうを見たくなかった。ベッドに向かい、おばさんが置いていってくれた清潔なローブの山を抱え、トランクのほうに歩いた。

「ハリー？」ハーマイオニーがためらいがちに声をかけた。

「おめでとう、ハーマイオニー」元気すぎて、自分の声ではないようだった。

「よかったね。監督生。すばらしいよ」ハリーは目をそらしたまま言った。

「ありがとう」ハーマイオニーが言った。「あー――ハリー――ヘドウィグを借りてもいいかしら？パパとママに知らせたいの。喜ぶと思うわ――だって、**監督生**っていうのは、あの二人にもわかることだから」

「うん、いいよ」ハリーの声は、また恐ろしいほど元気いっぱいで、いつものハリーの声ではなかった。「使ってよ！」

ハリーはトランクにかがみ込み、一番底にローブを置き、何かを探すふりをした。ハーマイオニーは洋だんすのほうに行き、ヘドウィグを呼んだ。しばらくたって、ドアが閉まる音がした。ハリーはかがんだままで耳を澄ましていた。壁の絵のない絵が、また冷やかし笑いする声と、隅のくずかごがふくろうのフンをコホッと吐き出す音しか聞こえなくなった。

ハリーは体を起こして振り返った。ハーマイオニーとヘドウィグはもういなかった。ハリーはゆっくりとベッドに戻り、腰かけて、見るともなく洋だんすの足元を見た。

五年生になると監督生が選ばれることを、ハリーはすっかり忘れていた。退学になるかもしれないと心配するあまり、バッジが何人かの生徒に送られてくることを考える余裕はなかった。もし、そのことをハリーが**覚えていたなら**……そのことを**考えたとしたなら**……何を期待しただろうか？

こんなはずじゃない。頭の中で、正直な声が小声で言った。

ハリーは顔をしかめ、両手で顔を覆った。自分にうそはつけない。監督生のバッジが誰かに送られてくると知っていたら、自分の所に来ると期待したはずだ。ロンの所じゃない。僕はドラコ・マルフォイとおんなじいばり屋なんだろうか？　自分がほかのみんなよりすぐれていると思っているんだろうか？本当に僕は、ロンより**すぐれている**と考えているんだろうか？　**ちがう**、と小さな声が抵抗した。

本当にちがうのか？　ハリーは恐る恐る自分の心をまさぐった。

僕はクィディッチではよりすぐれている――声が言った。**だけど、僕は、ほかのことでは何もすぐれてはいない**。

それは絶対まちがいないと、ハリーは思った。自分はどの科目でもロンよりすぐれてはいない。だけど、それ以外では？　ハリー、ロン、ハーマイオニーの三人で、ホグワーツ入学以来、いろいろ冒険をした。退学よりもっと危険な目にもあった。

そう、**ロンもハーマイオニーもたいてい僕と一緒だった**――ハリーの頭の中の声が言った。

だけど、いつも一緒だったわけじゃない。ハリーは自分に言い返した。あの二人がクィレルと戦ったわけじゃない。リドルやバジリスクと戦いもしなかった。シリウスが逃亡したあの晩、吸魂鬼たちを追い払ったのもあの二人じゃない。ヴォルデモートがよみがえったあの晩、二人は僕と一緒に墓場にいたわけじゃない……。

こんな扱いは不当だという思いが込み上げてきた。ここに到着した晩に突き上げてきた思いと同じだった。僕のほうが絶対いろいろやってきた。ハリーは煮えくり返る思いだった。二人よりも僕のほうがいろいろ成しとげたんだ*！*

だけど、たぶん――小さな公平な声が言った。**たぶんダンブルドアは、幾多の危険な状況に首を突っ込んだからといって、それで監督生を選ぶわけじゃない……ほかの理由で選ぶのかもしれない……ロンは僕の持っていない何かを持っていて……。**

ハリーは目を開け、指の間から洋だんすの猫足形の脚を見つめ、フレッドの言ったことを思い出していた。――正気でロンを監督生にするやつぁいないぜ……。

ハリーはプッと噴き出した。そのすぐあとで自分がいやになった。

監督生バッジをくれと、ロンがダンブルドアに頼んだわけじゃない。ロンが悪いわけじゃない。ロンの一番の親友の僕が、自分がバッジをもらえなかったからと言ってすねたりするのか？　双子と一緒になって、ロンの背後で笑うのか？　ロンが初めて何か一つハリーに勝ったというのに、その気持ちに水をさす気か？

ちょうどその時、階段を戻ってくるロンの足音が聞こえた。ハリーは立ち上がってめがねをかけなおし、顔に笑いを貼りつけた。ロンがドアからはずむように入ってきた。

「ちょうど間に合った*！*」ロンがうれしそうに言った。「できればクリーンスイープを買うってさ」

「かっこいい」ハリーが言った。自分の声が変に上ずっていないのでホッとした。

「おい――ロン――おめでとっ」

ロンの顔から笑いが消えていった。

「僕だなんて、考えたことなかった*！*」ロンが首を振り振り言った。「僕、君だと思ってた*！*」

「いーや、僕はあんまりいろいろトラブルを起こしすぎた」ハリーはフレッドの言葉をくり返した。

「うん」ロンが言った。「うん、そうだな……さあ、荷造りしちまおうぜ、な？」

なんとも奇妙なことに、ここに到着して以来、二人の持ち物が勝手に散らばってしまったようだった。屋敷のあちこちから、本やら持ち物やらをかき集めて学校用のトランクに戻すのに、ほとんど午後いっぱいかかった。ロンが監督生バッジを持ってそわそわしているのに、ハリーは気づいた。はじめは自分のベッド脇のテーブルの上に置き、それからジーンズのポケットに入れ、またそれを取り出して、黒の上で赤色が映えるかどうか確かめるかのように、たたんだローブの上に置いた。フレッドとジョージがやってきて、「永久粘着術」でバッジをロンの額に貼りつけてやろうかと申し出たとき、ロンはやっと、バッジを栗色のソックスにそっと包んでトランクに入れ、鍵をかけた。

ウィーズリーおばさんは、六時ごろに教科書をどっさり抱えてダイアゴン横丁から帰ってきた。厚い渋紙に包まれた長い包みを、ロンが待ちきれないようにうめき声を上げて奪い取った。

「いまは包みを開けないで。みんなが夕食に来ますからね。さあ、下に来てちょうだい」

おばさんが言った。しかし、おばさんの姿が見えなくなるや否や、ロンは夢中で包み紙を破り、満面恍惚(こうこつ)の表情で、新品の箒を隅から隅までなめるように眺めた。

地下には、夕食のごちそうがぎっしりのテーブルの上に、ウィーズリーおばさんが掲げた真紅の横断幕があった。

おめでとう
ロン、ハーマイオニー
新しい監督生

おばさんは、ハリーの見るかぎり、この夏休み一番の上機嫌だった。

「テーブルに着いて食べるのじゃなくて、立食パーティはどうかと思って」ハリー、ロン、ハーマイオニー、フレッド、ジョージ、ジニーが厨房に入ると、おばさんが言った。

「お父さまもビルも来ますよ、ロン。二人にふくろうを送ったら、**それはそれは大喜びだったわ**」おばさんはニッコリした。

フレッドはやれやれという顔をした。

シリウス、ルーピン、トンクス、キングズリー・シャックルボルトはもう来ていたし、マッド-アイ・ムーディも、ハリーがバタービールを手に取ってまもなく、コツッコツッと現れた。

「まあ、アラスター、いらしてよかったわ」マッド-アイが旅行用マントを肩から振り落とすように脱ぐと、ウィーズリーおばさんがほがらかに言った。

「ずっと前から、お願いしたいことがあったの――客間の小机を見て、中に何がいるか教えてくださらない？　とんでもないものが入っているといけないと思って、開けなかったの」

「引き受けた、モリー……」

ムーディの鮮やかな明るいブルーの目が、ぐるりと上を向き、厨房の天井を通過してその上を凝視した。

「客間……っと」マッド-アイが唸(うな)り、瞳孔が細くなった。「隅の机か？　うん、なるほど……。ああ、まね妖怪だな……モリー、わしが上に行って片づけようか？」

「いえいえ、あとで私がやりますよ」ウィーズリーおばさんがニッコリした。

「お飲み物でもどうぞ。実はちょっとしたお祝いなの」おばさんは真紅の横断幕を示した。「兄弟で四番目の監督生よ！」

おばさんは、ロンの髪をくしゃくしゃっとなでながら、うれしそうに言った。

「監督生、む？」

ムーディが唸った。普通の目がロンに向き、魔法の目はぐるりと回って頭の横を見た。ハリーはその目が自分を見ているような落ち着かない気分になって、シリウスとルーピンのほうに移動した。

「うむ。めでたい」ムーディは普通の目でロンをじろじろ見たまま言った。「権威ある者は常にトラブルを引き寄せる。しかし、ダンブルドアはおまえがたいがいの呪いに耐えることができると考えたのだろうて。さもなくば、おまえを任命したりはせんからな……」

ロンはそういう考え方を聞いてぎょっとした顔をしたが、その時父親と長兄が到着したので、何も答えずにすんだ。ウィーズリーおばさんは上機嫌で、二人がマンダンガスを連れてきたのに文句も言わなかった。マンダンガスは長いオーバーを着ていて、それがあちこち変な所で奇妙にふくらんでいた。オーバーを脱いでムーディの旅行マントの所にかけたらどうかと言われても、マンダンガスは断った。

「さて、そろそろ乾杯しようか」

みんなが飲み物を取ったところで、ウィーズリーおじさんが言った。おじさんはゴブレットを掲げて言った。

「新しいグリフィンドール監督生、ロンとハーマイオニーに！」

ロンとハーマイオニーがニッコリした。みんなが二人のために杯を挙げ、拍手した。

「わたしは監督生になったことなかったな」

みんなが食べ物を取りにテーブルのほうに動きだしたとき、ハリーの背後でトンクスの明るい声がした。今日の髪は、真っ赤なトマト色で、腰まで届く長さだ。ジニーのお姉さんのように見えた。

「寮監がね、わたしには何か必要な資質が欠けてるって言ったわ」

「どんな？」焼いたジャガイモを選びながら、ジニーが聞いた。

「お行儀よくする能力とか」トンクスが言った。

ジニーが笑った。ハーマイオニーはほほえむべきかどうか迷ったあげく、妥協策にバタービールをガブリと飲み、むせた。

「あなたはどう？　シリウス？」ハーマイオニーの背中をたたきながら、ジニーが聞いた。

ハリーのすぐ脇にいたシリウスが、いつものように吠えるような笑い方をした。

「誰も私を監督生にするはずがない。ジェームズと一緒に罰則ばかり受けていたからね。ルーピンはいい子だったからバッジをもらった」

「ダンブルドアは、私が親友たちをおとなしくさせられるかもしれないと、希望的に考えたのだろうな。言うまでもなく、私は見事に失敗したがね」ルーピンが言った。

ハリーは急に気分が晴れ晴れした。父さんも監督生じゃなかったんだ。急に、パーティが楽しく感じられた。この部屋にいる全員が二倍も好きになって、ハリーは自分の皿を山盛りにした。

ロンは、聞いてくれる人なら誰かれおかまいなしに、口を極めて新品の箒自慢をしていた。

「……十秒でゼロから百二十キロに加速だ。悪くないだろ？　コメット290なんか、ゼロからせいぜい百キロだもんな。しかも追い風でだぜ。『賢い箒の選び方』にそう書いてあった」

ハーマイオニーはしもべ妖精の権利について、ルーピンに自分の意見をとうとうと述べていた。

「だって、これは狼人間の差別とおんなじようにナンセンスでしょう？　自分たちがほかの生物よりすぐれているなんていう、魔法使いのばかな考え方に端を発してるんだわ……」

ウィーズリーおばさんとビルは、いつもの髪型論争をしていた。

「……ほんとに手に負えなくなってるわ。あなたはとってもハンサムなのよ。短い髪のほうがずっとすてきに見えるわ。そうでしょう、ハリー？」

「あ――僕、わかんない――」急に意見を聞かれて、ハリーはちょっと面食らった。

ハリーは二人のそばをそっと離れ、隅っこでマンダンガスと密談しているフレッドとジョージのほうに歩いていった。

マンダンガスはハリーの姿を見ると口を閉じたが、フレッドがウィンクして、ハリーにそばに来いと招いた。

「大丈夫さ」フレッドがマンダンガスに言った。「ハリーは信用できる。俺たちのスポンサーだ」

「見ろよ、ダングが持ってきてくれたやつ」ジョージがハリーに手を突き出した。しなびた黒い豆の鞘のようなものを手いっぱいに持っていた。完全に静止しているのに、中からかすかにガラガラという音が聞こえる。

「『有毒食虫蔓』の種だ」ジョージが言った。「『ずる休みスナックボックス』に必要なんだ。だけど、これはC級取引禁止品で、手に入れるのにちょっと問題があってね」

「じゃ、全部で十ガリオンだね、ダング？」フレッドが言った。

「俺がこンだけ苦労して手に入れたンにか？」マンダンガスがたるんで血走った目を見開いた。

「お気の毒さまーだ。二十ガリオンから、びた一クヌートもまけらンねえ」

「ダングは冗談が好きでね」フレッドがハリーに言った。

「まったくだ。これまでの一番は、ナールの針のペン、ひと袋で六シックルさ」ジョージが言った。

「気をつけたほうがいいよ」ハリーがこっそり注意した。

「なんだ？」フレッドが言った。「おふくろは監督生ロンにおやさしくするので手いっぱいさ。俺たちゃ、大丈夫だ」

「だけど、ムーディがこっちに目をつけてるかもしれないよ」ハリーが指摘した。

マンダンガスがおどおどと振り返った。

「ちげぇねえ。そいつぁ」マンダンガスが唸った。「よーし、兄弟ぇ、十でいい。いますぐ引き取っちくれンなら」

マンダンガスはポケットをひっくり返し、双子が差し出した手に中身を空け、せかせかと食べ物のほうに行った。

「ありがとさん、ハリー！」フレッドがうれしそうに言った。「こいつは上に持っていったほうがいいな……」

双子が上に行くのを見ながら、ハリーの胸を少し後ろめたい思いがよぎった。ウィーズリーおじさん、おばさんは、どうしたって最終的には双子の「いたずら専門店」のことを知ってしまう。その時、フレッドとジョージがどうやって資金をやりくりしたのかを知ろうとするだろう。あの時は三校対抗試合の賞金を双子に提供するのが、とても単純なことに思えた。しかし、もしそれがまた家族の争いを引き起こすことになったら？　パーシーのように仲たがいになったら？　フレッドとジョージに手を貸し、おばさんがふさわしくないと思っている仕事を始めさせたのがハリーだとわかったら、それでもおばさんは、ハリーのことを息子同然と思ってくれるだろうか？

双子が立ち去ったあと、ハリーはそこにひとりぼっちで立っていた。胃の腑にのしかかった罪悪感の重みだけが、ハリーにつき合っていた。ふと、自分の名前が耳に入った。キングズリー・シャックルボルトの深い声が、周囲のおしゃべり声をくぐり抜けて聞こえてきた。

「……ダンブルドアはなぜポッターを監督生にしなかったのかね？」キングズリーが聞いた。

「あの人にはあの人の考えがあるはずだ」ルーピンが答えた。

「しかし、そうすることで、ポッターへの信頼を示せたろうに。私ならそうしただろうね」キングズリーが言い張った。「特に、『日刊予言者新聞』が三日にあげずポッターをやり玉に挙げているんだし……」

ハリーは振り向かなかった。ルーピンとキングズリーに、ハリーが聞いてしまったことを悟られたくなかった。ほとんど食欲がなかったが、ハリーはマンダンガスのあとからテーブルに戻った。パーティが楽しいと思ったのも突然湧いた感情だったが、同じぐらい突然に喜びが消えてしまった。上に戻ってベッドにもぐりたいと、ハリーは思った。

マッド-アイ・ムーディが、わずかに残った鼻で、チキンの骨つきも肉をくんくんかいでいた。どうやら、毒はまったく検出されなかったらしく、次の瞬間、歯でバリッと食いちぎった。

「……柄はナラで、呪いよけワックスが塗ってある。それに振動コントロール内蔵だ――」ロンがトンクスに説明している。

ウィーズリーおばさんが大あくびをした。

「さて、寝る前にまね妖怪を処理してきましょう……。アーサー、みんなをあんまり夜更かしさせないでね。いいこと？　おやすみ、ハリー」

おばさんは厨房を出ていった。ハリーは皿を下に置き、自分もみんなの気づかないうちに、おばさんについていけないかなと思った。

「元気か、ポッター？」ムーディが低い声で聞いた。

「うん、元気」ハリーはうそをついた。

ムーディは鮮やかなブルーの目でハリーを横にらみしながら、腰の携帯瓶からぐいっと飲んだ。

「こっちへ来い。おまえが興味を持ちそうなものがある」ムーディが言った。

ローブの内ポケットから、ムーディは古いぼろぼろの写真を一枚引っ張り出した。

「不死鳥の騎士団創立メンバーだ」ムーディが唸るように言った。「昨夜、『透明マント』の予備を探しているときに見つけた。ポドモアが、礼儀知らずにも、わしの一張羅マントを返してよこさん……。みんなが見たがるだろうと思ってな」

ハリーは写真を手に取った。小さな集団がハリーを見つめ返していた。何人かがハリーに手を振り、何人かは乾杯した。

「わしだ」

ムーディが自分を指した。そんな必要はなかった。写真のムーディは見まちがえようがない。ただし、いまほど白髪ではなく、鼻はちゃんとついている。

「ほれ、わしの隣がダンブルドア、反対隣がディーダラス・ディグルだ……。これは魔女のマーリン・マッキノン。この写真の二週間後に殺された。家族全員殺られた。こっちがフランク・ロングボトムと妻のアリス――」

すでにむかむかしていたハリーの胃が、アリス・ロングボトムを見てギュッとねじれた。一度も会ったことがないのに、この丸い、人なつっこそうな顔は知っている。息子のネビルそっくりだ。

「――気の毒な二人だ」ムーディが唸った。「あんなことになるなら死んだほうがましだ……。こっちはエメリーン・バンス。もう会ってるな？　こっちは、言わずもがな、ルーピンだ……。ベンジー・フェンウィック。こいつも殺られた。死体のかけらしか見つからんかった……ちょっとどいてくれ」

ムーディは写真をつついた。

写真サイズの小さな姿たちが脇によけ、それまで半分陰になっていた姿が前に移動した。

「エドガー・ボーンズ……アメリア・ボーンズの弟だ。こいつも、こいつの家族も殺られた。すばらしい魔法使いだったが……。スタージス・ポドモア。なんと、若いな……。キャラドック・ディアボーン。この写真から六か月後に消えた。遺体は見つからなんだ……。ハグリッド。紛れもない、いつもおんなじだ……。エルファイアス・ドージ。こいつにもおまえは会ったはずだ。あのころこんなバカバカしい帽子をかぶっとったのを忘れておったわ……。ギデオン・プルウェット。こいつと、弟のフェービアンを殺すのに、死喰い人が五人も必要だったわ。雄々しく戦った……どいてくれ、どいてくれ……」

写真の小さな姿がわさわさ動き、一番後ろに隠れていた姿が一番前に現れた。

「これはダンブルドアの弟でアバーフォース。この時一度しか会ってない。奇妙なやつだったな……。ドーカス・メドウズ。ヴォルデモート自身の手にかかって殺された魔女だ……。シリウス。まだ髪が短かったな……。それと……ほうれ、これがおまえの気に入ると思ったわ！」

ハリーは心臓がひっくり返った。父親と母親がハリーにニッコリ笑いかけていた。二人の真ん中に、しょぼくれた目をした小男が座っている。ワームテールだとすぐにわかった。ハリーの両親を裏切ってヴォルデモートにその居所を教え、両親の死をもたらす手引きをした男だ。

「む？」ムーディが言った。

ハリーはムーディの傷だらけ、穴だらけの顔を見つめた。明らかにムーディは、ハリーに思いがけないごちそうを持ってきたつもりなのだ。

「うん」ハリーはまたしてもニッコリ作り笑いをした。「あっ……あのね、いま思い出したんだけど、トランクに詰め忘れた……」

ちょうどシリウスが話しかけてきたので、ハリーは何を詰め忘れたかを考え出す手間が省けた。

「マッド-アイ、そこに何を持ってるんだ？」

そしてマッド-アイがシリウスのほうを見た。ハリーは誰にも呼び止められずに、厨房を横切り、そろりと扉を抜けて階段を上がった。

どうしてあんなにショックを受けたのか、ハリーは自分でもわからなかった。考えてみれば、両親の写真は前にも見たことがあるし、ワームテールにだって会ったことがある……。しかし、まったく予期していないときに、あんなふうに突然目の前に両親の姿を突きつけられるなんて……誰だってそんなのはいやだ。ハリーは腹が立った……。

それに、両親を囲む楽しそうな顔、顔、顔……かけらしか見つからなかったベンジー・フェンウィック、英雄として死んだギデオン・プルウェット、正気を失うまで拷問されたロングボトム夫妻……みんな幸せそうに写真から手を振っている。永久に振り続ける。待ち受ける暗い運命も知らず……。まあ、ムーディにとっては興味のあることかもしれない……。ハリーにはやりきれない思いだった……。

ハリーは足音を忍ばせてホールから階段を上がり、剥製にされたしもべ妖精の首の前を通り、やっとひとりきりになれたことをうれしく思った。ところが、最初の踊り場に近づいたとき、物音が聞こえた。誰かが客間ですすり泣いている。

「誰？」ハリーは声をかけた。

答えはなかった。すすり泣きだけが続いていた。ハリーは残りの階段を二段飛びで上がり、踊り場を横切って客間の扉を開けた。

暗い壁際に誰かがうずくまっている。杖を手にして、体中を震わせてすすり泣いている。ほこりっぽい古いじゅうたんの上に丸く切り取ったように月明かりが射し込み、そこにロンが大の字に倒れていた。死んでいる。

ハリーは、肺の空気が全部抜けたような気がした。床を突き抜けて下に落ちていくような気がした。頭の中が氷のように冷たくなった――ロンが死んだ。うそだ。そんなことが――。

待てよ、**そんなことはありえない**——ロンは下の階にいる——。

「ウィーズリーおばさん？」ハリーは声がかすれた。

「**リ——リ——リディクラス！**」おばさんが、泣きながら震える杖先をロンの死体に向けた。

パチン。

ロンの死体がビルに変わった。仰向けに大の字になり、うつろな目を見開いている。ウィーズリーおばさんは、ますます激しくすすり泣いた。

「**リ——リディクラス！**」おばさんはまたすすり上げた。

パチン。

ビルがウィーズリーおじさんの死体に変わった。めがねがずれ、顔からすっと血が流れた。

「やめてーっ！」おばさんがうめいた。「やめて……**リディクラス！　リディクラス！　リディクラス！**」

パチン、双子の死体。**パチン**、パーシーの死体。**パチン**、ハリーの死体……。

「おばさん、ここから出て！」じゅうたんに横たわる自分の死体を見下ろしながら、ハリーが叫んだ。

「誰かほかの人に——」

「どうした？」

ルーピンが客間に駆け上がってきた。すぐあとからシリウス、その後ろにムーディがコツッコツッと続いた。ルーピンはウィーズリーおばさんから、転がっているハリーの死体へと目を移し、すぐに理解したようだった。ルーピンは杖を取り出し、力強く、はっきりと唱えた。

「**リディクラス！**」

ハリーの死体が消えた。死体が横たわっていたあたりに、銀白色の球が漂った。ルーピンがもう一度杖を振ると、球は煙となって消えた。

「おぉ——おぉ——おぉ！」ウィーズリーおばさんはおえつをもらし、こらえきれずに両手に顔をうずめて激しく泣きだした。

「モリー」ルーピンがおばさんに近寄り、沈んだ声で言った。「モリー、そんなに……」

次の瞬間、おばさんはルーピンの肩にすがり、胸も張り裂けんばかりに泣きじゃくった。

「モリー、ただのまね妖怪だよ」ルーピンがおばさんの頭をやさしくなでながらなぐさめた。

「ただの、くだらない、まね妖怪だ……」

「私、いつも、みんなが死——死——死ぬのが見えるの！」おばさんはルーピンの肩でうめいた。

「い——い——いつもなの！ ゆ——ゆ——夢に見るの……」

シリウスは、まね妖怪がハリーの死体になって横たわっていたあたりのじゅうたんを見つめていた。ムーディはハリーを見ていた。ハリーは目をそらした。ムーディの魔法の目が、ハリーを厨房からずっと追いかけていたような奇妙な感じがした。

「アーサーには、い——い——言わないで」

おばさんはおえつしながら、そで口で必死に両目をぬぐった。

「私、アーサーにし——し——知られたくないの……ばかなこと考えてるなんて……」

ルーピンがおばさんにハンカチを渡すと、おばさんはチーンと鼻水をかんだ。

「ハリー、ごめんなさい。私に失望したでしょうね？」おばさんが声を震わせた。「たかがまね妖怪一匹も片づけられないなんて……」

「そんなこと」ハリーはニッコリしてみせようとした。

「私、ほんとにし——し——心配で」おばさんの目からまた涙があふれ出した。「家族のは——は——

半分が騎士団にいる。全員が無事だったら、き――き――奇跡だわ……それにパ――パ――パーシーは口もきいてくれない……何か、お――お――恐ろしいことが起こって、二度とあの子とな――な――仲なおりできなかったら？　それに、もし私もアーサーも殺されたらどうなるの？　ロンやジニーはだ――だ――誰が面倒を見るの？」

「モリー、もうやめなさい」

ルーピンがきっぱりと言った。

「前の時とはちがう。騎士団は前より準備が整っている。最初の動きが早かった。ヴォルデモートが何をしようとしているか、知っている――」

ウィーズリーおばさんはその名を聞くとおびえて小さく悲鳴を上げた。

「あぁ、モリー、もういいかげんこの名前になれてもいいころじゃないか――いいかい、誰もけがをしないと保証することは、私にはできない。誰にもできない。しかし、前の時より状況はずっといい。あなたは前回、騎士団にいなかったから、わからないだろうが。前の時は二十対一で死喰い人の数が上回っていた。そして、一人また一人とやられたんだ……」

ハリーはまた写真のことを思い出した。両親のニッコリした顔を。ムーディがまだ自分を見つめていることに気づいていた。

「パーシーのことは心配するな」

シリウスが唐突に言った。

「そのうち気づく。ヴォルデモートの動きが明るみに出るのも、時間の問題だ。いったんそうなれば、魔法省全員が我々に許しを請う。ただし、やつらの謝罪を受け入れるかどうか、私にははっきり言えないがね」シリウスが苦々しくつけ加えた。

「それに、あなたやアーサーに、もしものことがあったら、ロンとジニーの面倒を誰が見るかだが」ルーピンがちょっとほほえみながら言った。「私たちがどうすると思う？　路頭に迷わせるとでも？」

ウィーズリーおばさんがおずおずとほほえんだ。

「私、ばかなことを考えて」おばさんは涙をぬぐいながら同じことをつぶやいた。

しかし、十分ほどたって自分の寝室のドアを閉めたとき、ハリーにはおばさんがばかなことを考えているとは思えなかった。ぼろぼろの古い写真からニッコリ笑いかけていた両親の顔がまだ目に焼きついている。周囲の多くの仲間と同じく、自分たちにも死が迫っていることに、あの二人も気づいていなかった。まね妖怪が次々に死体にして見せたウィーズリーおばさんの家族が、ハリーの目にちらついた。

なんの前触れもなく、額の傷痕がまたしても焼けるように痛んだ。胃袋が激しくのたうった。

「やめろ」傷痕をもみながら、ハリーはきっぱりと言った。痛みは徐々にひいていった。

「自分の頭に話しかけるのは、気が触れる最初の兆候だ」壁の絵のない絵から、陰険な声が聞こえた。

ハリーは無視した。これまでの人生で、こんなに一気に年を取ったように感じたことはなかった。ほんの一時間前、いたずら専門店のことや、誰が監督生バッジをもらったかを気にしたことなどが、遠い昔のことに思えた。

第10章　ルーナ・ラブグッド

その晩ハリーはうなされた。両親が夢の中で現れたり消えたりした。一言もしゃべらない。ウィーズリーおばさんがクリーチャーの死体のそばで泣いている。それを見ているロンとハーマイオニーは王冠をかぶっている。そして、またしてもハリーは廊下を歩き、鍵のかかった扉で行き止まりになる。傷痕の刺すような痛みで、ハリーは突然目が覚めた。ロンはもう服を着て、ハリーに話しかけていた。

「……急げよ。ママがカッカしてるぜ。汽車に遅れるって……」

屋敷の中はてんやわんやだった。猛スピードで服を着ながら、聞こえてきた物音から察すると、フレッドとジョージが運ぶ手間を省こうとしてトランクに魔法をかけ、階段を下まで飛ばせた結果、トランクがジニーに激突してなぎ倒し、ジニーは踊り場を二つ転がり落ちてホールまで転落したらしい。ブラック夫人とウィーズリーおばさんが、そろって声をかぎりに叫んでいた。

「――大けがをさせたかもしれないのよ。このバカ息子――」

「――穢(けが)れた雑種ども、わが祖先の館を汚しおって――」

ハーマイオニーがあわてふためいて部屋に飛び込んできた。ハリーがスニーカーをはいているところだった。ハーマイオニーの肩でヘドウィグが揺れ、腕の中でクルックシャンクスが身をくねらせていた。

「パパとママがたったいま、ヘドウィグを返してきたの」

ヘドウィグは物わかりよく飛び上がり、自分のかごの上に止まった。

「支度できた？」

「だいたいね。ジニーは大丈夫？」ハリーはぞんざいにめがねをかけながら聞いた。

「ウィーズリーおばさんが応急手当てしたわ」ハーマイオニーが答えた。「だけど、今度はマッド-アイが、スタージス・ポドモアが来ないと護衛が一人足りないから出発できないってごねてる」

「護衛？」ハリーが言った。「僕たち、キングズ・クロスに護衛つきで行かなきゃならないの？」

「**あなたが**、キングズ・クロスに護衛つきで行くの」ハーマイオニーが訂正した。

「どうして？」ハリーはいらついた。「ヴォルデモートは鳴りをひそめてるはずだ。それとも、ごみ箱の陰からでも飛びかかってきて、僕を殺すとでも言うのかい？」

「知らないわ。マッド-アイがそう言ってるだけ」ハーマイオニーは自分の時計を見ながら上の空で答えた。「とにかく、すぐ出かけないと、絶対に汽車に遅れるわ……」

「**みんな、すぐに下りてきなさい。すぐに！**」

ウィーズリーおばさんの大声がした。ハーマイオニーは火傷でもしたように飛び上がり、部屋から飛び出した。ハリーはヘドウィグを引っつかんで乱暴にかごに押し込み、トランクを引きずって、ハーマイオニーのあとから階段を下りた。

ブラック夫人の肖像画は怒り狂って吠えていたが、わざわざカーテンを閉めようとする者は誰もいない。ホールの騒音でどうせまた起こしてしまうからだ。

「**――穢れた血！　クズども！　芥の輩！――**」

「ハリー、私とトンクスと一緒に来るのよ」ギャーギャーわめき続けるブラック夫人の声に負けじと、おばさんが叫んだ。「トランクとふくろうは置いていきなさい。アラスターが荷物の面倒を見るわ……あぁ、シリウスなんてことを。ダンブルドアが**だめだって**おっしゃったでしょう！」

熊のような黒い犬がハリーの脇に現れた。ハリーが、ホールに散らばったトランクを乗り越え乗り越え、ウィーズリーおばさんのほうに行こうとしていたときだった。

「ああ、まったく……」ウィーズリーおばさんが絶望的な声で言った。「それなら、ご自分の責任でそうなさい！」

おばさんは玄関の扉をギーッと開けて外に出た。九月の弱い陽光の中だった。ハリーと犬があとに続いた。扉がバタンと閉まり、ブラック夫人のわめき声がたちまち断ち切られた。

「トンクスは？」十二番地の石段を下りながら、ハリーが見回した。十二番地は、歩道に出たとたん、かき消すように見えなくなった。

「すぐそこで待ってます」おばさんはハリーの脇をはずみながら歩いている黒い犬を見ないようにしながら、硬い表情で答えた。

曲がり角で老婆が挨拶した。くりくりにカールした白髪に、ポークパイの形をした紫の帽子をかぶっている。

「よッ、ハリー」老婆がウィンクした。

「急いだほうがいいな、ね、モリー？」老婆が時計を見ながら言った。

「わかってるわ、わかってるわよ」おばさんはうめくように言うと、歩幅を大きくした。「だけど、マッド-アイがスタージスを待つって言うものだから……アーサーがまた魔法省の車を借りられたらよかったんだけど……ファッジったら、このごろアーサーにはからのインク瓶だって貸してくれやしない……マグルは魔法なしで**よくもまあ**移動するものだわね……」

しかし大きな黒犬は、うれしそうに吠えながら、三人の周りを跳ね回り、ハトにかみつくまねをしたり、自分のしっぽを追いかけたりしていた。ハリーは思わず笑った。シリウスはそれだけ長い間屋敷に閉じ込められていたのだ。ウィーズリーおばさんは、ペチュニアおばさん並みに、唇をギュッと結んでいた。

キングズ・クロスまで歩いて二十分かかった。その間何事もなく、せいぜいシリウスが、ハリーを楽しませようと猫を二、三匹脅したくらいだった。駅の中に入ると、みんなで九番線と十番線の間の柵の脇をなにげなくうろうろし、安全を確認した。そして一人ずつ壁に寄りかかり、楽々通り抜けて九と四分の三番線に出た。そこにはホグワーツ特急が停車し、すすけた蒸気をプラットホームに吐き出していた。プラットホームは出発を待つ生徒や家族でいっぱいだった。ハリーはなつかしいにおいを吸い込み、心が高まるのを感じた……ほんとうに帰るんだ……。

「ほかの人たちも間に合えばいいけど」ウィーズリーおばさんが、プラットホームにかかる鉄のアーチを振り返り、心配そうに見つめた。そこからみんなが現れるはずだ。

「いい犬だな、ハリー！」縮れっ毛をドレッドヘアにした、背の高い少年が声をかけた。

「ありがとう、リー」ハリーがニコッとした。シリウスはちぎれるほどしっぽを振った。

「ああ、よかった」おばさんがホッとしたように言った。「アラスターと荷物だわ。ほら……」

不ぞろいの目に、ポーター帽子を目深にかぶり、トランクを積んだカートを押しながら、ムーディがコツッコツッとアーチをくぐってやってきた。

「すべてオーケーだ」ムーディがおばさんとトンクスにつぶやいた。「追跡されてはおらんようだ……」

すぐあとから、ロンとハーマイオニーを連れたウィーズリーおじさんがホームに現れた。ムーディのカートからほとんど荷物を降ろし終えたころ、フレッド、ジョージ、ジニーがルーピンと一緒に現れた。

「異常なしか？」ムーディが唸（うな）った。

「まったくなし」ルーピンが言った。

「それでも、スタージスのことはダンブルドアに報告しておこう」ムーディが言った。「やつはこの一週間で二回もすっぽかした。マンダンガス並みに信用できなくなっている」

「気をつけて」ルーピンが全員と握手しながら言った。最後にハリーの所に来て、ルーピンは肩をポンとたたいた。「君もだ、ハリー、気をつけるんだよ」

「そうだ、目立たぬようにして、目玉をひんむいてるんだぞ」ムーディもハリーと握手した。

「それから、全員、忘れるな――手紙の内容には気をつけろ。迷ったら、書くな」

「みんなに会えて、うれしかったよ」トンクスが、ハーマイオニーとジニーを抱きしめた。「またすぐ会えるね」

　警笛が鳴った。まだホームにいた生徒たちが、急いで汽車に乗り込みはじめた。

「早く、早く」ウィーズリーおばさんが、あわててみんなを次々抱きしめ、ハリーは二度も捕まった。

「手紙ちょうだい……いい子でね……忘れ物があったら送りますよ……汽車に乗って、さあ、早く……」

　ほんの一瞬、大きな黒犬が後ろ脚で立ち上がり、前脚をハリーの両肩にかけた。しかし、ウィーズリーおばさんがハリーを汽車のドアのほうに押しやり、怒ったようにささやいた。

「まったくもう、シリウス、もっと犬らしく振る舞って！」

「さよなら！」汽車が動きだし、ハリーは開けた窓から呼びかけた。ロン、ハーマイオニー、ジニーが、そばで手を振った。トンクス、ルーピン、ムーディ、ウィーズリーおじさん、おばさんの姿があっという間に小さくなった。しかし黒犬は、しっぽを振り、窓のそばを汽車と一緒に走った。飛び去っていくホームの人影が、汽車を追いかける犬を笑いながら見ていた。汽車がカーブを曲がり、シリウスの姿が見えなくなった。

「シリウスは一緒に来るべきじゃなかったわ」ハーマイオニーが心配そうな声で言った。

「おい、気軽にいこうぜ」ロンが言った。「もう何か月も陽の光を見てないんだぞ、かわいそうに」

「さーてと」フレッドが両手を打ち鳴らした。「一日中むだ話をしているわけにはいかない。リーと仕事の話があるんだ。またあとでな」

フレッドとジョージは、通路を右へと消えた。

汽車は速度を増し、窓の外を家々が飛ぶように過ぎ去り、立っているとみなぐらぐら揺れた。

「それじゃ、コンパートメントを探そうか？」ハリーが言った。

ロンとハーマイオニーが目配せし合った。

「えーと」ロンが言った。

「私たち――えーと――ロンと私はね、監督生の車両に行くことになってるの」ハーマイオニーが言いにくそうに言った。

ロンはハリーを見ていない。自分の左手の爪にやけに強い興味を持ったようだ。

「あっ」ハリーが言った。「そうか、いいよ」

「ずーっとそこにいなくともいいと思うわ」ハーマイオニーが急いで言った。「手紙によると、男女それぞれの首席の生徒から指示を受けて、ときどき車内の通路をパトロールすればいいんだって」

「いいよ」ハリーがまた言った。「えーと、それじゃ、僕――僕、またあとでね」

「うん、必ず」ロンが心配そうにおずおずとハリーを盗み見ながら言った。「あっちに行くのはいやなんだ。僕はむしろ――だけど、僕たちしょうがなくて――だからさ、僕、楽しんではいないんだ。僕、パーシーとはちがう」ロンは反抗するように最後の言葉を言った。

「わかってるよ」ハリーはそう言ってニッコリした。しかし、ハーマイオニーとロンが、トランクとクルックシャンクスとかご入りのピッグウィジョンとを引きずって機関車のほうに消えていくと、ハリーは妙にさびしくなった。これまで、ホグワーツ特急の旅はいつもロンと一緒だった。

「行きましょ」ジニーが話しかけた。「早く行けば、あの二人の席も取っておけるわ」

「そうだね」ハリーは片手にヘドウィグのかごを、もう一方の手にトランクの取っ手を持った。

二人はコンパートメントのガラス戸越しに中をのぞきながら、通路をゴトゴト歩いた。どこも満席だった。興味深げにハリーを見つめ返す生徒が多いことに、ハリーはいやでも気づいた。何人かは隣の生徒をこづいてハリーを指差した。

こんな態度が五車両も続いたあと、ハリーは「日刊予言者新聞」のことを思い出した。新聞はこの夏中、読者に対して、ハリーがうそつきの目立ちたがり屋だと吹聴していた。自分を見つめたり、ヒソヒソ話をした生徒たちは、そんな記事を信じたのだろうかと、ハリーは寒々とした気持ちになった。

最後尾の車両で、二人はネビル・ロングボトムに出会った。グリフィンドールの五年生でハリーの同級生だ。トランクを引きずり、じたばた暴れるヒキガエルのトレバーを片手で握りしめて奮闘し、丸顔を汗で光らせている。

「やあ、ハリー」ネビルが息を切らして挨拶した。「やあ、ジニー……どこもいっぱいだ……僕、席が全然見つからなくて……」

「何言ってるの？」ネビルを押しつけるようにして狭い通路を通り、その後ろのコンパートメントをのぞき込んで、ジニーが言った。「ここが空いてるじゃない。ルーニー・ラブグッド一人だけよ――」

ネビルは邪魔したくないとかなんとかブツブツ言った。

「ばか言わないで」ジニーが笑った。「この子は大丈夫よ」

ジニーが戸を開けてトランクを中に入れた。ハリーとネビルが続いた。

「こんにちは、ルーナ」ジニーが挨拶した。「ここに座ってもいい？」

窓際の女の子が目を上げた。にごり色のブロンドの髪が腰まで伸び、バラバラと広がっている。眉毛がとても薄い色で、目が飛び出しているので、普通の表情でもびっくり顔だ。ネビルがどうしてこのコンパートメントをパスしようと思ったのか、ハリーはすぐにわかった。この女の子には、明らかに変人のオーラが漂っている。もしかしたら、杖(つえ)を安全に保管するのに、左耳にはさんでいるせいか、よりによってバタービールのコルクをつなぎ合わせたネックレスをかけているせいか、または雑誌を逆さまに読んでいるせいかもしれない。

女の子の目がネビルをじろっと見て、それからハリーをじっと見た。そしてうなずいた。

「ありがとう」ジニーが女の子にほほえんだ。

ハリーとネビルは、トランク三個とヘドウィグのかごを荷物棚に上げ、腰をかけた。ルーナが逆さの雑誌の上から二人を見ていた。雑誌には『ザ・クィブラー』と書いてある。この子は、普通の人間より瞬(まばた)きの回数が少なくてすむらしい。ハリーを見つめに見つめている。ハリーは、真向かいに座ったことを後悔した。

「ルーナ、いい休みだった？」ジニーが聞いた。

「うん」ハリーから目を離さずに、ルーナが夢見るように言った。

「うん、とっても楽しかったよ。**あんた**、ハリー・ポッターだ」ルーナが最後につけ加えた。

「知ってるよ」ハリーが言った。

ネビルがクスクス笑った。ルーナが淡い色の目を、今度はネビルに向けた。

「だけど、あんたが誰だか知らない」

「僕、誰でもない」ネビルがあわてて言った。

「ちがうわよ」ジニーが鋭く言った。「ネビル・ロングボトムよ――こちらはルーナ・ラブグッド。ルーナは私と同学年だけど、レイブンクローなの」

「**計り知れぬ英知こそ、我らが最大の宝なり**」ルーナが歌うように言った。

そしてルーナは、逆さまの雑誌を顔が隠れる高さに持ち上げ、ひっそりとなった。ハリーとネビルは眉をキュッと吊り上げて、目を見交わした。ジニーはクスクス笑いを押し殺した。

汽車は勢いよく走り続け、いまはもう広々とした田園を走っていた。天気が定まらない妙な日だ。さんさんと陽が射し込むかと思えば、次の瞬間、汽車は不吉な暗い雲の下を走っていた。

「誕生日に何をもらったと思う？」ネビルが聞いた。

「また『思い出し玉』？」ネビルの絶望的な記憶力をなんとか改善したいと、ネビルのばあちゃんが送ってよこしたビー玉のようなものを、ハリーは思い出していた。

「ちがうよ」ネビルが言った。「でも、それも必要かな。前に持ってたのはとっくになくしたから……。ちがう。これ見て……」

ネビルはトレバーを握りしめていないほうの手を学校の鞄に突っ込み、しばらくガサゴソして、小さな灰色のサボテンのような鉢植えを引っ張り出した。ただし、針ではなく、おできのようなものが表面を覆っている。

「**ミンビュラス・ミンブルトニア**」ネビルが得意げに言った。

ハリーはそのものを見つめた。かすかに脈を打っている姿は、病気の内臓のようで気味が悪い。

「これ、とってもとっても貴重なんだ」ネビルはニッコリした。「ホグワーツの温室にだってないかもしれない。僕、スプラウト先生に早く見せたくて。アルジー大おじさんが、アッシリアから僕のために持ってきてくれたんだ。繁殖させられるかどうか、僕、やってみる」

ネビルの得意科目が「薬草学」だということは知っていたが、どう見ても、こんな寸詰まりの小さな植物がいったいなんの役に立つのか、ハリーには見当もつかなかった。

「これ――あの――役に立つの？」ハリーが聞いた。

「いっぱい！」ネビルが得意げに言った。「これ、びっくりするような防衛機能を持ってるんだ。ほら、ちょっとトレバーを持ってて……」

ネビルはヒキガエルをハリーのひざに落とし、鞄から羽根ペンを取り出した。ルーナ・ラブグッドの飛び出した目が、逆さまの雑誌の上からまた現れ、ネビルのやることを眺めていた。ネビルは**ミンビュラス・ミンブルトニア**を目の高さに掲げ、舌を歯の間からちょこっと突き出し、適当な場所を選んで、羽根ペンの先でその植物をチクリとつっついた。

植物のおできというおできから、ドロリとした暗緑色の臭い液体がどっと噴出した。それが天井やら窓やらに当たり、ルーナ・ラブグッドの雑誌に引っかかった。危機一髪、ジニーは両腕で顔を覆ったが、べとっとした緑色の帽子をかぶっているように見えた。ハリーは、トレバーが逃げないように押さえて両手がふさがっていたので、思いっきり顔で受けた。くさった堆肥のようなにおいがした。

ネビルは顔も体もべっとりで、目にかかった最悪の部分を払い落とすのに頭を振った。

「ご――ごめん」ネビルが息をのんだ。「僕、試したことなかったんだ……知らなかった。こんなに……でも、心配しないで。『臭液』は毒じゃないから」

ハリーが口いっぱいに詰まった液を床に吐き出したのを見て、ネビルがおどおどと言った。

ちょうどその時、コンパートメントの戸が開いた。

「あら……こんにちは、ハリー……」緊張した声がした。「あの……悪いときに来てしまったかしら？」

ハリーはトレバーから片手を離し、めがねをぬぐった。長いつやつやした黒髪の、とてもかわいい女性が戸口に立ち、ハリーに笑いかけていた。レイブンクローのクィディッチのシーカー、チョウ・チャンだ。

「あ……やあ」ハリーはなんの意味もない返事をした。

「あ……」チョウが口ごもった。「あの……挨拶しようと思っただけ……じゃ、またね」

顔をほんのり染めて、チョウは戸を閉めて行ってしまった。ハリーは椅子にぐったりもたれかかってうめいた。かっこいい仲間と一緒にいて、みんながハリーの冗談で大笑いしているところにチョウが来たらどんなによかったか。ネビルやおかしなルーニーと呼ばれているルーナ・ラブグッドと一緒で、ヒキガエルを握りしめ、臭液を滴らせているなんて、誰が好き好んで……。

「気にしないで」ジニーが元気づけるように言った。「ほら、簡単に取れるわ」ジニーは杖を取り出して呪文を唱えた。**「スコージファイ！ 清めよ！」**

臭液が消えた。

「ごめん」ネビルがまた小さな声でわびた。

ロンとハーマイオニーは一時間近く現れなかった。もう車内販売のカートも通り過ぎ、ハリー、ジニー、ネビルはかぼちゃパイを食べ終わり、「蛙チョコ」のカード交換に夢中になっていた。その時コンパートメントの戸が開いて、二人が入ってきた。クルックシャンクスも、かごの中でかん高い鳴き声を上げているピッグウィジョンも一緒だ。

「腹へって死にそうだ」ロンはピッグウィジョンをヘドウィグの隣にしまい込み、ハリーから蛙チョコを引ったくり、ハリーの横にドサリと座った。包み紙をはぎ取り、「蛙」の頭をかみ切り、午前中だけで精魂尽きはてたかのように、ロンは目を閉じて椅子の背に寄りかかった。

「あのね、五年生は各寮に二人ずつ監督生がいるの」ハーマイオニーは、この上なく不機嫌な顔で椅子にかけた。「男女一人ずつ」

「それで、スリザリンの監督生は誰だと思う？」ロンが目を閉じたまま言った。

「マルフォイ」ハリーが即座に答えた。最悪の予想が的中するだろうと思った。

「大当たり」ロンが残りの蛙チョコを口に押し込み、もう一つつまみながら、苦々しげに言った。

「それにあのいかれた牝牛のパンジー・パーキンソンよ」ハーマイオニーが辛辣に言った。「脳震盪を起こしたトロールよりバカなのに、どうして監督生になれるのかしら……」

「ハッフルパフは誰？」ハリーが聞いた。

「アーニー・マクミランとハンナ・アボット」ロンが口いっぱいのまま答えた。

「それから、レイブンクローはアンソニー・ゴールドスタインとパドマ・パチル」ハーマイオニーが言った。

「あんた、クリスマス・ダンスパーティにパドマ・パチルと行った」ぼうっとした声が言った。

みんないっせいにルーナ・ラブグッドを見た。ルーナは『ザ・クィブラー』誌の上から、瞬きもせずにロンを見つめていた。ロンは口いっぱいの「蛙」をゴクッと飲み込んだ。

「ああ、そうだけど」ロンがちょっと驚いた顔をした。

「あの子、あんまり楽しくなかったって」ルーナがロンに教えた。「あんたがあの子とダンスしなかったから、ちゃんと扱ってくれなかったって思ってるんだ。あたしだったら気にしなかったよ」ルーナは思慮深げに言葉を続けた。「ダンスはあんまり好きじゃないもン」

ルーナはまた『ザ・クィブラー』の陰に引っ込んだ。ロンはしばらく口をぽっかり開けたまま、雑誌の表紙を見つめていたが、それから何か説明を求めるようにジニーのほうを向いた。しかし、ジニーはクスクス笑いをこらえるのに握り拳の先端を口に突っ込んでいた。ロンはぼうぜんとして、頭を振り、それから腕時計を見た。

「一定時間ごとに通路を見回ることになってるんだ」ロンがハリーとネビルに言った。「それから、態度が悪いやつには罰則を与えることができる。クラッブとゴイルに難くせつけてやるのが待ちきれないよ……」

「ロン、立場を濫用してはダメ！」ハーマイオニーが厳しく言った。

「ああそうだとも。だって、マルフォイは絶対濫用しないからな」ロンが皮肉たっぷりに言った。

「それじゃ、あいつと同じ所に身を落とすわけ？」

「ちがう。こっちの仲間がやられるより絶対先に、やつの仲間をやってやるだけさ」

「まったくもう、ロン――」

「ゴイルに書き取り百回の罰則をやらせよう。あいつ、書くのが苦手だから、死ぬぜ」

ロンはうれしそうにそう言うと、「ゴイルのブーブー声のように声を低くし、顔をしかめて、一生懸命集中するときの苦しい表情を作り、空中に書き取りをするまねをした。

「**僕が……罰則を……受けたのは……ヒヒの……尻に……似ているから**」

みんな大笑いだった。しかし、ルーナ・ラブグッドの笑いこけ方にはかなわない。ルーナは悲鳴のような笑い声を上げげた。ヘドウィグが目を覚まして怒ったように羽をばたつかせ、クルックシャンクスは上の荷物棚まで飛び上がってシャーッと鳴いた。ルーナがあんまり笑い転げたので、持っていた雑誌が手からすべり落ち、脚を伝って床まで落ちた。

「それって、**おかしいぃ！**」

ルーナは息も絶え絶えで、飛び出した目に涙をあふれさせてロンを見つめていた。ロンはとほうに暮れて、周りを見回した。そのロンの表情がおかしいやら、ルーナがみずおちを押さえて体を前後に揺すり、ばかばかしいほど長々笑い続けるのがおかしいやらで、みんながまた笑った。

「君、からかってるの？」ロンがルーナに向かって顔をしかめた。

「ヒヒの……尻！」ルーナが脇腹を押さえながらむせた。
みんながルーナの笑いっぷりを見ていた。しかし床に落ちた雑誌をちらりと見たハリーはハッとして飛びつくように雑誌を取り上げた。逆さまのときは表紙がなんの絵かわかりにくかったが、こうして見ると、コーネリウス・ファッジのかなり下手な漫画だった。ファッジだとわかったのは、ライム色の山高帽が描いてあったからだ。片手は金貨の袋をしっかりとつかみ、もう一方の手で小鬼（ゴブリン）の首をしめ上げている。絵に説明書きがついている。

ファッジのグリンゴッツ乗っ取りはどのくらい乗っているか？

その下に、ほかの掲載記事の見出しが並んでいた。

くさったクィディッチ・リーグ――トルネードーズはこのようにして主導権を握る
古代ルーン文字の秘密解明
シリウス・ブラック――加害者か被害者か？

「これ読んでもいい？」ハリーは真剣にルーナに頼んだ。
ルーナは、まだ息も絶え絶えに笑いながらロンを見つめていたが、うなずいた。
ハリーは雑誌を開き、目次にサッと目を走らせた。その時まで、キングズリーがシリウスに渡してくれとウィーズリーおじさんに渡した雑誌のことをすっかり忘れていたが、あれは『ザ・クィブラー』のこの号だったにちがいない。

その記事のページが見つかった。ハリーは興奮してその記事を読んだ。
この記事もイラスト入りだったが、かなり下手な漫画で、実際、説明書きがなかったら、ハリーにはとてもシリウスだとはわからなかったろう。シリウスが人骨の山の上に立って杖をかまえている。見出しはこうだ。

シリウス――ブラックはほんとうに黒(ブラック)なのか？

大量殺人鬼？　それとも歌う恋人？

ハリーは小見出しを数回読みなおして、やっと読みちがいではないと確認した。シリウスはいつから歌う恋人になったんだ？

十四年間、シリウス・ブラックは十二人のマグルと一人の魔法使いを殺した大量殺人者として有罪とされてきた。二年前、大胆不敵にもアズカバンから脱獄した後、魔法省始まって以来の広域捜査網が張られている。ブラックが再逮捕され、吸魂鬼の手に引き渡されるべきであることを、誰も疑わない。

しかし、そうなのか？

最近明るみに出た驚くべき新事実によれば、シリウス・ブラックは、アズカバン送りになった罪を犯していないかもしれない。事実、リトル・ノートンのアカシア通り十八番地に住むドリス・パーキスによれば、ブラックは殺人現場にいなかった可能性がある。

「シリウス・ブラックが仮名だってことに、誰も気づいてないのよ」とパーキス夫人は語った。

「みんながシリウス・ブラックだと思っているのは、ほんとうはスタビィ・ボードマンで、『ザ・ホブゴブリンズ』という人気シンガーグループのリードボーカルだった人よ。十五年ぐらい前に、リトル・ノートンのチャーチ・ホールでのコンサートのとき、耳をカブで打たれて引退したの。新聞でブラックの写真を見たとき、私にはすぐわかったわ。ところで、スタビィはあの事件を引き起こせたはずがないの。だって、事件の日、あの人はちょうど、ろうそくの灯(あか)りの下で、私とロマンチックなディナーを楽しんでいたんですもの。私、もう魔法省に手紙を書きましたから、シリウスことスタビィは、もうすぐ特赦になると期待してますわ」

読み終えて、ハリーは信じられない気持ちでそのページを見つめた。冗談かもしれない、とハリーは思った。この雑誌はよくパロディをのせるのかもしれない。ハリーはまたパラパラと二、三ページめくり、ファッジの記事を見つけた。

魔法大臣コーネリウス・ファッジは、魔法大臣に選ばれた五年前、魔法使いの銀行であるグリンゴッツの経営を乗っ取る計画はないと否定した。ファッジは常に、我々の金貨を守る者たちとは、「平和裏に協力する」ことしか望んでいないと主張してきた。

しかし、そうなのか?

大臣に近い筋が最近暴露したところによれば、ファッジの一番の野心は、小鬼の金の供給を統制することであり、そのためには力の行使も辞さないという。

「今回が初めてではありませんよ」魔法省内部の情報筋はそう明かした。「『小鬼つぶしのコーネリウス・ファッジ』というのが大臣の仲間内でのあだ名です。誰も聞いていないと思うと、大臣はいつも、ええ、自分が殺させた小鬼のことを話していますよ。おぼれさせたり、ビルから突き落としたり、毒殺したり、パイに入れて焼いたり……」

ハリーはそれ以上は読まなかった。ファッジは欠点だらけかもしれないが、小鬼をパイに入れて焼くように命令するとはとても考えられない。ハリーはページをパラパラめくった。数ページごとに目をとめて読んでみた。――タッツヒル・トルネードーズがこれまでクィディッチ・リーグで優勝したのは、脅迫状、箒の違法な細工、拷問などの結果だという記事――クリーンスイープ6号に乗って月まで飛び、証拠に「月蛙」を袋いっぱい持ち帰ったと主張する魔法使いのインタビュー――古代ルーン文字の記事――。少なくともこの記事で、ルーナが『ザ・クィブラー』を逆さに読んでいた理由が説明できる。ルーン文字を逆さにすると、敵の耳をキンカンの実に変えてしまう呪文が明らかになるという記事だった。『ザ・クィブラー』のほかの記事に比べれば、シリウスがほんとうは「ザ・ホブゴブリンズ」のリードボーカルかもしれないという記事は、事実、相当まともだった。

「何かおもしろいの、あったか?」ハリーが雑誌を閉じると、ロンが聞いた。

「あるはずないわ」ハリーが答える前に、ハーマイオニーが辛辣に言った。「『ザ・クィブラー』って、クズよ。みんな知ってるわ」

「あら」ルーナの声が急に夢見心地でなくなった。「あたしのパパが編集してるんだけど」

「私――あ」ハーマイオニーが困った顔をした。「あの……ちょっとおもしろいものも……つまり、とっても……」

「返してちょうだい。はい、どうも」

ルーナは冷たく言うと、身を乗り出すようにしてハリーの手から雑誌を引ったくった。ページをパラパラめくって五七ページを開き、ルーナはまた決然と雑誌をひっくり返し、その陰に隠れた。ちょうどその時、コンパートメントの戸が開いた。三度目だ。

ハリーが振り返ると、思ったとおりの展開だった。ドラコ・マルフォイのニヤニヤ笑いと、両脇にいる腰巾着のクラッブ、ゴイルが予想どおり現れたからといって、それで楽しくなるわけはない。

「なんだい?」マルフォイが口を開く前に、ハリーが突っかかった。

「礼儀正しくだ、ポッター。さもないと、罰則だぞ」

マルフォイが気取った声で言った。なめらかなプラチナ・ブロンドの髪ととがったあごが、父親そっくりだ。

「おわかりだろうが、君とちがって、僕は監督生だ。つまり、君とちがって、罰則を与える権限がある」

「ああ」ハリーが言った。「だけど君は、僕とちがって、卑劣なやつだ。だから出ていけ。邪魔するな」

ロン、ハーマイオニー、ジニー、ネビルが笑った。マルフォイの唇がゆがんだ。

「教えてくれ。ウィーズリーの下につくというのは、ポッター、どんな気分だ?」

マルフォイが聞いた。

「だまりなさい、マルフォイ」ハーマイオニーが鋭く言った。

「どうやら逆鱗(げきりん)に触れたようだねぇ」マルフォイがニヤリとした。「まあ、気をつけることだな、ポッター。何しろ僕は、君の足が規則の一線を踏み越えないように、**犬のように**つけ回すからね」

「出ていきなさい!」ハーマイオニーが立ち上がった。

ニタニタしながら、マルフォイはハリーに憎々しげな一瞥(いちべつ)を投げて出ていった。クラッブとゴイルがドスドスとあとに続いた。ハーマイオニーはその後ろからコンパートメントの戸をピシャリと閉め、ハリーのほうを見た。ハリーはすぐに悟った。ハーマイオニーもハリーと同じように、マルフォイが最後に言った言葉を聞きとがめ、ハリーと同じようにヒヤリとしたのだ。

「も一つ『蛙』を投げてくれ」ロンはなんにも気づかなかったらしい。

ネビルとルーナの前では、ハリーは自由に話すわけにはいかなかった。心配そうなハーマイオニーともう一度目配せし合い、ハリーは窓の外を見つめた。

シリウスがハリーと一緒に駅に来たのは、軽い冗談だと思っていた。急にそれが、むちゃで、ほんとうに危険だったかもしれないと思われた……。ハーマイオニーの言うことは正しかった……シリウスはついてくるべきではなかった。マルフォイ氏が黒い犬に気づいて、ドラコに教えたのだとしたら？　ウィーズリー夫妻や、ルーピン、トンクス、ムーディが、シリウスの隠れ家を知っていると、マルフォイ氏が推測したとしたら？　それともドラコが「犬のように」と言ったのは、単なる偶然なのか？

北へ北へと旅が進んでも、天気は相変わらず気まぐれだった。中途半端な雨が窓にかかったかと思うと、太陽がかすかに現れ、それもまた流れる雲に覆われた。暗闇が迫り、車内のランプがつくと、ルーナは『ザ・クィブラー』を丸め、大事そうに鞄にしまい、今度はコンパートメントの一人一人をじっと見つめはじめた。

ハリーは、ホグワーツが遠くにちらりとでも見えないかと、額を車窓にくっつけていた。しかし、月のない夜で、しかも雨に打たれた窓は汚れていた。

「着替えをしたほうがいいわ」ハーマイオニーがうながした。ロンとハーマイオニーはローブの胸にしっかり監督生バッジをつけた。ロンが暗い窓に自分の姿を映しているのを、ハリーは見た。

汽車がいよいよ速度を落としはじめた。みんなが急いで荷物やペットを集め、降りる支度を始めたので、車内のあちこちがいつものように騒がしくなった。ロンとハーマイオニーは、それを監督することになっているので、クルックシャンクスとピッグウィジョンの世話をみんなに任せて、またコンパートメントを出ていった。

「そのふくろう、あたしが持ってあげてもいいよ」

ルーナはハリーにそう言うと、ピッグウィジョンのかごに手を伸ばした。ネビルはトレバーをしっかり内ポケットに入れた。

「あ――え――ありがとう」ハリーはかごを渡し、ヘドウィグのかごのほうをしっかり両腕に抱えた。

全員がなんとかコンパートメントを出て、通路の生徒の群れに加わると、冷たい夜風の最初のひと吹きがピリッと顔を刺した。出口のドアに近づくと、ハリーは湖への道の両側に立ち並ぶ松の木のにおいを感じた。ハリーはホームに降り、周りを見回して、なつかしい「イッチ（一）年生はこっち……イッチ（一）年生……」の声を聞こうとした。

しかし、その声が聞こえない。かわりに、まったく別の声が呼びかけていた。きびきびした魔女の声だ。「一年生はこっちに並んで！　一年生は全員こっちにおいで！」

ランタンが揺れながらこっちにやって来た。その灯りで、突き出したあごとガリガリに刈り上げた髪が見えた。グラブリー－プランク先生――去年ハグリッドの魔法生物飼育学をしばらく代行した魔女だった。

「ハグリッドはどこ？」ハリーは思わず声に出した。

「知らないわ」ジニーが答えた。「とにかく、ここから出たほうがいいわよ。私たち、ドアをふさいじゃってる」

「あ、うん……」

ホームを歩き、駅を出るまでに、ハリーはジニーとはぐれてしまった。人波にもまれながら、ハリーは暗がりに目を凝らしてハグリッドの姿を探した。ここにいるはずだ。ハリーはずっとそれを心の拠り所にしてきた――またハグリッドに会える。それが、ハリーの一番楽しみにしていたことの一つだった。しかし、どこにもハグリッドの気配はない。

いなくなるはずはない――出口への狭い道を生徒の群れにまじって小刻みにのろのろ歩き、外の通りに向かいながら、ハリーは自分に言い聞かせていた。**風邪を引いたかなんかだろう……**。

ハリーはロンとハーマイオニーを探した。グラブリー－プランク先生が再登場したことを、二人がどう思うか知りたかった。しかし、二人ともハリーの近くには見当たらない。しかたなく、ハリーはホグズミード駅の外に押し出され、雨に洗われた暗い道路に立った。

二年生以上の生徒を城まで連れていく馬なしの馬車が、百台あまりここに待っているのだ。ハリーは馬車をちらりと見て、すぐ目をそらし、ロンとハーマイオニーを探しにかかったが、そのとたん、ぎょっとした。

馬車はもう馬なしではなかった。馬車の轅(ながえ)の間に、生き物がいた。名前をつけるなら、馬と呼ぶべきなのだろう。しかし、なんだか爬虫(はちゅう)類のようでもある。まったく肉がなく、黒い皮が骨にぴったり張りついて、骨の一本一本が見える。頭はドラゴンのようだ。瞳のない白濁した目を見開いている。背中の隆起した部分から翼が生えている――巨大な黒いなめし革のような翼は、むしろ巨大コウモリの翼にふさわしい。暗闇にじっと静かに立ち尽くす姿は、この世の物とも思えず、不吉に見えた。馬なしで走れる馬車なのに、なぜこんな恐ろしげな馬にひかせなければならないのか、ハリーには理解できなかった。

「ピッグはどこ？」すぐ後ろでロンの声がした。

「あのルーナって子が持ってるよ」ハリーは急いで振り返った。ロンにハグリッドのことを早く相談したかった。「いったいどこに――」

「――ハグリッドがいるかって？　さあ」ロンも心配そうな声だ。「無事だといいけど……」

少し離れた所に、取り巻きのクラッブ、ゴイル、パンジー・パーキンソンを従えたドラコ・マルフォイがいて、おとなしそうな二年生を押しのけ、自分たちが馬車を一台独占しようとしていた。やがてハーマイオニーが、群れの中から息を切らして現れた。

「マルフォイのやつ、あっちで一年生に、ほんとにむかつくことをしてたのよ。絶対に報告してやる。ほんの三分もバッジを持たせたら、嵩（かさ）にかかって前よりひどいいじめをするんだから……クルックシャンクスはどこ？」

「ジニーが持ってる」ハリーが答えた。「あ、ジニーだ……」

ジニーがちょうど群れから現れた。じたばたするクルックシャンクスをがっちり押さえている。

「ありがとう」ハーマイオニーはジニーを猫から解放してやった。「さあ、一緒に馬車に乗りましょう。満席にならないうちに……」

「ピッグがまだだ！」ロンが言った。しかしハーマイオニーはもう、一番近い、からの馬車に向かっていた。ハリーはロンと一緒にあとに残った。

「こいつら、**いったい**なんだと思う？」ほかの生徒たちを次々やり過ごしながら、ハリーは気味の悪い馬をあごで指してロンに聞いた。

「こいつらって？」

「この馬だよ――」

ルーナがピッグウィジョンのかごを両腕に抱えて現れた。チビふくろうは、いつものように興奮してさえずっていた。

「はい、これ」ルーナが言った。「かわいいチビふくろうだね？」

「あ……うん……まあね」ロンが無愛想に言った。「えーと、さあ、じゃ、乗ろうか……ハリー、何か言ってたっけ？」

「うん。この馬みたいなものはなんだろう？」

ロンとルーナと三人で、ハーマイオニーとジニーが乗り込んでいる馬車のほうに歩きながら、ハリーが言った。

「どの馬みたいなもの？」

「馬車をひいてる馬みたいなもの！」ハリーはいらいらしてきた。一番近いのは、ほんの一メートル先にいるのに。うつろな白濁した目でこっちを見ているのに。しかし、ロンはわけがわからないという目つきでハリーを見た。

「なんのことを話してるんだ？」

「これのことだよ――見ろよ！」

ハリーはロンの腕をつかんで後ろを向かせた。翼のついた馬を真正面から見せるためだ。ロンは一瞬それを直視したが、すぐハリーを振り向いて言った。

「何が見えてるはずなんだ？」

「何がって――ほら、棒と棒の間！　馬車につながれて！　君の真ん前に――」

しかし、ロンは相変わらずぼうぜんとしている。ハリーはふと奇妙なことを思いついた。

「見えない……君、あれが見えないの？」

「**何が**見えないって？」

「馬車をひっぱってるものが見えないのか？」

ロンは今度こそほんとうに驚いたような目を向けた。

「ハリー、気分悪くないか？」

「僕……ああ……」

ハリーはまったくわけがわからなかった。馬は自分の目の前にいる。背後の駅の窓から流れ出るぼんやりした明かりにてらてらと光り、冷たい夜気の中で鼻息が白く立ち昇っている。それなのに——ロンが見えないふりをしているなら別だが——そんなふりをしているなら、下手な冗談だ——ロンにはまったく見えていないのだ。

「それじゃ、乗ろうか？」ロンは心配そうにハリーを見て、とまどいながら聞いた。

「うん」ハリーが言った。「うん、中に入れよ……」

「大丈夫だよ」

ロンが馬車の内側の暗い所に入って姿が見えなくなると、ハリーの脇で、夢見るような声がした。

「あんたがおかしくなったわけでもなんでもないよ。あたしにも見えるもん」

「君に、見える？」

ハリーはルーナを振り返り、藁にもすがる思いで聞いた。ルーナの見開いた銀色の目に、コウモリ翼の馬が映っているのが見えた。

「うん、見える」ルーナが言った。「あたしなんか、ここに来た最初の日から見えてたよ。こいつたち、いつも馬車をひいてたんだ。心配ないよ。あんたはあたしと同じぐらい正気だもん」

ちょっとほほえみながら、ルーナは、ロンのあとからかび臭い馬車に乗り込んだ。ハリーもルーナのあとに続いた。かえって自信が持てなくなったような気持ちで、

第11章　組分け帽子の新しい歌

ルーナと自分が同じ幻覚を見た——幻覚だったかもしれない……そんなことを、ハリーはほかの誰にも言いたくなかった。馬車に乗り込み、ドアをピシャリと閉めたあと、ハリーは馬のことにはいっさい触れなかった。にもかかわらず、窓の外を動いている馬のシルエットを、どうしても見てしまうのだった。

「みんな、グラブリー‐プランクばあさんを見た？」ジニーが聞いた。「いったい何しに戻ってきたのかしら？　ハグリッドが辞めるはずないわよね？」

「辞めたらあたしはうれしいけど」ルーナが言った。「あんまりいい先生じゃないもン」

「いい先生だ！」ハリー、ロン、ジニーが怒ったように言った。

ハリーがハーマイオニーをにらんだ。ハーマイオニーは咳払いをして急いで言った。

「えーっと……そう……とってもいいわ」

「ふーん。レイブンクローでは、あの人はちょっとお笑いぐさだって思ってるよ」ルーナは気後れしたふうもない。

「なら、君のユーモアのセンスがおかしいってことさ」ロンがバシッと言い返した。

その時、馬車の車輪がきしみながら動きだした。

ルーナはぶっきらぼうなロンの言葉を別に気にする様子もなく、かえって、ちょっとおもしろいテレビの番組ででもあるかのように、しばらくロンを見つめただけだった。

ガラガラ、ガタガタと、馬車は隊列を組んで進んだ。校門の高い二本の石柱には羽の生えたイノシシがのっている。馬車が校門をくぐり、校庭に入ったとき、ハリーは身を乗り出して、「禁じられた森」の端にあるハグリッドの小屋に灯(あか)りが見えはしないかと目を凝らした。校庭は真っ暗だった。しかし、ホグワーツ城が近づき、夜空に黒々とそびえる尖塔(せんとう)の群れが見えてくると、頭上にあちこちの窓のまばゆい明かりが見えた。

正面玄関の樫(かし)の扉に続く石段の近くで、馬車はシャンシャンと止まった。ハリーが最初に馬車から降りた。もう一度振り返り、禁じられた森のそばの窓明かりを探した。しかし、ハグリッドの小屋には、どう見ても人の気配はなかった。ハリーは目を馬車に転じた。馬の姿が見えなければいいのにと内心願っていたので気が進まなかったが、骸骨のような不気味な生き物に目を向けると、冷え冷えとした夜気の中に白一色の目を光らせ、生き物は静かに立っていた。

以前に一度だけ、ロンの見えないものが自分だけに見えたことがあった。しかし、あれは鏡に映る姿で、今回ほど実体のあるものではなかった。今度は、馬車の隊列を引くだけの力がある、百頭あまりのちゃんと形のある生き物だ。ルーナを信用するなら、この生き物はずっと存在していた。見えなかっただけだ。それなら、なぜ、ハリーは急に見えるようになり、ロンには見えなかったのだろう?

「来るのか来ないのか?」ロンがそばで言った。

「あ……うん」ハリーは急いで返事をし、石段を上って城内へと急ぐ群れに加わった。

玄関ホールには松明(たいまつ)が明々と燃え、石畳を横切って右の両開き扉へと進む生徒たちの足音が反響していた。扉のむこうに、新学期の宴が行われる大広間がある。

大広間の四つの寮の長テーブルに、生徒たちが次々と着席していた。高窓から垣間(かいま)見える空を模した天井は、星もなく真っ暗だった。テーブルに沿って浮かぶろうそくは、大広間に点在する真珠色のゴーストと、生徒たちの顔を照らしている。生徒たちは夏休みの話に夢中で、ほかの寮の友達に大声で挨拶したり、新しい髪型やローブをちらちら眺めたりしていた。ここでもハリーは、自分が通るとき、みんなが額を寄せ合い、ヒソヒソ話をするのにいやでも気づいた。ハリーは歯を食いしばり、何も気づかず、何も気にしないふりをした。

レイブンクローのテーブルの所で、ルーナがふらりと離れていった。グリフィンドールのテーブルに着くや否や、ジニーは四年生たちに呼びかけられ、同級生と一緒に座るために別れていった。ハリー、ロン、ハーマイオニー、ネビルは、テーブルの中ほどに、一緒に座れる席を見つけた。隣にグリフィンドールのゴースト、「ほとんど首無しニック」が、反対隣にはパーバティ・パチルとラベンダー・ブラウンが座っていた。この二人が、ハリーになんだか上すべりな、親しみを込めすぎる挨拶をしたので、ハリーは、二人が直前まで自分のうわさ話をしていたにちがいないと思った。しかし、ハリーにはもっと大切な、気がかりなことがあった。生徒の頭越しに、ハリーは、広間の一番奥の壁際に置かれている教職員テーブルを眺めた。

「あそこにはいない」

ロンとハーマイオニーも教職員テーブルを隅から隅まで眺めた。もっともそんな必要はなかった。ハグリッドの大きさでは、どんな列の中でもすぐに見つかる。

「辞めたはずはないし」ロンは少し心配そうだった。

「そんなこと、絶対ない」ハリーがきっぱり言った。

「もしかして……**けがしている**とか、そう思う？」ハーマイオニーが不安そうに言った。

「ちがう」ハリーが即座に答えた。

「だって、それじゃ、どこにいるの？」

一瞬間を置いて、ハリーが、ネビルやパーバティ、ラベンダーに聞こえないように、ごく小さな声で言った。

「まだ戻ってきてないのかも。ほら――任務から――ダンブルドアのために、この夏にやっていたことから」

「そうか……うん、きっとそうだ」

ロンが納得したように言った。しかしハーマイオニーは、唇をかんで教職員テーブルを端から端まで眺め、ハグリッドの不在の理由をもっと決定的に説明するものを探しているかのようだった。

「**あの人、誰？**」ハーマイオニーが教職員テーブルの真ん中を指差して鋭く言った。

ハリーはハーマイオニーの視線を追った。最初はダンブルドア校長が目に入った。教職員用の長テーブルの中心に、銀の星を散らした濃い紫のローブにおそろいの帽子をかぶって、背もたれの高い金色の椅子に座っている。ダンブルドアは隣の魔女のほうに首をかしげ、魔女がその耳元で何か話していた。ハリーの印象では、その魔女は、そこいらにいるおばさんという感じで、ずんぐりした体に、くりくりした薄茶色の短い髪をしている。そこにけばけばしいピンクのヘアバンドをつけ、それに合うふんわりしたピンクのカーディガンをローブの上からはおっていた。それから魔女は少し顔を正面に向け、ゴブレットからひと口飲んだ。ハリーはその顔を見て愕然（がくぜん）とした。この顔は知っている。青白いガマガエルのような顔、たるんだまぶたと、飛び出した両眼……。

「アンブリッジって女だ*！*」

「誰？」ハーマイオニーが聞いた。

「僕の尋問にいた。ファッジの下で働いてる*！*」

「カーディガンがいいねぇ」ロンがニヤリとした。

「ファッジの下で働いてるですって？」ハーマイオニーが顔をしかめてくり返した。「なら、いったいどうしてここにいるの？」

「さあ……」

ハーマイオニーは、目を凝らして教職員テーブルを眺め回した。

「まさか」ハーマイオニーがつぶやいた。「ちがうわ、まさか……」

ハリーはハーマイオニーが何を言っているのかわからなかったが、あえて聞かなかった。むしろ教職員テーブルの後ろにいま現れた、グラブリー－プランク先生のほうに気を取られていた。テーブルの端まで行き、ハグリッドが座るはずの席に着いたのだ。つまり、一年生が湖を渡って城に到着したということになる。思ったとおり、そのすぐあと、玄関ホールに続く扉が開いた。おびえた顔の一年生が、マクゴナガル先生を先頭に、長い列になって入ってきた。先生は丸椅子を抱え、その上には古ぼけた魔法使いの三角帽子がのっている。継ぎはぎだらけで、すり切れたつばの際が大きく裂けている。

大広間のガヤガヤが静まってきた。一年生は教職員テーブルの前に、生徒たちのほうを向いて勢ぞろいした。マクゴナガル先生が、その列の前に大事そうに丸椅子を置き、後ろに下がった。

一年生の青い顔がろうそくの明かりで光っている。列の真ん中の小さな男の子は、震えているようだ。あそこに立たされて、どの寮に属するのかを決める未知のテストを待っていたとき、どんなに怖かったか、ハリーは一瞬思い出した。

学校中が、息を殺して待った。すると、帽子のつばの際の裂け目が、口のようにパックリ開き、組分け帽子が突然歌いだした。

昔々のその昔、私がまだまだ新しく

ホグワーツ校も新しく
気高い学び舎の創始者は
別れることなど思わずに
同じ絆で結ばれた

同じ望みは類なき
魔法の学び舎興すこと
四人の知識を残すこと
「ともに興さん、教えん！」と
四人の友は意を決し
四人が別れる日が来ると
夢にも思わず過ごしたり

これほどの友あり得るや？
スリザリンとグリフィンドール
匹敵するはあと二人？
ハッフルパフとレイブンクロー

なれば何故まちごうた？
何故崩れる友情や？

なんとその場に居合わせた
私が悲劇を語ろうぞ

スリザリンの言い分は、

「学ぶ者をば選ぼうぞ。祖先が純血ならばよし」

レイブンクローの言い分は、

「学ぶ者をば選ぼうぞ。知性に勝るものはなし」

グリフィンドールの言い分は、

「学ぶ者をば選ぼうぞ。勇気によって名を残す」

ハッフルパフの言い分は、

「学ぶ者をば選ぶまい。すべての者を隔てなく」

かかるちがいは格別に
亀裂の種になりもせず
四人がそれぞれ寮を持ち
創始者好みの生徒をば
この学び舎に入れしかば

スリザリンの好みしは
純血のみの生徒にて

己に似たる狡猾さ
最も鋭き頭脳をば
レイブンクローは教えたり
勇気あふるる若者は
グリフィンドールで学びたり
ハッフルパフは善良で
すべての者をば教えたり

かくして寮と創始者の
絆は固く真実で
ホグワーツ校はなごやかに
数年間を過ごしたり

それから徐々に忍び寄る
恐れと疑惑の不和の時
四本柱の各寮が
それまで支えし学び舎を
互いに反目させし上
分断支配を試みた

もはやこれにて学び舎も
終わりと思いし日々なりき
決闘に次ぐ決闘と
友と友との衝突が
ある朝ついに決着し
学び舎を去るスリザリン

争い事こそなくなれど
あとに残りし虚脱感

四人がいまや三人で
その三人になりしより
創始者四人が目指したる
寮の結束成らざりき

組分け帽子の出番なり
諸君も先刻ご存じの
諸君を寮に振り分ける
それが私の役目なり

しかし今年はそれ以上
私の歌を聴くがよい
私の役目は分けること
されど憂えるその結果

私が役目をはたすため
毎年行う四分割
されど憂うはその後に
恐れし結果が来はせぬか

ああ、願わくは聞きたまえ
歴史の示す警告を
ホグワーツ校は危機なるぞ
外なる敵は恐ろしや
我らが内にて固めねば
崩れ落ちなん、内部より
すでに告げたり警告を
私は告げたり警告を……

いざいざ始めん、組分けを

帽子は再び動かなくなった。拍手が湧き起こったが、つぶやきとささやきでしぼみがちだった。こんなことはハリーの覚えているかぎり初めてだった。大広間の生徒はみんな、隣同士で意見を交換している。ハリーもみんなと一緒に拍手しながら、みんなが何を話しているのかわかっていた。

「今年はちょっと守備範囲が広がったと思わないか？」ロンが眉を吊り上げて言った。

「まったくだ」ハリーが言った。

組分け帽子は通常、ホグワーツの四つの寮の持つそれぞれの特性を述べ、帽子自身の役割を語るにとどまっていた。学校に対して警告を発するなど、ハリーの記憶ではこれまでなかったことだ。

「これまでに警告を発したことなんて、あった？」ハーマイオニーが少し不安そうに聞いた。

「さよう、あります」

「ほとんど首無しニック」が、ネビルのむこうから身を乗り出すようにして、わけ知り顔で言った（ネビルはぎくりと身を引いた。ゴーストが自分の体を通って身を乗り出すのは、気持ちのいいものではない）。

「あの帽子は、必要とあらば、自分の名誉にかけて、学校に警告を発する責任があると考えているのです――」

しかし、その時マクゴナガル先生が、一年生の名簿を読み上げようとしていて、ヒソヒソ話をしている生徒を火のような目でにらみつけた。ほとんど首無しニックは、透明な指を唇に当て、再び優雅に背筋を伸ばした。ガヤガヤが突然消えた。四つのテーブルにくまなく視線を走らせ、最後のにらみをきかせてから、マクゴナガル先生は長い羊皮紙に目を落とし、最初の名前を読み上げた。

「アバクロンビー、ユーアン」

さっきハリーの目にとまった、おびえた顔の男の子が、つんのめるように前へ出て帽子をかぶった。帽子は肩までズボッと入りそうだったが、耳がことさらに大きいのでそこで止まった。帽子は一瞬考えた後、つば近くの裂け目が再び開いて叫んだ。

「**グリフィンドール！**」

ハリーもグリフィンドール生と一緒に拍手し、ユーアン・アバクロンビーはよろめくようにグリフィンドールのテーブルについた。穴があったら入りたい、二度とみんなの前に出たくないという顔だ。

ゆっくりと、一年生の列が短くなっていった。名前の読み上げと組分け帽子の決定の間の空白時間に、ロンの胃袋が大きくグルグル鳴るのが聞こえた。やっと「ゼラー、ローズ」がハッフルパフに入れられた。マクゴナガル先生が帽子と丸椅子を取り上げてきびきびと歩き去ると、ダンブルドア校長が立ち上がった。

最近ハリーは、校長に苦い感情を持っていたが、それでもダンブルドアが全生徒の前に立った姿は、なぜか心を安らかにしてくれた。ハグリッドはいないし、ドラゴンまがいの馬はいるしで、あんなに楽しみにホグワーツに帰ってきたのに、ここは思いがけない驚きの連続だった。聞き慣れた歌にぎくりとするような変調が入っていたのと同じだ。しかし、これでやっと、期待どおりだ——校長が立ち上がり、新学期の宴の前に挨拶する。

「新入生よ」ダンブルドアは唇に微笑をたたえ、両腕を大きく広げて朗々と言った。「おめでとう！　古顔の諸君よ——お帰り！　挨拶するには時がある。いまはその時にあらずじゃ。かっこめ！」

うれしそうな笑い声が上がり、拍手が湧いた。ダンブルドアはスマートに座り、長いひげを肩から後ろに流して、皿の邪魔にならないようにした——どこからともなく食べ物が現れていた。大きな肉料理、パイ、野菜料理、パン、ソース、かぼちゃジュースの大瓶。五卓のテーブルが重さにうなっていた。

「いいぞ」ロンは待ちきれないようにうめき、一番近くにあった骨つき肉の皿を引き寄せ、自分の皿を山盛りにしはじめた。ほとんど首無しニックがうらやましそうに見ていた。

「組分けの前に何か言いかけてたわね？」ハーマイオニーがゴーストに聞いた。「帽子が警告を発することで？」

「おお、そうでした」

ニックはロンから目をそらす理由ができてうれしそうだった。ロンは恥も外聞もないという熱中ぶりで、今度はローストポテトにかぶりついていた。

「さよう、これまでに数回、あの帽子が警告を発するのを聞いております。いつも、学校が大きな危機に直面していることを察知したときでした。そして、もちろんのこと、いつも同じ忠告をします。団結せよ、内側を強くせよと」

「ぼしなン、がこきけん、どってわかン？」ロンが聞いた。

こんなに口いっぱいなのに、ロンはよくこれだけの音を出せたと、ハリーは感心した。

「なんと言われましたかな？」ほとんど首無しニックは礼儀正しく聞き返したが、ハーマイオニーはむかついた顔をした。ロンはゴックンと大きく飲み込んで言いなおした。

「帽子なのに、学校が危険だとどうしてわかるの？」

「私にはわかりませんな」ほとんど首無しニックが言った。「もちろん、帽子はダンブルドアの校長室に住んでいますから、あえて申し上げれば、そこで感触を得るのでしょうな」

「それで、帽子は、全寮に仲良くなれって？」ハリーはスリザリンのテーブルのほうを見ながら言った。ドラコ・マルフォイが王様然と振る舞っていた。

「とても無理だね」

「さあ、さあ、そんな態度はいけませんね」ニックがとがめるように言った。「平和な協力、これこそ鍵です。我らゴーストは、各寮に分かれておりましても、友情の絆は保っております。グリフィンドールとスリザリンの競争はあっても、私は『血みどろ男爵』と事をかまえようとは夢にも思いませんぞ」

「単に怖いからだろ」ロンが言った。

ほとんど首無しニックは大いに気を悪くしたようだった。

「怖い？　やせても枯れてもニコラス・ド・ミムジー－ポーピントン卿。命在りしときも絶命後も、臆病の汚名を着たことはありません。この体に流れる気高き血は――」

「どの血？」ロンが言った。「まさか、まだ血があるの――？」

「言葉の綾です！」ほとんど首無しニックは憤慨のあまり、ほとんど切り離されている首をわなわなと危なっかしげに震わせていた。「私が言の葉をどのように使おうと、その楽しみは、まだ許されていると愚考するしだいです。たとえ飲食の楽しみこそ奪われようと！　しかし、私の死を愚弄する生徒がいることには、このやつがれ、慣れております！」

「ニック、ロンはあなたのことを笑い物にしたんじゃないわ！」ハーマイオニーがロンに恐ろしい一瞥を投げた。

不幸にも、ロンの口はまたしても爆発寸前まで詰め込まれていたので、やっと言葉になったのは「ちがンン、ぼっきみンきぶンン、ごいすンンつもるらい」だった。ニックはこれでは充分な謝罪にはならないと思ったらしい。羽飾りつきの帽子をただし、空中に浮き上がり、ニックはそこを離れてテーブルの端に行き、コリン、デニスのクリービー兄弟の間に座った。

「お見事ね、ロン」ハーマイオニーが食ってかかった。

「何が？」やっと食べ物を飲み込み、ロンが怒ったように言った。「簡単な質問をしちゃいけないのか？」

「もう、いいわよ」ハーマイオニーがいらいらと言った。

それからは、食事の間中、二人はぷりぷりして互いに口をきかなかった。

ハリーは二人のいがみ合いには慣れっこになって、仲なおりさせようとも思わなかった。

キドニーパイをせっせと食べるほうが時間の有効利用だと思った。そのあとは、好物の糖蜜タルトを皿いっぱいに盛って食べた。

生徒が食べ終わり、大広間のガヤガヤがまた立ち昇ってきたとき、ダンブルドアが再び立ち上がった。みんなの顔が校長のほうを向き、話し声はすぐにやんだ。ハリーはいまや心地よい眠気を感じていた。四本柱のベッドがどこか上のほうで待っている。ふかふかと暖かく……。

「さて、またしてもすばらしいごちそうを、みなが消化しているところで、学年度はじめのいつものお知らせに、少し時間をいただこう」ダンブルドアが話しはじめた。「一年生に注意しておくが、校庭内の『禁じられた森』は生徒立ち入り禁止じゃ――上級生の何人かも、そのことはもうわかっておることじゃろう」（ハリー、ロン、ハーマイオニーは互いにニヤッとした）

「管理人のフィルチさんからの要請で、これが四百六十二回目になるそうじゃが、全生徒に伝えてほしいとのことじゃ。授業と授業の間に廊下で魔法を使ってはならん。そのほかもろもろの禁止事項じゃが、すべて長い一覧表になって、いまはフィルチさんの事務所のドアに貼り出してあるので、確かめられるとのことじゃ」

「今年は先生が二人替わった。グラブリー－プランク先生がお戻りになったのを、心から歓迎申し上げる。『魔法生物飼育学』の担当じゃ。さらにご紹介するのが、アンブリッジ先生、『闇の魔術に対する防衛術』の新任教授じゃ」

礼儀正しく、しかしあまり熱のこもらない拍手が起こった。その間、ハリー、ロン、ハーマイオニーはパニック気味に顔を見合わせた。ダンブルドアはグラブリー - プランクがいつまで教えるか言わなかった。

ダンブルドアが言葉を続けた。「クィディッチの寮代表選手の選抜の日は――」

ダンブルドアが言葉を切り、何か用かな、という目でアンブリッジ先生を見た。アンブリッジ先生は立っても座っても同じぐらいの高さだったので、しばらくは、なぜダンブルドアが話しやめたのか、誰もわからなかったが、アンブリッジ先生が「**エヘン、エヘン**」と咳払いをしたので、立ち上がっていることと、スピーチをしようとしていることが明らかになった。

ダンブルドアはほんの一瞬驚いた様子だったが、すぐ優雅に腰をかけ、謹聴するような顔をした。アンブリッジ先生の話を聞くことほど望ましいことはないと言わんばかりの表情だった。ほかの先生たちは、ダンブルドアほど巧みには驚きを隠せなかった。スプラウト先生の眉毛は、ふわふわ散らばった髪の毛に隠れるほど吊り上がり、マクゴナガル先生の唇は、ハリーが見たことがないほど真一文字に結ばれていた。これまで新任の先生が、ダンブルドアの話を途中でさえぎったことなどない。ニヤニヤしている生徒が多かった。――この女、ホグワーツでのしきたりを知らないな。

「校長先生」アンブリッジ先生が作り笑いをした。「歓迎のお言葉、恐れ入ります」

女の子のようなかん高い、ため息まじりの話し方だ。ハリーはまたしても、自分でも説明のつかない強い嫌悪を感じた。とにかくこの女に関するものは全部大嫌いだということだけはわかった。バカな声も、ふんわりしたピンクのカーディガンも、何もかも。再び軽い咳払いをして（「**エヘン、エヘン**」）アンブリッジ先生は話を続けた。

「さて、ホグワーツに戻ってこられて、ほんとうにうれしいですわ！」

ニッコリするととがった歯がむき出しになった。

「そして、みなさんの幸せそうなかわいい顔がわたくしを見上げているのはすてきですわ！」

ハリーはぐるりと見回した。見渡すかぎり、幸せそうな顔など一つもない。むしろ、五歳児扱いされて、みな愕然とした顔だった。

「みなさんとお知り合いになれるのを、とても楽しみにしております。きっとよいお友達になれますわよ！」

これにはみんな顔を見合わせた。冷笑を隠さない生徒もいた。

「あのカーディガンを借りなくていいなら、お友達になるけど」パーバティがラベンダーにささやき、二人は声を殺してクスクス笑った。

アンブリッジ先生はまた咳払いした（**「エヘン、エヘン」**）。次に話しだしたとき、ため息まじりが少し消えて、話し方が変わっていた。ずっとしっかりした口調で、暗記したように無味乾燥な話し方になっていた。

「魔法省は、若い魔法使いや魔女の教育は非常に重要であると、常にそう考えてきました。みなさんが持って生まれた稀なる才能は、慎重に教え導き、養って磨かなければ、物になりません。魔法界独自の古来の技を、後代に伝えていかなければ、永久に失われてしまいます。我らが祖先が集大成した魔法の知識の宝庫は、教育という気高い天職を持つ者により、守り、補い、磨かれていかねばなりません」

アンブリッジ先生はここでひと息入れ、同僚の教授陣に会釈した。誰も会釈を返さない。マクゴナガル先生の黒々とした眉がギュッと縮まって、まさに鷹そっくりだった。しかも意味ありげにスプラウト先生と目を見交わしたのを、ハリーは見た。アンブリッジはまたまた**「エヘン、エヘン」**と軽い咳払いをして、話を続けた。

「ホグワーツの歴代校長は、この歴史ある学校を治める重職を務めるにあたり、なんらかの新規なものを導入してきました。そうあるべきです。進歩がなければ停滞と衰退あるのみ。しかしながら、進歩のための進歩は奨励されるべきではありません。なぜなら、試練を受け、証明された伝統は、手を加える必要がないからです。そうなると、バランスが大切です。古きものと新しきもの、恒久的なものと変化、伝統と革新……」

ハリーは注意力が退いていくのがわかった。脳みその周波数が、合ったり外れたりするようだった。ダンブルドアが話すときには大広間は常にしんとしているが、いまはそれが崩れ、生徒は額を寄せ合ってささやいたりクスクス笑ったりしていた。レイブンクローのテーブルでは、チョウ・チャンが友達とさかんにおしゃべりしていた。そこから数席離れた所で、ルーナ・ラブグッドがまた『ザ・クィブラー』を取り出していた。一方ハッフルパフのテーブルでは、アーニー・マクミランだけが、まだアンブリッジ先生を見つめている数少ない一人だった。しかし、目が死んでいた。胸に光る新しい監督生バッジの期待に応えるため、聞いているふりをしているだけにちがいない、とハリーは思った。

アンブリッジ先生は、聴衆のざわつきなど気がつかないようだった。ハリーの印象では、大々的な暴動が目の前で勃発しても、この女は延々とスピーチを続けるにちがいない。しかし教授陣はまだ熱心に聴いていた。ハーマイオニーもアンブリッジの言葉を細大もらさずのみ込んでいた。もっともその表情から見ると、まったくおいしくなさそうだ。

「……なぜなら、変化には改善の変化もある一方、時満ちれば、判断の誤りと認められるような変化もあるからです。古き慣習のいくつかは維持され、当然そうあるべきですが、陳腐化し、時代遅れとなったものは、放棄されるべきです。保持すべきは保持し、正すべきは正し、禁ずべきやり方とわかったものはなんであれ切り捨て、いざ、前進しようではありませんか。開放的で、効果的で、かつ責任ある新しい時代へ」

アンブリッジ先生が座った。ダンブルドアが拍手した。それにならって教授たちもそうした。しかし、一回か二回手をたたいただけでやめてしまった先生が何人かいることに、ハリーは気づいた。生徒も何人か一緒に拍手したが、大多数は演説が終わったことで不意をつかれていた。だいたい二言三言しか聞いてはいなかったのだ。ちゃんとした拍手が起こる前に、ダンブルドアがまた立ち上がった。

「ありがとうございました、アンブリッジ先生。まさに啓発的じゃった」ダンブルドアが会釈した。

「さて、先ほど言いかけておったが、クィディッチの選抜の日は……」

「ええ、ほんとうに啓発的だったわ」ハーマイオニーが低い声で言った。

「おもしろかったなんて言うんじゃないだろうな？」

ぼんやりした顔でハーマイオニーを見ながら、ロンが小声で言った。

「ありゃ、これまでで最高につまんない演説だった。パーシーと暮らした僕がそう言うんだぜ」

「啓発的だったと言ったのよ。おもしろいじゃなくて」ハーマイオニーが言った。「いろんなことがわかったわ」

「ほんと？」ハリーが驚いた。「中身のないむだ話ばっかりに聞こえたけど」

「そのむだ話に、大事なことが隠されていたのよ」ハーマイオニーが深刻な言い方をした。

「そうかい？」ロンはキョトンとした。

「たとえば、『進歩のための進歩は奨励されるべきではありません』はどう？　それから『禁ずべきやり方とわかったものはなんであれ切り捨て』はどう？」

「さあ、どういう意味だい？」ロンがじれったそうに言った。

「教えて差し上げるわ」ハーマイオニーが不吉な知らせを告げるように言った。

「魔法省がホグワーツに干渉するということよ」

周りがガタガタ騒がしくなった。ダンブルドアがお開きを宣言したらしい。みんな立ち上がって大広間を出ていく様子だ。ハーマイオニーが大あわてで飛び上がった。

「ロン、一年生の道案内をしないと！」

「ああそうか」ロンは完全に忘れていた。「おい——おい、おまえたち、ジャリども！」

「**ロン！**」

「だって、こいつら、チビだぜ……」

「知ってるわよ。だけどジャリはないでしょ！——一年生！」

ハーマイオニーは威厳たっぷりにテーブル全体に呼びかけた。

「こっちへいらっしゃい！」

新入生のグループは、恥ずかしそうにグリフィンドールとハッフルパフのテーブルの間を歩いた。誰もが先頭に立たないようにしていた。ほんとうに小さく見えた。自分がここに来たときは、絶対、こんなに幼くはなかったとハリーは思った。ハリーは一年生に笑いかけた。ユーアン・アバクロンビーの隣のブロンドの少年の顔がこわばり、ユーアンをつっついて、耳元で何かささやいた。ユーアン・アバクロンビーも同じようにおびえた顔になり、こわごわハリーを見た。ハリーの顔から、微笑が「臭液」のごとくゆっくり落ちていった。

「またあとで」

ハリーはロンとハーマイオニーにそう言い、一人で大広間を出ていった。途中でささやく声、見つめる目、指差す動きを、ハリーはできるだけ無視した。まっすぐ前方を見つめ、玄関ホールの人波を縫って進んだ。それから大理石の階段を急いで上り、隠れた近道をいくつか通ると、群れからはずっと遠くなった。

人影もまばらな廊下を歩きながら、こうなることを予測しなかった自分が愚かだった、とハリーは自分自身に腹を立てた。みんなが僕を見つめるのは当然だ。二か月前に、三校対抗試合の迷路の中から、ハリーは一人の生徒のなきがらを抱えて現れ、ヴォルデモート卿の力が復活したのを見たと宣言したのだ。先学期、みんなが家に帰る前には、説明する時間の余裕がなかった――あの墓場で起こった恐ろしい事件を、学校全体にくわしく話して聞かせる気持ちの余裕がたとえあったとしてもだ。

ハリーは、グリフィンドールの談話室に続く廊下の、一番奥に着いていた。「太った婦人（レディ）」の肖像画の前で足を止めたとたん、ハリーは新しい合言葉を知らないことに初めて気づいた。

「えーと……」

ハリーは「太った婦人」を見つめ、元気のない声を出した。婦人はピンクのサテンドレスのひだを整えながら、厳しい顔でハリーを見返した。

「合言葉がなければ入れません」婦人はツンとした。

「ハリー、僕、知ってるよ！」

誰かがゼイゼイ言いながらやってきた。振り向くと、ネビルが走ってくる。

「なんだと思う？　僕、これだけは初めて空で言えるよ――」

ネビルは汽車の中で見せてくれた寸詰まりのサボテンを振って見せた。

「**ミンビュラス　ミンブルトニア！**」

「そうよ」

「太った婦人」の肖像画がドアのように二人のほうに開いた。後ろの壁に丸い穴が現れ、ハリーとネビルはそこをよじ登った。

グリフィンドール塔の談話室はいつもどおりに温かく迎えてくれた。居心地のよい円形の部屋の中に、古ぼけたふかふかのひじかけ椅子や、ぐらつく古いテーブルがたくさん置いてある。火格子の上で暖炉の火が楽しげにはぜ、何人かの寮生が、寝室に行く前に手を温めていた。部屋のむこうで、フレッドとジョージのウィーズリー兄弟が掲示板に何かをとめつけていた。ハリーは二人におやすみと手を振って、まっすぐ男子寮へのドアに向かった。いまはあまり話をする気分ではなかった。ネビルがついてきた。

ディーン・トーマスとシェーマス・フィネガンがもう寝室に来ていて、ベッド脇の壁にポスターや写真を貼りつけている最中だった。ハリーがドアを開けたときにはしゃべっていた二人が、ハリーを見たとたん急に口をつぐんだ。自分のことを話していたのだろうか、それとも自分の被害妄想なのだろうかとハリーは考えた。

「やあ」ハリーは自分のトランクに近づき、それを開けながら声をかけた。

「やあ、ハリー」ディーンは、ウエストハム・チームカラーのパジャマを着ながら返事した。「休みはどうだった？」

「まあまあさ」ハリーは口ごもった。ほんとうの話をすれば、ほとんどひと晩かかるだろう。そんなことはハリーにはとてもできない。「君は？」

「ああ、オーケーさ」ディーンがクスクス笑った。「とにかく、シェーマスよりはましだったな。いま聞いてたとこさ」

「どうして？　シェーマスに何があったの？」**ミンビュラス・ミンブルトニア**をベッド脇の戸棚の上にそっとのせながら、ネビルが聞いた。

シェーマスはすぐには答えなかった。クィディッチ・チームのケンメア・ケストレルズのポスターが曲がっていないかどうか確かめるのに、やたらと手間をかけている。それからハリーに背を向けたまま言った。

「ママに学校に戻るなって言われた」

「えっ？」ハリーはローブを脱ぐ手を止めた。

「ママが、僕にホグワーツに戻ってほしくないって」

シェーマスはポスターから離れ、パジャマをトランクから引っ張り出した。まだハリーを見ていない。

「だって——どうして？」

ハリーが驚いて聞いた。シェーマスの母親が魔女だと知っていたので、なぜダーズリーっぽくなったのか理解できなかった。

シェーマスはパジャマのボタンをとめ終えるまで答えなかった。

「えーと」シェーマスは慎重な声で言った。「たぶん……君のせいで」

「どういうこと？」ハリーがすぐ聞き返した。

心臓の鼓動がかなり速くなっていた。何かにじりじりと包囲されるのを、ハリーはうっすらと感じた。

「えーと」シェーマスはまだハリーの目を見ない。「ママは……あの……えーと、君だけじゃない。ダンブルドアもだ……」

「『日刊予言者新聞』を信じてるわけ？」ハリーが言った。「僕がうそつきで、ダンブルドアがぼけ老人だって？」

シェーマスがハリーを見た。

「うん、そんなふうなことだ」

ハリーは何も言わなかった。杖をベッド脇のテーブルに投げ出し、ローブをはぎ取って怒ったようにトランクに押し込み、パジャマを着た。うんざりだ。じろじろ見られて、しょっちゅう話の種にされるのはたくさんだ。いったい、みんなはわかっているんだろうか、こういうことをずっと経験してきた人間がどんなふうに感じるのか、ほんの少しでもわかっているんだろうか……フィネガン夫人はわかってない。バカ女。ハリーは煮えくり返る思いだった。

ハリーはベッドに入り、周りのカーテンを閉めはじめた。しかし、その前に、シェーマスが言った。

「ねえ……あの夜**いったい**何があったんだ？　……ほら、あの時……セドリック・ディゴリーとかいろいろ？」

シェーマスは怖さと知りたさが入りまじった言い方をした。ディーンはかがんでトランクからスリッパを出そうとしていたが、そのまま奇妙に動かなくなった。耳を澄ましていることがハリーにはわかった。

「どうして僕に聞くんだ？」ハリーが言い返した。「『日刊予言者新聞』を読めばいい。君の母親みたいに。読めよ。知りたいことが全部書いてあるぜ」

「僕の母の悪口を言うな」シェーマスがつっかかった。

「僕をうそつき呼ばわりするなら、誰だって批判してやる」ハリーが言った。

「そんな口のききかたするな！」

「好きなように口をきくさ」ハリーは急に気が立ってきて、ベッド脇のテーブルから杖をパッと取った。「僕と一緒の寝室で困るなら、マクゴナガルに頼めよ。変えてほしいって言えばいい……ママが心配しないように――」

「僕の母親のことはほっといてくれ、ポッター！」

「なんだ、なんだ？」

ロンが戸口に現れ、目を丸くして、ハリーを、そしてシェーマスを見た。ハリーはベッドにひざ立ちし、杖をシェーマスに向けていた。シェーマスは拳を振り上げて立っていた。

「こいつ、僕の母親の悪口を言った」シェーマスが叫んだ。

「えっ？」ロンが言った。「ハリーがそんなことするはずないよ――僕たち、君の母さんに会ってるし、好きだし……」

「それは、くされ新聞の『日刊予言者新聞』が僕について書くことを、あの人が一から十まで信じる前だ！」ハリーが声を張り上げた。

「ああ」ロンのそばかすだらけの顔が、わかったという表情になった。「ああ……そうか」

「いいか？」シェーマスがカンカンになって、ハリーを憎々しげに見た。「そいつの言うとおりだ。僕はもうそいつと同じ寝室にいたくない。そいつは狂ってる」

「シェーマス、そいつは言いすぎだぜ」ロンが言った。両耳が真っ赤になってきた――いつもの危険信号だ。

「言いすぎ？　僕が？」シェーマスはロンと反対に青くなりながら叫んだ。「こいつが『例のあの人』に関してつまらないことを並べ立ててるのを、君は信じてるってわけか？　ほんとのことを言ってると思うのか？」

「ああ、そう思う！」ロンが怒った。

「それじゃ、君も狂ってる」シェーマスが吐きすてるように言った。

「そうかな？　さあ、君にとっては不幸なことだがね、おい、僕は監督生でもあるんだぞ！」ロンは胸をぐっと指差した。「だから、罰則を食らいたくなかったら口を慎め！」

一瞬、シェーマスは、言いたいことを吐き出せるなら、罰則だってお安いご用だという顔をした。しかし、軽蔑したような音を出したきり、背を向けてベッドに飛び込み、周りのカーテンを思いきり引いた。乱暴に引いたので、カーテンが破れ、ほこりっぽい塊になって床に落ちた。ロンはシェーマスをにらみつけ、それからディーンとネビルを見た。

「ほかに、ハリーのことをごちゃごちゃ言ってる親はいるか？」ロンが挑んだ。

「おい、おい、僕の親はマグルだぜ」ディーンが肩をすくめた。「ホグワーツで誰が死のうが、僕の親は知らないし、僕は教えてやるほどバカじゃないからな」

「君は僕の母を知らないんだ。誰からでもなんでもするする聞き出す人なんだぞ！」シェーマスが食ってかかった。「どうせ、君の両親は『日刊予言者新聞』を取ってないんだろう。校長がウィゼンガモットを解任され、国際魔法使い連盟から除名されたことも知らないだろう。まともじゃなくなったからなんだ——」

「僕のばあちゃんは、それデタラメだって言った」ネビルがしゃべりだした。「ばあちゃんは、『日刊予言者新聞』こそおかしくなってるって。ダンブルドアじゃないって。ばあちゃんは購読をやめたよ。僕たちハリーを信じてる」ネビルは単純に言いきった。

ネビルはベッドによじ登り、毛布をあごまで引っ張り上げ、その上からくそまじめな顔でシェーマスを見た。

「ばあちゃんは、『例のあの人』は必ずいつか戻ってくるって、いつも言ってた。ダンブルドアがそう言ったのなら、戻ってきたんだって、ばあちゃんがそう言ってるよ」

ハリーはネビルに対する感謝の気持ちが一時にあふれてきた。もう誰も何も言わなかった。シェーマスは杖を取り出し、ベッドのカーテンを直し、その陰に消えた。ディーンはベッドに入り、むこうを向いてだまりこくった。ネビルも、もう何も言うことはなくなったらしく、月明かりに照らされた妙なサボテンを愛しそうに見つめていた。

ハリーは枕に寄りかかった。ロンは隣のベッドの周りをガサゴソ片づけていた。仲のよかったシェーマスと言い争ったことで、ハリーは動揺していた。自分がうそをついている、ネジがはずれていると、あと何人から聞かされることになるんだろう？

ダンブルドアはこの夏中、こんな思いをしたのだろうか？　最初はウィゼンガモット、次は国際魔法使い連盟の役職から追放されて……。何か月もハリーに連絡してこなかったのは、ダンブルドアがハリーに腹を立てたからなのだろうか？　結局、二人は一蓮托生（いちれんたくしょう）だった。ダンブルドアはハリーを信じ、学校中にハリーの話を伝えたし、魔法界により広く伝えた。ハリーをうそつき呼ばわりする者は、ダンブルドアをもそう呼ぶことになる。そうでなければ、ダンブルドアがずっとハリーにだまされてきたと言うだろう……。

ロンがベッドに入り、寝室の最後のろうそくが消えた。僕たちが正しいことは、必ずわかるはずだ、とハリーはみじめな気持ちで考えた。しかし、その時が来るまで、ハリーはいったいあと何回、シェーマスから受けたのと同じような攻撃に耐えなければならないのだろう。

第12章　アンブリッジ先生

翌朝、シェーマスは超スピードでローブを着て、ハリーがまだソックスもはかないうちに寝室を出ていった。

「あいつ、長時間僕と一緒の部屋にいると、自分も気が狂うと思ってるのかな？」

シェーマスのローブのすそが見えなくなったとたん、ハリーが大声で言った。

「気にするな、ハリー」ディーンが鞄を肩に放り上げながらつぶやいた。「あいつはただ……」

ディーンは、シェーマスがただなんなのか、はっきり言うことはできなかったようだ。一瞬気まずい沈黙の後、ディーンもシェーマスに続いて寝室を出た。

ネビルとロンが、ハリーに、「君が悪いんじゃない。あいつが悪い」という目配せをしたが、ハリーにはあまりなぐさめにはならなかった。こんなことにいつまで耐えなければならないんだ？

「どうしたの？」

五分後、朝食に向かう途中、談話室を半分横切ったあたりで、ハリーとロンに追いついたハーマイオニーが聞いた。

「二人とも、その顔はまるで――ああ、なんてことを」

ハーマイオニーは談話室の掲示板を見つめた。新しい大きな貼り紙が出ていた。

ガリオン金貨がっぽり！

こづかいが支出に追いつかない？　ちょっと小金をかせぎたい？

グリフィンドールの談話室で、フレッドとジョージのウィーズリー兄弟にご連絡を。

簡単なパート・タイム。ほとんど骨折りなし。

（お気の毒ですが、仕事は応募者の危険負担にて行われます）


「これはもうやりすぎよ」

ハーマイオニーは、厳しい顔でフレッドとジョージが貼り出した掲示をはがした。その下のポスターには今学期初めての、週末のホグズミード行きが掲示されていて、十月になっていた。

「あの二人に一言、言わないといけないわ、ロン」

ロンは大仰天した。

「どうして？」

「私たちが監督生だから！」肖像画の穴をくぐりながらハーマイオニーが言った。「こういうことをやめさせるのが私たちの役目です！」

ロンは何も言わなかった。フレッドとジョージがまさにやりたいようにやっているのに、止めるのは気が進まない——ロンの不機嫌な顔は、ハリーにはそう読めた。

「それはそうと、ハリー、どうしたの？」

ハーマイオニーが話し続けた。三人は老魔法使いや老魔女の肖像画が並ぶ階段を下りていった。肖像画は自分たちの話に夢中で、三人には目もくれなかった。

「何かにとっても腹を立ててるみたいよ」

「シェーマスが、『例の人』のことで、ハリーがうそをついてると思ってるんだ」

ハリーがだまっているので、ロンが簡潔に答えた。

ハーマイオニーが自分のかわりに怒ってくれるだろうと、ハリーは期待していたが、ため息が返ってきた。

「ええ、ラベンダーもそう思ってるのよ」ハーマイオニーが憂鬱そうに言った。

「僕がうそつきで目立ちたがり屋のまぬけかどうか、ラベンダーと楽しくおしゃべりしたんだろう？」

ハリーが大声で言った。

「ちがうわ」ハーマイオニーが落ち着いて言った。「ハリーについては、あんたのおせっかいな大口を閉じろって、私はそう言ってやったわ。ハリー、私たちにカリカリするのは、お願いだから、やめてくれないかしら。だって、もし気づいてないなら言いますけどね、ロンも私もあなたの味方なのよ」

一瞬、間があいた。

「ごめん」ハリーが小さな声で言った。

「いいのよ」ハーマイオニーが威厳のある声で言った。それから、ハーマイオニーは首を振った。「学年度末の宴会で、ダンブルドアが言ったことを覚えていないの？」

ハリーとロンはポカンとしてハーマイオニーを見た。ハーマイオニーはまたため息をついた。

「『例のあの人』のことで、ダンブルドアはこうおっしゃったわ。『不和と敵対感情を蔓延させる能力にたけておる。それと戦うには、同じぐらい強い友情と信頼の絆を示すしかない――』」

「君、どうしてそんなこと覚えていられるの？」ロンは称賛のまなざしでハーマイオニーを見た。

「ロン、私は聴いてるのよ」ハーマイオニーは少し引っかかる言い方をした。

「僕だって聞いてるよ。それでも僕は、ちゃんと覚えてなくて――」

「要するに」ハーマイオニーは声を張り上げて主張を続けた。「こういうことが、ダンブルドアがおっしゃったことそのものなのよ。『例のあの人』が戻ってきてまだ二か月なのに、もう私たちは仲間内で争いはじめている。組分け帽子の警告も同じよ。団結せよ、内側を強くせよ――」

「だけどハリーは昨夜いみじくも言ったぜ」ロンが反論した。「スリザリンと仲よくなれっていうなら――**無理だね**」

「寮同士の団結にもう少し努力しないのは残念だわ」ハーマイオニーが辛辣に言った。

三人は大理石の階段の下にたどり着いた。四年生のレイブンクロー生が一列になって玄関ホールを通りかかり、ハリーを見つけると群れを固めた。群れを離れるとハリーに襲われると恐れているかのようだった。

「そうだとも。まさに、あんな連中と仲よくするように努めるべきだな」ハリーが皮肉った。

三人はレイブンクロー生のあとから大広間に入ったが、自然に教職員テーブルのほうに目が行ってしまった。グラブリー‐プランク先生が、天文学のシニストラ先生としゃべっていた。ハグリッドは、いないことでかえって目立っていた。魔法のかかった天井はハリーの気分を映して、みじめな灰色の雨雲だった。

「ダンブルドアは、グラブリー‐プランクがどのくらいの期間いるのかさえ言わなかった」

グリフィンドールのテーブルに向かいながら、ハリーが言った。

「たぶん……」ハーマイオニーが考え深げに言った。

「なんだい？」ハリーとロンが同時に聞いた。

「うーん……たぶんハグリッドがここにいないということに、あんまり注意を向けたくなかったんじゃないかな」

ろ？」

「注意を向けないって、どういうこと？」ロンが半分笑いながら言った。「気づかないほうが無理だ

ハーマイオニーが反論する前に、ドレッドヘアの髪を長く垂らした背の高い黒人の女性が、つかつかとハリーに近づいてきた。

「やあ、アンジェリーナ」

「やあ、休みはどうだった？」アンジェリーナがきびきびと挨拶し、答えも待たずに言葉を続けた。「あのさ、私、グリフィンドール・クィディッチ・チームのキャプテンになったんだ」

「そりゃいいや」

ハリーがニッコリした。アンジェリーナの試合前演説は、オリバー・ウッドほど長ったらしくないだろうと思った。それは、一つの改善点と言える。

「うん。それで、オリバーがもういないから、新しいキーパーがいるんだ。金曜の五時に選抜するから、チーム全員に来てほしい。いい？　そうすれば、新人がチームにうまくはまるかどうかがわかるし」

「オーケー」ハリーが答えた。

アンジェリーナはニッコリして歩き去った。

「ウッドがいなくなったこと、忘れてたわ」

ロンの脇に腰かけ、トーストの皿を引き寄せながら、ハーマイオニーがなんとなく言った。

「チームにとってはずいぶん大きなちがいよね？」

「たぶんね」ハリーは反対側に座りながら言った。「いいキーパーだったから……」

「だけど、新しい血を入れるのも悪くないじゃん？」ロンが言った。

シューッ、カタカタという音とともに、何百というふくろうが上の窓から舞い込んできた。ふくろう

は大広間のいたる所に降り、手紙や小包を宛先人に届け、朝食をとっている生徒たちにたっぷり水滴を浴びせた。外はまちがいなく大雨だ。ヘドウィグは見当たらなかったが、ハリーは驚きもしなかった。連絡してくるのはシリウスだけだし、まだ二十四時間しかたっていないのに、シリウスから新しい知らせがあるとは思えない。ところがハーマイオニーは、急いでオレンジジュースを脇に置き、湿った大きなメンフクロウに道をあけた。くちばしにグショッとした「日刊予言者新聞」をくわえている。

「なんのためにまだ読んでるの？」

シェーマスのことを思い出し、ハリーがいらいらと聞いた。ハーマイオニーがふくろうの脚についた革袋に一クヌートを入れると、ふくろうは再び飛び去った。

「僕はもう読まない……クズばっかりだ」

「敵が何を言ってるのか、知っておいたほうがいいわ」

ハーマイオニーは暗い声でそう言うと、新聞を広げて顔を隠し、ハリーとロンが食べ終えるまで顔を現さなかった。

「何もない」新聞を丸めて自分の皿の脇に置きながら、ハーマイオニーが短く言った。「あなたのこともダンブルドアのことも、ゼロ」

今度はマクゴナガル先生がテーブルを回り、時間割を渡していた。

「見ろよ、今日のを！」ロンがうめいた。「魔法史、魔法薬学が二時限続き、占い学、二時限続きの『闇の魔術防衛』……ビンズ、スネイプ、トレローニー、それにあのアンブリッジばばぁ。これ全部、一日でだぜ！　フレッドとジョージが急いで『ずる休みスナックボックス』を完成してくれりゃなあ……」

「わが耳は聞きちがいしや？」フレッドが現れて、ジョージと一緒にハリーの横に無理やり割り込んだ。

「ホグワーツの監督生が、よもやずる休みしたいなど思わないだろうな?」

「今日の予定を見ろよ」ロンがフレッドの鼻先に時間割を突きつけて、不平たらたら言った。

「こんな最悪の月曜日は初めてだ」

「もっともだ、弟よ」月曜の欄を見て、フレッドが言った。「よかったら『鼻血ヌルヌル・ヌガー』を安くしとくぜ」

「どうして安いんだ?」ロンが疑わしげに聞いた。

「なぜなればだ、体がしなびるまで鼻血が止まらない。まだ解毒剤がない」ジョージがニシンの燻製を取りながら言った。

「ありがとよ」ロンが時間割をポケットに入れながら憂鬱そうに言った。「だけど、やっぱり授業に出ることにするよ」

「ところで『ずる休みスナックボックス』のことだけど」ハーマイオニーがフレッドとジョージを見抜くような目つきで見た。「実験台求むの広告をグリフィンドールの掲示板に出すことはできないわよ」

「誰が言った?」ジョージがあぜんとして聞いた。

「私が言いました」ハーマイオニーが答えた。「それに、ロンが」

「僕は抜かして」ロンがあわてて言った。

ハーマイオニーがロンをにらみつけた。フレッドとジョージがニヤニヤ笑った。

「君もそのうち調子が変わってくるぜ、ハーマイオニー」

クランペットにたっぷりバターを塗りながら、フレッドが言った。

「五年目が始まる。まもなく君は、スナックボックスをくれと、僕たちに泣きつくであろう」

「おうかがいしますが、なぜ五年目だと『ずる休みスナックボックス』なんでしょう?」

「五年目は『O・W・L(ふくろう)』、つまり『普通魔法使いレベル試験』の年である」

「それで？」

「それで君たちにはテストが控えているのである。先生たちは君たちの神経をすり減らして赤むけにする」フレッドが満足そうに言った。

「俺たちの学年じゃ、O・W・Lが近づくと、半数が軽い神経衰弱を起こしたぜ」ジョージがうれしそうに言った。「泣いたりかんしゃくを起こしたり……パトリシア・スティンプソンなんか、しょっちゅう気絶しかかったな……」

「ケネス・タウラーは吹き出物だらけでさ。覚えてるか？」フレッドは思い出を楽しむように言った。

「あれは、おまえがやつのパジャマに球痘粉(きゅうとうこ)を仕掛けたからだぞ」ジョージが言った。

「ああ、そうだ」フレッドがニヤリとした。「忘れてた……なかなか全部は覚えてられないもんだ」

「とにかくだ、この一年は悪夢だぞ。五年生は」ジョージが言った。「テストの結果を気にするならばだがね。フレッドも俺もなぜかずっと元気だったけどな」

「ああ……二人の点数は、確か、三科目合格で二人とも3O・W・Lだっけ？」ロンが言った。

「当たり」フレッドはどうでもいいという言い方だった。「しかし、俺たちの将来は、学業成績とはちがう世界にあるのだ」

「七年目に学校に戻るべきかどうか、二人で真剣に討議したよ」ジョージがほがらかに言った。

「何しろすでに――」

ハリーが目配せしたのでジョージが口をつぐんだ。ハリーは自分が二人にやった三校対抗試合の賞金のことを言うだろうと思ったのだ。

「何しろすでにO・W・Lも終わっちまったしな」ジョージが急いで言い換えた。「つまり、『めちゃめちゃつかれる魔法テスト』の『N・E・W・T』なんか、ほんとに必要か？　しかし、俺たちが中途退学したら、おふくろがきっと耐えられないだろうと思ってさ。パーシーのやつが世界一のバカをやったあとだしな」

「しかし、最後の年を、俺たちはむだにするつもりはない」大広間を愛しげに見回しながら、フレッドが言った。「少し市場調査をするのに使う。平均的ホグワーツ生は、いたずら専門店に何を求めるかを調査し、慎重に結果を分析し、需要に合った製品を作る」

「だけど、いたずら専門店を始める資金はどこで手に入れるつもり？」ハーマイオニーが疑わしげに聞いた。「材料がいろいろ必要になるでしょうし――それに、店舗だって必要だと思うけど……」

ハリーは双子の顔を見なかった。顔が熱くなって、わざとフォークを落とし、拾うのに下にもぐった。

フレッドの声が聞こえてきた。

「ハーマイオニー、質問するなかれ、さすれば我々はうそをつかぬであろう。来いよ、ジョージ。早く行けば、薬草学の前に『伸び耳』の二、三個も売れるかもしれないぜ」

ハリーがテーブル下から現れると、フレッドとジョージがそれぞれトーストの山を抱えて歩き去るのが見えた。

「なんのことかしら？」ハーマイオニーがハリーとロンの顔を見た。「『質問するなかれ』って……いたずら専門店を開く資金を、もう手に入れたってこと？」

「あのさ、僕もそのこと考えてたんだ」ロンが額にしわを寄せた。「夏休みに僕に新しいドレスローブを買ってくれたんだけど、いったいどこでガリオンを手に入れたかわかんなかった……」

ハリーは話題を危険水域からそらせる時が来たと思った。

「今年はとってもきついっていうのはほんとかな？　試験のせいで？」

「ああ、そうだな」ロンが言った。「そのはずだろ？ O・W・Lって、どんな仕事に応募するかとかいろいろ影響するから、とっても大事さ。今学年の後半には進路指導もあるって、ビルが言ってた。相談して、来年どういう種類のN・E・W・Tを受けるかを選ぶんだ」

「ホグワーツを出たら何をしたいか、決めてる？」

それからしばらくして魔法史の授業に向かうのに大広間を出て、ハリーが二人に聞いた。

「いやあ、まだ」ロンが考えながら言った。「ただ……うーん……」

ロンは少し弱気になった。

「なんだい？」ハリーがうながした。

「うーん、闇祓い(やみばらい)なんか、かっこいい」ロンはほんの思いつきだという言い方をした。

「うん、そうだよな」ハリーが熱を込めて言った。

「だけど、あの人たちって、ほら、エリートじゃないか」ロンが言った。「うんと優秀じゃなきゃ。ハーマイオニー、君は？」

「わからない」ハーマイオニーが答えた。「何かほんとうに価値のあることがしたいと思うの」

「闇祓いは価値があるよ！」ハリーが言った。

「ええ、そうね。でもそれだけが価値のあるものじゃない」ハーマイオニーが思慮深く言った。「つまり、屋敷しもべ妖精福祉振興協会をもっと推進できたら……」

ハリーとロンは慎重に、互いに顔を見ないようにした。

魔法史は魔法界が考え出した最もつまらない学科である、というのが衆目の一致するところだった。ゴーストであるビンズ先生は、ゼイゼイ声で唸(うな)るように単調な講義をするので、十分で強い眠気をもよおすこと請け合いだし、暑い日には五分で確実だ。先生はけっして授業の形を変えず、切れ目なしに講義し、その間生徒はノートを取る、というより、眠そうにぼうっと宙を見つめている。ハリーとロンはこれまで落第すれすれでこの科目を取ってきたが、それは試験の前にハーマイオニーがノートを写させてくれたからだ。ハーマイオニーだけが、ビンズ先生の催眠力に抵抗できるようだった。

今日は巨人の戦争について、四十五分の単調な唸りに苦しんだ。最初の十分間だけ聞いて、ハリーはぼんやりと、この内容は、ほかの先生の手にかかれば、少しはおもしろいかもしれないということだけはわかった。しかし、そのあと、脳みそがついていかなくなった。残りの三十五分は、ロンと二人で羊皮紙の端にいたずら書きして遊んだ。ハーマイオニーは、ときどき思いっきり非難がましく横目で二人をにらんだ。

「こういうのはいかが？」授業が終わって休憩に入るとき（ビンズ先生は黒板を通り抜けていなくなった）、ハーマイオニーが冷たく言った。「今年はノートを貸してあげないっていうのは？」

「僕たち、O・W・Lに落ちるよ」ロンが言った。「それでも君の良心が痛まないなら、ハーマイオニー……」

「あら、いい気味よ」ハーマイオニーがピシャリと言った。「聞こうと努力もしないでしょう」

「してるよ」ロンが言った。「僕たちには君みたいな頭も、記憶力も、集中力もないだけさ――君は僕たちより頭がいいんだ――僕たちに思い知らせて、さぞいい気分だろ？」

「まあ、バカなこと言わないでちょうだい」

そう言いながらも、湿った中庭へと二人の先に立って歩いていくハーマイオニーは、とげとげしさが少しやわらいだように見えた。

細かい霧雨が降っていた。中庭に固まって立っている人影の、輪郭がぼやけて見えた。ハリー、ロン、ハーマイオニーはバルコニーから激しく雨だれが落ちてくる下で、ほかから離れた一角を選んだ。冷たい九月の風に、ローブの襟を立てながら、三人は、スネイプが今学期最初にどんな課題を出すだろうかと話し合った。二か月の休みで生徒がゆるんでいるところを襲うという目的だけでも、何か極端に難しいものを出すだろうということまでは意見が一致した。その時、誰かが角を曲がってこちらにやってきた。

「こんにちは、ハリー！」

チョウ・チャンだった。しかもめずらしいことに、今度もたった一人だ。チョウはほとんどいつもクスクス笑いの女の子の集団に囲まれている。クリスマス・パーティに誘おうとして、なんとかチョウ一人のときをとらえようと苦しんだことを、ハリーは思い出した。

「やあ」ハリーは顔がほてるのを感じた。**少なくとも今度は、『臭液』をかぶってはいない**、とハリーは自分に言い聞かせた。チョウも同じことを考えていたらしい。

「それじゃ、あれは取れたのね？」

「うん」ハリーは、この前の出会いが苦痛ではなく滑稽な思い出でもあるかのように、ニヤッと笑おうとした。「それじゃ、君は……えー……いい休みだった？」

言ってしまったとたん、ハリーは言わなきゃよかったと思った――セドリックはチョウのボーイフレンドだったし、その死という思い出は、ハリーにとってもそうだったが、チョウの夏休みに暗い影を落としたにちがいない。チョウの顔に何か張りつめたものが走ったが、チョウの答えは「ええ、まあまあよ……」だった。

「それ、トルネードーズのバッジ？」

ロンがチョウのローブの胸を指差して、唐突に聞いた。金の頭文字「T」が二つ並んだ紋章の、空色のバッジがとめてあった。

「ファンじゃないんだろう？」

「ファンよ」チョウが言った。

「ずっとファンだった？　それともリーグ戦に勝つようになってから？」

ロンの声には、不必要に非難がましい調子がこもっている、とハリーは思った。

「六歳のときからファンよ」チョウが冷ややかに言った。「それじゃ……またね、ハリー」

チョウは行ってしまった。ハーマイオニーはチョウが中庭の中ほどに行くまで待って、それからロンに向きなおった。

「気のきかない人ね！」

「えっ？　僕はただチョウに――」

「チョウがハリーと二人っきりで話したかったのがわからないの？」

「それがどうした？　そうすりゃよかったじゃないか。僕が止めたわけじゃ――」

「いったいどうして、チョウのクィディッチ・チームを攻撃したりしたの？」

「攻撃？　僕、攻撃なんかしないよ。ただ――」

「チョウがトルネードーズをひいきにしようがどうしようが**勝手でしょ**？」

「おい、おい、しっかりしろよ。あのバッジをつけてるやつらの半分は、この前のシーズン中にバッジを買ったんだぜ――」

「だけど、そんなこと**関係ない**でしょう？」

「ほんとうのファンじゃないってことさ。流行に乗ってるだけで――」

「授業開始のベルだよ」

ロンとハーマイオニーが、ベルの音が聞こえないほど大声で言い争っていたので、ハリーはうんざりして言った。二人がスネイプの地下牢教室に着くまでずっと議論をやめなかったおかげで、ハリーはたっぷり考え込む時間があった――ネビルやロンと一緒にいるかぎり、チョウと一分でもまともな会話ができたら奇跡だ。いままでの会話を思い出すと、どこかに逃げ出したくなる。

スネイプの教室の前に並びながら、しかし――とハリーは考えた――チョウはハリーと話すためにわざわざ近づいてきたのではないだろうか？　チョウはセドリックのガールフレンドだった。セドリックが死んだのに、ハリーのほうは三校対抗試合の迷路から生きて戻ってきた。チョウに憎まれてもおかしくない。それなのに、チョウはハリーに親しげに話しかけた。ハリーが狂っているとか、うそつきだとか、恐ろしいことにセドリックの死に責任があるなどとは考えていないようだ……。そうだ、チョウはわざわざ僕に話しにきた。二日のうちに二回も……。そう思うと、ハリーはうきうきした。スネイプの地下牢教室の戸がギーッと開く不吉な音でさえ、胸の中でふくれた小さな希望の風船を破裂させはしなかった。ハリーはロンとハーマイオニーに続いて教室に入り、いつものように三人で後方の席に着き、二人から出てくるぷりぷり、いらいらの騒音を無視した。

「静まれ」スネイプは戸を閉め、冷たく言った。

静粛に、と言う必要はなかった。戸が閉まる音を聞いたとたん、教室はしんとなり、そわそわもやんだ。たいていスネイプがいるだけで、クラスが静かになること請け合いだ。

「本日の授業を始める前に」スネイプはマントをひるがえして教壇に立ち、全員をじろりと見た。「忘れぬようはっきり言っておこう。来る六月、諸君は重要な試験に臨む。そこで魔法薬の成分、使用法につき諸君がどれほど学んだかが試される。このクラスの何人かは確かに愚鈍であるが、我輩は諸君にせいぜいO・W・L合格すれすれの『可』を期待する。さもなくば我輩の……不興をこうむる」

スネイプのじろりが今度はネビルをねめつけた。ネビルがゴクッとつばを飲んだ。

「言うまでもなく、来年から何人かは我輩の授業を去ることになろう」スネイプは言葉を続けた。「我輩は、最も優秀なる者にしかN・E・W・Tレベルの『魔法薬』の受講を許さぬ。つまり、何人かは必ずや別れを告げるということだ」

スネイプの目がハリーを見すえ、薄ら笑いを浮かべた。五年目が終わったら、魔法薬をやめられると思うと、ゾクッとするような喜びを感じながら、ハリーもにらみ返した。

「しかしながら、幸福な別れの時までに、まだ一年ある」スネイプが低い声で言った。「であるから、N・E・W・Tテストに挑戦するつもりか否かは別として、我輩が教える学生には、高いO・W・L合格率を期待する。そのために全員努力を傾注せよ」

「今日は、普通魔法使いレベル試験にしばしば出てくる魔法薬の調合をする。『安らぎの水薬』。不安をしずめ、動揺をやわらげる。注意事項。成分が強すぎると、飲んだ者は深い眠りに落ち、時にはそのままとなる。故に、調合には細心の注意を払いたまえ」

ハリーの左側で、ハーマイオニーが背筋を正し、細心の注意そのものの表情をしている。

「成分と調合法は――」スネイプが杖(つえ)を振った。「――黒板にある――」(黒板に現れた)「――必要な材料はすべて――」スネイプがもう一度杖を振った。「――薬棚にある――」(その薬棚がパッと開いた)「――一時間半ある……始めたまえ」

ハリー、ロン、ハーマイオニーが予測したとおり、スネイプの課題は、これ以上七面倒くさいやっかいな薬はあるまいというものだった。材料は正確な量を正確な順序で大鍋に入れなければならなかった。混合液は正確な回数かき回さなければならない。初めは右回り、それから左回りだ。ぐつぐつ煮込んで、最後の材料を加える前に、炎の温度をきっちり定められたレベルに下げ、定められた何分かその温度を保つのだ。

「薬から軽い銀色の湯気が立ち昇っているはずだ」

あと十分というときに、スネイプが告げた。

ハリーは汗びっしょりになっていて、絶望的な目で地下牢教室を見回した。ハリーの大鍋からは灰黒色の湯気がもうもうと立ち昇っていた。ロンのは緑の火花が上がり、シェーマスは、鍋底の消えかかった火を、必死に杖でかき起こしていた。しかし、ハーマイオニーの液体からは、軽い銀色の湯気がゆらゆらと立ち昇っていた。スネイプがそばをサッと通り過ぎ、鉤鼻の上から見下ろしたが、何も言わなかった。文句のつけようがなかったのだ。

しかし、ハリーの大鍋の所で立ち止まったスネイプは、ぞっとするような薄ら笑いを浮かべて見下ろした。

「ポッター、これはなんのつもりだ？」

教室の前のほうにいるスリザリン生が、それっといっせいに振り返った。スネイプがハリーをあざけるのを聞くのが大好きなのだ。

「『安らぎの水薬』」ハリーはかたくなに答えた。

「教えてくれ、ポッター」スネイプが猫なで声で言った。「字が読めるのか？」

ドラコ・マルフォイが笑った。

「読めます」ハリーの指が、杖をギュッと握りしめた。

「ポッター、調合法の三行目を読んでくれたまえ」

ハリーは目を凝らして黒板を見た。いまや地下牢教室は色とりどりの湯気でかすみ、書かれた文字を判読するのは難しかった。

「月長石の粉を加え、右に三回攪拌し、七分間ぐつぐつ煮る。そのあと、バイアン草のエキスを二滴加える」

　ハリーはがっくりした。七分間のぐつぐつのあと、バイアン草のエキスを加えずに、すぐに四行目に移ったのだ。

「三行目をすべてやったか？　ポッター？」

「いいえ」ハリーは小声で言った。

「答えは？」

「いいえ」ハリーは少し大きな声で言った。「バイアン草を忘れました」

「そうだろう、ポッター。つまりこのごった煮は、まったく役に立たない。**エバネスコ、消えよ**」

　ハリーの液体が消え去った。残されたハリーは、からっぽの大鍋のそばにばかみたいに突っ立っていた。

「課題をなんとか読むことが**できた**者は、自分の作った薬のサンプルを細口瓶に入れ、名前をはっきり書いたラベルを貼り、我輩がテストできるよう、教壇の机に提出したまえ」スネイプが言った。「宿題。羊皮紙三十センチに、月長石の特性と、魔法薬調合に関するその用途を述べよ。木曜に提出」

　みんなが細口瓶を詰めているとき、ハリーは煮えくり返る思いで片づけをしていた。僕の薬は、くさった卵のような臭気を発しているロンのといい勝負だ。ネビルのだって、混合したてのセメントぐらいに硬くて、ネビルが鍋底からこそげ落としているじゃないか。それなのに、今日の課題で零点をつけられるのはハリーだけだ。ハリーは杖を鞄にしまい、椅子にドサッと腰かけて、みんながスネイプの机にコルク栓をした瓶を提出しにいくのを眺めていた。

　やっと終業のベルが鳴り、ハリーは真っ先に地下牢を出た。ロンとハーマイオニーが追いついたときには、もう大広間で昼食を食べはじめていた。天井は今朝よりもどんよりとした灰色に変わっていた。

雨が高窓を打っている。

「ほんとに不公平だわ」

ハリーの隣に座り、シェパード・パイをよそいながら、ハーマイオニーがなぐさめた。

「あなたの魔法薬はゴイルのほどひどくなかったのに。ゴイルが自分のを瓶に詰めたとたんに、全部割れちゃって、ローブに火がついたわ」

「うん、でも」ハリーは自分の皿をにらみつけた。「スネイプが僕に公平だったことなんかあるか?」

二人とも答えなかった。三人とも、スネイプとハリーの間の敵意が、ハリーがホグワーツに一歩踏み入れたときから絶対的なものだったと知っていた。

「私、今年は少しよくなるんじゃないかと思ったんだけど」ハーマイオニーが失望したように言った。「だって……ほら……」ハーマイオニーは慎重にあたりを見回した。両脇に少なくとも六人分ぐらいの空きがあり、テーブルのそばを通りかかる者もいない。「……スネイプは騎士団員だし」

「毒キノコはくさっても毒キノコ」ロンが偉そうに言った。「スネイプを信用するなんて、ダンブルドアはどうかしてるって、僕はずっとそう思ってた。あいつが『例のあの人』のために働くのをやめたって証拠がどこにある?」

「あなたに教えてくれなくとも、ロン、ダンブルドアにはきっと充分な証拠があるのよ」ハーマイオニーが食ってかかった。

「あーあ、二人ともやめろよ」

ロンが言い返そうと口を開いたとき、ハリーが重苦しい声を出した。ロンもハーマイオニーも怒った顔のまま固まった。

「いいかげんにやめてくれないか?」ハリーが言った。「お互いに角突き合わせてばっかりだ。頭に来るよ」
食べかけのシェパード・パイをそのままに、ハリーは鞄を肩に引っかけ、二人を残してその場を離れた。

ハリーは大理石の階段を二段飛びで上がった。昼食に下りてくる大勢の生徒と行きちがいになった。自分でも思いがけずに爆発した怒りが、まだメラメラと燃えていた。ロンとハーマイオニーのショックを受けた顔が、ハリーには大満足だった。――**いい気味だ……なんでやめられないんだ……いつも悪口を言い合って……あれじゃ、誰だって頭にくる……**。

ハリーは踊り場にかかった大きな騎士の絵、カドガン卿（きょう）の絵の前を通った。カドガン卿が剣を抜き、ハリーに向かって激しく振り回したが、ハリーは無視した。

「戻れ、下賤（げせん）な犬め！　勇敢に戦え！」カドガン卿が、面頬に覆われてこもった声で、ハリーの背後から叫んだ。しかし、ハリーはかまわず歩き続けた。カドガン卿は隣の絵に駆け込んでハリーを追おうとしたが、絵の主の、怖い顔の大型ウルフハウンド犬にはねつけられた。

昼休みの残りの時間、ハリーは北塔のてっぺんの跳ね天井の下に一人で座っていた。おかげで始業ベルが鳴ったとき、真っ先に銀のはしごを登ってシビル・トレローニー先生の教室に入ることになった。

占い学は、魔法薬学の次にハリーの嫌いな学科だった。その主な理由は、トレローニー先生が授業中、数回に一回、ハリーが早死にすると予言するせいだ。針金のような先生は、ショールを何重にも巻きつけ、ビーズの飾りひもをキラキラさせ、めがねが目を何倍にも拡大して見せるので、ハリーはいつも大きな昆虫を想像してしまう。ハリーが教室に入ったとき、トレローニー先生は、使い古した革表紙の本を、部屋中に置かれた華奢（きゃしゃ）な小テーブルに配って歩くことに没頭していた。スカーフで覆ったランプも、むっとするような香料をたいた暖炉の火もほの暗かったので、先生は薄暗い所に座ったハリーに気づかないようだった。それから五分ほどの間にほかの生徒も到着した。ロンは跳ね戸から現れると、注意深くあたりを見回し、ハリーを見つけてまっすぐにやってきた。もっとも、テーブルや椅子や、パンパンにふくれた床置きクッションの間を縫いながらのまっすぐだったが。

「僕、ハーマイオニーと言い争うのはやめた」ハリーの脇に座りながら、ロンが言った。

「そりゃよかった」ハリーはぶすっと言った。

「だけど、ハーマイオニーが言うんだ。僕たちに八つ当たりするのはやめてほしいって」ロンが言った。

「僕は何も――」

「伝言しただけさ」ロンがハリーの言葉をさえぎった。「だけど、ハーマイオニーの言うとおりだと思う。シェーマスやスネイプが君をあんなふうに扱うのは、僕たちのせいじゃない」

「そんなことは言って――」

「こんにちは」トレローニー先生が、例の夢見るような霧の彼方の声で挨拶したので、ハリーは口を閉じた。またしても、いらいらと落ち着かず、自分を恥じる気持ちにかられた。

「占い学の授業にようこそ。あたくし、もちろん、休暇中のみなさまの運命は、ずっと見ておりましたけれど、こうして無事ホグワーツに戻っていらして、うれしゅうございますわ――そうなることは、あたくしにはわかっておりましたけれど」

「机に、イニゴ・イマゴの『夢のお告げ』の本が置いてございますね。夢の解釈は、未来を占う最も大切な方法の一つですし、たぶん、O・W・L試験にも出ることでしょう。もちろん、あたくし、占いという神聖な術に、試験の合否が大切だなどと、少しも考えてはおりませんの。みなさまが『心眼』をお持ちであれば、証書や成績はほとんど関係ございません。でも、校長先生がみなさまに試験を受けさせたいとのお考えでございます。それで……」

先生の声が微妙に細くなっていった。自分の学科が、試験などという卑しいものを超越していると考えていることが、誰にもはっきりわかるような調子だ。

「どうぞ、序章を開いて、イマゴが夢の解釈について書いていることをお読みあそばせ。それから二人ずつ組み、お互いの最近の夢について、『夢のお告げ』を使って解釈なさいまし。どうぞ」

この授業のいいことは、二時限続きではないことだ。全員が序章を読み終わったときには、夢の解釈をする時間が十分と残っていなかった。ハリーとロンのテーブルの隣では、ディーンがネビルと組み、ネビルは早速、悪夢の長々しい説明を始めた。ばあちゃんの一張羅の帽子をかぶった巨大なはさみが登場する。ハリーとロンは顔を見合わせてふさぎ込んだ。

「僕、夢なんか覚えてたことないよ」ロンが言った。「君が言えよ」

「一つぐらい覚えてるだろう」ハリーがいらいらと言った。

自分の夢は絶対誰にも言うまい。いつも見る墓場の悪夢の意味は、ハリーにはよくわかっている。ロンにもトレローニー先生にも、ばかげた『夢のお告げ』にも教えてもらう必要はない。

「えーと、この間、クィディッチをしてる夢を見た」

ロンが、思い出そうと顔をしかめながら言った。

「それって、どういう意味だと思う?」

ハリーは『夢のお告げ』をつまらなそうにめくりながら答えた。

「たぶん、巨大なマシュマロに食われるとかなんとかだろ」

『お告げ』の中から夢のかけらを探し出すのは、たいくつな作業だった。トレローニー先生が、一か月間「夢日記」をつけるという宿題を出したのも、ハリーの気持ちを落ち込ませた。ベルが鳴り、ハリーとロンは先に立ってはしごを下りた。ロンが大声で不平を言った。

「もうどれくらい宿題が出たと思う？　ビンズは『巨人の戦争』で五十センチのレポート、スネイプは『月長石の用途』で三十センチ、その上今度はトレローニーの『夢日記』一か月ときた。フレッドとジョージはO・W・Lの年についてまちがってなかったよな？　あのアンブリッジばばぁがなんにも宿題出さなきゃいいが……」

「闇の魔術に対する防衛術」の教室に入っていくと、アンブリッジ先生はもう教壇に座っていた。昨夜のふわふわのピンクのカーディガンを着て、頭のてっぺんに黒いビロードのリボンを結んでいる。またしてもハリーは、大きなハエが、愚かにも、さらに大きなガマガエルの上に止まっている姿を、いやでも想像した。

生徒は静かに教室に入った。アンブリッジ先生は未知数だった。この先生がどのくらい厳しいのか、誰もわからなかった。

「さあ、こんにちは！」

クラス全員が座ると、先生が挨拶した。

何人かが「こんにちは」とボソボソ挨拶を返した。

「チッチッ」アンブリッジ先生が舌を鳴らした。

「**それでは**いけませんねえ。みなさん、どうぞ、こんなふうに。『こんにちは、アンブリッジ先生』。もう一度いきますよ、はい、こんにちは、みなさん！」

「こんにちは、アンブリッジ先生」みんないっせいに挨拶を唱えた。

「そう、そう」アンブリッジ先生がやさしく言った。「難しくないでしょう？　杖をしまって、羽根ペンを出してくださいね」

大勢の生徒が暗い目を見交わした。杖をしまったあとの授業が、これまでおもしろかった例はない。

ハリーは杖を鞄に押し込み、羽根ペン、インク、羊皮紙を出した。アンブリッジ先生はハンドバッグを開け、自分の杖を取り出した。異常に短い杖だ。先生が杖で黒板を強くたたくと、たちまち文字が現れた。

闇の魔術に対する防衛術
基本に返れ

「さて、みなさん、この学科のこれまでの授業は、かなり乱れてバラバラでしたね。そうでしょう？」

アンブリッジ先生は両手を体の前できちんと組み、正面を向いた。

「先生がしょっちゅう変わって、しかも、その先生方の多くが魔法省指導要領に従っていなかったようです。その不幸な結果として、みなさんは、魔法省がO・W・L学年に期待するレベルをはるかに下回っています」

「しかし、ご安心なさい。こうした問題がこれからは是正されます。今年は、慎重に構築された理論中心の魔法省指導要領どおりの防衛術を学んでまいります。これを書き写してください」

先生はまた黒板をたたいた。最初の文字が消え、「授業の目的」という文章が現れた。

1、防衛術の基礎となる原理を理解すること
2、防衛術が合法的に行使される状況認識を学習すること
3、防衛術の行使を、実践的な枠組みに当てはめること

数分間、教室は羊皮紙に羽根ペンを走らせる音でいっぱいになった。全員がアンブリッジ先生の三つの目的を写し終えると、先生が聞いた。

「みなさん、ウィルバート・スリンクハードの『防衛術の理論』を持っていますか？」

持っていますと言うボソボソ声が、教室中から聞こえた。

「もう一度やりましょうね」アンブリッジ先生が言った。

「わたくしが質問したら、お答えはこうですよ。『はい、アンブリッジ先生』または、『いいえ、アンブリッジ先生』。では、みなさん、ウィルバート・スリンクハードの『防衛術の理論』を持っていますか？」

「はい、アンブリッジ先生」教室中がワーンと鳴った。

「よろしい」アンブリッジ先生が言った。

「では、五ページを開いてください。『第一章、初心者の基礎』。おしゃべりはしないこと」

アンブリッジ先生は黒板を離れ、教壇の先生用の机の椅子に陣取り、眼の下がたるんだガマガエルの目でクラスを観察した。ハリーは自分の教科書の五ページを開き、読みはじめた。

絶望的につまらなかった。ビンズ先生の授業を聞いているのと同じぐらいひどかった。集中力が抜け落ちていくのがわかった。同じ行を五、六回読んでも、最初の一言、二言しか頭に入らない。何分かの沈黙の時間が流れた。ハリーの隣で、ロンがぼうっとして、羽根ペンを指でくるくる回し、五ページの同じ所をずっと見つめている。右のほうを見たハリーは、驚いてまひ状態から覚めた。ハーマイオニーは『防衛術の理論』の教科書を開いてもいない。手を挙げ、アンブリッジ先生をじっと見つめていた。

ハーマイオニーが読めと言われて読まなかったことは、ハリーの記憶では一度もない。それどころか、目の前に本を出されて、開きたいという誘惑に抵抗したことなどない。ハリーは「どうしたの」という目を向けたが、ハーマイオニーは首をちょっと振って、質問に答えるどころではないのよ、と合図しただけだった。そしてアンブリッジ先生をじっと見つめ続けた。先生は同じぐらい頑固に、別な方向を見続けている。

それからまた数分がたつと、ハーマイオニーを見つめているのはハリーだけでなくなった。読みなさいと言われた第一章が、あまりにもたいくつだったし、「初心者の基礎」と格闘するよりは、アンブリッジ先生の目をとらえようとしているハーマイオニーの無言の行動を見ているほうがいいという生徒がだんだん増えてきた。

クラスの半数以上が、教科書よりハーマイオニーを見つめるようになると、アンブリッジ先生は、もはや状況を無視するわけにはいかないと判断したようだった。

「この章について、何か聞きたかったの？」先生は、たったいまハーマイオニーに気づいたかのように話しかけた。

「この章についてではありません。ちがいます」ハーマイオニーが言った。

「おやまあ、いまは読む時間よ」アンブリッジ先生はとがった小さな歯を見せた。「ほかの質問なら、授業が終わってからにしましょうね」

「授業の目的に質問があります」ハーマイオニーが言った。

アンブリッジ先生の眉が吊り上がった。

「あなたのお名前は？」

「ハーマイオニー・グレンジャーです」

「さあ、ミス・グレンジャー。ちゃんと全部読めば、授業の目的ははっきりしていると思いますよ」

アンブリッジ先生はわざとらしいやさしい声で言った。

「でも、わかりません」ハーマイオニーはぶっきらぼうに言った。「防衛呪文を**使うこと**に関しては何も書いてありません」

一瞬沈黙が流れ、生徒の多くが黒板のほうを向き、まだ書かれたままになっている三つの目的をしかめっ面で読んだ。

「防衛呪文を**使う？**」アンブリッジ先生はちょっと笑って言葉をくり返した。「まあ、まあ、ミス・グレンジャー。このクラスで、あなたが防衛呪文を使う必要があるような状況が起ころうとは、考えられませんけど？　まさか、授業中に襲われるなんて思ってはいないでしょう？」

「魔法を使わないの？」ロンが声を張り上げた。

「わたくしのクラスで発言したい生徒は、手を挙げること。ミスター――？」

「ウィーズリー」ロンが手を高く挙げた。

アンブリッジ先生は、ますますニッコリほほえみながら、ロンに背を向けた。ハリーとハーマイオニーがすぐに手を挙げた。アンブリッジ先生のぼってりした目が一瞬ハリーにとまったが、そのあとハーマイオニーの名を呼んだ。

「はい、ミス・グレンジャー？　何かほかに聞きたいの？」

「はい」ハーマイオニーが答えた。「『闇の魔術に対する防衛術』の真のねらいは、まちがいなく、防衛呪文の練習をすることではありませんか？」

「ミス・グレンジャー、あなたは、魔法省の訓練を受けた教育専門家ですか？」

アンブリッジ先生はやさしい作り声で聞いた。

「いいえ、でも――」

「さあ、それなら、残念ながら、あなたには、授業の『真のねらい』を決める資格はありませんね。あなたよりもっと年上の、もっと賢い魔法使いたちが、新しい指導要領を決めたのです。あなた方が防衛呪文について学ぶのは、安全で危険のない方法で――」

「そんなの、なんの役に立つ？」ハリーが大声を上げた。「もし僕たちが襲われるとしたら、そんな方法――」

「**挙手**、ミスター・ポッター！」アンブリッジ先生が歌うように言った。

ハリーは拳を宙に突き上げた。アンブリッジ先生は、またそっぽを向いた。しかし、今度はほかの何人かの手も挙がった。

「あなたのお名前は？」アンブリッジ先生がディーンに聞いた。

「ディーン・トーマス」

「それで？　ミスター・トーマス？」

「ええと、ハリーの言うとおりでしょう？」ディーンが言った。「もし僕たちが襲われるとしたら、『危険のない方法』なんかじゃない」

「もう一度言いましょう」アンブリッジ先生は、人をいらいらさせるような笑顔をディーンに向けた。「このクラスで襲われると思うのですか？」

「いいえ、でも――」

アンブリッジ先生はディーンの言葉を押さえ込むように言った。「この学校のやり方を批判したくはありませんが」先生の大口に、あいまいな笑いが浮かんだ。「しかし、あなた方は、これまで、大変無責任な魔法使いたちにさらされてきました。非常に無責任な――言うまでもなく」先生は意地悪くフフッと笑った。「非常に危険な半獣もいました」

「ルーピン先生のことを言っているのなら」ディーンの声が怒っていた。「いままでで最高の先生だった――」

「**挙手**、ミスター・トーマス！　いま言いかけていたように――みなさんは、年齢にふさわしくない複雑で不適切な呪文を――しかも命取りになりかねない呪文を――教えられてきました。恐怖にかられ、一日おきに闇の襲撃を受けるのではないかと信じ込むようになったのです――」

「そんなことはありません」ハーマイオニーが言った。「私たちはただ――」

「**手が挙がっていません、ミス・グレンジャー！**」

ハーマイオニーが手を挙げた。アンブリッジ先生がそっぽを向いた。

「わたくしの前任者は違法な呪文をみなさんの前でやって見せたばかりか、実際みなさんに呪文をかけたと理解しています」

「でも、あの先生は狂っていたと、あとでわかったでしょう？」ディーンが熱くなった。「だけど、ずいぶんいろいろ教えてくれた」

「**手が挙がっていません、ミスター・トーマス！**」アンブリッジ先生はかん高く声を震わせた。「さて、試験に合格するためには、理論的な知識で充分足りるというのが魔法省の見解です。結局学校というものは、試験に合格するためにあるのですから。それで、あなたのお名前は？」

アンブリッジ先生が、いま手を挙げたばかりのパーバティを見て聞いた。

「パーバティ・パチルです。それじゃ、『闇の魔術に対する防衛術』のO・W・Lには、実技はないんですか？　実際に反対呪文とかやって見せなくてもいいんですか？」

「理論を充分に勉強すれば、試験という慎重に整えられた条件の下で、呪文がかけられないということはありえません」アンブリッジ先生が、そっけなく言った。

「それまで一度も練習しなくても？」パーバティが信じられないという顔をした。「初めて呪文を使うのが試験場だとおっしゃるんですか？」

「くり返します。理論を充分に勉強すれば——」

「それで、理論は現実世界でどんな役に立つんですか？」ハリーはまた拳を突き上げて大声で言った。

アンブリッジ先生が目を上げた。

「ここは学校です。ミスター・ポッター。現実世界ではありません」先生が猫なで声で言った。

「それじゃ、外の世界で待ち受けているものに対して準備しなくていいんですか？」

「外の世界で待ち受けているものは何もありません、ミスター・ポッター」

「へえ、そうですか？」朝からずっとふつふつ煮えたぎっていたハリーのかんしゃくが、沸騰点に達しかけた。

「あなた方のような子供を、誰が襲うと思っているの？」アンブリッジ先生がぞっとするような甘ったるい声で聞いた。

「うーむ、考えてみます……」ハリーは思慮深げな声を演じた。「もしかしたら……**ヴォルデモート卿？**」

ロンが息をのんだ。ラベンダー・ブラウンはキャッと悲鳴を上げ、ネビルは椅子から横にずり落ちた。しかし、アンブリッジ先生はぎくりともしない。気味の悪い満足げな表情を浮かべて、ハリーをじっと見つめていた。

「グリフィンドール、一〇点減点です。ミスター・ポッター」

教室中がしんとして動かなかった。みんながアンブリッジ先生かハリーを見ていた。

「さて、いくつかはっきりさせておきましょう」

アンブリッジ先生が立ち上がり、ずんぐりした指を広げて机の上につき、身を乗り出した。

「みなさんは、ある闇の魔法使いが戻ってきたという話を聞かされてきました。死からよみがえったと――」

「あいつは死んでいなかった」ハリーが怒った。「だけど、ああ、よみがえったんだ！」

「ミスター・ポッターあなたはもう自分の寮に一〇点失わせたのにこれ以上自分の立場を悪くしないよう」アンブリッジ先生は、ハリーを見ずにこれだけの言葉をひと息に言った。

「いま言いかけていたように、みなさんは、ある闇の魔法使いが再び野に放たれたという話を聞かされてきました。**これはうそです**」

「うそじゃ**ない！**」ハリーが言った。「僕は見た。僕はあいつと戦ったんだ！」

「罰則です。ミスター・ポッター！」アンブリッジ先生が勝ち誇ったように言った。「明日の夕方、五時。わたくしの部屋で。もう一度言いましょう。**これはうそです**。魔法省は、みなさんに闇の魔法使いの危険はないと保証します。まだ心配なら、授業時間外に、遠慮なくわたくしに話をしにきてください。闇の魔法使い復活など、たわいのないうそでみなさんをおびやかす者がいたら、わたくしに知らせてください。わたくしはみなさんを助けるためにいるのです。みなさんのお友達です。さて、ではどうぞ読み続けてください。五ページ、『初心者の基礎』」

アンブリッジ先生は机のむこう側に腰かけた。しかし、ハリーは立ち上がった。みんながハリーを見つめていた。シェーマスは半分こわごわ、半分感心したように見ていた。

「ハリー、ダメよ！」ハーマイオニーがハリーのそでを引いて、警告するようにささやいた。しかしハリーは腕をぐっと引いて、ハーマイオニーが届かないようにした。

「それでは、先生は、セドリック・ディゴリーがひとりで勝手に死んだと言うんですね？」

ハリーの声が震えていた。

クラス中がいっせいに息をのんだ。ロンとハーマイオニー以外は、セドリックが死んだあの夜の出来事をハリーの口から聞いたことがなかったからだ。みんなが貪るようにハリーを、そしてアンブリッジ先生を見た。アンブリッジ先生は目を吊り上げ、ハリーを見すえた。顔からいっさいの作り笑いが消えていた。

「セドリック・ディゴリーの死は、悲しい事故です」先生が冷たく言った。

「殺されたんだ」

ハリーが言った。体が震えているのがわかった。これはまだほとんど誰にも話していないことだった。ましてや三十人もの生徒が熱心に聞き入っている前で話すのは初めてだ。

「ヴォルデモートがセドリックを殺した。先生もそれを知っているはずだ」

アンブリッジ先生は無表情だった。一瞬、ハリーは先生が自分に向かって絶叫するのではないかと思った。しかし、先生はやさしい、甘ったるい女の子のような声を出した。

「ミスター・ポッター、いい子だから、こっちへいらっしゃい」

ハリーは椅子を脇に蹴飛ばし、ロンとハーマイオニーの後ろを通り、大股で先生の机のほうに歩いていった。クラス中が息をひそめているのを感じた。怒りのあまり、ハリーは次に何が起ころうとかまうもんかと思った。

アンブリッジ先生はハンドバッグから小さなピンクの羊皮紙をひと巻取り出し、机に広げ、羽根ペンをインク瓶に浸して書きはじめた。ハリーに書いているものが見えないように、背中を丸めて覆いかぶさっている。誰もしゃべらない。一分かそこらたったろうか、先生は羊皮紙を丸め、杖でたたいて継ぎ目なしの封をし、ハリーが開封できないようにした。

「さあ、これをマクゴナガル先生の所へ持っていらっしゃいね」

アンブリッジ先生は手紙をハリーに差し出した。

ハリーは一言も言わずに受け取り、ロンとハーマイオニーのほうを見もせずに教室を出て、ドアをバタンと閉めた。マクゴナガル先生宛の手紙をギュッと握りしめ、廊下をものすごい速さで歩き、角を曲がった所で、ポルターガイストのピーブズにいきなりぶつかった。大口で小男のピーブズは、宙に寝転んで、インクつぼを手玉にして遊んでいた。

「おや、ポッツン・ポッツリ・ポッター！」ピーブズがケッケッケッと笑いながら、インクつぼを二つ取り落とし、それがガチャンと割れて壁にインクをはね散らした。ハリーはインクがかからないように飛びのきながら脅すように唸った。

「どけ、ピーブズ」

「オォォゥ、いかれポンチがいらいらしてる」

ピーブズは意地悪くニヤニヤ笑いながらハリーの頭上をヒューヒュー飛んでついてきた。

「今度はどうしたの、ポッティちゃん？　何か声が聞こえたの？　何か見えたの？　それとも**舌が**——」ピーブズは舌を突き出してベーッとやった。「——**あの言葉を**ひとりでしゃべったの？」

「**ほっといてくれ！**」一番近くの階段を駆け下りながら、ハリーが叫んだ。しかしピーブズはハリーの脇について、階段の手すりを背中ですべり下りた。

おお、たいていみんなは思うんだ　ポッティちゃんは変わってる
やさしい人は思うかも　ほんとはポッティ泣いている
だけどピーブズはお見透し　ポッティちゃんは狂ってる——

「**だまれってるんだ！**」

　左手のドアが開いて、厳しい表情のマクゴナガル先生が副校長室から現れた。ややうるさがっている顔だ。

「**いったい**何を騒いでいるのですか、ポッター？」先生がバシッと言った。

　ピーブズはゆかいそうに高笑いしてスイーッと消えていった。

「授業はどうしたのです？」

「先生の所に行ってこいと言われました」ハリーが硬い表情で言った。

「行ってこい？　どういう意味です？　**行ってこい？**」

　ハリーはアンブリッジ先生からの手紙を差し出した。マクゴナガル先生はしかめっ面で受け取り、杖でたたいて開封し、広げて読みだした。アンブリッジの字を追いながら、四角いめがねの奥で、先生の目が羊皮紙の端から端へと移動し、一行読むごとに目が細くなっていった。

「お入りなさい、ポッター」

　ハリーは先生について書斎に入った。ドアはひとりでに閉まった。

「それで？」マクゴナガル先生が突然挑みかかった。「ほんとうなのですか？」

「ほんとうって、何が？」そんなつもりはなかったのに乱暴な言い方をしてしまい、ハリーはていねいな言葉をつけ加えた。「ですか？　マクゴナガル先生？」

「アンブリッジ先生に対してどなったというのはほんとうですか？」

「はい」ハリーが言った。

「うそつき呼ばわりしたのですか？」

「はい」

「『例のあの人』が戻ってきたと言ったのですか？」

「はい」

マクゴナガル先生は机のむこう側に、ハリーにしかめっ面を向けながら座った。それからふいに言った。

「ビスケットをおあがりなさい、ポッター」

「おあがり——えっ？」

「ビスケットをおあがりなさい」先生は気短にくり返し、机の書類の山の上にのっているタータンチェック模様の缶を指差した。「そして、おかけなさい」

前にもこんなことがあった。マクゴナガル先生から鞭打ち（むち）の罰則を受けると思ったのに、グリフィンドールのクィディッチ・チーム・メンバーに指名された。ハリーは先生と向き合う椅子に腰かけ、ショウガビスケットをつまんだ。今度もあの時と同じで、何がなんだかわからず、不意打ちを食らったような気がした。

マクゴナガル先生は手紙を置き、深刻なまなざしでハリーを見た。

「ポッター、気をつけないといけません」

ハリーは口に詰まったショウガビスケットをゴクリと飲み込み、先生の顔を見つめた。ハリーの知っているいつもの先生の声ではなかった。きびきびした厳しい声ではなく、低い、心配そうな、そしていつもより人間味のこもった声だった。

「ドローレス・アンブリッジのクラスで態度が悪いと、あなたにとっては、寮の減点や罰則だけではすみませんよ」

「どういうこと——？」

「ポッター、常識を働かせなさい」マクゴナガル先生は、急にいつもの口調に戻ってバシッと言った。「あの人がどこから来ているか、わかっているでしょう。誰に報告しているのかもわかるはずです」

終業ベルが鳴った。上の階からも、周り中からも何百人という生徒が移動する、象の大群のような音が聞こえてきた。

「手紙には、今週、毎晩あなたに罰則を科すと書いてあります。明日からです」マクゴナガル先生がアンブリッジの手紙をもう一度見下ろしながら言った。

「今週毎晩！」ハリーは驚愕してくり返した。「でも、先生、先生なら――？」

「いいえ、できません」マクゴナガル先生はにべもなく言った。

「でも――」

「あの人はあなたの先生ですから、あなたに罰則を科す権利があります。最初の罰則は明日の夕方五時です。あの先生の部屋に行きなさい。いいですか。ドローレス・アンブリッジのそばでは、言動に気をつけることです」

「でも、僕はほんとのことを言った！」ハリーは激怒した。「ヴォルデモートは戻ってきた。先生だってご存じですし、ダンブルドア校長先生も知ってる――」

「ポッター！　なんということを！」マクゴナガル先生は怒ったようにめがねをかけなおした（ハリーがヴォルデモートと言ったときに、先生はぎくりとたじろいだのだ）。「これがうそか真かの問題だとお思いですか？　これは、あなたが低姿勢を保って、かんしゃくを抑えておけるかどうかの問題です！」

マクゴナガル先生は鼻息も荒く、唇をキッと結んで立ち上がった。ハリーも立ち上がった。

「ビスケットをもう一つお取りなさい」

先生は缶をハリーのほうに突き出して、いらいらしながら言った。

「いりません」ハリーが冷たく言った。

「いいからお取りなさい」先生がビシリと言った。

ハリーは一つ取った。

「いただきます」ハリーは気が進まなかった。

「学期はじめにドローレス・アンブリッジがなんと言ったか、ポッター、聞かなかったのですか？」

「聞きました」ハリーが答えた。「えーと……確か……進歩は禁じられるとか……でも、その意味は……魔法省がホグワーツに干渉しようとしている……」

マクゴナガル先生は一瞬探るようにハリーを見てフフンと鼻を鳴らし、机のむこうから出て部屋のドアを開けた。

「まあ、とにかくあなたが、ハーマイオニー・グレンジャーの言うことを聞いてくれてよかったです」

先生は、ハリーに部屋を出るようにと外を指差しながら言った。

第13章　アンブリッジのあくどい罰則

その夜の大広間での夕食は、ハリーにとって楽しいものではなかった。アンブリッジとのどなり合い試合のニュースは、ホグワーツの基準に照らしても例外的な速さで伝わった。ロンとハーマイオニーにはさまれて食事をしていても、ハリーの耳には周り中のささやきが聞こえてきた。おかしなことに、ヒソヒソ話の主は、話の内容を当の本人に聞かれても誰も気にしないようだった。逆に、ハリーが腹を立ててまたどなりだせば、直接本人から話が聞けると期待しているようだった。

「セドリック・ディゴリーが殺されるのを見たって言ってる……」

「『例のあの人』と決闘したと言ってる……」

「まさか……」

「誰がそんな話にだまされると思ってるんだ？」

「**まーったく**だ……」

「僕にはわからない」両手が震え、ナイフとフォークを持っていられなくなってテーブルに置きながら、ハリーが声を震わせた。「二か月前にダンブルドアが話したときは、どうしてみんな信じたんだろう……」

「要するにね、ハリー、信じたかどうか怪しいと思うわ」ハーマイオニーが深刻な声で言った。「ああ、もうこんな所、出ましょう」

ハーマイオニーも自分のナイフとフォークをドンと置いたが、ロンはまだ半分残っているアップルパイを未練たっぷりに見つめてから、ハーマイオニーにならった。三人が大広間から出ていくのを、みんなが驚いたように目で追った。

「ダンブルドアを信じたかどうか怪しいって、どういうこと？」

ハリーは二階の踊り場まで来たとき、ハーマイオニーに聞いた。

「ねえ、あの出来事のあとがどんなだったか、あなたにはわかっていないのよ」ハーマイオニーが小声で言った。「芝生の真ん中に、あなたがセドリックのなきがらをしっかりつかんで帰ってきたわ……迷路の中で何が起こったのか、私たちは誰も見てない……ダンブルドアが、『例のあの人』が帰ってきてセドリックを殺し、あなたと戦ったと言った言葉を信じるしかない」

「それが真実だ！」ハリーが大声を出した。

「ハリー、わかってるわよ。**お願いだから、**かみつくのをやめてくれない？」ハーマイオニーがうんざりしたように言った。

「問題は、真実が心に染み込む前に、夏休みでみんなが家に帰ってしまったことよ。それから二か月も、あなたが狂ってるとかダンブルドアが老いぼれだとか読まされて！」

三人は足早にグリフィンドール塔に戻った。廊下には人気（ひとけ）もなく、雨が窓ガラスを打っていた。学期初日が、ハリーには一週間にも感じられた。しかし、寝る前に、まだ山のように宿題がある。右目の上にズキンズキンと鈍い痛みが走りはじめた。「太った婦人（レディ）」に続く廊下へと最後の角を曲がるとき、ハリーは雨にぬれた窓を通して、暗い校庭に目をやった。ハグリッドの小屋には、まだ灯（あか）りがない。

「**ミンビュラス　ミンブルトニア**」

ハーマイオニーは「太った婦人」に催促される前に唱えた。肖像画がパックリ開き、その裏の穴が現れ、三人はそこをよじ登った。

談話室はほとんどからっぽだった。まだ大部分の生徒が下で夕食を食べている。丸くなって寝ていたクルックシャンクスがひじかけ椅子から降り、トコトコと三人を迎え、大きくゴロゴロとのどを鳴らした。ハリー、ロン、ハーマイオニーが、お気に入りの暖炉近くの椅子に座ると、クルックシャンクスはハーマイオニーのひざにポンと飛び乗り、ふわふわしたオレンジ色のクッションのように丸まった。ハリーはすっかり力が抜け、つかれはてて暖炉の火を見つめた。

「ダンブルドアは**どうして**こんなことを許したの？」

ハーマイオニーが突然叫び、ハリーとロンは飛び上がった。クルックシャンクスもひざから飛び下り、気分を害したような顔をした。ハーマイオニーが怒って椅子のひじかけをバンバンたたくので、穴から詰め物がはみ出してきた。

「あんなひどい女に、どうして教えさせるの？　しかもO・W・L（ふくろう）の年に！」

「でも、『闇の魔術に対する防衛術』じゃ、すばらしい先生なんていままでいなかっただろ？」

ハリーが言った。

「ほら、なんて言うか、ハグリッドが言ったじゃないか、誰もこの仕事に就きたがらない。呪われてるって」

「そうよ。でも私たちが魔法を使うことを拒否する人をやとうなんて！　ダンブルドアは**いったい何を**考えてるの？」

「しかもあいつは、生徒を自分のスパイにしようとしてる」ロンが暗い顔をした。「覚えてるか？　誰かが『例のあの人』が戻ってきたって言うのを聞いたら話しにきてくださいって、あいつそう言ったろ？」

「もちろん、あいつは私たち全員をスパイしてるわ。わかりきったことじゃない。そうじゃなきゃ、そもそもなぜファッジが、あの女をよこしたがるっていうの？」

「また言い争いを始めたりするなよ」ロンが反論しかけたので、ハリーがうんざりしたように言った。

「頼むから……だまって宿題をやろう。片づけちゃおう……」

三人は隅のほうに鞄を取りにいき、また暖炉近くの椅子に戻った。ほかの生徒も夕食から戻りはじめていた。ハリーは肖像画の穴から顔をそむけていたが、それでもみんながじろじろ見る視線を感じていた。

「最初にスネイプのをやるか？」ロンが羽根ペンをインクに浸した。

「**月長石の……特性と……魔法薬調合に関する……その用途**」ロンはブツブツ言いながら、羊皮紙の一番上にその言葉を書いた。「そーら」ロンは題に下線を引くと、ハーマイオニーの顔を期待を込めて見上げた。

「それで、月長石の特性と、魔法薬調合に関するその用途は？」

しかし、ハーマイオニーは聞いていなかった。眉をひそめて部屋の一番奥の隅を見ていた。そこには、フレッド、ジョージ、リー・ジョーダンが、無邪気な顔の一年生のグループの真ん中に座っていた。一年生はみんな、フレッドが持っている大きな紙袋から出した何かをかんでいるところだった。

「だめ。残念だけど、あの人たち、やりすぎだわ」ハーマイオニーが立ち上がった。完全に怒っている。

「さあ、ロン」

「僕――何？」ロンは明らかに時間かせぎをしている。「だめだよ――あのさぁ、ハーマイオニー――お菓子を配ってるからって、あいつらを叱るわけにはいかない」

「わかってるくせに。あれは『鼻血ヌルヌル・ヌガー』か――それとも『ゲーゲー・トローチ』か――」

「『気絶キャンディ』？」ハリーがそっと言った。

一人、また一人と、まるで見えないハンマーで頭をなぐられたように、一年生が椅子に座ったままコトリと気を失った。床にすべり落ちた者もいたし、舌をだらりと出して椅子のひじかけにもたれるだけの者もいた。

見物人の大多数は笑っていたが、ハーマイオニーは肩を怒らせ、フレッドとジョージのほうに決然と突き進んでいった。二人はメモ用のクリップボードを手に、気を失った一年生を綿密に観察していた。ロンは椅子から半分立ち上がり、中腰のままちょっと迷って、それからハリーにごにょごにょと言った。

「ハーマイオニーがちゃんとやってる」

そして、ひょろ長い体を可能なかぎり縮めて椅子に身を沈めた。

「たくさんだわ！」

ハーマイオニーはフレッドとジョージに強硬に言い放った。二人ともちょっと驚いたようにハーマイオニーを見た。

「うん、そのとおりだ」ジョージがうなずいた。「確かに、この用量で充分効くな」

「今朝言ったはずよ。こんな怪しげなもの、生徒に試してはいけないって！」

「ちゃんとお金を払ってるぞ！」フレッドが憤慨した。

「関係ないわ。危険性があるのよ！」

「バカ言うな」フレッドが言った。

「カッカするなよ、ハーマイオニー。こいつら大丈夫だから！」

リーが紫色のキャンディを、一年生の開いた口に次々に押し込みながら請け合った。

「そうさ、ほら、みんなもう気がつきだした」ジョージが言った。

確かに何人かの一年生がゴソゴソ動きだしていた。床に転がったり、椅子からぶら下がっているのに気づいて、何人かがショックを受けたような顔をしたところを見ると、フレッドとジョージは、菓子がどういうものかを事前に警告していなかったにちがいない、とハリーは思った。

「大丈夫かい？」自分の足元に転がっている黒い髪の小さな女の子に、ジョージがやさしく言った。

「だ――大丈夫だと思う」女の子が弱々しく言った。

「よーし」フレッドがうれしそうに言った。しかし次の瞬間、ハーマイオニーがクリップボードと「気絶キャンディ」の紙袋をフレッドの手から引ったくった。

「よーし、じゃ**ありません！**」

「もちろん、よーしだよ。みんな生きてるぜ、え？」フレッドが怒ったように言った。

「こんなことをしてはいけないわ。もし一人でもほんとうに病気になったらどうするの？」

「病気になんかさせないさ。全部自分たちで実験済みなんだ。これは単に、みんなおんなじ反応かどうかを――」

「やめないと、私――」

「罰則を科す？」フレッドの声は、お手並み拝見、やってみろと聞こえた。

「書き取り罰でもさせてみるか？」ジョージがニヤリとした。

見物人がみんな笑った。ハーマイオニーはぐっと背筋を伸ばし、眉をギュッと寄せた。豊かな髪が電気でバチバチ火花を散らしているようだった。

「ちがいます」ハーマイオニーの声は怒りで震えていた。「でも、あなた方のお母さまに手紙を書きます」

「よせ」ジョージがおびえてハーマイオニーから一歩退いた。

「ええ、書きますとも」ハーマイオニーが厳しく言った。「あなたたち自身がバカなものを食べるのは止められないけど、一年生に食べさせるのは許せないわ」

フレッドとジョージは雷に撃たれたような顔をしていた。ハーマイオニーの脅しは残虐非道だと思っているのが明らかだった。もう一度脅しのにらみをきかせ、ハーマイオニーはクリップボードとキャンディの袋をフレッドの腕に押しつけると、暖炉近くの席まで闊歩して戻った。

ロンは椅子の中で身を縮めていたので、鼻の高さとひざの高さがほとんど同じだった。

「ご支援を感謝しますわ、ロン」ハーマイオニーが辛辣に言った。

「君一人で立派にやったよ」ロンはもごもご言った。

ハーマイオニーは何も書いていない羊皮紙をしばらく見下ろしていたが、やがてピリピリした声で言った。

「ああ、だめだわ。もう集中できない。寝るわ」

ハーマイオニーは鞄をぐいと開けた。ハリーは教科書をしまうのだろうと思った。ところが、ハーマイオニーは、いびつな形の毛糸編みを二つ引っ張り出し、暖炉脇のテーブルにそっと置いた。そして、くしゃくしゃになった羊皮紙の切れ端二、三枚と折れた羽根ペンで覆い、その効果を味わうようにちょっと離れてそれを眺めた。

「何をおっぱじめたんだ？」ロンは正気を疑うような目でハーマイオニーを見た。

「屋敷しもべ妖精の帽子よ」ハーマイオニーはきびきびと答え、教科書を鞄にしまいはじめた。「夏休みに作ったの。私、魔法を使えないと、とっても編むのが遅いんだけど、もう学校に帰ってきたから、もっとたくさん作れるはずだわ」

「しもべ妖精の帽子を置いとくのか？」ロンがゆっくりと言った。「しかも、ごみくずでまず隠してるのか？」

「そうよ」ハーマイオニーは鞄を肩にひょいとかけながら、挑戦するように言った。

「そりゃないぜ」ロンが怒った。「連中をだまして帽子を拾わせようとしてる。自由になりたがっていないのに、自由にしようとしてるんだ」

「もちろん自由になりたがってるわ！」ハーマイオニーが即座に言った。しかし、顔がほんのり赤くなった。「絶対帽子にさわっちゃダメよ、ロン！」

ハーマイオニーは行ってしまった。ロンはハーマイオニーの姿が女子寮のドアの中に消えるまで待って、それから毛糸の帽子を覆ったごみを払った。

「少なくとも、何を拾っているか見えるようにすべきだ」ロンがきっぱり言った。

「とにかく……」ロンはスネイプのレポートの題だけ書いた羊皮紙を丸めた。「これをいま終わらせる意味はない。ハーマイオニーがいないとできない。月長石を何に使うのか、僕、さっぱりわかんない。君は？」

ハリーは首を振ったが、その時、右のこめかみの痛みがひどくなっているのに気づいた。「巨人の戦争」に関する長いレポートのことを考えると、ズキンと刺すような痛みが走った。今晩中に宿題を終えないと、朝になって後悔することはよくわかっていたが、ハリーは本をまとめて鞄にしまった。

「僕も寝る」

男子寮のドアに向かう途中、シェーマスの前を通ったが、ハリーは目を合わせなかった。一瞬、シェーマスがハリーに話しかけようと、口を開いたような気がしたが、そのまま足を速めた。石の螺旋(らせん)階段にたどり着くと、もう誰の挑発に耐える必要もない平和な安らぎが、そこにはあった。

翌朝は、きのうと同じように朝からどんよりとして、雨が降っていた。朝食のとき、ハグリッドはやはり教職員テーブルにいなかった。

「だけど、いいこともある。今日はスネイプなしだ」ロンが景気をつけるように言った。

　ハーマイオニーは大きなあくびをしてコーヒーを注いだ。なんだかうれしそうなので、ロンがいったい何がそんなに幸せなのかと聞くと、ハーマイオニーは単純明快に答えた。

「帽子がなくなっているわ。しもべ妖精はやっぱり自由が欲しいのよ」

「僕はそう思わない」ロンは皮肉っぽく言った。「あれは服のうちには入らない。僕にはとても帽子には見えなかった。むしろ毛糸の膀胱（ぼうこう）に近いな」

　ハーマイオニーは午前中一度もロンと口をきかなかった。

　二時限連続の呪文学の次は、二時限続きの変身術だ。フリットウィック先生もマクゴナガル先生も、授業の最初の十五分はＯ・Ｗ・Ｌの重要性について演説した。

「みなさんが覚えておかなければならないのは」小さなフリットウィック先生は、机越しに生徒を見るために、いつものように積み上げた本の上にちょこんと乗って、キーキー声で話した。「この試験が、これから何年にもわたって、みなさんの将来に影響するということです。まだみなさんが真剣に将来の仕事を考えたことがないなら、いまこそその時です。そして、それまでは、自分の力を充分に発揮できるように、大変ですがこれまで以上にしっかり勉強しましょう！」

　それから一時間以上、「呼び寄せ呪文」の復習をした。フリットウィック先生はこれがまちがいなくＯ・Ｗ・Ｌに出ると言い、授業のしめくくりに、これまでにない大量の宿題を出した。

　変身術も負けず劣らずひどかった。

「Ｏ・Ｗ・Ｌに落ちたくなかったら」マクゴナガル先生が厳しく言った。「刻苦勉励、学び、練習に励むことです。きちんと勉強すれば、このクラス全員が変身術でＯ・Ｗ・Ｌ合格点を取れないわけはありません」

ネビルが悲しげに、ちょっと信じられないという声を上げた。

「ええ、あなたもです、ロングボトム」マクゴナガル先生が言った。「あなたの術に問題があるわけではありません。ただ自信がないだけです。それでは……今日は『消失呪文』を始めます。『出現呪文』よりはやさしい術ですが、O・W・Lでテストされるものの中では一番難しい魔法の一つです。『出現呪文』は通常、N・E・W・T(イモリ)レベルになるまではやりません」

先生の言うとおりだった。ハリーは「消失呪文」が恐ろしく難しいと思った。二時限授業の最後になっても、ハリーもロンも、練習台のカタツムリを消し去ることができなかったが、ロンは自分のカタツムリが少しぼやけて見えると楽観的な言い方をした。

一方ハーマイオニーは、三度目でカタツムリを消し、マクゴナガル先生からグリフィンドールに一〇点のボーナス点をもらった。ハーマイオニーだけが宿題なしで、ほかの全員が、翌日の午後にもう一度カタツムリ消しに挑戦するため、夜のうちに練習するように言われた。

宿題の量にややパニックしながら、ハリーとロンは昼休みの一時間を図書館で過ごし、魔法薬に月長石をどう用いるかを調べた。ロンが毛糸の帽子をけなしたのに腹を立て、ハーマイオニーは一緒に来なかった。午後の魔法生物飼育学の時間のころ、ハリーはまた頭痛がしてきた。

その日は冷たく、風も出てきていた。禁じられた森の端にあるハグリッドの小屋まで、下り坂の芝生を歩いていると、ときどき雨がパラパラと顔に当たった。

グラブリー‐プランク先生は、ハグリッドの小屋の戸口から十メートル足らずの所で生徒を待っていた。先生の前には小枝がたくさんのった長い架台が置かれている。ハリーとロンが先生のそばに行くと、後ろから大笑いする声が聞こえた。振り向くと、ドラコ・マルフォイが、いつものスリザリンの腰巾着に囲まれて、大股で近づいてくるのが見えた。たったいまマルフォイが、何かおもしろいことを言ったのは明らかだ。クラッブ、ゴイル、パンジー・パーキンソン、そのほかの取り巻き連中は、架台の周りに集まったときもまだ思いっきりニヤニヤ笑いを続けていた。みんながハリーのほうを見てばかりいるので、冗談の内容がなんだったのか、苦もなく推測できる。

「みんな集まったかね？」

スリザリンとグリフィンドールの全員がそろうと、グラブリー－プランク先生が大声で言った。

「早速始めようかね。ここにあるのがなんだか、名前がわかる者はいるかい？」

先生は目の前に積み上げた小枝を指した。ハーマイオニーの手がパッと挙がった。その背後でマルフォイがハーマイオニーのまねをして、歯を出っ歯にし、答えたくてしかたがないようにピョンピョン飛び上がっている。パンジー・パーキンソンがキャーキャー笑ったが、それがほとんどすぐに悲鳴に変わった。架台の小枝が宙に跳ねて、ちょうど木でできた小さなピクシー妖精のような正体を現したからだ。節の目立つ茶色の腕や脚、両手の先に二本の小枝のような指、樹皮のようなのっぺりした奇妙な顔にはコガネムシのような焦げ茶色の目が二つ光っている。

「おぉぉぉぉぅ！」

パーバティとラベンダーの声が、ハリーを完全にいらいらさせた。まるでハグリッドが、生徒の感心する生物を見せたためしがないとでも言うような反応だ。確かに、「レタス食い虫」はちょっとつまらなかったが、「火トカゲ（サラマンダー）」や「ヒッポグリフ」は充分おもしろかったし、「尻尾爆発スクリュート」は、もしかしたらおもしろすぎた。

「女生徒たち、声を低くしとくれ！」グラブリー－プランク先生が厳しく注意し、小枝のような生き物に、玄米のようなものをひと握り振りかけた。生き物がたちまち餌に食いついた。

「さてと——誰かこの生き物の名前を知ってるかい？　ミス・グレンジャー？」

「ボウトラックルです」ハーマイオニーが答えた。「木の守番で、普通は杖に使う木に棲んでいます」

「グリフィンドールに五点」グラブリー‐プランク先生が言った。「そうだよ。ボウトラックルだ。ミス・グレンジャーが答えたように、だいたいは杖品質の木に棲んでる。何を食べるか知ってる者は？」

「ワラジムシ」ハーマイオニーが即座に答えた。ハリーは玄米がモゾモゾ動くのが気になっていたが、これでわかった。「でも、手に入るなら妖精の卵です」

「よくできた。もう五点。じゃから、ボウトラックルが棲む木の葉や木材が必要なときは、気をそらしたり喜ばせたりするために、ワラジムシを用意するほうがよい。見た目は危険じゃないが、怒ると指で人の目をくりぬく。見てわかるように非常に鋭い指だから、目玉を近づけるのは感心しないね。さあ、こっちに集まって、ワラジムシを少しとボウトラックルを一匹ずつ取るんだ——三人に一匹はある——もっとよく観察できるだろう。授業が終わるまでに一人一枚スケッチすること。体の部分に全部名称を書き入れること」

クラス全員がいっせいに架台に近寄った。ハリーはわざとみんなの後ろに回り、グラブリー‐プランク先生のすぐそばに近寄った。

「ハグリッドはどこですか？」

みんながボウトラックルを選んでいるうちに、ハリーが聞いた。

「気にするでない」

グラブリー‐プランク先生は押さえつけるような言い方をした。以前にハグリッドが授業に出てこなかったときも先生は同じ態度だった。あごのとがった顔いっぱいに薄ら笑いを浮かべながら、ドラコ・マルフォイがハリーの前をさえぎるようにかがんで、一番大きなボウトラックルをつかんだ。

「たぶん」マルフォイが、ハリーだけに聞こえるような低い声で言った。「あのウスノロのウドの大木は大けがをしたんだ」

「だまらないと、おまえもそうなるぞ」ハリーも唇を動かさずに言った。

「たぶん、あいつにとって巨大すぎるものにちょっかいを出してるんだろ。言ってる意味がわかるかな」

マルフォイがその場を離れながら、振り返りざまにハリーを見てニヤリとした。ハリーは急に気分が悪くなった。マルフォイは何か知っているのか？　何しろ父親が「死喰い人」だ。まだ騎士団の耳に届いていないハグリッドの情報を知っていたとしたら？

ハリーは急いで架台のそばに戻り、ロンとハーマイオニーの所に行った。二人は少し離れた芝生に座り込み、ボウトラックルをスケッチの間だけでも動かないようにしようと、なだめすかしていた。ハリーも羊皮紙と羽根ペンを取り出し、二人のそばにかがみ込み、小声でマルフォイがいま言ったことを話した。

「ハグリッドに何かあったら、ダンブルドアがわかるはずよ」ハーマイオニーが即座に言った。「心配そうな顔をしたら、マルフォイの思うつぼよ。何が起こっているか私たちがはっきり知らないって、あいつに知らせるようなものだわ。ハリー、無視しなきゃ。ほら、ボウトラックルをちょっと押さえてて。私が顔を描く間……」

「そうなんだよ」マルフォイの気取った声が、一番近くのグループからはっきり聞こえてきた。「数日前に父上が大臣と話をしてねぇ。どうやら魔法省は、この学校の水準以下の教え方を打破する決意を固めているようなんだ。だから育ちすぎのウスノロが**帰ってきても、**またすぐ荷物をまとめることになるだろうな」

「**アイタッ！**」

ハリーが強く握りすぎて、ボウトラックルをほとんど折ってしまいそうになり、反撃に出たボウトラックルが鋭い指でハリーの手を襲い、手に長い深い切り傷を二本残した。ハリーはボウトラックルを取り落とした。クラッブとゴイルは、ハグリッドがクビになるという話にバカ笑いしていたが、ボウトラックルが逃げ出したのを見て、ますますバカ笑いした。動く棒切れのようなボウトラックルは、森に向かって全速力で走り、まもなく木の根の間に飲まれるように見えなくなった。

校庭のむこうから終業ベルが遠く聞こえ、ハリーは血で汚れた羊皮紙を丸め、ハーマイオニーのハンカチで手を縛って、薬草学のクラスに向かった。マルフォイのあざけり笑いが、まだ耳に残っていた。

「マルフォイのやつ、ハグリッドをもう一回ウスノロって呼んでみろ……」ハリーが唸った。

「ハリー、マルフォイといざこざを起こしてはだめよ。あいつがいまは監督生だってこと、忘れないで。あなたをもっと苦しい目にあわせることだってできるんだから……」

「へーえ、苦しい目にあうって、いったいどんな感じなんだろうね？」

ハリーが皮肉たっぷりに言った。ロンが笑ったが、ハーマイオニーは顔をしかめた。三人は重い足取りで野菜畑を横切った。空は降ろうか照ろうかまだ決めかねているようだった。

「僕、ハグリッドに早く帰ってきてほしい。それだけさ」温室に着いたとき、ハリーが小さい声で言った。「それから、グラブリー－プランクばあさんのほうがいい先生だなんて、**言うな！**」ハリーは脅すようにつけ加えた。

「そんなこと言うつもりなかったわ」ハーマイオニーが静かに言った。

「あの先生は絶対に、ハグリッドにかないっこないんだ」

きっぱりとそう言ったものの、ハリーはいましがた受けた魔法生物飼育学の授業が模範的だったことは充分にわかっていたし、それが気になってしかたがなかった。

一番手前の温室の戸が開き、そこから四年生があふれ出てきた。ジニーもいた。

「こんちわ」

すれちがいながら、ジニーがほがらかに挨拶した。そのあと、ルーナ・ラブグッドがほかの生徒の後ろからゆっくり現れた。髪を頭のてっぺんで団子に丸め、鼻先に泥をくっつけていた。ハリーを見つけると興奮して、飛び出た目がもっと飛び出したように見えた。ルーナはまっすぐハリーの所に来た。ハリーのクラスメートが、なんだろうと大勢振り返った。ルーナは大きく息を吸い込み、「こんにちは」の前置きもせずに話しかけた。

「あたしは、『名前を言ってはいけないあの人』が戻ってきたと信じてるよ。それに、あんたが戦って、あの人から逃げたって、信じてる」

「え――そう」

ハリーはぎこちなく言った。ルーナはオレンジ色のカブをイヤリングがわりに着けていた。どうやらパーバティとラベンダーがそれに気づいたらしく、二人ともルーナの耳たぶを指差してクスクス笑っていた。

「笑ってもいいよ」ルーナの声が大きくなった。どうやら、パーバティとラベンダーがイヤリングではなく、自分の言ったことを笑っていると思ったらしい。「だけど、ブリバリング・ハムディンガーとか、しわしわ角スノーカックがいるなんて、昔は誰も信じていなかったんだから！」

「でも、いないでしょう？」ハーマイオニーががまんできないとばかりに口を出した。「ブリバリング・ハムディンガーとか、しわしわ角スノーカックなんて、**いなかった**のよ」

ルーナはハーマイオニーをひるませるような目つきをし、カブをぶらぶら揺らしながら仰々しく立ち去った。大笑いしたのは、今度はパーバティとラベンダーだけではなかった。

「僕を信じてるたった一人の人を怒らせないでくれる？」授業に向かいながら、ハリーがハーマイオニーに申し入れた。

「何言ってるの、ハリー。**あの子より**ましな人がいるでしょう？　ジニーがあの子のことをいろいろ教えてくれたけど、どうやら、全然証拠がないものしか信じないらしいわ。まあ、もっとも、父親が『ザ・クィブラー』を出してるくらいだから、そんなところでしょうね」

ハリーは、ここに到着した夜に目にした、あの不吉な、翼の生えた馬のことを考え、ルーナも見えると言ったことを思い出した。ハリーはちょっと気落ちした。ルーナはでまかせを言ったのだろうか？

ハリーがそんなことを考えていると、アーニー・マクミランが近づいてきた。

「言っておきたいんだけど」よく通る大きな声で、アーニーが言った。「君を支持しているのは変なのばかりじゃない。僕も君を百パーセント信じる。僕の家族はいつもダンブルドアを強く支持してきたし、僕もそうだ」

「え――ありがとう、アーニー」

ハリーは不意をつかれたが、うれしかった。アーニーはこんな場面で大げさに気取ることがあるが、それでもハリーは、耳からカブをぶら下げていない人の信任票には心から感謝した。アーニーの言葉で、ラベンダー・ブラウンの顔から確実に笑いが消えたし、ハリーがロンとハーマイオニーに話しかけようとしたときに、ちらりと目に入ったシェーマスの表情は、混乱しているようにも、抵抗しているようにも見えた。

誰もが予想したとおり、スプラウト先生はO・W・Lの大切さについての演説で授業を始めた。どの先生もこぞって同じことをするのはいいかげんやめてほしいと、ハリーは思った。どんなに宿題が多いかを思い出すたび、ハリーは不安になり、胃袋がよじれるようになっていた。スプラウト先生が、授業の終わりにまたレポートの宿題を出したとき、その気分が急激に悪化した。ぐったりつかれ、スプラウト先生お気に入りの肥料、ドラゴンのフンのにおいをプンプンさせ、グリフィンドール生は、誰もがだまりこくって、ぞろぞろと城に戻っていった。また長い一日だった。

腹ぺこだったし、五時からアンブリッジの最初の罰則があるので、ハリーは鞄を置きにグリフィンドール塔に戻るのをやめ、まっすぐ夕食に向かった。アンブリッジが何を目論んでいるにせよ、それに向かう前に、急いで腹に何か詰め込もうと思ったのだ。しかし、大広間の入口にたどり着くか着かないうちに、誰かがどなった。「おい、ポッター！」

「今度はなんだよ？」ハリーはうんざりしてつぶやいた。振り向くとアンジェリーナ・ジョンソンが、ものすごい剣幕でやってくる。

「**今度はなんだか**、いま教えてあげるよ」足音も高くやってきて、アンジェリーナはハリーの胸をぐいっと指で押した。「金曜日の五時に罰則を食らうなんて、どういうつもり？」

「え？」ハリーが言った。「なんで……ああ、そうか。キーパーの選抜！」

「この人、**やっと**思い出したようね！」アンジェリーナが唸り声を上げた。「**チーム全員**に来てほしい、**チームにうまくはまる**選手を選びたいって、そう言っただろう？　わざわざそのためにクィディッチ競技場を予約したって言っただろう？　それなのに、君は来ないと決めたわけだ！」

「僕が決めたんじゃない！」理不尽な言い方が胸にチクリときた。「アンブリッジのやつに罰則を食らったんだ。『例のあの人』のことでほんとうのことを話したからっていう理由で」

「とにかく、まっすぐアンブリッジの所に行って、金曜日は自由にしてくれって頼むんだ」アンジェリーナが情け容赦なく言った。

「どんなやり方でもかまわない。『例のあの人』は自分の妄想でしたと言ったっていい。**何がなんでも**

来るんだ！」

アンジェリーナは嵐のように去った。

「あのねえ」大広間に入りながら、ハリーがロンとハーマイオニーに言った。「パドルミア・ユナイテッドに連絡して、オリバー・ウッドが事故で死んでないかどうか調べたほうがいいな。アンジェリーナに魂が乗り移ってるみたいだぜ」

「アンブリッジが金曜に君を自由にしてくれる確率はどうなんだい？」グリフィンドールのテーブルに座りながら、ロンが期待していないような聞き方をした。

「ゼロ以下」ハリーは子羊の骨つき肉を皿に取って食べながら、憂鬱そうに言った。「でも、やってみたほうがいいだろうな。二回多く罰則を受けるからとかなんとか言ってさ……」

ハリーは口いっぱいのポテトを飲み込んでしゃべり続けた。

「今晩あんまり遅くまで残らされないといいんだけど。ほら、レポート三つと、マクゴナガルの『消失呪文』の練習と、フリットウィックの『反対呪文』の宿題をやって、ボウトラックルのスケッチを仕上げて、それからトレローニーのあのアホらしい夢日記に取りかかるだろ？」

ロンがうめいた。そして、なぜか天井をちらりと見た。

「**その上**、雨が降りそうだな」

「それが宿題と関係があるの？」ハーマイオニーが眉を吊り上げた。

「ない」ロンはすぐに答えたが、耳が赤くなった。

五時五分前、ハリーは二人に「さよなら」を言い、四階のアンブリッジの部屋に出かけた。ドアをノックすると、「お入りなさいな」と甘ったるい声がした。ハリーは用心して周りを見ながら入った。

三人の前任者のときのこの部屋の様子は知っていた。ギルデロイ・ロックハートがここにいたときは、ニッコリ笑いかける自分自身の写真がべたべた貼ってあった。ルーピンが使っていたときは、ここを訪ねると、檻(おり)や水槽に入ったおもしろい闇の生き物と出会える可能性があった。ムーディの偽者の時代は、怪しい動きや隠れたものを探り検知する、いろいろな道具や計器類が詰まっていた。

しかし、いまは、同じ部屋とは思えないほどの変わりようだった。壁や机はゆったりひだを取ったレースのカバーや布で覆われている。ドライフラワーをたっぷり生けた花瓶が数個、その下にはそれぞれかわいい花瓶敷、一方の壁には飾り皿のコレクションで、首にいろいろなリボンを結んだ子猫の絵が、一枚一枚大きく色鮮やかに描いてある。あまりの悪趣味に、ハリーは見つめたまま立ちすくんだ。するとまたアンブリッジ先生の声がした。

「こんばんは、ミスター・ポッター」

ハリーは驚いてあたりを見回した。最初に気づかなかったのも当然だ。アンブリッジは花柄べったりのローブを着て、それがすっかり溶け込むテーブルクロスをかけた机の前にいた。

「こんばんは、アンブリッジ先生」ハリーは突っ張った挨拶をした。

「さあ、お座んなさい」アンブリッジはレースのかかった小さなテーブルを指差した。そのそばに、背もたれのまっすぐな椅子が引き寄せられ、机にはハリーのためと思われる羊皮紙が一枚用意されていた。

「あの」ハリーは突っ立ったまま言った。「アンブリッジ先生、あの――始める前に、僕――先生に――お願いが」

「おや、なあに?」

アンブリッジの飛び出した目が細くなった。

「あの、僕……グリフィンドールのクィディッチのメンバーです。金曜の五時に、新しいキーパーの選抜に行くことになっていて、それで――その晩だけ罰則をはずせないかと思って。別な――別な夜に……かわりに……」

言い終えるずっと前に、とうていだめだとわかった。

「ああ、だめよ」

アンブリッジは、いましがたことさらにおいしいハエを飲み込んだかのように、ニターッと笑った。

「ええ、ダメ、ダメ、ダメよ。質の悪い、いやな、目立ちたがりのでっち上げ話を広めた罰ですからね、ミスター・ポッター。罰というのは当然、罪人の都合に合わせるわけにはいきませんよ。だめです。あなたは明日五時にここに来るし、次の日も、金曜日も来るのです。そして予定どおり罰則を受けるのです。あなたがほんとうにやりたいことができないのは、かえっていいことだと思いますよ。わたくしが教えようとしている教訓が強化されるはずです」

ハリーは頭に血が上ってくるのを感じ、耳の奥でドクンドクンという音が聞こえた。それじゃ僕は、質の悪い、いやな、目立ちたがりのでっち上げ話をしたって言うのか？

アンブリッジはニタリ笑いのまま小首をかしげ、ハリーを見つめていた。ハリーが何を考えているかズバリわかっているという顔で、ハリーがまたどなりだすかどうか様子を見ているようだった。ハリーは、力を振りしぼってアンブリッジから顔をそむけ、鞄を椅子の脇に置いて腰かけた。

「ほうら」アンブリッジがやさしく言った。「もうかんしゃくを抑えるのが上手になってきたでしょう？　さあ、ミスター・ポッター、書き取り罰則をしてもらいましょうね。いいえ、あなたの羽根ペンでではないのよ」ハリーが鞄を開くとアンブリッジが言い足した。「ちょっと特別な、わたくしのを使うのよ。はい」

アンブリッジが細長い黒い羽根ペンを渡した。異常に鋭いペン先がついている。

「書いてちょうだいね。『**僕はうそをついてはいけない**』って」アンブリッジがやわらかに言った。

「何回ですか?」ハリーは、いかにも礼儀正しく聞こえるように言った。

「ああ、その言葉が**しみ込むまでよ**」アンブリッジが甘い声で言った。

「さあ始めて」

アンブリッジは自分の机に戻り、積み上げた羊皮紙の上にかがみ込んだ。採点するレポートのようだ。ハリーは鋭い黒羽根ペンを取り上げたが、足りないものに気づいた。

「インクがありません」

「ああ、インクはいらないの」アンブリッジの声にかすかに笑いがこもっていた。

ハリーは羊皮紙に羽根ペンの先をつけて書いた。

「僕はうそをついてはいけない」

ハリーは痛みでアッと息をのんだ。赤く光るインキで書かれたような文字が、てらてらと羊皮紙に現れた。同時に、右手の甲に同じ文字が現れた。メスで文字をなぞったかのように皮膚に刻み込まれている――しかし、光る切り傷を見ているうちに、皮膚は元どおりになった。文字の部分にかすかに赤みがあったが、皮膚はなめらかだった。

ハリーはアンブリッジを見た。むこうもハリーを見ている。ガマのような大口が横に広がり、笑いの形になっている。

「何か?」

「なんでもありません」ハリーが静かに言った。

ハリーは羊皮紙に視線を戻し、もう一度羽根ペンを立てて、「僕はうそをついてはいけない」と書いた。またしても焼けるような痛みが手の甲に走った。再び文字が皮膚に刻まれ、すぐにまた治った。

それが延々と続いた。何度も何度も、ハリーは羊皮紙に文字を書いた。インクではなく自分の血だということに、ハリーはすぐに気づいた。そして、そのたびに文字は手の甲に刻まれ、治り、次に羽根ペンで羊皮紙に書くとまた現れた。

窓の外が暗くなった。いつになったらやめてよいのか、ハリーは聞かなかった。腕時計さえチェックしなかった。アンブリッジが見ているのがわかっていた。ハリーが弱る兆候を待っているのがわかっていた。弱みを見せてなるものか。ひと晩中ここに座って、羽根ペンで手を切り刻み続けることになっても……。

「こっちへいらっしゃい」何時間たったろうか、アンブリッジが言った。

ハリーは立ち上がった。手がずきずき痛んだ。見ると、切り傷は治っているが、赤くミミズ腫れになっていた。

「手を」アンブリッジが言った。

ハリーが手を突き出した。アンブリッジがその手を取った。ずんぐり太ったその指には醜悪な古い指輪がたくさんはまっていた。指がハリーの手に触れたとき、悪寒が走るのをハリーは抑え込んだ。

「チッチッ、まだあまり刻まれていないようね」アンブリッジがニッコリした。「まあ、あしたの夜もう一度やるほかないわね？　帰ってよろしい」

ハリーは一言も言わずその部屋を出た。学校はがらんとしていた。真夜中を過ぎているにちがいない。ハリーはゆっくり廊下を歩き、角を曲がり、絶対アンブリッジの耳には届かないと思ったとき、ワッと駆けだした。

「消失呪文」を練習する時間もなく、夢日記は一つも夢を書かず、ボウトラックルのスケッチも仕上げず、レポートも書いていなかった。翌朝ハリーは朝食を抜かし、一時間目の占い学用にでっち上げの夢をいくつか走り書きした。驚いたことに、ぼさぼさ髪のロンもつき合った。

「どうして夜のうちにやらなかったんだい？」

何かひらめかないかと、きょろきょろ談話室を見回しているロンに、ハリーが聞いた。ハリーが寮に戻ったとき、ロンはぐっすり寝ていた。ロンは、「ほかのことやってた」のようなことをブツブツつぶやき、羊皮紙の上に覆いかぶさって、何か書きなぐった。

「これでいいや」ロンはピシャッと夢日記を閉じた。「こう書いた。僕は新しい靴を一足買う夢を見た。これならあの先生、へんてこりんな解釈をつけられないだろ？」

二人は一緒に北塔に急いだ。

「ところで、アンブリッジの罰則、どうだった？　何をさせられた？」

ハリーはほんの一瞬迷ったが、答えた。

「書き取り」

「そんなら、まあまあじゃないか、ん？」ロンが言った。

「ああ」ハリーが言った。

「そうだ――忘れてた――金曜日は自由にしてくれたか？」

「いや」ハリーが答えた。

ロンが気の毒そうにうめいた。

その日もハリーにとっては最悪だった。「消失呪文」を全然練習していなかったので、変身術の授業では最低の生徒の一人だった。昼食の時間も犠牲にしてボウトラックルのスケッチを完成させなければならなかった。その間、マクゴナガル、グラブリー‐プランク、シニストラの各先生は、またまた宿題を出した。今夜は二回目の罰則なので、とうていその宿題を今晩中にやり終える見込みはない。

おまけに、アンジェリーナ・ジョンソンが夕食のときにハリーを追い詰め、金曜のキーパー選抜に来られないとわかると、その態度は感心しない、選手たるもの何を置いても訓練を優先させるべきだ、と説教した。

「罰則を食らったんだ！」アンジェリーナが突っけんどんに歩き去る後ろから、ハリーが叫んだ。「僕がクィディッチより、あのガマばばぁと同じ部屋で顔つき合わせていたいとでも思うのか？」

「ただの書き取り罰だもの」

ハリーが座り込むと、ハーマイオニーがなぐさめるように言った。ハリーはステーキ・キドニーパイを見下ろしたが、もうあまり食べたくなかった。

「恐ろしい罰則じゃないみたいだし、ね……」

ハリーは口を開いたが、また閉じてうなずいた。ロンやハーマイオニーに、アンブリッジの部屋で起こったことをどうして素直に話せないのか、はっきりわからなかった。ただ、二人の恐怖の表情を見たくなかった。見てしまったら、何もかもいまよりもっと悪いもののように思えて、立ち向かうのが難しくなるだろう。それに、心のどこかで、これは自分とアンブリッジの一対一の精神的戦いだという気がしていた。弱音を吐いたなどとアンブリッジの耳に入れて、あいつを満足させてなるものか。

「この宿題の量、信じられないよ」ロンがみじめな声で言った。

「ねえ、どうして昨夜なんにもしなかったの？」ハーマイオニーがロンに聞いた。「いったいどこにいたの？」

「僕……散歩がしたくなって」ロンがなんだかコソコソした言い方をした。

隠し事をしているのは自分だけじゃない、とハリーははっきりそう思った。

二回目の罰則も一回目に劣らずひどかった。手の甲の皮膚が、きのうより早くから痛みだし、すぐに赤く腫れ上がった。傷がたちまち治る状態も、そう長くは続かないだろう。まもなく傷は刻み込まれたままになり、アンブリッジはたぶん満足するだろう。しかしハリーは、痛いという声をもらさなかった。部屋に入ってから許されるまで――また真夜中過ぎだったが――「こんばんは」と「おやすみなさい」しか言わなかった。

しかし、宿題のほうはもはや絶望的だった。グリフィンドールの談話室に戻ったとき、ハリーはぐったりつかれていたが、寝室には行かず、本を開いてスネイプの「月長石」のレポートに取りかかった。終わったときはもう二時半だった。いい出来でないことはわかっていた。しかし、どうしようもない。何か提出しなければ、次はスネイプの罰則を食らうだろう。それから大至急、マクゴナガル先生の出題に答えを書き、ボウトラックルの適切な扱い方についてグラブリー - プランク先生の宿題を急ごしらえし、よろよろとベッドに向かった。服を着たまま、ベッドカバーの上で、ハリーはあっという間に眠りに落ちた。

木曜はつかれてぼうっとしているうちに過ぎた。ロンも眠そうだったが、どうしてそうなのか、ハリーには見当がつかなかった。三日目の罰則も、前の二日間と同じように過ぎた。ただ、二時間過ぎたころ、「僕はうそをついてはいけない」の文字が手の甲から消えなくなり、刻みつけられたまま、血がにじみ出してきた。先のとがった羽根ペンのカリカリという音が止まったので、アンブリッジが目を上げた。

「ああ」机の後ろから出てきて、ハリーの手を自ら調べ、アンブリッジがやさしげに言った。

「これで、あなたはいつも思い出すでしょう。ね？　今夜は帰ってよろしい」

「あしたも来なければいけませんか？」ハリーはずきずきする右手ではなく、左手で鞄を取り上げた。

「ええ、そうよ」アンブリッジはいつもの大口でニッコリした。「ええ、もうひと晩やれば、言葉の意味がもう少し深く刻まれると思いますよ」

ハリーは、スネイプより憎らしい先生がこの世に存在するとは考えたこともなかった。しかし、グリフィンドール塔に戻りながら、手強い対抗者がいたと認めないわけにはいかなかった。邪悪なやつめ。八階への階段を上りながらハリーはそう思った。あいつは邪悪で根性曲がりで狂ったクソばばぁ――。

「ロン？」

階段の一番上で右に曲がったとき、ハリーは危うくロンとぶつかりそうになった。ロンが「ひょろ長ラックラン」の像の陰から、箒を握ってコソコソ現れたのだ。ハリーを見るとロンは驚いて飛び上がり、新品のクリーンスイープ11号を背中に隠そうとした。

「何してるんだ？」

「あ――なんにも。**君こそ**何してるの？」

ハリーは顔をしかめた。

「さあ、僕に隠すなよ！　こんな所になんで隠れてるんだ？」

「僕――僕、どうしても知りたいなら言うけど、フレッドとジョージから隠れてるんだ」ロンが言った。「たったいま、一年生をごっそり連れてここを通った。また実験するつもりなんだ。だって、談話室じゃもうできないだろ。ハーマイオニーがいるかぎり」

ロンは早口で熱っぽくまくし立てた。

「だけど、なんで箒を持ってるんだ？　飛んでたわけじゃないだろ？」ハリーが聞いた。

「僕――あの――あの。オーケー、言うよ。笑うなよ。いいか？」ロンは刻々と赤くなりながら、防衛線を張った。「僕――僕、グリフィンドールのキーパーの選抜に出ようと思ったんだ。今度はちゃんとした箒を持ってるし。さあ、笑えよ」

「笑ってないよ」ハリーが言った。

ロンがキョトンとした。

「それ、すばらしいよ！　君がチームに入ったら、ほんとにグーだ！　君がキーパーをやるのを見たことないけど、うまいのか？」

「下手じゃない」ロンはハリーの反応に心からホッとしたようだった。「チャーリー、フレッド、ジョージが休み中にトレーニングするときは、僕がいつもキーパーをやらされた」

「それじゃ、今夜は練習してたのか？」

「火曜日から毎晩……一人でだけど。クアッフルが僕のほうに飛んでくるように魔法をかけたんだ。だけど、簡単じゃなかったし、それがどのくらい役に立つのかわかんないし」

ロンは神経がたかぶって、不安そうだった。

「フレッドもジョージも、僕が選抜に現れたらバカ笑いするだろうな。僕が監督生になってからずっとからかいっぱなしなんだから」

「僕も行けたらいいんだけど」二人で談話室に向かいながら、ハリーは苦々しく言った。

「うん、僕もそう思う――ハリー、君の手の甲、それ、何？」

ハリーは、空いていた右手で鼻の頭をかいたところだったが、手を隠そうとした。しかし、ロンがクリーンスイープを隠しそこねたのと同じだった。

「ちょっと切ったんだ――なんでもない――なんでも――」

しかし、ロンはハリーの腕をつかみ、手の甲を自分の目の高さまで持ってきた。一瞬、ロンがだまった。ハリーの手に刻まれた言葉をじっと見て、それから、不快な顔をしてハリーの手を放した。

「あいつは書き取り罰則をさせてるだけだって、そう言っただろ？」

ハリーは迷った。しかし、結局ロンが正直に打ち明けたのだからと、アンブリッジの部屋で過ごした何時間かがほんとうはなんだったのかを、ロンに話した。

「あの鬼ばばぁ！」

「太った婦人」の前で立ち止まったとき、ロンはむかついたように小声で言った。「太った婦人」は額縁にもたれて安らかに眠っている。

「あの女、病気だ！　マクゴナガルの所へ行けよ。なんとか言ってこい！」

「いやだ」ハリーが即座に言った。「僕を降参させたなんて、あの女が満足するのはまっぴらだ」

「**降参？**　こんなことされて、あいつをこのまま放っておくのか！」

「マクゴナガルが、あの女をどのくらい抑えられるかわからない」ハリーが言った。

「じゃ、ダンブルドアだ。ダンブルドアに言えよ！」

「いやだ」ハリーはにべもなく言った。

「どうして？」

「ダンブルドアは頭がいっぱいだ」

そうは言ったが、それがほんとうの理由ではなかった。ダンブルドアが六月から一度もハリーと口をきかないのに、助けを求めにいくつもりはなかった。

「うーん、僕が思うに、君がするべきことは――」ロンが言いかけたが、「太った婦人」にさえぎられた。婦人は眠そうに二人を見ていたが、ついに爆発した。

「合言葉を言うつもりなの？　それともあなたたちの会話が終わるのを、ここでひと晩中起きて待たなきゃいけないの？」

金曜の夜明けもそれまでの一週間のようにぐずぐずと湿っぽかった。ハリーは大広間に入ると自然に教職員テーブルを見るようになっていたが、ハグリッドの姿を見られるだろうと本気で思っていたわけではない。ハリーの気持ちはすぐにもっと緊急な問題のほうに向いた。まだやっていない山のような宿題、アンブリッジの罰則がまだもう一回あるということなどだ。

その日一日ハリーを持ちこたえさせたのは、一つには、とにかくもう週末だということだった。それに、アンブリッジの罰則最終日は確かにおぞましかったが、部屋の窓から遠くにクィディッチ競技場が見える。うまくいけば、ロンの選抜の様子が少し見えるかもしれない。確かに、ほんのかすかな光明かもしれない。しかし、いまのこの暗さを少しでも明るくしてくれるものなら、ハリーにはありがたかった。この週は、ホグワーツに入学以来最悪の一週間だった。

夕方五時に、これが最後になることを心から願いながら、ハリーはアンブリッジ先生の部屋のドアをノックし、「お入り」と言われて中に入った。羊皮紙がレースカバーのかかった机でハリーを待っていた。先のとがった黒い羽根ペンがその横にあった。

「やることはわかってますね、ミスター・ポッター」アンブリッジはハリーにやさしげに笑いかけながら言った。

ハリーは羽根ペンを取り上げ、窓からちらりと外を見た。もう三センチ右に椅子をずらせば……机にもっと近づくという口実で、ハリーはなんとかうまくやった。今度は見える。遠くでグリフィンドール・クィディッチ・チームが、競技場の上を上がったり下がったりしている。六、七人の黒い影が、三本の高いゴールポストの下にいる。キーパーの順番が来るのを待っているらしい。これだけ遠いと、どれがロンなのか見分けるのは無理だった。

「僕はうそをついてはいけない」と書いた。手の甲に刻まれた傷口が開いて、また血が出てきた。

「僕はうそをついてはいけない」傷が深く食い込み、激しくうずいた。

「僕はうそをついてはいけない」血が手首を滴った。

ハリーはもう一度窓の外を盗み見た。いまゴールを守っているのが誰か知らないが、まったく下手くそだった。ハリーがほんの二、三秒見ているうちに、ケイティ・ベルが二回もゴールした。あのキーパーがロンでなければいいと願いながら、ハリーは血が点々と滴った羊皮紙に視線を戻した。

「僕はうそをついてはいけない」

「僕はうそをついてはいけない」

これなら危険はないと思ったとき、たとえばアンブリッジの羽根ペンがカリカリ動く音、机の引き出しを開ける音などが聞こえたときは、ハリーは目を上げた。三人目の挑戦者はなかなかよかった。四人目はとてもだめだ。五人目はブラッジャーをよけるのはすばらしくうまかったが、簡単に守れる球でしくじった。空が暗くなってきた。六人目と七人目はハリーにはまったく見えないだろうと思った。

「僕はうそをついてはいけない」

「僕はうそをついてはいけない」

羊皮紙はいまや、ハリーの手の甲から滴る血で光っていた。手が焼けるように痛い。次に目を上げたときには、もうとっぷりと暮れ、競技場は見えなくなっていた。

「さあ、教訓がわかったかどうか、見てみましょうか？」それから三十分後、アンブリッジがやさしげな声で言った。

アンブリッジがハリーのほうにやってきて、指輪だらけの短い指をハリーの腕に伸ばした。皮膚に刻み込まれた文字を調べようとまさにハリーの手をつかんだその瞬間、ハリーは激痛を感じた。手の甲にではなく、額の傷痕にだ。同時に、体の真ん中あたりになんとも奇妙な感覚が走った。

ハリーはつかまれていた腕をぐいと引き離し、急に立ち上がってアンブリッジを見つめた。アンブリッジは、しまりのない大口を笑いの形に引き伸ばして、ハリーを見つめ返した。

「痛いでしょう？」アンブリッジがやさしげに言った。

ハリーは答えなかった。心臓がドクドクと激しく動悸していた。手のことを言っているのだろうか、それともアンブリッジは、いま、額に感じた痛みを知っているのだろうか？

「さて、わたくしは言うべきことを言ったと思いますよ、ミスター・ポッター。帰ってよろしい」

ハリーは鞄を取り上げ、できるだけ早く部屋を出た。

落ち着け――階段を駆け上がりながら、ハリーは自分に言い聞かせた。**落ち着くんだ。必ずしもおまえが考えているようなことだとはかぎらない……。**

「**ミンビュラス　ミンブルトニア！**」

「太った婦人」に向かって、ハリーはゼイゼイ言った。肖像画がパックリ開いた。

ワーッという音がハリーを迎えた。顔中ニコニコさせ、つかんだゴブレットからバタービールを胸にはねこぼしながらロンが走り寄ってきた。

「ハリー、僕、やった。僕、受かった。キーパーだ！」

「え？　わあ――すごい！」ハリーは自然に笑おうと努力した。しかし心臓はドキドキし、手はずきずきと血を流していた。

「バタービール、飲めよ」ロンが瓶をハリーに押しつけた。「僕、信じられなくて――ハーマイオニーはどこ？」

「そこだ」フレッドが、バタービールをぐい飲みしながら、暖炉脇のひじかけ椅子を指差していた。ハーマイオニーは椅子でうとうとし、手にした飲み物が危なっかしく傾いでいた。

「うーん、僕が知らせたとき、ハーマイオニーはうれしいって言ったんだけど」ロンは少しがっかりした顔をした。

「眠らせておけよ」ジョージがあわてて言った。そのすぐあと、ハリーは、周りに集まっている一年生の何人かに、最近鼻血を出した跡がはっきりついているのに気づいた。

「ここに来てよ、ロン。オリバーのお下がりのユニフォームが合うかどうか見てみるから」ケイティ・ベルが呼んだ。「オリバーの名前を取って、あなたのをつければいい……」

ロンが行ってしまうと、アンジェリーナが大股で近づいてきた。

「さっきは短気を起こして悪かったよ、ポッター」アンジェリーナが藪から棒に言った。「何せ、ストレスがたまるんだ。キャプテンなんていう野暮な役は。私、ウッドに対して少し厳しすぎたって思いはじめたよ」

アンジェリーナは、手にしたゴブレットの縁越しにロンを見ながら少し顔をしかめた。

「あのさ、彼が君の親友だってことはわかってるけど、あいつはすごいとは言えないね」

アンジェリーナはぶっきらぼうに言った。

「だけど、少し訓練すれば大丈夫だろう。あの家族からはいいクィディッチ選手が出ている。今夜見せたよりはましな才能を発揮するだろう。まあ、正直なとこ、そうなることに賭けてる。ビッキー・フロビシャーとジェフリー・フーパーのほうが、今夜は飛びっぷりがよかった。しかし、フーパーはぐちり屋だ。なんだかんだと不平ばっかり言ってる。ビッキーはクラブ荒らしだ。自分でも認めたけど、練習が呪文クラブとかち合ったら、呪文を優先するってさ。とにかく、あしたの二時から練習だ。今度は必ず来いよ。それに、お願いだから、できるだけロンを助けてやってくれないかな。いいかい？」

ハリーはうなずいた。アンジェリーナはアリシア・スピネットの所へ悠然と戻っていった。ハリーはハーマイオニーのそばまで行った。鞄を置くと、ハーマイオニーがびくっとして目を覚ました。

「ああ、ハリー、あなたなの……。ロンのこと、よかったわね」ハーマイオニーはとろんとした目で言った。「私、と――と――とってもつかれちゃった」ハーマイオニーはあくびをした。「帽子をたくさん作るのに、一時まで起きていたの。すごい勢いでなくなってるのよ！」

確かに、見回すと、談話室のいたる所、不注意なしもべ妖精がうっかり拾いそうな場所には毛糸の帽子が隠してあった。

「いいね」ハリーは気もそぞろに答えた。誰かにすぐに言わないと、いまにも破裂しそうな気分だ。「ねえ、ハーマイオニー、いまアンブリッジの部屋にいたんだ。それで、あいつが僕の腕にさわった……」

ハーマイオニーは注意深く聴いて、ハリーが話し終えると、考えながらゆっくり言った。

「『例のあの人』がクィレルをコントロールしたみたいに、アンブリッジをコントロールしてるんじゃないかって心配なの？」

「うーん」ハリーは声を落とした。「可能性はあるだろう？」

「あるかもね」ハーマイオニーはあまり確信が持てないような言い方をした。

「でも、『あの人』がクィレルと同じやり方でアンブリッジに**取り憑く**ことはできないと思うわ。つまり、『あの人』はもう生きてるんでしょう？　自分の身体を持ってる。誰かの体は必要じゃない。アンブリッジに『服従の呪文』をかけることは可能だと思うけど……」

ハリーは、フレッド、ジョージ、リー・ジョーダンがバタービールの空き瓶でジャグリングをしているのをしばらく眺めていた。するとハーマイオニーが言った。

「でも、去年、誰もさわっていないのに傷痕が痛むことがあったわね。ダンブルドアがこう言わなかった？　『例のあの人』がその時感じていることに関係している。つまり、もしかしたらアンブリッジとはまったく関係がないかもしれないわ。たまたまアンブリッジと一緒にいた時にそれが起こったのは、単なる偶然かもしれないじゃない？」

「あいつは邪悪なやつだ」ハリーが言った。「根性曲がりだ」

「ひどい人よ、確かに。でも……ハリー、ダンブルドアに、傷痕の痛みのことを話さないといけないと思うわ」

　ダンブルドアの所へ行けと忠告されたのは、この二日で二度目だ。そしてハリーのハーマイオニーへの答えは、ロンへのとまったく同じだった。

「このことでダンブルドアの邪魔はしない。いま君が言ったようにたいしたことじゃない。この夏中、しょっちゅう痛んでたし——ただ、今夜はちょっとひどかった——それだけさ——」

「ハリー、ダンブルドアはきっとこのことで**邪魔されたい**と思うわ——」

「うん」ハリーはそう言ったあと、言いたいことが口をついて出てしまった。「ダンブルドアは僕のその部分だけしか気にしてないんだろ？　僕の傷痕しか」

「何を言いだすの。そんなことないわ！」

「僕、シリウスに手紙を書いて、このことを教えるよ。シリウスがどう考えるか——」

「ハリー、そういうことは手紙に書いちゃダメ！」ハーマイオニーが驚いて言った。「覚えていないの？　ムーディが、手紙に書くことに気をつけろって言ったでしょう。いまはもう、ふくろうが途中で捕まらないという保証はないのよ！」

「わかった、わかった。じゃ、シリウスには教えないよ！」ハリーはいらいらしながら立ち上がった。

「僕、寝る。ロンにそう言っといてくれる？」

「あら、だめよ」ハーマイオニーがホッとしたように言った。「あなたが行くなら、私も行っても失礼にはならないってことだもの。私、もうくたくたなの。それに、あしたはもっと帽子を作りたいし。ねえ、あなたも手伝わない？　おもしろいわよ。私、だんだん上手になってるの。いまは、模様編みもポンポン飾りも、ほかにもいろいろできるわ」

ハリーは喜びに輝いているハーマイオニーの顔を見つめた。そして、少しはその気になったかのような顔をしてみせようとした。

「あー……ううん。遠慮しとく」ハリーが言った。「えーと——あしたはだめなんだ。僕、山ほど宿題やらなくちゃ……」

ちょっと残念そうな顔をしたハーマイオニーをあとに残し、ハリーはとぼとぼと男子寮の階段に向かった。

第14章　パーシーとパッドフット

次の朝、同室の誰よりも早くハリーは目を覚ました。しばらく横になったまま、ベッドのカーテンのすきまから流れ込んでくる陽光の中で、塵が舞う様子を眺め、土曜日だという気分をじっくり味わった。新学期の第一週は、大長編の魔法史の授業のように、はてしなく続いたような気がした。

眠たげな静寂と、たったいまつむぎだされたような陽光から考えると、まだ夜が明けたばかりだ。ハリーはベッドにめぐらされたカーテンを開け、起き上がって服を着はじめた。遠くに聞こえる鳥のさえずりのほかは、同じ寝室のグリフィンドール生のゆっくりした深い寝息が聞こえるだけだった。ハリーは鞄をそっと開け、羊皮紙と羽根ペンを取り出し、寝室を出て談話室に向かった。

ハリーは、まっすぐにお気に入りの場所を目指した。暖炉脇のふわふわした古いひじかけ椅子だ。暖炉の火はもう消えている。心地よく椅子に座ると、ハリーは談話室を見回しながら羊皮紙を広げた。丸めた羊皮紙の切れ端や、古いゴブストーン、薬の材料用のからの広口瓶、菓子の包み紙など、一日の終わりに散らかっていたごみくずの山は、きれいになくなっていた。ハーマイオニーのしもべ妖精用帽子もない。自由になりたかったかどうかにかかわりなく、もう何人ぐらいのしもべ妖精が自由になったのだろうとぼんやり考えながら、ハリーはインク瓶のふたを開け、羽根ペンを浸した。それから、黄色味を帯びたなめらかな羊皮紙の表面から少し上に羽根ペンをかざし、必死に考えた……しかし、一、二分後、ハリーは火のない火格子を見つめたままの自分に気づいた。なんと書いていいのかわからない。

ロンとハーマイオニーが、この夏ハリーに手紙を書くのがどんなに難しかったか、いまになってわかった。この一週間の出来事を何もかもシリウスに知らせ、聞きたくてたまらないことを全部質問し、しかも手紙どろぼうに盗まれた場合でも、知られたくない情報は渡さないとなると、いったいどうすればいいのだろう？

ハリーはしばらくの間身動きもせず暖炉を見つめていたが、ようやくもう一度羽根ペンをインクに浸し、羊皮紙にきっぱりとペンを下ろした。

スナッフルズさん

お元気ですか。ここに戻ってからの最初の一週間はひどかった。週末になってほんとうにうれしいです。

「闇の魔術の防衛術」に、新任のアンブリッジ先生が来ました。あなたのお母さんと同じぐらいすてきな人です。去年の夏にあなたに書いた手紙と同じ件で手紙を書いています。昨夜アンブリッジ先生の罰則を受けていたときに、また起こりました。

僕たちの大きな友達がいないので、みんなさびしがっています。早く帰ってきてほしいです。なるべく早くお返事をください。

お元気で。

ハリーより

ハリーは第三者の目で手紙を数回読み返した。これならなんのことを話しているのか――誰に向かって話しているのか――この手紙を読んだだけではわからないだろう。シリウスにハグリッドのヒントが通じて、ハグリッドがいつ帰ってくるのかを教えてくれればいいが、とハリーは願った。まともには聞けない。ハグリッドがホグワーツを留守にして、いったい何をしようとしているのかに、注意を引きすぎてしまうかもしれないからだ。

こんなに短い手紙なのに、書くのにずいぶん時間がかかった。書いている間に、太陽の光が、部屋の中ほどまで忍び込んでいた。みんなが起きだす物音が、上の寝室から遠く聞こえた。羊皮紙にしっかり封をして、ハリーは肖像画の穴をくぐり、ふくろう小屋に向かった。

「私なら**そちらの道は**行きませんね」

ハリーが廊下を歩いていると、すぐ目の前の壁から、ほとんど首無しニックがふわふわ出てきて、ハリーをドキッとさせた。

「廊下の中ほどにあるパラケルススの胸像の脇を次に通る人に、ピーブズがゆかいな冗談を仕掛けるつもりです」

「それ、パラケルススが頭の上に落ちてくることもあり？」ハリーが聞いた。

「そんなばかなとお思いでしょうが、**あります**」

ほとんど首無しニックがうんざりした声で言った。

「ピーブズには繊細さなどという徳目はありませんからね。私は『血みどろ男爵』を探しに参ります……男爵なら止めることができるかもしれません……ではご機嫌よう、ハリー……」

「ああ、じゃあね」

ハリーは右に曲がらずに左に折れ、ふくろう小屋へは遠回りでも、より安全な道を取った。窓を一つ通り過ぎるたびに、ハリーは気力が高まってきた。どの窓からも真っ青な明るい空が見える。あとでクィディッチの練習がある。ハリーはやっとクィディッチ競技場に戻れるのだ。

何かがハリーのくるぶしをかすめた。見下ろすと、管理人フィルチの飼っている、骸骨のようにやせた灰色の猫、ミセス・ノリスが、こっそり通り過ぎるところだった。一瞬、ランプのような黄色い目をハリーに向け、「憂いのウィルフレッド」の像の裏へと姿をくらました。

「僕、なんにも悪いことしてないぞ」

ハリーがあとを追いかけるように言った。猫は、まちがいなくご主人様に言いつけにいくときの雰囲気だったが、ハリーにはどうしてなのかわからなかった。土曜の朝にふくろう小屋に歩いていく権利はあるはずだ。

もう太陽が高くなっていた。ふくろう小屋に入ると、ガラスなしの窓々から射し込む光のまぶしさに目がくらんだ。どっと射し込む銀色の光線が、円筒状の小屋を縦横に交差している。垂木に止まった何百羽ものふくろうは、早朝の光で少し落ち着かない様子だ。狩から帰ったばかりらしいのもいる。ハリーは首を伸ばしてヘドウィグを探した。藁を敷き詰めた床の上で、小動物の骨が踏み砕かれてポキポキと軽い音を立てた。

「ああ、そこにいたのか」

丸天井のてっぺん近くに、ヘドウィグを見つけた。

「降りてこいよ。頼みたい手紙があるんだ」

ホーと低く鳴いて大きな翼を広げ、ヘドウィグはハリーの肩に舞い降りた。

「いいか、表にはスナッフルズって書いてあるけど」ハリーは手紙をくちばしにくわえさせながら、なぜか自分でもわからずささやき声で言った。「でも、これはシリウス宛なんだ。オーケー？」

ヘドウィグは琥珀色の目を一回だけパチクリした。ハリーはそれがわかったという意味だと思った。

「じゃ、気をつけて行くんだよ」

ハリーはヘドウィグを窓まで運んだ。ハリーの腕をくいっとひと押しし、ヘドウィグはまぶしい空へと飛び去った。ハリーはヘドウィグが小さな黒い点になり、姿が消えるまで見守った。それからハグリッドの小屋へと目を移した。小屋はこの窓からはっきりと見えたが、誰もいないこともはっきりしていた。煙突には煙も見えず、カーテンは閉め切られている。

禁じられた森の木々の梢がかすかな風に揺れた。ハリーは顔いっぱいにすがすがしい風を味わい、このあとのクィディッチのことを考えながら、梢を見ていた……突然何かが目に入った。ホグワーツの馬車をひいていたのと同じ、巨大な爬虫類のような有翼の馬だ。なめし革のようなすべすべした黒い両翼を翼手竜のように広げ、巨大でグロテスクな鳥のように木々の間から舞い上がった。それは大きく円を描いて上昇し、再び木々の間に突っ込んでいった。すべてがあっという間の出来事だったので、ハリーにはいま見たことが信じられなかった。しかし、心臓は狂ったように早鐘を打っていた。

背後でふくろう小屋の戸が開いた。ハリーは飛び上がるほど驚いた。急いで振り返ると、チョウ・チャンが手紙と小包を持っているのが目に入った。

「やあ」ハリーは反射的に挨拶した。

「あら……おはよう」チョウが息をはずませながら挨拶した。「こんなに早く、ここに誰かいると思わなかったわ……私、つい五分前に、今日がママの誕生日だったことを思い出したの」

チョウは小包を持ち上げて見せた。

「そう」ハリーは脳みそが混線したようだった。気のきいたおもしろいことの一つも言いたかったが、あの恐ろしい有翼の馬の記憶がまだ生々しかった。

「いい天気だね」

ハリーは窓のほうを指した。バツの悪さに内臓が縮んだ。天気のことなんか――僕は何を言ってるんだ。**天気のこと**なんか……。

「そうね」チョウは適当なふくろうを探しながら答えた。「いいクィディッチ日和だわ。私、もう一週間もプレーしてないの。あなたは？」

「僕も」ハリーが答えた。

チョウは学校のメンフクロウを選んだ。チョウがおいでおいでと腕に呼び寄せると、ふくろうは快く片脚を突き出し、チョウが小包をくくりつけられるようにした。

「ねえ、グリフィンドールの新しいキーパーは決まったの？」

「うん。僕の友達のロン・ウィーズリーだ。知ってる？」

「トルネードーズ嫌いの？」チョウがかなり冷ややかに言った。「少しはできるの？」

「うん」ハリーが答えた。「そうだと思う。でも、僕は選抜のとき見てなかったんだ。罰則を受けてたから」

チョウは、小包をふくろうの脚に半分ほどくくりつけたままで目を上げた。

「あのアンブリッジって女、いやな人」チョウが低い声で言った。「あなたがほんとうのことを言ったというだけで罰則にするなんて。どんなふうに――どんなふうにあの人が死んだかを言っただけで。みんながその話を聞いたし、話は学校中に広がったわ。あの先生にあんなふうに立ち向かうなんて、あなたはとっても勇敢だったわ」

縮んでいた内臓が、再びふくらんできた。あまりに急速にふくらんだので、まるでフンだらけの床から体が十センチくらい浮き上がったような気がした。空飛ぶ馬なんか、もうどうだっていい。チョウが僕をとっても勇敢だったと思ってる。小包をふくろうにくくりつけるのを手伝って、「見せるつもりはなかったんだ」の雰囲気で、チョウに手の傷を見せようかと、ハリーは一瞬そう思った……しかし、このドキドキする思いつきが浮かんだとたん、またふくろう小屋の戸が開いた。

管理人のフィルチが、ゼイゼイ言いながら入ってきた。やせて静脈が浮き出たほおのあちこちが赤黒いまだらになり、あごは震え、薄い白髪頭を振り乱している。ここまで駆けてきたにちがいない。ミセス・ノリスがそのすぐ後ろからトコトコ走ってきて、ふくろうたちをじっと見上げ、腹がへったとばかりニャーと鳴いた。ふくろうたちは落ち着かない様子で羽をこすり合わせ、大きな茶モリフクロウが一羽、脅すようにくちばしをカチカチ鳴らした。

「アハーッ！」フィルチは垂れ下がったほおを怒りに震わせ、ドテドテと不格好な歩き方でハリーのほうにやってきた。「おまえがクソ爆弾をごっそり注文しようとしてると、垂れ込みがあったぞ！」

ハリーは腕組みして管理人をじっと見た。

「僕がクソ爆弾を注文してるなんて、誰が言ったんだい？」

チョウも顔をしかめて、ハリーからフィルチへと視線を走らせた。チョウの腕に止まったふくろうが、片脚立ちにつかれて、催促するようにホーと鳴いたが、チョウは無視した。

「こっちにはこっちのつてがあるんだ」フィルチは得意げにすごんだ。「さあ、なんでもいいから送るものをこっちへよこせ」

「できないよ。もう出してしまったもの」手紙を送るのにぐずぐずしなくてよかったと、ハリーは何かに感謝したい気持ちだった。

「**出してしまった？**」フィルチの顔が怒りでゆがんだ。

「出してしまったよ」ハリーは落ち着いて言った。

フィルチは怒って口を開け、二、三秒パクパクやっていたが、それからハリーのローブをなめるようにじろーっと見た。

「ポケットに入ってないとどうして言える？」

「どうしてって――」

「ハリーが出すところを、私が見たわ」チョウが怒ったように言った。

フィルチがサッとチョウを見た。

「おまえが見た――?」

「そうよ。見たわ」チョウが激しい口調で言った。

一瞬、フィルチはチョウをにらみつけ、チョウはにらみ返した。それから、背を向け、ぎこちない歩き方でドアに向かったが、ドアの取っ手に手をかけて立ち止まり、ハリーを振り返った。

「クソ爆弾がプンとでもにおったら……」

フィルチが階段をコツンコツンと下りていき、ミセス・ノリスは、ふくろうたちをもう一度無念そうに目でなめてからあとについていった。

ハリーとチョウが目を見合わせた。

「ありがとう」ハリーが言った。

「どういたしまして」メンフクロウが上げっぱなしにしていた脚にやっと小包をくくりつけながら、チョウがかすかにほおを染めた。

「クソ爆弾を**注文してはいない**でしょう?」

「してない」ハリーが答えた。

「だったら、フィルチはどうしてそうだと思ったのかしら?」チョウはふくろうを窓際に運びながら言った。

ハリーは肩をすくめた。チョウばかりでなくハリーにとっても、それはまったく謎だった。しかし、不思議なことに、いまはそんなことはどうでもよい気分だった。

二人は一緒にふくろう小屋を出た。城の西塔に続く廊下の入口で、チョウが言った。

「私はこっちなの。じゃ、あの……またね、ハリー」

「うん……また」

チョウはハリーにニッコリして歩きだした。ハリーもそのまま歩き続けた。気持ちが静かにたかぶっていた。ついにチョウとまとまった会話をやってのけた。しかも一度もきまりの悪い思いをせずに……**あの先生にあんなふうに立ち向かうなんて、あなたはとっても勇敢だったわ**……チョウがハリーを勇敢だと言った……ハリーが生きていることを憎んではいない……。

もちろん、チョウはセドリックのほうが好きだった。それはわかっている……ただ、もし僕があのパーティでセドリックより先に申し込んでいたら、事情はちがっていたかもしれない……僕が申し込んだとき、チョウは断るのがほんとうに申し訳ないという様子だった……。

「おはよう」

大広間のグリフィンドールのテーブルで、ハリーはロンとハーマイオニーの所に座りながら、明るく挨拶した。

「なんでそんなにうれしそうなんだ?」ロンが驚いてハリーを見た。

「う、うん……あとでクィディッチが」ハリーは幸せそうに答え、ベーコンエッグの大皿を引き寄せた。

「ああ……うん……」ロンは食べかけのトーストを下に置き、かぼちゃジュースをガブリと飲み、それから口を開いた。「ねえ……僕と一緒に、少し早めに行ってくれないか? ちょっと——えー——僕に、トレーニング前の練習をさせてほしいんだ。そしたら、ほら、ちょっと勘がつかめるし」

「ああ、オーケー」ハリーが言った。

「ねえ、そんなことだめよ」ハーマイオニーが真剣な顔をした。「二人とも宿題がほんとうに遅れてるじゃない――」

しかし、ハーマイオニーの言葉がそこでとぎれた。朝の郵便が到着し、いつものようにコノハズクが「日刊予言者新聞」をくわえてハーマイオニーのほうに飛んできて、砂糖つぼすれすれに着地した。コノハズクが片脚を突き出し、ハーマイオニーはその革の巾着に一クヌートを押し込んで新聞を受け取った。コノハズクが飛び立ったときには、ハーマイオニーは新聞の一面にしっかりと目を走らせていた。

「何かおもしろい記事、ある？」ロンが言った。

ハリーはニヤッとした。宿題の話題をそらせようとロンが躍起になっているのがわかるのだ。

「ないわ」ハーマイオニーがため息をついた。『妖女シスターズ』のベース奏者が結婚するっていうゴシップ記事だけよ」

ハーマイオニーは新聞を広げてその陰に埋もれてしまった。ハリーはもう一度ベーコンエッグを取り分け、食べることに専念した。ロンは、何か気になってしょうがないという顔で高窓を見つめていた。

「ちょっと待って」ハーマイオニーが突然声を上げた。「ああ、だめ……シリウス！」

「何かあったの？」ハリーが新聞をぐいっと乱暴に引っ張ったので、新聞は半分に裂け、ハリーの手に半分、ハーマイオニーの手にもう半分残った。

「**『魔法省は信頼できる筋からの情報を入手した。シリウス・ブラック、悪名高い大量殺人鬼であり……云々、云々……は現在ロンドンに隠れている！』**」

ハーマイオニーは心配そうに声をひそめて、自分の持っている半分を読んだ。

「ルシウス・マルフォイ、絶対そうだ」ハリーも低い声で、怒り狂った。「プラットホームでシリウスを見破ったんだ……」

「えっ？」ロンが驚いて声を上げた。「君、まさか――」

「シーッ！」ハリーとハーマイオニーが抑えた。

「……**『魔法省は、魔法界に警戒を呼びかけている。ブラックは非常に危険で……十三人も殺し……アズカバンを脱獄……』**いつものくだらないやつだわ」

ハーマイオニーは新聞の片割れを下に置き、おびえたような目でハリーとロンを見た。

「つまり、シリウスはもう二度とあの家を離れちゃいけない。そういうことよ」ハーマイオニーがヒソヒソ言った。「ダンブルドアはちゃんとシリウスに警告してたわ」

ハリーはふさぎ込んで、破り取った新聞の片割れを見下ろした。ページの大部分は広告で、「マダム・マルキンの洋装店――普段着から式服まで」がセールをやっているらしい。

「えーっ！　これ見てよ！」ハリーはロンとハーマイオニーが見えるように、新聞を平らに広げて置いた。

「僕、ローブは間に合ってるよ」ロンが言った。

「ちがうよ」ハリーが言った。「見て……この小さい記事……」

ロンとハーマイオニーが新聞に覆いかぶさるようにして読んだ。六行足らずの短い記事で、一番下の欄にのっている。

魔法省侵入事件

ロンドン市クラッパム地区ラバーナム・ガーデン二番地に住むスタージス・ポドモア(38)は、八月三十一日、魔法省に侵入並びに強盗未遂容疑でウィゼンガモットに出廷した。ポドモアは、午前一時に最高機密の部屋に押し入ろうとしているところを、ガード魔ン(マ)のエリック・マンチに捕まった。ポドモアは弁明を拒み、両罪について有罪とされ、アズカバンに六か月収監の刑を言い渡された。

「スタージス・ポドモア？」ロンが考えながら言った。「それ、頭が茅葺屋根（かやぶき）みたいな、あいつだろ？騎士団——」

「ロン、**シーッ！**」ハーマイオニーがびくびくあたりを見回した。

「アズカバンに六か月！」ハリーはショックを受けてささやいた。「部屋に入ろうとしただけで！」

「バカなこと言わないで。単に部屋に入ろうとしただけじゃないわ。魔法省で、夜中の一時に、いったい何をしていたのかしら？」ハーマイオニーがヒソヒソ言った。

「騎士団のことで何かしてたんだと思うか？」ロンがつぶやいた。

「ちょっと待って……」ハリーが考えながら言った。「スタージスは、僕たちを見送りにくるはずだった。覚えてるかい？」

二人がハリーを見た。

「そうなんだ。キングズ・クロスに行く護衛隊に加わるはずだった。覚えてる？　それで、現れなかったもんだから、ムーディがずいぶんやきもきしてた。だから、スタージスが騎士団の仕事をしていたはずはない。そうだろ？」

「ええ、たぶん、騎士団はスタージスが捕まるとは思っていなかったんだわ」ハーマイオニーが言った。

「ハメられたかも！」ロンが興奮して声を張り上げた。「いや——わかったぞ！」ハーマイオニーが怖い顔をしたので、ロンは声をがくんと落とした。「魔法省はスタージスがダンブルドア一味じゃないかと疑った。それで——わかんないけど——連中がスタージスを魔法省に**誘い込んだ**。スタージスは部屋に押し入ろうとしたわけじゃないんだ！　魔法省がスタージスを捕まえるのに、何かでっち上げたんだ！」

ハリーとハーマイオニーは、しばらくだまってそのことを考えた。ハリーはそんなことはありえないと思ったが、一方ハーマイオニーは、かなり感心したような顔をした。

「ねえ、納得できるわ。そのとおりかもしれない」

ハーマイオニーは、何か考え込みながら、手にした新聞の片割れを折りたたんだ。ハリーがナイフとフォークを置いたとき、ハーマイオニーはふと我に返ったように言った。

「さあ、それじゃ、スプラウト先生の『自然に施肥（せひ）する灌木（かんぼく）』のレポートから始めましょうか。うまくいけば、昼食前に、マクゴナガルの『無生物出現呪文』に取りかかれるかもしれない……」

上階の寮で待ち受けている宿題の山を思うと、ハリーは良心がうずいた。しかし、空は晴れ渡り、わくわくするような青さだったし、ハリーはもう一週間もファイアボルトに乗っていなかった……。

「今夜やりゃいいのさ」

ハリーと連れ立ってクィディッチ競技場に向かう芝生の斜面を下りながら、ロンが言った。二人とも肩には箒（ほうき）を担ぎ、耳には「二人ともO・W・L（ふくろう）に落ちるわよ」というハーマイオニーの警告がまだ鳴り響いていた。

「それに、あしたってものがある。ハーマイオニーは勉強となると熱くなる。あいつはそこが問題さ……」ロンはそこで一瞬言葉を切った。そしてちょっと心配そうに言った。「あいつ、本気かな。ノートを写させてやらないって言ったろ？」

「ああ、本気だろ」ハリーが言った。「だけど、こっちのほうも大事さ。クィディッチ・チームに残りたいなら、練習しなきゃならない……」

「うん、そうだとも」ロンは元気が出たようだった。「それに、宿題を全部やっつける時間はたっぷりあるさ……」

二人がクィディッチ競技場に近づいたとき、ハリーはちらりと右のほうを見た。禁じられた森の木々が、黒々と揺れている。森からは何も飛び立ってこなかった。遠くふくろう小屋のある塔の付近を、ふくろうが数羽飛び回る姿が見えるほかは、空はまったくなんの影もない。心配の種はあまるほどある。空飛ぶ馬が悪さをしたわけじゃなし。ハリーはそのことを頭から押しのけた。

更衣室の物置からボールを取り出し、二人は練習に取りかかった。ロンが三本のゴールポストを守り、ハリーがチェイサー役でクアッフルを投げてゴールを抜こうとした。ロンはなかなかうまいとハリーは思った。ハリーのゴールシュートの四分の三をブロックしたし、練習時間をかけるほどロンは調子を上げた。二時間ほど練習して、二人は昼食を食べに城へ戻った――昼食の間ずっと、ハーマイオニーは、二人が無責任だとはっきり態度で示した――。それから本番トレーニングのため、二人はクィディッチ競技場に戻った。更衣室に入ると、アンジェリーナ以外の選手が全員そろっていた。

「大丈夫か、ロン?」ジョージがウィンクしながら言った。

「うん」ロンは競技場に近づくほど口数が少なくなっていた。

「俺たちに差をつけてくれるんだろうな、監督生ちゃん?」クィディッチ・ユニフォームの首から髪をくしゃくしゃにして頭を出しながら、いたずらっぽいニヤニヤ笑いを浮かべて、フレッドが言った。

「だまれ」ロンは初めて自分のユニフォームを着ながらむすっとした顔で言った。肩幅がロンよりかなり広いオリバー・ウッドのユニフォームにしては、ロンにぴったりだった。

「さあ、みんな」着替えをすませたアンジェリーナがキャプテン室から出てきた。「始めよう。アリシアとフレッド、ボールの箱を持ってきてよ。ああ、それから、外で何人か見学しているけど、気にしないこと。いいね?」

アンジェリーナはなにげない言い方をしたつもりだったろうが、ハリーは招かれざる見学者が誰なのかを察した。推察どおりだった。更衣室から競技場のまぶしい陽光の中に出ていくと、そこはスリザリンのクィディッチ・チームと取り巻き連中数人のヤジと口笛の嵐だった。観客席の中間あたりの高さの席に陣取ってヤジる声が、からのスタジアムにワンワン反響していた。

「ウィーズリーが乗ってるのは、なんだい？」マルフォイが気取った声であざけった。「あんなかびだらけの棒っ切れに飛行呪文をかけたやつは誰だい？」

クラッブ、ゴイル、パンジー・パーキンソンが、ゲラゲラ、キャーキャー笑いこけた。ロンは箒にまたがり、地面を蹴った。ハリーも、ロンの耳が真っ赤になるのを見ながらあとを追った。

「ほっとけよ」スピードを上げてロンに追いついたハリーが言った。「あいつらと対戦したあとで、どっちが最後に笑うかがはっきりする……」

「その態度が正解だよ、ハリー」

クアッフルを小脇に抱えて二人のそばに舞い上がってきたアンジェリーナが、うなずきながら言った。アンジェリーナは速度を落とし、空中のチームを前にして静止した。

「オーケー。みんな、ウォーミングアップにパスから始めるよ。チーム全員で、いいね——」

「ヘーイ、ジョンソン。そのヘアスタイルはいったいどうしたの？」

パンジー・パーキンソンが下から金切り声で呼びかけた。

「頭から虫が這い出してるような髪をするなんて、そんな人の気が知れないわ」

アンジェリーナはドレッドヘアを顔から払いのけ、落ち着き払って言った。

「それじゃ、みんな、広がって。さあ、やってみよう……」

ハリーはほかのチームメートとは逆の方向に飛び、クィディッチ・ピッチの一番端に行った。ロンはその反対側のゴールに向かって下がった。アンジェリーナは片手でクアッフルを上げ、フレッドに向かって投げつけた。フレッドはジョージに、ジョージはハリーにパスし、ハリーからロンにパスしたが、ロンはクアッフルを取り落とした。

マルフォイの率いるスリザリン生が、大声で笑ったり、かん高い笑い声を上げたりした。ロンはクアッフルが地面に落ちる前に捕まえようと、一直線にクアッフルを追いかけたが、急降下から体勢を立て直すときにもたついて、箒からズルリと横にすべってしまい、プレーする高さにまで飛び上がってきたときは顔が真っ赤だった。ハリーはフレッドとジョージが目を見交わすのを目撃したが、いつもの二人に似合わず何も言わなかったので、ハリーはそのことに感謝した。

「ロン、パスして」アンジェリーナが何事もなかったかのように呼びかけた。

ロンはクアッフルをアリシアにパスした。そこからハリーにクアッフルが戻り、ジョージにパスされた。

「ヘーイ、ポッター、傷はどんな感じだい?」マルフォイが声をかけた。「寝てなくてもいいのか? 医務室に行かなくてすんだのは、これで、うん、まるまる一週間だ。記録的じゃないか?」

ジョージがアンジェリーナにパスし、アンジェリーナはハリーにバックパスした。不意をつかれたハリーは、それでも指の先でキャッチし、すぐにロンにパスした。ロンは飛びついたが、数センチのところでミスした。

「何をやってるのよ、ロン」アンジェリーナが不機嫌な声を出した。ロンはまた急降下してクアッフルを追っていた。

「ぼんやりしないで」

ロンが再びプレーする高さまで戻ってきたときには、ロンの顔とクアッフルと、どちらが赤いか判定が難しかった。マルフォイもスリザリン・チームもいまや大爆笑だった。

三度目でロンはクアッフルをキャッチした。それでホッとしたのか、今度はパスに力が入りすぎ、クアッフルは両手を伸ばして受け止めようとしたケイティの手をまっすぐすり抜け、思いっきり顔に当たった。

「ごめん！」ロンがうめいて、けがをさせはしなかったかとケイティのほうに飛び出した。

「ポジションに戻って！　そっちは大丈夫だから！」アンジェリーナが大声を出した。「チームメートにパスしてるんだから、箒からたたき落とすようなことはしないでよ。頼むから。そういうことはブラッジャーに任せるんだ！」

ケイティは鼻血を出していた。下のほうで、スリザリン生が足を踏み鳴らしてヤジっている。フレッドとジョージがケイティに近寄っていった。

「ほら、これ飲めよ」フレッドがポケットから何か小さな紫色のものを取り出して渡した。「一発で止まるぜ」

「よーし」アンジェリーナが声をかけた。「フレッド、ジョージ、クラブとブラッジャーを持って。ロン、ゴールポストの所に行くんだ。ハリー、私が放せと言ったらスニッチを放して。もちろん、チェイサーの目標はロンのゴールだ」

ハリーは双子のあとに続いて、スニッチを取りに飛んだ。

「ロンのやつ、ヘマやってくれるぜ、まったく」三人でボールの入った木箱のそばに着地し、ブラッジャー一個とスニッチを取り出しながら、ジョージがブツブツ言った。

「上がってるだけだよ」ハリーが言った。「今朝、僕と練習したときは大丈夫だったし」

「ああ、まあな、仕上がりが早すぎたんじゃないか」フレッドが憂鬱そうに言った。

三人は空中に戻った。アンジェリーナの笛の合図で、ハリーはスニッチを放し、フレッドとジョージはブラッジャーを飛ばした。その瞬間から、ハリーはほかのチームメートが何をしているのかをあまり気にしていられなくなった。ハリーの役目は、パタパタ飛ぶ小さな金のボールを捕まえることで、キャッチすればチーム得点が一五〇点になるが、捕まえるには相当のスピードと技が必要なのだ。ハリーはスピードを上げ、チェイサーの間を縫って、出たり入ったり、回転したり曲線を描いたりした。かすかな秋の風が顔を打ち、遠くで騒いでいるスリザリン生の声は、まったく意味をなさない唸りにしか聞こえない。しかし、たちまちホイッスルが鳴り、ハリーはまた停止した。

「ストップ——**ストップ——ストップ！**」アンジェリーナが叫んだ。「ロン——真ん中のポストががら空きだ！」

ハリーはロンのほうを見た。左側の輪の前に浮かんでいて、ほかの二本がノーガードだ。

「あ……ごめん……」

「チェイサーの動きを見ているとき、うろうろ動きすぎなんだ！」アンジェリーナが言った。「輪のどれかを守るのに移動しなければならなくなるまではセンターを守るか、さもなきゃ三つの輪の周囲を旋回すること。なんとなく左右に流れちゃだめだよ。だから三つもゴールを奪われたんだ！」

「ごめん……」ロンがくり返した。真っ赤な顔が、明るい青空に映える信号のように光っている。

「それに、ケイティ、その鼻血、なんとかならないの？」

「たんたんひとくなるのよ！」ケイティが鼻血をそでで止めようとしながら、フガフガと言った。

ハリーはちらりとフレッドを見た。フレッドは心配そうにポケットに手を突っ込んでいる。見ていると、フレッドは何か紫色のものを引っ張り出し、ちょっとそれを調べると、しまった、という顔でケイティのほうを見た。

「さあ、もう一度いこうか」アンジェリーナが言った。スリザリン生は「グリフィンドールの負ーけ、グリフィンドールの負ーけ」とはやしはじめていたが、アンジェリーナは無視した。しかし、箒の座り方がどことなく突っ張っていた。

今度は三分も飛ばないうちに、アンジェリーナのホイッスルが鳴った。ハリーはちょうど反対側のゴールポストの回りを旋回しているスニッチを見つけたところだったので、残念無念だったが停止した。

「今度はなんだい？」ハリーは一番近くにいたアリシアに聞いた。

「ケイティ」アリシアが一言で答えた。

振り返ると、アンジェリーナ、フレッド、ジョージが全速力でケイティのほうに飛んでいくのが見えた。ハリーとアリシアもケイティのほうへと急いだ。アンジェリーナが危機一髪で練習中止にしたことが明らかだった。ケイティはろうのように白い顔で、血だらけになっていた。

「医務室に行かなくちゃ」アンジェリーナが言った。

「俺たちが連れていくよ」フレッドが言った。「ケイティは――えー――まちがって――『流血豆』を飲んじまったかもしれない――」

「ビーターもいないし、チェイサーも一人いなくなったし、まあ、続けてもむだだわ」

アンジェリーナがふさぎ込んで言った。フレッドとジョージはケイティをはさんで支えながら、城のほうに飛んでいった。

「さあ、みんな。引き揚げて着替えよう」

全員がとぼとぼと更衣室に戻る間、スリザリン生は相変わらずはやしたてていた。

「練習はどうだった？」三十分後、ハリーとロンが肖像画の穴を通ってグリフィンドールの談話室に戻ると、ハーマイオニーがかなり冷たく聞いた。

「練習は――」ハリーが言いかけた。

「めちゃめちゃさ」ロンがハーマイオニーの脇の椅子にドサッと腰かけながら、うつろな声で言った。

ロンを見て、ハーマイオニーの冷淡さがやわらいだようだった。

「そりゃ、初めての練習だもの」ハーマイオニーがなぐさめるように言った。「時間がかかるわよ。そのうち――」

「めちゃめちゃにしたのが僕だなんて言ったか？」ロンがかみついた。

「言わないわ」ハーマイオニーは不意をつかれたような顔をした。「ただ、私――」

「ただ、君は、僕が絶対へボだって思ったんだろう？」

「ちがうわ、そんなこと思わないわ！　ただ、あなたが『めちゃめちゃだった』って言うから、それで――」

「僕、宿題をやる」

ロンは腹立たしげに言い放ち、荒々しく足を踏み鳴らして男子寮の階段へと姿を消した。ハーマイオニーはハリーを見た。

「あの人、めちゃめちゃだったの？　**そうなの？**」

「ううん」ハリーは忠義立てした。

ハーマイオニーが眉をぴくりとさせた。

「そりゃ、ロンはもっとうまくプレーできたかもしれない」ハリーがもごもご言った。「でも、これが初めての練習だったんだ。君が言ったように……」

その夜は、ハリーもロンも宿題がはかばかしくは進まなかった。ロンはクィディッチの練習での自分のへボぶりで頭がいっぱいだろうと、ハリーにはわかっていた。ハリー自身も、「グリフィンドールの負ーけ」のはやし言葉が耳について、なかなか振りはらえなかった。

日曜は二人とも一日中談話室で本に埋もれていた。談話室はいったん生徒でいっぱいになり、それからからっぽになった。その日も晴天で、ほかのグリフィンドール生は校庭に出て、あと数日しか味わえないだろうと思われる今年最後の陽の光を楽しんでいた。夕方になると、ハリーは、まるで頭がい骨の内側で誰かが脳みそをたたいているような気分だった。

「ねえ、宿題は週日にもう少し片づけとくようにしたほうがいいな」ハリーがロンに向かってつぶやいた。マクゴナガル先生の「無生物出現呪文」の長いレポートをやっと終え、みじめな気持ちで、シニストラ先生の負けずに長く面倒な「木星の月の群れ」のレポートに取りかかるところだった。

「そうだな」ロンは少し充血した目をこすり、五枚目の羊皮紙の書き損じを、そばの暖炉の火に投げ入れた。「ねえ……ハーマイオニーに、やり終えた宿題、ちょっと見せてくれないかって、頼んでみようか？」

ハリーはちらっとハーマイオニーを見た。クルックシャンクスをひざにのせ、ジニーと楽しげにペチャクチャしゃべっている。その前で、宙に浮いた二本の編み棒が、形のはっきりしないしもべ妖精用ソックスを編み上げていた。

「だめだ」ハリーが言った。「見せてくれないのはわかりきってるだろ」

二人は宿題を続けた。窓から見える空がだんだん暗くなり、談話室から少しずつ人が消えていった。十一時半に、ハーマイオニーがあくびをしながら二人のそばにやってきた。

「もうすぐ終わる？」

「いや」ロンが一言で答えた。

「木星の一番大きな月はガニメデよ。カリストじゃないわ」ロンの肩越しに天文学のレポートを指差しながら、ハーマイオニーが言った。

「それに、火山があるのはイオよ」

「ありがとうよ」ロンは唸りながら、まちがった部分をぐちゃぐちゃに消した。

「ごめんなさい。私、ただ――」

「ああ、ただ批判しにきたんだったら――」

「ロン――」

「お説教を聞いてるひまはないんだ、いいか、ハーマイオニー。僕はもう首までどっぷり――」

「ちがうのよ――ほら！」

ハーマイオニーは一番近くの窓を指差した。ハリーとロンが同時にそっちを見た。きちんとしたコノハズクが窓枠に止まり、部屋の中にいるロンのほうを見つめていた。

「ヘルメスじゃない？」ハーマイオニーが驚いたように言った。

「ひえー、ほんとだ！」ロンは小声で言うと、羽根ペンを放り出し、立ち上がった。「パーシーがなんで僕に手紙なんか？」

ロンは窓際に行って窓を開けた。ヘルメスが飛び込み、ロンのレポートの上に着地し、片脚を上げた。手紙がくくりつけてある。ロンが手紙をはずすと、ふくろうはすぐに飛び立った。ロンが描いた木星の月、イオの上にインクの足跡がべたべた残った。

「まちがいなくパーシーの筆跡だ」ロンは椅子に戻り、とっぷりと腰かけて巻紙の宛名書きを見つめながら言った。


ホグワーツ、グリフィンドール寮、ロナルド・ウィーズリーへロンは二人を見上げた。「どういうことだと思う？」

「開けてみて！」ハーマイオニーが待ちきれないように言った。ハリーもうなずいた。

ロンは巻紙を開いて読みだした。先に読み進むほど、ロンのしかめっ面がひどくなった。読み終わると、辟易（へきえき）した顔で、ハリーとハーマイオニーに手紙を突き出した。二人は両側からのぞき込み、顔を寄せ合って一緒に読んだ。

親愛なるロン

たったいま、君がホグワーツの監督生になったと聞かされた（しかも魔法大臣から直々にだ。大臣は君の新しい先生であるアンブリッジ先生から聞いた）。

この知らせは僕にとってうれしい驚きだった。まずはお祝いを言わなければならない。正直言うと、君が僕の足跡を追うのではなく、いわば「フレッド・ジョージ路線」をたどるのではないかと、僕は常に危惧していた。だから、君が権威をばかにすることをやめ、きちんとした責任を負うことを決意したと聞いたときの僕の気持ちは、君にもわかるだろう。

しかし、ロン、僕はお祝い以上のことを君に言いたい。忠告したいのだ。だからこうして、通常の朝の便ではなく、夜に手紙を送っている。この手紙は、詮索好きな目の届かない所で、気まずい質問を受けないように読んでほしい。

魔法大臣が、君が監督生だと知らせてくれたときに、ふともらしたことから推測すると、君はいまだにハリー・ポッターと親密らしい。ロン、君に言いたいのは、あの少年とつき合い続けることほど、君のバッジを失う危険性を高めるものはないということだ。そう、君はこんなことを聞いてきっと驚くだろう――君はまちがいなく、ポッターはいつでもダンブルドアのお気に入りだった、と言うだろう――しかし、僕はどうしても君に言わなければならない義務がある。ダンブルドアがホグワーツを取りしきるのも、もうそう長くはないかもしれない。重要人物たちは、ポッターの行動について、まったくちがった意見を――そして恐らく、より正確な意見を――持っている。いまはこれ以上言うまい。しかし、明日の「日刊予言者新聞」を読めば、風向きがどの方向なのかがわかるだろう――記事に僕の名前が見つかるかもしれない！

まじめな話、君はポッターと同類扱いされてはならない。そんなことになれば、君の将来にとって大きな痛手だ。僕は卒業後のこともふくめて言っているのだ。我々の父親がハリーの裁判に付き添っていたことから君も承知のとおり、ポッターはこの夏、ウィゼンガモット最高裁の大法廷で懲戒尋問を受け、結果はあまりかんばしくなかった。僕の見るところ、単に手続き的なことで放免になった。僕が話をした人の多くは、いまだにハリーが有罪だと確信している。

ポッターとのつながりを断ち切ることを、君は恐れるかもしれない――何しろポッターは情緒不安定で、ことによったら暴力を振るうかもしれない――しかし、それが少しでも心配なら、そのほか君を困らせるようなポッターの挙動に気づいたら、ドローレス・アンブリッジに話すように強くすすめる。ほんとうに感じのいい人で、喜んで君にアドバイスするはずだ。

このことに関連して、僕からもう一つ忠告がある。先ほどちょっと触れたことだが、ホグワーツでのダンブルドア体制はまもなく終わるだろう。ロン、君が忠誠を誓うのは、ダンブルドアではなく、学校と魔法省なのだ。アンブリッジ先生はホグワーツで、魔法省が切に願っている必要な改革をもたらす努力をしていらっしゃるのに、これまで教職員からほとんど協力を得られていないと聞いて、僕は非常に残念に思う（もっとも来週からはアンブリッジ先生がやりやすくなるはずだ――

これも明日の「日刊予言者新聞」を読んでみたまえ！　僕からはこれだけ言っておこう――いま現在アンブリッジ先生に進んで協力する姿勢を見せた生徒は、二年後に首席になる可能性が非常に高い！）。

　夏の間、君に会う機会が少なかったのは残念だ。親を批判するのは苦しい。しかし、両親がダンブルドアを取り巻く危険な輩と交わっているかぎり、一つ屋根の下に住むことは、残念だが僕にはできない（母さんに手紙を書くことがあったら知らせてやってほしいのだが、スタージス・ポドモアとかいうダンブルドアの仲間が、魔法省に侵入した咎で最近アズカバンに送られた。両親も、これで、自分たちがつき合っている連中がつまらない小悪党だということに目を開かせられるかもしれない）。僕は、そんな連中と交わっているという汚名から逃れることができて幸運だった――魔法大臣は僕にこの上なく目をかけてくれる――ロン、家族の絆に目が曇り、君までが両親のまちがった信念や行動に染まることがないように望んでいる。僕は、あの二人もやがて、自らの大変なまちがいに気づくことを切に願っている。その時はもちろん、僕は二人の充分な謝罪を受け入れる用意がある。

　僕の言ったことを慎重によく考えてほしい。特にハリー・ポッターについての部分を。

　もう一度、監督生就任おめでとう。

君の兄、パーシー

　ハリーはロンを見た。

「さあ」ハリーはまったくのお笑いぐさだという感じで切り出した。「もし君が――えーと――なんだっけ？」ハリーはパーシーの手紙を見なおした。「ああ、そうそう――僕との『つながりを断ち切る』

つもりでも、僕は暴力を振るわないと誓うよ」

「返してくれ」ロンは手を差し出した。「あいつは――」ロンは手紙を半分に破いた。言葉も切れ切れだった。「世界中で――」ロンは手紙を四つに破いた。「一番の――」八つに破いた。「**大バカヤロだ**」

ロンは破った手紙を暖炉に投げ入れた。

「さあ、夜明け前にこいつをやっつけなきゃ」ロンはシニストラ先生の論文を再び手元に引き寄せながら、ハリーに向かってきびきびと言った。

ハーマイオニーは、なんとも言えない表情を浮かべてロンを見つめていた。

「あ、それ、こっちによこして」ハーマイオニーが唐突に言った。

「え?」ロンが聞き返した。

「それ、こっちにちょうだい。目を通して、直してあげる」ハーマイオニーが言った。

「本気か? ああ、ハーマイオニー、君は命の恩人だ」ロンが言った。「僕、なんと言って――?」

「あなたたちに言ってほしいのは、『僕たちは、もうけっしてこんなにぎりぎりまで宿題をのばしません』だわ」

両手を突き出して二人のレポートを受け取りながら、ハーマイオニーはちょっとおかしそうな顔をした。

「ハーマイオニー、ほんとにありがとう」ハリーは弱々しく礼を言い、レポートを渡すと、目をこすりながらひじかけ椅子に深々と座り込んだ。

真夜中を過ぎ、談話室には三人とクルックシャンクスのほかは誰もいない。ハーマイオニーが二人のレポートのあちこちに手を入れる羽根ペンの音と、事実関係を確かめるのにテーブルに散らばった参考書をめくる音だけが聞こえた。ハリーはつかれきっていた。胃袋が奇妙にからっぽでむかむかするのは、疲労感とは無関係で、暖炉の火の中でチリチリに焼け焦げている手紙が原因だった。

ホグワーツの生徒の半分はハリーのことをおかしいと思い、正気ではないとさえ思っていることを、ハリーは知っていた。「日刊予言者新聞」が何か月もハリーについて悪辣な中傷をしてきたことも知っていた。しかし、それをパーシーの手書きで見るのはまた別だった。パーシーがロンにハリーとつき合うなと忠告し、アンブリッジに告げ口しろとまで言う手紙を読むと、ほかの何よりも生々しく感じられた。パーシーとはこれまで四年間つき合いがあった。夏休みには家に遊びにいったし、クィディッチ・ワールドカップでは同じテントに泊まった。去年の三校対抗試合では、二番目の課題でパーシーから満点をもらいさえした。それなのにいま、パーシーは僕のことを、情緒不安定で暴力を振るうかもしれないと思っている。

急に自分の名付け親を哀れに思う気持ちが込み上げてきた。いまのハリーの気持ちをほんとうに理解できるのは、同じ状況に置かれていたシリウスだけかもしれないと思った。魔法界のほとんどすべての人が、シリウスを危険な殺人者で、ヴォルデモートの強力な支持者だと思い込んでいた。シリウスはそういう誤解に耐えて生きてきた。十四年も……。

ハリーは目をしばたたいた。火の中にありえないものが見えたのだ。それはちらりと目に入って、たちまち消えた。まさか……そんなはずは……気のせいだ。シリウスのことを考えていたからだ……。

「オーケー、清書して」ハーマイオニーがロンのレポートと、自分の書いた羊皮紙を一枚、ロンにぐいと差し出した。「それから、私の書いてあげた結論を書き加えて」

「ハーマイオニー、君って、ほんとに、僕がいままで会った最高の人だ」ロンが弱々しく言った。「もし僕が二度と再び君に失礼なことを言ったら――」

「――そしたらあなたが正常に戻ったと思うわ」ハーマイオニーが言った。

「ハリー、あなたのはオーケーよ。ただ、最後の所がちょっと。シニストラ先生のおっしゃったことを聞きちがえたのだと思うけど、オイローパは氷に覆われているの。小ネズミに、じゃないわ。――ハリー？」

ハリーは両ひざをついて椅子から床にすべり降り、焼け焦げだらけのボロ暖炉マットに四つんばいになって炎を見つめていた。

「あー――ハリー？」ロンがけげんそうに聞いた。「なんでそんな所にいるんだい？」

「たったいま、シリウスの顔が火の中に見えたんだ」ハリーが言った。

ハリーは冷静に話した。何しろ、去年も、この暖炉の火に現れたシリウスの頭と話をしている。しかし、今度ははたしてほんとうに見えたのかどうか自信がなかった……あっという間に消えてしまったのだから……。

「シリウスの顔？」ハーマイオニーがくり返した。「三校対抗試合で、シリウスがあなたと話したかったときそうしたけど、あの時と同じ？　でも、いまはそんなことしないでしょう。それはあんまり――**シリウス！**」

ハーマイオニーが炎を見つめて息をのんだ。ロンは羽根ペンをポロリと落とした。チラチラ踊る炎の真ん中に、シリウスの首が座っていた。長い黒髪が笑顔を縁取っている。

「みんながいなくなるより前に君たちのほうが寝室に行ってしまうんじゃないかと思いはじめたところだった」シリウスが言った。「一時間ごとに様子を見ていたんだ」

「一時間ごとに火の中に現れていたの？」ハリーは半分笑いながら言った。

「ほんの数秒だけ、安全かどうか確認するのにね」

「もし誰かに見られていたら？」ハーマイオニーが心配そうに言った。

「まあ、女の子が一人――見かけからは、一年生かな――さっきちらりと見たかもしれない。だが、心配しなくていい」ハーマイオニーがあっと手で口を覆ったので、シリウスが急いでつけ加えた。「その子がもう一度見たときには私はもう消えていた。変な形をした薪か何かだと思ったにちがいないよ」

「でも、シリウス、こんなとんでもない危険をおかして――」ハーマイオニーが何か言いかけた。

「君、モリーみたいだな」シリウスが言った。「ハリーの手紙に暗号を使わずに答えるにはこれしかなかった――暗号は破られる可能性がある」

ハリーの手紙と聞いたとたん、ハーマイオニーもロンも、ハリーをじっと見た。

「シリウスに手紙を書いたこと、言わなかったわね」ハーマイオニーがなじるように言った。

「忘れてたんだ」ハリーの言葉にうそはなかった。ふくろう小屋でチョウ・チャンに出会って、その前に起きたことはすっかり頭から吹っ飛んでしまったのだ。

「そんな目で僕を見ないでくれよ、ハーマイオニー。あの手紙からは誰も秘密の情報なんて読み取れやしない。そうだよね、シリウスおじさん？」

「ああ、あの手紙はとてもうまかった」シリウスがニッコリした。

「とにかく、邪魔が入らないうちに、急いだほうがいい――君の傷痕だが」

「それが何か――？」ロンが言いかけたが、ハーマイオニーがさえぎった。

「あとで教えてあげる。シリウス、続けて」

「ああ、痛むのはいい気持ちじゃないのはよくわかる。しかし、それほど深刻になる必要はないと思う。去年はずっと痛みが続いていたのだろう？」

「うん。それに、ダンブルドアは、ヴォルデモートが強い感情を持ったときに必ず痛むと言っていた」ハリーが言った。ロンとハーマイオニーがぎくりとするのを、いつものように無視した。「だから、わからないけど、たぶん、僕が罰則を受けていたあの夜、あいつがほんとうに怒っていたとかじゃないかな」

「そうだな。あいつが戻ってきたからには、もっとひんぱんに痛むことになるだろう」シリウスが言った。

「それじゃ、罰則を受けていたとき、アンブリッジが僕に触れたこととは関係がないと思う？」ハリーが聞いた。

「ないと思うね」シリウスが言った。「アンブリッジのことはうわさでしか知らないが、死喰い人でないことは確かだ――」

「死喰い人並みにひどいやつだ」ハリーが暗い声で言った。ロンもハーマイオニーもまったくそのとおりとばかりうなずいた。

「そうだ。しかし、世界は善人と死喰い人の二つに分かれるわけじゃない」シリウスが苦笑いした。

「あの女は確かにいやなやつだ――リーマスがあの女のことをなんと言っているか聞かせたいよ」

「ルーピンはあいつを知ってるの？」ハリーがすかさず聞いた。アンブリッジが最初のクラスで危険な半獣という言い方をしたのを思い出していた。

「いや」シリウスが言った。「しかし、二年前に『反人狼法』を起草したのはあの女だ。それでルーピンは就職がほとんど不可能になった」

　ハリーは最近ルーピンがますますみすぼらしくなっていることを思い出した。そしてアンブリッジがいっそう嫌いになった。

「狼人間にどうして反感を持つの？」ハーマイオニーが怒った。

「きっと、怖いのさ」シリウスはハーマイオニーの怒った様子を見てほほえんだ。「どうやらあの女は半人間を毛嫌いしている。去年は、水中人を一網打尽にして標識をつけようというキャンペーンもやった。水中人をしつこく追い回すなんていうのは、時間とエネルギーのむだだよ。クリーチャーみたいなろくでなしが平気でうろうろしているというのに」

ロンは笑ったが、ハーマイオニーは気を悪くしたようだった。

「シリウス！」ハーマイオニーがなじるように言った。「まじめな話、あなたがもう少しクリーチャーのことで努力すれば、きっとクリーチャーは応えるわ。だって、あなたはクリーチャーが仕える家の最後の生き残りなんですもの。それにダンブルドア校長もおっしゃったけど――」

「それで、アンブリッジの授業はどんな具合だ？」シリウスがさえぎった。「半獣をみな殺しにする訓練でもしてるのか？」

「ううん」ハーマイオニーが、クリーチャーの弁護をする話の腰を折られておかんむりなのを無視して、ハリーが答えた。「あいつは僕たちにいっさい魔法を使わせないんだ！」

「つまんない教科書を読んでるだけさ」ロンが言った。

「ああ、それでつじつまが合う」シリウスが言った。「魔法省内部からの情報によれば、ファッジは君たちに戦う訓練をさせたくないらしい」

「**戦う訓練！**」ハリーが信じられないという声を上げた。「ファッジは僕たちがここで何をしてると思ってるんだ？　魔法使い軍団か何か組織してるとでも思ってるのか？」

「まさに、そのとおり。そうだと思っている」シリウスが言った。「むしろ、ダンブルドアがそうしていると思っている、と言うべきだろう――ダンブルドアが私設軍団を組織して、魔法省と抗争するつもりだとね」

一瞬みんなだまりこくった。そしてロンが口を開いた。「こんなばかげた話、聞いたことがない。ルーナ・ラブグッドのほら話を全部引っくるめてもだぜ」

「それじゃ、私たちが『闇の魔術に対する防衛術』を学べないようにしているのは、私たちが魔法省に呪いをかけることをファッジが恐れているからなの?」ハーマイオニーは憤慨して言った。

「そう」シリウスが言った。「ファッジは、ダンブルドアが権力を握るためには何ものをも辞さないと思っている。ダンブルドアに対して日に日に被害妄想になっている。でっち上げの罪でダンブルドアが逮捕されるのも時間の問題だ」

ハリーはふとパーシーの手紙を思い出した。

「あしたの『日刊予言者新聞』にダンブルドアのことが出るかどうか、知ってる? ロンの兄さんのパーシーが何かあるだろうって――」

「知らないね」シリウスが答えた。「この週末は騎士団のメンバーを一人も見ていない。みんな忙しい。この家にいるのは、クリーチャーと私だけだ……」

シリウスの声に、はっきりとやるせないつらさが混じっていた。

「それじゃ、ハグリッドのことも何も聞いてない?」

「ああ……」シリウスが言った。「そうだな、ハグリッドはもう戻っているはずだったんだが、何が起こったのか誰も知らない」ショックを受けたような三人の顔を見て、シリウスが急いで言葉を続けた。「しかし、ダンブルドアは心配していない。だから、三人ともそんなに心配するな。ハグリッドは絶対大丈夫だ」

「だけど、もう戻っているはずなら……」ハーマイオニーが不安そうに小さな声で言った。

「マダム・マクシームが一緒だった。我々はマダムと連絡を取り合っているが、帰路の途中ではぐれたと言っていた。――しかし、ハグリッドがけがをしていると思わせるようなことは何もない――ということか、完全に大丈夫だ、ということを否定するようなものは何もない」

なんだか納得できないまま、ハリー、ロン、ハーマイオニーは心配そうに目を見交わした。

「いいか、ハグリッドのことをあまりいろいろ詮索して回るんじゃないよ」シリウスが急いでつけ加えた。「そんなことをすれば、ハグリッドがまだ戻っていないことによけいに関心を集めてしまう。ダンブルドアはそれを望んではいない。ハグリッドはタフだ。大丈夫だよ」

それでも三人の気が晴れないようだったので、シリウスが言葉を続けた。

「ところで次のホグズミード行きはどの週末かな？　実は考えているんだが、駅では犬の姿でうまくいっただろう？　たぶん今度も――」

「**ダメ！**」ハリーとハーマイオニーが同時に大声を上げた。

「シリウス、『日刊予言者新聞』を見なかったの？」ハーマイオニーが気づかわしげに言った。

「ああ、あれか」シリウスがニヤッとした。「連中はしょっちゅう、私がどこにいるか当てずっぽに言ってるだけで、ほんとうはさっぱりわかっちゃ――」

「うん。だけど、今度こそ手がかりをつかんだと思う」ハリーが言った。「マルフォイが汽車の中で言ったことで考えたんだけど、あいつは犬がおじさんだったと見破ったみたいだ。シリウスおじさん、あいつの父親もホームにいたんだよ――ほら、ルシウス・マルフォイ――だから、来ないで。どんなことがあっても。マルフォイがまたおじさんを見つけたら――」

「わかった、わかった。言いたいことはよくわかった」

シリウスはひどくがっかりした様子だった。

「ちょっと考えただけだ。君が会いたいんじゃないかと思ってね」

「会いたいよ。でもおじさんがまたアズカバンに放り込まれるのはいやだ！」ハリーが言った。

一瞬沈黙が流れた。シリウスは火の中からハリーを見た。落ちくぼんだ目の眉間に縦じわが一本刻まれた。

「君は私が考えていたほど父親似ではないな」しばらくしてシリウスが口を開いた。はっきりと冷ややかな声だった。「ジェームズなら危険なことをおもしろがっただろう」

「でも――」

「さて、もう行ったほうがよさそうだ。クリーチャーが階段を下りてくる音がする」シリウスが言った。

ハリーはシリウスがうそをついているとはっきりわかった。

「それじゃ、この次に火の中に現れることができる時間を手紙で知らせよう。いいか？　その危険には耐えられるか？」

ポンと小さな音がして、シリウスの首があった場所に再びチラチラと炎が上がった。

第15章　ホグワーツ高等尋問官

　パーシーの手紙にあった記事を見つけるには、翌朝、ハーマイオニーの「日刊予言者新聞」をくまなく読まなければならないだろうと、三人はそう思っていた。ところが、配達ふくろうが飛び立って、ミルクジャーの上を越すか越さないうちに、ハーマイオニーがあっと大きく息をのんで、新聞をテーブルに広げた。そこには、ドローレス・アンブリッジの写真がでかでかとのっていた。ニッコリ笑いながら、大見出しの下から三人に向かってゆっくりと瞬（まばた）きしている。

　魔法省、教育改革に乗り出す
　ドローレス・アンブリッジ、初代高等尋問官に任命

「アンブリッジ――『高等尋問官』？」ハリーが暗い声で言った。つまんでいた食べかけのトーストがズルリと落ちた。「いったい**どういうこと**なんだい？」
　ハーマイオニーが読み上げた。

　魔法省は、昨夜突然、新しい省令を制定し、ホグワーツ魔法魔術学校に対し、魔法省がこれまでにない強い統制力を持つようにした。
「大臣は現在のホグワーツのありさまに、ここしばらく不安をつのらせていました。学校が承認しがたい方向に向かっているという保護者たちの憂慮の声に、大臣はいま、応えようとしています」

魔法大臣下級補佐官のパーシー・ウィーズリーはこう語った。

魔法大臣コーネリウス・ファッジはここ数週間来、魔法学校の改善を図るための新法を制定しており、新省令は今回が初めてではない。最近では八月三十日、教育令第二十二号が制定され、現校長が、空席の教授職に候補者を配することができなかった場合は、魔法省が適切な人物を選ぶことになった。

「そこでドローレス・アンブリッジがホグワーツの教師として任命されたわけです」ウィーズリー補佐官は昨夜、このように語った。「ダンブルドアが誰も見つけられなかったので、魔法大臣はアンブリッジを起用しました。もちろん、女史はたちまち成功を収め——

「女史が**なんだって？**」ハリーが大声を上げた。

「待って。続きがあるわ」ハーマイオニーが険しい表情で読み続けた。

——たちまち成功を収め、『闇の魔術に対する防衛術』の授業を全面的に改革するとともに、魔法大臣に対し、ホグワーツの実態を現場から伝えています」

魔法省は、この実態報告の任務を正式なものとするため、教育令第二十三号を制定し、今回ホグワーツ高等尋問官という新たな職位を設けた。

「これは、教育水準低下が叫ばれるホグワーツの問題と正面から取り組もうとする、魔法大臣の躍々たる計画の新局面です」とウィーズリー補佐官は語った。

「高等尋問官は同僚の教育者を査察する権利を持ち、教師たちが然るべき基準を満たしているかどうか確認します。アンブリッジ教授に、現在の教授職に加えてこの職位への就任を打診しましたところ、先生がお引き受けくださったことを、我々はうれしく思っています」

魔法省の新たな施策は、ホグワーツの生徒の保護者たちから熱狂的な支持を得た。

「ダンブルドアが公正かつ客観的な評価の下に置かれることになりましたので、私としては大いに安らかな気持ちです」ルシウス・マルフォイ氏（41）は昨夜、ウイルトシャー州の館でこう語った。「子供のためを切に願う親の多くは、この数年間ダンブルドアが常軌を逸した決定を下してきたことを懸念しておりました。魔法省がこうした状況を監視してくださることになり、喜んでいます」

常軌を逸した決定の一つとして、この新聞でも報道したことがあるが、教員の任命が物議をかもしたことはまちがいない。例として、狼人間リーマス・ルーピン、半巨人ルビウス・ハグリッド、妄想癖の元闇祓いマッド‐アイ・ムーディなどがいる。アルバス・ダンブルドアはかつて国際魔法使い連盟の上級大魔法使いであり、ウィゼンガモットの首席魔法戦士であったが、周知のとおり、もはや名門ホグワーツの運営の任にたえないといううわさが巷にあふれている。

「高等尋問官の任命は、ホグワーツに我々全員が信頼できる校長を迎えるための第一歩だと思いますね」魔法省内のある官僚は昨夜こう語った。

ウィゼンガモットの古参であるグリゼルダ・マーチバンクスとチベリウス・オグデンは、ホグワーツに高等尋問官職を導入したことに抗議し、辞任した。

「ホグワーツは学校です。コーネリウス・ファッジの出先機関ではありません。これは、アルバス・ダンブルドアの信用を失墜させようとする一連の汚らわしい手口の一つです」とマダム・マーチバンクスは語った（マダム・マーチバンクスと小鬼の破壊活動分子とのつながりの疑惑についての全容は、十七面に記載）。

ハーマイオニーは記事を読み終え、テーブルのむかい側にいる二人を見た。

「これで、なんでアンブリッジなんかが来たのかわかったわ。ファッジが『教育令』を出して、あの人を学校に押しつけたのよ！　そして今度は、アンブリッジにほかの先生を監視する権限を与えたんだわ！」ハーマイオニーは息が荒くなり、目がギラギラしていた。「信じられない！　こんなこと、**許せない！**」

「まったくだ」ハリーは右手に目をやった。テーブルの上で拳を握っている右手に、アンブリッジがハリーに無理やり刻み込ませた文字が、うっすらと白く浮き上がっていた。

ところがロンはにんまり笑っていた。

「何？」ハリーとハーマイオニーがロンをにらんで同時に言った。

「ああ、マクゴナガルが査察されるのが待ち遠しいよ」ロンがうれしそうに言った。「アンブリッジのやつ、痛い目にあうぞ」

「さ、行きましょう」ハーマイオニーがサッと立ち上がった。「早く行かなくちゃ。もしもビンズ先生の授業を査察するようなら、遅刻するのはまずいわ……」

しかし、アンブリッジ先生は魔法史の査察には来なかった。授業は先週の月曜日と同じくたいくつだった。二時限続きの魔法薬の授業で、三人がスネイプの地下牢教室に来たときにも、アンブリッジ先生の姿はなかった。ハリーの「月長石」のレポートが、右上にとげとげしい黒い字で大きく「D」となぐり書きされて返された。

「諸君のレポートが、O・W・Lであればどのような点をもらうかに基づいて採点してある」マントをひるがえして宿題を返して歩きながら、スネイプが薄ら笑いを浮かべて言った。「試験の結果がどうなるか、これで諸君も現実的にわかるはずだ」

スネイプは教室の前に戻り、生徒たちと向き合った。

「全般的に、今回のレポートの水準は惨憺たるものだ。これがO・W・Lであれば、大多数が落第だろう。今週の宿題である『毒液の各種解毒剤』については、何倍もの努力を期待する。さもなくば、『D』を取るような劣等生には罰則を科さねばなるまい」

マルフォイがフフンと笑い、聞こえよがしのささやき声で、「へー！『D』なんか取ったやつがいるのか？」と言うのを聞きつけ、スネイプがニヤリと笑った。

ハリーはハーマイオニーが横目でハリーの点数を見ようとしているのに気づき、急いで「月長石」のレポートを鞄にすべり込ませた。これは自分だけの秘密にしておきたいと思った。

今日の授業で、スネイプがまたハリーに落第点をつける口実を与えてなるものかと、ハリーは黒板の説明書を一行ももらさず最低三回読み、それから作業に取りかかった。ハリーの「強化薬」はハーマイオニーのような澄んだトルコ石色とまではいかなかったが、少なくとも青で、ネビルのようなピンクではなかった。授業の最後に、スネイプの机にフラスコを提出したときは、勝ち誇った気持ちとホッとした気持ちが入りまじっていた。

「まあね、先週ほどひどくはなかったわね？」

地下牢教室を出て階段を上り、玄関ホールを横切って昼食に向かいながらハーマイオニーが言った。

「それに、宿題もそれほど悪い点じゃなかったし。ね？」

ロンもハリーもだまっていたので、ハーマイオニーが追討ちをかけた。

「つまり、まあまあの点よ。最高点は期待してなかったわ。O・W・L基準で採点したのだったらそれは無理よ。でも、いまの時点で合格点なら、かなり見込みがあると思わない？」

ハリーののどからどっちつかずの音が出た。

「もちろん、これから試験までの間にいろいろなことがあるでしょうし、成績をよくする時間はたくさんあるわ。でも、いまの時点での成績は一種の基準線でしょ？　そこから積み上げていけるし……」

三人は一緒にグリフィンドールのテーブルに着いた。

「そりゃ、もし『O』を取ってたら、私、**ゾクゾクした**でしょうけど……」

「ハーマイオニー」ロンが声をとがらせた。「僕たちの点が知りたいんだったら、そう言えよ」

「そんな――そんなつもりじゃ――でも、教えたいなら――」

「僕は『P』さ」ロンがスープを取り分けながら言った。「満足かい？」

「そりゃ、なんにも恥じることないぜ」フレッドがジョージ、リー・ジョーダンと連れ立って現れ、ハリーの右側に座った。「『P』なら立派なもんだ」

「でも」ハーマイオニーが言った。「『P』って、確か……」

「『良くない』、うん」リー・ジョーダンが言った。「それでも『D』よりはいいよな？　『どん底』よりは？」

ハリーは顔が熱くなるのを感じて、ロールパンが詰まってむせたふりをした。ようやく顔を上げたとき、残念ながらハーマイオニーはまだO・W・L採点の話の真っ最中だった。

「じゃ、最高点は『O』で『大いによろしい』ね」ハーマイオニーが言った。

「次は『A』で――」

「いや、『E』さ」ジョージが訂正した。「『E』は『期待以上にいい』。俺なんか、フレッドと俺は全科目で『E』をもらうべきだったと、ずっとそう思ってる。だって、俺たちゃ、試験を受けたこと自体『期待以上』だったものな」

みんなが笑ったが、ハーマイオニーだけはせっせと聞き続けた。

「じゃ、『E』の次が『A』で、『まあまあ』。それが最低合格点の『可』なのね?」

「そっ」フレッドはロールパンを一個まるまるスープに浸し、それを口に運んで丸飲みにした。

「その下に『良くない』の『P』が来て――」ロンはばんざいの格好をしてちゃかした。「そして『どん底』の『D』が来る」

「どっこい『T』を忘れるな」ジョージが言った。

「『T』?」ハーマイオニーがぞっとしたように聞いた。「『D』より下があるの? いったいなんなの? 『T』って?」

「『トロール』」ジョージが即座に答えた。

ハリーはまた笑ったが、ジョージが冗談を言っているのかどうかハリーにはわからなかった。O・W・Lの全科目で「T」を取ったのを、ハーマイオニーに隠そうとしている自分の姿を想像し、これからはもっと勉強しようとハリーはその場で決心した。

「君たちはもう、授業査察を受けたか?」フレッドが聞いた。

「まだよ」ハーマイオニーがすぐに反応した。「受けたの?」

「たったいま、昼食の前」ジョージが言った。「呪文学さ」

「どうだった?」ハリーとハーマイオニーが同時に聞いた。

フレッドが肩をすくめた。

「たいしたことはなかった。アンブリッジが隅のほうでコソコソ、クリップボードにメモを取ってたな。フリットウィックのことだから、あいつを客扱いして全然気にしてなかった。アンブリッジもあんまり何も言わなかったな。アリシアに二、三質問して、授業はいつもどんなふうかと聞いた。アリシアはとってもいいと答えた。それだけだ」

「フリットウィック爺さんが悪い点をもらうなんて考えられないよ」ジョージが言った。「生徒全員がちゃんと試験にパスするようにしてくれる先生だからな」

「午後は誰の授業だ？」フレッドがハリーに聞いた。

「トレローニー――」

「そりゃ、紛れもない『T』だな」

「――それに、アンブリッジ自身もだ」

「さあ、いい子にして、今日はアンブリッジに腹を立てるんじゃないぞ」ジョージが言った。

「君がまたクィディッチの練習に出られないとなったら、アンジェリーナがぶち切れるからな」

「闇の魔術に対する防衛術」の授業を待つまでもなく、ハリーはアンブリッジに会うことになった。薄暗い占い学の部屋の一番後ろで、ハリーが夢日記を引っ張り出していると、ロンがひじでハリーの脇腹をつっついた。振り向くと、アンブリッジが床の跳ね戸から現れるところだった。ペチャクチャと楽しげだったクラスが、たちまちシーンとなった。突然騒音のレベルが下がったので、教科書の『夢のお告げ』を配りながら霞のように教室を漂っていたトレローニー先生が振り返った。

「こんにちは、トレローニー先生」アンブリッジ先生がお得意のニッコリ顔をした。「わたくしのメモを受け取りましたわね？　査察の日時をお知らせしましたけど？」

トレローニー先生はいたくご機嫌斜めの様子でそっけなくうなずき、アンブリッジ先生に背を向けて教科書を配り続けた。アンブリッジ先生はニッコリしたまま手近のひじかけ椅子の背をぐいとつかみ、教室の一番前まで椅子を引っ張っていき、トレローニー先生の椅子にほとんどくっつきそうな所に置いた。それから腰をかけ、花模様のバッグからクリップボードを取り出し、さあどうぞと期待顔で授業の始まるのを待った。

トレローニー先生はかすかに震える手でショールを固く体に巻きつけ、拡大鏡のようなレンズを通して生徒たちを見渡した。

「今日は、予兆的な夢のお勉強を続けましょう」

先生は気丈にも、いつもの神秘的な調子を保とうとしていたが、声がかすかに震えていた。

「二人ずつ組になってくださいましね。『夢のお告げ』を参考になさって、一番最近ごらんになった夜の夢幻を、お互いに解釈なさいな」

トレローニー先生は、スイーッと自分の椅子に戻るようなそぶりを見せたが、すぐそばにアンブリッジ先生が座っているのを見ると、たちまち左に向きを変え、パーバティとラベンダーのほうに行った。二人はもう、パーバティの最近の夢について熱心に話し合っていた。

ハリーは、『夢のお告げ』の本を開き、こっそりアンブリッジのほうをうかがった。もうクリップボードに何か書きとめている。数分後、アンブリッジは立ち上がって、トレローニーの後ろにくっつき、教室を回りはじめ、先生と生徒の会話を聞いたり、あちらこちらで生徒に質問したりした。ハリーは急いで本の陰に頭を引っ込めた。

「何か夢を考えて。早く」ハリーがロンに言った。「あのガマガエルのやつがこっちに来るかもしれないから」

「僕はこの前考えたじゃないか」ロンが抗議した。「君の番だよ。何か話してよ」

「うーん、えーと……」ハリーは困りはてた。ここ数日、なんにも夢を見た覚えがない。「えーと、僕の見た夢は……スネイプを僕の大鍋でおぼれさせていた。うん、これでいこう……」

ロンが声を上げて笑いながら『夢のお告げ』を開いた。

「オーケー。夢を見た日付に君の年齢を加えるんだ。それと夢の主題の字数も……『おぼれる』かな？　それとも『大鍋』か『スネイプ』かな？」

「なんでもいいよ。好きなの選んでくれ」ハリーはちらりと後ろを見ながら言った。トレローニー先生が、ネビルの夢日記について質問する間、アンブリッジがぴったり寄り添ってメモを取っているところだった。

「夢を見た日はいつだって言ったっけ？」ロンが計算に没頭しながら聞いた。

「さあ、きのうかな。君の好きな日でいいよ」

ハリーはアンブリッジがトレローニー先生になんと言っているか聞き耳を立てた。今度は、ハリーとロンのいる所からほんのテーブル一つ隔てた所に二人が立っていた。アンブリッジはクリップボードにまたメモを取り、トレローニー先生はカリカリいらだっていた。

「さてと」アンブリッジがトレローニーを見ながら言った。「あなたはこの職に就いてから、正確にどのくらいになりますか？」

トレローニー先生は、査察などという侮辱からできるだけ身を護(まも)ろうとするかのように、腕を組み、肩を丸め、しかめっ面でアンブリッジを見た。しばらくだまっていたが、答えを拒否できるほど無礼千万な質問ではないと判断したらしく、トレローニー先生はいかにも苦々しげに答えた。

「かれこれ十六年ですわ」

「相当な期間ね」アンブリッジ先生はクリップボードにメモを取りながら言った。「で、ダンブルドア先生があなたを任命なさったのかしら？」

「そうですわ」トレローニー先生はそっけなく答えた。アンブリッジ先生がまたメモを取った。

「それで、あなたはあの有名な『予見者』カッサンドラ・トレローニーの曾々孫(ひひまご)ですね？」

「ええ」トレローニー先生は少し肩をそびやかした。

クリップボードにまたメモ書き。

「でも――まちがっていたらごめんあそばせ――あなたは、同じ家系で、カッサンドラ以来初めての『第二の眼』の持ち主だとか？」

「こういうものは、よく隔世しますの――そう――三世代飛ばして」トレローニー先生が言った。

アンブリッジのガマ笑いがますます広がった。

「そうですわね」またメモを取りながら、アンブリッジが甘い声で言った。「さあ、それではわたくしのために、何か予言してみてくださる？」ニッコリ顔のまま、アンブリッジが探るような目をした。

トレローニー先生は、我とわが耳を疑うかのように身をこわばらせた。

「おっしゃることがわかりませんわ」

先生は発作的に、がりがりにやせた首に巻きつけたショールをつかんだ。

「わたくしのために、予言を一つしていただきたいの」アンブリッジ先生がはっきり言った。

教科書の陰からこっそり様子をうかがい聞き耳を立てているのは、いまやハリーとロンだけではなかった。ほとんどクラス全員の目が、トレローニー先生に釘づけになっていた。先生はビーズや腕輪をジャラつかせながら、ぐっと背筋を伸ばした。

「『内なる眼』は命令で『予見』したりいたしませんわ！」とんでもない恥辱とばかりの声だった。

「けっこう」アンブリッジ先生はまたまたクリップボードにメモを取りながら、静かに言った。

「あたくし――でも……**お待ちになって！**」突然トレローニー先生が、いつもの霧の彼方のような声を出そうとした。しかし、怒りで声が震え、神秘的な効果がいくらか薄れていた。「あたくし……あたくしには何か**見えますわ**……何か**あなたに**関するものが……なんということでしょう。何か感じますわ……何か**暗いもの**……何か恐ろしい危機が……」

トレローニー先生は震える指でアンブリッジ先生を指したが、アンブリッジは眉をきゅっと吊り上げ、感情のないニッコリ笑いを続けていた。

「お気の毒に……まあ、あなたは恐ろしい危機におちいっていますわ！」トレローニー先生は芝居がかった言い方でしめくくった。

しばらく間があき、アンブリッジの眉は吊り上がったままだった。

「そう」アンブリッジ先生はもう一度クリップボードにさらさらと書きつけながら、静かに言った。「まあ、それが精いっぱいということでしたら……」

アンブリッジはその場を離れ、あとには胸を波打たせながら、根が生えたように立ち尽くすトレローニー先生だけが残された。ハリーはロンと目が合った。そして、ロンがまったく自分と同じことを考えていると思った。トレローニー先生がいかさまだということは、二人とも百も承知だったが、アンブリッジをひどく嫌っていたので、トレローニーの肩を持ちたい気分だったのだ──しかしそれも、数秒後にトレローニー先生が二人に襲いかかるまでのことだった。

「さて？」トレローニー先生は、いつもとは別人のようにきびきびと、ハリーの目の前で長い指をパチンと鳴らした。「それでは、あなたの夢日記の書き出しを拝見しましょう」

ハリーの夢の数々を、トレローニー先生が声を張り上げて解釈し終えるころには（すべての夢が──単にオートミールを食べた夢まで──ぞっとするような死に方で早死にするという予言だった）、ハリーの同情もかなり薄れていた。その間ずっとアンブリッジ先生は、一メートルほど離れてクリップボードにメモを取っていた。そして、終業ベルが鳴ると、真っ先に銀のはしごを下りていき、十分後に生徒が「闇の魔術に対する防衛術」の教室に着いたときには、すでにそこでみんなを待っていた。

みんなが教室に入ったとき、アンブリッジ先生は鼻歌を歌いながらひとり笑いをしていた。『防衛術の理論』の教科書を取り出しながら、ハリーとロンは、数占いの授業に出ていたハーマイオニーに、占い学での出来事をしっかり話して聞かせた。しかし、ハーマイオニーが何か質問する間もなく、アンブリッジ先生が「静粛に」と言い、みんなしんとなった。

「杖(つえ)をしまってね」

アンブリッジ先生はニッコリしながらみんなに指示した。もしかしたらと期待して杖を出していた生徒は、すごすごと鞄に杖を戻した。

「前回の授業で第一章は終わりましたから、今日は一九ページを開いて、『第二章、防衛一般理論と派生理論』を始めましょう。おしゃべりはいりませんよ」

ニターッとひとりよがりに笑ったまま、先生は自分の席に着いた。いっせいに一九ページを開きながら、生徒全員がはっきり聞こえるほどのため息をついた。ハリーは今学期中ずっと読み続けるだけの章があるのだろうかとぼんやり考えながら、目次を調べようとした。その時、ハーマイオニーがまたしても手を挙げているのに気づいた。

アンブリッジ先生も気づいていたが、それだけでなく、そうした事態に備えて戦略を練ってきたようだった。ハーマイオニーに気づかないふりをするかわりに、アンブリッジ先生は立ち上がって前の座席を通り過ぎ、ハーマイオニーの真正面に来て、ほかの生徒に聞こえないように、体をかがめてささやいた。「ミス・グレンジャー、今度はなんですか?」

「第二章はもう読んでしまいました」ハーマイオニーが言った。

「さあ、それなら、第三章に進みなさい」

「そこも読みました。この本は全部読んでしまいました」

アンブリッジ先生は目をパチパチさせたが、たちまち平静を取り戻した。

「さあ、それでは、スリンクハードが第十五章で『逆呪い』についてなんと書いているか言えるでしょうね」

「著者は、逆呪いという名前は正確ではないと述べています」ハーマイオニーが即座に答えた。「著者は、逆呪いというのは、自分が呪いをかけるという事実を正当化するためにそう呼んでいるにすぎないと書いています」

アンブリッジ先生の眉が上がった。意に反して、感心してしまったのだとハリーにはわかった。

「でも、私はそう思いません」ハーマイオニーが続けた。

アンブリッジ先生の眉がさらに少し吊り上がり、目つきがはっきりと冷たくなった。

「そう思わないの？」

「思いません」

ハーマイオニーはアンブリッジとちがって、はっきりと通る声だったので、いまやクラス中の注目を集めていた。

「スリンクハード先生は呪いそのものが嫌いなのではありませんか？　でも、私は、防衛のために使えば、呪いはとても役に立つ可能性があると思います」

「おーや、あなたはそう思うわけ？」アンブリッジ先生はささやくことも忘れて、体を起こした。「さて、残念ながら、この授業で大切なのは、ミス・グレンジャー、あなたの意見ではなく、スリンクハード先生のご意見です」

「でも――」ハーマイオニーが反論しかけた。

「もうけっこう」アンブリッジ先生はそう言うなり教室の前に戻り、生徒のほうを向いて立った。授業の前に見せた上機嫌は吹っ飛んでいた。

「ミス・グレンジャー、グリフィンドール寮から五点減点いたしましょう」

とたんにクラスが騒然となった。

「理由は?」ハリーが怒って聞いた。

「かかわっちゃだめ!」ハーマイオニーがあわててハリーにささやいた。

「らちもないことでわたくしの授業を中断し、乱したからです」アンブリッジ先生がよどみなく言った。「わたくしは魔法省のお墨つきを得た指導要領でみなさんに教えるために来ています。生徒たちに、ほとんどわかりもしないことに関して自分の意見を述べさせることは、要領に入っていません。これまでこの学科を教えた先生方は、みなさんにもっと好き勝手をさせたかもしれませんが、誰一人として――クィレル先生は例外かもしれません。少なくとも、年齢にふさわしい教材だけを教えようと自己規制していたようですからね――魔法省の査察をパスした先生はいなかったでしょう」

「ああ、クィレルはすばらしい先生でしたとも」ハリーが大声で言った。「ただ、ちょっとだけ欠点があって、ヴォルデモート卿が後頭部から飛び出していたけど」

こう言い放ったとたん、底冷えするような完璧な沈黙が訪れた。そして――。

「あなたには、もう一週間罰則を科したほうがよさそうね、ミスター・ポッター」

アンブリッジがなめらかに言った。


ハリーの手の甲の傷は、まだほとんど癒えていなかった。そして翌朝にはまた出血しだした。夜の罰則の時間中、ハリーは泣き言を言わなかったし、絶対にアンブリッジを満足させるものかと心に決めていた。「僕はうそをついてはいけない」と何度もくり返して書きながら、ひと文字ごとに傷が深くなっても、ハリーは一言も声をもらさなかった。

二週目の罰則で最悪だったのは、ジョージの予測どおり、アンジェリーナの反応だった。火曜日の朝食で、ハリーがグリフィンドールのテーブルに到着するや否や、アンジェリーナが詰め寄った。あまりの大声に、マクゴナガル先生が教職員テーブルからやってきて、二人に襲いかかった。

「ミス・ジョンソン、大広間でこんな大騒ぎをするとは**いったい何事**です！　グリフィンドールから五点減点！」

「でも先生――ポッターは性懲りもなく、**また**罰則を食らったんです――」

「ポッター、どうしたというのです？」マクゴナガル先生は、矛先を変え、鋭くハリーに迫った。「罰則？　どの先生ですか？」

「アンブリッジ先生です」ハリーはマクゴナガル先生の四角いめがねの奥にギラリと光る目をさけて、ボソボソ答えた。

「ということは」マクゴナガル先生はすぐ後ろにいる好奇心満々のレイブンクロー生たちに聞こえないように声を落とした。「先週の月曜に私が警告したのにもかかわらず、またアンブリッジ先生の授業中にかんしゃくを起こしたということですか？」

「はい」ハリーは床に向かってつぶやいた。

「ポッター、自分を抑えないといけません！　とんでもない罰を受けることになりますよ！　グリフィンドールからもう五点減点！」

「でも――えっ――？　先生、そんな！」ハリーは理不尽さに腹が立った。「僕は**あの先生に**罰則を受けているのに、どうしてマクゴナガル先生まで減点なさるんですか？」

「あなたには罰則がまったく効いていないようだからです！」マクゴナガル先生はピシャッと言った。

「いいえ、ポッター、これ以上文句は許しません！　それに、あなた、ミス・ジョンソン、どなり合いは、今後、クィディッチ・ピッチだけにとどめておきなさい。さもないとチームのキャプテンの座を失うことになります！」

マクゴナガル先生は堂々と教職員テーブルに戻っていった。アンジェリーナはハリーに心底愛想が尽きたという一瞥をくれてつんけんと歩き去った。ハリーはロンの隣に飛び込むように腰かけ、いきりたった。

「マクゴナガルがグリフィンドールから減点するなんて！　それも、僕の手が毎晩切られるからなんだぜ！　どこが公平なんだ？　**どこが？**」

「わかるぜ、おい」ロンが気の毒そうに言いながら、ベーコンをハリーの皿に取り分けた。「マクゴナガルはめっちゃくちゃさ」

しかし、ハーマイオニーは「日刊予言者新聞」のページをガサゴソさせただけで、何も言わなかった。

「君はマクゴナガルが正しいと思ってるんだろ？」

ハリーは、ハーマイオニーの顔を覆っているコーネリウス・ファッジの写真に向かって怒りをぶつけた。

「あなたのことで減点したのは残念だわ。でも、アンブリッジに対してかんしゃくを起こしちゃいけないって忠告なさったのは正しいと思う」

ハーマイオニーの声だけが聞こえた。何か演説している様子のファッジの写真が、一面記事でさかんに身振り手振りしていた。

ハリーは呪文学の授業の間、ハーマイオニーと口をきかなかったが、変身術の教室に入ったとたん、へそを曲げていたことなど忘れてしまった。アンブリッジ先生とクリップボードが対になって隅に座っている姿が、朝食のときの記憶など、ハリーの頭から吹き飛ばしてしまったのだ。

「いいぞ」みんながいつもの席に着くや否や、ロンがささやいた。「アンブリッジがやっつけられるのを見てやろう」

マクゴナガル先生は、アンブリッジ先生がそこにいることなど、まったく意に介さない様子で、すたすたと教室に入ってきた。

「静かに」の一言で、たちまち教室がしんとなった。

「ミスター・フィネガン、こちらに来て、宿題をみんなに返してください――ミス・ブラウン、ネズミの箱を取りにきてください――ばかなまねはおよしなさい。かみついたりしません――一人に一匹ずつ配って――」

「**エヘン、エヘン**」アンブリッジ先生は、今学期の最初の夜にダンブルドアの話を中断したと同じように、ばかばかしい咳払いという手段を取った。マクゴナガル先生はそれを無視した。シェーマスが宿題をハリーに返した。ハリーはシェーマスの顔を見ずに受け取り、点数を見てホッとした。なんとか「A」が取れていた。

「さて、それでは、よく聞いてください――ディーン・トーマス、ネズミに二度とそんなことをしたら、罰則ですよ――カタツムリを『消失』させるのは、ほとんどのみなさんができるようになりましたし、まだ殻の一部が残ったままの生徒も、呪文の要領はのみ込めたようです。今日の授業では――」

「**エヘン、エヘン**」アンブリッジ先生だ。

「**何か?**」

マクゴナガル先生が顔を向けた。眉と眉がくっついて、長い厳しい一直線を描いていた。

「先生、わたくしのメモが届いているかどうかと思いまして。先生の査察の日時を――」

「当然受け取っております。さもなければ、私の授業になんの用があるかとお尋ねしていたはずです」

そう言うなり、マクゴナガル先生は、アンブリッジにきっぱりと背を向けた。生徒の多くが歓喜の目を見交わした。

「先ほど言いかけていたように、今日はそれよりずっと難しい、ネズミを『消失』させる練習をします。さて、『消失呪文』は――」

「エヘン、エヘン」

「いったい」マクゴナガル先生はアンブリッジに向かって冷たい怒りを放った。「そのように中断ばかりなさって、私の通常の教授法がどんなものか、おわかりになるのですか？　いいですか。私は通常、自分が話しているときに私語は許しません」

アンブリッジ先生は横面を張られたような顔をして、一言も言わず、クリップボードの上で羊皮紙をまっすぐに伸ばし、猛烈に書き込みはじめた。

そんなことは歯牙にもかけない様子で、マクゴナガル先生は再びクラスに向かって話しはじめた。

「先ほど言いかけましたように、『消失呪文』は、『消失』させる動物が複雑なほど難しくなります。カタツムリは無脊椎動物で、それほど大きな課題ではありませんが、ネズミは哺乳類で、ずっと難しくなります。ですから、この課題は、夕食のことを考えながらかけられるような魔法ではありません。さあ――唱え方は知っているはずです。どのくらいできるか、拝見しましょう……」

「アンブリッジにかんしゃくを起こすな、なんて、よく僕に説教できるな！」

声をひそめてロンにそう言いながら、ハリーの顔がニヤッと笑っていた――マクゴナガル先生に対する怒りは、きれいさっぱり消えていた。

アンブリッジ先生はトレローニー先生のときとちがい、マクゴナガル先生についてクラスを回るようなことはしなかった。マクゴナガル先生が許さないだろうと悟ったのかもしれない。そのかわり、隅に座ったまま、より多くのメモを取った。最後にマクゴナガル先生が、生徒全員に教材を片づけるように指示したとき、アンブリッジ先生は厳めしい表情で立ち上がった。

「まあ、差し当たり、こんな出来でいいか」ごにょごにょ動く長いしっぽだけが残ったネズミをつまみ上げ、ラベンダーが回収のために持って回っている箱にポトンと落としながら、ロンが言った。

教室から出ていく生徒の列に加わりながら、ハリーはアンブリッジ先生がマクゴナガル先生の机に近づくのを見てロンをこづいた。ロンはハーマイオニーをこづき、三人とも盗み聞きするためにわざと列から遅れた。

「ホグワーツで教えて何年になりますか？」アンブリッジ先生が尋ねた。

「この十二月で三十九年です」マクゴナガル先生は鞄をパチンとしめながらきびきび答えた。

アンブリッジ先生がメモを取った。

「けっこうです」アンブリッジ先生が言った。「査察の結果は十日後に受け取ることになります」

「待ちきれませんわ」マクゴナガル先生は無関心な口調で冷たく答え、教室のドアに向かって闊歩（かっぽ）した。

「早く出なさい、そこの三人」マクゴナガル先生はハリー、ロン、ハーマイオニーを急（せ）かして自分より先に追い出した。

ハリーは思わず先生に向かってかすかに笑いかけ、そして先生も確かに笑い返したと思った。

次にアンブリッジに会うのは、夜の罰則のときだと、ハリーはそう思ったが、ちがっていた。魔法生物飼育学に出るのに、森へ向かって芝生を下りていくと、アンブリッジとクリップボードが、グラブリー－プランク先生のそばで待ち受けていた。

「いつもはあなたがこのクラスの受け持ちではない。そうですね？」

みんなが架台の所に到着したとき、ハリーはアンブリッジがそう質問するのを聞いた。架台には、捕獲されたボウトラックルが、まるで生きた小枝のように、ガサガサとワラジムシを引っかき回していた。

「そのとおり」グラブリー‐プランク先生は両手を後ろ手に背中で組み、かかとを上げたり下げたりしながら答えた。「わたしゃハグリッド先生の代用教員でね」

ハリーは、ロン、ハーマイオニーと不安げに目配せし合った。マルフォイがクラッブ、ゴイルと何かささやき合っていた。ハグリッドについてのでっち上げ話を、魔法省の役人に吹き込むチャンスだと、手ぐすね引いているのだろう。

「ふむむ」アンブリッジ先生は声を落としたが、ハリーにはまだはっきり声が聞き取れた。

「ところで――校長先生は、おかしなことに、この件に関しての情報をなかなかくださらないのですよ――**あなたは**教えてくださるかしら？　ハグリッド先生が長々と休暇を取っているのは、何が原因なのでしょう？」

ハリーはマルフォイが待ってましたと顔を上げるのを見た。

「そりゃ、できませんね」グラブリー‐プランク先生がなんのこだわりもなく答えた。「この件は、あなたがご存じのこと以上には知らんです。ダンブルドアからふくろうが来て、数週間教える仕事はどうかって言われて受けた、それだけですわ。さて……それじゃ、始めようかね？」

「どうぞ、そうしてください」アンブリッジ先生はクリップボードに何か走り書きしながら言った。

アンブリッジはこの授業では作戦を変え、生徒の間を歩き回って魔法生物についての質問をした。だいたいの生徒がうまく答え、少なくともハグリッドに恥をかかせるようなことにはならなかったので、ハリーは少し気が晴れた。

ディーン・トーマスに長々と質問したあと、アンブリッジ先生はグラブリー‐プランク先生のそばに戻って聞いた。「全体的に見て、あなたは、臨時の教員として――つまり、客観的な部外者と言えると思いますが――あなたはホグワーツをどう思いますか？　学校の管理職からは充分な支援を得ていると思いますか？」

「ああ、ああ、ダンブルドアはすばらしい」グラブリー‐プランク先生は心からそう言った。「そうさね。ここのやり方には満足だ。ほんとに大満足だね」

　ほんとうかしらというそぶりをちらりと見せながら、アンブリッジはクリップボードに少しだけ何か書いた。

「それで、あなたはこのクラスで、今年何を教える予定ですか――もちろん、ハグリッド先生が戻らなかった、としてですが？」

「ああ、Ｏ・Ｗ・Ｌに出てきそうな生物をざっとね。あんまり残っていないがね――この子たちはもうユニコーンとニフラーを勉強したし。わたしゃ、ポーロックとニーズルをやろうと思ってるがね。それに、ほら、クラップとナールもちゃんとわかるように……」

「まあ、いずれにせよ、**あなたは**物がわかっているようね」

　アンブリッジ先生はクリップボードにはっきり合格とわかる丸印をつけた。「**あなたは**」と強調したのがハリーには気に入らなかったし、ゴイルに向かって聞いた次の質問はますます気に入らなかった。

「さて、このクラスで誰かがけがをしたことがあったと聞きましたが？」

　ゴイルはまぬけな笑いを浮かべた。マルフォイが質問に飛びついた。

「それは僕です。ヒッポグリフに切り裂かれました」

「ヒッポグリフ？」アンブリッジ先生の走り書きが今度はあわただしくなった。

「それは、そいつがバカで、ハグリッドが言ったことをちゃんと聞いていなかったからだ」ハリーが怒って言った。

ロンとハーマイオニーがうめいた。アンブリッジ先生がゆっくりとハリーのほうに顔を向けた。

「もうひと晩罰則のようね」アンブリッジ先生がゆっくりと言った。

「さて、グラブリー-プランク先生、ありがとうございました。ここはこれで充分です。査察の結果は十日以内に受け取ることになります」

「はい、はい」グラブリー-プランク先生はそう答え、アンブリッジ先生は芝生を横切って城へと戻っていった。


その夜、ハリーがアンブリッジの部屋を出たのは、真夜中近くだった。手の出血がひどくなり、巻きつけたスカーフをさらに染めていた。寮に戻ったとき、談話室には誰もいないだろうと思っていたが、ロンとハーマイオニーが起きて待っていてくれた。ハリーは二人の顔を見てうれしかったし、ハーマイオニーが非難するというより同情的だったのがことさらうれしかった。

「ほら」ハーマイオニーが心配そうに、黄色い液体の入った小さなボウルをハリーに差し出した。「手をこの中に浸すといいわ。マートラップの触手を裏ごしして酢に漬けた溶液なの。楽になるはずよ」

ハリーは血が出てずきずきする手をボウルに浸し、スーッと癒やされる心地よさを感じた。クルックシャンクスがハリーの両足を回り込み、ゴロゴロとのどを鳴らし、ひざに飛びのってそこに座り込んだ。

「ありがとう」ハリーは左手でクルックシャンクスの耳の後ろをカリカリかきながら、感謝を込めて言った。

「僕、やっぱりこのことで苦情を言うべきだと思うけどな」ロンが低い声で言った。

「いやだ」ハリーはきっぱりと言った。

「これを知ったら、マクゴナガルは怒り狂うぜ――」

「ああ、たぶんね」ハリーが言った。「だけど、アンブリッジが次のなんとか令を出して、高等尋問官に苦情を申し立てる者はただちにクビにするって言うまで、どのくらいかかると思う？」

ロンは言い返そうと口を開いたが、何も言葉が出てこなかった。しばらくすると、ロンは、降参して口を閉じた。

「あの人はひどい女よ」ハーマイオニーが低い声で言った。「とんでもなくひどい人だわ。あのね、あなたが入ってきたときちょうどロンと話してたんだけど……私たち、あの女に対して、何かしなきゃいけないわ」

「僕は、毒を盛れって言ったんだ」ロンが厳しい顔で言った。

「そうじゃなくて……つまり、アンブリッジが教師として最低だってこと。あの先生からは、私たち、防衛なんてなんにも学べやしないってことなの」ハーマイオニーが言った。

「だけど、それについちゃ、僕たちに何ができるって言うんだ？」ロンがあくびをしながら言った。「手遅れだろ？　あいつは先生になったんだし、居座るんだ。ファッジがそうさせるに決まってる」

「あのね」ハーマイオニーがためらいがちに言った。「ねえ、私、今日考えていたんだけど……」ハーマイオニーが少し不安げにハリーをちらりと見て、それから思いきって言葉を続けた。「考えていたんだけど――そろそろ潮時じゃないかしら。むしろ――むしろ自分たちでやるのよ」

「自分たちで何をするんだい？」手をマートラップ触手液に泳がせたまま、ハリーがけげんそうに聞いた。

「あのね――『闇の魔術に対する防衛術』を自習するの」ハーマイオニーが言った。

「いいかげんにしろよ」ロンがうめいた。「この上まだ勉強させるのか？　ハリーも僕も、また宿題がたまってるってこと、知らないのかい？　しかも、まだ二週目だぜ？」

「でも、これは宿題よりずっと大切よ！」ハーマイオニーが言った。

ハリーとロンは目を丸くしてハーマイオニーを見た。

「この宇宙に、宿題よりもっと大切なものがあるなんて思わなかったぜ！」ロンが言った。

「バカなこと言わないで。もちろんあるわ」ハーマイオニーが言った。いま、突然ハーマイオニーの顔は、S・P・E・Wの話をするときにいつも見せる、ほとばしるような情熱で輝いていた。ハリーはなんだかまずいぞと思った。

「それはね、自分をきたえるってことなのよ。ハリーが最初のアンブリッジの授業で言ったように、外の世界で待ち受けているものに対して準備をするのよ。それは、私たちが確実に自己防衛できるようにするということなの。もしこの一年間、私たちがなんにも学ばなかったら――」

「僕たちだけじゃたいしたことはできないよ」ロンがあきらめきったように言った。「つまり、まあ、図書館に行って呪いを探し出したり、それを試してみたり、練習したりはできるだろうけどさ――」

「確かにそうね。私も、本だけから学ぶという段階は通り越してしまったと思うわ」ハーマイオニーが言った。「私たちに必要なのは、先生よ。ちゃんとした先生。呪文の使い方を教えてくれて、まちがったら正してくれる先生」

「君がルーピンのことを言っているんなら……」ハリーが言いかけた。

「ううん、ちがう。ルーピンのことを言ってるんじゃないの」ハーマイオニーが言った。「ルーピンは騎士団のことで忙しすぎるわ。それに、どっちみちホグズミードに行く週末ぐらいしかルーピンに会えないし、そうなると、とても充分な回数とは言えないわ」

「じゃ、誰なんだ？」ハリーはハーマイオニーに向かってしかめっ面をした。

ハーマイオニーは大きなため息を一つついた。

「わからない？」ハーマイオニーが言った。「私、**あなたのこと**を言ってるのよ、ハリー」

一瞬、沈黙が流れた。夜のそよ風が、ロンの背後の窓ガラスをカタカタ鳴らし、暖炉の火をちらつかせた。

「僕のなんのことを？」ハリーが言った。

「**あなたが**『闇の魔術に対する防衛術』を教えるって言ってるの」

ハリーはハーマイオニーをじっと見た。それからロンを見た。ハーマイオニーが、たとえばS・P・E・Wのように突拍子もない計画を説明しはじめたときに、あきれはててロンと目を見交わすことがあるが、今度もそうだろうと思っていた。ところが、ロンがあきれ顔をしていなかったので、ハリーは度肝を抜かれた。

ロンは顔をしかめていたが、明らかに考えていた。それからロンが言った。

「そいつはいいや」

「何がいいんだ？」ハリーが言った。

「君が」ロンが言った。「僕たちにそいつを教えるってことがさ」

「だって……」ハリーはニヤッとした。二人でハリーをからかっているにちがいない。「だって、僕は先生じゃないし、そんなこと僕には……」

「ハリー、あなたは『闇の魔術に対する防衛術』で、学年のトップだったわ」

「僕が？」ハリーはますますニヤッとした。「ちがうよ。どんなテストでも僕は君にかなわなかった――」

「実は、そうじゃないの」ハーマイオニーが冷静に言った。「三年生のとき、あなたは私に勝ったわ――あの年に初めてこの科目のことがよくわかった先生に習って、しかも初めて二人とも同じテストを受けたわ。でも、ハリー、私が言ってるのはテストの結果じゃないの。あなたがこれまで**やってきたこと**を考えて！」

「どういうこと？」

「あのさ、僕、自信がなくなったよ。こんなに血のめぐりの悪いやつに教えてもらうべきかな」ロンが、ニヤニヤしながらハーマイオニーにそう言うと、ハリーのほうを見た。

「どういうことかなぁ」ロンはゴイルが必死に考えるような表情を作った。「うう……一年生――君は『例のあの人』から『賢者の石』を救った」

「だけど、あれは運がよかったんだ」ハリーが言った。「技とかじゃないし――」

「二年生」ロンが途中でさえぎった。「君はバジリスクをやっつけて、リドルを滅ぼした」

「うん。でもフォークスが現れなかったら、僕――」

「三年生」ロンが一段と声を張り上げた。「君は百人以上の吸魂鬼を一度に追い払った――」

「あれは、だって、まぐれだよ。もし『逆転時計（タイムターナー）』がなかったら――」

「去年」ロンはいまや叫ぶような声だ。「君は**またしても**『例のあの人』を撃退した――」

「こっちの言うことを聞けよ！」

今度はロンもハーマイオニーまでもニヤニヤしているので、ハリーはほとんど怒ったように言った。

「だまって聞けよ。いいかい？　そんな言い方をすれば、なんだかすごいことに聞こえるけど、みんな運がよかっただけなんだ――半分ぐらいは、自分が何をやっているかわからなかった。どれ一つとして計画的にやったわけじゃない。たまたま思いついたことをやっただけだ。それに、ほとんどいつも、何かに助けられたし――」

ロンもハーマイオニーも相変わらずニヤニヤしているので、ハリーは自分がまたかんしゃくを起こしそうになっているのに気づいた。なぜそんなに腹が立つのか、自分でもよくわからなかった。
「わかったような顔をしてニヤニヤするのはやめてくれ。その場にいたのは僕なんだ」ハリーは熱くなった。「いいか？　何が起こったかを知ってるのは僕だ。それに、どの場合でも、僕が、『闇の魔術に対する防衛術』がすばらしかったから切り抜けられたんじゃない。なんとか切り抜けたのは――それは、ちょうど必要なときに助けが現れて、それに、僕の山勘が当たったからなんだ――だけど、ぜんぶ闇雲に切り抜けたんだ。自分が何をやったかなんて、これっぽっちもわかってなかった――**ニヤニヤするのはやめろってば！**」

　マートラップ液のボウルが床に落ちて割れた。ハリーは、自分が立ち上がっていたことに気づいたが、いつ立ち上がったか覚えがなかった。クルックシャンクスはサッとソファの下に逃げ込み、ロンとハーマイオニーの笑いが吹き飛んだ。

「**君たちはわかっちゃいない！**　君たちは――どっちもだ――あいつと正面きって対決したことなんかないじゃないか。まるで授業なんかでやるみたいに、ごっそり呪文を覚えて、あいつに向かって投げつければいいなんて考えてるんだろう？　ほんとにその場になったら、自分と死との間に、防いでくれるものなんかなんにもない。――自分の頭と、肝っ玉と、そういうものしか――ほんの一瞬しかないんだ。殺されるか、拷問されるか、友達が死ぬのを見せつけられるか、そんな中で、まともに考えられるもんか――授業でそんなことを教えてくれたことはない。そんな状況にどう立ち向かうかなんて――。それなのに、君たちはのんきなもんだ。まるで僕がこうして生きているのは賢い子だったからみたいに。ディゴリーはバカだったからしくじったみたいに――。君たちはわかっちゃいない。紙一重で僕が殺（や）られてたかもしれないんだ。ヴォルデモートが僕を必要としてなかったら、そうなっていたかもしれないんだ――」

「なあ、おい、僕たちは何もそんなつもりで」ロンは仰天していた。「何もディゴリーをコケにするなんて、そんなつもりは――君、思いちがいだよ――」

ロンは助けを求めるようにハーマイオニーを見た。ハーマイオニーは打ちのめされたような顔をしていた。

「ハリー」ハーマイオニーがおずおずと言った。「わからないの？　だから……だからこそ私たちにはあなたが必要なの……私たち、知る必要があるの。ほ、ほんとうはどういうことなのかって……あの人と直面するってことが……ヴォ、ヴォルデモートと」

ハーマイオニーが、ヴォルデモートと名前を口にしたのは初めてだった。そのことが、ほかの何よりも、ハリーの気持ちを落ち着かせた。息を荒らげたままだったが、ハリーはまた椅子に座った。その時初めて、再び手がずきずきとうずいていることに気づいた。マートラップ液のボウルを割らなければよかったと後悔した。

「ねえ……考えてみてね」ハーマイオニーが静かに言った。「いい？」

ハリーはなんと答えていいかわからなかった。爆発してしまったことをすでに恥ずかしく思っていた。ハリーはうなずいたが、いったい何に同意したのかよくわからなかった。

ハーマイオニーが立ち上がった。

「じゃ、私は寝室に行くわ」できるだけ普通の声で話そうと努力しているのが明らかだった。

「あの……おやすみなさい」

ロンも立ち上がった。

「行こうか？」ロンがぎこちなくハリーを誘った。

「うん……」ハリーが答えた。「すぐ……行くよ。これを片づけて」

ハリーは床に散らばったボウルを指差した。ロンはうなずいて立ち去った。

「**レパロ、直れ**」

ハリーは壊れた陶器のかけらに杖を向けてつぶやいた。かけらは飛び上がってくっつき合い、新品同様になったが、マートラップ液は覆水盆に返らずだった。

どっとつかれが出て、ハリーはそのままひじかけ椅子に埋もれて眠りたいと思った。やっとの思いで立ち上がると、ハリーはロンの通っていった階段を上った。浅い眠りが、またもや何度もあの夢でさまたげられた。いくつもの長い廊下と鍵のかかった扉だ。

翌朝目が覚めると、傷痕がまたチクチク痛んでいた。

第16章　ホッグズ・ヘッドで

「闇の魔術に対する防衛術」をハリーが教えるという提案をしたあと、まるまる二週間、ハーマイオニーは一言もそれには触れなかった。アンブリッジの罰則がようやく終わり（手の甲に刻みつけられた言葉は、もはや完全に消えることはないのではないかとハリーは思った）、ロンはさらに四回のクィディッチの練習を、そのうち最後の二回はどなられずにこなし、三人とも変身術でネズミを「消失」させることになんとか成功し（ハーマイオニーは子猫を「消失」させるところまで進歩した）、そして九月も終わろうとするある荒れ模様の夜、三人が図書館でスネイプの魔法薬の材料を調べているとき、再びその話題が持ち出された。

「どうかしら」ハーマイオニーが突然切り出した。「『闇の魔術に対する防衛術』のこと、ハリー、あれから考えた？」

「そりゃ、考えたさ」ハリーが不機嫌に言った。「忘れられるわけないもの。あの鬼ばばぁが教えてるうちは――」

「私が言ってるのは、ロンと私の考えのことなんだけど――」

ロンが、驚いたような脅すような目つきでハーマイオニーを見た。ハーマイオニーはロンにしかめっ面をした。

「――いいわよ、じゃ、私の考えのことなんだけど――あなたが私たちに教えるっていう」

ハリーはすぐには答えず、『東洋の解毒剤』のページを流し読みしているふりをした。自分の胸にあることを言いたくなかったからだ。

この二週間、ハリーはこのことをずいぶん考えた。ばかげた考えだと思うときもあった。ハーマイオニーが提案した夜もそう思った。しかし、別のときには、闇の生物や死喰い人と出くわしたときに使った呪文で、ハリーにとって一番役に立ったものは何かと考えている自分に気づいた――つまり、事実、無意識に授業の計画を立てていたのだ。

「まあね」いつまでも『東洋の解毒剤』に興味を持っているふりをすることもできず、ハリーはゆっくり切り出した。「ああ、僕――僕、少し考えてみたよ」

「それで？」ハーマイオニーが意気込んだ。

「そうだなあ」ハリーは時間かせぎをしながら、ロンを見た。

「僕は最初から名案だと思ってたよ」ロンが言った。ハリーがまたどなりはじめる心配はないとわかったので、会話に加わる気が出てきたらしい。

ハリーは椅子にかけたまま、居心地悪そうにもぞもぞした。

「幸運だった部分が多かったって言ったのは、聞いたろう？」

「ええ、ハリー」ハーマイオニーがやさしく言った。「それでも、あなたが『闇の魔術に対する防衛術』にすぐれていないふりをするのは無意味だわ。だって、すぐれているんですもの。先学期、あなただけが『服従の呪文』を完全に退けたし、あなたは『守護霊』も創り出せる。一人前の大人の魔法使いにさえできないいろいろなことが、あなたはできるわ。ビクトールがいつも言ってたけど――」

ロンは急にハーマイオニーを振り返った。あまりに急だったので、筋をちがえたのか、首をもみながらロンが言った。「へえ？　それでビッキーはなんて言った？」

「おや、おや」ハーマイオニーは、相手にしなかった。「彼はね、自分も知らないようなことを、ハリーがやり方を知ってるって言ってたわ。ダームストラングの七年生だった彼がよ」

ロンはハーマイオニーをうさんくさそうに見た。

「君、まだあいつとつき合ってるんじゃないだろうな？」

「だったらどうだっていうの？」ハーマイオニーが冷静に言ったが、ほおがかすかに染まった。

「私にペンフレンドがいたって別に――」

「あいつは単に君のペンフレンドになりたいわけじゃない」ロンがとがめるように言った。

ハーマイオニーはあきれたように頭を振り、ハーマイオニーから目をそらさないロンを無視してハリーに話しかけた。

「それで、どうなの？　教えてくれるの？」

「君とロンだけだ。いいね？」

「うーん」ハーマイオニーはまた少し心配そうな顔をした。「ねえ……ハリー、お願いだから、またぶち切れたりしないでね……私、習いたい人には誰にでも教えるべきだと、ほんとにそう思うの。つまり、問題は、ヴォ、ヴォルデモートに対して――ああ、ロン、そんな情けない顔をしないでよ――私たちが自衛するってことなんだもの。こういうチャンスをほかの人にも与えないのは、公平じゃないわ」

ハリーはちょっと考えてから言った。

「うん。でも、君たち二人以外に僕から習いたいなんて思うやつはいないと思う。僕は頭がおかしいんだ、そうだろ？」

「さあ、あなたの言うことを聞きたいって思う人間がどんなにたくさんいるか、あなた、きっとびっくりするわよ」ハーマイオニーが真剣な顔で言った。

「それじゃ」ハーマイオニーがハリーのほうに体を傾けた。――ロンはまだしかめっ面でハーマイオニーを見ていたが、話を聞くために前かがみになって頭を近づけた――「ほら、十月の最初の週末はホグズミード行きでしょ？　関心のある人は、あの村で集まるってことにして、そこで討論したらどうかしら？」

「どうして学校の外でやらなきゃならないんだ？」ロンが言った。

「それはね」ハーマイオニーはやりかけの「噛み噛み白菜」の図の模写に戻りながら言った。

「アンブリッジが私たちの計画をかぎつけたら、あまりうれしくないだろうと思うからよ」

ハリーはホグズミード行きの週末を楽しみにして過ごしたが、一つだけ気になることがあった。九月のはじめに暖炉の火の中に現れて以来、シリウスが石のように沈黙していることだ。来ないでほしいと言ったことでシリウスを怒らせてしまったのはわかっていた――しかし、シリウスが慎重さをかなぐり捨てて来てしまうのではないかと、ときどき心配になった。ホグズミードで、もしかしてドラコ・マルフォイの目の前で、黒い犬がハリーたちに向かって駆けてきたらどうしよう？

「まあな、シリウスが外に出て動き回りたいっていう気持ちはわかるよ」

ロンとハーマイオニーに心配事を相談すると、ロンが言った。

「だって、二年以上も逃亡生活だったろ？　そりゃ、笑い事じゃなかったのはわかるよ。でも少なくとも自由だったじゃないか？　ところがいまは、あのぞっとするようなしもべ妖精と一緒に閉じ込められっぱなしだ」

ハーマイオニーはロンをにらんだが、クリーチャーを侮辱したことはそれ以上追及しなかった。

「問題は」ハーマイオニーがハリーに言った。「ヴォ、ヴォルデモートが――ロン、そんな顔**やめてったら**――表に出てくるまでは、シリウスは隠れていなきゃいけないってことなのよ。つまり、バカな魔法省が、ダンブルドアがシリウスについて語っていたことが真実だと受け入れない限り、シリウスの無実に気づかないわけよ。あのおバカさんたちが、もう一度ほんとうの死喰い人を逮捕しはじめれば、シリウスが死喰い人じゃないってことが明白になるわ……だって、第一、シリウスには『闇の印』がないんだし」

「のこのこ現れるほど、シリウスはバカじゃないと思うよ」ロンが元気づけるように言った。「そんなことしたら、ダンブルドアがカンカンだし、シリウスはダンブルドアの言うことが気に入らなくても、聞き入れるよ」

ハリーがまだ心配そうなので、ハーマイオニーが言った。「あのね、ロンと二人で、まともな『闇の魔術に対する防衛術』を学びたいだろうと思われる人に打診して回ったら、興味を持った人が数人いたわ。その人たちに、ホグズミードで会いましょうって、伝えたわ」

「そう」ハリーはまだシリウスのことを考えながらあいまいな返事をした。

「心配しないことよ、ハリー」ハーマイオニーが静かに言った。「シリウスのことがなくたって、あなたはもう手いっぱいなんだから」

確かにハーマイオニーの言うとおりだった。宿題はやっとのことで追いついている始末だ。もっとも、アンブリッジの罰則で毎晩時間を取られることがなくなったので、前よりはずっとよかった。ロンはハリーよりも宿題が遅れていた。ハリーもロンも週二回のクィディッチの練習がある上、ロンには監督生としての任務があった。ハーマイオニーは二人のどちらよりもたくさんの授業を取っていたのに、宿題を全部すませていたし、しもべ妖精の洋服を編む時間までつくっていた。編み物の腕が上がったと、ハリーも認めざるをえなかった。いまでは、ほとんど全部、帽子とソックスとの見分けがつくところまできていた。

ホグズミード行きの日は、明るい、風の強い朝で始まった。朝食のあと、行列してフィルチの前を通り、フィルチは、両親か保護者に村の訪問を許可された生徒の長いリストと照らし合わせて、生徒をチェックした。シリウスがいなかったら、村に行くことさえできなかったことを思い出し、ハリーは胸がチクリと痛んだ。

ハリーがフィルチの前に来ると、怪しげな気配をかぎだそうとするかのように、フィルチがフンフンと鼻の穴をふくらませた。それからこくっとうなずき、その拍子にまたあごをわなわな震わせはじめた。ハリーはそのまま石段を下り、外に出た。陽射しは明るいが寒い日だった。

「あのさ――フィルチのやつ、どうして君のことフンフンしてたんだ？」

校門に向かう広い馬車道を三人で元気よく歩きながら、ロンが聞いた。

「クソ爆弾のにおいがするかどうか調べてたんだろう」ハリーはフフッと笑った。「言うの忘れてたけど……」

ハリーはシリウスに手紙を送ったこと、そのすぐあとでフィルチが飛び込んできて、手紙を見せろと迫ったことを話して聞かせた。ハーマイオニーがその話に興味を持ち、しかもハリー自身よりずっと強い関心を示したのはちょっと驚きだった。

「あなたがクソ爆弾を注文したと、誰かが告げ口したって、フィルチがそう言ったの？　でも、いったい誰が？」

「さあ」ハリーは肩をすくめた。「マルフォイかな。おもしろいことになると思ったんだろ」

三人は羽の生えたイノシシがのっている高い石柱の間を通り、村に向かう道を左に折れた。風で髪が乱れ、バラバラと目にかかった。

「マルフォイ？」ハーマイオニーが疑わしそうな顔をした。「うーん……そう……そうかもね……」

それからホグズミードまでの道すがら、ハーマイオニーは何かじっと考え込んでいた。

「ところで、どこに行くんだい?」ハリーが聞いた。「『三本の箒(ほうき)』?」

「あ——ううん」ハーマイオニーは我に返って言った。「ちがう。あそこはいつもいっぱいで、とっても騒がしいし。みんなに、『ホッグズ・ヘッド』に集まるように言ったの。ほら、もう一つのパブ、知ってるでしょ。表通りには面してないし、あそこはちょっと……ほら……**うさんくさいわ**……でも生徒は普通あそこには行かないから、盗み聞きされることもないと思うの」

三人は大通りを歩いて「ゾンコのいたずら専門店」の前を通り——当然そこには、フレッド、ジョージ、リーがいた——郵便局の前を過ぎ——そこからは、ふくろうが定期的に飛び立っている——そして横道に入った。その道のどん詰まりに小さな旅籠(はたご)が建っている。ドアの上に張り出したさびついた腕木に、ぼろぼろの木の看板がかかっていた。ちょん切られたイノシシの首が、周囲の白い布を血に染めている絵が描いてある。三人が近づくと、看板が風に吹かれてキーキーと音を立てた。三人ともドアの前でためらった。

「さあ、行きましょうか」ハーマイオニーが少しおどおどしながら言った。ハリーが先頭に立って中に入った。

「三本の箒」とはまるでちがっていた。あそこの広々したバーは、輝くように温かく清潔な印象だが、「ホッグズ・ヘッド」のバーは、小さくみすぼらしい、ひどく汚い部屋で、山羊(やぎ)のようなきついにおいがした。出窓はべっとりすすけて、陽の光が中までほとんど射し込まない。かわりに、ざらざらした木のテーブルで、ちびたろうそくが部屋を照らしていた。床は一見、土を踏み固めた土間のように見えたが、ハリーが歩いてみると、実は、何世紀も積もり積もったほこりが石床を覆っていることがわかった。

一年生のときに、ハグリッドがこのパブの話をしたことを、ハリーは思い出した。

『ホッグズ・ヘッド』なんてとこにゃ、おかしなやつがうようよしてる」

　そのパブで、フードをかぶった見知らぬよそ者からドラゴンの卵を賭けで勝ち取ったと説明してくれたときに、ハグリッドがそう言った。あの時ハリーは、会っている間中ずっと顔を隠しているようなよそ者を、ハグリッドがなぜ怪しまなかったのかと不思議に思っていたが、「ホッグズ・ヘッド」では顔を隠すのが流行りなのだと初めてわかった。バーには首から上全部を汚らしい灰色の包帯でぐるぐる巻きにしている男がいた。それでも、口を覆った包帯のすきまから、何やら火のように煙を上げる液体を立て続けに飲んでいた。窓際のテーブルの一つに、すっぽりフードをかぶったひと組が座っていた。強いヨークシャーなまりで話していなかったら、ハリーはこの二人が吸魂鬼だと思ったかもしれない。暖炉脇の薄暗い一角には、つま先まで分厚い黒いベールに身を包んだ魔女がいた。ベールが少し突き出ているので、かろうじてそこが魔女の鼻先だとわかる。

「ほんとにここでよかったのかなあ、ハーマイオニー」カウンターのほうに向かいながら、ハリーがつぶやいた。ハリーは特に分厚いベールの魔女を見ていた。「もしかしたら、あのベールの下はアンブリッジかもしれないって、そんな気がしないか？」

　ハーマイオニーはベール姿を探るように見た。

「アンブリッジはもっと背が低いわ」ハーマイオニーが落ち着いて言った。「それにハリー、たとえアンブリッジがここに来ても、私たちを止めることはできないわよ。なぜって、私、校則を二回も三回も調べたけど、ここは立ち入り禁止じゃないわ。生徒が『ホッグズ・ヘッド』に入ってもいいかどうかって、フリットウィック先生にもわざわざ確かめたの。そしたら、いいっておっしゃったわ。ただし、自分のコップを持参しなさいって強く忠告されたけど。それに、勉強の会とか宿題の会とか、考えられるかぎりすべて調べたけど、全部まちがいなく許可されているわ。私たちがやっていることを**派手に見せ**

びらかすのは、あまりいいとは思わないけど」

「そりゃそうだろ」ハリーはさらりと言った。「特に、君が計画してるのは、宿題の会なんてものじゃないからね」

バーテンが裏の部屋から出てきて、三人にじわりと近づいてきた。長い白髪にあごひげをぼうぼうと伸ばした、不機嫌な顔のじいさんだった。やせて背が高く、ハリーはなんとなく見覚えがあるような気がした。

「注文は？」じいさんが唸（うな）るように聞いた。

「バタービール三本お願い」ハーマイオニーが言った。

じいさんはカウンターの下に手を入れ、ほこりをかぶった汚らしい瓶を三本引っ張り出し、カウンターにドンと置いた。

「六シックルだ」

「僕が払う」ハリーが銀貨を渡しながら、急いで言った。バーテンはハリーを眺め回し、ほんの一瞬傷痕に目をとめた。それから目をそむけ、ハリーの銀貨を古くさい木製のレジの上に置いた。木箱の引き出しが自動的に開いて銀貨を受け入れた。

ハリー、ロン、ハーマイオニーは、バー・カウンターから一番離れたテーブルに引っ込み、腰かけてあたりを見回した。汚れた灰色の包帯男は、カウンターを拳でコツコツたたき、バーテンからまた煙を上げた飲み物を受け取った。

「あのさあ」うずうずとカウンターのほうを見ながらロンがつぶやいた。「ここならなんでも好きなものを注文できるぞ。あのじいさん、なんでもおかまいなしに売ってくれるぜ。ファイア・ウィスキーって、僕、一度試してみたかったんだ――」

「あなたは、監――督――生です」ハーマイオニーが唸った。

「あ」ロンの顔から笑いが消えた。「そうかあ……」

「それで、誰が僕たちに会いにくるって言ったっけ？」ハリーはバタービールのさびついたふたをひねってこじ開け、ぐいっと飲みながら聞いた。

「ほんの数人よ」ハーマイオニーは時計を確かめ、心配そうにドアのほうを見ながら、前と同じ答えをくり返した。

「みんなに、だいたいこの時間にここに来るように言っておいたんだけど。場所は知ってるはずだわ――あっ、ほら、いま来たかもよ」

パブのドアが開いた。一瞬、ほこりっぽい陽の光が太い帯状に射し込み、部屋を二つに分断したが、次の瞬間、光の帯は、どやどやと入ってきた人影でさえぎられて消えた。

先頭にネビル。続いてディーンとラベンダー。そのすぐ後ろにパーバティとパドマ・パチルの双子と、チョウが（ハリーの胃袋がでんぐり返った）いつもクスクス笑っている女学生仲間の一人を連れて入ってきた。それから、（たった一人で、夢でも見ているような顔で、もしかしたら偶然迷い込んだのではないかと思わせる）ルーナ・ラブグッド。そのあとは、ケイティ・ベル、アリシア・スピネット、アンジェリーナ・ジョンソン、コリンとデニスのクリービー兄弟、アーニー・マクミラン、ジャスティン・フィンチ－フレッチリー、ハンナ・アボット。それからハリーが名前を知らないハッフルパフの女学生で、長い三つ編みを一本背中にたらした子。レイブンクローの男子生徒が三人、名前は確か、アンソニー・ゴールドスタイン、マイケル・コーナー、テリー・ブートだ。次はジニーと、そのすぐあとから鼻先がちょんと上向いたひょろひょろ背の高いブロンドの男の子。ハリーは、はっきりとは覚えていないが、ハッフルパフのクィディッチ・チームの選手だと思った。しんがりはジョージとフレッド・

ウィーズリーの双子で、仲よしのリー・ジョーダンと一緒に、三人とも「ゾンコ」での買い物をぎゅうぎゅう詰め込んだ紙袋を持って入ってきた。

「数人？」ハリーはかすれた声でハーマイオニーに言った。「**数人だって？**」

「ええ、そうね、この考えはとっても受けたみたい」ハーマイオニーがうれしそうに言った。

「ロン、もう少し椅子を持ってきてくれない？」

バーテンは一度も洗ったことがないような汚らしいボロ布でコップをふきながら、固まって動かなくなっていた。このパブがこんなに満員になったのを見たのは初めてなのだろう。

「やあ」フレッドが最初にバー・カウンターに行き、集まった人数をすばやく数えながら注文した。

「じゃあ……バタービールを二十五本頼むよ」

バーテンはぎろりとフレッドをひとにらみすると、まるで大切な仕事を中断されたかのように、いらいらしながらボロ布を放り出し、カウンターの下からほこりだらけのバタービールを出しはじめた。

「乾杯だ」フレッドはみんなに配りながら言った。「みんな、金出せよ。これ全部を払う金貨は持ち合わせちゃいないからな……」

ペチャペチャとにぎやかな大集団が、フレッドからビールを受け取り、ローブをゴソゴソさせて小銭を探すのを、ハリーはぼうっと眺めていた。いったいみんながなんのためにやってきたのか、ハリーには見当もつかなかったが、ふと、何か演説を期待して来たのではないかという恐ろしい考えにたどりつき、急にハーマイオニーのほうを見た。

「君はいったい、みんなになんて言ったんだ？」ハリーは低い声で聞いた。「いったい、みんな、何を期待してるんだ？」

「言ったでしょ。みんな、あなたが言おうと思うことを聞きにきたのよ」ハーマイオニーがなだめるように言った。それでもハリーが怒ったように見つめていたので、ハーマイオニーが急いでつけ加えた。

「あなたはまだ何もしなくていいわ。まず私がみんなに話すから」

「やあ、ハリー」ネビルがハリーのむかい側に座ってニッコリした。

ハリーは笑い返す努力はしたが、言葉は出てこなかった。口の中が異常に乾いていた。ちょうどチョウもハリーに笑いかけ、ロンの右側に腰を下ろすところだった。チョウの友達の赤みがかったブロンド巻き毛の女生徒は、ニコリともせず、いかにも信用していないという目でハリーを見た。ほんとうはこんな所に来たくなかったのだと、その目がはっきり語っていた。

新しく到着した生徒が三々五々とハリー、ロン、ハーマイオニーの周りに集まって座った。興奮気味の目あり、興味津々の目あり、ルーナ・ラブグッドは夢見るように宙を見つめていた。みんなに椅子が行き渡ると、おしゃべりがやんだ。みんなの目がハリーに集まっている。

「えー」ハーマイオニーは緊張で、いつもより声が少し上ずっていた。

「それでは、――えー――こんにちは」

みんなが、今度はハーマイオニーのほうに注意を集中したが、目はときどきハリーのほうに走らせていた。

「さて……えーと……じゃあ、みなさん、なぜここに集まったか、わかっているでしょう。えーと……じゃあ、ここにいるハリーの考えでは――つまり（ハリーがハーマイオニーをきつい目で見た）、私の考えでは――いい考えだと思うんだけど、『闇の魔術に対する防衛術』を学びたい人が――つまり、アンブリッジが教えてるようなクズじゃなくて、本物を勉強したい人という意味だけど――」（ハーマイオニーの声が急に自信に満ち、力強くなった）「――なぜなら、あの授業は誰が見ても『闇の魔術に対する防衛術』とは言えませんん――」（「そうだ、そうだ」とアンソニー・ゴールドスタインが合いの手を入れ、ハーマイオニーは気をよくしたようだった）「――それで、いい考えだと思うのですが、私は、ええと、この件は自分たちで自主的にやってはどうかと考えました」

ハーマイオニーはひと息ついてハリーを横目で見てから言葉を続けた。

「そして、つまりそれは、適切な自己防衛を学ぶということであり、単なる理論ではなく、本物の呪文を――」

「だけど、君は、『闇の魔術に対する防衛術』のO・W・Lもパスしたいんだろ？」マイケル・コーナーが言った。

「もちろんよ」ハーマイオニーがすかさず答えた。「だけど、それ以上に、私はきちんと身を護る訓練を受けたいの。なぜなら……なぜなら……」

ハーマイオニーは大きく息を吸い込んで最後の言葉を言った。

「なぜならヴォルデモート卿が戻ってきたからです」

たちまち予想どおりの反応があった。チョウの友達は金切り声を上げ、バタービールをこぼして自分の服に引っかけた。テリー・ブートは思わずびくりとけいれんし、パドマ・パチルは身震いし、ネビルはヒエッと奇声を発しかけたが、咳をしてなんとかごまかした。しかし、全員がますますらんらんとした目でハリーを見つめた。

「じゃ……とにかく、そういう計画です」ハーマイオニーが言った。「みなさんが一緒にやりたければ、どうやってやるかを決めなければなりません――」

「『例のあの人』が戻ってきたっていう証拠がどこにあるんだ？」ブロンドのハッフルパフの選手が、食ってかかるような声で言った。

「まず、ダンブルドアがそう信じていますし――」ハーマイオニーが言いかけた。

「ダンブルドアが**その人**を信じてるって意味だろ」ブロンドの男子生徒がハリーのほうにあごをしゃくった。

「**君**、いったい誰？」ロンが少しぶっきらぼうに聞いた。

「ザカリアス・スミス」男子生徒が答えた。「それに、僕たちは、その人がなぜ『例のあの人』が戻ってきたなんて言うのか、正確に知る権利があると思うな」

「ちょっと待って」ハーマイオニーがすばやく割って入った。「この会合の目的は、そういうことじゃないはずよ――」

「かまわないよ、ハーマイオニー」ハリーが言った。

なぜこんなに多くの生徒が集まったのか、ハリーはいま気がついた。ハーマイオニーはこういう成り行きを予想すべきだったと、ハリーは思った。このうちの何人かは――もしかしたらほとんど全員が――ハリーから直に話が聞けると期待してやってきたのだ。

「僕がなぜ『例のあの人』が戻ってきたと言うのかって？」ハリーはザカリアスを正面きって見つめながら言った。「僕はやつを見たんだ。だけど、先学期ダンブルドアが、何が起きたのかを全校生に話したはず。だから、君がその時ダンブルドアを信じなかったのなら、僕のことも信じないだろう。僕は誰かを信用させるために、午後いっぱいをむだにするつもりはない」

ハリーが話す間、全員が息を殺しているようだった。ハリーは、バーテンまでも聞き耳を立てているような気がした。バーテンはあの汚いボロ布で、同じコップをふき続け、汚れをますますひどくしていた。

ザカリアスが、それでは納得できないとばかりに言った。

「ダンブルドアが先学期話したのは、セドリック・ディゴリーが『例のあの人』に殺されたことと、君がホグワーツまでディゴリーのなきがらを運んできたことだ。くわしいことは話さなかった。ディゴリーがどんなふうに殺されたのかは話してくれなかった。僕たち、みんなそれが知りたいんだと思うな――」

「ヴォルデモートがどんなふうに人を殺すのかをはっきり聞きたいからここに来たのなら、あいにくだったな」

ハリーのかんしゃくはこのごろいつも爆発寸前だったが、いまもだんだん沸騰してきた。ハリーはザカリアス・スミスの挑戦的な顔から目を離さなかったし、絶対にチョウのほうを見るまいと心を決めていた。

「僕は、セドリック・ディゴリーのことを話したくない。わかったか！　だから、もしみんながそのためにここに来たなら、すぐ出ていったほうがいい」

ハリーはハーマイオニーのほうに怒りのまなざしを向けた。ハーマイオニーのせいだ。ハーマイオニーがハリーを見世物にしようとしたんだ。当然、みんなは、ハリーの話がどんなにとんでもないものか聞いてやろうと思ってやってきたんだ。

しかし、席を立つ者はいなかった。ザカリアス・スミスさえ、ハリーをじっと見つめたままだった。

「それじゃ」ハーマイオニーの声がまた上ずった。「それじゃ……さっきも言ったように……みんなが防衛術を習いたいのなら、やり方を決める必要があるわ。会合の頻度とか場所とか――」

「ほんとなの？」長い三つ編みを一本背中にたらした女生徒が、ハリーを見ながら口をはさんだ。「守護霊を創り出せるって、ほんと？」

集まった生徒が関心を示してざわめいた。

「うん」ハリーは少し身がまえるように言った。

「有体の守護霊を？」

その言葉でハリーの記憶がよみがえった。

「あ――君、マダム・ボーンズを知ってるかい？」ハリーが聞いた。

女生徒がニッコリした。

「私のおばさんよ」女生徒が答えた。「私、スーザン・ボーンズ。おばさんがあなたの尋問のことを話してくれたわ。それで――ほんとにほんとなの？　牡鹿の守護霊を創るって？」

「ああ」ハリーが答えた。

「すげえぞ、ハリー！」リーが心底感心したように言った。「全然知らなかった！」

「おふくろがロンに、吹聴するなって言ったのさ」フレッドがハリーに向かってニヤリとした。

「ただでさえ君は注意を引きすぎるからって、おふくろが言ったんだ」

「それ、まちがっちゃいないよ」ハリーが口ごもり、何人かが笑った。

ぽつんと座っていたベールの魔女が、座ったままほんの少し体をもぞもぞさせた。

「それに、君はダンブルドアの校長室にある剣でバジリスクを殺したのかい？」テリー・ブートが聞いた。「先学期あの部屋に行ったとき、壁の肖像画の一つが僕にそう言ったんだ……」

「あ――まあ、そうだ、うん」ハリーが言った。

ジャスティン・フィンチ－フレッチリーがヒューッと口笛を吹いた。クリービー兄弟は尊敬で打ちのめされたように目を見交わし、ラベンダー・ブラウンは「うわぁ！」と小さく叫んだ。ハリーは少し首筋が熱くなるのを感じ、絶対にチョウを見ないように目をそらした。

「それに、一年のとき」ネビルがみんなに向かって言った。「ハリーは『言者の石』を救ったよ――」

「『賢者の』」ハーマイオニーが急いでヒソヒソ言った。

「そう、それ――『例のあの人』からだよ」ネビルが言い終えた。

ハンナ・アボットの両眼が、ガリオン金貨ぐらいにまん丸になった。

「それに、まだあるわ」チョウが言った（ハリーの目がバチンとチョウに引きつけられた。チョウがハリーを見てほほえんでいた。ハリーの胃袋がまたでんぐり返った）。「先学期、三校対抗試合で、ハリーがどんなにいろんな課題をやりとげたか――ドラゴンや水中人、大蜘蛛なんかをいろいろ切り抜けて……」

テーブルの周りで、そうだそうだとみんなが感心してざわめいた。ハリーは内臓がじたばたしていた。あまり得意げな顔に見えないように取りつくろうのがひと苦労だった。チョウがほめてくれたことで、みんなに絶対に言おうと心に決めていたことが、ずっと言い出しにくくなってしまった。

「聞いてくれ」ハリーが言うと、みんなたちまち静かになった。「僕……僕、何も謙遜するとか、そういうわけじゃないんだけど……僕はずいぶん助けてもらって、そういういろんなことをしたんだ……」

「ドラゴンのときはちがう。助けはなかった」マイケル・コーナーがすぐに言った。「あれはほんとに、かっこいい飛行だった……」

「うん、まあね――」ハリーは、ここで否定するのはかえってやぼだと思った。

「それに、夏休みに吸魂鬼を撃退したときも、誰もあなたを助けやしなかった」スーザン・ボーンズが言った。

「ああ」ハリーが言った。「そりゃ、まあね、助けなしでやったことも少しはあるさ。でも、僕が言いたいのは――」

「君、いたちごっこで、いつまでも言ってそういう技を僕たちに見せてくれないつもりかい？」ザカリアス・スミスが言った。

「いいこと教えてやろう」ハリーが何も言わないうちに、ロンが大声で言った。「減らず口たたくな」「いたち（ウィーズル）」と言われてカチンと来たのかもしれない。とにかく、ロンは、ぶちのめしてやりたいとばかりにザカリアスをにらみつけていた。ザカリアスが赤くなった。

「だって、僕たちはポッターに教えてもらうために集まったんだ。なのに、ポッターは、ほんとうはそんなことなんにもできないって言ってる」

「そんなこと言ってやしない」フレッドが唸った。

「耳の穴、かっぽじってやろうか？」ジョージが「ゾンコ」の袋から、何やら長くて危険そうな金属の道具を取り出しながら言った。

「耳以外のどこでもいいぜ。こいつは別に、どこに突き刺したってかまわないんだ」フレッドが言った。

「さあ、じゃあ」ハーマイオニーがあわてて言った。「先に進めましょう……要するに、ハリーから習いたいということで、みんな賛成したのね？」

ガヤガヤと同意を示す声が上がった。ザカリアスは腕組みをしたまま、何も言わなかった。ジョージが持っている道具に注意するのに忙しかったせいかもしれない。

「いいわ」やっと一つ決定したので、ハーマイオニーはホッとした顔をした。「それじゃ、次は、何回集まるかだわね。少なくとも一週間に一回は集まらなきゃ、意味がないと思います」

「待って」アンジェリーナが言った。「私たちのクィディッチの練習とかち合わないようにしなくちゃ」

「もちろんよ」チョウが言った。「私たちの練習ともよ」

「僕たちのもだ」ザカリアス・スミスが言った。

「どこか、みんなに都合のよい夜が必ず見つかると思うわ」ハーマイオニーが少しいらいらしながら言った。「だけど、いい？　これはかなり大切なことなのよ。ヴォ、ヴォルデモートの死喰い人から身を護ることを学ぶんですからね――」

「そのとおり！」アーニー・マクミランが大声を出した。アーニーはもっとずっと前に発言があって当然だったのに、とハリーは思った。「個人的には、これはとても大切なことだと思う。今年僕たちがやることの中では一番大切かもしれない。たとえO・W・Lテストが控えていてもだ！」

アーニーはもったいぶってみんなを見渡した。まるで、「それはちがうぞ！」と声がかかるのを待っているかのようだった。誰も何も言わないので、アーニーは話を続けた。

「個人的には、なぜ魔法省があんな役にも立たない先生を我々に押しつけたのか、理解に苦しむ。魔法省が、『例のあの人』が戻ってきたと認めたくないために否定しているのは明らかだ。しかし、我々が防衛呪文を使うことを積極的に禁じようとする先生をよこすとは――」

「アンブリッジが私たちに『闇の魔術に対する防衛術』の訓練を受けさせたくない理由は――」ハーマイオニーが言った。「それは、アンブリッジが何か……何か変な考えを持ってるからよ。ダンブルドアが私設軍隊のようなものに生徒を使おうとしてるとか。アンブリッジは、ダンブルドアが私たちを動員して、魔法省にたてつくと考えているわ」

この言葉に、ほとんど全員が愕然(がくぜん)としたが、ルーナ・ラブグッドだけは、声を張り上げた。

「でも、それ、つじつまが合うよ。だって、結局コーネリウス・ファッジだって私設軍団を持ってるもン」

「え？」寝耳に水の情報に、ハリーは完全に狼狽(ろうばい)した。

「うん、『ヘリオパス』の軍隊を持ってるよ」ルーナが重々しく言った。

「まさか、持ってるはずないわ」ハーマイオニーがピシャリと言った。

「持ってるもン」ルーナが言った。

「『ヘリオパス』ってなんなの？」ネビルがキョトンとして聞いた。

「火の精よ」ルーナが飛び出した目を見開くと、ますますまともではない顔になった。「大きな炎を上げる背の高い生き物で、地を疾走し、行く手にあるものをすべて焼き尽くし――」

「そんなものは存在しないのよ、ネビル」ハーマイオニーがにべもなく言った。

「あら、いるよ。いるもンッ！」ルーナが怒ったように言った。

「すみませんが、いるという証拠があるの？」ハーマイオニーがバシッと言った。

「目撃者の話がたくさんあるよ。ただあんたは頭が固いから、なんでも目の前に突きつけられないとだめなだけ――」

「**エヘン、エヘン**」

ジニーの声色がアンブリッジ先生にそっくりだったので、何人かがハッとして振り向き、笑った。

「防衛の練習に何回集まるか、決めるところじゃなかったの？」

「そうよ」ハーマイオニーがすぐに答えた。「ええ、そうだった。ジニーの言うとおりだわ」

「そうだな、一週間に一回ってのがグーだ」リー・ジョーダンが言った。

「ただし――」アンジェリーナが言いかけた。

「ええ、ええ、クィディッチのことはわかってるわよ」ハーマイオニーがピリピリしながら言った。「それじゃ、次に、どこで集まるかを決めないと……」

このほうがむしろ難題で、みんなだまり込んだ。

「図書館は？」しばらくしてケイティ・ベルが言った。

「僕たちが図書館で呪いなんかかけてたら、マダム・ピンスがあんまり喜ばないんじゃないかな」ハリーが言った。

「使ってない教室はどうだ？」ディーンが言った。

「うん」ロンが言った。「マクゴナガルが自分の教室を使わせてくれるかもな。ハリーが三校対抗試合の練習をしたときにそうした」

しかし、マクゴナガルが今回はそんなに物わかりがよいわけがないと、ハリーにはわかっていた。ハーマイオニーが勉強会や宿題会は問題ないと言っていたが、この集まりはそれよりずっと反抗的なものとみなされるだろうと、ハリーははっきり感じていた。

「いいわ、どこか探すようにします」ハーマイオニーが言った。「最初の集まりの日時と場所が決まったら、みんなに伝言を回すわ」

ハーマイオニーは鞄(かばん)を探って羊皮紙と羽根ペンを取り出し、それからちょっとためらった。何かを言おうとして、意を決しているかのようだった。

「私──私、考えたんだけど、ここに全員名前を書いてほしいの、誰が来たかわかるように。それと」ハーマイオニーは大きく息を吸い込んだ。「私たちのしていることを言いふらさないと、全員が約束するべきだわ。名前を書けば、私たちの考えていることを、アンブリッジにも誰にも知らせないと約束したことになります」

フレッドが羊皮紙に手を伸ばし、嬉々として名前を書いた。しかし、何人かは、リストに名前を連ねることにあまり乗り気ではないことに、ハリーは気づいた。

「えーと……」ジョージが渡そうとした羊皮紙を受け取らずに、ザカリアスがのろのろと言った。「まあ……アーニーがきっと、いつ集まるかを僕に教えてくれるから」

しかし、アーニーも名前を書くことをかなりためらっている様子だ。ハーマイオニーはアーニーに向かって眉を吊(つ)り上げた。

「僕は──あの、僕たち、**監督生だ**」アーニーが苦し紛れに言った。「だから、もしこのリストがばれたら……つまり、ほら……君も言ってたけど、もしアンブリッジに見つかったら――」

「このグループは、今年僕たちがやることの中では一番大切だって、君、さっき言ったろう」ハリーが念を押した。

「僕――うん」アーニーが言った。「ああ、僕はそう信じてる。ただ――」

「アーニー、私がこのリストをそのへんに置きっ放しにするとでも思ってるの？」ハーマイオニーがいらだった。

「いや、ちがう。もちろん、ちがうさ」アーニーは少し安心したようだった。「僕――うん、もちろん名前を書くよ」

アーニーのあとは誰も異議を唱えなかった。ただ、チョウの友達が、名前を書くとき、少し恨みがましい顔をチョウに向けたのを、ハリーは見た。最後の一人が――ザカリアスだった――署名すると、ハーマイオニーは羊皮紙を回収し、慎重に自分の鞄に入れた。グループ全体に奇妙な感覚が流れた。まるで、一種の盟約を結んだかのようだった。

「さあ、こうしちゃいられない」フレッドが威勢よくそう言うと立ち上がった。「ジョージやリーと一緒に、ちょっとわけありの買い物をしないといけないんでね。またあとでな」

ほかの全員も三々五々立ち去った。チョウは出ていく前に、鞄の留め金をかけるのにやたらと手間取っていた。長い黒髪が顔を覆うようにかかり、ゆらゆら揺れた。しかし、チョウの友達が腕組みをしてそばに立ち、舌を鳴らしたので、チョウは友達と一緒に出ていくしかなかった。友達に急かされてドアを出るとき、チョウは振り返ってハリーに手を振った。

「まあ、なかなかうまくいったわね」

数分後、ハリー、ロン、と一緒に「ホッグズ・ヘッド」を出て、まぶしい陽の光の中に戻ったとき、ハーマイオニーが満足げに言った。ハリーとロンはまだバタービールの瓶を手にしていた。

「あのザカリアスのやろう、しゃくなやつだ」遠くに小さく姿が見えるザカリアス・スミスの背中をにらみつけながら、ロンが言った。

「私もあの人はあんまり好きじゃない」ハーマイオニーが言った。「だけど、あの人、私がハッフルパフのテーブルでアーニーとハンナに話をしているのをたまたまそばで聞いていて、とっても来たそうにしたの。だから、しょうがないでしょ？　だけど、正直、人数が多いに越したことはないわ――たとえば、マイケル・コーナーとか、その友達なんかは、マイケルがジニーとつき合っていなかったら、来なかったでしょうしね――」

ロンはバタービールの最後のひと口を飲み干すところだったが、むせて、ローブの胸にビールをブーッと吹いた。

「あいつが、**なんだって？**」ロンはカンカンになってわめき散らした。両耳がまるでカールした生の牛肉のようだった。「ジニーがつき合ってるって――妹がデートしてるって――なんだって？　マイケル・コーナーと？」

「あら、だからマイケルも友達と一緒に来たのよ。きっと――まあ、あの人たちが防衛術を学びたがっているのももちろんだけど、でもジニーがマイケルに事情を話さなかったら――」

「いつからなんだ――ジニーはいつから――？」

「クリスマス・ダンスパーティで出会って、先学期の終わりごろにつき合いはじめたわ」

ハーマイオニーは落ち着き払って言った。三人はハイストリート通りに出ていた。ハーマイオニーは「スクリベンシャフト羽根ペン専門店」の前で立ち止まった。ショーウィンドウに、雉羽根（きじばね）のペンがスマートに並べられていた。

「んー……私、新しい羽根ペンが必要かも」

ハーマイオニーが店に入り、ハリーとロンもあとに続いた。

「マイケル・コーナーって、どっちのやつだった？」ロンが怒り狂って問い詰めた。

「髪の黒いほうよ」ハーマイオニーが言った。

「気に食わないやつだった」間髪を容れずロンが言った。

「あら、驚いたわ」ハーマイオニーが低い声で言った。

「だけど」ロンは、ハーマイオニーが銅のつぼに入った羽根ペンを眺めて回るあとから、くっついて回った。「ジニーはハリーが好きだと思ってた！」

ハーマイオニーは哀れむような目でロンを見て、首を振った。

「ジニーはハリーが好き**だったわ**。だけど、もうずいぶん前にあきらめたの。ハリー、あなたのこと**好きじゃないってわけでは**ないのよ、もちろん」

ハーマイオニーは、黒と金色の長い羽根ペンを品定めしながら、ハリーに気づかうようにつけ加えた。

ハリーはチョウが別れ際に手を振ったことで頭がいっぱいで、この話題には、怒りで身を震わせているロンほど関心がなかった。しかし、それまでは気づかなかったことに、突然気づいた。

「ジニーは、だから僕に話しかけるようになったんだね？」ハリーがハーマイオニーに聞いた。「ジニーは、これまで僕の前では口をきかなかったんだ」

「そうよ」ハーマイオニーが言った。「うん、私、これを買おうっと……」

ハーマイオニーはカウンターで十五シックルと二クヌートを支払った。ロンはまだしつこくハーマイオニーの後ろにくっついていた。

「ロン」振り返った拍子にすぐ後ろにいたロンの足を踏んづけながら、ハーマイオニーが厳しい声で言った。「これだからジニーは、マイケルとつき合ってることを、あなたに言わなかったのよ。あなたが気を悪くするって、ジニーにはわかってたの。お願いだからくどくどお説教するんじゃないわよ」

「どういう意味だい？　誰が気を悪くするって？　僕、何もくどくどなんか……」ロンは通りを歩いている間中、低い声でブツクサ言い続けた。

ロンがマイケル・コーナーをブツブツ呪っている間、ハーマイオニーはハリーに向かって、しょうがないわねという目つきをし、低い声で言った。

「マイケルとジニーといえば……あなたとチョウはどうなの？」

「何が？」ハリーがあわてて言った。

まるで煮立った湯が急に胸を突き上げてくるようだった。寒さの中で顔がじんじんほてった――そんなに見え見えだったのだろうか？

「だって」ハーマイオニーがほほえんだ。「チョウったら、あなたのこと見つめっぱなしだったじゃない？」

ホグズミードの村がこんなに美しいとは、ハリーはいままで一度も気づかなかった。

第17章　教育令第二十四号

残りの週末を、ハリーは、今学期始まって以来の幸せな気分で過ごした。ハリーとロンは、日曜のほとんどを、またしてもたまった宿題を片づけるのに費やした。それ自体はとても楽しいとは言えなかったが、秋の名残の陽射（ひざ）しがさんさんと降り注いでいたので、談話室のテーブルに背中を丸めて張りついているよりは、宿題を外に持ち出して、湖のほとりの大きなブナの木の木陰でくつろぐことにした。ハーマイオニーは、言うまでもなく宿題を全部すませていたので、毛糸を外に持ち出し、編み棒に魔法をかけて空中に浮かべ、自分の脇でキラリ、カチカチと働かせ、またまた帽子や襟巻きを編ませていた。

アンブリッジと魔法省とに抵抗するために行動をおこし、しかも自分がその反乱の中心人物だという意識が、ハリーに計り知れない満足感を与えていた。土曜日の会合のことを、ハリーは何度も思い返して味わった。「闇の魔術に対する防衛術」をハリーに習うために、あんなにたくさん集まった……ハリーがこれまでやってきたことのいくつかを聞いたときの、みんなのあの顔……それに、**チョウが**三校対抗試合で僕のやったことをほめてくれた――しかも、あの生徒たちは、僕のことをうそつきの異常者だとは思っていない。称賛すべき人間だと思っている。そう思うと、ハリーは大いに気分が高揚し、一番嫌いな学科が軒並み待ち受けている月曜の朝になっても、まだ楽しい気分が続いていた。

ハリーとロンは、寝室からの階段を下りながら、「ナマケモノ型グリップ・ロール」という新しい手を、今夜のクィディッチの練習に取り入れるというアンジェリーナの考えについて話し合っていた。

朝陽の射し込む談話室を半分ほど横切ったところで、初めて二人は、談話室に新しく貼り出された掲示の前に小さな人だかりができているのに気がついた。グリフィンドールの掲示板に大きな告示が貼りつけてあり、あまり大きいので、ほかの掲示が全部隠れていた。――呪文の古本いろいろゆずります広告、アーガス・フィルチのいつもの校則備忘録、クィディッチ・チーム練習予定表、「蛙チョコ」カード交換しましょう広告、双子のウィーズリーの試食者募集の最新の広告、ホグズミード行きの週末の予定日、落とし物のお知らせ、などなどだ。

新しい掲示は、大きな黒い文字で書かれ、一番最後に、こぎれいなくるくる文字でサインがしてあり、そのあとにいかにも公式文書らしい印鑑が押されていた。

告　示

ホグワーツ高等尋問官令

学生による組織、団体、チーム、グループ、クラブなどは、ここにすべて解散される。

組織、団体、チーム、グループ、クラブとは、定例的に三人以上の生徒が集まるものと、ここに定義する。

再結成の許可は、高等尋問官（アンブリッジ教授）に願い出ることができる。

学生による組織、団体、チーム、グループ、クラブは、高等尋問官への届出と承認なしに存在してはならない。

組織、団体、チーム、グループ、クラブで、高等尋問官の承認なきものを結成し、またはそれに属することが判明した生徒は退学処分となる。

以上は、教育令第二十四号に則ったものである。

高等尋問官　ドローレス・ジェーン・アンブリッジ

ハリーとロンは心配そうな顔の二年生たちの頭越しに告示を読んだ。

「これ、ゴブストーン・クラブも閉鎖ってことなのかな？」二年生の一人が友達に問いかけた。

「君たちのゴブストーンは大丈夫だと思うけど」ロンが暗い声で言うと、二年生がびっくりして飛び上がった。「僕たちのほうは、そうそうラッキーってわけにはいかないよな？」二年生たちがあわてて立ち去ったあと、ロンがハリーに問いかけた。

ハリーはもう一度掲示を読み返していた。土曜日以来のはち切れるような幸福感が消えてしまった。怒りで体中がドクンドクンと脈打っていた。

「偶然なんかじゃない」ハリーが拳を握りしめながら言った。「あいつは知ってる」

「そんなはずない」ロンがすぐさま言った。

「あのパブで聞いていた人間がいた。それに、当然って言えば当然だけど、あそこに集まった生徒の中で、いったい何人信用できるかわかったもんじゃない……誰だってアンブリッジに垂れ込める……」

それなのに、僕は、みんなが僕を信用したなんて思っていた。みんなが僕を称賛しているなんて思っていたんだ……。

「ザカリアス・スミスだ！」ロンが間髪を容れず叫び、拳で片方の手のひらにパンチをたたき込んだ。

「いや――あのマイケル・コーナーのやつも、どうも目つきが怪しいと思ったんだ――」

「ハーマイオニーはもうこれを見たかな？」ハリーは振り返って女子寮のドアのほうを見た。

「知らせにいこう」ロンが跳ねるように飛び出してドアを開け、女子寮への螺旋階段を上りはじめた。

ロンが六段目に上ったときだった。大声で泣き叫ぶような、クラクションのような音がしたかと思うと、階段が溶けて一本につながり、ジェットコースターのような長いつるつるの石のすべり台になった。ロンは両腕を風車のように必死でぶん回し、走り続けようとしたが、それもほんのわずかの間で、結局仰向けに倒れ、できたてのすべり台をすべり落ちて、仰向けのままハリーの足元で止まった。

「あー――僕たち、女子寮に入っちゃいけないみたいだな」ハリーが笑いをこらえながらロンを助け起こした。

四年生の女子生徒が二人、歓声を上げて石のすべり台をすべり下りてきた。

「おぉぉや、上に行こうとしたのはだーれ？」ポンと跳んで立ち上がり、ハリーとロンをじろじろ見ながら、二人がうれしそうにクスクス笑った。

「僕さ」ロンはまだ髪がくしゃくしゃだった。「こんなことが起こるなんて、僕知らなかったよ。不公平だ！」ロンがハリーを見ながら言った。

女子生徒は、さかんにクスクス笑いしながら肖像画の穴に向かった。

「ハーマイオニーは僕たちの寮に来てもいいのに、なんで僕たちはだめなんだ――？」

「ああ、それは古くさい規則なのよ」

ハーマイオニーが二人の前にある敷物の上にきれいにすべり下り、立ち上がろうとしているところだった。

「でも、『ホグワーツの歴史』に、創始者たちは男の子が女の子より信用できないと考えたって、そう書いてあるわ。それはそうと、どうして入ろうとしたの？」

「君に会うためさ――これを見ろ！」

ロンがハーマイオニーを掲示板の所へ引っ張っていった。

ハーマイオニーの目が、すばやく告示の端から端へとすべった。表情が石のように硬くなった。

「誰かがあいつにべらべらしゃべったにちがいない！」ロンが怒った。

「それはありえないわ」ハーマイオニーが低い声で言った。

「君は甘い」ロンが言った。「君自身が名誉を重んじ、信用できる人間だからといって――」

「ううん、誰もできないっていうのは、私が、みんなの署名した羊皮紙に呪いをかけたからよ」

ハーマイオニーがおごそかに言った。

「誰かがアンブリッジに告げ口したら、いいこと？　誰がそうしたか確実にわかるの。その誰かさんは、とっても後悔するわよ」

「そいつらはどうなるんだ？」ロンが身を乗り出した。

「そうね、こう言えばいいかな」ハーマイオニーが言った。「エロイーズ・ミジョンのにきびでさえ、ほんのかわいいそばかすに見えてしまう。さあ、朝食に行きましょう。ほかのみんなはどう思うか聞きましょう……全部の寮にこの掲示が貼られたのかしら？」

大広間に入ったとたん、アンブリッジの掲示がグリフィンドールだけに貼られたのではないことがはっきりした。それぞれのテーブルをみんな忙しく往き来し、掲示のことを相談し合っていて、おしゃべりが異常に緊張し、大広間の動きはいつもより激しかった。ハリー、ロン、ハーマイオニーが席に着くや否や、ネビル、ディーン、フレッド、ジョージ、ジニーが待ってましたとばかりにやってきた。

「読んだ？」

「あいつが知ってると思うか？」

「どうする？」

みんながハリーを見ていた。ハリーはあたりを見回し、近くに誰も先生がいないことを確かめた。

「とにかく、やるさ。もちろんだ」ハリーは静かに言った。

「そうくると思った」ジョージがニッコリしてハリーの腕をポンとたたいた。

「監督生さんたちもかい？」フレッドがロンとハーマイオニーを冷やかすように見た。

「もちろんよ」ハーマイオニーが落ち着き払って言った。

「アーニーとハンナ・アボットが来たぞ」ロンが振り返りながら言った。「**さあ**、レイブンクローのやつらとスミス……誰もあばたっぽくないなあ」

ハーマイオニーがハッとしたような顔をした。

「あばたはどうでもいいわ。あの人たち、おバカさんね。いまここに来たらだめじゃない。本当に怪しまれちゃうわ――座ってよ！」

ハーマイオニーがアーニーとハンナに必死で身振り手振りし、ハッフルパフのテーブルに戻るようにと口の形だけで伝えた。

「あとで！　は――な――し――は――**あと！**」

「私、マイケルに言ってくる」ジニーがじれったそうにベンチをくるりとまたいだ。「まったくバカなんだから……」

ジニーは、レイブンクローのテーブルに急いだ。ハリーはジニーを目で追った。チョウがそう遠くない所に座っていて、「ホッグズ・ヘッド」に連れてきた巻き毛の友達に話しかけている。アンブリッジの告示で、チョウは恐れをなして、もう会合には来ないだろうか？

告示の本格的な反響は、大広間を出て魔法史の授業に向かうときにやってきた。

「ハリー！　**ロン！**」

アンジェリーナだった。完全に取り乱して、二人のほうに大急ぎでやってくる。

「大丈夫だよ」アンジェリーナがハリーの声の届く所まで来るのを待って、ハリーが静かに言った。

「それでも僕たちやるから――」

「これにクィディッチもふくまれてることを知ってた？」アンジェリーナがハリーの言葉をさえぎって言った。「グリフィンドール・チームを再編成する許可を申請しないといけない！」

「**えーっ？**」ハリーが声を上げた。

「そりゃないぜ」ロンが愕然（がくぜん）とした。

「掲示を読んだだろ？　チームもふくまれてる！　だから、いいかい、ハリー……もう一回だけ言うよ……お願い、**お願いだから、**アンブリッジに二度とかんしゃくを起こさないで。じゃないと、あいつ、もう私たちにプレーさせないかもしれない！」

「わかった、わかったよ」アンジェリーナがほとんど泣きそうなのを見て、ハリーが言った。「心配しないで。行儀よくするから……」

「アンブリッジ、きっと魔法史にいるぜ……」ビンズ先生の授業に向かいながら、ロンが暗い声で言った。「まだビンズの査察をしてないしな……絶対あそこに来てるぜ……」

しかし、ロンの勘ははずれた。教室に入ると、そこにはビンズ先生しかいなかった。いつものように椅子から二、三センチ上に浮かんで、巨人の戦争に関する死にそうに単調な授業を続ける準備をしていた。ハリーは講義を聞こうともしなかった。ハーマイオニーがしょっちゅうにらんだりこづいたりするのを無視して、羊皮紙に落書きしていたが、ことさらに痛い一発を脇腹に突っ込まれ、怒って顔を上げた。

「なんだよ？」

ハーマイオニーが窓を指差し、ハリーが目をやった。ヘドウィグが窓から張り出した狭い棚に止まり、分厚い窓ガラスを通してじっとハリーを見ていた。脚に手紙が結んである。ハリーはわけがわからなかった。朝食は終わったばかりだ。どうしていつものように、その時に手紙を配達しなかったんだろう？　ほかのクラスメートも大勢、ヘドウィグを指差し合っていた。

「ああ、私、あのふくろう大好き。とってもきれいよね」ラベンダーがため息まじりにパーバティに言うのが聞こえた。

ハリーはちらりとビンズ先生を見たが、ノートの棒読みを続けている。クラスの注意が、いつもよりもっと自分から離れているのもまったく気づかず、平静そのものだ。ハリーはこっそり席を立って、かがみ込み、急いで横に移動して窓際に行き、留め金をずらして、そろりそろりと窓を開けた。

ハリーは、ヘドウィグが脚を突き出して手紙をはずしてもらい、それからふくろう小屋に飛んでいくものと思った。ところが、窓のすきまがある程度広くなると、ヘドウィグは悲しげにホーと鳴きながら、チョンと中に入ってきた。ハリーはビンズ先生のほうを気にしてちらちら見ながら窓を閉め、再び身をかがめて、ヘドウィグを肩にのせ、急いで席に戻った。席に着くと、ヘドウィグをひざに移し、脚から手紙をはずしにかかった。

その時初めて、ヘドウィグの羽が奇妙に逆立っているのに気づいた。変な方向に折れているのもある。しかも片方の翼がおかしな角度に伸びている。

「けがしてる！」

ハリーはヘドウィグの上に覆いかぶさるように頭を下げてつぶやいた。

ハーマイオニーとロンが寄りかかるようにして近寄った。ハーマイオニーは羽根ペンさえ下に置いた。

「ほら――翼がなんか変だ――」

ヘドウィグは小刻みに震えていた。ハリーが翼に触れようとすると、小さく飛び上がり、全身の羽毛を逆立てて、まるで体をふくらませたようになり、ハリーを恨めしげに見つめた。

「ビンズ先生」ハリーが大声を出したので、クラス中がハリーのほうを見た。「気分が悪いんです」

ビンズ先生は、ノートから目を上げ、いつものことだが、目の前にたくさんの生徒がいるのを見て驚いたような顔をした。

「気分が悪い？」先生がぼんやりとくり返した。

「とっても悪いんです」ハリーはきっぱりそう言い、ヘドウィグを背中に隠して立ち上がった。「僕、医務室に行かないといけないと思います」

「そう」ビンズ先生は、明らかに不意打ちを食らった顔だった。「そう……そうですね。医務室……まあ、では、行きなさい、パーキンズ……」

教室を出るとすぐ、ハリーはヘドウィグを肩に戻し、急いで廊下を歩き、ビンズの教室のドアが見えなくなったとき、初めて立ち止まって考えた。誰かにヘドウィグを治してもらうとしたら、ハリーはもちろん、まずハグリッドを選んだろう。しかし、ハグリッドの居場所はまったくわからない。残るはグラブリー－プランク先生だけだ。助けてくれればいいが。

ハリーは窓から校庭を眺めた。荒れ模様の曇り空だった。ハグリッドの小屋のあたりには、グラブリー－プランク先生の姿はなかった。授業中でないとしたら、たぶん職員室だろう。ハリーは階段を下りはじめた。ヘドウィグはハリーの肩でぐらぐら揺れるたび、弱々しくホーと鳴いた。

職員室のドアの前に、怪獣（ガーゴイル）の石像が一対立っていた。ハリーが近づくと、一つがしわがれ声を出した。

「そこの坊や、授業中のはずだぞ」

「緊急なんだ」ハリーがぶっきらぼうに言った。

「おぉぉぉぅ、**緊急**かね？」もう一つの石像がかん高い声で言った。「それじゃ、**俺たちなんか**の出る幕じゃないってわけだな？」

ハリーはドアをたたいた。足音がして、ドアが開き、マクゴナガル先生がハリーの真正面に現れた。

「まさか、また罰則を受けたのですか！」ハリーを見るなり先生が言った。四角いめがねがギラリと光った。

「ちがいます、先生！」ハリーが急いで言った。

「それでは、どうして授業に出ていないのです？」

「**緊急**らしいですぞ」二番目の石像があざけるように言った。

「グラブリー‐プランク先生を探しています」ハリーが説明した。「僕のふくろうのことで。けがしてるんです」

「手負いのふくろう、そう言ったかね？」グラブリー‐プランク先生がマクゴナガル先生の脇に現れた。パイプを吹かし、「日刊予言者新聞」を手にしている。

「はい」ハリーはヘドウィグをそっと肩から下ろした。「このふくろうは、ほかの配達ふくろうより遅れて到着して、翼がとってもおかしいんです。診てください――」

グラブリー‐プランク先生はパイプをがっちり歯でくわえ、マクゴナガル先生の目の前でハリーからヘドウィグを受け取った。

「ふーむ」グラブリー‐プランク先生がしゃべるとパイプがひょこひょこ動いた。「どうやら何かに襲われたね。ただ、何に襲われたのやら、わからんけどね。セストラルはもちろん、ときどき鳥をねらうが、しかし、ホグワーツのセストラルは、ふくろうに手を出さんようにハグリッドがしっかりしつけてある」

ハリーはセストラルがなんだか知らなかったし、どうでもよかった。ヘドウィグが治るかどうかだけが知りたかった。しかし、マクゴナガル先生は厳しい目でハリーを見て言った。

「ポッター、このふくろうがどのくらい遠くから来たのか知っていますか？」

「えーと」ハリーが言った。「ロンドンからだと、たぶん」

ハリーがちらりと先生を見ると、眉毛が真ん中でくっついていた。「ロンドン」が「グリモールド・プレイス十二番地」だと見抜かれたことが、ハリーにはわかった。

グラブリー‐プランク先生はローブから片めがねを取り出して片目にはめ、ヘドウィグの翼を念入りに調べた。

「ポッター、この子を預けてくれたら、なんとかできると思うがね。どうせ、数日は長い距離を飛ばせちゃいけないね」

「あ――ええ――どうも」ハリーがそう言ったとき、ちょうど終業ベルが鳴った。

「任しときな」グラブリー‐プランク先生はぶっきらぼうにそう言うと、背を向けて職員室に戻ろうとした。

「ちょっと待って、ウィルヘルミーナ！」マクゴナガル先生が呼び止めた。「ポッターの手紙を！」

「ああ、そうだ！」ハリーはヘドウィグの脚に結ばれていた巻紙のことを、一瞬忘れていた。グラブリー‐プランク先生は手紙を渡し、ヘドウィグを抱えて職員室へと消えた。ヘドウィグは、こんなふうに私を見放すなんて信じられないという目でハリーを見つめていた。ちょっと気がとがめながら、ハリーは帰りかけた。すると、マクゴナガル先生が呼び戻した。

「ポッター！」

「はい、先生?」

マクゴナガル先生は廊下の端から端まで目を走らせた。両方向から生徒がやってくる。

「注意しなさい」先生はハリーの手にした巻紙に目をとめながら、声をひそめて早口に言った。「ホグワーツを出入りするその通信網は、見張られている可能性があります。わかりましたね?」

「僕――」ハリーが言いかけたが、廊下を流れてくる生徒の波が、ほとんどハリーの所まで来ていた。マクゴナガル先生はハリーに向かって小さくうなずき、職員室に引っ込んでしまった。残されたハリーは、群れに流されて中庭へと押し出された。ロンとハーマイオニーが風の当たらない隅のほうに立っているのが見えた。マントの襟を立てて風をよけている。急いで二人のそばに行きながら、ハリーは巻紙の封を切った。シリウスの筆跡で五つの言葉が書かれているだけだった。

今日　同じ　時間　同じ　場所

「ヘドウィグは大丈夫?」ハリーが声の届く所まで近づくとすぐ、ハーマイオニーが心配そうに聞いた。

「どこに連れていったんだい?」ロンが聞いた。

「グラブリー‐プランクの所だ」ハリーが答えた。「そしたら、マクゴナガルに会った……それでね……」

そして、ハリーはマクゴナガル先生に言われたことを二人に話した。驚いたことに、二人ともショックを受けた様子はなかった。むしろ、意味ありげな目つきで顔を見合わせた。

「なんだよ?」ハリーはロンからハーマイオニー、そしてまたロンと顔を見た。

「あのね、ちょうどロンに言ってたところなの……もしかしたら誰かがヘドウィグの手紙を奪おうとしたんじゃないかしら? だって、ヘドウィグはこれまで一度も、飛行中にけがしたことなんかなかったでしょ?」

「それにしても、誰からの手紙だったんだ?」ロンが手紙をハリーから取った。

「スナッフルズから」ハリーがこっそり言った。

「『同じ時間、同じ場所』? 談話室の暖炉のことか?」

「決まってるじゃない」ハーマイオニーもメモ書きを読みながら言った。「誰もこれを読んでなければいいんだけど……」ハーマイオニーは落ち着かない様子だった。

「だけど、封もしてあるし」ハリーはハーマイオニーというより自分を納得させようとしていた。「それに、誰かが読んだって、僕たちがこの前どこで話したかを知らなければ、この意味がわからないだろ?」

「それはどうかしら」始業のベルが鳴ったので、鞄を肩にかけなおしながら、ハーマイオニーが、心配そうに言った。「魔法で巻紙の封をしなおすのは、そんなに難しいことじゃないはずよ……それに、誰かが煙突飛行ネットワークを見張っていたら……でも、来るなって警告のしようがないわ。だって、**それも**途中で奪われるかもしれない!」

三人とも考え込みながら、足取りも重く魔法薬の地下牢教室への石段を下りた。しかし、石段を下りきったとき、ドラコ・マルフォイの声で我に返った。ドラコはスネイプの教室の前に立ち、公文書のようなものをひらひらさせて、みんなが一言も聞きもらさないように必要以上に大声で話していた。

「ああ、アンブリッジがスリザリンのクィディッチ・チームに、プレーを続けてよいという許可をすぐに出してくれたよ。今朝一番で先生に申請に行ったんだ。ああ、ほとんど右から左さ。つまり、先生は僕の父上をよく知っているし、父上は魔法省に出入り自由なんだ……グリフィンドールがプレーを続ける許可がもらえるかどうか、見ものだねえ」

「抑えて」ハーマイオニーがハリーとロンに哀願するようにささやいた。二人はマルフォイをにらみつけ、拳を握りしめ、顔をこわばらせていた。「じゃないと、あいつの思うつぼよ」

「つまり」マルフォイが、灰色の目を意地悪くギラギラさせながらハリーとロンのほうを見て、また少し声を張り上げた。「魔法省への影響力で決まるなら、あいつらはあまり望みがないだろうねぇ……父上がおっしゃるには、魔法省は、アーサー・ウィーズリーをクビにする口実を長年探しているし……それに、ポッターだが、父上は、魔法省があいつを聖マンゴに送り込むのはもう時間の問題だっておっしゃるんだ……どうやら、魔法で頭がいかれちゃった人の特別病棟があるらしいよ」

マルフォイは、あごをだらんと下げ、白目をむき、醜悪な顔をして見せた。クラッブとゴイルがいつもの豚のような声で笑い、パンジー・パーキンソンははしゃいでキャーキャー笑った。

何かが肩に衝突し、ハリーはよろけた。次の瞬間、それがネビルだとわかった。ハリーの脇を駆け抜け、マルフォイに向かって突進していくところだった。

「ネビル、**やめろ！**」

ハリーは飛び出してネビルのローブの背中をつかんだ。ネビルは拳を振り回し、もがきにもがいて、必死にマルフォイになぐりかかろうとした。マルフォイは、一瞬、かなりぎくりとしたようだった。

「手伝ってくれ！」ロンに向かって鋭く叫びながら、ハリーはやっとのことで腕をネビルの首に回し、引きずってネビルをスリザリン生から遠ざけた。

クラッブとゴイルが腕を屈伸させながら、いつでもかかってこいとばかり、マルフォイの前に進み出た。ロンがネビルの両腕をつかみ、ハリーと二人がかりでようやくグリフィンドールの列まで引き戻した。

ネビルの顔は真っ赤だった。ハリーに首を押さえつけられて、言うことがさっぱりわからなかったが、切れ切れの言葉を口走っていた。

「おかしく……ない……マンゴ……やっつける……あいつめ……」

地下牢の戸が開き、スネイプが姿を現した。暗い目がずいっとグリフィンドール生を見渡し、ハリーとロンがネビルともみ合っている所で止まった。

「ポッター、ウィーズリー、ロングボトム、けんかか？」スネイプは冷たい、あざけるような声で言った。「グリフィンドール、一〇点減点。ポッター、ロングボトムを放せ。さもないと罰則だ。全員、中へ」

ハリーはネビルを放した。ネビルは息をはずませ、ハリーをにらんだ。

「止めないわけにはいかなかったんだ」ハリーが鞄を拾い上げながら言った。「クラッブとゴイルが、君を八つ裂きにしてただろう」

ネビルはなんにも言わなかった。パッと鞄をつかみ、肩を怒らせて地下牢教室に入っていった。

「驚き、桃の木」ネビルの後ろを歩きながら、ロンがあきれたように言った。「いったい、**あれは**、なんだったんだ？」

ハリーは答えなかった。魔法で頭をやられて聖マンゴ魔法疾患傷害病院にいる患者の話が、なぜネビルをそんなに苦しめるのか、ハリーにはよくわかっていた。しかし、ネビルの秘密は誰にももらさないとダンブルドアに約束した。ネビルでさえ、ハリーが知っていることを知らない。

ハリー、ロン、ハーマイオニーはいつものように後ろの席に座り、羊皮紙、羽根ペン、『薬草とキノコ一〇〇〇種』を取り出した。周りの生徒たちが、いましがたのネビルの行動をヒソヒソ話していた。しかし、スネイプが、バターンという音を響かせて地下牢の戸を閉めると、たちまちクラスが静かになった。

「気づいたであろうが」スネイプが低い、あざけるような声で言った。「今日は客人が見えている」

スネイプが地下牢の薄暗い片隅を身振りで示した。ハリーが見ると、アンブリッジ先生がひざにクリップボードをのせて、そこに座っていた。ハリーはロンとハーマイオニーを横目で見て、眉をちょっと上げて見せた。スネイプとアンブリッジ——ハリーの一番嫌いな先生が二人。どっちに勝ってほしいのか、判断が難しい。

「本日は『強化薬』を続ける。前回の授業で諸君が作った混合液はそのままになっているが、正しく調合されていれば、この週末に熟成しているはずである。——説明は——」スネイプが例によって杖(つえ)を振った。「——黒板にある。取りかかれ」

最初の三十分、アンブリッジ先生は片隅でメモを取っていた。ハリーはスネイプになんと質問するのかに気を取られるあまり、またしても魔法薬のほうがおろそかになった。

「ハリー、火トカゲの血液よ！」ハーマイオニーがハリーの手首をつかんで、まちがった材料を入れそうになるのを防いだ。もう三度目だった。「ザクロ液じゃないでしょ！」

「なるほど」ハリーは上の空で答え、瓶を下に置いて、隅のほうを観察し続けた。アンブリッジが立ち上がったところだった。

「おっ」ハリーが小さく声を上げた。アンブリッジが二列に並んだ机の間を、スネイプに向かってずんずん歩いていく。スネイプはディーン・トーマスの大鍋をのぞき込んでいた。

「まあ、このクラスは、この学年にしてはかなり進んでいますわね」

アンブリッジがスネイプの背中に向かってきびきびと話しかけた。

「でも、『強化薬』のような薬をこの子たちに教えるのは、いかがなものかしら。魔法省は、この薬を教材からはずしたほうがよいと考えると思いますね」

スネイプがゆっくりと体を起こし、アンブリッジと向き合った。

「さてと……あなたはホグワーツでどのくらい教えていますか？」アンブリッジが羽根ペンをクリップボードの上でかまえながら聞いた。

「十四年」スネイプの表情からは何も読めなかった。スネイプから目を離さず、ハリーは、自分の液体に材料を数滴加えた。シューシューと脅すような音を立て、溶液はトルコ石色からオレンジ色に変色した。

「最初は『闇の魔術に対する防衛術』の職に応募したのでしたわね？」アンブリッジ先生がスネイプに聞いた。

「さよう」スネイプが低い声で答えた。

「でもうまくいかなかったのね？」

スネイプの唇が冷笑した。

「ごらんのとおり」

アンブリッジ先生がクリップボードに走り書きした。

「そして赴任して以来、あなたは毎年『闇の魔術に対する防衛術』に応募したんでしたわね？」

「さよう」スネイプが、ほとんど唇を動かさずに低い声で答えた。相当怒っている様子だ。

「ダンブルドアが一貫してあなたの任命を拒否してきたのはなぜなのか、おわかりかしら？」アンブリッジが聞いた。

「本人に聞きたまえ」スネイプが邪険に言った。

「ええ、そうしましょう」アンブリッジ先生がニッコリ笑いながら言った。

「それが何か意味があるとでも？」スネイプが暗い目を細めた。

「ええ、ありますとも」アンブリッジ先生が言った。「ええ、魔法省は先生方の——あー——背景を、完全に理解しておきたいのですわ」

　アンブリッジはスネイプに背を向けてパンジー・パーキンソンに近づき、授業について質問をしはじめた。スネイプが振り向いてハリーを見た。一瞬二人の目が合った。ハリーはすぐに自分の薬に目を落とした。いまや薬は汚らしく固まり、ゴムの焼けるような強烈な悪臭を放っていた。

「さて、またしても零点だ。ポッター」

　スネイプが憎々しげに言いながら、杖のひと振りでハリーの大鍋をからにした。

「レポートを書いてくるのだ。この薬の正しい調合と、いかにして、また何故失敗したのか、次の授業に提出したまえ。わかったか？」

「はい」ハリーは煮えくり返る思いで答えた。スネイプはもう別の宿題を出しているし、今夜はクィディッチの練習がある。あと数日は寝不足の夜が続くということだ。今朝あれほど幸せな気分で目が覚めたことが信じられない。いまは、こんな一日は早く終わればいいと激しく願うばかりだ。

「占い学をサボろうかな」

　昼食後、中庭で、ハリーはふてくされて言った。風がローブのすそや帽子のつばにたたきつけるように吹いていた。

「仮病を使って、その間にスネイプのレポートをやる。そうすれば、真夜中過ぎまで起きていなくてすむ」

「占い学をサボるのはだめよ」ハーマイオニーが厳しく言った。

「何言ってんだい。占い学を蹴ったのはどなたさんでしたかね？　トレローニーが大嫌いなくせに！」

　ロンが憤慨した。

「私は別に**大嫌いなわけでは**ありませんよ」ハーマイオニーがツンとして言った。「ただ、あの人は先生としてまったくなってないし、ほんとにインチキばあさんだと思うだけです。でも、ハリーはさっき魔法史も抜かしてるし、今日はもうほかの授業を抜かしてはいけないと思います！」

まさに正論だった。とても無視できない。そこで、三十分後、ハリーは暑苦しい、むんむん香りのする占い学の教室に座り、むかっ腹を立てていた。トレローニー先生はまたしても『夢のお告げ』の本を配っていた。こんな所に座って、でっち上げの夢の意味を解き明かす努力をしているより、スネイプの罰則レポートを書いているほうが、ずっと有益なのに、とハリーは思った。

しかし、占い学のクラスでかんしゃくを起こしているのは、どうやらハリーだけではなかった。唇をギュッと結んだトレローニー先生が『お告げ』の本を一冊、ハリーとロンのテーブルにたたきつけて通り過ぎた。次の一冊はシェーマスとディーンに放り投げ、危うくシェーマスの頭にぶつかりそうになった。最後の一冊はネビルの胸にぐいと押しつけ、あまりの勢いに、ネビルは座っていたクッションからすべり落ちた。

「さあ、おやりなさい！」

トレローニー先生が大きな声を出した。かん高い、少しヒステリー気味の声だった。

「やることはおわかりでございましょ！　それとも、何かしら、あたくしがそんなにだめ教師で、みなさまに本の開き方もお教えしなかったのでございますの？」

全生徒があぜんとして先生を見つめ、それから互いに顔を見合わせた。しかし、ハリーは、事のしだいが読めたと思った。トレローニー先生がいきりたって背もたれの高い自分の椅子に戻り、拡大された両目に悔し涙をためているのを見て、ハリーはロンのほうに顔を近づけてこっそり言った。

「査察の結果を受け取ったんだと思うよ」

「先生？」パーバティ・パチルが声をひそめて聞いた（パーバティとラベンダーは、これまでトレローニー先生をかなり崇拝していた）。「先生、何か――あの――どうかなさいましたか？」

「どうかしたかですって！」トレローニー先生の声は激情にわなないていた。「そんなことはございません！　確かに、辱めを受けましたわ……あたくしに対する誹謗中傷……いわれのない非難……でも、いいえ、どうかしてはいませんことよ。絶対に！」

先生は身震いしながら大きく息を吸い込み、パーバティから目をそらし、めがねの下からボロボロと悔し涙をこぼした。

「あたくし、何も申しませんわ」先生が声を詰まらせた。「十六年のあたくしの献身的な仕事のことは……それが、気づかれることなしに過ぎ去ってしまったのですわ……でも、あたくし、辱めを受けるべきではありませんわ……ええ、そうですとも！」

「でも、先生、誰が先生を辱めているのですか？」パーバティがおずおず尋ねた。

「体制でございます！」トレローニー先生は、芝居がかった、深い、波打つような声で言った。「そうでございますとも。心眼で『視る』あたくしのようには見えない、あたくしが『悟る』ようには知ることのできない、目の曇った俗人たち……もちろん『予見者』はいつの世にも恐れられ、迫害されてきましたわ……それが──嗚呼──あたくしたちの運命」

先生がゴクッとつばを飲み込み、ぬれたほおにショールの端を押し当てた。そしてそでの中から、刺繍で縁取りされた小さなハンカチを取り出し鼻をかんだが、その音の大きいこと、ピーブズがベロベロバーと悪態をつくときの音のようだった。

ロンが冷やかし笑いをした。ラベンダーが、最低！　という目でロンを見た。

「先生」パーバティが声をかけた。「それは……つまり、アンブリッジ先生と何か──？」

「あたくしの前で、あの女のことは口にしないでくださいまし！」

トレローニー先生はそう叫ぶと急に立ち上がった。ビーズがジャラジャラ鳴り、めがねがピカリと光った。

「勉強をどうぞお続けあそばせ！」

その後トレローニー先生は、めがねの奥からポロリポロリと涙をこぼし、何やら脅し文句のような言葉をつぶやきながら、生徒の間をカツカツと歩き回った。

「……むしろ辞めたほうが……この屈辱……観察処分……どうしてやろう……あの女よくも……」

「君とアンブリッジは共通点があるよ」

「闇の魔術に対する防衛術」でハーマイオニーに会ったとき、ハリーがこっそり言った。

「アンブリッジも、トレローニーがインチキばあさんだと考えてるのはまちがいない。……どうやらトレローニーは観察処分になるらしい」

ハリーがそう言っているうちに、アンブリッジが教室に入ってきた。髪に黒いビロードのリボンを蝶(ちょう)結びにして、ひどく満足そうな表情だ。

「みなさん、こんにちは」

「こんにちは、アンブリッジ先生」みんなが気のない挨拶を唱えた。

「杖をしまってください」

しかし、今日はあわててガタガタする気配もなかった。わざわざ杖を出している生徒は誰もいなかった。

「『防衛術の理論』の三四ページを開いて、第三章、『魔法攻撃に対する非攻撃的対応のすすめ』を読んでください。それで――」

「――おしゃべりはしないこと」ハリー、ロン、ハーマイオニーが声をひそめて同時に口まねした。

「クィディッチの練習は**なし**」

その夜、ハリー、ロン、ハーマイオニーが夕食のあとで談話室に戻ると、アンジェリーナがうつろな声で言った。

「僕、かんしゃくを起こさなかったのに！」ハリーが驚愕した。「僕、あいつになんにも言わなかったよ、アンジェリーナ。うそじゃない、僕――」

「わかってる。わかってるわよ」アンジェリーナがしおれきって言った。「先生は、少し考える時間が必要だって言っただけ」

「考えるって、何を？」ロンが怒った。「スリザリンには許可したくせに、どうして僕たちはだめなんだ？」

しかし、ハリーには想像がついた。アンブリッジは、グリフィンドールのクィディッチ・チームをつぶすという脅しをちらつかせて楽しんでいる。その武器をそうたやすく手放しはしないと容易に想像できる。

「まあね」ハーマイオニーが言った。「明るい面もあるわよ――少なくとも、あなた、これでスネイプのレポートを書く時間ができたじゃない！」

「それが明るい面だって？」ハリーがかみついた。

ロンは、よく言うよという顔でハーマイオニーを見つめた。

「クィディッチの練習がない上に、魔法薬の宿題のおまけまでついて？」

ハリーは鞄からしぶしぶ魔法薬のレポートを引っ張り出し、椅子にドサッと座って宿題に取りかかった。シリウスが暖炉に現れるのはずっとあとだとわかっていても、宿題に集中するのはとても難しかった。数分ごとに、もしかしてと暖炉の火に目が行くのをどうしようもなかった。それに、談話室はとてつもなくやかましかった。フレッドとジョージがついに「ずる休みスナックボックス」の一つを完成させたらしい。二人で交互にデモをやり、見物人をワーッと沸かせて、やんやの喝采を浴びていた。最初にフレッドが、砂糖菓子のようなもののオレンジ色の端をかみ、前に置いたバケツに派手にゲーゲー吐く。それから同じ菓子の紫色の端を無理やり飲み込むと、たちまち嘔吐が止まる。リー・ジョーダンがデモの助手を務めていて、吐いた汚物をときどきめんどくさそうに「消失」させていた。スネイプがハリーの魔法薬を消し去ったのと同じ呪文だ。

吐く音やら歓声やらが絶え間なく続き、フレッドとジョージがみんなから予約を取る声も聞こえる中で、「強化薬」の正しい調合に集中するなどとてもできたものではない。歓声とフレッド、ジョージのゲーゲーがバケツの底に当たる音だけでも充分邪魔なのに、その上ハーマイオニーのやることも足しにならない。許せないとばかりに、ハーマイオニーがときどきフンと大きく鼻を鳴らすのは、かえって迷惑だった。

「行って止めればいいじゃないか！」ハリーががまんできずに言った。グリフィンの鉤爪の粉末の重量を四回もまちがえて消したときだった。

「できないの。あの人たち、**規則から言うと**なんら悪いことをしていないもの」ハーマイオニーが歯ぎしりした。「自分が変なものを食べるのは、あの人たちの権利の範囲内だわ。それに、ほかのおバカさんたちが、そういうものを買う権利がないっていう規則は見当たらない。何か危険だということが証明されなければね。それに、危険そうには見えないし」

ジョージが勢いよくバケツに吐き出し、菓子の一方の端をかんですっくと立ち、両手を大きく広げてニッコリ笑いながら、いつまでもやまない拍手に応えるのをハーマイオニー、ハリー、ロンは、じっと眺めていた。

「ねえ、フレッドもジョージも、O・W・Lで三科目しか合格しなかったのはどうしてかなぁ」フレッド、ジョージ、リーの三人が、集まった生徒が我勝ちに差し出す金貨を集めるのを見ながら、ハリーが言った。「あの二人、ほんとうにできるよ」

「あら、あの人たちにできるのは、役にも立たない派手なことだけよ」ハーマイオニーが見くびるように言った。

「役に立たないだって？」ロンの声が引きつった。「ハーマイオニー、あの連中、もう二十六ガリオンはかせいだぜ」

双子のウィーズリーを囲んでいた人垣が解散するまでにしばらくかかった。それから、フレッド、ジョージ、リーが座り込んでかせぎを数えるのにもっと長くかかった。そして、談話室にハリー、ロン、ハーマイオニーの三人だけになったのは、とうに真夜中を過ぎてからだった。ハーマイオニーのしかめっ面を尻目に、ガリオン金貨の箱をこれみよがしにジャラジャラさせながら、フレッドがようやっと男子寮へのドアを閉めて中に消えた。ハリーの魔法薬のレポートはほとんど進んでいなかったが、今夜はあきらめることにした。参考書を片づけていると、ひじかけ椅子でうとうとしていたロンが、寝ぼけ声を出して目を覚まし、ぼんやり暖炉の火を見た。

「シリウス！」ロンが声を上げた。

ハリーがサッと振り向いた。ぼさぼさの黒髪の頭が、再び暖炉の炎に座っていた。

「やあ」シリウスの顔が笑いかけた。

「やあ」ハリー、ロン、ハーマイオニーが、三人とも暖炉マットにひざをつき、声をそろえて挨拶した。クルックシャンクスはゴロゴロと大きくのどを鳴らしながら火に近づき、熱いのもかまわず、シリウスの頭に顔を近づけようとした。

「どうだね？」シリウスが聞いた。

「まあまあ」ハリーが答えた。ハーマイオニーはクルックシャンクスを引き戻し、ひげが焦げそうになるのを救った。「魔法省がまた強引に法律を作って、僕たちのクィディッチ・チームが許可されなくなって――」

「または、秘密の『闇の魔術防衛』グループがかい？」シリウスが言った。

一瞬、みんな沈黙した。

「どうしてそのことを知ってるの？」ハリーが詰問した。

「会合の場所は、もっと慎重に選ばないとね」シリウスがますますニヤリとした。「よりによって『ホッグズ・ヘッド』とはね」

「だって、『三本の箒』よりはましだったわ！」ハーマイオニーが弁解がましく言った。「あそこはいつも人がいっぱいだもの――」

「ということは、そのほうが盗み聞きするのも難しいはずなんだがね」シリウスが言った。「ハーマイオニー、君もまだまだ勉強しなきゃならないな」

「誰が盗み聞きしたの？」ハリーが問いただした。

「マンダンガスさ、もちろん」シリウスはそう言い、みんながキョトンとしているので笑った。「ベールをかぶった魔女があいつだったのさ」

「あれがマンダンガス？」ハリーはびっくりした。「『ホッグズ・ヘッド』で、いったい何をしていたの？」

「何をしていたと思うかね？」シリウスがもどかしげに言った。「君を見張っていたのさ、当然」

「僕、まだつけられているの？」ハリーが怒ったように聞いた。

「ああ、そうだ」シリウスが言った。「そうしておいてよかったというわけだ。週末にひまができたとたん、真っ先に君がやったことが、違法な防衛グループの組織だったんだから」

しかし、シリウスは怒った様子も心配する様子もなかった。むしろ、ハリーをことさら誇らしげな目で見ていた。

「ダングはどうして僕たちから隠れていたの？」ロンが不満そうに言った。「会えたらよかったのに」

「あいつは二十年前に『ホッグズ・ヘッド』出入り禁止になった」シリウスが言った。「それに、あのバーテンは記憶力がいい。スタージスが捕まったことで、ムーディの二枚目の透明マントもなくなってしまったので、ダングは近ごろ魔女に変装することが多くなってね……。それはともかく……まず、ロン――君の母さんからの伝言を必ず伝えると約束したんだ」

「へえ、そう？」ロンが不安そうな声を出した。

「伝言は――どんなことがあっても違法な『闇の魔術防衛』グループには加わらないこと。きっと退学処分になります。あなたの将来がめちゃめちゃになります。もっとあとになれば、自己防衛を学ぶ時間は充分あるのだから、いまそんなことを心配するのはまだ若すぎます――ということだ。それから」シリウスはほかの二人に目を向けた。「ハリーとハーマイオニーへの忠告だ。グループをこれ以上進めないように。もっとも、この二人に関しては、指図する権限がないことは認めている。ただ、お願いだから、自分は二人のためによかれと思って言っているのだということを忘れないように、とのことだ。手紙が書ければ全部書くのだが、もしふくろうが途中で捕まったら、みんながとても困ることになるだろうし、今夜は当番なので自分で言いにくることができない」

「なんの当番？」ロンがすかさず聞いた。

「気にするな。騎士団の何かだ」シリウスが言った。「そこで私が伝令になったというわけだ。私がちゃんと伝言したと、母さんに言ってくれ。どうも私は信用されていないのでね」

またしばらくみんな沈黙した。クルックシャンクスがニャアと鳴いて、シリウスの頭を引っかこうとした。ロンは暖炉マットの穴をいじっていた。

「それじゃ、防衛グループには入らないって、シリウスは僕にそう言わせたいの？」しばらくしてロンがボソボソ言った。

「私が？　とんでもない！」シリウスが驚いたように言った。「私は、すばらしい考えだと思っている！」

「ほんと？」ハリーは気持ちが浮き立った。

「もちろん、そう思う！」シリウスが言った。「君の父さんや私が、あのアンブリッジ鬼ばばぁに降参して言うなりになると思うのか？」

「でも――先学期、おじさんはぼくに、慎重にしろ、危険をおかすなってばっかり――」

「先学年は、ハリー、誰かホグワーツの内部の者が、君を殺そうとしてたんだ！」シリウスがいらだったように言った。「今学期は、ホグワーツの外の者が、私たちをみな殺しにしたがっていることはわかっている。だから、しっかり自分の身を護る方法を学ぶのは、私はとてもいい考えだと思う！」

「そして、もし私たちが退学になったら？」ハーマイオニーがいぶかしげな表情をした。

「ハーマイオニー、すべては君の考えだったじゃないか！」ハリーはハーマイオニーを見すえた。

「そうよ。ただ、シリウスの考えはどうかなと思っただけ」ハーマイオニーが肩をすくめた。

「そうだな、学校にいて、何も知らずに安穏としているより、退学になっても身を護ることができるほうがいい」

「そうだ、そうだ」ハリーとロンが熱狂した。

「それで」シリウスが言った。「グループはどんなふうに組織するんだ？　どこに集まる？」

「うん、それがいまちょっと問題なんだ」ハリーが言った。「どこでやったらいいか、わかんない」

「『叫びの屋敷』はどうだ？」シリウスが提案した。

「へーイ、そりゃいい考えだ！」ロンが興奮した。しかし、ハーマイオニーは否定的な声を出したので、三人がハーマイオニーを見た。シリウスの首が炎の中で向きを変えた。

「あのね、シリウス。あなたが学校にいたときは、『叫びの屋敷』に集まったのはたった四人だったってこと」ハーマイオニーが言った。「それに、あなたたちは全員、動物に変身できたし、そうしたいと思えば、窮屈でもたぶん全員が一枚の透明マントに収まることもできたと思うわ。でも私たちは二十八人で、誰も『動物もどき（アニメーガス）』じゃないし、透明マントよりは透明テントが必要なくらい——」

「もっともだ」シリウスは少しがっくりしたようだった。「まあ、君たちで、必ずどこか見つけるだろう。五階の大きな鏡の裏に、昔はかなり広い秘密の抜け道があったんだが、そこなら呪いの練習をするのに充分な広さがあるだろう」

「フレッドとジョージが、そこはふさがってるって言ってた」ハリーが首を振った。「陥没したか何かで」

「そうか……」シリウスは顔をしかめた。「それじゃ、よく考えてまた知らせる——」

シリウスが突然言葉を切った。顔が急にぎくりとしたように緊張した。横を向き、明らかに暖炉の硬いれんが壁のむこうを見ている。

「シリウスおじさん？」ハリーが心配そうに聞いた。

しかし、シリウスは消えていた。ハリーは一瞬あぜんとして炎を見つめた。それからロンとハーマイオニーを見た。

「どうして、いなく——？」

ハーマイオニーはぎょっと息をのみ、炎を見つめたまま急に立ち上がった。

炎の中に手が現れた。何かをつかもうとまさぐっている。ずんぐりした短い指に、醜悪な流行遅れの指輪をごてごてとはめている。

三人は一目散に逃げた。男子寮のドアの所で、ハリーが振り返ると、アンブリッジの手がまだ、炎の中で何かをつかむ動きをくり返していた。まるで、さっきまでシリウスの髪の毛があった場所をはっきり知っているかのように。そして、絶対に捕まえてみせるとでも言うように。

第18章　ダンブルドア軍団

「アンブリッジはあなたの手紙を読んでたのよ、ハリー。それ以外考えられないわ」

「アンブリッジがヘドウィグを襲ったと思うんだね？」ハリーは怒りが突き上げてきた。

「おそらくまちがいないわ」ハーマイオニーが深刻な顔で言った。

「ハリー、ほら、カエルが逃げるわよ」

ウシガエルが、うまく逃げられそうだぞと、テーブルの端をめがけてピョンピョン跳んでいた。ハリーは杖(つえ)をカエルに向けた――「**アクシオ！　来い！**」――すると、カエルはぶすっとしてハリーの手に吸い寄せられた。

呪文学は勝手なおしゃべりを楽しむには、常にもってこいの授業だった。だいたいは人や物がさかんに動いているので、盗み聞きされる危険性はほとんどなかった。今日の教室は、ウシガエルのブオーブオーという低い鳴き声とカラスのカアカアで満ちあふれ、しかも土砂降りの雨が教室の窓ガラスを激しくたたいて、ガタガタいわせていた。ハリー、ロン、ハーマイオニーが、アンブリッジがシリウスを危ういところまで追い詰めたことを小声で話し合っていても、誰にも気づかれなかった。

「フィルチが、クソ爆弾の注文のことであなたをとがめてから、私、ずっとこうなるんじゃないかって思ってたのよ。だって、バカバカしい言いがかりなんだもの」ハーマイオニーがささやいた。

「つまり、あなたの手紙を読んでしまえば、クソ爆弾を注文**してない**ことは明白になったはずだから、あなたが問題になることはなかったわけよ――すぐにばれる冗談でしょ？　でも、それから私、考えたの。誰かが、あなたの手紙を読む口実が欲しかったんだとしたら？　それなら、アンブリッジにとっては完璧な方法よ――フィルチに告げ口して、汚れ仕事はフィルチにやらせ、手紙を没収させる。それから、フィルチから取り上げる方法を見つけるか、それを見せなさいと要求する――フィルチは異議を申し立てない。生徒の権利のためにがんばったことなんかないものね？　ハリー、あなた、カエルをつぶしかけてるわよ」

ハリーは下を見た。ほんとうにウシガエルをきつく握りすぎて、カエルの目が飛び出していた。ハリーはあわててカエルを机の上に戻した。

「昨夜は、ほんとに、ほんとに危機一髪だった」ハーマイオニーが言った。「あれだけ追い詰めたことを、アンブリッジ自身が知っているのかしら。**シレンシオ、だまれ**」

ハーマイオニーが「黙らせ呪文」の練習に使ったウシガエルは、「ブォ」までで急に声が出なくなり、恨めしげにハーマイオニーに目をむいた。

「もしアンブリッジがスナッフルズを捕まえていたら――」

ハーマイオニーの言おうとしたことをハリーが引き取って言った。

「――たぶん今朝、アズカバンに送り返されていただろうな」

ハリーはあまり気持ちを集中せずに杖を振った。ウシガエルがふくれ上がって緑の風船のようになり、ピーピーと高い声を出した。

「**シレンシオ！　だまれ！**」

ハーマイオニーが杖をハリーのカエルに向け、急いで唱えた。カエルは二人の前で、声を上げずにしぼんだ。

「とにかく、スナッフルズは、もう二度とやってはいけない。それだけよ。ただ、どうやってそれを知らせたらいいかわからない。ふくろうは送れないし」

「もう危険はおかさないと思うけど」ロンが言った。「それほどバカじゃない。あの女に危うく捕まりかけたって、わかってるさ。**シレンシオ！**」

ロンの前の大きな醜いワタリガラスがあざけるようにカアと鳴いた。

「**シレンシオ！　シレンシオ！**」

カラスはますますやかましく鳴いた。

「あなたの杖の動かし方が問題よ」

批判的な目でロンを観察しながら、ハーマイオニーが言った。

「そんなふうに振るんじゃなくて、鋭く**突く**って感じなの」

「ワタリガラスはカエルより難しいんだ」ロンがしゃくにさわったように言った。

「いいわよ。取り替えましょ」

ハーマイオニーがロンのカラスを捕まえ、自分の太ったウシガエルと交換しながら言った。

「**シレンシオ！**」

ワタリガラスは相変わらず鋭いくちばしを開けたり閉じたりしていたが、もう音は出てこなかった。

「大変よろしい、ミス・グレンジャー！」

フリットウィック先生のキーキー声で、ハリー、ロン、ハーマイオニーの三人とも飛び上がった。

「さあ、ミスター・ウィーズリー、やってごらん」

「な――？　あ――ァ、はい」ロンはあわてふためいた。

「え――――**シレンシオ！**」

ロンの突きが強すぎて、ウシガエルの片目を突いてしまい、カエルは耳をつんざく声でグワッ、グワッと鳴きながらテーブルから飛び下りた。

ハリーとロンだけが「黙らせ呪文」の追加練習をするという宿題を出されたが、二人ともまたかと思っただけだった。

外は土砂降りなので、生徒たちは休み時間も城内にとどまることを許された。三人は二階の混み合ったやかましい教室に、空いている席を見つけた。ピーブズがシャンデリア近くに眠そうにプカプカ浮いて、ときどきインクつぶてを誰かの頭に吹きつけていた。三人が座るか座らないうちに、アンジェリーナが、むだ話に忙しい生徒たちをかき分けてやってきた。

「許可をもらったよ！」アンジェリーナが言った。「クィディッチ・チームを再編成できる！」

「**やった！**」ロンとハリーが同時に叫んだ。

「うん」アンジェリーナがニッコリした。「マクゴナガルの所に行ったんだ。**たぶん**、マクゴナガルはダンブルドアに控訴したんだと思う。とにかく、アンブリッジが折れた。ざまみろ！　だから、今夜七時に競技場に来てほしい。ロスした時間を取り戻さなくっちゃ。最初の試合まで、三週間しかないってこと、自覚してる？」

アンジェリーナは、生徒の間をすり抜けるように歩き去りながら、ピーブズのインクつぶてを危うくかわし（かわりにそれは、そばにいた一年生に命中した）、姿が見えなくなった。

窓から外を眺めて、ロンの笑顔がちょっとかげった。外はたたきつけるような雨で、ほとんど不透明だった。

「やめばいいけど。ハーマイオニー、どうかしたのか？」

ハーマイオニーも窓を見つめていたが、何か見ている様子ではなかった。焦点は合っていないし、顔をしかめている。

「ちょっと考えてるの……」

雨が流れ落ちる窓に向かってしかめっ面をしたまま、ハーマイオニーが答えた。

「シリウス——スナッフルズのことを？」ハリーが聞いた。

「ううん……ちょっとちがう……」ハーマイオニーが一言一言かみしめるように言った。「むしろ……もしかして……私たちのやってることは正しいんだし……考えると……そうよね？」

ハリーとロンが顔を見合わせた。

「なるほど、明確なご説明だったよ」ロンが言った。「君の考えをこれほどきちんと説明してくれなかったら、僕たち気になってしょうがなかったろうけど」

ハーマイオニーは、たったいまロンがそこにいることに気づいたような目でロンを見た。

「私がちょっと考えていたのは」ハーマイオニーの声が、今度はしっかりしていた。「私たちのやっている、『闇の魔術に対する防衛術』のグループを始めるということが、はたして正しいかどうかってことなの」

「えーッ？」ハリーとロンが同時に言った。

「ハーマイオニー、君が言いだしっぺじゃないか！」ロンが憤慨した。

「わかってるわ」

ハーマイオニーが両手を組んでもじもじさせながら言った。

「でも、スナッフルズと話したあとで……」

「そう、スナッフルズは大賛成だったよ」ハリーが言った。

「そう」ハーマイオニーがまた窓の外を見つめた。「そうなの。だからかえって、この考えが結局まちがっていたのかもしれないって思って……」

ピーブズが三人の頭上に腹ばいになって浮かび、豆鉄砲をかまえていた。三人は反射的に鞄（かばん）を頭の上に持ち上げ、ピーブズが通り過ぎるのを待った。

「はっきりさせようか」鞄を床の上に戻しながら、ハリーが怒ったように言った。「シリウスが賛成した。だから君は、もうあれはやらないほうがいいと思ったのか？」

ハーマイオニーは緊張した情けなさそうな顔をしていた。今度は両手をじっと見つめながら、ハーマイオニーが言った。

「本気でシリウスの判断力を信用してるの？」

「ああ、信用してる！」ハリーは即座に答えた。「いつでも僕たちにすばらしいアドバイスをしてくれた！」

インクのつぶてが三人をシュッとかすめて、ケイティ・ベルの耳を直撃した。ハーマイオニーは、ケイティが勢いよく立ち上がって、ピーブズにいろいろなものを投げつけるのを眺め、しばらくだまっていたが、言葉を慎重に選びながら話しはじめた。

「グリモールド・プレイスに閉じ込められてから……シリウスが……ちょっと……向こう見ずになった……そう思わない？　ある意味で……こう考えられないかしら……私たちを通して生きているんじゃないかって？」

「どういうことなんだ？『僕たちを通して生きている』って？」ハリーが言い返した。

「それは……つまり、魔法省直属の誰かの鼻先で、シリウス自身が秘密の防衛結社を作りたいんだろうと思うの……いまの境遇では、ほとんど何もできなくて、シリウスはほんとうにいや気がさしているんだと思うわ……それで、なんと言うか……私たちをけしかけるのに熱心になっているような気がするの」

ロンは当惑しきった顔をした。

「シリウスの言うとおりだ」ロンが言った。「君って、**ほんとに**ママみたいな言い方をする」

ハーマイオニーは唇をかみ、何も言わなかった。ピーブズがケイティに襲いかかり、インク瓶の中身をそっくり全部その頭にぶちまけたとき、始業のベルが鳴った。

天気はそのあともよくならなかった。七時、ハリーとロンが練習のためにクィディッチ競技場に出かけたが、あっという間にずぶぬれになり、ぐしょぬれの芝生に足を取られ、すべった。空は雷が来そうな鉛色で、更衣室の明かりと暖かさは、ほんの束の間のことだとわかっていても、ホッとさせられた。ジョージとフレッドは、自分たちの作った「ずる休みスナックボックス」を何か一つ使って、飛ぶのをやめようかと話し合っていた。

「……だけど、俺たちの仕掛けを、彼女が見破ると思うぜ」フレッドが、唇を動かさないようにして言った。「『ゲーゲー・トローチ』をきのう彼女に売り込まなきゃよかったなあ」

「『発熱ヌガー』を試してみてもいいぜ」ジョージがつぶやいた。「あれなら、まだ、誰も見たことがないし――」

「それ、効くの？」屋根を打つ雨音が激しくなり、建物の周りで風が唸（うな）る中で、ロンがすがるように聞いた。

「まあ、うん」フレッドが言った。「体温はすぐ上がるぜ」

「だけど、膿（うみ）の入ったでっかいできものもできるな」ジョージが言った。「しかも、それを取り除く方法は未解決だ」

「できものなんて、見えないけど」ロンが双子をじろじろ見た。

「ああ、まあ、見えないだろう」フレッドが暗い顔で言った。「普通、公衆の面前にさらす所にはない」

「しかし、箒に座ると、これがなんとも痛い。何しろ――」

「よーし、みんな。よく聞いて」

キャプテン室から現れたアンジェリーナが大声で言った。

「確かに理想的な天候ではないけど、スリザリンとの試合がこんな天候だということもありうる。だから、どう対処するか、策を練っておくのはいいことだ。ハリー、確か、ハッフルパフとの嵐の中での試合で、雨でめがねが曇るのを止めるのに、何かやったね？」

「ハーマイオニーがやった」

ハリーはそう言うと、杖を取り出して自分のめがねをたたき、呪文を唱えた。

「**インパービアス！　防水せよ！**」

「全員それをやるべきだな」アンジェリーナが言った。「雨が顔にさえかからなきゃ、視界はぐっとよくなる――じゃ、みんな一緒に、それ――**インパービアス！**　オーケー。行こうか」

杖をユニフォームのポケットに戻し、箒を肩に、みんなアンジェリーナのあとについて更衣室を出た。一歩一歩ぬかるみが深くなる中を、みんなグチョグチョと競技場の中心部まで歩いた。「防水呪文」をかけていても、視界は最悪だった。周りはたちまち暗くなり、滝のような雨が競技場を洗い流していた。

「よし、笛の合図で」アンジェリーナが叫んだ。

ハリーは泥を四方八方にまき散らして地面を蹴り、上昇した。風で少し押し流された。こんな天気でどうやってスニッチを見つけるのか、見当もつかない。練習に使っている大きなブラッジャーでさえ見えないのだ。練習を始めるとすぐ、ブラッジャーに危うく箒からたたき落とされそうになり、ハリーは、それをよけるのに「ナマケモノ型グリップ・ロール」をやるはめになった。残念ながら、アンジェリーナは見ていてくれなかった。それどころか、アンジェリーナは何も見えていないようだった。選手は互いに何をやっているやら、さっぱりわかっていなかった。風はますます激しさを増した。下の湖の面に、雨が打ちつけ、ビシビシ音を立てるのが、こんな遠くにいるハリーにさえ聞こえた。

アンジェリーナはほぼ一時間みんなをがんばらせたが、ついに敗北を認めた。ぐしょぬれで不平たらたらのチームを率いて更衣室に戻ったアンジェリーナは、練習は時間のむだではなかったと言い張ったが、自分でも自信がなさそうな声だった。フレッドとジョージはことさら苦しんでいる様子だった。二人ともガニマタで歩き、ちょっと動くたびに顔をしかめた。二人がこぼしているのが、タオルで頭をふいているハリーの耳に入った。

「俺のは二、三個つぶれたな」フレッドがうつろな声で言った。

「俺のはつぶれてない」ジョージが顔をしかめながら言った。「ずきずき痛みやがる……むしろ前より大きくなったたな」

「**イタッ！**」ハリーが声を上げた。

ハリーはタオルをしっかり顔に押しつけ、痛みで目をギュッと閉じた。額の傷痕がまた焼けるように痛んだのだ。ここ数週間、こんな激痛はなかった。

「どうした？」何人かの声がした。

ハリーはタオルを顔から離した。めがねをかけていないせいで、更衣室がぼやけて見えた。それでも、みんなの顔がハリーを見ているのがわかった。

「なんでもない」ハリーがボソッと言った。「僕――自分で自分の目を突いちゃった。それだけ」

しかし、ハリーはロンに目配せし、みんなが外に出ていくとき、二人だけあとに残った。選手たちはマントにくるまり、帽子を耳の下まで深くかぶって出ていった。

「どうしたの?」最後にアリシアが出ていくと、すぐにロンが聞いた。「傷痕か?」

ハリーがうなずいた。

「でも……」ロンがこわごわ窓際に歩いていき、雨を見つめた。「あの人――『あの人』がいま、そばにいるわけないだろ?」

「ああ」ハリーは額をさすり、ベンチに座り込みながらつぶやいた。「たぶん、ずーっと遠くにいる。でも、痛んだのは……あいつが……怒っているからだ」

そんなことを言うつもりはなかった。別の人間がしゃべるのを聞いたかのようだった――しかし、ハリーは直感的に、そうにちがいないと思った。どうしてなのかはわからないが、そう思ったのだ。ヴォルデモートがどこにいるのかも、何をしているのかも知らないが、確かに激怒してる。

「『あの人』が見えたの?」ロンが恐ろしそうに聞いた。「君……幻覚か何か、あったの?」

ハリーは足元を見つめたまま、痛みが治まり、気持ちも記憶も落ち着くのを待ってじっと座っていた。もつれ合ういくつかの影。どなりつける声の響き……。

「やつは何かをさせたがっている。それなのに、なかなかうまくいかない」ハリーが言った。

またしても言葉が口をついて出てくる。ハリー自身が驚いた。しかも、それがほんとうのことだという確信があった。

「でも……どうしてわかるんだ?」ロンが聞いた。

ハリーは首を横に振り、両手で目を覆って、手のひらでぐっと押した。目の中に小さな星が飛び散った。ロンがベンチの隣に座り、ハリーを見つめているのを感じた。

「前のときもそうだったの?」ロンが声をひそめて聞いた。「アンブリッジの部屋で傷痕が痛んだとき?『例のあの人』が怒ってたの?」

ハリーは首を横に振った。

「それならなんなのかなぁ？」

ハリーは記憶をたどった。アンブリッジの顔を見つめていた……傷痕が痛んだ……そして、胃袋におかしな感覚が……なんだか奇妙な、飛びはねるような感覚……**幸福な**感覚だった……しかし、そうだ、あの時は気づかなかったが、あの時の自分はとてもみじめな気持ちだったのだから、だから奇妙だったんだ……。

「この前は、やつが喜んでいたからなんだ」ハリーが言った。「ほんとうに喜んでいた。やつは思ったんだ……何かいいことが起こるって。それに、ホグワーツに僕たちが帰る前の晩……」ハリーは、グリモールド・プレイスのロンと一緒の寝室で、傷痕が痛んだあの瞬間を思い出していた……。

「やつは怒り狂ってた……」

ロンを見ると、口をあんぐり開けてハリーを見ていた。

「君、おい、トレローニーに取ってかわれるぜ」ロンが恐れと尊敬の入りまじった声で言った。

「僕、予言してるんじゃないよ」ハリーが言った。

「ちがうさ。何をしているかわかるかい？」ロンが恐ろしいような感心したような声で言った。「ハリー、**君は『例のあの人』の心を読んでる！**」

「ちがう」ハリーが首を振った。「むしろ……気分を読んでるんだと思う。どんな気分でいるのかがちらっとわかるんだ。ダンブルドアが先学期に、そんなようなことが起こっているって言った。ヴォルデモートが近くにいるとか、憎しみを感じていると、僕にそれがわかるって、そう言ったんだ。でも、いまは、やつが喜んでいるときも感じるんだ……」

一瞬の沈黙があった。雨風が激しく建物にたたきつけていた。

「誰かに言わなくちゃ」ロンが言った。

「この前はシリウスに言った」

「今度のことも言えよ！」

「できないよ」ハリーが暗い顔で言った。「アンブリッジがふくろうも暖炉も見張ってる。そうだろ？」

「じゃ、ダンブルドアだ」

「いま、言ったろう。ダンブルドアはもう知ってる」

ハリーは気短に答えて立ち上がり、マントを壁の釘（くぎ）からはずして肩に引っかけた。

「また言ったって意味ないよ」

ロンはマントのボタンをかけ、考え深げにハリーを見た。

「ダンブルドアは知りたいだろうと思うけど」ロンが言った。

ハリーは肩をすくめた。

「さあ……これから『黙らせ呪文』の練習をしなくちゃ」

泥んこの芝生をすべったりつまずいたりしながら、二人は話をせずに、急いで暗い校庭を戻った。ハリーは必死で考えた。いったいヴォルデモートがさせたがっていること、そして思うように進まないこととは、なんだろう？


——ほかにも求めているものがある……やつがまったく極秘で進めることができる計画だ……極秘にしか手に入らないものだ……武器のようなものというかな。前のときには持っていなかったものだ。

この言葉を何週間も忘れていた。ホグワーツでのいろいろな出来事にすっかり気を取られ、アンブリッジとの目下の戦いや、魔法省のさまざまな不当な干渉のことを考えるのに忙殺されていた……しかし、いま、この言葉がよみがえり、ハリーはもしやと思った……ヴォルデモートが怒っているのも、なんだかわからないその武器にまったく近づくことができないからと考えればつじつまが合う。騎士団はあいつの目論見をくじき、それが手に入らないように阻止してきたのだろうか？　それはどこに保管されているのだろう？　いま、誰が持っているのだろう？

「**ミンビュラス　ミンブルトニア**」

ロンの声がしてハリーは我に返り、肖像画の穴を通って談話室に入った。

ハーマイオニーは早めに寝室に行ってしまったらしい。残っていたのは、近くの椅子に丸まっているクルックシャンクスと、暖炉のそばのテーブルに置かれた、さまざまな形のデコボコしたしもべ妖精用毛糸帽子だけだった。ハリーはハーマイオニーがいないのがかえってありがたかった。傷痕の痛みを議論するのも、ダンブルドアの所へ行けとハーマイオニーにうながされるのもいやだった。ロンはまだ心配そうな目でちらちらハリーを見ていたが、ハリーは呪文集を引っ張り出し、レポートを仕上げる作業に取りかかった。もっとも、集中しているふりをしていただけで、ロンがもう寝室に行くと言ったときにも、ハリーはまだほとんど何も書いてはいなかった。

真夜中になり、真夜中が過ぎても、ハリーは「トモシリソウ」「ラビッジ」「オオバナノコギリソウ」の使用法についての同じ文章を、一言も頭に入らないまま何度も読み返していた。

これらの薬草は、脳をほてらせるのに非常に効き目があり、そのため、性急さ、向こう見ずな状態を魔法使いが作り出したいと望むとき、「混乱・錯乱薬」用に多く使われる……。

……ハーマイオニーが、シリウスはグリモールド・プレイスに閉じ込められて向こう見ずになっていると言ったっけ……。

……脳をほてらせるのに非常に効き目があり、そのため……。

……「日刊予言者新聞」は、僕にヴォルデモートの気分がわかると知ったら、僕の脳がほてっていると思うだろうな……。

……そのため、性急さ、向こう見ずな状態を魔法使いが作り出したいと望むとき、「混乱・錯乱薬」に多く使われる……。

……混乱、まさにそうだ。どうして僕はヴォルデモートの気分がわかったのだろう？　二人のこの薄気味の悪い絆はなんなのだ？　ダンブルドアでも、これまで充分に満足のいく説明ができなかったこの絆は？

……魔法使いが作り出したいと望むとき……。

……ああ、とても眠い……。

……性急さ……を作り出したいと……。

……ひじかけ椅子は暖炉のそばで、暖かく心地よい。雨がまだ激しく窓ガラスに打ちつけている。クルックシャンクスがゴロゴロのどを鳴らし、暖炉の炎がはぜる……。

手がゆるみ、本がすべり、鈍いゴトッという音とともに暖炉マットに落ちた。ハリーの頭がぐらりと傾いだ。

またしてもハリーは、窓のない廊下を歩いている。足音が静寂の中に反響している。通路の突き当たりの扉がだんだん近くなり、心臓が興奮で高鳴る……。あそこを開けることさえできれば……そのむこう側に入れれば……。

手を伸ばした……もう数センチで指が触れる……。

「ハリー・ポッター様！」

ハリーは驚いて目を覚ました。談話室のろうそくはもう全部消えていた。しかし、何かがすぐそばにいる。

「だ……れ？」ハリーは椅子にまっすぐ座りなおした。談話室の暖炉の火はほとんど消え、部屋はとても暗かった。

「ドビーめが、あなたさまのふくろうを持っています！」キーキー声が言った。

「ドビー？」

ハリーは、暗がりの中で声の聞こえた方向を見透かしながら、寝ぼけ声を出した。

ハーマイオニーが残していったニットの帽子が半ダースほど置いてあるテーブルの脇に、屋敷しもべ妖精のドビーが立っていた。大きなとがった耳が、山のような帽子の下から突き出している。ハーマイオニーがこれまで編んだ帽子を全部かぶっているのではないかと思うほどで、縦に積み重ねてかぶっているので、頭が一メートル近く伸びたように見えた。一番てっぺんの毛糸玉の上に、確かに傷の癒えたヘドウィグが止まり、ホーホーと落ち着いた鳴き声を上げていた。

「ドビーめはハリー・ポッターのふくろうを返す役目を、進んでお引き受けいたしました」しもべ妖精は、うっとりと憧れの人を見る目つきで、キーキー言った。

「グラブリー‐プランク先生が、ふくろうはもう大丈夫だとおっしゃいましたでございます」ドビーが深々とおじぎをしたので、鉛筆のような鼻先がぼろぼろの暖炉マットをこすり、ヘドウィグは怒ったようにホーと鳴いてハリーの椅子のひじかけに飛び移った。

「ありがとう、ドビー！」

ヘドウィグの頭をなでながら、夢の中の扉の残像を振り払おうと、ハリーは目を強くしばたたいた……あまりに生々しい夢だった。

ドビーをもう一度見ると、スカーフを数枚巻きつけているし、数えきれないほどのソックスをはいているのに気づいた。おかげで、体と不釣り合いに足がでかく見えた。

「あの……君は、ハーマイオニーの置いていった服を**全部**取っていたの？」

「いいえ、とんでもございません」ドビーはうれしそうに言った。「ドビーめはウィンキーにも少し取ってあげました。はい」

「そう。ウィンキーはどうしてるの？」ハリーが聞いた。

ドビーの耳が少しうなだれた。

「ウィンキーはいまでもたくさん飲んでいます。はい」

ドビーは、テニスボールほどもある巨大な緑の丸い目を伏せて、悲しそうに言った。

「いまでも服が好きではありません、ハリー・ポッター。ほかの屋敷しもべ妖精も同じでございます。

もう誰もグリフィンドール塔をお掃除しようとしないのでございます。帽子や靴下があちこちに隠してあるからでございます。侮辱されたと思っているのです。はい。ドビーめが全部一人でやっておりますです。でも、ドビーめは気にしません。はい。なぜなら、ドビーめはいつでもハリー・ポッターにお会いしたいと願っています。そして、今夜、はい、願いがかないました！」

ドビーはまた深々とおじぎした。

「でも、ハリー・ポッターは幸せそうではありません」ドビーは体を起こし、おずおずとハリーを見た。「ドビーめは、あなたさまが寝言を言うのを聞きました。ハリー・ポッターは悪い夢を見ていたのですか？」

「それほど悪い夢っていうわけでもないんだ」ハリーはあくびをして目をこすった。「もっと悪い夢を見たこともあるし」

しもべ妖精は大きな球のような目でハリーをしげしげと見た。それから両耳をうなだれて、真剣な声で言った。

「ドビーめは、ハリー・ポッターをお助けしたいのです。ハリー・ポッターがドビーを自由にしましたから。そして、ドビーめはいま、ずっとずっと幸せですから」

ハリーはほほえんだ。

「ドビー、君には僕を助けることはできない。でも、気持ちはありがたいよ」

ハリーはかがんで、魔法薬の教科書を拾った。このレポートは結局、明日仕上げなければならない。ハリーは本を閉じた。その時、暖炉の残り火が、手の甲のうっすらとした傷痕を白く浮き上がらせた――アンブリッジの罰則の痕だ……。

「ちょっと待って――ドビー、君に助けてもらいたいことが**ある**よ」ある考えが浮かび、ハリーはゆっくりと言った。

ドビーは向きなおって、ニッコリした。

「なんでもおっしゃってください。ハリー・ポッター様！」

「場所を探しているんだ。二十八人が『闇の魔術に対する防衛術』を練習できる場所で、先生方に見つからない所。特に――」ハリーは本の上で固く拳を握った。傷痕が青白く光った。「アンブリッジ先生には」

ドビーの顔から笑いが消えて、両耳がうなだれるだろうとハリーは思った。無理です、とか、どこか探してみるがあまり期待は持たないように、と言うだろうと思った。まさか、ドビーが両耳をうれしそうにパタパタさせ、ピョンと小躍りするとは、まさか両手を打ち鳴らそうとは、思わなかった。

「ドビーめは、ぴったりな場所を知っております。はい！」ドビーはうれしそうに言った。「ドビーめはホグワーツに来たとき、ほかの屋敷しもべ妖精が話しているのを聞きました。仲間内では『あったりなかったり部屋』とか、『必要の部屋』として知られております！」

「どうして？」ハリーは好奇心にかられた。

「なぜなら、その部屋に入れるのは」ドビーは真剣な顔だ。「ほんとうに必要なときだけなのです。時にはありますが、時にはない部屋でございます。それが現れるときには、いつでも求める人の欲しいものが備わっています。ドビーめは、使ったことがございます」

しもべ妖精は声を落とし、悪いことをしたような顔をした。

「ウィンキーがとっても酔ったときに。ドビーはウィンキーを『必要の部屋』に隠しました。そうしたら、ドビーは、バタービールの酔い覚まし薬をそこで見つけました。それに、眠って酔いを覚ます間、寝かせるのにちょうどよい、しもべ妖精サイズのベッドがあったのでございます……それに、フィルチ様は、お掃除用具が足りなくなったとき、そこで見つけたのを、はい、ドビーは存じています。そして──」

「そして、ほんとにトイレが必要なときは」ハリーは急に、去年のクリスマス・ダンスパーティで、ダンブルドアが言ったことを思い出した。「その部屋はおまるでいっぱいになる？」

「ドビーめは、そうだと思います。はい」ドビーは一生懸命うなずいた。「驚くような部屋でございます」

「そこを知っている人はどのくらいいるのかな？」ハリーは椅子に座りなおした。

「ほとんどおりません。だいたいは、必要なときにたまたまその部屋に出くわします。はい。でも、二度と見つからないことが多いのです。なぜなら、その部屋がいつもそこにあって、お呼びがかかるのを待っているのを知らないからでございます」

「すごいな」ハリーは心臓がドキドキした。「ドビー、ぴったりだよ。部屋がどこにあるのか、いつ教えてくれる？」

「いつでも、ハリー・ポッター様」ハリーが夢中なので、ドビーはうれしくてたまらない様子だ。「よろしければ、いますぐにでも！」

一瞬、ハリーはドビーと一緒に行きたいと思った。上の階から急いで透明マントを取ってこようと、椅子から半分腰を浮かした。その時、またしても、ちょうどハーマイオニーがささやくような声が耳元で聞こえた──「**向こう見ず**」。考えてみれば、もう遅いし、ハリーはつかれきっていた。

「ドビー、今夜はだめだ」ハリーは椅子に沈み込みながら、しぶしぶ言った。「これはとっても大切なことなんだ……しくじりたくない。ちゃんと計画する必要がある。ねえ、『必要の部屋』の正確な場所と、どうやって入るのかだけ教えてくれないかな？」

二時限続きの薬草学に向かうのに、水浸しの野菜畑をピチャピチャ渡る生徒たちのローブが風にあおられてはためき、ひるがえった。雨音はまるで雹のように温室の屋根を打ち、スプラウト先生が何を言っているのかほとんど聞き取れない。午後の魔法生物飼育学は嵐が吹きすさぶ校庭ではなく、一階の空いている教室に移されたし、アンジェリーナが昼食時に、チームの選手を探して回り、クィディッチの練習は取りやめだと伝えたので、選手たちは大いにホッとした。

「よかった」アンジェリーナにそれを聞かされたとき、ハリーが小声で言った。「場所を見つけたんだ。最初の『防衛術』の会合は今夜八時、八階の『バカのバーナバス』がトロールに棍棒で打たれている壁かけのむかい側。ケイティとアリシアに伝えてくれる？」

アンジェリーナはちょっとどきりとしたようだったが、伝えると約束した。ハリーは食べかけのソーセージとマッシュポテトに戻って貪った。かぼちゃジュースを飲もうと顔を上げると、ハーマイオニーが見つめているのに気づいた。

「何？」ハリーがもごもご聞いた。

「うーん……ちょっとね。ドビーの計画って、いつも安全だとはかぎらないし。覚えていない？　ドビーのせいで、あなた、腕の骨が全部なくなっちゃったこと」

「この部屋はドビーの突拍子もない考えじゃないんだ。ダンブルドアもこの部屋のことは知ってる。クリスマス・ダンスパーティのとき、話してくれたんだ」

ハーマイオニーの顔が晴れた。

「ダンブルドアが、そのことをあなたに話したのね？」

「ちょっとついでにだったけど」ハリーは肩をすくめた。

「ああ、そうなの。なら大丈夫」ハーマイオニーはきびきびそう言うと、あとは何も反対しなかった。

「ホッグズ・ヘッド」でリストにサインした仲間たちを探し出し、その晩どこで会合するかを伝えるのに、ロンもふくめた三人で、その日の大半を費やした。チョウ・チャンとその友達の女子学生を探し出すのは、ジニーのほうが早かったので、ハリーはちょっとがっかりした。とにかく、夕食が終わるころまでには、この知らせがホッグズ・ヘッドに集まった二十五人全員に伝わったと、ハリーは確信を持った。

七時半、ハリー、ロン、ハーマイオニーはグリフィンドールの談話室を出た。ハリーは古ぼけた羊皮紙を握りしめていた。五年生は、九時まで外の廊下に出ていてもよいことになってはいたが、三人とも、神経質にあたりを見回しながら八階に向かった。

「止まって」

最後の階段の上で羊皮紙を広げながら、ハリーは警告を発し、杖で羊皮紙を軽くたたいて呪文を唱えた。

「**我、ここに誓う。我、よからぬことをたくらむ者なり**」

羊皮紙にホグワーツの地図が現れた。小さな黒い点が動き回り、それぞれに名前がついていて、誰がどこにいるかが示されている。

「フィルチは三階だ」ハリーが地図を目に近づけながら言った。「それと、ミセス・ノリスは五階だ」

「アンブリッジは？」ハーマイオニーが心配そうに聞いた。

「自分の部屋だ」ハリーが指で示した。「オッケー、行こう」

三人は、ドビーがハリーに教えてくれた場所へと廊下を急いだ。大きな壁かけタペストリーに「バカのバーナバス」が、愚かにもトロールにバレエを教えようとしている絵が描いてある。そのむかい側の、なんの変哲もない石壁がその場所だ。

「オーケー」ハリーが小声で言った。虫食いだらけのトロールの絵が、バレエの先生になるはずだったバーナバスを、容赦なく棍棒で打ちすえていたが、その手を休めてハリーたちを見た。

「ドビーは、気持ちを必要なことに集中させながら、壁のここの部分を三回往ったり来たりしろって言った」

三人で実行に取りかかった。石壁の前を通り過ぎ、窓の所できっちり折り返して逆方向に歩き、反対側にある等身大の花瓶の所でまた折り返した。ロンは集中するのに眉間にしわを寄せ、ハーマイオニーは低い声で何かブツブツ言い、ハリーはまっすぐ前を見つめて両手の拳を握りしめた。

戦いを学ぶ場所が必要です……ハリーは思いを込めた。**……どこか練習する場所をください……どこか連中に見つからない所を……。**

三回目に石壁を通り過ぎて振り返ったとき、ハーマイオニーが鋭い声を上げた。

「ハリー！」

石壁にピカピカに磨き上げられた扉が現れていた。ロンは少し警戒するような目で扉を見つめていた。ハリーは真鍮の取っ手に手を伸ばし、扉を引いて開け、先に中に入った。広々とした部屋は、八階下の地下牢教室のように、ゆらめく松明に照らされていた。

壁際には木の本棚が並び、椅子のかわりに大きな絹のクッションが床に置かれている。一番奥の棚には、いろいろな道具が収められていた。「かくれん防止器」、「秘密発見器」、それに、先学期、偽ムーディの部屋にかかっていたものにちがいないと思われるひびの入った大きな「敵鏡」。

「これ、『失神術』を練習するときにいいよ」ロンが足でクッションを一枚突きながら、夢中になって言った。

「それに、見て！　この本！」ハーマイオニーは興奮して、大きな革張りの学術書の背表紙に次々と指を走らせた。『通常の呪いとその逆呪い概論』……『闇の魔術の裏をかく』……『自己防衛呪文学』……ウワーッ……」

ハーマイオニーは顔を輝かせてハリーを見た。何百冊という本があるおかげで、ついにハーマイオニーが自分は正しいことをしていると確信したと、ハリーにはわかった。

「ハリー、すばらしいわ。ここには欲しいものが全部ある！」

それ以上よけいなことはいっさい言わず、ハーマイオニーは棚から『呪われた人のための呪い』を引き抜き、手近なクッションに腰を下ろし、読みはじめた。

扉を軽くたたく音がした。ハリーが振り返ると、ジニー、ネビル、ラベンダー、パーバティ、ディーンが到着したところだった。

「オワーァ」ディーンが感服して見回した。「ここはいったいなんだい？」

ハリーが説明しはじめたが、途中でまた人が入ってきて、また最初からやりなおしだった。八時までには、全部のクッションが埋まっていた。ハリーは扉に近づき、鍵穴から突き出している鍵を回した。カシャッと小気味よい大きな音とともに鍵がかかり、みんながハリーを見て静かになった。ハーマイオニーは読みかけの『呪われた人のための呪い』のページにしおりをはさみ、本を脇に置いた。

「えーと」ハリーは少し緊張していた。「ここが練習用に僕たちが見つけた場所です。それで、みんなは――えー――ここでいいと思ったみたいだし」

「すてきだわ！」チョウがそう言うと、ほかの何人かも、そうだそうだとつぶやいた。

「変だなあ」フレッドがしかめっ面で部屋を眺め回した。「俺たち、一度ここで、フィルチから隠れたことがある。ジョージ、覚えてるか？　だけど、その時は単なる箒置き場だったぞ」

「おい、ハリー、これはなんだ？」ディーンが部屋の奥のほうで、かくれん防止器と敵鏡を指していた。

「闇の検知器だよ」ハリーはクッションの間を歩いて道具のほうに行った。「基本的には、闇の魔法使いとか敵が近づくと、それを示してくれるんだけど、あまり頼っちゃいけない。道具がだまされることがある……」

ハリーはひび割れた敵鏡をちょっと見つめた。中に影のような姿がうごめいていた。どの姿もはっきり何かはわからない。ハリーは鏡に背を向けた。

「えーと、僕、最初に僕たちがやらなければならないのは何かを、ずっと考えていたんだけど、それで――あー……」ハリーは手が挙がっているのに気づいた。

「なんだい、ハーマイオニー?」

「リーダーを選出すべきだと思います」ハーマイオニーが言った。

「ハリーがリーダーよ」チョウがすかさず言った。ハーマイオニーを、どうかしているんじゃないのという目で見ている。

ハリーはまたまた胃袋がとんぼ返りした。

「そうよ。でも、ちゃんと投票すべきだと思うの」ハーマイオニーがひるまず言った。「それで正式になるし、ハリーに権限が与えられるもの。じゃ――ハリーが私たちのリーダーになるべきだと思う人?」

みんなが挙手した。ザカリアス・スミスでさえ、不承不承だったが手を挙げた。

「えー――うん、ありがとう」ハリーは顔が熱くなるのを感じた。「それじゃ――**なんだよ、**ハーマイオニー、まだ何か?」

「それと、名前をつけるべきだと思います」手を挙げたままで、ハーマイオニーが生き生きと答えた。

「そうすれば、チームの団結精神も強くなるし、一体感が高まると思わない?」

「反アンブリッジ連盟ってつけられない?」アンジェリーナが期待を込めて発言した。

「じゃなきゃ、『魔法省はみんなまぬけ』、ＭＭＭはどうだ？」フレッドが言った。

「私、考えてたんだけど」ハーマイオニーがフレッドをにらみながら言った。「どっちかっていうと、私たちの目的が誰にもわからないような名前よ。この集会の外でも安全に名前を呼べるように」

「防衛協会は？」チョウが言った。「英語の頭文字を取ってＤＡ。それなら、私たちが何を話しているか、誰にもわからないでしょう？」

「うん、ＤＡっていうのはいいわね」ジニーが言った。「でも、ダンブルドア軍団（アーミー）の頭文字でＤＡね。だって、魔法省が一番怖いのはダンブルドア軍団でしょ？」

あちこちから、いいぞ、いいぞとつぶやく声や笑い声が上がった。

「ＤＡに賛成の人？」

ハーマイオニーが取りしきり、クッションにひざ立ちになって数を数えた。

「大多数です――動議は可決！」

ハーマイオニーはみんなが署名した羊皮紙を壁にピンでとめ、その一番上に大きな字で**「ダンブルドア軍団」**と書き加えた。

「じゃ」ハーマイオニーが座ったとき、ハリーが言った。「それじゃ、練習しようか？　僕が考えたのは、まず最初にやるべきなのは、『**エクスペリアームス、武器よ去れ**』。そう、『武装解除術』だ。かなり基本的な呪文だっていうことは知っている。だけど、ほんとうに役立つ――」

「おい、おい、**頼むよ**」ザカリアス・スミスが腕組みし、あきれたように目を天井に向けた。

「『例のあの人』に対して、『**武器よ去れ**』が僕たちを守ってくれると思うのかい？」

「僕がやつに対してこれを使った」ハリーは落ち着いていた。「六月に、この呪文が僕の命を救った」

スミスはポカンと口を開いた。ほかのみんなはだまっていた。

「だけど、これじゃ君には程度が低すぎるって思うなら、出ていっていい」ハリーが言った。

スミスは動かなかった。ほかの誰も動かなかった。

「オーケー」たくさんの目に見つめられ、ハリーはいつもより少し口が渇いていた。「それじゃ、全員、二人ずつ組になって練習しよう」

指令を出すのはなんだかむずがゆかったが、みんながそれに従うのはそれよりずっとむずがゆかった。みんながサッと立ち上がり、組になった。ネビルは、やっぱり相手がいなくて取り残された。

「僕と練習しよう」ハリーが言った。「よーし——三つ数えて、それからだ——いーち、にー、さん——」

突然部屋中が、「**エクスペリアームス**」の叫びでいっぱいになった。杖が四方八方に吹っ飛んだ。当たりそこねた呪文が本棚に当たり、本が宙を飛んだ。

ハリーの速さに、ネビルはとうてい敵わなかった。ネビルの杖が手を離れ、くるくる回って天井にぶつかり火花を散らした。それから本棚の上にカタカタ音を立てて落ち、そこからハリーは「呼び寄せ呪文」で杖を回収した。

周りをざっと見ると、基本から始めるべきだという考えが正しかったことがわかった。お粗末な呪文が飛び交っていた。相手をまったく武装解除できず、弱い呪文が通り過ぎるときに、相手を二、三歩後ろに飛びのかせるとか、顔をしかめさせるだけの例が多かった。

「**エクスペリアームス！　武器よ去れ！**」ネビルの呪文に不意をつかれて、ハリーは杖が手を離れて飛んでいくのを感じた。

「**できた！**」ネビルが狂喜した。「いままでできたことないのに——**僕、できた！**」

「うまい！」ハリーは励ました。

ほんとうの決闘では、相手が杖をだらんと下げて、逆の方向を見ていることなどありえない、という指摘はしないことにした。

「ねえ、ネビル。ちょっとの間、ロンとハーマイオニーと交互に練習してくれるかい？　僕、ほかのみんながどんなふうにやってるか、見回ってくるから」

ハリーは部屋の中央に進み出た。ザカリアス・スミスに変な現象が起きていた。アンソニー・ゴールドスタインの武器を解除するのに呪文を唱えるたびに、スミス自身の杖が飛んでいってしまう。しかもアンソニーはなんの呪文を唱えている様子もない。周りを少し見回すだけで、ハリーは謎を見破った。フレッドとジョージがスミスのすぐそばにいて、交互にスミスの背中に杖を向けていたのだ。

「ごめんよ、ハリー」ハリーと目が合ったとたん、ジョージが急いで謝った。「がまんできなくてさ」

ハリーはまちがった呪文のかけ方を直そうと、ほかの組を見回った。ジニーはマイケル・コーナーと組んでいたが、かなりできる。ところが、マイケルは、下手なのか、ジニーに呪いをかけるのをためらっているかのどちらかだ。アーニー・マクミランは杖を不必要に派手に振り回し、相手につけ入るすきを与えていた。クリービー兄弟は熱心だったがミスが多く、周りの本棚からさんざん本が飛び出すのは、主にこの二人のせいだった。ルーナ・ラブグッドも同じくむらがあり、ときどきジャスティン・フィンチ－フレッチリーの手から杖をきりもみさせて吹き飛ばすかと思えば、髪の毛を逆立たせるだけのときもあった。

「オーケー、やめ！」ハリーが叫んだ。「**やめ！　やめだよ！**」

ホイッスルが必要だな、とハリーは思った。すると、たちまち一番手近に並んだ本の上に、ホイッスルがのっているのが見つかった。ハリーはそれを取り上げて、強く吹いた。みんなが杖を下ろした。

「なかなかよかった」ハリーが言った。「でも、まちがいなく改善の余地があるね」

ザカリアス・スミスがハリーをにらみつけた。「もう一度やろう」

ハリーはもう一度見回った。今度はあちこちで立ち止まって助言した。だんだん全体の出来具合がよくなってきた。ハリーはしばらくの間、チョウとその友達の組をさけていた。しかし、ほかの組をみんな二回ずつ見回ったあと、これ以上この二人を無視するわけにはいかないと思った。

「ああ、だめだわ」

ハリーが近づくと、チョウがちょっと興奮気味に言った。

「**エクスペリアーミウス！**　じゃなかった、**エクスペリメリウス！**――あ、マリエッタ、ごめん！」

巻き毛の友達のそでに火がついた。マリエッタは自分の杖で消し、ハリーのせいだとばかりにらみつけた。

「あなたのせいで上がってしまったわ。いままではうまくできたのに！」チョウがうちしおれた。

「とてもよかったよ」

ハリーはうそをついた。しかし、チョウが眉を吊り上げたので、言いなおした。

「いや、そりゃ、いまのはよくなかったけど、君がちゃんとできることは知ってるんだ。むこうで見ていたから」

チョウが声を上げて笑った。友達のマリエッタは、ちょっと不機嫌な顔で二人を見ると、そこから離れていった。

「放っておいて」チョウがつぶやいた。「あの人、ほんとはここに来たくなかったの。でも私が引っ張ってきたのよ。ご両親から、アンブリッジのご機嫌をそこねるようなことはするなって禁じられたの。ほら――お母さまが魔法省に勤めているから」

「君のご両親は？」ハリーが聞いた。

「そうね、私の場合も、アンブリッジにうとまれるようなことはするなって言われたわ」チョウは誇らしげに胸を張った。「でも、あんなことがあったあとなのに、私が『例のあの人』に立ち向かわないとでも思っているなら……。だってセドリックは――」

チョウは困惑した表情で言葉を切った。二人の間に、気まずい沈黙が流れた。テリー・ブートの杖がヒュッとハリーの耳元をかすめて、アリシア・スピネットの鼻に思いっきりぶつかった。

「あのね、私のパパは、反魔法省運動を**とっても**支持しているもン！」

ハリーのすぐ後ろで、ルーナ・ラブグッドの誇らしげな声がした。相手のジャスティン・フィンチ－フレッチリーが、頭の上まで巻き上げられたローブからなんとか抜け出そうとすったもんだしてるうちに、ルーナは明らかにハリーたちの会話を盗み聞きしていたのだ。

「パパはね、ファッジがどんなにひどいことをしたって聞かされても驚かないって、いつもそう言ってるもン。だって、ファッジが小鬼（ゴブリン）を何人暗殺させたか！　それに、『神秘部』を使って恐ろしい毒薬を開発してて、反対する者にはこっそり毒を盛るんだ。その上、ファッジにはアンガビュラー・スラッシキルターがいるもンね――」

「質問しないで」ハリーは、何か聞きたそうに口を開きかけたチョウにささやいた。チョウはクスクス笑った。

「ねーえ、ハリー」部屋のむこう端から、ハーマイオニーが呼びかけた。「時間は大丈夫？」

時計を見て、ハリーは驚いた。もう九時十分過ぎだった。すぐに談話室に戻らないと、フィルチに捕まって、規則破りで処罰される恐れがある。ハリーはホイッスルを吹き、みんなが「**エクスペリアームス**」の叫びをやめ、最後に残った杖が二、三本、カタカタと床に落ちた。

「うん、とってもよかった」ハリーが言った。「でも、時間オーバーだ。もうこのへんでやめたほうがいい。来週、同じ時間に、同じ場所でいいかな?」

「もっと早く!」ディーン・トーマスがうずうずしながら言った。そうだそうだとうなずく生徒も多かった。

しかし、アンジェリーナがすかさず言った。「クィディッチ・シーズンが近い。こっちも練習が必要だよ!」

「それじゃ、来週の水曜日だ」ハリーが言った。「練習を増やすなら、そのとき決めればいい。さあ、早く出よう」

ハリーはまた忍びの地図を引っ張り出し、八階に誰か先生はいないかと、慎重に調べた。それから、みんなを三人から四人の組にして外に出し、みんなが無事に寮に着いたかどうかを確認するのに、地図上の小さな点をハラハラしながら見つめた。ハッフルパフ生は厨房(ちゅうぼう)に通じているのと同じ地下の廊下へ、レイブンクロー生は城の西側の塔へ、そしてグリフィンドール生は「太った婦人(レディ)」の肖像画に通じる廊下へ。

「ほんとに、とってもよかったわよ、ハリー」

最後にハリー、ロンと三人だけが残ったとき、ハーマイオニーが言った。

「うん、そうだとも!」扉をすり抜けながら、ロンが熱を込めて言った。

三人は扉を通り抜け、それがなんの変哲もない元の石壁に戻るのを見つめた。

「僕がハーマイオニーの武装解除したの、ハリー、見た?」

「一回だけよ」ハーマイオニーが傷ついたように言った。「私のほうが、あなたよりずっと何回も——」

「一回だけじゃないぜ。少なくとも三回は——」

「あーら、あなたが自分で自分の足につまずいて、その拍子に私の手から杖をたたき落としたのをふくめればだけど——」

二人は談話室に戻るまで言い争っていた。しかしハリーは聞いていなかった。半分は忍びの地図に目を向けていたせいもあるが、チョウが言ったことを考えていたのだ——ハリーのせいで上がってしまったと。

第19章　ライオンと蛇

それからの二週間、ハリーは胸の中に魔よけの護符を持っているような気持ちだった。輝かしい秘密のおかげで、アンブリッジの授業にも耐えられ、それどころか、アンブリッジのぞっとするようなギョロ目をまっすぐ見ても、おだやかにほほえむことさえできた。ハリーとDAがアンブリッジの目と鼻の先で抵抗している。アンブリッジと魔法省が恐れているそのものずばりをやってのけている。授業中、ウィルバート・スリンクハードの教科書を読んでいるはずのときには、最近の練習の思い出にふけり、満足感に浸っていた。ネビルがハーマイオニーの武装解除を見事にやってのけたこと、コリン・クリービーが努力を重ね、三回目の練習日に「妨害の呪い」を習得したこと、パーバティ・パチルが強烈な「粉々呪文」を発して、かくれん防止器がいくつかのったテーブルを粉々に砕いてしまったこと。

ＤＡ集会を、決まった曜日の夜に設定するのは、ほとんど不可能だとわかった。三つのクィディッチ・チームの練習日がそれぞれちがう上、悪天候でしょっちゅう変更されるのを考慮しなければならなかったからだ。しかし、ハリーは気にしなかった。むしろ集会の日が予測できないままのほうがよいという気がした。誰かが団員を見張っていたとしても、行動パターンを見抜くのは難しかったろう。

ハーマイオニーはまもなく、急に変更しなければならなくなっても、集会の日付と時間を全員に知らせる、すばらしく賢いやり方を考え出した。寮のちがう生徒たちが、大広間であまりひんぱんにほかのテーブルに行って話をすれば、怪しまれてしまう。ハーマイオニーはＤＡ団員一人一人に、偽のガリオン金貨を渡した（ロンは金貨のバスケットを最初に見たとき、本物の金貨を配っているのだと思って興奮した)。

「金貨の縁に数字があるでしょう?」

四回目の会合のあとで、ハーマイオニーが説明のために一枚を掲げて見せた。松明(たいまつ)の灯(あか)りで、金貨が燦然(さんぜん)と豊かに輝いた。

「本物のガリオン金貨には、それを鋳造した小鬼(ゴブリン)を示す続き番号が打ってあるだけです。だけど、この偽金貨の数字は、次の集会の日付と時間に応じて変化します。日時が変更になると、金貨が熱くなるから、ポケットに入れておけば感じ取れます。一人一枚ずつ持っていて、ハリーが次の日時を決めたら、**ハリーの**金貨の日付を変更します。私が金貨全部に『変幻自在』の呪文をかけたから、いっせいにハリーの金貨をまねて変化します」

ハーマイオニーが話し終えても、しんとしてなんの反応もなかった。ハーマイオニーは自分を見上げている顔を見回し、ちょっとおろおろした。

「えーっと――いい考えだと思ったんだけど」ハーマイオニーは自信を失ったような声を出した。「だって、アンブリッジがポケットの中身を見せなさいって言っても、金貨を持ってることは別に怪しくないでしょ? でも……まあ、みんなが使いたくないなら――」

「君、『変幻自在術』が使えるの?」テリー・ブートが言った。

「ええ」ハーマイオニーが答えた。

「だって、それ……それ、N・E・W・T(イモリ)試験レベルだぜ。それって」テリーが声をのんだ。

「ああ」ハーマイオニーは謙虚な顔をしようとしていた。「ええ……まあ……うん……そうでしょうね」

「君、どうしてレイブンクローに来なかったの?」テリーが、七不思議でも見るようにハーマイオニーを見つめながら問い詰めた。「その頭脳で?」

「ええ、組分け帽子が私の寮を決めるとき、レイブンクローに入れようかと真剣に考えたの」ハーマイオニーが明るく言った。「でも、最後にはグリフィンドールに決めたわ。それじゃ、ガリオン金貨を使っていいのね？」

ザワザワと賛成の声が上がり、みんなが前に出てバスケットから一枚ずつ取った。ハリーはハーマイオニーを横目で見ながら言った。

「あのね、僕これで何を思い出したと思う？」

「わからないわ。何？」

「『死喰い人』の印。ヴォルデモートが誰か一人の印にさわると、全員の印が焼けるように熱くなって、それで集合命令が出たことがわかるんだ」

「ええ……そうよ」ハーマイオニーがひっそり言った。「実はそこからヒントを得たの……でも、気がついたでしょうけど、私は日付を金属のかけらに刻んだの。団員の皮膚にじゃないわ」

「ああ……君のやり方のほうがいいよ」

ハリーは、ガリオン金貨をポケットにすべり込ませながらニヤッと笑った。

「一つ危険なのは、うっかり使っちゃうかもしれないってことだな」

「残念でした」自分の偽金貨をちょっと悲しそうにいじりながら、ロンが言った。「まちがえたくても本物を持ってないもの」

シーズン最初のクィディッチ試合、グリフィンドール対スリザリン戦が近づいてくると、ＤＡ集会は棚上げになった。アンジェリーナがほとんど毎日練習すると主張したからだ。クィディッチ杯を賭けた試合がここしばらくなかったという事実が、来るべき試合への周囲の関心と興奮をいやが上にも高めていた。レイブンクローもハッフルパフもこの試合の勝敗に積極的な関心を抱いていた。シーズン中にいずれ両方のチームと対戦することになるのだから当然だ。今回対戦するチームの寮監たちも、上品なスポーツマンシップの名の下にごまかそうとしてはいたが、是が非でも自分の寮を勝たせて見せると決意していた。試合の一週間前に、マクゴナガル先生が宿題を出すのをやめてしまったことで、どんなに打倒スリザリンに燃えているか、ハリーにはよくわかった。

「あなた方には、いま、やるべきことがほかにたくさんあることと思います」

マクゴナガル先生が毅然(きぜん)としてそう言ったときには、みんなが耳を疑ったが、先生がハリーとロンをまっすぐ見つめて深刻な調子でこう言ったので、初めて納得できた。

「私はクィディッチ優勝杯が自分の部屋にあることにすっかり慣れてしまいました。スネイプ先生にこれをお渡ししたくはありません。ですから、時間に余裕ができた分は、練習にお使いなさい。二人とも、いいですね？」

スネイプも負けずに露骨なえこひいきだった。スリザリンの練習のためにクィディッチ競技場をひんぱんに予約し、グリフィンドールは練習もままならない状態だった。その上、スリザリン生がグリフィンドールの選手に廊下で呪いをかけようとしたという報告がたくさん上がったのに、知らんふりだった。アリシア・スピネットは、どんどん眉が伸び茂って視界をさえぎり、口までふさぐありさまで医務室に行っても、スネイプは、自分で「毛生え呪文」をかけたのにちがいないと言い張った。十四人もの証人が、アリシアが図書館で勉強しているとき、スリザリンのキーパーのマイルズ・ブレッチリーが後ろから呪いをかけたと証言しても、聞く耳持たずだった。

ハリーはグリフィンドールの勝利を楽観視していた。結局マルフォイのチームには、一度も敗れたことはなかった。ロンの技量はまだウッドの域に達していないことは認めるが、上達しようと猛練習していた。一番の弱点は、へまをやると自信喪失する傾向があることで、一度でもゴールを抜かれると、あわてふためいてミスを重ねがちになる。その反面、絶好調のときは、物の見事にゴールを守るのをハリーは目撃している。その記念すべき練習で、ロンは箒から片手でぶら下がり、クアッフルを味方のゴールポストから蹴り返し、クアッフルがピッチの反対側まで飛んで、相手の中央ゴールポストをすっぽり抜くという強打を見せた。チーム全員が、これこそ、アイルランド選抜チームのキーパー、バリー・ライアンが、ポーランドの花形キーパー、ラディスロフ・ザモフスキーに対して見せた技にも匹敵する好守備だと感心した。フレッドでさえ、ロンがフレッドとジョージの鼻を高くしてくれるかもしれない、そして、これまでの四年間、ロンを身内と認めるのを拒否してきたが（とロンに念を押した）、いよいよ本気で認めようかと考えている、と言った。

ハリーが一つだけほんとうに心配だったのは、競技場に入る前からロンを動揺させようというスリザリン・チームの作戦に、ロンがどれだけ耐えられるかということだった。ハリーはもちろん、この四年間、スリザリンのいやがらせに耐えなければならなかった。だから、「おいポッティ、ワリントンが、この土曜日には必ずお前を箒からたたき落とすって言ってるぞ」とささやかれても、血が凍るどころか笑い飛ばした。「ワリントンは、どうにもならない的はずれさ。僕の隣の誰かに的をしぼってるなら、もっと心配だけどね」ハリーがそう言い返すと、ロンとハーマイオニーは笑い、パンジー・パーキンソンの顔からはニヤニヤ笑いが消えた。

しかし、ロンは容赦なく浴びせられる侮辱、からかい、脅しに耐えた経験がなかった。スリザリン生が——中には七年生もいて、ロンよりずっと体も大きい生徒もいたが——廊下ですれちがいざま、「ウィーズリー、医務室のベッドは予約したか？」とつぶやいたりすると、ロンは笑うどころか顔が微妙に青くなった。ドラコ・マルフォイが、ロンがクアッフルを取り落とすまねをすると（互いに姿が見えるとそのたびに、マルフォイはそのまねをした）、ロンは、耳が真っ赤に燃え、両手がぶるぶる震え、そのとき持っているものがなんであれ、それを落としそうになった。

十月は風の唸(うな)りと土砂降りの雨の中に消え、十一月がやってきた。凍てついた鋼のような寒さ、毎朝びっしりと降りる霜、むき出しの手と顔に食い込むような氷の風を連れてきた。空も、大広間の天井も真珠のような淡い灰色になり、ホグワーツを囲む山々は雪をいただいた。城の中の温度が急激に下がり、生徒の多くは教室を移動する途中の廊下で、防寒用の分厚いドラゴン革の手袋をしていた。

試合の日は、寒いまぶしい夜明けだった。ハリーは目を覚ますとロンのベッドを見た。ロンは上半身を直立させ、両腕でひざを抱え、空を見つめていた。

「大丈夫か？」ハリーが聞いた。

ロンはうなずいたが、何も答えなかった。ロンが誤って自分に「ナメクジげっぷの呪い」をかけてしまったときのことを、ハリーは思い出さざるをえなかった。ちょうどあの時と同じように、ロンは青ざめて冷や汗をかいている。口を開きたがらないところまでそっくりだ。

「朝食を少し食べれば大丈夫さ」ハリーが元気づけた。「さあ」

二人が到着したとき、大広間にはどんどん人が入ってきていた。いつもより大きな声で話し、活気にあふれている。スリザリンのテーブルを通り過ぎるとき、ワーッとどよめきが上がった。ハリーが振り返って見ると、いつもの緑と銀色のスカーフや帽子のほかに、みんなが銀色のバッジをつけていた。王冠のような形のバッジだ。どういうわけか、みんながどっと笑いながらロンに手を振っている。通り過ぎながら、ハリーはバッジに何が書いてあるか読もうとしたが、ロンがテーブルを早く通り過ぎるように気を使うほうが忙しく、立ち止まって読んではいられなかった。

グリフィンドールのテーブルでは、熱狂的な大歓迎を受けた。みんなが赤と金色で装っていた。しかし、ロンの意気は上がるどころか、大歓声がロンの士気を最後の一滴までしぼり取ってしまったかのようだった。ロンは、人生最後の食事をするかのように、一番近くのベンチに崩れ込んだ。

「僕、よっぽどどうかしてた」ロンはかすれ声でつぶやいた。「**どうかしてる**」

「バカ言うな」ハリーは、コーンフレークを何種類か取り合わせてロンに渡しながら、きっぱりと言った。「君は大丈夫。神経質になるのはあたりまえのことだ」

「僕、最低だ」ロンがかすれ声で言った。「僕、下手くそだ。絶対できっこない。僕、いったい何を考えてたんだろう？」

「しっかりしろ」ハリーが厳しく言った。「この間、足でゴールを守ったときのことを考えてみろよ。フレッドとジョージでさえ、すごいって言ってたぞ」

ロンは苦痛にゆがんだ顔でハリーを見た。

「偶然だったんだ」ロンがみじめそうにつぶやいた。「意図的にやったんじゃない――誰も見ていないときに、僕、箒からすべって、なんとか元の位置に戻ろうとしたときに、クアッフルをたまたま蹴ったんだ」

「そりゃ」ハリーは一瞬がっくりきたが、すぐ立ち直った。「もう二、三回そういう偶然があれば、試合はいただきだ。そうだろ？」

ハーマイオニーとジニーが二人のむかい側に腰かけた。赤と金色のスカーフ、手袋、バラの花飾りを身につけている。

「調子はどう？」

ジニーがロンに声をかけた。ロンは、からになったコーンフレークの底に少しだけ残った牛乳を見つめ、本気でその中に飛び込んでおぼれ死にしたいような顔をしていた。

「ちょっと神経質になってるだけさ」ハリーが言った。

「あら、それはいい兆候だわ。試験だって、ちょっとは神経質にならないとうまくいかないものよ」ハーマイオニーがくったくなく言った。

「おはよう」

二人の後ろで、夢見るようなぼうっとした声がした。ハリーが目を上げた。ルーナ・ラブグッドが、レイブンクローのテーブルからふらりと移動してきていた。大勢の生徒がルーナをじろじろ見ているし、何人かは指差してあけすけに笑っていた。どこでどう手に入れたのか、ルーナは実物大の獅子の頭の形をした帽子を、ぐらぐらさせながら頭の上にのっけていた。

「あたし、グリフィンドールを応援してる」

ルーナは、わざわざ獅子頭を指しながら言った。

「これ、よく見てて……」

ルーナが帽子に手を伸ばし、杖で軽くたたくと、獅子頭がカッと口を開け、本物顔負けに吠えた。周りのみんなが飛び上がった。

「いいでしょう？」ルーナがうれしそうに言った。「スリザリンを表す蛇を、ほら、こいつにかみ砕かせたかったんだぁ。でも、時間がなかったの。まあいいか……がんばれぇ。ロナルド！」

ルーナはふらりと行ってしまった。二人がまだルーナ・ショックに当てられているうちに、アンジェリーナが急いでやってきた。ケイティとアリシアが一緒だったが、アリシアの眉毛は、ありがたいことに、マダム・ポンフリーの手で普通に戻っていた。

「準備ができたら」アンジェリーナが言った。「みんな競技場に直行だよ。コンディションを確認して、着替えをするんだ」

「すぐ行くよ」ハリーが約束した。「ロンがもう少し食べないと」

しかし、十分たっても、ロンはこれ以上何も食べられないことがはっきりした。ハリーはロンを更衣室に連れていくのが一番いいと思った。テーブルから立ち上がると、ハーマイオニーも立ち上がり、ハリーの腕を引っ張って脇に連れてきた。

「スリザリンのバッジに書いてあることをロンに見せないでね」ハーマイオニーがせっぱ詰まった様子でささやいた。

ハリーは目でどうして？　と聞いたが、ハーマイオニーが用心してと言いたげに首を振った。ちょうどロンが、よろよろと二人のほうにやって来るところだった。絶望し、身の置きどころもない様子だ。

「がんばってね、ロン」ハーマイオニーはつま先立ちになって、ロンのほおにキスした。「あなたもね、ハリー――」

出口に向かって大広間を戻りながら、ロンはわずかに意識を取り戻した様子だった。ハーマイオニーがさっきキスした所をさわり、不思議そうな顔をした。たったいま、何が起こったのか、よくわからない様子だ。心ここにあらずのロンは、周りで何が起こっているかに気がつかないが、ハリーはスリザリンのテーブルを通り過ぎるとき、王冠形のバッジが気になって、ちらりと見た。今度は刻んである文字が読めた。

ウィーズリーこそわが王者

これがよい意味であるはずがないと、いやな予感がして、ハリーはロンを急かし、玄関ホールを出口へと向かった。石段を下りると、氷のような外気だった。

競技場へと急ぐ下り坂は、足下の凍りついた芝生が踏みしだかれ、パリパリと音を立てた。風はなく、空一面が真珠のような白さだった。これなら、太陽光が直接目に当たらず、視界はいいはずだ。道々、こういう励みになりそうなことをロンに話してみたが、ロンが聞いているかどうか定かではなかった。

二人が更衣室に入ると、アンジェリーナはもう着替えをすませ、ほかの選手に話をしていた。ハリーとロンはユニフォームを着た（ロンは前後ろ逆に着ようとして数分間じたばたしていたので、哀れに思ったのか、アリシアがロンを手伝いにいった）。それから座って、アンジェリーナの激励演説を聴いた。その間、城からあふれ出した人の群れが競技場へと押し寄せ、外のガヤガヤ声が、確実に大きくなってきた。

「オーケー、たったいま、スリザリンの最終的なラインナップがわかった」

アンジェリーナが羊皮紙を見ながら言った。

「去年ビーターだったデリックとボールはいなくなった。しかし、モンタギューのやつ、その後釜に飛び方がうまい選手じゃなく、いつものゴリラ族を持ってきた。クラッブとゴイルとかいうやつらだ。私はこの二人をよく知らないけど――」

「僕たち、知ってるよ」ハリーとロンが同時に言った。

「まあね、この二人、箒の前後もわからないほどの頭じゃないかな」アンジェリーナが羊皮紙をポケットにしまいながら言った。「もっとも、デリックとボールだって、道路標識なしでどうやって競技場にたどり着けるのか、いつも不思議に思ってたんだけどね」

「クラッブとゴイルもそのタイプだ」ハリーが請け合った。

何百という足音が観客席を上っていく音が聞こえた。歌詞までは聞き取れなかったが、ハリーには何人かが歌っている声も聞こえた。ハリーはドキドキしはじめたが、ロンの舞い上がり方に比べればなんでもないことがわかる。ロンは胃袋のあたりを押さえ、まっすぐ目の前の宙を見つめていた。歯を食いしばり、顔は鉛色だ。

「時間だ」

アンジェリーナが腕時計を見て、感情を抑えた声で言った。

「さあ、みんな……がんばろう」

選手がいっせいに立ち上がり、箒を肩に、一列行進で、更衣室から輝かしい空の下に出ていった。ワーッという歓声が選手を迎えた。応援と口笛にのまれてはいたが、その中にまだ歌声が混じっているのをハリーは聞いた。

スリザリン・チームが並んで待っていた。選手も王冠形の銀バッジを着けている。新キャプテンのモンタギューはダドリー・ダーズリー系の体型で、巨大な腕は毛むくじゃらの丸ハムのようだ。その後ろにのっそり控えるクラッブとゴイルも、ほとんど同じくらいでかく、バカまる出しの瞬(まばた)きをしながら、新品のビーター棍棒(こんぼう)を振り回していた。マルフォイはプラチナ・ブロンドの髪を輝かせて、その脇に立っていた。ハリーと目が合うと、ニヤリとして、胸の王冠形バッジを軽くたたいて見せた。

「キャプテン同士、握手」

審判のマダム・フーチが号令をかけ、アンジェリーナとモンタギューが歩み寄った。アンジェリーナは顔色一つ変えなかったが、モンタギューがアンジェリーナの指を砕こうとしているのがハリーにはわかった。

「箒にまたがって……」

マダム・フーチがホイッスルを口にくわえ、吹き鳴らした。

ボールが放たれ、選手十四人がいっせいに飛翔した。ロンがゴールポストのほうに勢いよく飛び去るのを、ハリーは横目でとらえた。ハリーはブラッジャーをかわしてさらに高く飛び、金色のきらめきを探して目を凝らし、フィールドを大きく回りはじめた。ピッチの反対側で、ドラコ・マルフォイがまったく同じ動きをしていた。

「さあ、ジョンソン選手――ジョンソンがクアッフルを手にしています。なんというよい選手でしょう。僕はもう何年もそう言い続けているのに、あの女性はまだ僕とデートをしてくれなくて――」

「**ジョーダン！**」マクゴナガル先生が叱りつけた。

「――ほんのご愛嬌ですよ、先生。盛り上がりますから――そして、アンジェリーナ選手、ワリントンをかわしました。モンタギューを抜いた。そして――アイタッ――クラッブの打ったブラッジャーに後ろからやられました……モンタギューがクアッフルをキャッチ。モンタギュー、ピッチをバックします。そして――ジョージ・ウィーズリーからいいブラッジャーが来た。ブラッジャーが、それっ、モンタギューの頭に当たりました。モンタギュー、クアッフルを落とします。ケイティ・ベルが拾った。グリフィンドールのケイティ・ベル、アリシア・スピネットにバックパス。スピネット選手、行きます――」

リー・ジョーダンの解説が、競技場に鳴り響いた。耳元で風がヒューヒュー鳴り、観衆が叫び、ヤジり、歌う喧騒の中で、ハリーはそれを聞き取ろうと必死で耳を傾けていた。

「――ワリントンをかわした。ブラッジャーをかわした――危なかった、アリシア――観客が沸いています。お聞きください。この歌はなんでしょう？」

リーが歌を聞くのに解説を中断したとき、スタンドの緑と銀のスリザリン陣営から、大きく、はっきりと歌声が立ち上がった。

　　ウィーズリーは守れない　万に一つも守れない
　だから歌うぞ、スリザリン　ウィーズリーこそわが王者

ウィーズリーの生まれは豚小屋だ　いつでもクアッフルを見逃しだ
おかげで我らは大勝利　ウィーズリーこそわが王者

「――そしてアリシアからアンジェリーナにパスが返った！」リーが叫んだ。ハリーはいま聞いた歌に腸が煮えくり返る思いで、軌道をそれてしまった。歌が聞こえないようにリーが声を張り上げているのがわかった。

「それ行け、アンジェリーナ――あとはキーパーさえ抜けば！――**シュートしました――シュー――あああー……**」

スリザリンのキーパー、ブレッチリーが、ゴールを守った。クアッフルをワリントンに投げ返し、ワリントンがクアッフルを手に、アリシアとケイティの間をジグザグに縫って猛進した。ワリントンがロンに迫るにしたがって、下からの歌声がだんだん大きくなった。

ウィーズリーこそわが王者　ウィーズリーこそわが王者
いつでもクアッフルを見逃しだ　ウィーズリーこそわが王者

ハリーはがまんできずにスニッチを探すのをやめ、ファイアボルトの向きを変えて、ピッチの一番むこう端で、三つのゴールポストの前に浮かんでいる、ひとりぼっちのロンの姿を見た。その姿に向かって、小山のようなワリントンが突進していく。

「――そして、クアッフルはワリントンの手に。ワリントン、ゴールに向かう。ブラッジャーはもはや届かない。前方にはキーパーただ一人――」

スリザリンのスタンドから、大きく歌声がうねった。

ウィーズリーは守れない　万に一つも守れない……

「――さあ、グリフィンドールの新人キーパーの初勝負です。ビーターのフレッドとジョージの弟、そしてチーム期待の新星、ウィーズリー――行けっ、ロン！」

しかし、歓喜の叫びはスリザリン側から上がった。ロンは両腕を広げ、がむしゃらに飛びついたが、クアッフルはその両腕の間を抜けて上昇し、ロンの守備する中央の輪のど真ん中を通過した。

「スリザリンの得点！」

リーの声が、観衆の歓声とブーイングに混じって聞こえてきた。

「一〇対〇でスリザリンのリード――運が悪かった、ロン」

スリザリン生の歌声が一段と高まった。


ウィーズリーの生まれは豚小屋だ　いつでもクアッフルを見逃しだ……


「――そしてクアッフルは再びグリフィンドールに戻りました。ケイティ・ベル、ピッチを力強く飛んでおります――」

いまや耳をつんざくばかりの歌声で、解説の声はほとんどかき消されていたが、リーは果敢に声を張り上げた。

おかげで我らは大勝利　ウィーズリーこそわが王者……

「ハリー、**何ぼやぼやしてるのよ！**」ケイティを追って上昇し、ハリーのそばを飛びながら、アンジェリーナが絶叫した。「**動いて、動いて！**」

気がつくと、ハリーは、もう一分以上空中に静止して、スニッチがどこにあるかなど考えもせずに、試合の運びに気を取られていた。大変だ、とハリーは急降下し、再びピッチを回りはじめた。あたりに目を凝らし、いまや競技場を揺るがすほどの大コーラスを無視しようと努めた。

ウィーズリーこそわが王者　ウィーズリーこそわが王者……

どこを見てもスニッチの影すらない。マルフォイもハリーと同じく、まだ回り続けている。ピッチの周囲を互いに反対方向に回りながら、中間地点ですれちがったとき、ハリーはマルフォイが高らかに歌っているのを聞いた。

ウィーズリーの生まれは豚小屋だ……

「――そして、またまたワリントンです」リーが大音声で言った。「ピュシーにパス。ピュシーがスピネットを抜きます。さあ、いまだ、アンジェリーナ、君ならやれる――やれなかったか――しかし、フレッド・ウィーズリーからのナイス・ブラッジャー、おっと、ジョージ・ウィーズリーか。ええい、どっちでもいいや。とにかくどちらかです。そしてワリントン、クアッフルを落としました。そしてケイティ・ベル――あ――これも落としました――さて、クアッフルはモンタギューが手にしました。スリザリンのキャプテン、モンタギューがクアッフルを取り、ピッチをゴールに向かいます。行け、行くんだ、グリフィンドール、やつをブロックしろ！」

ハリーはスリザリンのゴールポストの裏に回り、ピッチの端をブンブン飛び、ロンのいる側の端で何が起こっているか絶対に見ないようにがまんした。スリザリンのキーパーの脇を急速で通過したとき、キーパーのブレッチリーが観衆と一緒に歌っているのが聞こえた。

　ウィーズリーは守れない……

「――さあ、モンタギューがアリシアをかわしました。そしてゴールにまっしぐら。止めるんだ！　ロン！」

結果は見なくてもわかった。グリフィンドール側から沈痛なうめき声が聞こえ、同時にスリザリン側から新たな歓声と拍手が湧いた。下を見ると、パグ犬顔のパンジー・パーキンソンが、観客席の最前列でピッチに背を向け、スリザリンのサポーターのわめくような歌声を指揮していた。

　だから歌うぞ、スリザリン　ウィーズリーこそわが王者

だが、二十対〇なら平気だ。グリフィンドールが追い上げるか、スニッチをつかむか、時間はまだあ

る。二、三回ゴールを決めれば、いつものペースでグリフィンドールのリードだ。ハリーは自分を納得させながら、何かキラッと光ったものを追ってほかの選手の間を縫い、すばしっこく飛んだ。光ったのは、結局モンタギューの腕時計だった。

しかし、ロンはまた二つもゴールを許した。スニッチを見つけたいというハリーの気持ちが、いまや激しい焦りに変わっていた。すぐにでも捕まえて、早くゲームを終わらせなくては。

「――さあ、ケイティ・ベルがピュシーをかわした。モンタギューをすり抜けた。いい回転飛行だ、ケイティ選手。そしてジョンソンにパスした。アンジェリーナ・ジョンソンがクアッフルをキャッチ。ワリントンを抜いた。ゴールに向かった。そーれ行け、アンジェリーナ――**グリフィンドール、ゴール！**　四〇対一〇、四〇対一〇でスリザリンのリード。そしてクアッフルはピュシーへ……」

ルーナの滑稽な獅子頭帽子が、グリフィンドールの歓声の最中に吠えるのが聞こえ、ハリーは元気づいた。たった三〇点差だ。平気、平気。すぐに挽回だ。クラッブが打ったブラッジャーがハリーめがけて突進してきたのをかわし、ハリーは再びスニッチを探して、ピッチの隅々まで必死に目を走らせた。万が一マルフォイが見つけたそぶりを示せばと、マルフォイからも目を離さなかったが、マルフォイもハリーと同じく、ピッチを回り続けるばかりで、なんの成果もないようだ……。

「――ピュシーがワリントンにパス。ワリントンからモンタギュー、モンタギューからピュシーに戻す――ジョンソンがインターセプト、クアッフルを奪いました。ジョンソンからベルへ。いいぞ――あ、よくない――ベルが、スリザリンのゴイルが打ったブラッジャーにやられた。クアッフルはまたピュシーの手に……」

ウィーズリーの生まれは豚小屋だ　いつでもクアッフルを見逃しだ

おかげで我らは大勝利……

ついに、ハリーは見つけた。小さな金色のスニッチが、スリザリン側のピッチの端で、地面から数十センチの所に浮かんで、パタパタしている。

ハリーは急降下した……。

たちまち、マルフォイが矢のように飛び、ハリーの左手につけた。箒の上で身を伏せている緑と銀色の姿が影のようにぼやけて見えた……。

スニッチはゴールポストの一本の足元を回り込み、ピッチの反対側に向かってすべるように飛び出した。この方向変換はマルフォイに有利だ。マルフォイのほうがスニッチに近い。ハリーはファイアボルトを引いて向きを変えた。マルフォイと並んだ。抜きつ抜かれつ……。

地面から数十センチで、ハリーは右手をファイアボルトから離し、スニッチに向かって手を伸ばした……ハリーの右側で、マルフォイの腕も伸びた。その指が伸び、探り……。

二秒間。息詰まる、死に物狂いの、風を切る二秒間で、勝負は終わった。――ハリーの指が、バタバタもがく小さなボールをしっかと包んだ。――マルフォイの爪が、ハリーの手の甲をむなしく引っかいた。――ハリーはもがくスニッチを手に、箒の先を引き上げた。グリフィンドール応援団が絶叫した……よーし！　よくやった！

これで助かった。ロンが何度かゴールを抜かれたことはどうでもいい。グリフィンドールが勝ちさえすれば、誰も覚えてはいないだろう――。

ガッツーン。

ブラッジャーがハリーの腰にまともに当たった。ハリーは箒から前のめりに放り出された。幸い、スニッチを追って深く急降下していたおかげで、地上から二メートルと離れていなかった。それでも、凍てついた地面に背中を打ちつけられ、ハリーは一瞬息が止まった。マダム・フーチのホイッスルが鋭く鳴るのが聞こえた。スタンドからの非難、どなり声、ヤジ、そしてドスンという音。それから、アンジェリーナの取り乱した声がした。

「大丈夫?」

「ああ、大丈夫」ハリーはアンジェリーナに手を取られ、引っ張り起こされながら、硬い表情で言った。

マダム・フーチが、ハリーの頭上にいるスリザリン選手の誰かの所に矢のように飛んでいった。ハリーの角度からは、誰なのかは見えなかった。

「あの悪党、クラッブだ」アンジェリーナは逆上していた。「君がスニッチを捕ったのを見たとたん、あいつ、君をねらってブラッジャー強打したんだ。――だけど、ハリー、勝ったよ。勝ったのよ!」

ハリーの背後で誰かがフンと鼻を鳴らした。スニッチをしっかり握りしめたまま、ハリーは振り返った。ドラコ・マルフォイがそばに着地していた。怒りで血の気のない顔だったが、それでもまだあざける余裕があった。

「ウィーズリーの首を救ったわけだねぇ?」

ハリーに向かっての言葉だった。

「あんな最低のキーパーは見たことがない……だけど、何しろ**豚小屋生まれ**だものなあ……僕の歌詞は気に入ったかい、ポッター?」

ハリーは答えなかった。マルフォイに背を向け、降りてくるチームの選手を迎えた。一人、また一人と、叫んだり、勝ち誇って拳を突き上げたりしながら降りてきた。ロンだけが、ゴールポストのそばで箒を降り、たった一人で、のろのろと更衣室に向かう様子だ。

「もう少し歌詞を増やしたかったんだけどねえ！」ケイティとアリシアがハリーを抱きしめたとき、マルフォイが追い討ちをかけた。「韻を踏ませる言葉が見つからなかったんだ。『でぶっちょ』と『おかめ』に――あいつの母親のことを歌いたかったんだけどねえ――」

「負け犬の遠吠えよ」アンジェリーナが、軽蔑しきった目でマルフォイを見た。

「――**『役立たずのひょっとこ』**っていうのも、うまく韻を踏まなかったんだ――ほら、父親のことだけどね――」

フレッドとジョージが、マルフォイの言っていることに気がついた。ハリーと握手をしている最中、二人の体がこわばり、サッとマルフォイを見た。

「ほっときなさい！」アンジェリーナがフレッドの腕を押さえ、すかさず言った。「フレッド、放っておくのよ。勝手にわめけばいいのよ。負けて悔しいだけなんだから。あの思い上がりのチビ――」

「――だけど、君はウィーズリー一家が好きなんだ。そうだろう？　ポッター？」マルフォイがせせら笑った。「休暇をあの家で過ごしたりするんだろう？　よく豚小屋にがまんできるねぇ。だけど、まあ、君はマグルなんかに育てられたから、ウィーズリー小屋の悪臭もオーケーってわけだ――」

ハリーはジョージをつかんで押さえた。一方で、あからさまにあざ笑うマルフォイに飛びかかろうとするフレッドを抑えるのに、アンジェリーナ、アリシア、ケイティの三人がかりだった。ハリーはマダム・フーチを目で探したが、ルール違反のブラッジャー攻撃のことで、まだクラッブを叱りつけていた。

「それとも、何かい」マルフォイがあとずさりしながら意地の悪い目つきをした。「ポッター、**君の母親の家のにおいを思い出すのかな。ウィーズリーの豚小屋が、思い出させて――」

ハリーはジョージを放したことに気がつかなかった。ただ、その直後に、ジョージと二人でマルフォイめがけて疾走したことだけは覚えている。教師全員が見ていることもすっかり忘れていた。ただマルフフォイをできるだけ痛い目にあわせてやりたい、それ以外何も考えられなかった。杖を引き出すのももどかしく、ハリーはスニッチを握ったままの拳をぐっと後ろに引き、思いっきりマルフォイの腹に打ち込んだ――。

「ハリー！　**ハリー！　ジョージ！　やめて！**」

女生徒の悲鳴が聞こえた。マルフォイの叫び、ジョージがののしる声、ホイッスルが鳴り、ハリーの周囲の観衆が大声を上げている。かまうものか。近くの誰かが、「**インペディメンタ！　妨害せよ！**」と叫ぶまで、そして呪文の力で仰向けに倒されるまで、ハリーはなぐるのをやめなかった。マルフォイの体のどこそこかまわず、当たる所を全部なぐった。

「なんのまねです！」

ハリーが飛び起きると、マダム・フーチが叫んだ。「妨害の呪い」でハリーを吹き飛ばしたのは、フーチ先生らしい。片手にホイッスル、もう片方の手に杖を持っていた。箒は少し離れた所に乗り捨ててあった。マルフォイが体を丸めて地上に転がり、唸ったり、ヒンヒン泣いたりしていた。鼻血が出ている。ジョージは唇が腫れ上がっていた。フレッドは三人のチェイサーにがっちり押さえられたままだった。クラッブが背後でケタケタ笑っている。

「こんな不始末は初めてです――城に戻りなさい。二人ともです。まっすぐ寮監の部屋に行きなさい！　さあ！　**いますぐ！**」

ハリーとジョージは息を荒らげたまま、互いに一言も交わさず競技場を出た。観衆のヤジも叫びも、だんだん遠のき、玄関ホールに着くころには、何も聞こえなくなっていた。ただ、二人の足音だけが聞こえた。ハリーは右手の中で何かがまだもがいているのに気づいた。握り拳の指関節が、マルフォイのあごをなぐってすりむけていた。手を見ると、スニッチの銀の翼が、指の間から突き出し、逃れようと羽ばたいているのが見えた。

マクゴナガル先生の部屋のドアに着くか着かないうちに、先生が後ろから廊下を闊歩してくるのが見えた。恐ろしく怒った顔で、大股で二人に近づきながら、首に巻いていたグリフィンドールのスカーフを、震える手で引きちぎるようにはぎ取った。

「中へ！」先生は怒り狂ってドアを指差した。

ハリーとジョージが中に入った。先生は足音も高く机のむこう側に行き、怒りに震えながらスカーフを床にたたきつけ、二人と向き合った。

「**まったく！**」先生が口を開いた。「人前であんな恥さらしな行為は、見たことがありません。一人に二人がかりで！　申し開きできますか！」

「マルフォイが挑発したんです」ハリーが突っ張った。

「挑発？」

マクゴナガル先生はどなりながら机を拳でドンとたたいた。その拍子にタータンチェック柄の缶が机からすべり落ち、ふたがパックリ開いて、ショウガビスケットが床に散らばった。

「あの子は負けたばかりだったでしょう。ちがいますか？　当然、挑発したかったでしょうよ！　しかしいったい何を言ったというんです？　二人がかりを正当化するような——」

「僕の両親を侮辱しました」ジョージが唸り声を上げた。「ハリーのお母さんもです」

「しかし、フーチ先生にその場を仕切っていただかずに、あなたたち二人は、マグルの決闘ショーをやって見せようと決めたわけですか？」

マクゴナガル先生の大声が響き渡った。

「自分たちがやったことの意味がわかって——？」

「**エヘン、エヘン**」

ハリーもジョージもサッと振り返った。ドローレス・アンブリッジが戸口に立っていた。巻きつけている緑色のツイードのマントが、その姿をますます巨大なガマガエルそっくりに見せていた。ぞっとするような、胸の悪くなるような、不吉な笑みを浮かべている。このニッコリ笑いこそ、ハリーには迫りくる悲劇を連想させるものになっていた。

「マクゴナガル先生、お手伝いしてよろしいかしら？」

アンブリッジが、毒をたっぷりふくんだ独特の甘い声で言った。

マクゴナガル先生の顔に血が上った。

「手伝い？」先生がしめつけられたような声でくり返した。「どういう意味ですか？　**手伝いを？**」

アンブリッジが部屋に入ってきた。胸の悪くなるような笑みを続けている。

「あらまあ、先生にもう少し権威をつけて差し上げたら、お喜びになるかと思いましたのよ」

マクゴナガル先生の鼻の穴から火花が散っても不思議はない、とハリーは思った。

「何か誤解なさっているようですわ」

マクゴナガル先生はアンブリッジに背を向けた。

「さあ、二人とも、よく聞くのです。マルフォイがどんな挑発をしようと、そんなことはどうでもよろしい。たとえ、あなた方の家族全員を侮辱しようとも、関係ありません。二人の行動は言語道断です。それぞれ一週間の罰則を命じます。ポッター、そんな目で見てもだめです。あなたは、それに値することをしたのです！　そして、あなた方が二度とこのような――」

「**エヘン、エヘン**」

マクゴナガル先生が「我に忍耐を与えよ」と祈るかのように目を閉じ、再びアンブリッジのほうに顔を向けた。

「**何か？**」

「わたくし、この二人は罰則以上のものに値すると思いますわ」アンブリッジのニッコリがますます広がった。

　マクゴナガル先生がパッと目を開けた。

「残念ではございますが」笑みを返そうと努力した結果、マクゴナガル先生の口元が不自然に引きつった。「この二人は私の寮生ですから、ドローレス、私がどう思うかが重要なのです」

「さて、**実は**、ミネルバ」アンブリッジがニタニタ笑った。「わたくしがどう思うかが**まさに**重要だということが、あなたにもおわかりになると思いますわ。えー、どこだったかしら？　コーネリウスが先ほど送ってきて……つまり」

　アンブリッジはハンドバッグをゴソゴソ探しながら小さく声を上げて作り笑いした。

「**大臣が**先ほど送ってきたのよ……ああ、これ、これ……」

　アンブリッジは羊皮紙を一枚引っ張り出し、広げて、読み上げる前にことさら念入りに咳払いした。

「**エヘン、エヘン**……『教育令第二十五号』」

「まさか、またですか！」マクゴナガル先生が絶叫した。

「ええ、そうよ」アンブリッジはまだニッコリしている。

「実は、ミネルバ、あなたのおかげで、わたくしは教育令を追加することが**必要だ**と悟りましたのよ……覚えているかしら。わたくしがグリフィンドールのクィディッチ・チームの再編成許可を渋っていたとき、あなたがわたくしの決定をくつがえしたわね？　あなたはダンブルドアにこの件を持ち込み、ダンブルドアがチームの活動を許すようにと主張しました。さて、それはわたくしとしては承服できませんでしたわ。早速、大臣に連絡しましたら、大臣はわたくしとまったく同意見で、高等尋問官は生徒の特権を剥奪する権利を持つべきだ、さもなくば彼女は——わたくしのことですが——ただの教師より低い権限しか持たないことになる！　とまあ、そこで、いまとなってみればわかるでしょうが、ミネルバ、グリフィンドールのチーム再編成を阻止しようとしたわたくしがどんなに正しかったか。**恐ろしいかんしゃく持ち**のチームだこと……とにかく、教育令を読み上げるところでしたわね……エヘン、エヘン……『高等尋問官は、ここに、ホグワーツの生徒に関するすべての処罰、制裁、特権の剥奪に最高の権限を持ち、ほかの教職員が命じた処罰、制裁、特権の剥奪を変更する権限を持つものとする。署名、コーネリウス・ファッジ、魔法大臣、マーリン勲章勲一等、以下省略』」

アンブリッジは羊皮紙を丸めなおし、ハンドバッグに戻した。相変わらずニッコリだ。

「さて……わたくしの考えでは、この二人が以後二度とクィディッチをしないよう禁止しなければなりませんわ」

アンブリッジはハリーを、ジョージを、そしてまたハリーを見た。

ハリーは、手の中でスニッチが狂ったようにバタバタするのを感じた。

「禁止？」ハリーは自分の声が遠くから聞こえてくるような気がした。「クィディッチを……以後二度と？」

「そうよ、ミスター・ポッター。終身禁止なら、身にしみるでしょうね」

アンブリッジのニッコリが、ハリーが理解に苦しんでいるのを見て、ますます広がった。

「あなたと、**それから**、ここにいるミスター・ウィーズリーもです。それに、安全を期すため、このお若い双子のもう一人も禁止するべきですわ——チームのほかの選手が押さえていなかったら、きっと、もうお一人もミスター・マルフォイ坊ちゃんを攻撃していたにちがいありません。この人たちの箒も当然没収です。わたくしの禁止令にけっして違反しないよう、わたくしの部屋に安全に保管しましょう。でも、マクゴナガル先生、わたくしはわからず屋ではありませんよ」

アンブリッジがマクゴナガル先生のほうに向きなおった。マクゴナガル先生は、いまや、氷の彫像のように不動の姿勢でアンブリッジを見つめていた。

「ほかの選手はクィディッチを続けてよろしい。**ほかの生徒**には別に暴力的な兆候は見られませんからね。では……ごきげんよう」

そして、アンブリッジは、すっかり満足した様子で部屋を出ていった。あとに残されたのは、絶句した三人の沈黙だった。

「禁止」

アンジェリーナがうつろな声を上げた。その夜遅く、談話室でのことだ。

「**禁止**。シーカーもビーターもいない……いったいどうしろって？」

試合に勝ったような気分ではまるでなかった。どちらを向いても、ハリーの目に入るのは、落胆した、怒りの表情ばかりだった。選手は暖炉の周りにがっくりと腰を下ろしていた。ロンを除く全員だ。ロンは試合のあとから姿が見えなかった。

「絶対不公平よ」アリシアが放心したように言った。「クラッブはどうなの？　ホイッスルが鳴ってからブラッジャーを打ったのはどうなの？　アンブリッジは**あいつ**を禁止にした？」

「ううん」ジニーが情けなさそうに言った。ハリーをはさんで、ジニーとハーマイオニーが座っていた。

「書き取りの罰則だけ。モンタギューが夕食のときにそのことで笑っていたのを聞いたわ」

「それに、フレッドを禁止にするなんて。なんにもやってないのに！」アリシアが拳でひざをたたきながら怒りをぶつけた。

「僕がやってないのは、僕のせいじゃない」フレッドが悔しげに顔をゆがめた。「君たち三人に押さえられていなけりゃ、あのクズやろう、打ちのめしてグニャグニャにしてやったのに」

ハリーはみじめな思いで暗い窓を見つめた。雪が降っていた。つかんでいたスニッチが、いまは談話室をブンブン飛び回っている。みんなが催眠術にかかったようにその行方を目で追っていた。クルックシャンクスが、スニッチを捕まえようと、椅子から椅子へと跳び移っている。

「私、寝るわ」アンジェリーナがゆっくり立ち上がった。「全部悪い夢だったってことになるかもしれない……あした目が覚めたら、まだ試合をしていなかったってことに……」

アリシアとケイティがそのすぐあとに続いた。それからしばらくしてフレッドとジョージも、周囲の誰かれなしににらみつけながら寝室へと去っていった。ジニーもそれからまもなくいなくなった。ハリーとハーマイオニーだけが暖炉のそばに取り残された。

「ロンを見かけた？」ハーマイオニーが低い声で聞いた。

ハリーは首を横に振った。

「私たちをさけてるんだと思うわ」ハーマイオニーが言った。「どこにいると思──？」

ちょうどその時、背後でギーッと、「太った婦人（レディ）」が開く音がして、ロンが肖像画の穴を這（は）い上がってきた。真っ青な顔をして、髪には雪がついている。ハリーとハーマイオニーを見ると、ハッとその場で動かなくなった。

「どこにいたの？」ハーマイオニーが勢いよく立ち上がり、心配そうに言った。

「歩いてた」ロンがぼそりと言った。まだクィディッチのユニフォームを着たままだ。

「凍えてるじゃない」ハーマイオニーが言った。「こっちに来て、座って！」

ロンは暖炉の所に歩いてきて、ハリーから一番離れた椅子に身を沈めた。ハリーの目をさけていた。

囚われの身となったスニッチが、三人の頭上をブンブン飛んでいた。

「ごめん」ロンが足元を見つめながらボソボソ言った。

「何が？」ハリーが言った。

「僕がクィディッチができるなんて考えたから」ロンが言った。「あしたの朝一番でチームを辞めるよ」

「君が辞めたら」ハリーがいらいらと言った。「チームには三人しか選手がいなくなる」

ロンがけげんな顔をしたので、ハリーが言った。

「僕は終身クィディッチ禁止になった。フレッドもジョージもだ」

「ヒェッ？」ロンが叫んだ。

ハーマイオニーがすべての経緯を話した。ハリーはもう一度話すことさえ耐えられなかった。ハーマイオニーが話し終えると、ロンはますます苦悶した。

「みんな僕のせいだ――」

「僕がマルフォイを打ちのめしたのは、君が**やらせた**わけじゃない」ハリーが怒ったように言った。

「――僕が試合であんなにひどくなければ――」

「――それとはなんの関係もないよ」

「――あの歌で上がっちゃって――」

「――あの歌じゃ、誰だって上がったさ」

ハーマイオニーは立ち上がって言い争いから離れ、窓際に歩いていって、窓ガラスに逆巻く雪を見つめていた。

「おい、いいかげんにやめてくれ！」ハリーが爆発した。「もう充分に悪いことずくめなんだ。君がなんでもかんでも自分のせいにしなくたって！」

ロンは何も言わなかった。ただしょんぼりと、ぬれた自分のローブのすそを見つめて座っていた。しばらくして、ロンがどんよりと言った。

「生涯で、最悪の気分だ」

「仲間が増えたよ」ハリーが苦々しく言った。

「ねえ」

ハーマイオニーの声がかすかに震えていた。

「一つだけ、二人を元気づけることがあるかもしれないわ」

「へー、そうかい？」ハリーはあるわけがないと思った。

「ええそうよ」

ハーマイオニーが、点々と雪片のついた真っ暗な窓から目を離し、二人を見た。顔中で笑っている。

「ハグリッドが帰ってきたわ」

第20章 ハグリッドの物語

ハリーは男子寮の階段を全速力で駆け上がり、トランクから「透明マント」と「忍びの地図」を取ってきた。超スピードだったので、ハーマイオニーがスカーフと手袋を着け、お手製のデコボコしたしもべ妖精帽子をかぶって、急いで女子寮から飛び出してくる五分前には、ハリーもロンもとっくに出かける準備ができていた。

「だって、外は寒いわよ！」

ロンが遅いぞとばかりに舌打ちしたので、ハーマイオニーが言い訳した。

三人は肖像画の穴を這い出し、急いで透明マントにくるまった。——ロンはかがまないと両足が見えるほど、背がぐんと伸びていた——それから、ときどき立ち止まっては、フィルチやミセス・ノリスがいないかどうか地図で確かめ、ゆっくり、慎重にいくつもの階段を下りた。運のいいことに、「ほとんど首無しニック」以外は誰も見かけなかった。ニックはするする動きながら、なんとはなしに鼻歌を歌っていたが、なんだか「ウィーズリーこそわが王者」に恐ろしくよく似た節だった。三人は玄関ホールを忍び足で横切り、静まり返った雪の校庭に出た。行く手に四角い金色の小さな灯りと、小屋の煙突からくるくる立ち昇る煙が見え、ハリーは心が躍った。ハリーが足を速めると、あとの二人は押し合いへし合いぶつかり合いながらあとに続いた。だんだん深くなる雪を、夢中でザクザク踏みしめながら、三人はやっと小屋の戸口に立った。ハリーが拳で木の戸を三度たたくと、中で犬が狂ったように吠えはじめた。

「ハグリッド。僕たちだよ！」ハリーが鍵穴から呼んだ。

「よう、来たか！」どら声がした。

三人はマントの下で、互いにニッコリした。ハグリッドの声の調子で、喜んでいるのがわかった。

「帰ってからまだ三秒とたってねえのに……ファング、どけ、どけ……**どけっちゅうに**、このバカタレ……」

かんぬきがはずされ、扉がギーッと開き、ハグリッドの頭がすきまから現れた。

ハーマイオニーが悲鳴を上げた。

「おい、おい、静かにせんかい！」ハグリッドが三人の頭越しにあたりをぎょろぎょろ見回しながら、あわてて言った。「例のマントの下か？　よっしゃ、入れ、入れ！」

狭い戸口を三人でぎゅうぎゅう通り抜け、ハグリッドの小屋に入ると、三人は透明マントを脱ぎ捨て、ハグリッドに姿を見せた。

「ごめんなさい！」ハーマイオニーがあえぐように言った。「私、ただ――まあ、**ハグリッド！**」

「なんでもねえ。なんでもねえったら！」

ハグリッドはあわててそう言うと、戸を閉め、急いでカーテンを全部閉めた。しかし、ハーマイオニーは驚愕(きょうがく)してハグリッドを見つめ続けた。

ハグリッドの髪はべっとりと血で固まり、顔は紫色やどす黒い傷だらけで、腫れ上がった左目が細い筋のように見える。顔も手も切り傷だらけで、まだ血が出ている所もある。そろりそろりと歩く様子から、ハリーは肋骨(ろっこつ)が折れているのではないかと思った。確かに、いま、旅から帰ったばかりらしい。分厚い黒の旅行用マントが椅子の背にかけてあり、小さな子供なら数人運べそうな背負袋が戸のそばに立てかけてあった。ハグリッド自身は、普通の人の二倍はある体で、足を引きずりながら暖炉に近づき、銅のやかんを火にかけていた。

「いったい何があったの？」ハリーが問い詰めた。ファングは三人の周りを跳ね回り、顔をなめようとしていた。

「言ったろうが、**なんでもねえ**」ハグリッドが断固として言い張った。「茶、飲むか？」

「なんでもないはずないよ」ロンが言った。「ひどい状態だぜ！」

「言っとるだろうが、ああ、大丈夫だ」

ハグリッドは上体を起こし、三人のほうを見て笑いかけたが、顔をしかめた。

「いやはや、おまえさんたちにまた会えてうれしいぞ――夏休みは、楽しかったか？　え？」

「ハグリッド、襲われたんだろう！」ロンが言った。

「何度も言わせるな。なんでもねえったら！」ハグリッドが頑として言った。

「僕たち三人のうち誰かが、ひき肉状態の顔で現れたら、それでもなんでもないって言うかい？」ロンが突っ込んだ。

「マダム・ポンフリーの所に行くべきだわ、ハグリッド」ハーマイオニーが心配そうに言った。「ひどい切り傷もあるみたいよ」

「自分で処置しとる。ええか？」ハグリッドが抑えつけるように言った。

ハグリッドは小屋の真ん中にある巨大な木のテーブルまで歩いていき、置いてあった布巾をぐいと引いた。その下から、車のタイヤより少し大きめの、血の滴る緑がかった生肉が現れた。

「まさか、ハグリッド、それ、食べるつもりじゃないよね？」ロンはよく見ようと体を乗り出した。

「毒があるみたいに見える」

「それでええんだ。ドラゴンの肉だからな」ハグリッドが言った。「それに、食うために手に入れたわけじゃねえ」

ハグリッドは生肉をつまみ上げ、顔の左半分にビタッと貼りつけた。緑色がかった血があごひげに滴り落ち、ハグリッドは気持ちよさそうにウーッとうめいた。

「楽になったわい。こいつぁ、ずきずきに効く」

「それじゃ、何があったのか、話してくれる？」ハリーが聞いた。

「できねえ、ハリー、極秘だ。もらしたらクビになっちまう」

「ハグリッド、巨人に襲われたの？」ハーマイオニーが静かに聞いた。

ドラゴンの生肉がハグリッドの指からずれ落ち、ぐちゃぐちゃとハグリッドの胸をすべり落ちた。

「巨人？」

ハグリッドは生肉がベルトの所まで落ちる前につかまえ、また顔にビタッと貼りつけた。

「誰が巨人なんぞと言った？　おまえさん、誰と話をしたんだ？　誰が言った？　俺が何したと——誰が俺のその——なんだ？」

「私たち、そう思っただけよ」ハーマイオニーが謝るように言った。

「ほう、そう思っただけだと？」

ハグリッドは、生肉で隠されていないほうの目で、ハーマイオニーを厳しく見すえた。

「なんていうか……見え見えだし」ロンが言うと、ハリーもうなずいた。

ハグリッドは三人をじろりとにらむと、フンと鼻を鳴らし、生肉をテーブルの上に放り投げ、ピーピー鳴っているやかんのほうにのっしのっしと歩いていった。

「おまえさんらみてえな小童（こわっぱ）は初めてだ。必要以上に知りすぎとる」

ハグリッドは、バケツ形マグカップ三個に煮立った湯をバシャバシャ注ぎながら、ブツクサ言った。

「ほめとるわけじゃあねえぞ。知りたがり屋、とも言うな。おせっかいとも」

しかし、ハグリッドのひげがヒクヒク笑っていた。

「それじゃ、巨人を探していたんだね？」ハリーはテーブルに着きながらニヤッと笑った。

ハグリッドは紅茶をそれぞれの前に置き、腰を下ろして、また生肉を取り上げるとビタッと顔に戻した。

「しょうがねえ」ハグリッドがぶすっと言った。「そうだ」

「見つけたの？」ハーマイオニーが声をひそめた。

「まあ、正直言って、連中を見つけるのはそう難しくはねえ」ハグリッドが言った。「でっけえからな」

「どこにいるの？」ロンが聞いた。

「山だ」ハグリッドは答えにならない答えをした。

「だったら、どうしてマグルに出――？」

「出くわしとる」ハグリッドが暗い声を出した。「ただ、そいつらが死ぬと、山での遭難事故っちゅうことになるわけだ」

ハグリッドは生肉をずらして、傷の一番ひどい所に当てた。

「ねえ、ハグリッド。何をしていたのか、話してくれよ！」ロンが言った。「巨人に襲われた話を聞かせてよ。そしたらハリーが、吸魂鬼に襲われた話をしてくれるよ――」

ハグリッドは飲みかけの紅茶にむせ、生肉を取り落とした。ハグリッドがしゃべろうとして咳き込むやら、生肉が**ペチャッ**と軽い音を立てて床に落ちるやらで、大量のつばと紅茶とドラゴンの血がテーブルに飛び散った。

「なんだって？　吸魂鬼に襲われた？」ハグリッドが唸った。

「知らなかったの？」ハーマイオニーが目を丸くした。

「ここを出てから起こったことは、なんも知らん。秘密の使命だったんだぞ。ふくろうがどこまでもついて来るようじゃ困るだろうが——吸魂鬼のやつが！　冗談だろうが？」

「ほんとうなんだ。リトル・ウィンジングに現れて、僕といとこを襲ったんだ。それから魔法省が僕を退学にして——」

「なにぃ？」

「——それから尋問に呼び出されてとか、いろいろ。だけど、最初に巨人の話をしてよ」

「**退学**になった？」

「ハグリッドがこの夏のことを話してくれたら、僕のことも話すよ」

ハグリッドは開いているほうの目でハリーをぎろりと見た。ハリーは、一途に思いつめた顔でまっすぐその目を見返した。

「しかたがねえ」観念したような声でハグリッドが言った。

ハグリッドはかがんで、ドラゴンの生肉をファングの口からぐいともぎ取った。

「まあ、ハグリッド。だめよ。不潔じゃな——」ハーマイオニーが言いかけたときには、ハグリッドはもう腫れた目に生肉をべたりと貼りつけていた。

元気づけに紅茶をもうひと口ガブリと飲み、ハグリッドが話しだした。

「さて、俺たちは、学期が終わるとすぐ出発した——」

「それじゃ、マダム・マクシームが一緒だったのね？」ハーマイオニーが口をはさんだ。

「ああ、そうだ」ハグリッドの顔に——ひげと緑の生肉に覆われていない部分はわずかだったが——やわらいだ表情が浮かんだ。「そうだ。二人だけだ。言っとくが、ええか、あの女は、どんな厳しい条件も物ともせんかった。オリンペはな。ほれ、あの女は身なりのええ、きれいな女だし、俺たちがどんな所に行くのかを考えると、『野に伏し、岩を枕にする』のはどんなもんかと、俺はいぶかっとった。ところが、あの女は、ただの一度も弱音を吐かんかった」

「行き先はわかっていたの？」ハリーが聞いた。「巨人がどこにいるか知っていたの？」

「いや、ダンブルドアが知っていなさった。で、俺たちに教えてくれた」ハグリッドが言った。

「巨人って、隠れてるの？」ロンが聞いた。「秘密なの？　居場所は？」

「そうでもねえ」ハグリッドがもじゃもじゃ頭を振った。「たいていの魔法使いは、連中が遠くに離れてさえいりゃあ、どこにいるかなんて気にしねえだけだ。ただ、連中のいる場所は簡単には行けねえとこだ。少なくともヒトにとってはな。そこで、ダンブルドアに教えてもらう必要があった。一か月かかったぞ。そこに着くまでに――」

「**一か月？**」ロンはそんなにばかげた時間がかかる旅なんて、聞いたことがないという声を出した。「だって――移動キー（ポートキー）とか何か使えばよかったんじゃないの？」

ハグリッドは隠れていないほうの目を細め、妙な表情を浮かべてロンを見た。ほとんど哀れんでいるような目だった。

「俺たちは見張られているんだ、ロン」ハグリッドがぶっきらぼうに言った。

「どういう意味？」

「おまえさんにはわかってねえ」ハグリッドが言った。「魔法省はダンブルドアを見張っとる。それに、魔法省が、あの方と組んでるとみなした者全部をだ。そんで――」

「そのことは知ってるよ」話の先が聞きたくてうずうずし、ハリーが急いで言った。「魔法省がダンブルドアを見張ってることは、僕たち知ってるよ――」

「それで、そこに行くのに魔法が使えなかったんだね?」ロンが雷に打たれたような顔をした。「マグルみたいに行動しなきゃならなかったの? **ずーっと?**」

「いいや、ずーっとっちゅうわけではねえ」ハグリッドは言いたくなさそうだった。「ただ、気をつけにゃあならんかった。なんせ、オリンペと俺はちいっと目立つし——」

ロンは鼻から息を吸うのか吐くのか決めかねたような押し殺した音を出した。そしてあわてて紅茶をゴクリと飲んだ。

「——そんで、俺たちは追跡されやすい。俺たちは一緒に休暇を過ごすふりをした。で、フランスに行った。魔法省の誰かにつけられとるのはわかっとったんで、オリンペの学校のあたりを目指しているように見せかけた。ゆっくり行かにゃならんかった。なんせ俺は魔法を使っちゃいけねえことになっとるし、魔法省は俺たちを捕まえる口実を探していたからな。だが、つけてるやつを、ディー・ジョンのあたりでなんとかまいた——」

「わぁぁぁー、ディジョン?」ハーマイオニーが興奮した。「バケーションで行ったことがあるわ。それじゃ、あれ見た——?」

ロンの顔を見て、ハーマイオニーがだまった。

「そのあとは、俺たちも少しは魔法を使った。そんで、なかなかいい旅だった。ポーランドの国境で、狂ったトロール二匹に出っくわしたな。それからミンスクのパブで、俺は吸血鬼(バンパイア)とちょいと言い争いをしたが、それ以外は、まったくすいすいだった」

「で、その場所に到着して、そんで、連中の姿を探して山ん中を歩き回った……」

「連中の近くに着いてからは、魔法は一時お預けにした。一つには、連中は魔法使いが嫌いなんで、あんまり早くから下手に刺激するのはよくねえからな。もう一つには、ダンブルドアが、『例のあの人』

もきっと巨人を探しているとと、俺たちに警告しなすったからだ。もうすでに巨人に使者を送っている可能性が高いと言いなすった。巨人の近くに行ったら、死喰い人がどこかにいるかもしれんから、俺たちのほうに注意を引かねえよう、くれぐれも気をつけろとおっしゃった」

ハグリッドは話を止め、ぐいっとひと息紅茶を飲んだ。

「先を話して！」ハリーが急き立てた。

「見つけた」ハグリッドがズバッと言った。「ある夜、尾根を越えたら、そこにいた。俺たちの真下に広がって。下のほうにちっこいたき火がいくつもあって、そんで、おっきな影だ……『山が動く』のを見ているみてえだった」

「どのくらい大きいの？」ロンが声をひそめて聞いた。

「六メートルぐれえ」ハグリッドがこともなげに言った。「おっきいやつは七、八メートルあったかもしれん」

「何人ぐらいいたの？」ハリーが聞いた。

「ざっと七十から八十ってとこだな」ハグリッドが答えた。

「それだけ？」ハーマイオニーが聞いた。

「ん」ハグリッドが悲しそうに言った。「八十人が生き残っとった。一時期はたくさんいた。世界中から何百ちゅう種族が集まったにちげえねえ。だが、何年もの間に死に絶えていった。もちろん、魔法使いが殺したのも少しはある。けんど、たいがいはお互いに殺し合ったのよ。いまではもっと急速に絶滅しかかっとる。あいつらは、あんなふうに固まって暮らすようにはできてねえ。ダンブルドアは、俺たちに責任があるって言いなさる。俺たち魔法使いのせいで、あいつらは俺たちからずっと離れたとこにいって暮らさにゃならんようになった。そうなりゃ、自衛手段で、お互いに固まって暮らすしかねえ」

「それで」ハリーが言った。「巨人を見つけて、それから?」

「ああ、俺たちは朝まで待った。暗い所で連中に忍び寄るなんてまねは、俺たちの身の安全のためにもしたくなかったからな」ハグリッドが言った。「朝の三時ごろ、あいつらは座ったまんまの場所で眠り込んだ。俺たちは眠るどころじゃねえ。なんせ誰かが目を覚まして俺たちの居場所を見つけたりしねえように気をつけにゃならんかったし、それにすげえいびきでなあ。そのせいで朝方になだれが起こったわ」

「とにかく、明るくなるとすぐ、俺たちは連中に会いに下りていった」

「素手で?」ロンが恐れと尊敬の混じった声を上げた。「巨人の居住地のど真ん中に、歩いていったの?」

「ダンブルドアがやり方を教えてくださった」ハグリッドが言った。「ガーグに貢ぎ物を持っていけ、尊敬の気持ちを表せ、そういうこった」

「貢ぎ物を、**誰に**持っていくだって?」ハリーが聞いた。

「ああ、ガーグだ――頭って意味だ」

「誰が頭なのか、どうやってわかるの?」ロンが聞いた。

ハグリッドがおもしろそうに鼻を鳴らした。

「わけはねえ。一番でっけえ、一番醜い、一番なまけ者だったな。みんなが食いもんを持ってくるのを、ただ座って待っとった。死んだ山羊(やぎ)とか、そんなもんを。カーカスって名だ。身の丈七、八メートルってとこだった。そんで、雄の象二頭分の体重だな。サイの皮みてえな皮膚で」

「なのに、その頭の所まで、のこのこ参上したの?」ハーマイオニーが息をはずませた。

「うー……参上ちゅうか、**下って**いったんだがな。頭は谷底に寝転んでいたんだ。やつらは、四つの高え山の間の深くへこんだとこの、湖のそばにいた。そんで、カーカスは湖のすぐそばに寝そべって、自分と女房に食いもんを持ってこいと吠えていた。俺はオリンペと山を下っていった――」

「だけど、ハグリッドたちを見つけたとき、やつらは殺そうとしなかったの？」ロンが信じられないという声で聞いた。

「何人かはそう考えたにちげぇねえ」ハグリッドが肩をすくめた。「しかし、俺たちは、ダンブルドアに言われたとおりにやった。つまりだな、貢ぎ物を高々と持ち上げて、ガーグだけをしっかり見て、ほかの連中は無視すること。俺たちはそのとおりにやった。そしたら、ほかの連中はおとなしくなって、俺たちが通るのを見とった。そんで、俺たちはまっすぐカーカスの足元まで行っておじぎして、その前に貢ぎ物を置いた」

「巨人には何をやるものなの？」ロンが熱っぽく聞いた。「食べ物？」

「うんにゃ。やつは食いもんは充分手に入る」ハグリッドが言った。「頭に魔法を持っていったんだ。巨人は魔法が好きだ。ただ、俺たちが連中に不利な魔法を使うのが気に食わねえだけよ。とにかく、最初の日は、頭に『グブレイシアンの火の枝』を贈った」

ハーマイオニーは「うわーっ！」と小さく声を上げたが、ハリーとロンはちんぷんかんぷんだと顔をしかめた。

「なんの枝――？」

「永遠の火よ」ハーマイオニーがいらいらと言った。「二人とももう知ってるはずなのに。フリットウィック先生が授業で少なくとも二回はおっしゃったわ！」

「あー、とにかくだ」

ロンが何か言い返そうとするのをさえぎり、ハグリッドが急いで言った。

「ダンブルドアが小枝に魔法をかけて、永遠に燃え続けるようにしたんだが、こいつぁ、並の魔法使いができるこっちゃねえ。そんで、俺は、カーカスの足元の雪ン中にそいつを置いて、こう言った。『巨人の頭に、アルバス・ダンブルドアからの贈り物でございます。ダンブルドアがくれぐれもよろしくとのことです』」

「それで、カーカスはなんて言ったの？」ハリーが熱っぽく聞いた。

「なんも」ハグリッドが答えた。「英語がしゃべれねえ」

「そんな！」

「それはどうでもよかった」ハグリッドは動じなかった。「ダンブルドアはそういうことがあるかもしれんと警告していなさった。カーカスは、俺たちの言葉がしゃべれる巨人を二、三人、大声で呼ぶぐれえのことはできたんで、そいつらが通訳した」

「それで、カーカスは貢ぎ物が気に入ったの？」ロンが聞いた。

「おう、そりゃもう。そいつがなんだかわかったときにゃ、大騒ぎだったわ」ハグリッドはドラゴンの生肉を裏返し、腫れ上がった目に冷たい面を押し当てた。「喜んだのなんの。そこで俺は言った。『アルバス・ダンブルドアがガーグにお願い申します。明日また贈り物を持って参上したとき、使いの者と話をしてやってくだされ』」

「どうしてその日に話せなかったの？」ハーマイオニーが聞いた。

「ダンブルドアは、俺たちがとにかくゆっくり事を運ぶのをお望みだった」ハグリッドが答えた。「連中に、俺たちが約束を守るっちゅうことを見せるわけだ。**俺たちは明日また贈り物を持って戻ってきます**ってな。で、俺たちはまた贈り物を持って戻る――いい印象を与えるわけだ、な？　そんで、連中が最初のもんを試してみる時間を与える。で、そいつがちゃんとしたもんだってわかる。で、もっと欲しいと夢中にさせる。とにかく、カーカスみてえな巨人はな――あんまり一度にいっぱい情報をやってみろ、面倒だっちゅうんで、こっちが整理されっちまう。そんで、俺たちはおじぎして引き下がり、その夜を過ごす手ごろな洞窟を見っけて、そんで次の朝戻っていったところ、カーカスがもう座って、うずうずして待っとったわ」

「それで、カーカスと話したの？」

「おう、そうだ。まず、立派な戦闘用の兜(かぶと)を贈った――小鬼(ゴブリン)の作ったやつで、ほれ、絶対壊れねえ――で、俺たちも座って、そんで、話した」

「カーカスはなんと言ったの？」

「あんまりなんも」ハグリッドが言った。「だいたいが聞いてたな。だが、いい感じだった。カーカスはダンブルドアのことを聞いたことがあってな。ダンブルドアがイギリスで最後の生き残りの巨人を殺すことに反対したっちゅうことを聞いてたんで、ダンブルドアが何を言いたいのか、かなり興味を持ったみてえだった。それに、ほかにも数人、特に少し英語がわかる連中もな。そいつらも周りに集まって耳を傾けた。その日、帰るころには、俺たちは希望を持った。明日また贈り物を持ってくるからと約束した」

「ところが、その晩、なんもかもだめになった」

「どういうこと？」ロンが急き込んだ。

「まあ、さっき言ったように、連中は一緒に暮らすようにはできてねえ。巨人てやつは」ハグリッドは悲しそうに言った。「あんなに大きな集団ではな。どうしてもがまんできねえんだな。数週間ごとにお互いに半殺しの目にあわせる。男は男で、女は女で戦うし、昔の種族の残党がお互いに戦うし、そこまでいかねえでも、それ食いもんだ、やれ一番いい火だ、寝る場所だって、小競り合いだ。自分たちが絶滅しかかっているっちゅうのに。お互いに殺し合うのはやめるかと思えば……」

ハグリッドは深いため息をついた。

「その晩、戦いが起きた。俺たちは洞穴の入口から谷間を見下ろして、そいつを見た。何時間も続いた。その騒ぎときたら、ひでえもんだった。そんで、太陽が昇ったときにゃ、雪が真っ赤で、やつの頭が湖の底に沈んでいたわ」

「誰の頭が？」ハーマイオニーが息をのんだ。

「カーカスの」ハグリッドが重苦しく言った。「新しいガーグがいた。ゴルゴマスだ」

ハグリッドがフーッとため息をついた。

「いや、最初のガーグと友好的に接触して二日後に、頭が新しくなるたぁ思わなんだ。そんで、どうもゴルゴマスは俺たちの言うことに興味がねえような予感がした。そんでも、やってみなけりゃなんねえ」

「そいつの所に話しにいったの？」ロンがまさかという顔をした。「仲間の巨人の首を引っこ抜いたのを見たあとなのに？」

「むろん、俺たちは行った」ハグリッドが言った。「はるばる来たのに、たった二日であきらめられるもんか！　カーカスにやるはずだった次の贈り物を持って、俺たちは下りていった」

「口を開く前に、俺はこりゃあだめだと思った。カーカスの兜をかぶって座っててな、俺たちが近づくのをニヤニヤして見とった。でっかかったぞ。そこにいた連中の中でも一番でっけえうちに入るな。髪とおそろいの黒い歯だ。そんで骨のネックレスで、ヒトの骨のようなのも何本かあったな。まあ、とにかく俺はやってみた――ドラゴンの革の大きな巻物を差し出したのよ――そんで、こう言った。『巨人のお頭への贈り物――』次の瞬間、気がつくと、足をつかまれて逆さ吊りだった。やつの仲間が二人、俺をむんずとつかんでいた」

ハーマイオニーが両手でパチンと口を覆った。

「**そんなのから**どうやって逃れたの？」ハリーが聞いた。

「オリンペがいなけりゃ、だめだったな」ハグリッドが言った。「オリンペが杖を取り出して、俺が見た中でも一番の早業で呪文を唱えた。実にさえとったわ。俺をつかんでた二人の両目を、『結膜炎の呪い』で直撃だ。で、二人はすぐ俺を落っことした。――だが、さあ、やっかいなことになった。やつらに不利な魔法を使ったわけだ。巨人が魔法使いを憎んどるのはまさにそれなんだ。逃げるしかねえ。そんで、どうやったってもう、連中の居住地に堂々と戻ることはできねえ」

「うわあ、ハグリッド」ロンがボソリと言った。

「じゃ、三日間しかそこにいなかったのに、どうしてここに帰るのにこんなに時間がかかったの？」ハーマイオニーが聞いた。

「三日でそっから離れたわけじゃねえ！」ハグリッドが憤慨したように言った。「ダンブルドアが俺たちにお任せなすったんだ！」

「だって、いま、どうやったってそこには戻れなかったって言ったわ！」

「昼日中はだめだった。そうとも。ちいっと策を練りなおすはめになった。目立たねえように、二、三日洞穴に閉じこもって様子を見てたんだ。しかし、どうも形勢はよくねえ」

「ゴルゴマスはまた首をはねたの？」ハーマイオニーは気味悪そうに言った。

「いいや」ハグリッドが言った。「そんならよかったんだが」

「どういうこと？」

「まもなく、やつが全部の魔法使いに逆らっていたっちゅうわけではねえことがわかった――俺たちにだけだった」

「死喰い人？」ハリーの反応は早かった。

「そうだ」ハグリッドが暗い声で言った。「ガーグに贈り物を持って、毎日二人が来とったが、やつは連中を逆さ吊りにはしてねえ」

「どうして死喰い人だってわかったの？」ロンが聞いた。

「連中の一人に見覚えがあったからだ」ハグリッドが唸った。「マクネア、覚えとるか？　バックビークを殺すのに送られてきたやつだ。殺人鬼よ、やつは。ゴルゴマスとおんなじぐれえ殺すのが好きなやつだし、気が合うわけだ」

「それで、マクネアが『例のあの人』の味方につくようにって、巨人を説き伏せたの？」ハーマイオニーが絶望的な声で言った。

「ドウ、ドウ、ドウ。急くな、ヒッポグリフよ。話は終わっちゃいねえ！」

ハグリッドが憤然として言った。最初は、三人に何も話したくないはずだったのに、いまやハグリッドは、かなり楽しんでいる様子だった。

「オリンペと俺とでじっくり話し合って、意見が一致した。ガーグが『例のあの人』に肩入れしそうな様子だからっちゅうて、みんながみんなそうだとはかぎらねえ。そうじゃねえ連中を説き伏せなきゃなんねえ。ゴルゴマスをガーグにしたくなかった連中をな」

「どうやって見分けたんだい？」ロンが聞いた。

「そりゃ、しょっちゅうこてんぱんに打ちのめされてた連中だろうが？」ハグリッドは辛抱強く説明した。「ちーっと物のわかる連中は、俺たちみてえに谷の周りの洞穴に隠れて、ゴルゴマスに出会わねえようにしてた。そんで、俺たちは、夜のうちに洞穴をのぞいて歩いて、その連中を説得してみようと決めたんだ」

「巨人を探して、暗い洞穴をのぞいて回ったの？」ロンは恐れと尊敬の入りまじった声で聞いた。

「いや、俺たちが心配したのは、巨人のほうじゃねえ」ハグリッドが言った。「むしろ、死喰い人のほうが気になった。ダンブルドアが、できれば死喰い人にはかかわるなと、前々から俺たちにそう言いなすった。ところが、連中は俺たちがそのあたりにいることを知っていたからやっかいだった――大方、ゴルゴマスが連中に俺たちのことを話したんだろう。夜、巨人が眠っている間に俺たちが洞穴に忍び込もうとしとったとき、マクネアのやつらは俺たちを探して山ん中をこっそり動き回っちょったわ。オリンペがやつらに飛びかかろうとするのを止めるのに苦労したわい」

ハグリッドのぼうぼうとしたひげの口元がキュッと持ち上がった。

「オリンペはさかんに連中を攻撃したがってな……怒るとすごいぞ、あの女(ひと)は……そうとも、火のようだ……うん、あれがオリンペのフランス人の血なんだな……」

ハグリッドは夢見るような目つきで暖炉の火を見つめた。ハリーは、三十秒間だけハグリッドが思い出に浸るのを待ってから、大きな咳払(せきばら)いをした。

「それから、どうなったの？　反対派の巨人たちには近づけたの？」

「何？　ああ……あ、うん。そうだとも。カーカスが殺されてから三日目の夜、俺たちは隠れていた洞穴からこっそり抜け出して、谷のほうを目指した。死喰い人の姿に目を凝らしながらな。洞穴に二、三か所入ってみたが、だめだ――そんで、六つ目ぐれえで、巨人が三人隠れてるのを見つけた」

「洞穴がぎゅうぎゅうだったろうな」ロンが言った。

「ニーズルの額ぐれえ狭かったな」ハグリッドが言った。

「こっちの姿を見て、襲ってこなかった？」ハーマイオニーが聞いた。

「まともな体だったら襲ってきただろうな」ハグリッドが言った。「だが、連中はひどくけがしとった。三人ともだ。ゴルゴマス一味に気を失うまでたたきのめされて、正気づいたとき洞穴を探して、一番近くにあった穴に這い込んだ。とにかく、そのうちの一人がちっとは英語ができて、ほかの二人に通訳して、そんで、俺たちの言いたいことは、まあまあ伝わったみてえだった。そんで、俺たちは、傷ついた連中を何回も訪ねた……確か、一度は六人か七人ぐれえが納得してくれたと思う」

「六人か七人？」ロンが熱っぽく言った。「そりゃ、悪くないよ——その巨人たち、ここに来るの？　僕たちと一緒に『例のあの人』と戦うの？」

しかし、ハーマイオニーは聞き返した。「ハグリッド、『一度は』って、どういうこと？」

ハグリッドは悲しそうにハーマイオニーを見た。

「ゴルゴマスの一味がその洞穴を襲撃した。生き残ったやつらも、それからあとは俺たちに関わろうとせんかった」

「じゃ……じゃ、巨人は一人も来ないの？」ロンががっかりしたように言った。

「来ねえ」ハグリッドは深いため息をつき、生肉を裏返して冷たいほうを顔に当てた。

「だが、俺たちはやるべきことをやった。ダンブルドアの言葉も伝えたし、それに耳を傾けた巨人も何人かはいた。そんで、何人かはそれを覚えとるだろうと思う。たぶんとしか言えねえが、ゴルゴマスの所にいたくねえ連中が、山から下りたら、そんで、その連中が、ダンブルドアが友好的だっちゅうことを思い出すかもしれん……その連中が来るかもしれん」

雪がすっかり窓を覆っていた。ハリーは、ローブのひざの所がぐっしょりぬれているのに気づいた。ファングがひざに頭をのせて、よだれを垂らしていた。

「ハグリッド？」しばらくしてハーマイオニーが静かに言った。

「んー？」

「あなたの……何か手がかりは……そこにいる間に……耳にしたのかしら……あなたの……お母さんの

こと？」

ハグリッドは開いているほうの目で、じっとハーマイオニーを見た。ハーマイオニーは気がくじけたかのようだった。

「ごめんなさい……私……忘れてちょうだい──」

「死んだ」ハグリッドがボソッと言った。「何年も前に死んだ。連中が教えてくれた」

「まあ……私……ほんとにごめんなさい」ハーマイオニーが消え入るような声で言った。ハグリッドはがっしりした肩をすくめた。

「気にすんな」ハグリッドは言葉少なに言った。「あんまりよく覚えてもいねえ。いい母親じゃあなかった」

みんながまただまり込んだ。ハーマイオニーが、何かしゃべってと言いたげに、落ち着かない様子でハリーとロンをちらちら見た。

「だけど、ハグリッド、どうしてそんなふうになったのか、まだ説明してくれていないよ」ロンが、ハグリッドの血だらけの顔を指しながら言った。

「それに、どうしてこんなに帰りが遅くなったのかも」ハリーが言った。「シリウスが、マダム・マクシームはとっくに帰ってきたって言ってた──」

「誰に襲われたんだい？」ロンが聞いた。

「襲われたりしてねえ！」ハグリッドが語気を強めた。「俺は──」

そのあとの言葉は、突然誰かが戸をドンドンたたく音にのみ込まれてしまった。ハーマイオニーが息をのんだ。手にしたマグが指の間をすべり、床に落ちて砕け、ファングがキャンキャン鳴いた。四人全員が戸口の脇の窓を見つめた。ずんぐりした背の低い人影が、薄いカーテンを通してゆらめいていた。

「**あの女だ！**」ロンがささやいた。

「この中に入って！」ハリーは早口にそう言いながら、透明マントをつかんでハーマイオニーにサッとかぶせ、ロンもテーブルを急いで回り込んで、マントの中に飛び込んだ。三人は、固まって部屋の隅に引っ込んだ。ファングは狂ったように戸口に向かって吠えていた。ハグリッドはさっぱりわけがわからないという顔をしていた。

「ハグリッド、僕たちのマグを隠して！」

ハグリッドはハリーとロンのマグをつかみ、ファングの寝るバスケットのクッションの下に押し込んだ。ファングはいまや、戸に飛びかかっていた。ハグリッドは足でファングを脇に押しやり、戸を引いて開けた。

アンブリッジ先生が戸口に立っていた。緑のツイードのマントに、おそろいの耳あてつき帽子をかぶっている。アンブリッジは口をギュッと結び、のけぞってハグリッドを見上げた。背丈がハグリッドのへそにも届いていなかった。

「**それでは**」アンブリッジがゆっくり、大きな声で言った。まるで耳の遠い人に話しかけるかのようだった。「あなたがハグリッドなの？」

答えも待たずに、アンブリッジはずかずかと部屋に入り、飛び出した目をぎょろつかせてそこいら中を見回した。

「おどき」ファングが飛びついて顔をなめようとするのを、ハンドバッグで払いのけながら、アンブリッジがピシャリと言った。

「あー――失礼だとは思うが」ハグリッドが言った。「いったいおまえさんは誰ですかい？」

「わたくしはドローレス・アンブリッジです」

アンブリッジの目が小屋の中をなめるように見た。ハリーがロンとハーマイオニーにはさまれて立っている隅を、その目が二度も直視した。

「ドローレス・アンブリッジ？」ハグリッドは当惑しきった声で言った。「確か魔法省の人だと思ったが——ファッジの所で仕事をしてなさらんか？」

「大臣の上級次官でした。そうですよ」

アンブリッジは、今度は小屋の中を歩き回り、壁に立てかけられた背負袋から、脱ぎ捨てられた旅行用マントまで、何もかも観察していた。

「いまは『闇の魔術に対する防衛術』の教師ですが——」

「そいつぁ豪気なもんだ」ハグリッドが言った。「いまじゃ、あの職に就くやつぁあんまりいねえ」

「——それに、ホグワーツ高等尋問官です」アンブリッジはハグリッドの言葉など、まったく耳に入らなかったかのように言い放った。

「そりゃなんですかい？」ハグリッドが顔をしかめた。

「わたくしもまさに、そう聞こうとしていたところですよ」アンブリッジは、床に散らばった陶器のかけらを指差していた。ハーマイオニーのマグカップだった。

「ああ」ハグリッドは、よりによって、ハリー、ロン、ハーマイオニーがひそんでいる隅のほうをちらりと見た。「あ、そいつぁ……ファングだ。ファングがマグを割っちまって。そんで、俺は別のやつを使わなきゃなんなくて」

ハグリッドは自分が飲んでいたマグを指差した。片方の手でドラゴンの生肉を目に押し当てたままだった。アンブリッジは、今度はハグリッドの真正面に立ち、小屋よりもハグリッドの様子をじっくり観察していた。

「声が聞こえたわ」アンブリッジが静かに言った。

「俺がファングと話してた」ハグリッドが頑として言った。

「それで、ファングが受け答えしてたの？」

「そりゃ……言ってみりゃ」ハグリッドはうろたえていた。「ときどき俺は、ファングのやつがほとんどヒト並みだと言っとるぐれえで――」

「城の玄関からあなたの小屋まで、雪の上に足跡が三人分ありました」アンブリッジはさらりと言った。

ハーマイオニーがあっと息をのんだ。その口を、ハリーがパッと手で覆った。運よく、ファングがアンブリッジ先生のローブのすそを、鼻息荒くかぎ回っていたおかげで、気づかれずにすんだようだった。

「さーて、俺はたったいま帰ったばっかしで」ハグリッドはどでかい手を振って、背負袋を指した。「それより前に誰か来たかもしれんが、会えなかったな」

「あなたの小屋から城までの足跡はまったくありませんよ」

「はて、俺は……俺にはどうしてそうなんか、わからんが……」

ハグリッドは神経質にあごひげを引っ張り、助けを求めるかのように、またしてもちらりと、ハリー、ロン、ハーマイオニーが立っている部屋の隅を見た。「うむむ……」

アンブリッジはサッと向きを変え、注意深くあたりを見回しながら、小屋の端から端までずかずか歩いた。体をかがめてベッドの下をのぞき込んだり、戸棚を開けたりした。三人が壁に張りついて立っている場所からほんの数センチの所をアンブリッジが通り過ぎたとき、ハリーはほんとうに腹を引っ込めた。ハグリッドが料理に使う大鍋の中を綿密に調べたあと、アンブリッジはまた向きなおってこう言った。

「あなた、どうしたの？　どうしてそんな大けがをしたのですか？」

ハグリッドはあわててドラゴンの生肉を顔から離した。離さなきゃいいのに、とハリーは思った。おかげで目の周りのどす黒い傷がむき出しになったし、当然、顔にべっとりついた血のりも、生傷から流れる血もはっきり見えた。

「どんな事故なの？」

「なに、その……ちょいと事故で」ハグリッドは歯切れが悪かった。

「あ――つまずいて転んだ」

「つまずいて転んだ」アンブリッジが冷静にくり返した。

「ああ、そうだ。けっつまずいて……友達の箒に。俺は飛べねえから。なんせ、ほれ、この体だ。俺を乗っけられるような箒はねえだろう。友達がアブラクサン馬を飼育しててな。おまえさん、見たことがあるかどうか知らねえが、ほれ、羽のあるおっきなやつだ。俺はちょっくらそいつに乗ってみた。そんで――」

「あなた、どこに行っていたの？」アンブリッジは、ハグリッドのしどろもどろにぐさりと切り込んだ。

「どこに――？」

「行っていたか。そう」アンブリッジが言った。「学校は二か月前に始まっています。あなたのクラスはほかの先生がかわりに教えるしかありませんでしたよ。あなたがどこにいるのか、お仲間の先生は誰もご存じないようでしてね。あなたは連絡先も置いていかなかったし。どこに行っていたの？」

一瞬、ハグリッドは、むき出しになったばかりの目でアンブリッジをじっと見つめ、だまり込んだ。ハリーは、ハグリッドの脳みそが必死に働いている音が聞こえるような気がした。

「お――俺は、健康上の理由で休んでた」

「健康上の」アンブリッジの目がハグリッドのどす黒く腫れ上がった顔を探るように眺め回した。「ドラゴンの血が、ポタリポタリと静かにハグリッドのベストに滴っていた。「そうですか」

「そうとも」ハグリッドが言った。「ちょいと――新鮮な空気を、ほれ――」

「そうね。家畜番は、新鮮な空気がなかなか吸えないでしょうしね」アンブリッジが猫なで声で言った。

ハグリッドの顔にわずかに残っていた、どす黒くない部分が赤くなった。

「その、なんだ――場所が変われば、ほれ――」

「山の景色とか？」アンブリッジがすばやく言った。

知ってるんだ。ハリーは絶望的にそう思った。

「山？」ハグリッドはすぐに悟ったらしく、オウム返しに言った。「うんにゃ、俺の場合は南フランスだ。ちょいと太陽と……海だな」

「そう？」アンブリッジが言った。「あんまり日焼けしていないようね」

「ああ……まあ……皮膚が弱いんで」

ハグリッドはなんとか愛想笑いをして見せた。ハリーは、ハグリッドの歯が二本折れているのに気づいた。アンブリッジは冷たくハグリッドを見た。ハグリッドの笑いがしぼんだ。アンブリッジは、腕にかけたハンドバッグを少しずり上げながら言った。

「もちろん、大臣には、あなたが遅れて戻ったことをご報告します」

「ああ」ハグリッドがうなずいた。

「それに、高等尋問官として、残念ながら、わたくしは同僚の先生方を査察するという義務があることを認識していただきましょう。ですから、まもなくまたあなたにお目にかかることになると申し上げておきます」

アンブリッジはくるりと向きを変え、戸口に向かって闊歩（かっぽ）した。

「おまえさんが俺たちを査察？」ハグリッドはぼうぜんとその後ろ姿を見ながら言った。

「ええ、そうですよ」

アンブリッジは戸の取っ手に手をかけながら、振り返って静かに言った。

「魔法省はね、ハグリッド、教師として不適切な者を取り除く覚悟です。では、おやすみ」

アンブリッジは戸をバタンと閉めて立ち去った。ハリーは透明マントを脱ぎかけたが、ハーマイオニーがその手首を押さえた。

「まだよ」ハーマイオニーがハリーの耳元でささやいた。「まだ完全に行ってないかもしれない」

ハグリッドも同じ考えだったようだ。ドスンドスンと小屋を横切り、カーテンをわずかに開けた。

「城に帰っていきおる」ハグリッドが小声で言った。

「なんと……査察だと？　あいつが？」

「そうなんだ」ハリーが透明マントをはぎ取りながら言った。「もうトレローニーが観察処分になった……」

「あの……ハグリッド、授業でどんなものを教えるつもり？」ハーマイオニーが聞いた。

「おう、心配するな。授業の計画はどっさりあるぞ」

ハグリッドは、ドラゴンの生肉をテーブルからすくい上げ、またしても目の上にビタッと押し当てながら、熱を込めて言った。

「O・W・L（ふくろう）学年用にいくつか取っておいた動物がいる。まあ、見てろ。特別の特別だぞ」

「えーと……どんなふうに特別なの？」ハーマイオニーが恐る恐る聞いた。

「教えねえ」ハグリッドがうれしそうに言った。「びっくりさせてやりてえもんな」

「ねえ、ハグリッド」ハーマイオニーは遠回しに言うのをやめて、せっぱ詰まったように言った。「アンブリッジ先生は、あなたがあんまり危険なものを授業に連れてきたら、絶対気に入らないと思うわ」

「危険？」ハグリッドは上機嫌で、けげんな顔をした。「ばか言え。おまえたちに危険なもんなぞ連れてこねえぞ！　そりゃ、なんだ、連中は自己防衛ぐれえはするが――」

「ハグリッド、アンブリッジの査察に合格しなきゃならないのよ。そのためには、ポーロックの世話の仕方とか、ナールとハリネズミの見分け方とか、そういうのを教えているところを見せたほうが絶対いいの！」ハーマイオニーが真剣に言った。

「だけんど、ハーマイオニー、それじゃあおもしろくもなんともねえ」ハグリッドが言った。

「俺の持ってるのは、もっとすごいぞ。何年もかけて育ててきたんだ。俺のは、イギリスでただ一つっちゅう飼育種だな」

「ハグリッド……お願い……」ハーマイオニーの声には、必死の思いがこもっていた。「アンブリッジは、ダンブルドアに近い先生方を追い出すための口実を探しているのよ。お願い、ハグリッド、O・W・Lに必ず出てくるような、つまらないものを教えてちょうだい」

しかし、ハグリッドは大あくびをして、小屋の隅の巨大なベッドに片目を向け、眠たそうな目つきをした。

「さあ、今日は長い一日だった。それに、もう遅い」

ハグリッドがやさしくハーマイオニーの肩をたたいた。ハーマイオニーはひざがガクンと折れ、床にドサッとひざをついた。

「おっ――すまん――」ハグリッドはローブの襟をつかんで、ハーマイオニーを立たせた。

「ええか、俺のことは心配すんな。俺が帰ってきたからには、おまえさんたちの授業用に計画しとった、ほんにすんばらしいやつを持ってきてやる。任しとけ……さあ、もう城に帰ったほうがええ。足跡を残さねえように、消すのを忘れるなよ！」

「ハグリッドに通じたかどうか怪しいな」

しばらくして、ロンが言った。安全を確認し、ますます降り積もる雪の中を、ハーマイオニーの「消却呪文」のおかげで足跡も残さずに城に向かって歩いていく途中だった。

「だったら、私、あしたも来るわ」

ハーマイオニーが決然と言った。

「いざとなれば、私がハグリッドの授業計画を作ってあげる。トレローニーがアンブリッジに放り出されたってかまわないけど、ハグリッドは追放させやしない！」

第21章　蛇の目

日曜の朝、ハーマイオニーは六十センチもの雪をかき分け、再びハグリッドの小屋を訪れた。ハリーとロンも一緒に行きたかったが、またしても宿題の山が、いまにも崩れそうな高さに達していたので、しぶしぶ談話室に残り、校庭から聞こえてくる楽しげな声を耐え忍んでいた。生徒たちは、凍った湖の上をスケートしたり、リュージュに乗ったりして楽しんでいたが、雪合戦の球に魔法をかけてグリフィンドール塔の上まで飛ばし、談話室の窓にガンガンぶつけるのは最悪だった。

「おい！」ついにがまんできなくなったロンが、窓から首を突き出してどなった。

「僕は監督生だぞ。今度雪球が窓に当たったら――**痛**(いって)**え！**」

ロンは急いで首を引っ込めた。顔が雪だらけだった。

「フレッドとジョージだ」ロンが窓をピシャリと閉めながら悔しそうに言った。「あいつら……」

ハーマイオニーは昼食間際に帰ってきた。ローブのすそがひざまでぐっしょりで、少し震えていた。

「**どうだった？**」ハーマイオニーが入ってくるのを見つけたロンが聞いた。「授業の計画をすっかり立ててやったのか？」

「やってはみたんだけど」

ハーマイオニーはつかれたように言うと、ハリーのそばの椅子にどっと座り込んだ。それから杖(つえ)を取り出し、小さく複雑な振り方をすると、杖先から熱風が噴き出した。それをローブのあちこちに当てると、湯気を上げて乾きはじめた。

「私が行ったとき、小屋にもいなかったのよ。私、少なくとも三十分ぐらい戸をたたいたわ。そしたら、森からのっしのっしと出てきたの——」

ハリーがうめいた。禁じられた森は、ハグリッドをクビにしてくれそうな生き物でいっぱいだ。

「あそこで何を飼っているんだろう？　ハグリッドは何か言った？」ハリーが聞いた。

「ううん」ハーマイオニーはがっくりしていた。「驚かせてやりたいって言うのよ。アンブリッジのことを説明しようとしたんだけど、どうしても納得できないみたい。キメラよりナールのほうを勉強したいなんて、まともなやつが考えるわけがないって言うばっかり——あら、まさかほんとにキメラを**飼ってる**とは思わないけど」

ハリーとロンがぞっとする顔を見て、ハーマイオニーがつけ加えた。

「でも、飼う努力をしなかったわけじゃないわね。卵を入手するのがとても難しいって言ってたもの。グラブリー - プランクの計画に従ったほうがいいって、口をすっぱくして言ったんだけど、正直言って、ハグリッドは私の言うことを半分も聞いていなかったと思う。ほら、ハグリッドはなんだかおかしなムードなのよ。どうしてあんなに傷だらけなのか、いまだに言おうとしないし」

次の日、朝食のときに教職員テーブルに現れたハグリッドを、生徒全員が大歓迎したというわけではなかった。フレッド、ジョージ、リーなどの何人かは歓声を上げて、グリフィンドールとハッフルパフのテーブルの間を飛ぶように走ってハグリッドに駆け寄り、巨大な手を握りしめた。

パーバティやラベンダーなどは、暗い顔で目配せし、首を振った。グラブリー - プランク先生の授業のほうがいいと思う生徒が多いだろうと、ハリーにはわかっていた。それに、ほんのちょっぴり残っているハリーの公平な判断力が、それも一理あると認めているのが最悪だった。何しろグラブリー - プランクの考えるおもしろい授業なら、誰かの頭が食いちぎられる危険性のあるようなものではない。

火曜日、ハリー、ロン、ハーマイオニーは、防寒用の重装備をし、かなり不安な気持ちでハグリッドの授業に向かった。ハリーはハグリッドがどんな教材に決めたのかも気になったが、クラスのほかの生徒、特にマルフォイ一味が、アンブリッジの目の前でどんな態度を取るかが心配だった。

しかし、雪と格闘しながら、森の端で待っているハグリッドに近づいてみると、高等尋問官の姿はどこにも見当たらなかった。とはいえ、ハグリッドの様子は、不安をやわらげてくれるどころではない。土曜の夜にどす黒かった傷にいまは緑と黄色が混じり、切り傷の何か所かはまだ血が出ていた。ハリーはこれがどうにも理解できなかった。ハグリッドを襲った怪物の毒が、傷の治るのをさまたげているのだろうか？　不吉な光景に追い討ちをかけるかのように、ハグリッドは死んだ牛の半身らしいものを肩に担いでいた。

「今日はあそこで授業だ！」

近づいてくる生徒たちに、ハグリッドは背後の暗い木立を振り返りながら嬉々として呼びかけた。

「少しは寒さしのぎになるぞ！　どっちみち、あいつら、暗いとこが好きなんだ」

「何が暗い所が好きだって？」

マルフォイが険しい声でクラッブとゴイルに聞くのが、ハリーの耳に入った。ちらりと恐怖をのぞかせた声だった。

「あいつ、何が暗い所が好きだって言った？——聞こえたか？」

マルフォイがこれまでに一度だけ禁じられた森に入ったときのことを、ハリーは思い出した。あの時もマルフォイは勇敢だったとは言えない。ハリーはひとりでニンマリした。あのクィディッチ試合以来、マルフォイが不快に思うことなら、ハリーはなんだってかまわなかった。

「ええか？」ハグリッドはクラスを見渡してうきうきと言った。「よし、さーて、森の探索は五年生まで楽しみに取っておいた。連中を自然な生息地で見せてやろうと思ってな。さあ、今日勉強するやつは、めずらしいぞ。こいつらを飼いならすのに成功したのは、イギリスではたぶん俺だけだ」

「それで、ほんとうに飼いならされてるって、自信があるのかい？」マルフォイが、ますます恐怖をあらわにした声で聞いた。「何しろ、野蛮な動物をクラスに持ち込んだのはこれが最初じゃないだろう？」

スリザリン生がザワザワとマルフォイに同意した。グリフィンドール生の何人かも、マルフォイの言うことは的を射ているという顔をした。

「もちろん飼いならされちょる」ハグリッドは顔をしかめ、肩にした牛の死骸を少し揺すり上げた。

「それじゃ、その顔はどうしたんだい？」マルフォイが問い詰めた。

「おまえさんにゃ関係ねえ！」ハグリッドが怒ったように言った。

「さあ、ばかな質問が終わったら、俺についてこい！」

ハグリッドはみんなに背を向け、どんどん森へ入っていった。誰もあとについていきたくないようだった。ハリーはロンとハーマイオニーをちらりと見た。二人ともため息をついたが、うなずいた。三人はほかのみんなの先頭に立って、ハグリッドのあとを追った。

ものの十分も歩くと、木が密生して夕暮れ時のような暗い場所に出た。地面には雪も積もっていない。ハグリッドはフーッと言いながら牛の半身を下ろし、後ろに下がって生徒と向き合った。ほとんどの生徒が、木から木へと身を隠しながらハグリッドに近づいてきて、いまにも襲われるかのように神経をとがらせて、周りを見回していた。

「集まれ、集まれ」ハグリッドが励ますように言った。「さあ、あいつらは肉のにおいに引かれてやってくるぞ。だが、俺のほうでも呼んでみる。あいつら、俺だってことを知りたいだろうからな」

ハグリッドは後ろを向き、もじゃもじゃ頭を振って、髪の毛を顔から払いのけ、かん高い奇妙な叫び声を上げた。その叫びは、怪鳥が呼び交わす声のように、暗い木々の間にこだました。誰も笑わなかった。ほとんどの生徒は、恐ろしくて声も出ないようだった。

ハグリッドがもう一度かん高く叫んだ。一分たった。その間、生徒全員が神経をとがらせ、肩越しに背後をうかがったり、木々の間を透かし見たりして、近づいてくるはずの何かの姿をとらえようとしていた。そして、ハグリッドが三度髪を振り払い、巨大な胸をさらにふくらませたとき、ハリーはロンをつっつき、曲がりくねった二本のイチイの木の間の暗がりを指差した。

暗がりの中で、白く光る目が一対、だんだん大きくなってきた。まもなく、ドラゴンのような顔、首、そして、翼のある大きな黒い馬の骨ばった胴体が、暗がりから姿を現した。その生き物は、黒く長い尾を振りながら、数秒間生徒たちを眺め、それから頭を下げて、とがった牙で死んだ牛の肉を食いちぎりはじめた。

ハリーの胸にどっと安堵(あんど)感が押し寄せた。とうとう証明された。この生き物は、ハリーの幻想ではなく実在していた。ハグリッドもこの生き物を知っていた。ハリーは待ちきれない気持ちでロンを見た。しかし、ロンはまだきょろきょろ木々の間を見つめていた。しばらくしてロンがささやいた。

「ハグリッドはどうしてもう一度呼ばないのかな?」

生徒のほとんどが、ロンと同じように、怖いもの見たさの当惑した表情で目をこらし、馬が目と鼻の先にいるのに、とんでもない方向ばかり見ていた。この生き物が見える様子なのは、ハリーのほかに二人しかいなかった。ゴイルのすぐ後ろで、スリザリンの筋ばった男の子が、馬が食らいつく姿を苦々しげに見ていた。それに、ネビルだ。その目が、長い黒い尾の動きを追っていた。

「ほれ、もう一頭来たぞ!」ハグリッドが自慢げに言った。暗い木の間から現れた二頭目の黒い馬が、なめし革のような翼をたたみ込んで胴体にくっつけ、頭を突っ込んで肉にかぶりついた。

「さーて……手を挙げてみろや。こいつらが見える者は？」

この馬の謎がついにわかるのだと思うとうれしくて、ハリーは手を挙げた。ハグリッドがハリーを見てうなずいた。

「うん……うん。おまえさんにゃ見えると思ったぞ、ハリー」ハグリッドはまじめな声を出した。「そんで、おまえさんもだな？　ネビル、ん？　そんで――」

「おうかがいしますが」マルフォイがあざけるように言った。「いったい何が見えるはずなんでしょうね？」

答えるかわりに、ハグリッドは地面の牛の死骸を指差した。クラス中が一瞬そこに注目した。そして何人かが息をのみ、パーバティは悲鳴を上げた。ハリーはそれがなぜなのかわかった。肉がひとりでに骨からはがれ空中に消えていくさまは、いかにも気味が悪いにちがいない。

「何がいるの？」パーバティがあとずさりして近くの木の陰に隠れ、震える声で聞いた。「何が食べているの？」

「セストラルだ」ハグリッドが誇らしげに言った。

ハリーのすぐ隣で、ハーマイオニーが、納得したように「**あっ！**」と小さな声を上げた。

「ホグワーツのセストラルの群れは、全部この森にいる。そんじゃ、誰か知っとる者は――？」

「だけど、それって、とーっても縁起が悪いのよ！」パーバティがとんでもないという顔で口をはさんだ。「見た人にありとあらゆる恐ろしい災難が降りかかるって言われてるわ。トレローニー先生が一度教えてくださった話では――」

「いや、いや、いや」ハグリッドがクックッと笑った。「そりゃ、単なる迷信だ。こいつらは縁起が悪いんじゃねえ。どえらく賢いし、役に立つ！　もっとも、こいつら、そんなに働いてるわけではねえがな。重要なんは、学校の馬車ひきだけだ。あとは、ダンブルドアが遠出するのに、『姿あらわし』をなさらねえときだけだな――ほれ、また二頭来たぞ――」

木の間から別の二頭が音もなく現れた。一頭がパーバティのすぐそばを通ると、パーバティは身震いして、木にしがみついた。

「私、何か感じたわ。きっとそばにいるのよ！」

「心配ねえ。おまえさんにけがさせるようなことはしねえから」ハグリッドは辛抱強く言い聞かせた。

「よし、そんじゃ、知っとる者はいるか？　どうして見える者と見えない者がおるのか？」

ハーマイオニーが手を挙げた。

「言ってみろ」ハグリッドがニッコリ笑いかけた。

「セストラルを見ることができるのは」ハーマイオニーが答えた。「死を見たことがある者だけです」

「そのとおりだ」ハグリッドが厳かに言った。「グリフィンドールに一〇点。さーて、セストラルは――」

「**エヘン、エヘン**」

アンブリッジ先生のお出ましだ。ハリーからほんの数十センチの所に、また緑の帽子とマントを着て、クリップボードをかまえて立っていた。アンブリッジの空咳（からせき）を初めて聞いたハグリッドは、一番近くのセストラルを心配そうにじっと見た。変な音を出したのはそれだと思ったらしい。

「**エヘン、エヘン**」

「おう、やあ！」音の出所がわかったハグリッドがニッコリした。

「今朝、あなたの小屋に送ったメモは、受け取りましたか？」

アンブリッジは前と同じように、大きな声でゆっくり話しかけた。まるで外国人に、しかもとろい人間に話しかけているようだ。

「あなたの授業を査察しますと書きましたが？」

「ああ、うん」ハグリッドが明るく言った。「この場所がわかってよかった！　ほーれ、見てのとおり――はて、どうかな――見えるか？　今日はセストラルをやっちょる――」

「え？　何？」アンブリッジ先生が耳に手を当て、顔をしかめて大声で聞きなおした。「なんて言いましたか？」

ハグリッドはちょっと戸惑った顔をした。

「あー――**セストラル！**」ハグリッドも大声で言った。「大っきな――あー――翼のある馬だ。ほれ！」

ハグリッドは、これならわかるだろうとばかり、巨大な両腕をパタパタ上下させた。

アンブリッジ先生は眉を吊り上げ、ブツブツ言いながらクリップボードに書きつけた。

「**原始的な……身振りによる……言葉に……頼らなければ……ならない**」

「さて……とにかく……」ハグリッドは生徒のほうに向きなおったが、ちょっとまごついていた。「む……俺は何を言いかけてた？」

「**記憶力が……弱く……直前の……ことも……覚えて……いないらしい**」

アンブリッジのブツブツは、誰にも聞こえるような大きな声だった。ドラコ・マルフォイはクリスマスが一か月早く来たような喜びようだ。逆にハーマイオニーは、怒りを抑えるのに真っ赤になっていた。

「あっ、そうだ」

ハグリッドはアンブリッジのクリップボードをそわそわと見たが、勇敢にも言葉を続けた。

「そうだ、俺が言おうとしてたのは、どうして群れを飼うようになったかだ。うん。つまり、最初は雄一頭と雌五頭で始めた。こいつは」ハグリッドは最初に姿を現した一頭をやさしくたたいた。「テネブルスって名で、俺が特別かわいがってるやつだ。この森で生まれた最初の一頭だ――」

「ご存じかしら？」アンブリッジが大声で口をはさんだ。

「魔法省はセストラルを『危険生物』に分類しているのですが？」

ハリーの心臓が石のように重くなった。しかし、ハグリッドはクックッと笑っただけだった。

「セストラルが危険なものか！　そりゃ、さんざんいやがらせをすりゃあ、かみつくかもしらんが――」

「暴力の……行使を……楽しむ……傾向が……見られる」

アンブリッジがまたしてもブツブツ言いながらクリップボードに走り書きした。

「そりゃちがうぞ――ばかな！」ハグリッドは少し心配そうな顔になった。「つまり、けしかけりゃ犬もかみつくだろうが――だけんど、セストラルは、死とかなんとかで、悪い評判が立っとるだけだ――こいつらが不吉だと思い込んどるだけだろうが？　わかっちゃいなかったんだ、そうだろうが？」

アンブリッジは何も答えず、最後のメモを書き終えるとハグリッドを見上げ、またしても大きな声でゆっくり話しかけた。

「授業を普段どおり続けてください。わたくしは歩いて見回ります」アンブリッジは歩くしぐさをして見せた（マルフォイとパンジー・パーキンソンは、声を殺して笑いこけていた）。

「生徒さんの間をね」アンブリッジはクラスの生徒の一人一人を指差した。

「そして、みんなに質問をします」アンブリッジは自分の口を指差し、口をパクパクさせた。

ハグリッドはアンブリッジをまじまじと見ていた。まるでハグリッドには普通の言葉が通じないかのように身振り手振りをしてみせるのはなぜなのか、さっぱりわからないという顔だ。ハーマイオニーはいまや悔し涙を浮かべていた。

「鬼ばばぁ、腹黒鬼ばばぁ！」アンブリッジがパンジー・パーキンソンのほうに歩いていったとき、ハーマイオニーが小声で毒づいた。「あんたが何をたくらんでいるか、知ってるわよ。鬼、根性曲がりの性悪の――」

「むむむ……とにかくだ」ハグリッドはなんとかして授業の流れを取り戻そうと奮闘していた。「そんで――セストラルだ。うん。まあ、こいつらにはいろいろええとこがある……」

「どうかしら?」アンブリッジ先生が声を響かせてパンジー・パーキンソンに質問した。「あなた、ハグリッド先生が話していること、理解できるかしら?」

ハーマイオニーと同じく、パンジーも目に涙を浮かべていたが、こっちは笑いすぎの涙だった。クスクス笑いをこらえながら答えるので、何を言っているのかわからないほどだった。

「いいえ……だって……あの……話し方が……いつも唸ってるみたいで……」

アンブリッジがクリップボードに走り書きした。ハグリッドの顔の、けがしていないわずかな部分が赤くなった。それでも、ハグリッドは、パンジーの答えを聞かなかったかのように振る舞おうとした。

「あー……うん……セストラルのええとこだが。えーと、ここの群れみてえに、いったん飼いならされると、みんな、もう絶対道に迷うことはねえぞ。方向感覚抜群だ。どこへ行きてえって、こいつらに言うだけでええ――」

「もちろん、あんたの言うことがわかれば、ということだろうね」マルフォイが大きな声で言った。

パンジー・パーキンソンがまた発作的にクスクス笑いだした。アンブリッジはその二人には寛大にほほえみ、それからネビルに聞いた。

「セストラルが見えるのね、ロングボトム?」

ネビルがうなずいた。

「誰が死ぬところを見たの?」無神経な調子だった。

「僕の……じいちゃん」ネビルが言った。

「それで、あの生物をどう思うの？」ずんぐりした手を馬のほうに向けてひらひらさせながら、アンブリッジが聞いた。セストラルはもうあらかた肉を食いちぎり、ほとんど骨だけが残っていた。

「んー」ネビルは、おずおずとした目でハグリッドをちらりと見た。「あの……この生物は……ん……問題ありません……」

「**生徒たちは……脅されていて……怖いと……正直に……そう言えない**」アンブリッジはブツブツ言いながらクリップボードにまた書きつけた。

「ちがうよ！」ネビルはうろたえた。「ちがう、僕、あいつらが怖くなんかない！」

「いいんですよ」アンブリッジはネビルの肩をやさしくたたいた。そしてわかっていますよという笑顔を見せたつもりらしいが、ハリーにはむしろ嘲笑に見えた。

「さて、ハグリッド」アンブリッジは再びハグリッドを見上げ、またしても大きな声でゆっくり話しかけた。「これでわたくしのほうはなんとかなります。査察の結果を（クリップボードを指差した）あなたが受け取るのは（自分の体の前で、何かを受け取るしぐさをした）、十日後です」

アンブリッジは短いずんぐり指を十本立てて見せた。それからニターッと笑ったが、緑の帽子の下で、その笑いはことさらガマに似ていた。

そしてアンブリッジは、意気揚々と引き揚げた。あとに残ったマルフォイとパンジー・パーキンソンは発作的に笑い転げ、ハーマイオニーは怒りに震え、ネビルは困惑した顔でおろおろしていた。

「あのくされ、うそつき、根性曲がり、怪獣ばばぁ！」

三十分後、来るときに掘った雪道をたどって城に帰る道々、ハーマイオニーが気炎を吐いた。

「あの人が何を目論んでるか、わかる？　混血を毛嫌いしてるんだわ――ハグリッドをウスノロのトロールか何かみたいに見せようとしてるのよ。お母さんが巨人だというだけで――それに、ああ、不当だわ。授業は悪くなかったのに――そりゃ、また『尻尾爆発スクリュート』なんかだったら……でもセストラルは大丈夫――ほんと、ハグリッドにしては、とってもいい授業だったわ！」

「アンブリッジはあいつらが危険生物だって言ったけど」ロンが言った。

「そりゃ、ハグリッドが言ってたように、あの生物は確かに自己防衛するわ」ハーマイオニーがもどかしげに言った。「それに、グラブリー‐プランクのような先生だったら、普通はN・E・W・T試験レベルまではあの生物を見せたりしないでしょうね。でも、ねえ、あの馬、**ほんとうに**おもしろいと思わない？　見える人と見えない人がいるなんて！　私にも見えたらいいのに」

「そう思う？」ハリーが静かに聞いた。

ハーマイオニーが突然ハッとしたような顔をした。

「ああ、ハリー――ごめんなさい――ううん、もちろんそうは思わない――なんてバカなことを言ったんでしょう」

「いいんだ」ハリーが急いで言った。「気にするなよ」

「**ちゃんと見える**人が多かったのには驚いたな」ロンが言った。「クラスに三人も――」

「そうだよ、ウィーズリー。いまちょうど話してたんだけど」意地の悪い声がした。雪で足音が聞こえなかったらしい。マルフォイ、クラッブ、ゴイルが三人のすぐ後ろを歩いていた。

「君が誰か死ぬところを見たら、少しはクアッフルが見えるようになるかな？」

マルフォイ、クラッブ、ゴイルは、三人を押しのけて城に向かいながらゲラゲラ笑い、突然「ウィーズリーこそわが王者」を合唱しはじめた。ロンの耳が真っ赤になった。

「無視。とにかく無視」ハーマイオニーが呪文を唱えるようにくり返しながら、杖を取り出してまた「熱風の魔法」をかけ、温室までの新雪を溶かして歩きやすい道を作った。

十二月がますます深い雪を連れてやってきた。五年生の宿題もなだれのように押し寄せた。ロンとハーマイオニーの監督生としての役目も、クリスマスが近づくにつれてどんどん荷が重くなっていた。城の飾りつけの監督をしたり（「金モールの飾りつけするときなんか、ピーブズが片方の端を持ってこっちの首をしめようとするんだぜ」とロン）、厳寒で休み時間中にも城内にいる一、二年生を監視したり（「何せ、あの鼻ったれども、生意気でむかつくぜ。僕たちが一年のときは、絶対あそこまで礼儀知らずじゃなかったな」とロン）、アーガス・フィルチと一緒に、交代で廊下の見回りもした。フィルチはクリスマス・ムードのせいで決闘が多発するのではないかと疑っていた（「あいつ、脳みそのかわりにクソが詰まってる。あのやろう」ロンが怒り狂った）。

二人とも忙しすぎて、ハーマイオニーは、ついにしもべ妖精の帽子を編むことさえやめてしまった。あと三つしか残っていないと、ハーマイオニーは焦っていた。

「まだ解放してあげられないかわいそうな妖精たち。ここでクリスマスを過ごさなきゃならないんだわ。帽子が足りないばっかりに！」

ハーマイオニーが作ったものは全部ドビーが取ってしまったなど、とても言いだせずにいたハリーは、下を向いたまま魔法史のレポートに深々と覆いかぶさった。

いずれにせよ、ハリーはクリスマスのことを考えたくなかった。これまでの学校生活で初めて、ハリーはクリスマスにホグワーツを離れたいという思いを強くしていた。クィディッチは禁止されるし、ハグリッドが停職になるのではないかと心配だし、そんなこんなで、ハリーはいま、この学校という場所がつくづくいやになっていた。

たった一つの楽しみはDA会合だった。しかし、DAメンバーのほとんどが休暇を家族と過ごすので、

ＤＡもその間は中断しなければならないだろう。ハーマイオニーは両親とスキーに行く予定だったが、これがロンには大受けだった。マグルが細い板切れを足にくくりつけて山の斜面をすべり降りるなど、ロンには初耳だったのだ。一方ロンは「隠れ穴」に帰る予定だった。ハリーは数日間ねたましさにたえていたが、クリスマスにどうやって家に帰るのかとロンに聞いたとき、そんな思いを吹き飛ばす答えが返ってきた。

「だけど、君も来るんじゃないか！　僕、言わなかった？　ママがもう何週間も前に手紙でそう言ってきたよ。君を招待するようにって！」

ハーマイオニーは「まったくもう」という顔をしたが、ハリーの気持ちは躍った。「隠れ穴」でクリスマスを過ごすと考えただけでわくわくした。ただ、シリウスと一緒に休暇を過ごせなくなるのが後ろめたくて、手放しでは喜べなかった。名付け親をクリスマスのお祝いに招待してほしいと、ウィーズリーおばさんに頼み込んでみようかとも思った。

しかし、いずれにせよ、シリウスがグリモールド・プレイスを離れるのを、ダンブルドアは許可しないだろう。それに、ウィーズリーおばさんがシリウスの来訪を望まないだろうと思わないわけにはいかなかった。二人がよく衝突していたからだ。シリウスからは、暖炉の火の中に現れたのを最後に、なんの連絡もなかった。アンブリッジが四六時中見張っている以上、連絡しようとするのは賢明ではないとわかってはいたが、母親の古い館で、ひとりぼっちのシリウスが、クリーチャーとさびしくクリスマスのクラッカーのひもを引っ張る姿を想像するのはつらかった。

休暇前の最後のＤＡ会合で、ハリーは早めに「必要の部屋」に行った。それが正解だった。松明（たいまつ）がパッと灯ったとたん、ドビーが気を利かせてクリスマスの飾りつけをしていたことがわかったのだ。ドビーの仕業なのは明らかだ。こんな飾り方をするのはドビー以外にありえない。百あまりの金の飾り玉が天井からぶら下がり、その全部に、ハリーの似顔絵とメッセージがついていた。「楽しいハリークリスマスを！」

ハリーが最後の玉をなんとかはずし終えたとき、ドアがキーッと開き、ルーナ・ラブグッドがいつもどおりの夢見顔で入ってきた。

「こんばんは」まだ残っている飾りつけを見ながら、ルーナがぼうっと挨拶した。「きれいだね。あんたが飾ったの？」

「ちがう。屋敷しもべ妖精のドビーさ」

「宿木（やどりぎ）だ」ルーナが白い実のついた大きな塊を指差して夢見るように言った。ほとんどハリーの真上にあった。ハリーは飛びのいた。

「そのほうがいいわ」ルーナがまじめくさって言った。「それ、ナーグルだらけのことが多いから」

その時、アンジェリーナ、ケイティ、アリシアが到着して、ナーグルがなんなのか聞く面倒が省けた。三人とも息を切らし、いかにも寒そうだった。

「あのね」アンジェリーナが、マントを脱ぎ、隅のほうに放り投げながら、活気のない言い方をした。「やっと君のかわりを見つけた」

「僕のかわり？」ハリーはキョトンとした。

「君とフレッドとジョージよ」アンジェリーナがもどかしげに言った。「別のシーカーを見つけた！」

「誰？」ハリーはすぐ聞き返した。

「ジニー・ウィーズリー」ケイティが言った。

ハリーはあっけに取られてケイティを見た。

「うん、そうなのよ」アンジェリーナが杖を取り出し、腕を曲げ伸ばししながら言った。

「だけど、実際、かなりうまいんだ。もちろん、君とは段ちがいだけど」アンジェリーナは非難たらたらの目でハリーを見た。「だけど君を使えない以上……」

ハリーは言い返したくてのどまで出かかった言葉を、ぐっとのみ込んだ——チームから除籍されたことを、君の百倍も悔やんでいるのはこの僕だろ？　僕の気持ちも少しは察してくれよ。

「それで、ビーターは？」ハリーは平静な調子を保とうと努力しながら聞いた。

「アンドリュー・カーク」アリシアが気のない返事をした。「それと、ジャック・スローパー。どっちもさえないけど、ほかに志願してきたウスノロどもに比べれば……」

ロン、ハーマイオニー、ネビルが到着して気のめいる会話もここで終わり、五分とたたないうちに部屋が満員になったので、ハリーはアンジェリーナの強烈な非難のまなざしを見ずにすんだ。

「オッケー」ハリーはみんなに注目するよう呼びかけた。「今夜はこれまでやったことを復習するだけにしようと思う。休暇前の最後の会合だから、これから三週間も空いてしまうのに、新しいことを始めても意味がないし——」

「新しいことはなんにもしないのか？」ザカリアス・スミスが不服そうにつぶやいた。部屋中に聞こえるほど大きな声だった。「そのこと知ってたら、来なかったのに……」

「いやぁ、ハリーが君にお知らせ申し上げなかったのは、我々全員にとって、まことに残念だったよ」フレッドが大声で言った。

何人かが意地悪く笑った。チョウが笑っているのを見て、ハリーは、階段を一段踏みはずしたときに胃袋がすっと引っ張られる、あの感覚を味わった。

「——二人ずつ組になって練習だ」ハリーが言った。「最初は『妨害の呪い』を十分間。それからクッションを出して、『失神術』をもう一度やってみよう」

みんな素直に二人組になり、ハリーは相変わらずネビルと組んだ。まもなく部屋中に「**インペディメンタ！　妨害せよ！**」の叫びが断続的に飛び交った。術をかけられたほうが一分ほど固まっている間、かけた相手は手持ちぶさたにほかの組の様子を眺め、術が解けると、交代してかけられる側に回った。

ネビルは見ちがえるほどに上達していた。しばらくして、三回続けてネビルに術をかけられたあと、ハリーはネビルをまたロンとハーマイオニーの組に入れて、自分は部屋を見回ってほかの組を観察できるようにした。チョウのそばを通ると、チョウがニッコリ笑いかけた。ハリーは、あと数回チョウのそばを通りたいという誘惑に耐えた。

「妨害の呪い」を十分間練習したあと、みんなでクッションを床いっぱいに敷き詰め、「失神術」を復習しはじめた。全員がいっせいに、この呪文を練習するには場所が狭すぎたので、半分がまず練習を眺め、その後交代した。みんなを観察しながら、ハリーは誇らしさに胸がふくらむ思いだった。確かに、ネビルはねらい定めていたディーンではなく、パドマ・パチルを失神させたが、そのミスもいつものはずれっぷりよりは的に近かった。そのほか全員が長足の進歩をとげていた。

一時間後、ハリーは「やめ」と叫んだ。

「みんな、とってもよくなったよ」ハリーは全員に向かってニッコリした。「休暇から戻ったら、何か大技を始められるだろう――守護霊とか」

みんなが興奮でざわめいた。いつものように三々五々部屋を出ていくとき、ほとんどのメンバーがハリーに「メリークリスマス」と挨拶した。楽しい気分で、ハリーはロンとハーマイオニーと一緒にクッションを集め、きちんと積み上げた。ロンとハーマイオニーがひと足先に部屋を出た。ハリーは少しあとに残った。チョウがまだ部屋にいたので、チョウから「メリークリスマス」と言ってもらいたかったからだ。

「ううん、あなた、先に帰って」チョウが友達のマリエッタにそう言うのが聞こえた。ハリーは心臓がのどぼとけのあたりまで飛び上がってきたような気がした。

ハリーは積み上げたクッションをまっすぐにしているふりをした。まちがいなく二人っきりになったと意識しながら、ハリーはチョウが声をかけてくるのを待った。ところが、聞こえたのは大きくしゃくり上げる声だった。

振り向くと、チョウが部屋の真ん中で涙にほおをぬらして立っていた。

「どうし――？」

ハリーはどうしていいのかわからなかった。チョウはただそこに立ち尽くし、さめざめと泣いていた。

「どうしたの？」ハリーはおずおずと聞いた。

チョウは首を振り、そでで目をぬぐった。

「ごめん――なさい」チョウが涙声で言った。「たぶん……ただ……いろいろ習ったものだから……私……もしかしてって思ったの……**彼が**こういうことをみんな知っていたら……死なずにすんだろうにって」

ハリーの心臓はたちまち落下して、元の位置を通り過ぎ、へそのあたりに収まった。そうだったのか。チョウはセドリックの話がしたかったんだ。

「セドリックは、みんな知っていたよ」ハリーは重い声で言った。「とても上手だった。そうじゃなきゃ、あの迷路の中心までたどり着けなかっただろう。だけど、ヴォルデモートが本気で殺すと決めたら誰も逃げられやしない」

チョウはヴォルデモートの名前を聞くとヒクッとのどを鳴らしたが、たじろぎもせずにハリーを見つめていた。

「**あなたは**、ほんの赤ん坊だったときに生き残ったわ」チョウが静かに言った。

「ああ、そりゃ」ハリーはうんざりしながらドアのほうに向かった。「どうしてなのか、僕にはわからない。誰にもわからないんだ。だから、そんなことは自慢にはならないよ」

「お願い、行かないで！」チョウはまた涙声になった。「こんなふうに取り乱して、ほんとうにごめんなさい……そんなつもりじゃなかったの……」

チョウはまたヒクッとしゃくり上げた。真っ赤に泣き腫らした目をしていても、チョウはほんとうにかわいい。ハリーは心底みじめだった。「メリークリスマス」と言ってもらえたら、それだけで幸せだったのに。

「あなたにとってはどんなにひどいことなのか、わかってるわ」チョウはまたそでで涙をぬぐった。「私がセドリックのことを口にするなんて。あなたは彼の死を見ているというのに……。あなたは忘れてしまいたいのでしょう？」

ハリーは何も答えなかった。確かにそうだった。しかし、そう言ってしまうのは残酷だ。

「あなたは、と、とってもすばらしい先生よ」チョウは弱々しくほほえんだ。「私、これまではなんにも失神させられなかったの」

「ありがとう」ハリーはぎこちなく答えた。

二人はしばらく見つめ合った。ハリーは、走って部屋から逃げ出したいという焼けるような思いと裏腹に、足がまったく動かなかった。

「宿木だわ」チョウがハリーの頭上を指差して、静かに言った。

「うん」ハリーは口がカラカラだった。「でもナーグルだらけかもしれない」

「ナーグルってなあに？」

「さあ」ハリーが答えた。チョウが近づいてきた。ハリーの脳みそは失神術にかかったようだった。

「ルーニーに、あ、ルーナに聞かないと」

チョウはすすり泣きとも笑いともつかない不思議な声を上げた。チョウはますますハリーの近くにいた。鼻の頭のそばかすさえ数えられそうだ。

「あなたがとっても好きよ、ハリー」

ハリーは何も考えられなかった。ゾクゾクした感覚が体中に広がり、腕が、足が、頭がしびれていった。

チョウがこんなに近くにいる。まつげに光る涙のひと粒ひと粒が見える……。


三十分後、ハリーが談話室に戻ると、ハーマイオニーとロンは暖炉のそばの特等席に収まっていた。ほかの寮生はほとんど寝室に引っ込んでしまったらしい。ハーマイオニーは長い手紙を書いていた。もう羊皮紙ひと巻の半分が埋まり、テーブルの端から垂れ下がっている。ロンは暖炉マットに寝そべり、変身術の宿題に取り組んでいた。

「なんで遅くなったんだい？」

ハリーがハーマイオニーの隣のひじかけ椅子に身を沈めると、ロンが聞いた。

ハリーは答えなかった。ショック状態だった。いま起こったことをロンとハーマイオニーに言いたい気持ちと、秘密を墓場まで持って行きたい気持ちが半分半分だった。

「大丈夫？　ハリー？」ハーマイオニーが羽根ペン越しにハリーを見つめた。

ハリーはあいまいに肩をすくめた。正直言って、大丈夫なのかどうか、わからなかった。

「どうした？」ロンがハリーをよく見ようと、片ひじをついて上体を起こした。「何があった？」

ハリーはどう話を切り出していいやらわからず、話したいのかどうかさえはっきりわからなかった。

何も言うまいと決めたその時、ハーマイオニーがハリーの手から主導権を奪った。

「チョウなの？」ハーマイオニーが真顔できびきびと聞いた。「会合のあとで、迫られたの？」

驚いてぼうっとなり、ハリーはこっくりした。ロンが冷やかし笑いをしたが、ハーマイオニーにひとにらみされて真顔になった。

「それで――えー――彼女、何を迫ったんだい？」ロンは気軽な声を装ったつもりらしい。

「チョウは――」ハリーはかすれ声だった。咳払いをして、もう一度言いなおした。「チョウは――あー――」

「あなた、キスしたの？」ハーマイオニーがてきぱきと聞いた。

ロンがガバッと起き上がり、インクつぼがはじかれてマット中にこぼれた。そんなことはまったくおかまいなしに、ロンはハリーを穴が開くほど見つめた。

「んー？」ロンがうながした。

ハリーは、好奇心と浮かれだしたい気持ちが入りまじったロンの顔から、ちょっとしかめっ面のハーマイオニーへと視線を移し、こっくりした。

「**ひゃっほう！**」

ロンは拳を突き上げて勝利のしぐさをし、それから思いっきりやかましいバカ笑いをした。窓際にいた気の弱そうな二年生が数人飛び上がった。ロンが暖炉マットを転げ回って笑うのを見ていたハリーの顔に、ゆっくりと照れ笑いが広がった。ハーマイオニーは、最低だわ、という目つきでロンを見ると、また手紙を書きだした。

「それで？」ようやく収まったロンが、ハリーを見上げた。「どうだった？」

ハリーは一瞬考えた。

「ぬれてた」ほんとうのことだった。

ロンは歓喜とも嫌悪とも取れる、なんとも判断しがたい声をもらした。

「だって、泣いてたんだ」ハリーは重い声でつけ加えた。

「へえ」ロンの笑いが少しかげった。「君、そんなにキスが下手くそなのか?」

「さあ」ハリーは、そんなふうには考えてもみなかったが、すぐに心配になった。「たぶんそうなんだ」

「そんなことないわよ、もちろん」ハーマイオニーは、相変わらず手紙を書き続けながら、上の空で言った。

「どうしてわかるんだ?」ロンが切り込んだ。

「だって、チョウったら、このごろ半分は泣いてばっかり」ハーマイオニーがあいまいに答えた。「食事のときとか、トイレとか、あっちこっちでよ」

「ちょっとキスしてやったら、元気になるんじゃないのかい?」ロンがニヤニヤした。

「ロン」ハーマイオニーはインクつぼに羽根ペンを浸しながら、厳しく言った。「あなたって、私がお目にかかる光栄に浴した鈍感な方たちの中でも、とびきり最高だわ」

「それはどういう意味でございましょう?」ロンが憤慨した。「キスされながら泣くなんて、どういうやつなんだ?」

「まったくだ」ハリーは弱りはて、すがる思いで聞いた。「泣く人なんているかい?」

ハーマイオニーはほとんど哀れむように二人を見た。

「チョウがいまどんな気持ちなのか、あなたたちにはわからないの?」

「わかんない」ハリーとロンが同時に答えた。

ハーマイオニーはため息をつくと、羽根ペンを置いた。

「あのね、チョウは当然、とっても悲しんでる。セドリックが死んだんだもの。でも、混乱してると思うわね。だって、チョウはセドリックが好きだったけど、いまはハリーが好きなのよ。それで、どっちがほんとうに好きなのかわからないんだわ。それに、そもそもハリーにキスするなんて、セドリックの思い出に対する冒涜だと思って、自分を責めてるわね。それと、もしハリーとつき合いはじめたら、みんながどう思うだろうって心配して。その上、そもそもハリーに対する気持ちがなんなのか、たぶんわからないのよ。だって、ハリーはセドリックが死んだときにそばにいた人間ですもの。だから、何もかもごっちゃになって、つらいのよ。ああ、それに、このごろひどい飛び方だから、レイブンクローのクィディッチ・チームから放り出されるんじゃないかって恐れてるみたい」

演説が終わると、茫然自失の沈黙が跳ね返ってきた。やがてロンが口を開いた。

「そんなにいろいろ一度に感じてたら、その人、爆発しちゃうぜ」

「誰かさんの感情が、茶さじ一杯分しかないからといって、みんながそうとはかぎりませんわ」ハーマイオニーは皮肉っぽくそう言うと、また羽根ペンを取った。

「彼女のほうが仕掛けてきたんだ」ハリーが言った。「僕ならできなかった――チョウがなんだか僕のほうに近づいてきて――それで、その次は僕にしがみついて泣いてた――僕、どうしていいかわからなかった――」

「そりゃそうだろう、なあ、おい」ロンは、考えただけでもそりゃ大変なことだという顔をした。

「ただやさしくしてあげればよかったのよ」ハーマイオニーが心配そうに言った。「そうしてあげたんでしょ？」

「うーん」バツの悪いことに、顔がほてるのを感じながら、ハリーが言った。「僕、なんていうか――ちょっと背中をポンポンってたたいてあげた」

ハーマイオニーはやれやれという表情をしないよう、必死で抑えているような顔をした。

「まあね、それでもまだましだったかもね」ハーマイオニーが言った。「また彼女に会うの？」

「会わなきゃならないだろ？」ハリーが言った。「だって、ＤＡの会合があるだろ？」

「そうじゃないでしょ」ハーマイオニーがじれったそうに言った。

ハリーは何も言わなかった。ハーマイオニーの言葉で、恐ろしい新展開の可能性が見えてきた。チョウと一緒にどこかに行くことを想像してみた――ホグズミードとか――何時間もチョウと二人っきりだ。さっきあんなことがあったあと、もちろんチョウは僕がデートに誘うことを期待していただろう……そう考えると、ハリーは胃袋がしめつけられるように痛んだ。

「まあ、いいでしょう」ハーマイオニーは他人行儀にそう言うと、また手紙に没頭した。「彼女を誘うチャンスはたくさんあるわよ」

「ハリーが誘いたくなかったらどうする？」いつになく小賢(こざか)しい表情を浮かべて、ハリーを観察していたロンが言った。

「ばかなこと言わないで」ハーマイオニーが上の空で言った。「ハリーはずっと前からチョウが好きだったのよ。そうでしょ？　ハリー？」

ハリーは答えなかった。確かに、チョウのことはずっと前から好きだった。しかし、チョウと二人でいる場面を想像するときは、必ず、チョウは楽しそうだった。自分の肩にさめざめと泣き崩れるチョウとは対照的だった。

「ところで、その小説、誰に書いてるんだ？」いまや床を引きずっている羊皮紙をのぞき込みながら、ロンが聞いた。

ハーマイオニーはあわてて紙をたくし上げた。

「ビクトール」

「**クラム?**」

「ほかに何人ビクトールがいるっていうの?」

ロンは何も言わずふてくされた顔をした。

三人はそれから二十分ほどだまりこくっていた。ロンは何度もいらいらと鼻を鳴らしたり、まちがいを棒線で消したりしながら、変身術のレポートを書き終え、ハーマイオニーは羊皮紙の端までせっせと書き込んでから、ていねいに丸めて封をした。ハリーは暖炉の火を見つめ、シリウスの頭が現れて、女の子について何か助言してほしいと、そればかりを願っていた。しかし、火はだんだん勢いを失い、真っ赤なたき火もついに灰になって崩れた。気がつくと、談話室に最後まで残っているのは、またしてもこの三人だった。

「じゃあ、おやすみ」ハーマイオニーは大きなあくびをしながら、女子寮の階段を上っていった。

「いったいクラムのどこがいいんだろう?」ハリーと一緒に男子寮の階段を上りながら、ロンが問い詰めた。

「そうだな」ハリーは考えた。「クラムは年上だし……クィディッチ国際チームの選手だし……」

「うん、だけどそれ以外には」ロンがますますしゃくにさわったように言った。「つまり、あいつは気難しいいやなやつだろ?」

「少し気難しいな、うん」ハリーはまだチョウのことを考えていた。

二人はだまってローブを脱ぎ、パジャマを着た。ディーン、シェーマス、ネビルはとっくに眠っていた。ハリーはベッド脇の小机にめがねを置き、ベッドに入ったが、周りのカーテンは閉めずに、ネビルのベッド脇の窓から見える星空を見つめた。昨夜のいまごろ、二十四時間後にはチョウ・チャンとキスしてしまっていることが予想できただろうか……。

「おやすみ」どこか右のほうから、ロンがボソボソ言うのが聞こえた。

「おやすみ」ハリーも言った。

この次には……次があればだが……チョウはたぶんもう少し楽しそうにしているかもしれない。デートに誘うべきだった。たぶんそれを期待していたんだ。いまごろ僕に腹を立てているだろうな……それとも、ベッドに横になって、セドリックのことでまだ泣いているのかな？　ハリーは何をどう考えていいのかわからなかった。ハーマイオニーの説明で理解しやすくなるどころか、かえって何もかも複雑に思えてきた。

そういうことこそ、学校で教えるべきだ。寝返りを打ちながらハリーはそう思った。**女の子の頭がどういうふうに働くのか……とにかく、占い学よりは役に立つ……。**

ネビルが眠りながら鼻を鳴らした。ふくろうが夜空のどこかでホーッと鳴いた。

ハリーはＤＡの部屋に戻った夢を見た。うその口実で誘い出したとチョウに責められている。「蛙チョコレート」のカードを百五十枚くれると約束したから来たのにと、チョウがなじっている。ハリーは抗議した……。チョウが叫んだ。「**セドリックはこんなにたくさん蛙チョコカードをくれたわ。見て！**」そしてチョウは両手いっぱいのカードをローブから引っ張り出し、空中にばらまいた。次にチョウがハーマイオニーに変わった。今度はハーマイオニーがしゃべった。「**ハリー、あなた、チョウに約束したんでしょう……。かわりに何かあげたほうがいいわよ……ファイアボルトなんかどう？**」そしてハリーは、チョウにファイアボルトはやれない、と抗議していた。アンブリッジに没収されているし、それに、こんなこと、まるでばかげてる。僕がＤＡの部屋に来たのは、ドビーの頭のような形のクリスマスの飾り玉を取りつけるためなんだから……。

夢が変わった……。

ハリーの体はなめらかで力強く、しなやかだった。光る金属の格子の間を通り、暗く冷たい石の上をすべっていた……床にぴったり張りつき、腹ばいですべっている……暗い。しかし、周りのものは見える。不気味な鮮やかな色でぼんやり光っているのだ……。ハリーは頭を回した……一見したところ、その廊下には誰もいない……いや、ちがう……行く手に男が一人、床に座っている。あごがだらりと垂れて胸についている。その輪郭が、暗闇の中で光っている……。

ハリーは舌を突き出した……空中に漂う男のにおいを味わった……生きている。居眠りしている……廊下の突き当たりの扉の前に座って……。

ハリーはその男をかみたかった……しかし、その衝動を抑えなければならない……もっと大切な仕事があるのだから……。

ところが、男が身動きした……急に立ち上がり、ひざから銀色の「マント」がすべり落ちた。鮮やかな色のぼやけた男の輪郭が、ハリーの上にそびえ立つのが見えた。男がベルトから杖を引き抜くのが見えた……。しかたがない……ハリーは床から高々と伸び上がり、襲った。一回、二回、三回。ハリーの牙が男の肉に深々と食い込んだ。男の肋骨が、ハリーの両あごに砕かれるのを感じた。生暖かい血が噴き出す……。

男は苦痛の叫びを上げた……そして静かになった……壁を背に仰向けにドサリと倒れた……血が床に飛び散った……。

額が激しく痛んだ……割れそうだ……。

「ハリー！　**ハリー！**」

ハリーは目を開けた。体中から氷のような冷や汗が噴き出していた。ベッドカバーが拘束衣のように体に巻きついてしめつけている。灼熱（しゃくねつ）した火かき棒を額に押し当てられたような感じだった。

「**ハリー！**」

ロンがひどく驚いた顔で、ハリーに覆いかぶさるようにして立っていた。ベッドの足のほうには、ほかの人影も見えた。ハリーは両手で頭を抱えた。痛みで目がくらむ……。ハリーは一転してうつ伏せになり、ベッドの端に嘔吐（おうと）した。

「ほんとに病気だよ」おびえた声がした。「誰か呼ぼうか？」

「ハリー！　**ハリー！**」

ロンに話さなければならない。大事なことだ。ロンに話さないと……大きく息を吸い込み、また嘔吐したりしないようこらえながら、痛みでほとんど目が見えないまま、ハリーはやっと体を起こした。

「君のパパが」ハリーは胸を波打たせ、あえぎながら言った。「君のパパが……襲われた……」

「え？」ロンはさっぱりわけがわからないという声だった。

「君のパパだよ！　かまれたんだ。重態だ。どこもかしこも血だらけだった……」

「誰か助けを呼んでくるよ」さっきのおびえた声が言った。ハリーは誰かが寝室から走って出ていく足音を聞いた。

「おい、ハリー」ロンが半信半疑で言った。「君……君は夢を見てただけなんだ……」

「そうじゃない！」ハリーは激しく否定した。肝心なのはロンにわかってもらうことだ。

「夢なんかじゃない……普通の夢じゃない……僕がそこにいたんだ。僕は見たんだ……僕が**やったんだ**……」

シェーマスとディーンが何かブツブツ言うのが聞こえたが、ハリーは気にしなかった。額の痛みは少し引いたが、まだ汗びっしょりで、熱があるかのように悪寒が走った。ハリーはまた吐きそうになった。ロンが飛びのいてよけた。

「ハリー、君は具合が悪いんだ」ロンが動揺しながら言った。「ネビルが人を呼びにいったよ」

「僕は病気じゃない！」ハリーはむせながらパジャマで口をぬぐった。震えが止まらない。「僕はどこも悪くない。心配しなきゃならないのは君のパパのほうなんだ――どこにいるのか探さないと――ひどく出血してる――僕は――やったのは巨大な蛇だった」

ハリーはベッドから下りようとしたが、ロンが押し戻した。ディーンとシェーマスはまだどこか近くでささやき合っている。一分たったのか、十分なのか、ハリーにはわからなかった。ただその場に座り込んで、震えながら、額の傷痕の痛みがだんだん引いていくのを感じていた……やがて、階段を急いで上がってくる足音がして、またネビルの声が聞こえてきた。

「先生、こっちです」

マクゴナガル先生が、タータンチェックのガウンをはおり、あたふたと寝室に入ってきた。骨ばった鼻柱にめがねが斜めにのっている。

「ポッター、どうしましたか？　どこが痛むのですか？」

マクゴナガル先生の姿を見てこんなにうれしかったことはない。いまハリーに必要なのは、「不死鳥の騎士団」のメンバーだ。小うるさく世話を焼いて役にも立たない薬を処方する人ではない。

「ロンのお父さんなんです」ハリーはまたベッドに起き上がった。「蛇に襲われて、重態です。僕はそれを見てたんです」

「見ていたとは、どういうことですか」マクゴナガル先生は黒々とした眉をひそめた。

「わかりません……僕は眠っていた。そしたらそこにいて……」

「夢に見たということですか？」

「ちがう！」ハリーは腹が立った。誰もわかってくれないのだろうか？「僕は最初まったくちがう夢を見ていました。バカバカしい夢を……そしたら、それが夢に割り込んできたんです。現実のことです。想像したんじゃありません。ウィーズリーおじさんが床で寝ていて、そしたら巨大な蛇に襲われたんです。血の海でした。おじさんが倒れて。誰か、おじさんの居所を探さないと……」

マクゴナガル先生は、ずれ曲がっためがねの奥からハリーをじっと見つめていた。まるで、自分の見ているものに恐怖を感じているような目だった。

「僕、うそなんかついていない！　狂ってない！」ハリーは先生に訴えた。叫んでいた。「本当です。僕はそれを見たんです！」

「信じますよ。ポッター」マクゴナガル先生が短く答えた。「ガウンを着なさい——校長先生にお目にかかります」

第22章　聖マンゴ魔法疾患傷害病院

マクゴナガル先生が真に受けてくれたことでホッとしたハリーは、迷うことなくベッドから飛び下り、ガウンを着て、めがねを鼻にぐいと押しつけた。

「ウィーズリー、あなたも一緒に来るべきです」マクゴナガル先生が言った。

二人は先生のあとについて、押しだまっているネビル、ディーン、シェーマスの前を通り、寝室を出て、螺旋(らせん)階段から談話室へ下りた。そして肖像画の穴をくぐり、月明かりに照らされた「太った婦人(レディ)」の廊下に出た。

ハリーは体の中の恐怖が、いまにもあふれ出しそうな気がした。駆けだして、大声でダンブルドアを呼びたかった。ウィーズリーおじさんは、こうして僕たちがゆるゆる歩いているときにも、血を流しているのだ。あの牙が——ハリーは必死で「自分の牙」とは考えないようにした——毒を持っていたらどうしよう？

三人はミセス・ノリスの前を通った。猫はランプのような目を三人に向け、かすかにシャーッと鳴いたが、マクゴナガル先生が「シッ！」と追うと、コソコソと物陰に隠れた。

それから数分後、三人は校長室の入口を護衛する石の怪獣像(ガーゴイル)の前に出た。

「**フィフィ・フィズビー**」マクゴナガル先生が唱えた。

怪獣像に命が吹き込まれ、脇に飛びのいた。その背後の壁が二つに割れ、石の階段が現れた。螺旋状のエスカレーターのように、上へ上へと動いている。三人が動く階段に乗ると、背後で壁が重々しく閉じ、三人は急な螺旋を描いて上へ上へと運ばれ、最後に磨き上げられた樫(かし)の扉の前に到着した。扉にはグリフィンの形をした真鍮(しんちゅう)のドア・ノッカーがついている。

真夜中をとうに過ぎていたが、部屋の中から、ガヤガヤ話す声がはっきりと聞こえた。ダンブルドアが少なくとも十数人の客をもてなしているような声だった。

マクゴナガル先生がグリフィンの形をしたノッカーで扉を三度たたいた。すると、突然、誰かがスイッチを切ったかのように、話し声がやんだ。扉がひとりでに開き、マクゴナガル先生はハリーとロンを従えて中に入った。

部屋は半分暗かった。テーブルに置かれた不思議な銀の道具類は、いつもならくるくる回ったりポッポッと煙を吐いたりしているのに、いまは音もなく動かなかった。壁一面にかけられた歴代校長の肖像画は、全員額の中で寝息を立てている。入口扉の裏側で、白鳥ほどの大きさの、赤と金色の見事な鳥が、翼に首を突っ込み、止まり木でまどろんでいた。

「おう、あなたじゃったか、マクゴナガル先生……それに……ああ」

ダンブルドアは机に向かい、背もたれの高い椅子に座っていた。机に広げられた書類を照らすろうそくの明かりが、前かがみになったダンブルドアの姿を浮かび上がらせた。雪のように白い寝巻きの上に、見事な紫と金の刺繍(ししゅう)をほどこしたガウンを着ている。しかし、はっきり目覚めているようだ。明るいブルーの目が、マクゴナガル先生をしっかりと見すえていた。

「ダンブルドア先生、ポッターが……そう、悪夢を見ました」マクゴナガル先生が言った。「ポッターが言うには……」

「悪夢じゃありません」ハリーがすばやく口をはさんだ。

マクゴナガル先生がハリーを振り返った。少し顔をしかめている。

「いいでしょう。では、ポッター、あなたからそのことを校長先生に申し上げなさい」

「僕……あの、**確かに**眠っていました……」

ハリーは恐怖にかられ、ダンブルドアにわかってもらおうと必死だった。それなのに、校長がハリーのほうを見もせず、組み合わせた自分の指をしげしげと眺めているので、少しいらだっていた。

「でも、普通の夢じゃなかったんです……現実のことでした……僕はそれを見たんです……」ハリーは深く息を吸った。「ロンのお父さんが――ウィーズリーさんが――巨大な蛇に襲われたんです」

言い終えた言葉が、空中にむなしく反響するような感じがした。ばかばかしく、滑稽にさえ聞こえた。一瞬間が空き、ダンブルドアは背もたれに寄りかかって、何か瞑想するように天井を見つめた。ショックで蒼白な顔のロンが、ハリーからダンブルドアへと視線を移した。

「どんなふうに見たのかね？」ダンブルドアが静かに聞いた。まだハリーを見てくれない。

「あの……わかりません」ハリーは腹立たしげに言った――そんなこと、どうでもいいじゃないか？

「僕の頭の中で、だと思います――」

「私の言ったことがわからなかったようだね」ダンブルドアが同じく静かな声で言った。「つまり……覚えておるかね？――あー――襲われたのを見ていたとき、君はどの場所にいたのかね？　犠牲者の脇に立っていたとか、それとも、上からその場面を見下ろしていたのかね？」

あまりに奇妙な質問に、ハリーは口をあんぐり開けてダンブルドアを見つめた。まるで何もかも知っているような……。

「僕が蛇でした」ハリーが言った。「全部、蛇の目から見ました」

一瞬、誰も言葉を発しなかった。やがてダンブルドアが、相変わらず血の気の失せた顔のロンに目を移しながら、さっきとはちがう鋭い声で聞いた。

「アーサーはひどいけがなのか？」

「**はい**」ハリーは力んで言った——どうしてみんな理解がのろいんだ？　あんなに長い牙が脇腹を貫いたら、どんなに出血するかわからないのか？　それにしても、ダンブルドアは、せめて僕の顔を見るぐらいは礼儀じゃないか？

ところが、ダンブルドアはすばやく立ち上がった。あまりの速さに、ハリーが飛び上がるほどだった。それから、天井近くにかかっている肖像画の一枚に向かって話しかけた。

「エバラード！」鋭い声だった。「それに、ディリス、あなたもだ！」

短く黒い前髪の青白い顔をした魔法使いと、その隣の額の銀色の長い巻き毛の老魔女が、深々と眠っているように見えたが、すぐに目を開けた。

「聞いていたじゃろうな？」

魔法使いがうなずき、魔女は「当然です」と答えた。

「その男は、赤毛でめがねをかけておる」ダンブルドアが言った。「エバラード、あなたから警報を発する必要があろう。その男がしかるべき者によって発見されるよう——」

二人ともうなずいて、横に移動し、額の端から姿を消した。しかし、隣の額に姿を現すのではなく（通常、ホグワーツではそうなるのだが）、二人とも消えたままだった。一つの額には真っ黒なカーテンの背景だけが残り、もう一つには立派な革張りのひじかけ椅子が残っていた。壁にかかったほかの歴代校長は、まちがいなく寝息を立て、よだれを垂らして眠り込んでいるように見えるが、気がつくとその多くが、閉じたまぶたの下から、ちらちらとハリーを盗み見ている。扉をノックしたときに中で話をしていたのが誰だったのか、ハリーは突然悟った。

「エバラードとディリスは、ホグワーツの歴代校長の中でも最も有名な二人じゃ」ダンブルドアはハリー、ロン、マクゴナガル先生の脇をすばやく通り過ぎ、今度は扉の脇の止まり木で眠る見事な鳥に近づいていった。「高名な故、二人の肖像画はほかの重要な魔法施設にも飾られておる。自分の肖像画であれば、その間を自由に往き来できるので、あの二人は外で起こっているであろうことを知らせてくれるはずじゃ……」

「だけど、ウィーズリーさんがどこにいるかわからない！」ハリーが言った。

「三人とも、お座り」ダンブルドアはハリーの声が聞こえなかったかのように言った。「エバラードとディリスが戻るまでに数分はかかるじゃろう。マクゴナガル先生、椅子をもう少し出してくださらんか」

マクゴナガル先生が、ガウンのポケットから杖（つえ）を取り出してひと振りすると、どこからともなく椅子が三脚現れた。背もたれのまっすぐな木の椅子で、ダンブルドアがハリーの尋問のときに取り出したあの座り心地のよさそうなチンツ張りのひじかけ椅子とは大ちがいだった。ハリーは振り返ってダンブルドアを観察しながら腰かけた。ダンブルドアは、指一本で、飾り羽のあるフォークスの金色の頭をなでていた。不死鳥はたちまち目を覚まし、美しい頭を高々ともたげ、真っ黒なキラキラした目でダンブルドアをのぞき込んだ。

「見張りをしてくれるかの」ダンブルドアは不死鳥に向かって小声で言った。

炎がパッと燃え、不死鳥は消えた。

次にダンブルドアは、繊細な銀の道具を一つ、すばやく拾い上げて机に運んできた。ハリーにはその道具が何をするものなのか、まったくわからなかった。ダンブルドアは再び三人と向き合って座り、道具を杖の先でそっとたたいた。

道具はすぐさまひとりでに動きだし、リズムに乗ってチリンチリンと鳴った。てっぺんにあるごく小さな銀の管から、薄緑色の小さな煙がポッポッと上がった。ダンブルドアは眉根を寄せて、煙をじっと観察した。数秒後、ポッポッという煙は連続的な流れになり、濃い煙が渦を巻いて昇った……蛇の頭がその先から現れ、口をカッと開いた。ハリーは、この道具が自分の話を確認してくれるのだろうかと考えながら、そうだという印が欲しくて、ダンブルドアをじっと見つめたが、ダンブルドアは顔を上げなかった。

「なるほど、なるほど」ダンブルドアはひとり言を言っているようだった。驚いた様子をまったく見せず、煙の立ち昇るさまを観察している。「しかし、本質的に分離しておるか？」

ハリーはこれがどういう意味なのか、ちんぷんかんぷんだった。しかし、煙の蛇はたちまち二つに裂け、二匹とも暗い空中にくねくねと立ち昇った。ダンブルドアは厳しい表情に満足の色を浮かべて、道具をもう一度杖でそっとたたいた。チリンチリンという音がゆるやかになり、鳴りやんだ。煙の蛇はぼやけ、形のない霞（かすみ）となって消え去った。

ダンブルドアはその道具を、元の細い小さなテーブルに戻した。ハリーは、歴代校長の肖像画の多くがダンブルドアを目で追っていることに気づいたが、ハリーに見られていることに気がつくと、みんなあわててまた寝たふりをするのだった。ハリーは、あの不思議な銀の道具が何をするものかと聞こうとしたが、その前に、右側の壁のてっぺんから大声がして、エバラードと呼ばれた魔法使いが、少し息を切らしながら自分の肖像画に戻ってきた。

「ダンブルドア！」

「どうじゃった？」ダンブルドアがすかさず聞いた。

「誰かが駆けつけてくるまで叫び続けましたよ」魔法使いは背景のカーテンで額の汗をぬぐいながら言った。「下の階で何か物音がすると言ったのですがね――みんな半信半疑で、確かめに下りていきましたよ――ご存じのように、下の階には肖像画がないので、私はのぞくことはできませんでしたがね。

とにかく、まもなくみんながその男を運び出してきました。よくないですね。血だらけだった。もっとよく見ようと思いましてね、出ていく一行を追いかけてエルフリーダ・クラッグの肖像画に駆け込んだのですが――」

「ごくろう」ダンブルドアがそう言う間、ロンはこらえきれないように身動きした。「なれば、ディリスが、その男の到着を見届けたじゃろう――」

まもなく、銀色の巻き毛の魔女も自分の肖像画に戻ってきた。咳き込みながらひじかけ椅子に座り込んで、魔女が言った。「ええ、ダンブルドア、みんながその男を聖マンゴに運び込みました……。私の肖像画の前を運ばれていきましたよ……ひどい状態のようです……」

「ごくろうじゃった」ダンブルドアはマクゴナガル先生のほうを見た。

「ミネルバ、ウィーズリーの子供たちを起こしてきておくれ」

「わかりました……」

マクゴナガル先生は立ち上がって、すばやく扉に向かった。ハリーは横目でちらりとロンを見た。ロンはおびえた顔をしていた。

「それで、ダンブルドア――モリーはどうしますか?」マクゴナガル先生が扉の前で立ち止まって聞いた。

「それは、近づくものを見張る役目を終えた後の、フォークスの仕事じゃ」ダンブルドアが答えた。

「しかし、もう知っておるかもしれん……あのすばらしい時計が……」

ダンブルドアは、時間ではなく、ウィーズリー家の一人一人がどこでどうしているかを知らせるあの時計のことを言っているのだと、ハリーにはわかった。ウィーズリーおじさんの針が、いまも「命が危ない」を指しているにちがいないと思うと、ハリーは胸が痛んだ。しかし、もう真夜中だ。ウィーズリーおばさんはたぶん眠っていて、時計を見ていないだろう。まね妖怪がウィーズリーおじさんの死体に変身したのを見たときのおばさんのことを思い出すと、ハリーは体が凍るような気持ちだった。めがねがずれ、顔から血を流しているおじさんの姿だった……だけど、ウィーズリーおじさんは死ぬもんか……死ぬはずがない……。

ダンブルドアは、今度はハリーとロンの背後にある戸棚をゴソゴソかき回していた。中から黒ずんだ古いやかんを取り出し、机の上にそっと置くと、ダンブルドアは杖を上げて「**ポータス！**」と唱えた。やかんが一瞬震え、奇妙な青い光を発した。そして震えが止まると、元どおりの黒さだった。

ダンブルドアはまた別な肖像画に歩み寄った。今度はとがった山羊(やぎ)ひげの、賢しそうな魔法使いだ。スリザリン・カラーの緑と銀のローブを着た姿に描かれた肖像画は、どうやらぐっすり眠っているらしく、ダンブルドアが声をかけても聞こえないようだった。

「フィニアス、**フィニアス**」

部屋に並んだ肖像画の主たちは眠ったふりをやめ、状況をよく見ようと、それぞれの額の中でもぞもぞ動いていた。賢しそうな魔法使いがまだ狸(たぬき)寝入りを続けているので、何人かが一緒に大声で名前を呼んだ。

「フィニアス！　フィニアス！　**フィニアス！**」

もはや眠ったふりはできなかった。芝居がかった身振りでぎくりとし、その魔法使いは目を見開いた。

「誰か呼んだかね？」

「フィニアス。あなたの別の肖像画を、もう一度訪ねてほしいのじゃ」ダンブルドアが言った。「また伝言があるのでな」

「私の別な肖像画を？」かん高い声でそう言うと、フィニアスはゆっくりとうそあくびをした。フィニアスの目が部屋をぐるりと見回し、ハリーの所で止まった。

「いや、ご勘弁願いたいね、ダンブルドア、今夜はとてもつかれている」

フィニアスの声には聞き覚えがある。いったいどこで聞いたのだろう？　しかし、ハリーが思い出す前に、壁の肖像画たちがごうごうたる非難の声を上げた。

「貴殿は不服従ですぞ！」赤鼻の、でっぷりした魔法使いが、両手の拳を振り回した。「職務放棄じゃ！」

「我々には、ホグワーツの現職校長に仕えるという盟約がある！」ひ弱そうな年老いた魔法使いが叫んだ。ダンブルドアの前任者のアーマンド・ディペットだと、ハリーは知っていた。

「フィニアス、恥を知れ！」

「私が説得しましょうか？　ダンブルドア？」鋭い目つきの魔女が、生徒の仕置きに使うカバノキの棒ではないかと思われる、異常に太い杖を持ち上げながら言った。

「ああ、**わかりましたよ**」フィニアスと呼ばれた魔法使いが、少し心配そうに杖に目をやった。「ただ、あいつがもう、私の肖像画を破棄してしまったかもしれませんがね。何しろあいつは、家族のほとんどの——」

「シリウスは、あなたの肖像画を処分すべきでないことを知っておる」

ダンブルドアの言葉で、とたんにハリーは、フィニアスの声をどこで聞いたのかを思い出した。グリモールド・プレイスのハリーの寝室にあった、一見なんの絵も入っていない額縁から聞こえていたあの声だ。

「シリウスに伝言するのじゃ。『アーサー・ウィーズリーが重傷で、妻、子供たち、ハリー・ポッターがまもなくそちらの家に到着する』と。よいかな？」

「アーサー・ウィーズリー負傷、妻子とハリー・ポッターがあちらに滞在」フィニアスが気乗りしない調子で復唱した。「はい、はい……わかりましたよ……」

その魔法使いが額縁にもぐり込み、姿を消したとたん、再び扉が開き、フレッド、ジョージ、ジニーがマクゴナガル先生に導かれて入ってきた。三人とも、ぼさぼさ頭にパジャマ姿で、ショックを受けていた。

「ハリー──いったいどうしたの？」ジニーが恐怖の面持ちで聞いた。「マクゴナガル先生は、あなたが、パパのけがするところを見たっておっしゃるの──」

「お父上は、不死鳥の騎士団の任務中にけがをなさったのじゃ」ハリーが答えるより先に、ダンブルドアが言った。「お父上は、もう聖マンゴ魔法疾患傷害病院に運び込まれておる。君たちをシリウスの家に送ることにした。病院へはそのほうが『隠れ穴』よりずっと便利じゃからの。お母上とは向こうで会える」

「どうやって行くんですか？」フレッドも動揺していた。「煙突飛行粉で？」

「いや」ダンブルドアが言った。「煙突飛行粉は、現在、安全ではない。『煙突飛行ネットワーク』が見張られておる。移動キー（ポートキー）に乗るのじゃ」ダンブルドアは、何食わぬ顔で机にのっている古いやかんを指した。「いまはフィニアス・ナイジェラスが戻って報告するのを待っているところじゃ……君たちを送り出す前に、安全の確認をしておきたいのでな──」

一瞬、部屋の真ん中に炎が燃え上がり、その場に一枚の金色の羽根がひらひらと舞い降りた。

「フォークスの警告じゃ」ダンブルドアが空中で羽根をつかまえながら言った。「アンブリッジ先生が、君たちがベッドを抜け出したことに気づいたにちがいない……ミネルバ、行って足止めしてくだされ──適当な作り話でもして──」

マクゴナガル先生が、タータンチェックのガウンをひるがえして出ていった。

「あいつは、喜んでと言っておりますぞ」ダンブルドアの背後で、気乗りしない声がした。フィニアスと呼ばれた魔法使いの姿がスリザリン寮旗の前に戻っていた。「私の曾々孫は、家に迎える客に関して、昔からおかしな趣味を持っていた」

「さあ、ここに来るのじゃ」ダンブルドアがハリーとウィーズリーたちを呼んだ。「急いで。邪魔が入らぬうちに」

ハリーもウィーズリー兄弟妹も、ダンブルドアの机の周りに集まった。

「移動キーは使ったことがあるじゃろな？」ダンブルドアの問いにみんながうなずき、手を出して黒ずんだやかんに触れた。「よかろう。では、三つ数えて……一……二……」

ダンブルドアが三つ目を数え上げるまでのほんの一瞬、ハリーはダンブルドアを見上げた——二人は触れ合うほど近くにいた——ダンブルドアの明るいブルーのまなざしが、移動キーからハリーの顔へと移った。

たちまち、ハリーの傷痕が灼熱した。まるで傷口がまたパックリと開いたかのようだった——望んでもいないのにひとりでに、恐ろしいほど強烈に、内側から憎しみが湧き上がってきた。あまりの激しさに、ハリーはその瞬間、ただ襲撃することしか考えられなかった——かみたい——二本の牙を目の前にいるこの男にグサリと刺してやりたい——。

「……三」

へその裏がぐいっと引っ張られるのを感じた。足元の床が消え、手がやかんに貼りついている。急速に前進しながら、互いに体がぶつかった。色が渦巻き、風が唸る中を、前へ前へとやかんがみんなを引っ張っていく……。やがて、ひざがガクッと折れるほどの勢いで、ハリーの足が地面を強く打った。やかんが落ちてカタカタと鳴り、どこか近くで声がした。

「戻ってきた。血を裏切るガキどもが。父親が死にかけてるというのはほんとうなのか?」

「**出ていけ!**」別の声が吠えた。

ハリーは急いで立ち上がり、あたりを見回した。到着したのは、グリモールド・プレイス十二番地の薄暗い地下の厨房だった。明かりといえば、暖炉の火と消えかかったろうそく一本だけだ。それが、孤独な夕食の食べ残しを照らしていた。クリーチャーは、ドアから玄関ホールへと出ていくところだったが、腰布をずり上げながら振り返り、毒をふくんだ目つきでみんなを見た。心配そうな顔のシリウスが、急ぎ足でやってきた。ひげもそらず、昼間の服装のままだ。その上、マンダンガスのような、どこか酒臭いすえたにおいを漂わせていた。

「どうしたんだ?」ジニーを助け起こしながら、シリウスが聞いた。「フィニアス・ナイジェラスは、アーサーがひどいけがをしたと言っていたが――」

「ハリーに聞いて」フレッドが言った。

「そうだ。俺もそれが聞きたい」ジョージが言った。

双子とジニーがハリーを見つめていた。厨房の外の階段で、クリーチャーの足音が止まった。

「それは――」ハリーが口を開いた。マクゴナガルやダンブルドアに話すよりずっとやっかいだった。「僕は見たんだ――一種の――幻を……」

そしてハリーは、自分が見たことを全員に話して聞かせた。ただ、話を変えて、蛇が襲ったとき、自分は蛇自身の目からではなく、そばで見ていたような言い方をした。ロンはまだ蒼白だったが、ちらりとハリーを見た。しかし、何も言わなかった。話し終えても、フレッド、ジョージ、ジニーは、まだしばらくハリーを見つめていた。気のせいか、三人がどこか非難するような目つきをしているように思えた。――そうなんだ、僕が攻撃を目撃しただけでみんなが非難するのなら、その時自分は蛇の中にいたなんて言わなくてよかった。

「ママは来てる？」フレッドがシリウスに聞いた。

「たぶんまだ、何が起こったかさえ知らないだろう」シリウスが言った。「アンブリッジの邪魔が入る前に君たちを逃がすことが大事だったんだ。いまごろはダンブルドアが、モリーに知らせる手配をしているだろう」

「聖マンゴに行かなくちゃ」ジニーが急き込んで言った。兄たちを見回したが、もちろんみんなパジャマ姿だ。「シリウス、マントか何か貸してくれない？」

「まあ、待て。聖マンゴにすっ飛んで行くわけにはいかない」シリウスが言った。

「俺たちが行きたいならむろん行けるさ。聖マンゴに」フレッドが強情な顔をした。「俺たちの親父だ！」

「アーサーが襲われたことを、病院から奥さんにも知らせていないのに、君たちが知っているなんて、じゃあ、どう説明するつもりだ？」

「そんなことどうでもいいだろ？」ジョージがむきになった。

「よくはない。何百キロも離れた所の出来事をハリーが見ているという事実に、注意を引きたくない！」シリウスが声を荒らげた。「そういう情報を、魔法省がどう解釈するか、君たちにはわかっているのか？」

フレッドとジョージは、魔法省が何をどうしようが知ったことかという顔をした。ロンは血の気のない顔でだまっていた。

ジニーが言った。「誰かほかの人が教えてくれたかもしれないし……ハリーじゃなくて、どこか別の所から聞いたかもしれないじゃない」

「誰から?」シリウスがもどかしげに言った。「いいか、君たちの父さんは、騎士団の任務中に負傷したんだ。それだけでも充分状況が怪しいのに、その上、子供たちが事件直後にそれを知っていたとなれば、ますます怪しい。君たちが騎士団に重大な損害を与えることにもなりかねない――」

「騎士団なんかくそくらえ!」フレッドが大声を出した。

「俺たちの親父が死にかけてるんだ!」ジョージも叫んだ。

「君たちの父さんは、自分の任務を承知していた。騎士団のためにも、君たちが事をだいなしにしたら、父さんが喜ぶと思うか!」シリウスも同じぐらいに怒っていた。「まさにこれだ――だから君たちは騎士団に入れないんだ――君たちはわかっていない――世の中には死んでもやらなければならないことがあるんだ!」

「口で言うのは簡単さ。ここに閉じこもって!」フレッドがどなった。「そっちの首は懸かってないじゃないか!」

シリウスの顔にわずかに残っていた血の気がサッと消えた。一瞬、フレッドをぶんなぐりたいように見えた。しかし、口を開いたとき、その声は決然として静かだった。

「つらいのはわかる。しかし、我々全員が、まだ何も知らないかのように行動しなければならないんだ。少なくとも、君たちの母さんから連絡があるまでは、ここにじっとしていなければならない。いいか?」

フレッドとジョージは、それでもまだ反抗的な顔だったが、ジニーは、手近の椅子に向かって二、三歩歩き、崩れるように座った。ハリーがロンの顔を見ると、ロンはうなずくとも肩をすくめるともつかないおかしな動きを見せた。ハリーとロンも座り、双子はそれからしばらくシリウスをにらみつけていたが、やがてジニーをはさんで座った。

「それでいい」シリウスが励ますように言った。「さあ、みんなで……みんなで何か飲みながら待とう。

アクシオ！　バタービールよ、来い！」

シリウスが杖を上げて呪文を唱えると、バタービールが六本、食料庫から飛んできて、テーブルの上をすべり、シリウスの食べ残しを蹴散らし、六人の前でぴたりと止まった。みんなが飲んだ。しばらくは暖炉の火がパチパチはぜる音と、瓶をテーブルに置くコトリという音だけが聞こえた。

ハリーは、何かしていないとたまらないので飲んでいただけだった。胃袋は、恐ろしい、煮えたぎるような罪悪感でいっぱいだった。みんながここにいるのは僕のせいだ。みんなまだベッドで眠っているはずだったのに。警報を発したからこそウィーズリーおじさんが見つかったのだと自分に言い聞かせても、なんの役にも立たなかった。そもそもウィーズリー氏を襲ったのは自分自身だという、やっかいな事実からは逃れられなかった。

いいかげんにしろ。おまえには牙なんかない。ハリーは自分に言い聞かせ、落ち着こうとした。しかし、バタービールを持つ手が震えていた。――**おまえはベッドに横になっていた。誰も襲っちゃいない……**。

しかし、それならダンブルドアの部屋で起こったことはなんだったのだ？　ハリーは自問自答した。――**僕は、ダンブルドアまでも襲いたくなった……**。

ハリーは瓶をテーブルに置いたが、思わず力が入り、ビールがテーブルにこぼれた。誰も気がつかない。その時、空中に炎が上がり、目の前の汚れた皿を照らし出した。みんなが驚いて声を上げる中、羊皮紙がひと巻、ドサリとテーブルに落ち、黄金の不死鳥の尾羽根も一枚落ちてきた。

「フォークス！」そう言うなり、シリウスが羊皮紙をサッと取り上げた。「ダンブルドアの筆跡ではない――君たちの母さんからの伝言にちがいない――さあ――」

シリウスがジョージの手に押しつけた手紙を、ジョージは引きちぎるように広げ、声に出して読み上げた。

お父さまはまだ生きています。母さんは聖マンゴに行くところです。じっとしているのですよ。できるだけ早く知らせを送ります。

ママより

ジョージがテーブルを見回した。

「まだ生きてる……」ゆっくりと、ジョージが言った。「だけど、それじゃ、まるで……」

最後まで言わなくてもわかった。ハリーもそう思った。まるでウィーズリーおじさんが、生死の境をさまよっているような言い方だ。ロンは相変わらずひどく青い顔で、母親の手紙の裏を見つめていた。まるで、そこに慰めの言葉を求めているかのようだった。フレッドはジョージの手から羊皮紙を引ったくり、自分で読んだ。それからハリーを見た。ハリーは、バタービールを持つ手がまた震えだすのを感じ、震えを止めようと、いっそう固く握りしめた。

こんなに長い夜をまんじりともせずに過ごしたことがあったろうか……ハリーの記憶にはない。シリウスが、言うだけは言ってみようという調子で、ベッドで寝てはどうかと一度だけ提案したが、ウィーズリー兄弟の嫌悪の目つきだけで、答えは明らかだった。全員がほとんどだまりこくってテーブルを囲み、ときどきバタービールの瓶を口元に運びながら、ろうそくの芯が、溶けたろうだまりにだんだん沈んでいくのを眺めていた。話すことといえば、時間を確かめ合うとか、どうなっているんだろうと口に出すとか、ウィーズリー夫人がとっくに聖マンゴに着いているはずだから、悪いことが起こっていれば、すぐにそういう知らせが来るはずだと、互いに確認し合ったりするばかりだった。

フレッドがとろっと眠り、頭が傾いで肩についた。ジニーは椅子の上で猫のように丸まっていたが、目はしっかり開いていた。そこに暖炉の火が映っているのを、ハリーは見た。ロンは両手で頭を抱えて座っていた。眠っているのか起きているのかわからない。家族の悲しみを前に、よそ者のハリーとシリウスは二人でいく度となく顔を見合わせた。そして待った……ひたすら待った……。

ロンの腕時計で明け方の五時十分過ぎ、厨房の戸がパッと開き、ウィーズリーおばさんが入ってきた。ひどく青ざめてはいたが、みんながいっせいに顔を向け、フレッド、ロン、ハリーが椅子から腰を浮かせたとき、おばさんは力なくほほえんだ。

「大丈夫ですよ」おばさんの声は、つかれきって弱々しかった。「お父さまは眠っています。あとでみんなで面会に行きましょう。いまは、ビルが看ています。午前中、仕事を休む予定でね」

フレッドは両手で顔を覆い、ドサリと椅子に戻った。ジョージとジニーは立ち上がり、急いで母親に近寄って抱きついた。ロンはへなへなと笑い、残っていたバタービールを一気に飲み干した。

「朝食だ！」シリウスが勢いよく立ち上がり、うれしそうに大声で言った。「あのいまいましいしもべ妖精はどこだ？　クリーチャー！　**クリーチャー！**」

しかしクリーチャーは呼び出しに応じなかった。

「それなら、それでいい」シリウスはそうつぶやくと、人数を数えはじめた。「それじゃ、朝食は――ええと――七人か……ベーコンエッグだな。それと紅茶にトーストと――」

ハリーは手伝おうと、かまどのほうに急いだ。ウィーズリー一家の幸せを邪魔してはいけないと思った。それに、ウィーズリーおばさんから、自分の見たことを話すようにと言われる瞬間が怖かった。ところが、食器棚から皿を取り出すや否や、おばさんがハリーの手からそれを取り上げ、ハリーをひしと抱き寄せた。

「ハリー、あなたがいなかったらどうなっていたかわからないわ」おばさんはくぐもった声で言った。「アーサーを見つけるまでに何時間もたっていたかもしれない。そうしたら手遅れだったわ。でも、あなたのおかげで命が助かったし、ダンブルドアはアーサーがなぜあそこにいたかを、うまく言いつくろう話を考えることもできたわ。そうじゃなかったら、どんなに大変なことになっていたか。かわいそうなスタージスみたいに……」

ハリーはおばさんの感謝にいたたまれない気持ちだった。幸いなことに、おばさんはすぐハリーを放し、シリウスに向かって、ひと晩中子供たちを見ていてくれたことに礼を述べた。シリウスは役に立ってうれしいし、ウィーズリー氏の入院中は、全員がこの屋敷にとどまってほしいと答えた。

「まあ、シリウス、とてもありがたいわ……アーサーはしばらく入院することになると言われたし、なるべく近くにいられたら助かるわ……その場合は、もちろん、クリスマスをここで過ごすことになるかもしれないけれど」

「大勢のほうが楽しいよ！」シリウスが心からそう思っている声だったので、ウィーズリーおばさんはシリウスに向かってニッコリし、手早くエプロンをかけて朝食の支度を手伝いはじめた。

「シリウスおじさん」ハリーはせっぱ詰まった気持ちでささやいた。「ちょっと話があるんだけど、いい？　あの――**いますぐ、いい？**」

ハリーは暗い食料庫に入っていった。シリウスがついてきた。ハリーはなんの前置きもせずに、名付け親に、自分の見た光景をくわしく話して聞かせた。自分自身がウィーズリー氏を襲った蛇だったことも話した。

ひと息ついたとき、シリウスが聞いた。「そのことをダンブルドアに話したか？」

「うん」ハリーはじれったそうに言った。「だけど、ダンブルドアはそれがどういう意味なのか教えてくれなかった。まあ、ダンブルドアはもう僕になんにも話してくれないんだけど」

「何か心配するべきことだったら、きっと君に話してくれたはずだ」シリウスは落ち着いていた。

「だけど、それだけじゃないんだ」ハリーがほとんどささやきに近い小声で言った。「シリウス、僕……僕、頭がおかしくなってるんじゃないかと思うんだ。ダンブルドアの部屋で、移動キーに乗る前だけど……ほんの一瞬、僕は蛇になったと思った。そう**感じたん**だ――ダンブルドアを見たとき、傷痕がすごく痛くなった――シリウスおじさん、僕、ダンブルドアを襲いたくなったんだ！」

ハリーには、シリウスの顔のほんの一部しか見えなかった。あとは暗闇だった。

「幻を見たことが尾を引いていたんだろう。それだけだよ」シリウスが言った。「夢だったのかどうかわからないが、まだそのことを考えていたんだよ――」

「そんなんじゃない」ハリーは首を横に振った。「何かが僕の中で伸び上がったんだ。まるで体の中に**蛇が**いるみたいに」

「眠らないと」シリウスがきっぱりと言った。「朝食を食べたら、上に行って休みなさい。昼食のあとで、みんなと一緒にアーサーの面会に行けばいい。ハリー、君はショックを受けているんだ。単に目撃しただけのことを、自分のせいにして責めている。それに、君が**目撃したのは**幸運なことだったんだ。そうでなけりゃ、アーサーは死んでいたかもしれない。心配するのはやめなさい」

シリウスはハリーの肩をポンポンとたたき、食料庫から出ていった。ハリーは一人暗がりに取り残された。

ハリー以外のみんなが午前中を寝て過ごした。ハリーは、ロンと一緒に夏休み最後の数週間を過ごした寝室に上がった。ロンのほうはベッドにもぐり込むなりたちまち眠り込んだが、ハリーは服を着たまま、金属製の冷たいベッドの背もたれに寄りかかり、背中を丸め、わざと居心地の悪い姿勢を取って、眠り込むまいとした。眠るとまた蛇になるのではないか、目覚めたときに、ロンを襲ってしまったとか、誰かを襲おうと家の中を這(は)いずり回っていたことに気づくのではないかと思うと、恐ろしかった……。

ロンが目覚めたとき、ハリーは自分もよく寝て気持ちよく目覚めたようなふりをした。昼食の最中に全員のトランクがホグワーツから到着し、マグルの服を着て聖マンゴに出かけられるようになった。ローブを脱いでジーンズとTシャツに着替えながら、ハリー以外のみんなは、うれしくてはしゃぎ、饒(じょう)舌(ぜつ)になっていた。ロンドンの街中を付き添っていくトンクスとマッド-アイが到着したときには、全員が大喜びで迎え、マッド-アイが魔法の目を隠すのに目深にかぶった山高帽を笑った。トンクスは、また鮮やかなピンク色の短い髪をしていたが、地下鉄ではトンクスよりマッド-アイのほうがまちがいなく目立つと、冗談抜きでみんながマッド-アイに請け合った。

トンクスはウィーズリー氏が襲われた光景をハリーが見たことにとても興味を持ったが、ハリーはそれを話題にする気がまったくなかった。

「君の血筋に、**『予見者』**はいないの？」ロンドン市内に向かう電車に並んで腰かけ、トンクスが興味深げにハリーに聞いた。

「いない」ハリーはトレローニー先生のことを考え、侮辱されたような気がした。

「ちがうのか」トンクスは考え込むように言った。「ちがうな。君のやってることは、厳密な予言っていうわけじゃないものね。つまり、君は未来を見ているわけじゃなくて、現在を見てるんだ……変だね？　でも、役に立つけど……」

ハリーは答えなかった。うまい具合に、次の駅でみんな電車を降りた。ロンドンの中心部にある駅だった。電車を降りるどさくさに紛れ、ハリーは、先頭に立ったトンクスと自分の間にフレッドとジョージを割り込ませることができた。みんながトンクスについてエスカレーターを上がった。ムーディはしんがりで、山高帽を斜め目深にかぶり、節くれだった手を片方、ボタンの間からマントの懐に差し込んで杖を握りしめ、コツッコツッと歩いてきた。ハリーは、隠れた目がじっと自分を見ているように感じた。夢のことをこれ以上聞かれないように、ハリーはマッド-アイに、聖マンゴがどこに隠されているかと質問した。

「ここからそう遠くない」ムーディが唸るように言った。

駅を出ると、冬の空気は冷たく、広い通りの両側にはびっしりと店が並んで、クリスマスの買い物客でいっぱいだった。ムーディはハリーを少し前に押し出し、すぐ後ろをコツッコツッと歩いてきた。目深にかぶった帽子の下で、例の目がぐるぐると四方八方を見ていることが、ハリーにはわかった。

「病院に格好の場所を探すのには難儀した。ダイアゴン横丁には、どこにも充分の広さがなかったし、魔法省のように地下にもぐらせることもできん――不健康なんでな。結局、ここにあるビルをなんとか手に入れた。病気の魔法使いが出入りしても、人混みに紛れてしまう所だという理屈でな」

すぐそばに電気製品をぎっしり並べた店があった。そこに入ることだけで頭がいっぱいの買い物客にのまれてはぐれてしまわないようにと、ムーディはハリーの肩をつかんだ。

「ほれ、そこだ」まもなくムーディが言った。

赤れんがの、流行遅れの大きなデパートの前に着いていた。「パージ・アンド・ダウズ商会」と書いてある。みすぼらしい、しょぼくれた雰囲気の場所だ。ショーウィンドウには、あちこち欠けたマネキンが数体、ずれたかつらをつけ、少なくとも十年ぐらい流行遅れの服を着て、てんでんばらばらに立っている。ほこりだらけのドアというドアには大きな看板がかかり、「改装のため閉店中」と書いてある。

ビニールの買い物袋をたくさん抱えた大柄な女性が、通りすがりに友達に話しかけるのを、ハリーははっきりと聞いた。「**一度も**開いてたことなんかないわよ、ここ」

「さてと」トンクスが、みんなにショーウィンドウのほうに来るように合図した。ことさら醜いマネキン人形が一体飾られている場所だ。つけまつげが取れかかってぶら下がり、緑色のナイロンのエプロンドレスを着ている。「みんな、準備オッケー？」

みんながトンクスの周りに集まってうなずいた。ムーディがハリーの肩甲骨の間あたりを押し、前に出るようにうながした。トンクスはウィンドウのガラスに近寄り、息でガラスを曇らせながら、ひどく醜いマネキンを見上げて声をかけた。

「こんちわ。アーサー・ウィーズリーに面会に来たんだけど」

ガラス越しにそんなに低い声で話してマネキンに聞こえると思うなんて、トンクスはどうかしている、とハリーは思った。トンクスのすぐ後ろをバスがガタガタ走っているし、買い物客でいっぱいの通りはやかましかった。そのあと、そもそもマネキンに聞こえるはずがないと気がついた。次の瞬間、ハリーはショックで口があんぐり開いた。マネキンが小さくうなずき、節に継ぎ目のある指で手招きしたのだ。トンクスはジニーとウィーズリーおばさんのひじをつかみ、ガラスをまっすぐ突き抜けて姿を消した。

フレッド、ジョージ、ロンがそのあとに続いた。ハリーは周囲にひしめき合う人混みをちらりと見回した。「パージ・アンド・ダウズ商会」のような汚らしいショーウィンドウに、ただの一瞥（いちべつ）もくれるようなひま人はいないし、たったいま、六人もの人間が目の前からかき消すようにいなくなったことに、誰一人気づく様子もない。

「さあ」ムーディがまたしてもハリーの背中をつついて唸るように言った。ハリーは一緒に前に進み、冷たい水のような感触の膜の中を突き抜けた。しかし、反対側に出た二人は冷えてもいなかったし、ぬれてもいなかった。

　醜いマネキンは跡形もなく消え、マネキンが立っていた場所もない。そこは、混み合った受付のような所で、ぐらぐらした感じの木の椅子が何列も並び、魔法使いや魔女が座っていた。

　見たところどこも悪くなさそうな顔で、古い『週刊魔女』をパラパラめくっている人もいれば、胸から象の鼻や余分な手が生えた、ぞっとするような姿形の人もいる。この部屋も外の通りより静かだとは言えない。患者の多くが、奇妙キテレツな音を立てているからだ。一番前の列の真ん中では、汗ばんだ顔の魔女が「日刊予言者」で激しく顔をあおぎながら、ホイッスルのようなかん高い音を出し続け、口から湯気を吐いていた。隅のほうのむさくるしい魔法戦士は、動くたびに鐘の音がした。そのたびに頭がひどく揺れるので、自分で両耳を押さえて頭を安定させていた。

　ライムのような緑色のローブを着た魔法使いや魔女が、列の間を往ったり来たりして質問し、アンブリッジのようにクリップボードに書きとめていた。ハリーは、ローブの胸にある縫い取りに気づいた。杖と骨がクロスしている。

「あの人たちは医者なのかい？」ハリーはそっとロンに聞いた。

「医者？」ロンはまさかという目をした。「人間を切り刻んじゃう、マグルの変人のこと？　ちがうさ。癒しの『癒者』だよ」

「こっちよ！」隅の魔法戦士が鳴らす鐘の音に負けない声で、ウィーズリーおばさんが呼んだ。みんながおばさんについて、列に並んだ。列の前には「案内係」と書いたデスクがあり、ブロンドのふっくらした魔女が座っていた。その後ろには、壁一面に掲示やらポスターが貼ってある。

　鍋が不潔じゃ、薬も毒よ

無許可の解毒剤は無解毒剤

長い銀色の巻き毛の魔女の大きな肖像画もかかっていて、説明がついている。

ディリス・ダーウェント

聖マンゴの癒者　一七二二――一七四一

ホグワーツ魔法魔術学校校長　一七四一――一七六八

ディリスは、ウィーズリー一行を数えているような目で見ていた。ハリーと目が合うと、ちょこりとウィンクして、額の縁のほうに歩いていき、姿を消した。

一方、列の先頭の若い魔法使いは、その場でへんてこなジグ・ダンスを踊りながら、痛そうな悲鳴の合間に、案内魔女に苦難の説明をしていた。

「問題はこの――イテッ――兄貴にもらった靴でして――うっ――食いつくんですよ――**アイタッ**――足に――靴を見てやってください。きっと何かの――**ああううう**――呪いがかかってる。どうやっても――**あああああううう**――脱げないんだ」片足でぴょん、別の足でぴょんと、まるで焼けた石炭の上で踊っているようだった。

「あなた、別に靴のせいで字が読めないわけではありませんね?」ブロンドの魔女は、いらいらとデスクの左側の大きな掲示を指差した。「あなたの場合は『呪文性損傷』。五階。ちゃんと『病院案内』に書いてあるとおり。はい、次!」

その魔法使いが、よろけたり、踊り跳ねたりしながら脇によけ、ウィーズリー一家が数歩前に進んだ。

ハリーは「病院案内」を読んだ。

一階……物品性事故　大鍋爆発、杖逆噴射、箒衝突など
二階……生物性傷害　かみ傷、刺し傷、火傷、抜けないとげなど
三階……魔クテリア性疾患　感染症（龍痘など）、消滅症、巻きかびなど
四階……薬剤・植物性中毒　湿疹、嘔吐、抑制不能クスクス笑いなど
五階……呪文性損傷　解除不能性呪い、呪詛、不適正使用呪文など
六階……外来者喫茶室・売店

何階かわからない方、通常の話ができない方、どうしてここにいるのか思い出せな方は、案内魔女がお手伝いいたします。

腰が曲がり、耳に補聴トランペットをつけた年寄り魔法使いが、足を引きずりながら列の先頭に進み出て、ゼイゼイ声で言った。「ブロデリック・ボードに面会に来たんじゃが！」

「四九号室。でも、会ってもむだだと思いますよ」案内魔女がにべもなく言った。「完全に錯乱してますからね――まだ自分は急須だと思い込んでいます。次！」

困りはてた顔の魔法使いが、幼い娘の足首をしっかりつかんで進み出た。娘はロンパースの背中を突き抜けて生え出ている大きな翼をパタパタさせ、父親の頭の周りを飛び回っている。

「五階」案内魔女が、何も聞かずにうんざりした声で言った。父親は、変な形の風船のような娘を手に持って、デスク脇の両開きの扉から出ていった。「次！」

ウィーズリーおばさんがデスクの前に進み出た。

「こんにちは。夫のアーサー・ウィーズリーが、今朝、別の病棟に移ったと思うんですけど、どこでしょうか——?」

「アーサー・ウィーズリーね?」案内魔女が、長いリストに指を走らせながら聞き返した。「ああ、二階よ。右側の二番目のドア。ダイ・ルウェリン病棟」

「ありがとう」おばさんが礼を言った。「さあ、みんないらっしゃい」

おばさんについて、全員が両開きの扉から入った。その向こうは細長い廊下で、有名な癒者の肖像画がずらりと並び、ろうそくの入ったクリスタルの球が、巨大なシャボン玉のようにいくつも天井に浮かんでいた。一行は、ライム色のローブを着た魔法使いや魔女が大勢出入りしている扉の前をいくつか通り過ぎた。ある扉の前を通ったときには、いやなにおいの黄色いガスが廊下に流れ出していたし、ときどき遠くから、悲しげな泣き声が聞こえてきた。一行は二階への階段を上り、「生物性傷害」の階に出た。右側の二番目のドアに何か書いてある。


「危険な野郎」ダイ・ルウェリン記念病棟——重篤なかみ傷

その横に、真鍮の枠に入った手書きの名札があった。

担当癒師　ヒポクラテス・スメスウィック
研修癒　オーガスタス・パイ

「私たちは外で待ってるわ、モリー」トンクスが言った。「大勢でいっぺんにお見舞いしたら、アーサーにもよくないし……最初は家族だけにすべきだわ」

マッド-アイも賛成だと唸り、廊下の壁に寄りかかり、魔法の目を四方八方にぐるぐる回した。ハリーも身を引いた。しかし、ウィーズリーおばさんがハリーに手を伸ばし、ドアから押し込んだ。

「ハリー、遠慮なんかしないで。アーサーがあなたにお礼を言いたいの」

病室は小さく、ドアのむかい側に小さな高窓が一つあるだけなので、かなり陰気くさかった。明かりはむしろ、天井の真ん中に集まっているクリスタル球の輝きから来ていた。壁は樫材の板張りで、かなり悪人面の魔法使いの肖像画がかかっていた。説明書きがある。

ウルクハート・ラックハロウ　一六一二―一六九七　内臓抜き出し呪いの発明者

患者は三人しかいない。ウィーズリー氏のベッドは一番奥の、小さな高窓のそばにあった。ハリーはおじさんの様子を見て、ホッとした。おじさんは枕をいくつか重ねてもたれかかり、ベッドに射し込むただひと筋の太陽光の下で、「日刊予言者新聞」を読んでいた。みんなが近づくと、おじさんは顔を上げ、訪問者が誰だかわかるとニッコリした。

「やあ！」おじさんが新聞を脇に置いて声をかけた。「モリー、ビルはいましがた帰ったよ。仕事に戻らなきゃならなくてね。でも、あとで母さんの所に寄ると言っていた」

「アーサー、具合はどう？」おばさんはかがんでおじさんのほおにキスし、心配そうに顔をのぞき込んだ。「まだ少し顔色が悪いわね」

「気分は上々だよ」おじさんは元気よくそう言うと、けがをしていないほうの腕を伸ばしてジニーを抱き寄せた。「包帯が取れさえすれば、家に帰れるんだが」

「パパ、なんで包帯が取れないんだい？」フレッドが聞いた。

「うん、包帯を取ろうとすると、そのたびにどっと出血しはじめるんでね」

おじさんは機嫌よくそう言うと、ベッド脇の棚に置いてあった杖を取り、ひと振りして、全員が座れるよう、椅子を六脚、ベッド脇に出した。

「あの蛇の牙には、どうやら、傷口がふさがらないようにする、かなり特殊な毒があったらしい。ただ、病院では、必ず解毒剤が見つかるはずだと言っていたよ。私よりもっとひどい症例もあったらしい。それまでは、血液補充薬を一時間おきに飲まなきゃいけないがね。しかし、あそこの人なんか──」おじさんは声を落として、反対側のベッドのほうをあごで指した。そこには、青ざめて気分が悪そうな魔法使いが、天井を見つめて横たわっていた。「**狼人間**（おおかみ）にかまれたんだ。かわいそうに。治療のしようがない」

「狼人間？」おばさんが驚いたような顔をした。「一般病棟で大丈夫なのかしら？　個室に入るべきじゃない？」

「満月まで二週間ある」おじさんは静かにおばさんをなだめた。「今朝、病院の人が──癒者だがね──あの人に話していた。ほとんど普通の生活を送れるようになるからと、説得しようとしていた。私も、あの人に教えてやったよ。名前はもちろん伏せたが、個人的に狼人間を一人知っているとね。立派な魔法使いで、自分の状況をらくらく管理していると話してやった」

「そしたらなんて言った？」ジョージが聞いた。

「だまらないとかみついてやるって言ったよ」ウィーズリーおじさんが悲しそうに言った。

「それから、**あそこの**ご婦人だが──」おじさんが、ドアのすぐ脇にある、あと一つだけ埋まっているベッドを指した。「なんにかまれたのか、癒者にも教えない。だから、みんなが、何か違法なものを扱っていてやられたにちがいないと思っているんだがね。そのなんだか知らないやつが、あの人の足をがっぽり食いちぎっている。包帯を取ると、**いやーな**においがするんだ」

「それで、パパ、何があったのか、教えてくれる？」フレッドが椅子を引いてベッドに近寄った。

「いや、もう知ってるんだろう？」ウィーズリーおじさんは、ハリーのほうに意味ありげにほほえみながら言った。「ごく単純だ――長い一日だったし、居眠りをして、忍び寄られて、かまれた」

「パパが襲われたこと、『予言者』にのってるの？」フレッドが、ウィーズリーおじさんが脇に置いた新聞を指した。

「いや、もちろんのっていない」おじさんは少し苦笑いした。「魔法省は、みんなに知られたくないだろうよ。とてつもない大蛇がねらったのは――」

「アーサー！」おばさんが警告するように呼びかけた。

「――ねらったのは――えー――私だったと」ウィーズリーおじさんはあわてて取りつくろったが、ハリーは、おじさんが絶対に別のことを言うつもりだったと思った。

「それで、襲われたとき、パパ、どこにいたの？」ジョージが聞いた。

「おまえには関係のないことだ」おじさんはそう言い放ったが、ほほえんでいた。おじさんは「日刊予言者新聞」をまた急に拾い上げ、パッと振って開いた。

「みんなが来たとき、ちょうど『ウィリー・ウィダーシン逮捕』の記事を読んでいたんだ。この夏の例の逆流トイレ事件を覚えているね？　ウィリーがその陰の人物だったんだよ。最後に呪いが逆噴射して、トイレが爆発し、やっこさん、がれきの中に気を失って倒れているところを見つかったんだが、頭のてっぺんからつま先まで、そりゃ、クソまみれ――」

「パパが『任務中』だったっていうときは」フレッドが低い声で口をはさんだ。「何をしていたの？」

「お父さまのおっしゃったことが聞こえたでしょう？」ウィーズリーおばさんがささやいた。「ここはそんなことを話す所じゃありません！　あなた、ウィリー・ウィダーシンの話を続けて」

「それでだ、どうやってやったのかはわからんが、やつはトイレ事件で罪に問われなかったんだ」

ウィーズリーおじさんが不機嫌に言った。「金貨が動いたんだろうな――」

「パパは護衛してたんでしょう？」ジョージがひっそりと言った。「武器だよね？『例のあの人』が探してるっていうやつ？」

「ジョージ、おだまり！」おばさんがビシッと言った。

「とにかくだ」おじさんが声を張り上げた。「今度はウィリーのやつ、『かみつきドア取っ手』をマグルに売りつけているところを捕まった。今度こそ逃げられるものか。何しろ、新聞によると、マグルが二人、指を失くして、いま、聖マンゴで、救急骨再生治療と記憶修正を受けているらしい。どうだい、マグルが聖マンゴにいるんだ。どの病棟かな？」

おじさんは、どこかに掲示がないかと、熱心にあたりを見回した。

「『例のあの人』が蛇を持ってるって、ハリー、君、そう言わなかった？」フレッドが、父親の表情をうかがいながら聞いた。「巨大なやつ？『あの人』が復活した夜に、その蛇を見たんだろ？」

「いいかげんになさい」ウィーズリーおばさんは不機嫌だった。「アーサー、マッド-アイとトンクスが外で待ってるわ。あなたに面会したいの。それから、あなたたちは外に出て待っていなさい」おばさんが子供たちとハリーに向かって言った。「あとでまたご挨拶にいらっしゃい。さあ、行って」

みんな並んで廊下に戻った。マッド-アイとトンクスが中に入り、病室のドアを閉めた。フレッドが眉を吊り上げた。

「いいさ」フレッドがポケットをゴソゴソ探りながら、冷静に言った。「そうやってりゃいいさ。俺たちにはなんにも教えるな」

「これを探してるのか?」ジョージが薄オレンジ色のひもがからまったようなものを差し出した。

「わかってるねえ」フレッドがニヤリと笑った。「聖マンゴが病棟のドアに『邪魔よけ呪文』をかけているかどうか、見てみようじゃないか?」

フレッドとジョージがひもを解き、五本の「伸び耳」に分けた。二人がほかの三人に配ったが、ハリーは受け取るのをためらった。

「取れよ、ハリー! 君は親父の命を救った。盗聴する権利があるやつがいるとすれば、まず君だ」

思わずニヤリとして、ハリーはひもの端を受け取り、双子がやっているように耳に差し込んだ。

「オッケー。行け!」フレッドがささやいた。

薄オレンジ色のひもは、やせた長い虫のように、ゴニョゴニョ這っていき、ドアの下からくねくね入り込んだ。最初は何も聞こえなかったが、やがて、ハリーは飛び上がった。トンクスのささやき声が、まるでハリーのすぐそばに立っているかのように、はっきり聞こえてきたのだ。

「……くまなく探したけど、蛇はどこにも見つからなかったらしいよ。アーサー、あなたを襲ったあと、蛇は消えちゃったみたい……だけど、『例のあの人』は蛇が中に入れるとは期待してなかったはずだよね?」

「わしの考えでは、蛇を偵察に送り込んだのだろう」ムーディの唸り声だ。「何しろ、これまでは、まったくの不首尾に終わっているだろうが? うむ、やつは、立ち向かうべきものを、よりはっきり見ておこうとしたのだろう。アーサーがあそこにいなければ、蛇のやつはもっと時間をかけて見回ったはずだ。それで、ポッターは一部始終を見たと言っておるのだな?」

「ええ」ウィーズリーおばさんは、かなり不安そうな声だった。「ねえ、ダンブルドアは、ハリーがこんなことを見るのを、まるで待ちかまえていたような様子なの」

「うむ、まっこと」ムーディが言った。「あのポッター坊主は、何かおかしい。それは、わしら全員が知っておる」

「今朝、私がダンブルドアとお話ししたとき、ハリーのことを心配なさっているようでしたわ」ウィーズリーおばさんがささやいた。

「むろん、心配しておるわ」ムーディが唸った。「あの坊主は『例のあの人』の蛇の内側から事を見ておる。それが何を意味するか、ポッターは当然気づいておらぬ。しかし、もし『例のあの人』がポッターに取り憑いておるなら――」

ハリーは「伸び耳」を耳から引き抜いた。心臓が早鐘を打ち、顔に血が上った。ハリーはみんなを見回した。全員が、ひもを耳から垂らしたまま、突然恐怖にかられたように、じっとハリーを見ていた。

ダンブルドアがハリーと目を合わせなくなったのは、そのせいだったのか？　ハリーの目の中から、ヴォルデモートの目が見つめると思ったのだろうか？　もしかしたら、鮮やかな緑の目が、突然真っ赤になり、猫の目のように細い瞳孔が現れることを、恐れたのだろうか？　かつて、クィレル教授の後頭部から、ヴォルデモートの蛇のような顔が突き出したことをハリーは思い出し、自分の後頭部をなでた。ヴォルデモートの顔が自分の頭から飛び出したら、どんな感じがするのだろう。

ハリーは、自分が致死的なばい菌の保菌者のような、穢(けが)れた、汚らしい存在に感じられた。心も体もヴォルデモートに穢されていない清潔で無垢(むく)な人たちと、病院から帰る地下鉄で席を並べるのにふさわしくない自分……。僕は蛇を見ただけじゃなかった。**蛇自身**だったんだ。ハリーはいまそれを知った……。

それから、ほんとうにぞっとするような考えが浮かんだ。心の表面にぽっかり浮かび上がってきた記憶が、ハリーの内臓を蛇のようにのた打ち回らせた。

——**配下以外に、何を？**

——**極秘にしか手に入らないものだ……武器のようなものというかな。前の時には持っていなかったものだ。**

僕が武器なんだ。暗いトンネルを通る地下鉄に揺られながら、そう考えると、血管に毒を注ぎ込まれ、体が凍って冷や汗の噴き出る思いだった。ヴォルデモートが使おうとしているのは、僕だ。だから僕の行く所はどこにでも護衛がついていたんだ。僕を護(まも)るためじゃない。みんなを護るためなんだ。だけど、うまくいっていない。ホグワーツでは、四六時中僕に誰かを張りつけておくわけにはいかないし……僕は**確かに**、昨夜ウィーズリー氏を襲った。僕だったんだ。僕だったんだ。ヴォルデモートが僕にやらせた。それに、いまのいまも、あいつは僕の中にいて、僕の考え事を聞いているかもしれない――。

「ハリー、大丈夫？」暗いトンネルを電車がガタゴトと進む中、ウィーズリーおばさんが、ジニーのむこう側からハリーのほうに身を乗り出し、小声で話しかけた。「顔色があんまりよくないわ。気分が悪いの？」

みんながハリーを見ていた。ハリーは激しく首を横に振り、住宅保険の広告をじっと見つめた。

「ハリー、ねえ、**ほんとうに**大丈夫なの？」グリモールド・プレイスの草ぼうぼうの広場を歩きながら、おばさんが心配そうな声で聞いた。「とっても青い顔をしているわ……今朝、ほんとうに眠ったの？いますぐ自分の部屋に上がって、お夕食の前に二、三時間お休みなさい。いいわね？」

ハリーはうなずいた。これで、おあつらえ向きに、誰とも話さなくていい口実ができた。それこそハリーの願っていたことだった。そこで、おばさんが玄関の扉を開けるとすぐ、ハリーは一直線にトロールの足の傘立てを過ぎ、階段を上がり、ロンと一緒の寝室へと急いだ。

部屋の中でハリーは、二つのベッドと、フィニアス・ナイジェラス不在の肖像画との間を、往ったり来たりした。頭の中が、疑問やとてつもなく恐ろしい考えであふれ、渦巻いていた。

僕はどうやって蛇になったのだろう？　もしかしたら、僕は「動物もどき」だったんだ……いや、そんなはずはない。そうだったらわかるはずだ。……もしかしたら、**ヴォルデモート**が「動物もどき」だったんだ……そうだ、とハリーは思った。それならつじつまが合う。あいつなら、もちろん蛇に**なるだろう**……そして、あいつが僕に取り憑いているときは、二人とも変身するんだ。……それでは、五分ほどの間に僕がロンドンに行って、またベッドに戻ったことの説明はつかない……しかし、ヴォルデモートは世界一と言えるほど強力な魔法使いだ。ダンブルドアを除けばだけど。あいつにとっては、人間をそんなふうに移動させることぐらい、たぶんなんでもないんだ。

その時、ハリーは恐怖感にぐさりと突き刺される思いがした。**しかし、これは正気の沙汰じゃない――ヴォルデモートが僕に取り憑いているなら、僕は、たったいまも、不死鳥の騎士団本部を洗いざらいあいつに教えているんだ！　誰が騎士団員なのか、シリウスがどこにいるのかを、やつは知ってしまう……それに、僕は、聞いちゃいけないことを山ほど聞いてしまった。僕がここに来た最初の夜に、シリウスが話してくれたことを、何もかも……。**

やることはただ一つ。すぐにグリモールド・プレイスを離れなければならない。みんなのいないホグワーツで一人、クリスマスを過ごすんだ。そうすれば、少なくとも休暇中、ここにいるみんなは安全だ……しかし、だめだ。それではうまくいかない。休暇中ホグワーツに残っている大勢の人を傷つけてしまう。次はシェーマスか、ディーンか、ネビルだったら？　ハリーは足を止め、フィニアス・ナイジェラス不在の額を見つめた。胃袋の底に、重苦しい思いが座り込んだ。ほかに手はない。プリベット通りに戻るしかない。ほかの魔法使いたちから自分を切り離すんだ。

さあ、そうすべきなら、とハリーは思った。ぐずぐずしている意味はない。予想より六か月も早く、戸口にハリーの姿を見つけたダーズリー一家の反応など考えまいと必死で努力しながら、ハリーはつかつかとトランクに近づいた。ふたをピシャリと閉めて鍵をかけ、ハリーはつい習慣でヘドウィグを探した。そして、ヘドウィグがまだホグワーツにいることを思い出した――まあ、かごがない分荷物が少なくなる――ハリーはトランクの片端をつかみ、ドアのほうへ引っ張った。半分ほど進んだとき、あざけるような声が聞こえた。

「逃げるのかね？」

あたりを見回すと、肖像画のキャンバスにフィニアス・ナイジェラスがいた。額縁に寄りかかり、ゆかいそうにハリーを見つめていた。

「逃げるんじゃない。ちがう」ハリーはトランクをもう数十センチ引っ張りながら、短く答えた。

「私の考えちがいかね」フィニアス・ナイジェラスはとがったあごひげをなでながら言った。「グリフィンドール寮に属するということは、君は**勇敢**なはずだが？　どうやら、私の見るところ、君は私の寮のほうが合っていたようだ。我らスリザリン生は、勇敢だ。然(しか)り。だが、愚かではない。たとえば、選択の余地があれば、我らは常に、自分自身を救うほうを選ぶ」

「僕は自分を救うんじゃない」ドアのすぐ手前で、虫食いだらけのカーペットがことさらデコボコしている場所を越えるのに、トランクをぐいと引っ張りながら、ハリーはそっけなく答えた。

「ほう、**そうかね**」フィニアス・ナイジェラスが相変わらずあごひげをなでながら言った。「しっぽを巻いて逃げるわけではない——**気高い**自己犠牲というわけだ」

ハリーは聞き流して、手をドアの取っ手にかけた。するとフィニアス・ナイジェラスが面倒くさそうに言った。

「アルバス・ダンブルドアからの伝言があるんだがね」

ハリーはくるりと振り向いた。

「どんな？」

「動くでない」

「動いちゃいないよ！」ハリーはドアの取っ手に手をかけたまま言った。「それで、どんな伝言ですか？」

「いま、伝えた。愚か者」フィニアス・ナイジェラスがさらりと言った。「ダンブルドアは『**動くでな**

い』と言っておる」

「どうして？」ハリーは、聞きたさのあまり、トランクを取り落とした。「どうしてダンブルドアは僕にここにいてほしいわけ？　ほかには何か言わなかったの？」

「いっさい何も」

フィニアス・ナイジェラスは、ハリーを無礼なやつだと言いたげに、黒く細い眉を吊り上げた。ハリーのかんしゃくが、丈の高い草むらから蛇が鎌首をもたげるようにせり上がってきた。ハリーはつかれはて、どうしようもなく混乱していた。この十二時間の間に、恐怖を、安堵を、そしてまた恐怖を経験したのに、それでもまだ、ダンブルドアは僕と話そうとはしない！

「それじゃ、たったそれだけ？」ハリーは大声を出した。「『**動くな**』だって？　僕が吸魂鬼に襲われたあとも、みんなそれしか言わなかった！　ハリーよ、大人たちが片づける間、ただ動かないでいろ！ただし、君には何も教えてやるつもりはない。君のちっちゃな脳みそじゃ、とても対処できないだろうから！」

「いいか」フィニアス・ナイジェラスが、ハリーよりも大声を出した。「これだから、私は教師をしていることが**身震いするほどいやだった！**　若いやつらは、なんでも自分が絶対に正しいと、鼻持ちならん自信を持つ。思い上がりの哀れなお調子者め。ホグワーツの校長が、自分のくわだてをいちいち詳細に明かさないのは、たぶんれっきとした理由があるのだと、考えてみたかね？　不当な扱いだと感じるひまがあったら、ダンブルドアの命令に従った結果、君に危害がおよんだことなど一度もなかったと考えてみたことはないのか？　いやいや、君もほかの若い連中と同様、自分だけが感じたり考えたりしていると信じ込んでいるのだろう。自分だけが危険を認識できるし、自分だけが賢くて闇の帝王のくわだてを理解できるのだと――」

「それじゃ、あいつが僕のことで何か**くわだててる**んだね？」ハリーがすかさず聞いた。

「そんなことを言ったかな？」

フィニアス・ナイジェラスは絹の手袋をもてあそびながらうそぶいた。

「さてと、失礼しよう。思春期の悩みなど聞くより、大事な用事があるのでね……さらば」

フィニアスは、ゆっくりと額縁のほうに歩いていき、姿を消した。

「ああ、勝手に行ったらいい！」ハリーはからの額に向かってどなった。「ダンブルドアに、なんにも言ってくれなくてありがとうって伝えて！」

からのキャンバスは無言のままだった。ハリーはカンカンになって、トランクをベッドの足元まで引きずって戻り、虫食いだらけのベッドカバーの上に、うつ伏せに倒れ、目を閉じた。体が重く、痛んだ。まるで何千キロもの旅をしたような気がした……チョウ・チャンが宿木の下で近づいてきてから、まだ二十四時間とたっていないなんて、信じられない……。つかれていた……眠るのが怖かった……それでも、あとどのくらい眠気に抵抗できるか……ダンブルドアが動くなと言った……つまり、眠ってもいいということなんだ……でも、恐ろしい……また同じことが起こったら？

ハリーは薄暗がりの中に沈んでいった……。

まるで、頭の中で、映像フィルムが、映写を待ちかまえていたようだった。ハリーは、真っ黒な扉に向かう人気のない廊下を歩いていた。ゴツゴツした石壁を通り、いくつもの松明を通り過ぎ、左側の、下に続く石段の入口の前を通り……。

ハリーは黒い扉にたどり着いた。しかし、開けることができない。……ハリーはじっと扉を見つめてたたずんでいた。無性に入りたい……欲しくてたまらない何かが扉の向こうにある……夢のようなごほうびが……傷痕の痛みが止まってくれさえしたら……そうしたら、もっとはっきり考えることができるのに……。

「ハリー」

どこかずっと遠くから、ロンの声がした。

「ママが、夕食の支度ができたって言ってる。でも、まだベッドにいたかったら、君の分を残しておくってさ」

ハリーは目を開けた。しかし、ロンはもう部屋にはいなかった。

僕と二人きりになりたくないんだ、とハリーは思った。**ムーディが言ったことを聞いたあとだもの。**

自分の中に何がいるのかを知ってしまった以上、みんな僕にいてほしくないだろうと、ハリーは思った。

夕食に下りていくつもりはない。無理やり僕と一緒にいてもらうつもりもない。ハリーは寝返りを打ち、まもなくまた眠りに落ちた。

目が覚めたのはかなり時間がたってからで、明け方だった。空腹で胃が痛んだ。ロンは隣のベッドでいびきをかいている。目を凝らして部屋の中を見回すと、フィニアス・ナイジェラスが再び肖像画の額の中に立っている、黒い輪郭が見えた。たぶんダンブルドアは、ハリーが誰かを襲わないように、フィニアス・ナイジェラスを見張りに送ってよこしたのだと思い当たった。

穢れているという思いが激しくなった。ハリーは半ば後悔した。ダンブルドアの言うことに従わないほうがよかった……。グリモールド・プレイスでの暮らしが、これからずっとこんなふうなら、結局プリベット通りのほうがましだったかもしれない。

その日の午前中、ハリー以外のみんなは、クリスマスの飾りつけをした。シリウスがこんなに上機嫌なのを、ハリーは見たことがなかった。クリスマスソングまで歌っている。クリスマスを誰かと一緒に過ごせることが、うれしくてたまらない様子だ。下の階から、ハリーがひとり座っている寒々とした客間まで、床を通してシリウスの歌声が響いてきた。空がだんだん白くなり、雪模様に変わるのを窓から眺めながら、ハリーは自虐的な満足感に浸っていた。どうせみんな、僕のことを話しているにちがいない。僕は、みんなが僕のことを話す機会を作ってやってるんだ。

昼食時、ウィーズリーおばさんが、下の階からやさしくハリーの名前を呼ぶのが聞こえたが、ハリーはもっと上の階に引っ込んで、おばさんを無視した。

夕方六時ごろ、玄関の呼び鈴が鳴り、ブラック夫人がまたしても叫びはじめた。マンダンガスか、誰か騎士団のメンバーが来たのだろうと思い、ハリーは、バックビークの部屋の壁に寄りかかり、より楽な姿勢で落ち着いた。ハリーはそこに隠れ、ヒッポグリフにネズミの死骸をやりながら、自分の空腹を忘れようとしていた。それから数分後、誰かがドアを激しくたたく音がして、ハリーは不意をつかれた。

「そこにいるのはわかってるわ」ハーマイオニーの声だ。「お願い、出てきてくれない？　話があるの」

「なんで、**君が**ここに？」

ハリーはドアをぐいと引いて開けた。バックビークは、食いこぼしたかもしれないネズミのかけらをあさって、また藁(わら)敷きの床を引っかきはじめた。

「パパやママと一緒に、スキーに行ってたんじゃないの？」

「あのね、ほんとのことを言うと、スキーって、**どうも**私の趣味じゃないのよ」ハーマイオニーが言った。「それで、ここでクリスマスを過ごすことにしたの」

ハーマイオニーの髪には雪がついていたし、ほおは寒さで赤くなっていた。

「でも、ロンには言わないでね。ロンがさんざん笑うから、スキーはとってもおもしろいものだって、そう言ってやったの。パパもママもちょっとがっかりしてたけど、私、こう言ったの。試験に真剣な生徒は全部ホグワーツに残って勉強するって。二人とも私にいい成績を取ってほしいから、納得してくれるわ。とにかく」ハーマイオニーは元気よく言った。「あなたの部屋に行きましょう。ロンのお母さまが部屋に火をたいてくれたし、サンドイッチも届けてくださったわ」

ハーマイオニーのあとについて、ハリーは三階に下りた。部屋に入ると、ロンとジニーがロンのベッドに腰かけて待っているのが見え、ハリーはかなり驚いた。

「私、『夜の騎士(ナイト)バス』に乗ってきたの」ハリーに口を開く間も与えず、ハーマイオニーは上着を脱ぎながら、気楽に言った。「ダンブルドアが、きのうの朝一番に、何があったかを教えてくださったわ。でも、正式に学期が終わるのを待ってから出発しないといけなかったの。あなたたちにまんまと逃げられて、アンブリッジはもうカンカンよ。ダンブルドアは、ウィーズリーさんが聖マンゴに入院中で、あなたたちにお見舞いにいく許可を与えたって説明したんだけど。ところで……」

ハーマイオニーはジニーの隣に腰かけ、ロンと三人でハリーを見た。

「気分はどう？」ハーマイオニーが聞いた。

「元気だ」ハリーはそっけなく言った。

「まあ、ハリー、無理するもんじゃないわ」ハーマイオニーがじれったそうに言った。「ロンとジニーから聞いたわよ。聖マンゴから帰ってから、ずっとみんなをさけているって」

「そう言ってるのか？」ハリーはロンとジニーをにらんだ。ロンは足元に目を落としたが、ジニーはまったく気おくれしていないようだった。

「だってほんとうだもの！」ジニーが言った。「それに、あなたは誰とも目を合わせないわ！」

「僕と目を合わせないのは、君たちのほうだ！」ハリーは怒った。

「もしかしたら、かわりばんこに目を見て、すれちがってるんじゃないの？」ハーマイオニーが口元をピクピクさせながら言った。

「そりゃおかしいや」ハリーはバシッとそう言うなり、顔をそむけた。

「ねえ、全然わかってもらえないなんて思うのはおよしなさい」ハーマイオニーが厳しく言った。「ねえ、みんなが昨夜『伸び耳』で盗み聞きしたことを話してくれたんだけど――」

「へーえ？」いまやしんしんと雪の降りだした外を眺めながら、ハリーは両手を深々とポケットに突っ込んで唸るように言った「みんな、僕のことを話してたんだろう？　まあ、僕はもう慣れっこだけど」

「私たち、**あなたと**話したかったのよ、ハリー」ジニーが言った。「だけど、あなたったら、帰ってきてからずっと隠れていて――」

「僕、誰にも話しかけてほしくなかった」ハリーは、だんだんいらいらがつのるのを感じていた。

「あら、それはちょっとおバカさんね」ジニーが怒ったように言った。「『例のあの人』に取り憑かれたことのある人って、私以外にいないはずよ。それがどういう感じなのか、私なら教えてあげられるわ」

ジニーの言葉の衝撃で、ハリーはじっと動かなかった。やがて、その場に立ったまま、ハリーはジニーのほうに向きなおった。

「僕、忘れてた」ハリーが言った。

「幸せな人ね」ジニーが冷静に言った。

「ごめん」ハリーは心からすまないと思った。「それじゃ……それじゃ、君は僕が取り憑かれていると思う？」

「そうね、あなた、自分のやったことを全部思い出せる？」ジニーが聞いた。「何をしようとしていたのか思い出せない、大きな空白期間がある？」

ハリーは必死で考えた。

「ない」ハリーが答えた。

「それじゃ、『例のあの人』はあなたに取り憑いたことはないわ」ジニーは事もなげに言った。「あの人が私に取り憑いたときは、私、何時間も自分が何をしていたか思い出せなかったの。どうやって行ったのかわからないのに、気がつくとある場所にいるの」

ハリーはジニーの言うことがとうてい信じられないような気持ちだったが、思わず気分が軽くなっていた。

「でも、僕の見た、君のパパと蛇の夢は――」

「ハリー、あなた、前にもそういう夢を見たことがあったわ」ハーマイオニーが言った。「先学期、ヴォルデモートが何を考えているかが、突然ひらめいたことがあったでしょう」

「今度のはちがう」ハリーが首を横に振りながら言った。「僕は蛇の**中に**いた。**僕自身が**蛇みたいだった……。ヴォルデモートが僕をロンドンに運んだんだとしたら――？」

「まあ、そのうち」ハーマイオニーががっくりしたような声を出した。「あなたも読むときが来るかもしれないわね、『ホグワーツの歴史』を。そしたらたぶん思い出すと思うけど、ホグワーツの中では『姿あらわし』も『姿くらまし』もできないの。ハリー、ヴォルデモートだって、あなたを寮から連れ出して飛ばせるなんてことはできないのよ」

「君はベッドを離れてないぜ、おい」ロンが言った。「僕、君が眠りながらのた打ち回っているのを見たよ。僕たちがたたき起こすまで少なくとも一分ぐらい」

ハリーは考えながら、また部屋の中を往ったり来たりしはじめた。みんなが言っていることは、単になぐさめになるばかりでなく、理屈が通っている。……ほとんど無意識に、ハリーはベッドの上に置かれた皿からサンドイッチを取り、ガツガツと口に詰め込んだ。

結局、僕は武器じゃないんだ、とハリーは思った。幸福な、ホッとした気持ちが胸をふくらませた。シリウスがバックビークの部屋に行くのに、クリスマスソングの替え歌を大声で歌いながら、ハリーたちのいる部屋の前を足音も高く通り過ぎていった。

「世のヒッポグリフ忘るるな、クリスマスは……」

ハリーは一緒に歌いたい気分だった。


クリスマスにプリベット通りに帰るなんて、どうしてそんなばかげたことを考えたんだろう？　シリウスは、館がまたにぎやかになったことが、特にハリーが戻っていることが、うれしくてたまらない様子だ。その気持ちにみんなも感染していた。シリウスはもう、この夏の不機嫌な家主ではなく、みんながホグワーツでのクリスマスに負けないぐらい楽しく過ごせるようにしようと、決意したかのようだった。クリスマスを目指し、シリウスは、みんなに手伝わせて掃除をしたり、飾りつけをしたりと、つかれも見せずに働いた。おかげで、クリスマスイブにみんながベッドに入るときには、館は見ちがえるようになっていた。くすんだシャンデリアには、クモの巣のかわりに柊(ひいらぎ)の花飾りと金銀のモールがかかり、すり切れたカーペットには輝く魔法の雪が積もっていた。マンダンガスが手に入れてきた大きなクリスマスツリーには、本物の妖精が飾りつけられ、ブラック家の家系図を覆い隠していた。屋敷しもべ妖精の首の剥製さえ、サンタクロースの帽子をかぶり、白ひげをつけていた。

クリスマスの朝、目を覚ましたハリーは、ベッドの足元にプレゼントの山を見つけた。ロンはもう、かなり大きめの山を半分ほど開け終えていた。

「今年は大収穫だぞ」ロンは包み紙の山の向こうからハリーに教えた。「箒(ほうき)用羅針盤をありがとう。すごいよ。ハーマイオニーのなんか目じゃない。――あいつ、『**宿題計画帳**』なんかくれたんだぜ――」

ハリーはプレゼントの山をかき分け、ハーマイオニーの手書きの見える包みを見つけた。ハリーにも同じものをプレゼントしていた。日記帳のような本だが、ページを開けるたびに声がした。たとえば、「**今日やらないと、明日は後悔！**」

シリウスとルーピンからは、『実践的防衛術と闇の魔術に対するその使用法』という、すばらしい全集だった。呪いや呪い崩し呪文の記述の一つ一つに、見事な動くカラーイラストがついていた。ハリーは第一巻を夢中でパラパラとめくった。ＤＡの計画を立てるのに大いに役立つことがわかる。ハグリッドは茶色の毛皮の財布をくれた。牙がついているのは、泥棒よけのつもりなのだろう。残念ながら、ハリーが財布にお金を入れようとすると、指を食いちぎられそうになった。トンクスのプレゼントは、ファイアボルトの動くミニチュア・モデルだった。それが部屋の中をぐるぐる飛ぶのを眺めながら、ハリーは、本物の箒が手元にあったらなぁと思った。ロンは巨大な箱入りの「百味ビーンズ」をくれた。ウィーズリーおじさん、おばさんは、いつもの手編みのセーターとミンスパイだった。ドビーは、なんともひどい絵をくれた。自分で描いたのだろうとハリーは思った。もしかしたらそのほうがまだましかと思い、ハリーは絵を逆さまにしてみた。ちょうどその時、**バシッ**と音がして、フレッドとジョージがハリーのベッドの足元に「姿あらわし」した。

「メリークリスマス」ジョージが言った。「しばらくは下に行くなよ」

「どうして？」ロンが聞いた。

「ママがまた泣いてるんだ」フレッドが重苦しい声で言った。「パーシーがクリスマス・セーターを送り返してきやがった」

「手紙もなしだ」ジョージがつけ加えた。「パパの具合はどうかと聞きもしないし、見舞いにもこない」

「俺たち、なぐさめようと思って」フレッドがハリーの持っている絵をのぞき込もうと、ベッドを回り込みながら言った。「それで、『パーシーなんか、バカでっかいネズミのクソの山』だって言ってやった」

「効き目なしさ」ジョージが蛙チョコレートを勝手につまみながら言った。「そこでルーピンと選手交代だ。ルーピンになぐさめてもらって、それから朝食に下りていくほうがいいだろうな」

「ところで、これはなんのつもりかな？」フレッドが目を細めてドビーの絵を眺めた。「目の周りが黒いテナガザルってとこかな」

「ハリーだよ！」ジョージが絵の裏を指差した。「裏にそう書いてある！」

「似てるぜ」フレッドがニヤリとした。ハリーは真新しい宿題計画帳をフレッドに投げつけたが、計画帳はその後ろの壁に当たって床に落ち、楽しそうな声で言った。「**爪にツメなし、瓜にツメあり。最後の仕上げが終わったら、なんでも好きなことをしていいわ！**」

みんな起き出して着替えをすませた。家の中でいろいろな人が互いに「メリークリスマス」と挨拶しているのが聞こえた。階段を下りる途中でハーマイオニーに出会った。

「ハリー、本をありがとう」ハーマイオニーがうれしそうに言った。「あの『新数霊術理論』の本、ずっと読みたいと思っていたのよ！　それから、ロン、あの香水、ほんとにユニークだわ」

「どういたしまして」ロンが言った。「それ、いったい誰のためだい？」

ロンはハーマイオニーが手にしている、きちんとした包みをあごで指した。

「クリーチャーよ」ハーマイオニーが明るく言った。

「まさか服じゃないだろうな！」ロンがとがめるように言った。「シリウスが言ったこと、わかってるだろう？『クリーチャーは知りすぎている。自由にしてやるわけにはいかない！』」

「服じゃないわ」ハーマイオニーが言った。「もっとも、私なら、あんな汚らしいボロ布よりはましなものを身に着けさせるけど。ううん、これ、パッチワークのキルトよ。クリーチャーの寝室が明るくなると思って」

「寝室って？」ちょうどシリウスの母親の肖像画の前を通るところだったので、ハリーは声を落としてささやいた。

「まあね、シリウスに言わせると、寝室なんてものじゃなくて、いわば――**巣穴**だって」ハーマイオニーが答えた。「クリーチャーは、厨房(ちゅうぼう)脇の納戸にあるボイラーの下で寝ているみたいよ」

地下の厨房に着いたときには、ウィーズリーおばさんしかいなかった。かまどの所に立って、みんなに「メリークリスマス」と挨拶したおばさんの声は、まるで鼻風邪を引いているようだった。みんなはおばさんの目を見ないようにした。

「それじゃ、ここがクリーチャーの寝床？」

ロンは食料庫と反対側の角にある薄汚い戸までゆっくり歩いていった。ハリーはその戸が開いているのを見たことがなかった。

「そうよ」ハーマイオニーは少しピリピリしながら言った。「あ……ノックしたほうがいいと思うけど」

ロンは拳でコツコツ戸をたたいたが、返事はなかった。

「上の階をコソコソうろついてるんだろ」ロンはいきなり戸を開けた。「**ウエッ！**」

ハリーは中をのぞいた。納戸の中は、旧式の大型ボイラーでほとんどいっぱいだったが、パイプの下のすきまに、クリーチャーがなんだか巣のようなものをこしらえていた。床にボロ布やぷんぷんにおう古毛布がごたごたに寄せ集められて、積み上げられている。その真ん中に小さなへこみがあり、クリーチャーが毎晩どこで丸まって寝るのかを示していた。ごたごたのあちこちに、くさったパンくずやかびの生えた古いチーズのかけらが見える。一番奥の隅には、コインや小物が光っている。シリウスが館から放り出したものを、クリーチャーが泥棒カササギのように集めていたのだろうと、ハリーは思った。夏休みにシリウスが捨てた、銀の額入りの家族の写真も、クリーチャーはなんとか回収していた。ガラスは壊れていても、白黒写真の人物たちは、高慢ちきな顔でハリーを見上げていた。その中に――ハリーは胃袋がザワッとした――黒髪の、腫れぼったいまぶたの魔女もいる。ハリーが、ダンブルドアの「憂いの篩(ふるい)」で裁判を傍聴したときに見た、ベラトリックス・レストレンジだ。どうやら、この写真はクリーチャーのお気に入りらしく、ほかの写真の一番前に置き、スペロテープで不器用にガラスを貼り合わせていた。

「プレゼントをここに置いておくだけにするわ」ハーマイオニーはボロと毛布のへこみの真ん中にきちんと包みを置き、そっと戸を閉めた。「あとで見つけるでしょう。それでいいわ」

「そういえば」納戸を閉めたとき、ちょうどシリウスが、食料庫から大きな七面鳥を抱えて現れた。「近ごろ誰かクリーチャーを見かけたかい？」

「ここに戻ってきた夜に見たきりだよ」ハリーが言った。「シリウスおじさんが、厨房から出ていけって、命令してたよ」

「ああ……」シリウスが顔をしかめた。「私も、あいつを見たのはあの時が最後だ……。上の階のどこかに隠れているにちがいない」

「出ていっちゃったってことはないよね？」ハリーが言った。「つまり、『**出ていけ**』って言ったとき、この館から出ていけという意味に取ったのかなあ？」

「いや、いや、屋敷しもべ妖精は、衣服をもらわないかぎり出ていくことはできない。主人の家に縛りつけられているんだ」シリウスが言った。

「ほんとうにそうしたければ、家を出ることができるよ」ハリーが反論した。「ドビーがそうだった。

三年前、僕に警告するためにマルフォイの家を離れたんだ。あとで自分を罰しなければならなかったけど、とにかくやってのけたよ」

シリウスは一瞬ちょっと不安そうな顔をしたが、やがて口を開いた。

「あとであいつを探すよ。どうせ、どこか上の階で、僕の母親の古いブルマーか何かにしがみついて目を泣き腫らしているんだろう。もちろん、乾燥用戸棚に忍び込んで死んでしまったということもありうるが……まあ、そんなに期待しないほうがいいだろうな」

フレッド、ジョージ、ロンは笑ったが、ハーマイオニーは非難するような目つきをした。

クリスマス・ランチを食べ終わったら、ウィーズリー一家とハリー、ハーマイオニーは、マッド-アイとルーピンの護衛つきで、もう一度ウィーズリー氏の見舞いにいくことにしていた。クリスマス・プディングとトライフルのデザートに間に合う時間にやってきたマンダンガスは、病院行きのために車を一台「借りて」きていた。クリスマスには地下鉄が走っていないからだ。車は、ハリーの見るところ、持ち主の了解のもとに借り出されたとはとうてい思えなかったが、かつてウィーズリーおじさんが中古のフォード・アングリアに魔法をかけたときと同じように、呪文で大きくなっていた。外側は普通の大きさなのに、運転するマンダンガスのほか十人が、楽々乗り込めた。ウィーズリーおばさんは乗り込む前にためらった――マンダンガスを認めたくない気持ちと、魔法なしで移動することがいやだという気持ちが戦っているのが、ハリーにはわかった――しかし、外が寒かったことと子供たちにせがまれたことで、ついに勝敗が決まった。おばさんは後部席のフレッドとビルの間にいさぎよく座り込んだ。

道路がとても空いていたので、聖マンゴまでの旅はあっという間だった。人通りのない街路に、病院を訪れるほんの数人の魔法使いや魔女がコソコソと入っていった。ハリーもみんなもそこで車を降りた。マンダンガスは、みんなの帰りを待つのに、車を道の角に寄せた。一行は、緑のナイロン製エプロンドレスを着たマネキンが立っているショーウィンドウに向かって、ゆっくりとなにげなく歩き、一人ずつウィンドウの中に入った。

受付ロビーは楽しいクリスマス気分に包まれていた。聖マンゴ病院を照らすクリスタルの球は、赤や金色に塗られた輝く巨大な玉飾りになっていた。戸口という戸口には柊が下がり、魔法の雪や氷柱で覆われた白く輝くクリスマスツリーが、あちこちの隅でキラキラしていた。ツリーのてっぺんには金色に輝く星がついている。病院は、この前ハリーたちが来たときほど混んではいなかった。ただし、待合室の真ん中あたりで、ハリーは、左の鼻の穴にみかんが詰まった魔女に押しのけられた。

「家庭内のいざこざなの？　え？」ブロンドの案内魔女が、デスクの向こうでニンマリした。「この手の患者さんは、あなたで今日三人目よ……。呪文性損傷。五階」

ウィーズリー氏はベッドにもたれかかっていた。ひざにのせた盆に、昼食の七面鳥の食べ残しがあり、なんだかバツの悪そうな顔をしていた。

「あなた、おかげんはいかが？」みんなが挨拶し終わり、プレゼントを渡してから、おばさんが聞いた。

「ああ、とてもいい」ウィーズリーおじさんの返事は、少し元気がよすぎた。「母さん——その——スメスウィック癒師には会わなかっただろうね？」

「いいえ」おばさんが疑わしげに答えた。「どうして？」

「いや、別に」おじさんはプレゼントの包みをほどきはじめながら、なんでもなさそうに答えた。

「みんな、いいクリスマスだったかい？　プレゼントは何をもらったのかね？　あぁ、ハリー——こりゃ、**すばらしい！**」おじさんはハリーからのプレゼントを開けたところだった。ヒューズの銅線と、ネジ回しだった。

ウィーズリーおばさんは、おじさんの答えではまだ完全に納得していなかった。夫がハリーと握手しようとかがんだとき、寝巻きの下の包帯をちらりと見た。

「あなた」おばさんの声が、ネズミ捕りのようにピシャッと響いた。「包帯を換えましたね。アーサー、一日早く換えたのはどうしてなの？　明日までは換える必要がないって聞いていましたよ」

「えっ?」ウィーズリーおじさんは、かなりドキッとした様子で、ベッドカバーを胸まで引っ張り上げた。「いや、その――なんでもない――ただ――私は――」

ウィーズリーおじさんは、射すくめるようなおばさんの目に会って、しぼんでいくように見えた。

「いや――モリー、心配しないでくれ。オーガスタス・パイがちょっと思いついてね……ほら、研修癒の、気持ちのいい若者だがね。それが大変興味を持っているのが――ンー……補助医療でね――つまり、旧来のマグル療法なんだが……そのなんだ、**縫合**と呼ばれているものでね、モリー。これが非常に効果があるんだよ――マグルの傷には――」

ウィーズリーおばさんが不吉な声を出した。悲鳴とも唸り声ともつかない声だ。ルーピンは見舞い客が誰もいなくて、ウィーズリーおじさんの周りにいる大勢の見舞い客をうらやましそうに眺めていた狼男のほうにゆっくり歩いていった。ビルはお茶を飲みにいってくるとかなんとかつぶやき、フレッドとジョージは、すぐに立ち上がって、ニヤニヤしながらビルについていった。

「あなたのおっしゃりたいのは」ウィーズリーおばさんの声は、一語一語大きくなっていった。みんながあわてふためいて避難していくのには、どうやらまったく気づいていない。「マグル療法でバカなことをやっていたというわけ?」

「モリーや、バカなことじゃないよ」ウィーズリーおじさんがすがるように言った。「なんというか――パイと私とで試してみたらどうかと思っただけで――ただ、まことに残念ながら――まあ、この種の傷には――私たちが思っていたほどには効かなかったわけで――」

「**つまり?**」

「それは……その、おまえが知っているかどうか、あの――縫合というものだが?」

「あなたの皮膚を元どおりに縫い合わせようとしたみたいに聞こえますけど?」ウィーズリーおばさんはちっともおもしろくありませんよという笑い方をした。「だけど、いくらあなたでも、アーサー、**そこまで**バカじゃないでしょう――」

「僕もお茶が飲みたいな」ハリーは急いで立ち上がった。

ハーマイオニー、ロン、ジニーも、ハリーと一緒にほとんど走るようにしてドアまで行った。ドアが背後でパタンと閉まったとき、ウィーズリーおばさんの叫び声が聞こえてきた。

「**だいたいそんなことだって、どういうことですか?**」

「まったくパパらしいわ」四人で廊下を歩きはじめたとき、ジニーが頭を振り振り言った。「縫合だって……まったく……」

「でもね、魔法の傷以外ではうまくいくのよ」ハーマイオニーが公平な意見を言った。「たぶん、あの蛇の毒が縫合糸を溶かしちゃうか何かするんだわ。ところで喫茶室はどこかしら?」

「六階だよ」ハリーが、案内魔女のデスクの上にかかっていた案内板を思い出して言った。

両開きの扉を通り、廊下を歩いていくと、頼りなげな階段があった。階段の両側に粗野な顔をした癒者たちの肖像画がかかっている。一行が階段を上ると、その癒者たちが四人に呼びかけ、奇妙な病状の診断を下したり、恐ろしげな治療法を意見した。中世の魔法使いがロンに向かって、まちがいなく重症の黒斑病(こくはん)だと叫んだときは、ロンは大いに腹を立てた。

「だったらどうなんだよ?」ロンが憤慨して聞いた。

その癒者は、六枚もの肖像画を通り抜け、それぞれの主を押しのけて追いかけてきていた。

「お若い方、これは非常に恐ろしい皮膚病ですぞ。あばた面になりますな。そして、いまよりもっとぞっとするような顔に――」

「誰に向かってぞっとする顔なんて言ってるんだ！」ロンの耳が真っ赤になった。

「――治療法はただ一つ。ヒキガエルの肝を取り、首にきつく巻きつけ、満月の夜、素っ裸で、ウナギの目玉が詰まった樽の中に立ち――」

「僕は黒斑病なんかじゃない！」

「しかし、お若い方、貴殿の顔面にある、その醜い汚点は――」

「ソバカスだよ！」ロンはカンカンになった。「さあ、自分の額に戻れよ。僕のことはほっといてくれ！」

ロンはほかの三人を振り返った。みんな必死で普通の顔をしていた。

「ここ、何階だ？」

「六階だと思うわ」ハーマイオニーが答えた。

「ちがうよ。五階だ」ハリーが言った。「もう一階――」

しかし、踊り場に足をかけたとたん、ハリーは急に立ち止まった。「呪文性損傷」という札のかかった廊下の入口に、小さな窓がついた両開きのドアがあり、ハリーはその窓を見つめていた。ガラスに鼻を押しつけて、一人の男がのぞいていた。波打つ金髪、明るいブルーの目、ニッコリと意味のない笑いを浮かべ、輝くような白い歯を見せている。

「なんてこった！」ロンも男を見つめた。

「まあ、驚いた」ハーマイオニーも気がつき、息が止まったような声を出した。「ロックハート先生！」

かつての「闇の魔術に対する防衛術」の先生は、ドアを押し開け、こっちにやってきた。ライラック色の部屋着を着ている。

「おや、こんにちは！」先生が挨拶した。「私のサインが欲しいんでしょう？」

「あんまり変わっていないね？」ハリーがジニーにささやいた。ジニーはニヤッと笑った。

「えーと――先生、お元気ですか？」ロンはちょっと気がとがめるように挨拶した。元はと言えば、ロンの杖が壊れていたせいで、ロックハート先生は記憶を失い、聖マンゴに入院するはめになったのだ。ただ、その時ロックハートは、ハリーとロンの記憶を永久に消し去ろうとしていたわけで、ハリーはそれほど同情していなかった。

「大変元気ですよ。ありがとう！」ロックハートは生き生きと答え、ポケットから少しくたびれた孔雀の羽根ペンを取り出した。「さて、サインはいくつ欲しいですか？　私は、もう続け字が書けるようになりましたからね！」

「あー――いまはサインはけっこうです」ロンはハリーに向かって眉毛をきゅっと吊り上げて見せた。

「先生、廊下をうろうろしていていいんですか？　病室にいないといけないんじゃないですか？」ハリーが聞いた。

ロックハートのニッコリがゆっくり消えていった。しばらくの間ハリーをじっと見つめ、やがてこう言った。

「どこかでお会いしませんでしたか？」

「あー――ええ、会いました」ハリーが答えた。「あなたは、ホグワーツで、私たちを教えていらっしゃいました。覚えてますか？」

「教えて？」ロックハートはかすかにうろたえた様子でくり返した。「私が？　教えた？」

それから突然笑顔が戻った。びっくりするほど突然だった。

「きっと、君たちの知っていることは全部私が教えたんでしょう？　さあ、サインはいかが？　一ダースもあればいいでしょう。お友達に配るといい。そうすれば、もらえない人は誰もいないでしょう！」

　しかし、ちょうどその時、廊下の一番奥のドアから誰かが首を出し、声がした。

「ギルデロイ、悪い子ね。いったいどこをうろついていたの？」

　髪にティンセルの花輪を飾った、母親のような顔つきの癒者が、ハリーたちに温かく笑いかけながら、廊下の向こうから急いでやってきた。

「まあ、ギルデロイ、お客さまなのね！　**よかったこと**。しかもクリスマスの日にですもの！　あのね、この子には**誰も**お見舞いにこないのよ。かわいそうに。どうしてなんでしょうね。こんなにかわいい子ちゃんなのに。ねえ、坊や？」

「サインをしてたんだよ！」ギルデロイは癒者に向かって、またニッコリと輝く歯を見せた。「たくさん欲しがってね。だめだって言えないんだ！　写真が足りるといいんだけど！」

「おもしろいことを言うのね」ロックハートの腕を取り、おませな二歳の子供でも見るような目で、いとおしそうにニッコリとロックハートにほほえみかけながら、癒者が言った。

「二、三年前まで、この人はかなり有名だったのよ。サインをしたがるのは、記憶が戻りかけているしるしではないかと、私たちはそう願っているんですよ。こちらへいらっしゃいな。この子は隔離病棟にいるんですよ。私がクリスマスプレゼントを運び込んでいる間に、抜け出したにちがいないわ。普段はドアに鍵がかかっているの……この子が危険なのじゃありませんよ！　でも」癒者は声を落としてささやいた。「この子にとって危険なの。かわいそうに……自分が誰かもわからないでしょ。ふらふらさまよって、帰り道がわからなくなるの……。ほんとうによく来てくださったわ」

「あの」ロンが上の階を指差して、むだな抵抗を試みた。「僕たち、実は――えーと――」

　しかし、癒者がいかにもうれしそうに四人に笑いかけたので、ロンが力なく「お茶を飲みにいくところで」というブツブツ声は、尻すぼみに消えていった。四人はしかたがないと顔を見合わせ、ロックハートと癒者について廊下を歩いた。

「早く切り上げようぜ」ロンがそっと言った。

癒者は「ヤヌス・シッキー病棟」と書かれたドアを杖で指し、「**アロホモラ**」と唱えた。ドアがパッと開き、癒者が先導して入った。ベッド脇のひじかけ椅子に座らせるまで、ギルデロイの腕をしっかりつかまえたままだった。

「ここは長期療養の病棟なの」

ハリー、ロン、ハーマイオニー、ジニーに、癒者が低い声で教えた。

「呪文性の永久的損傷のためにね。もちろん、集中的な治療薬と呪文と、ちょっとした幸運で、多少は症状を改善できます。ギルデロイは少し自分を取り戻したようですし、ボードさんなんかはほんとうによくなりましたよ。話す能力を取り戻してきたみたいですもの。でもまだ私たちにわかる言語は何も話せませんけどね。さて、クリスマスプレゼントを配ってしまわないと。みんな、お話ししていてね」

ハリーはあたりを見回した。この病棟は、まちがいなく入院患者がずっと住む家だとはっきりわかるような印がいろいろあった。ウィーズリーおじさんの病棟に比べると、ベッドの周りに個人の持ち物がたくさん置いてある。たとえば、ギルデロイのベッドの頭の上の壁は写真だらけで、その全部がニッコリ白い歯を見せて、訪問客に手を振っていた。ギルデロイは、写真の多くに、子供っぽいバラバラな文字で自分宛にサインしていた。癒者がひじかけ椅子に座らせたとたん、ギルデロイは新しい写真の山を引き寄せ、羽根ペンをつかんで夢中でサインを始めた。

「封筒に入れるといい」サインし終わった写真を一枚ずつジニーのひざに投げ入れながら、ギルデロイが言った。「私はまだ忘れられてはいないんですよ。まだまだ。いまでもファンレターがどっさり来る……グラディス・ガージョンなんか週一回くれる……どうしてなのか知りたいものだけど……」ギルデロイは言葉を切り、かすかに不思議そうな顔をしたが、またニッコリして、再びサインに熱中した。

「きっと私がハンサムだからなんだろうね……」

反対側のベッドには、土気色の肌をした悲しげな顔の魔法使いが、天井を見つめて横たわっていた。ひとりで何やらブツブツつぶやき、周りのことはまったく気づかない様子だ。二つ向こうのベッドには、頭全体に動物の毛が生えた魔女がいる。ハリーは二年生のときハーマイオニーに同じようなことが起こったのを思い出した。ハーマイオニーの場合は、幸い、永久的なものではなかった。一番奥の二つのベッドには、周りに花柄のカーテンが引かれ、中の患者にも見舞い客にも、ある程度プライバシーが保てるようになっていた。

「アグネス、あなたの分よ」癒者が明るく言いながら、毛むくじゃらの魔女に、クリスマスプレゼントの小さな山を手渡した。「ほーらね、あなたのこと、忘れてないでしょ？　それに息子さんがふくろう便で、今夜お見舞いにくると言ってよこしましたよ。よかったわね？」

アグネスはふた声、三声、大きく吠えた。

「それから、ほうら、ブロデリック、鉢植え植物が届きましたよ。それにすてきなカレンダー。毎月ちがう種類のめずらしいヒッポグリフの写真がのっているわ。これでパッと明るくなるわね？」

癒者はひとり言の魔法使いの所にいそいそと歩いていき、ベッド脇の収納棚の上に、鉢植えを置いた。長い触手をゆらゆらさせた、なんだか醜い植物だった。それから杖で壁にカレンダーを貼った。

「それから――あら、ミセス・ロングボトム、もうお帰りですか？」

ハリーの頭が思わずくるりと回った。一番奥の二つのベッドを覆ったカーテンが開き、見舞い客が二人、ベッドの間の通路を歩いてきた。あたりを払う風貌の老魔女は、長い緑のドレスに、虫食いだらけの狐の毛皮をまとい、とがった三角帽子には紛れもなく本物のハゲタカの剥製がのっている。後ろに従っているのは、打ちひしがれた顔の――**ネビルだ。**

突然すべてが読めた。ハリーは、奥のベッドに誰がいるのかがわかった。ネビルが誰にも気づかれず、質問も受けずにここから出られるようにと、ほかの三人の注意をそらすものを探して、ハリーはあわてて周りを見回した。しかし、ロンも「ロングボトム」の名前が聞こえて目を上げていた。ハリーが止める間もなく、ロンが呼びかけた。

「**ネビル！**」

ネビルはまるで弾丸がかすめたかのように、飛び上がって縮こまった。

「ネビル、僕たちだよ！」ロンが立ち上がって明るく言った。「ねえ、見た――？　ロックハートがいるよ！　君は誰のお見舞いなんだい？」

「ネビル、お友達かえ？」

ネビルのおばあさまが、四人に近づきながら、上品な口ぶりで聞いた。

ネビルは身の置き所がない様子だった。ぽっちゃりした顔に、赤紫色がサッと広がり、ネビルは誰とも目を合わせないようにしていた。ネビルのおばあさまは、目を凝らしてハリーを眺め、しわだらけの鉤爪のような手を差し出して握手を求めた。

「おお、おお、あなたがどなたかは、もちろん存じてますよ。ネビルがあなたのことを大変ほめておりましてね」

「あー――どうも」ハリーが握手しながら言った。ネビルはハリーの顔を見ようとせず、自分の足元を見つめていた。顔の赤みがどんどん濃くなっていた。

「それに、あなた方お二人は、ウィーズリー家の方ですね」

ミセス・ロングボトムは、ロンとジニーに次々と、威風堂々手を差し出した。

「ええ、ご両親を存じ上げておりますよ――もちろん親しいわけではありませんが――しかし、ご立派な方々です。ご立派な……そして、あなたがハーマイオニー・グレンジャーですね？」

ハーマイオニーはミセス・ロングボトムが自分の名前を知っていたのでちょっと驚いたような顔をしたが、臆せず握手した。

「ええ、ネビルがあなたのことは全部話してくれました。何度か窮地を救ってくださったのね？　この子はいい子ですよ」

おばあさまは、骨ばった鼻の上から、厳しく評価するような目でネビルを見下ろした。

「でも、この子は、口惜しいことに、父親の才能を受け継ぎませんでした」

そして、奥の二つのベッドのほうにぐいと顔を向けた。帽子の剥製ハゲタカが脅すように揺れた。

「えーっ？」ロンが仰天した（ハリーはロンの足を踏んづけたかったが、ローブではなくジーンズなので、そういう技をこっそりやりおおせるのはかなり難しかった）。

「奥にいるのは、ネビル、君の**父さん**なの？」

「なんたることです？」ミセス・ロングボトムの鋭い声が飛んだ。「ネビル、おまえは、お友達に、両親のことを話していなかったのですか？」

ネビルは深く息を吸い込み、天井を見上げて首を横に振った。ハリーは、これまでこんなに気の毒な思いをしたことがなかった。しかし、どうやったらこの状況からネビルを助け出せるか、何も思いつかなかった。

「いいですか、何も恥じることはありません！」ミセス・ロングボトムは怒りを込めて言った。「おまえは**誇りに**すべきです。ネビル、**誇りに！**　あのように正常な体と心を失ったのは、一人息子が親を恥に思うためではありませんよ。おわかりか！」

「僕、恥に思ってない」

ネビルは消え入るように言ったが、かたくなにハリーたちの目をさけていた。ロンはいまやつま先立ちで、二つのベッドに誰がいるかのぞこうとしていた。

「はて、それにしては、おかしな態度だこと！」ミセス・ロングボトムが言った。「私の息子と嫁は」おばあさまは、誇り高く、ハリー、ロン、ハーマイオニー、ジニーに向きなおった。「『例のあの人』の配下に、正気を失うまで拷問されたのです」

ハーマイオニーとジニーは、あっと両手で口を押さえた。ロンはネビルの両親をのぞこうと首を伸ばすのをやめ、恥じ入った顔をした。

「二人とも『闇祓い』だったのですよ。しかも魔法使いの間では非常な尊敬を集めていました」ミセス・ロングボトムの話は続いた。「夫婦そろって、才能豊かでした。私は――おや、アリス、どうしたのかえ？」

ネビルの母親が、寝巻きのまま、部屋の奥から這うような足取りで近寄ってきた。ムーディに見せてもらった、不死鳥の騎士団設立メンバーの古い写真に写っていた、ふっくらとした幸せそうな面影はどこにもなかった。いまやその顔はやせこけ、やつれはてて、目だけが異常に大きく見えた。髪は白く、まばらで、死人のようだった。何か話したい様子ではなかった。いや、話すことができなかったのだろう。しかし、おずおずとしたしぐさで、ネビルのほうに、何かを持った手を差し伸ばした。

「またかえ？」ミセス・ロングボトムは少しうんざりした声を出した。「よしよし、アリスや――ネビル、なんでもいいから、受け取っておあげ」

ネビルはもう手を差し出していた。その手の中へ、母親は「どんどんふくらむドルーブル風船ガム」

の包み紙をポトリと落とした。

「まあ、いいこと」

ネビルのおばあさまは、楽しそうな声を取りつくろい、母親の肩をやさしくたたいた。

ネビルは小さな声で、「ママ、ありがとう」と言った。

母親は、鼻歌を歌いながらよろよろとベッドに戻っていった。ネビルはみんなの顔を見回した。笑いたきゃ笑えと、挑むような表情だった。しかし、ハリーは、いままでの人生で、こんなにも笑いからほど遠いものを見たことがなかった。

「さて、もう失礼しましょう」

ミセス・ロングボトムは緑の長手袋を取り出し、ため息をついた。

「みなさんにお会いできてよかった。ネビル、その包み紙はくずかごにお捨て。あの子がこれまでにくれた分で、もうおまえの部屋の壁紙が貼れるほどでしょう」

しかし、二人が立ち去るとき、ネビルが包み紙をポケットにすべり込ませたのを、ハリーは確かに見た。

二人が出ていき、ドアが閉まった。

「知らなかったわ」ハーマイオニーが涙を浮かべて言った。

「僕もだ」ロンはかすれ声だった。

「私もよ」ジニーがささやくように言った。

三人がハリーを見た。

「僕、知ってた」ハリーが暗い声で言った。

「ダンブルドアが話してくれた。でも、誰にも言わないって、僕、約束したんだ……ベラトリックス・

レストレンジがアズカバンに送られたのは、そのためだったんだ。ネビルの両親が正気を失うまで『磔の呪い』を使ったからだ」

「ベラトリックス・レストレンジがやったの?」ハーマイオニーが恐ろしそうに言った。「クリーチャーが巣穴に持っていた、あの写真の魔女?」

長い沈黙が続いた。ロックハートの怒った声が沈黙を破った。

「ほら、せっかく練習して続け字のサインが書けるようになったのに!」

第24章　閉心術

クリーチャーが屋根裏部屋にひそんでいたことは、あとでわかった。シリウスが、そこでほこりまみれになっているクリーチャーを見つけたと言った。ブラック家の形見の品を探して、もっと自分の巣穴に持ち込もうとしていたにちがいないと言うのだ。シリウスはこの筋書きで満足していたが、ハリーは落ち着かなかった。再び姿を現したクリーチャーは、なんだか前より機嫌がよいように見えた。辛辣なブツブツが少し治まり、いつもより従順に命令に従った。しかし、ハリーは、一度か二度、この屋敷しもべ妖精が自分を熱っぽく見つめているのに気づいた。ハリーに気づかれているとわかると、クリーチャーはいつもすばやく目をそらすのだった。

ハリーは、このもやもやした疑惑を、クリスマスが終わって急激に元気をなくしているシリウスには言わなかった。ホグワーツへの出発の日が近づいてくるにつれ、シリウスはますます不機嫌になっていった。ウィーズリーおばさんが「むっつり発作」と呼んでいるものが始まると、シリウスは無口で気難しくなり、しばしばバックビークの部屋に何時間も引きこもっていた。シリウスの憂鬱が、毒ガスのようにドアの下からにじみ出し、館中に拡散して全員が感染した。

ハリーは、シリウスを、またクリーチャーと二人きりで残していきたくなかった。事実、ハリーは、こんなことは初めてだったが、ホグワーツに帰りたいという気持ちになれなかった。学校に帰るということは、またドローレス・アンブリッジの圧政の下に置かれることになるのだ。みんなのいない間にアンブリッジはまたしても、十以上の省令を強行したにちがいない。ハリーはクィディッチを禁じられているので、その楽しみもない。試験がますます近づいているので、宿題の負担が重くなることは目に見えているし、ダンブルドアは相変わらずよそよそしい。実際、DAのことさえなければ、ホグワーツを退学させて、グリモールド・プレイスに置いてほしいと、シリウスに頼み込もうかとさえ思った。

そして、休暇最後の日に、学校に帰るのがほんとうに恐ろしいと思わせる出来事が起こった。

「ハリー」ウィーズリーおばさんが、ロンとの二人部屋のドアから顔をのぞかせた。ちょうど二人で魔法チェスをしているところで、ハーマイオニー、ジニー、クルックシャンクスは観戦していた。「厨房に下りてきてくれる？　スネイプ先生が、お話があるんですって」

ハリーは、おばさんの言ったことが、すぐにはぴんと来なかった。自分の持ち駒のルークが、ロンのポーンと激しい格闘の最中で、ハリーはルークをたきつけるのに夢中だった。

「やっつけろ――**やっちまえ**。たかがポーンだぞ、ウスノロ。あ、おばさん、ごめんなさい。なんですか？」

「スネイプ先生ですよ。厨房で。ちょっとお話があるんですって」

ハリーは恐怖で口があんぐり開いた。ロン、ハーマイオニー、ジニーを見た。みんなも口を開けてハリーを見つめ返していた。ハーマイオニーが十五分ほど苦労して押さえ込んでいたクルックシャンクスが、大喜びでチェス盤に飛びのり、駒は金切り声を上げて逃げ回った。

「スネイプ？」ハリーはポカンとして言った。

「スネイプ**先生**ですよ」ウィーズリーおばさんがたしなめた。「さあ、早くいらっしゃい。長くはいられないとおっしゃってるわ」

「いったい君になんの用だ？」おばさんの顔が引っ込むと、ロンが落ち着かない様子で言った。「何かやらかしてないだろうな？」

「やってない！」ハリーは憤然として言ったが、スネイプがわざわざグリモールド・プレイスにハリーをたずねてくるとは、自分はいったい何かやったのだろうかと、考え込んだ。最後の宿題が最悪の「T・トロール並み」でも取ったのだろうか？

それから一、二分後、ハリーは厨房のドアを開けて、中にシリウスとスネイプがいるのを見た。二人とも長テーブルに座っていたが、目を背けて反対方向をにらみつけていた。互いの嫌悪感で、重苦しい沈黙が流れていた。シリウスの前に手紙が広げてある。

「あのー」ハリーは到着したことを告げた。

スネイプの脂っこいすだれのような黒髪に縁取られた顔が、振り向いてハリーを見た。

「座るんだ、ポッター」

「いいか」シリウスが椅子ごとそっくり返り、椅子を後ろの二本脚だけで支えながら、天井に向かって大声で言った。「スネイプ。ここで命令を出すのはご遠慮願いたいですな。何しろ、私の家なのでね」

スネイプの血の気のない顔に、険悪な赤みがサッと広がった。ハリーはシリウスの脇の椅子に腰を下ろし、テーブル越しにスネイプと向き合った。

「ポッター、我輩は君一人だけと会うはずだった」スネイプの口元が、おなじみのあざけりでゆがんだ。

「しかし、ブラックが――」

「私はハリーの名付け親だ」シリウスがいっそう大声を出した。

「我輩はダンブルドアの命でここに来た」スネイプの声は、反対に、だんだん低く不ゆかいな声になっていった。「しかし、ブラック、よかったらどうぞいてくれたまえ。気持ちはわかる……関わっていたいわけだ」

「何が言いたいんだ？」シリウスは後ろ二本脚だけでそっくり返っていた椅子を、バーンと大きな音とともに元に戻した。

「別に他意はない。君はきっと——あー——いらいらしているだろうと思ってね。なんにも**役に立つ**ことができなくて」スネイプは言葉を微妙に強調した。「騎士団のためにね」

今度はシリウスが赤くなる番だった。ハリーのほうを向きながら、スネイプの唇が勝ち誇ったようにゆがんだ。

「校長が君に伝えるようにと我輩をよこしたのだ、ポッター。校長は来学期に君が『閉心術』を学ぶことをお望みだ」

「何を？」ハリーはポカンとした。

スネイプはますますあからさまにあざけり笑いを浮かべた。

「『閉心術』だ、ポッター。外部からの侵入に対して心を防衛する魔法だ。世に知られていない分野の魔法だが、非常に役に立つ」

ハリーの心臓が急速に鼓動しはじめた。外部からの侵入に対する防衛？　だけど、僕は取り憑かれてはいない。そのことはみんなが認めた……。

「その『閉——』なんとかを、どうして、僕が学ばないといけないんですか？」ハリーは思わず質問した。

「なぜなら、校長がそうするのがよいとお考えだからだ」スネイプはさらりと答えた。「一週間に一度個人教授を受ける。しかし、何をしているかは誰にも言うな。特に、ドローレス・アンブリッジには。わかったな？」

「はい」ハリーが答えた。「誰が教えてくださるのですか？」

スネイプの眉が吊り上がった。

「我輩だ」

　ハリーは内臓が溶けていくような恐ろしい感覚に襲われた。スネイプと課外授業――こんな目にあうなんて、僕が何をしたって言うんだ？　ハリーは助けを求めて、急いでシリウスの顔を見た。

「どうしてダンブルドアが教えないんだ？」シリウスが食ってかかった。「なんで君が？」

「たぶん、あまり喜ばしくない仕事を委譲するのは、校長の特権なのだろう」スネイプはなめらかに言った。

「言っておくが、我輩がこの仕事を懇願したわけではない」スネイプが立ち上がった。「ポッター、月曜の夕方六時に来るのだ。我輩の研究室に。誰かに聞かれたら、魔法薬の補習だと言え。我輩の授業での君を見た者なら、補習の必要性を否定するまい」

　スネイプは旅行用の黒マントをひるがえし、立ち去りかけた。

「ちょっと待て」シリウスが椅子に座りなおした。

　スネイプは顔だけを二人に向けた。せせら笑いを浮かべている。

「我輩はかなり急いでいるんだがね、ブラック。君とちがって、際限なくひまなわけではない」

「では、要点だけ言おう」シリウスが立ち上がった。スネイプよりかなり背が高い。スネイプがマントのポケットの中で、杖（つえ）の柄と思しい部分を握りしめたのに、ハリーは気づいた。「もし君が、『閉心術』の授業を利用してハリーをつらい目にあわせていると聞いたら、私がだまってはいないぞ」

「泣かせるねえ」スネイプがあざけるように言った。「しかし、ポッターが父親そっくりなのに、当然君も気づいているだろうね？」

「ああ、そのとおりだ」シリウスが誇らしげに言った。

「さて、それなればわかるだろうが、こいつの傲慢（ごうまん）さときたら、批判など、端（はし）から受けつけぬ」スネイプがすらりと言った。

シリウスは荒々しく椅子を押しのけ、テーブルを回り込み、杖を抜き放ちながら、つかつかとスネイプのほうに進んだ。スネイプも自分の杖をサッと取り出した。二人は真正面から向き合った。シリウスはカンカンに怒り、スネイプはシリウスの杖の先から顔へと目を走らせながら、状況を読んでいた。

「シリウス！」ハリーが大声で呼んだが、シリウスには聞こえないようだった。

「警告したはずだ、**スニベルス**」シリウスが言った。シリウスの顔はスネイプからほんの数十センチの所にあった。「ダンブルドアが、貴様が改心したと思っていても、知ったことじゃない。私のほうがよくわかっている──」

「おや、それなら、どうしてダンブルドアにそう言わんのかね？」スネイプがささやくように言った。「それとも、何かね、母親の家に六か月も隠れている男の言うことは、真剣に取り合ってくれないとでも思っているのか？」

「ところで、このごろルシウス・マルフォイはどうしてるかね？　さぞかし喜んでいるだろうね？　自分のペット犬がホグワーツで教えていることで」

「犬といえば」スネイプが低い声で言った。「君がこの前、遠足なぞに出かける危険をおかしたとき、ルシウス・マルフォイが君に気づいたことを知っているかね？　うまい考えだったな、ブラック。安全な駅のホームで姿を見られるようにするとは……これで鉄壁の口実ができたわけだ。隠れ家から今後いっさい出ないという口実がね？」

シリウスが杖を上げた。

「**やめて！**」ハリーは叫びながらテーブルを飛び越え、二人の間に割って入ろうとした。

「シリウス、やめて！」

「私を臆病者呼ばわりするのか？」シリウスは、吠えるように言うと、ハリーを押しのけようとした。しかし、ハリーはてこでも動かなかった。

「まあ、そうだ。そういうことだな」スネイプが言った。

「ハリー――そこを――どけ！」シリウスは歯をむき出して唸ると、空いている手でハリーを押しのけた。

厨房のドアが開き、ウィーズリー一家全員と、ハーマイオニーが入ってきた。みんな幸せいっぱいという顔で、真ん中にウィーズリーおじさんが誇らしげに歩いていた。縞のパジャマの上に、レインコートを着ている。

「治った！」おじさんが厨房全体に元気よく宣言した。「全快だ！」

おじさんも、ほかのウィーズリー一家も、目の前の光景を見て、入口に釘づけになった。見られたほうも、そのままの形で動きを止めた。シリウスとスネイプは互いの顔に杖を突きつけたまま、入口を見ていた。ハリーは二人を引き離そうと、両手を広げ、間に突っ立って固まっていた。

「なんてこった」ウィーズリーおじさんの顔から笑いが消えた。「いったい何事だ？」

シリウスもスネイプも杖を下ろした。ハリーは両方の顔を交互に見た。二人とも極めつきの軽蔑の表情だったが、思いがけなく大勢の目撃者が入ってきたことで、正気を取り戻したらしい。スネイプは杖をポケットにしまうと、サッと厨房を横切り、ウィーズリー一家の脇を物も言わずに通り過ぎた。ドアの所でスネイプが振り返った。

「ポッター、月曜の夕方、六時だ」

そしてスネイプは去った。シリウスは杖を握ったまま、その後ろ姿をにらみつけていた。

「いったい何があったんだ？」ウィーズリーおじさんがもう一度聞いた。

「アーサー、なんでもない」シリウスは長距離を走った直後のように、ハァハァ息をはずませていた。

「昔の学友と、ちょっとした親しいおしゃべりさ」シリウスはほほえんだ。相当努力したような笑いだった。「それで……治ったのかい？　そりゃあ、よかった。ほんとによかった」

「ほんとにそうよね？」ウィーズリーおばさんは夫を椅子の所まで導いた。「最終的にはスメスウィック癒師の魔法が効いたのね。あの蛇の牙にどんな毒があったにせよ、解毒剤を見つけたの。それに、アーサーはマグル医療なんかにちょっかいを出して、いい薬になったわ。**そうでしょう？　あなたっ**」おばさんがかなり脅しをきかせた。

「そのとおりだよ、モリーや」おじさんがおとなしく言った。

その夜の晩餐(ばんさん)は、楽しいものになるはずだった。シリウスが努めてそうしようとしているのが、ハリーにはわかった。しかし、ハリーの名付け親は、フレッドやジョージの冗談に合わせて、無理に声を上げて笑ったり、みんなに食事を勧めたりしているとき以外は、むっつりと考え込むような表情に戻っていた。ハリーとシリウスの間には、マンダンガスとマッド‐アイが座っていた。二人ともウィーズリー氏に快気祝いを述べるために立ち寄ったのだ。ハリーはスネイプの言葉なんか気にするなとシリウスに言いたかった。スネイプはわざと挑発したんだ。シリウスがダンブルドアに言われたとおりに、グリモールド・プレイスにとどまっているからといって、臆病者だなんて思う人はほかに誰もいない。しかし、ハリーには声をかける機会がなかった。それに、シリウスの険悪な顔を見ていると、たとえ機会があっても、あえてそう言うほうがいいのかどうか、たびたび迷った。そのかわりハリーは、ロンとハーマイオニーに、スネイプとの「閉心術」の授業のことを、こっそり話して聞かせた。

「ダンブルドアは、あなたがヴォルデモートの夢を見なくなるようにしたいんだわ」ハーマイオニーが即座に言った。「まあね、そんな夢、見なくても困ることはないでしょ？」

「スネイプと課外授業？」ロンは肝をつぶした。「僕なら、悪夢のほうがましだ！」

次の日は、「夜の騎士バス」に乗ってホグワーツに帰ることになっていた。翌朝ハリー、ロン、ハーマイオニーが厨房に下りていくと、護衛につくトンクスとルーピンが朝食を食べていた。ハリーがドアを開けたとき、大人たちはヒソヒソ話の最中だったらしい。全員がサッと振り向き、急に口をつぐんだ。

あわただしい朝食のあと、灰色の一月の朝の冷え込みに備え、全員上着やスカーフで身づくろいした。ハリーは胸がしめつけられるような不快な気分だった。シリウスに別れを告げたくなかった。この別れが何かいやだったし、次に会うのはいつなのかわからない気がした。そして、シリウスにバカなことはしないようにと言うのは、ハリーの役目のような気がした。――スネイプが臆病者呼ばわりしたことで、シリウスがひどく傷つき、いまやグリモールド・プレイスから抜け出す、何か無鉄砲な旅を計画しているのではないかと心配だった。しかし、なんと言うべきか思いつかないうちに、シリウスがハリーを手招きした。

「これを持っていってほしい」シリウスは新書判の本ぐらいの、不器用に包んだ何かを、ハリーの手に押しつけた。

「これ、何？」ハリーが聞いた。

「スネイプが君を困らせるようなことがあったら、私に知らせる手段だ。いや、ここでは開けないで！」シリウスはウィーズリーおばさんのほうを用心深く見た。おばさんは双子に手編みのミトンをはめるように説得中だった。「モリーは賛成しないだろうと思うんでね――でも、私を必要とするときには、君に使ってほしい。いいね？」

「オーケー」ハリーは上着の内ポケットに包みをしまい込んだ。しかし、それがなんであれ、けっして使わないだろうと思った。スネイプがこれからの「閉心術」の授業で、僕をどんなひどい目にあわせても、シリウスを安全な場所から誘い出すのは、絶対に僕じゃない。

「それじゃ、行こうか」シリウスはハリーの肩をたたき、つらそうにほほえんだ。そして、ハリーが何も言えないでいるうちに、二人は上の階に上がり、重い鎖とかんぬきのかかった玄関扉の前で、ウィーズリー一家に囲まれていた。

「さよなら、ハリー。元気でね」ウィーズリーおばさんがハリーを抱きしめた。

「またな、ハリー。私のために、蛇を見張っていておくれ」ウィーズリーおじさんは、握手しながらほがらかに言った。

「うん――わかった」

ハリーはほかのことを気にしながら答えた。シリウスに注意するなら、これが最後の機会だ。ハリーは振り返り、名付け親の顔を見て口を開きかけた。しかし、何か言う前に、シリウスは片腕でサッとハリーを抱きしめ、ぶっきらぼうに言った。

「元気でな、ハリー」

次の瞬間、ハリーは凍るような冬の冷気の中に押し出されていた。トンクスが（今日は背の高い、濃い灰色の髪をした田舎暮らしの貴族風の変装だった）、ハリーを追い立てるようにして階段を下りた。

十二番地の扉が背後でバタンと閉じた。一行はルーピンについて入口の階段を下りた。歩道に出たとき、ハリーは振り返った。両側の建物が横に張り出し、十二番地はその間に押しつぶされるようにどんどん縮んで見えなくなっていった。瞬(まばた)きする間に、そこはもう消えていた。

「さあ、バスに早く乗るに越したことはないわ」トンクスが言った。広場のあちこちに目を走らせているトンクスの声が、ピリピリしているとハリーは思った。ルーピンがパッと右腕を上げげた。

バーン。

ど派手な紫色の三階建てバスがどこからともなく一行の目の前に現れた。危うく近くの街灯にぶつかりそうになったが、街灯が飛びのいて道をあけた。

紫の制服を着た、やせてにきびだらけの、耳が大きく突き出た若者が、歩道にピョンと飛び降りて言った。「ようこそ、夜——」

「はい、はい、わかってるわよ。ごくろうさん」トンクスがすばやく言った。「乗って、乗って、さあ——」

そして、トンクスはハリーを乗車ステップのほうへ押しやった。ハリーが前を通り過ぎるとき、車掌がじろじろ見た。

「いやー——アリーだ——！」

「その名前を大声で言ったりしたら、呪いをかけてあんたを消滅させてやるから」トンクスは、今度はジニーとハーマイオニーを押しやりながら、低い声で脅すように言った。

「僕さ、一度こいつに乗ってみたかったんだ」ロンがうれしそうに乗り込み、ハリーのそばに来てきょろきょろした。

以前にハリーが「夜の騎士バス」に乗ったときは、夜で、三階とも真鍮の寝台でいっぱいだった。今度は早朝で、てんでんばらばらな椅子が詰め込まれ、窓際にいいかげんに並べて置かれていた。バスがグリモールド・プレイスで急停車したときに、椅子がいくつかひっくり返ったらしい。何人かの魔法使いや魔女たちが、ブツブツ言いながら立ち上がりかけていた。誰かの買い物袋がバスの端から端まですべったらしく、カエルの卵やら、ゴキブリ、カスタードクリームなど、気持ちの悪いごたごたが、床一面に散らばっていた。

「どうやら分かれて座らないといけないね」空いた席を見回しながら、トンクスがきびきびと言った。「フレッドとジョージとジニー、後ろの席に座って……リーマスが一緒に座れるわ」

トンクス、ハリー、ロン、ハーマイオニーは三階まで進み、一番前に二席と後ろに二席見つけた。車掌のスタン・シャンパイクが、興味津々で、後ろの席までハリーとロンにくっついてきた。ハリーが通り過ぎると、次々と顔が振り向き、ハリーが後部に腰かけると、全部の顔がまたパッと前を向いた。

ハリーとロンが、それぞれ十一シックルずつスタンに渡すと、バスはぐらぐら危なっかしげに揺れながら、再び動きだした。歩道に上がったり下りたり、グリモールド・プレイスを縫うようにゴロゴロと走り、またしても**バーン**という大音響がして、乗客はみんな後ろにガクンとなった。ロンの椅子は完全にひっくり返った。ひざにのっていたピッグウィジョンがかごから飛び出し、ピーピーやかましくさえずりながらバスの前方まで飛んでいき、今度はハーマイオニーの肩に舞い降りた。ハリーは腕木式のろうそく立てにつかまって、やっとのことで倒れずにすんだ。窓の外を見ると、バスはどうやら高速道路のような所を飛ばしていた。

「バーミンガムのちょっと先でぇ」

ハリーが聞きもしないのに、スタンがうれしそうに答えた。ロンは床から立ち上がろうとじたばたしていた。

「アリー、元気だったか？　おめぇさんの名前は、この夏さんざん新聞で読んだぜ。だがよ、なぁにひとっついいことは書いてねえ。おれはアーンに言ってやったね。こう言ってやった。『おれたちが見たときゃ、アリーは狂ってるようにゃ見えなかったなぁ？　まったくよう』」

スタンは二人に切符を渡したあとも、わくわくしてハリーを見つめ続けた。どうやらスタンにとっては、新聞にのるほど有名なら、変人だろうが奇人だろうがどうでもいいらしい。「夜の騎士バス」は右側からでなく左側から何台もの車を追い抜き、わなわなと危険な揺れ方をした。ハリーが前のほうを見ると、ハーマイオニーが両手で目を覆っているのが見えた。ピッグウィジョンがその肩でうれしそうにゆらゆらしている。

バーン。

またしても椅子が後ろにすべった。バスはバーミンガムの高速道路から飛び降り、ヘアピンカーブだらけの静かな田舎道に出ていた。両側の生け垣が、バスに乗り上げられそうになると、飛びのいて道をあけた。そこから、にぎやかな町の大通りに出たり、小高い丘に囲まれた陸橋を通ったり、高層アパートの谷間の、吹きさらしの道路に出たりした。そのたびに**バーン**と大きな音がした。

「僕、気が変わったよ」ロンがブツブツ言った。床から立ち上がること六回目だった。「もうこいつには二度と乗りたくない」

「ほいさ、この次の次はオグワーツでぇ」スタンがゆらゆらしながらやってきて、威勢よく告げた。「前に座ってる、おめぇさんと一緒に乗り込んだ、あの態度のでかい姉さんが、チップをくれてよう、おめぇさんたちを先に降ろしてくれってこった。ただ、マダム・マーシを先に降ろさせてもらわねえと——」下のほうからゲェゲェむかつく音が聞こえ、続いてドッと吐くいやな音がした。「——ちょいと気分がよくねえんで」

数分後、「夜の騎士バス」は小さなパブの前で急停車した。衝突をさけるのに、パブは身を縮めた。スタンが不幸なマダム・マーシをバスから降ろし、二階のデッキの乗客がやれやれとささやく声が聞こえてきた。バスは再び動きだし、スピードを上げた。そして——。

バーン。

バスは雪深いホグズミードを走っていた。脇道の奥に、ハリーはちらりと「ホッグズ・ヘッド」を見た。イノシシの生首の看板が冬の風に揺れ、キーキー鳴っていた。雪片がバスの大きなフロントガラスを打った。バスはようやくホグワーツの校門前で停車した。

ルーピンとトンクスがバスからみんなの荷物を降ろすのを手伝い、それから別れを告げるために下車した。ハリーがバスをちらりと見ると、乗客全員が、三階全部の窓に鼻をぺったり押しつけて、こっちをじっと見下ろしていた。

「校庭に入ってしまえば、もう安全よ」人気のない道に油断なく目を走らせながら、トンクスが言った。「いい新学期をね、オッケー？」

「体に気をつけて」ルーピンがみんなとひとわたり握手し、最後にハリーの番が来た。

「いいかい……」ほかのみんながトンクスと最後の別れを交わしている間、ルーピンは声を落として言った。「ハリー、君がスネイプを嫌っているのは知っている。だが、あの人は優秀な『閉心術士』だ。それに、私たち全員が――シリウスもふくめて――君が身を護る術を学んでほしいと思っている。だから、がんばるんだ。いいね？」

「うん、わかりました」年の割に多いしわが刻まれたルーピンの顔を見上げながら、ハリーが重苦しく答えた。「それじゃ、また」

六人はトランクを引きずりながら、つるつるすべる馬車道を城に向かって懸命に歩いた。ハーマイオニーはもう、寝る前にしもべ妖精の帽子をいくつか編む話をしていた。樫の木の玄関扉にたどり着いたとき、ハリーは後ろを振り返った。「夜の騎士バス」はもういなくなっていた。明日の夜のことを考えると、ハリーはずっとバスに乗っていたかったと、半ばそんな気持ちになった。

次の日はほとんど一日中、ハリーはその晩のことを恐れて過ごした。午前中に二時限続きの魔法薬の授業があったが、スネイプはいつもどおりにいやらしく、ハリーのおびえた気持ちをやわらげるのにはまったく役に立たなかった。しかも、DAのメンバーが、授業の合間に廊下で入れ替わり立ち替わりハリーの所にやってきて、今夜会合はないのかと期待を込めて聞くので、ハリーはますますめいった。

「次の会合の日程が決まったら、いつもの方法で知らせるよ」ハリーはくり返し同じことを言った。

「だけど、今夜はできない。僕――えーと――魔法薬の補習を受けなくちゃならないんだ」

「君が、**魔法薬の補習？**」玄関ホールで昼食後にハリーを追い詰めたザカリアス・スミスが、ばかにしたように聞き返した。「驚いたな。君、よっぽどひどいんだ。スネイプは普通、補習なんてしないだろ？」

こっちがいらいらする陽気さで、スミスがすたすた立ち去る後ろ姿を、ロンがにらみつけた。

「呪いをかけてやろうか？　ここからならまだ届くぜ」ロンが杖を上げ、スミスの肩甲骨の間あたりにねらいをつけた。

「ほっとけよ」ハリーはしょげきって言った。

「みんなきっとそう思うだろ？　僕がよっぽどバ――」

「あら、ハリー」背後で声がした。振り返ると、そこにチョウが立っていた。

「ああ」ハリーの胃袋が、気持ちの悪い飛び上がり方をした。「やあ」

「私たち、図書館に行ってるわ」ハーマイオニーがきっぱり言いながら、ロンのひじの上のあたりを引っつかみ、大理石の階段のほうへ引きずっていった。

「クリスマスは楽しかった？」チョウが聞いた。

「うん、まあまあ」ハリーが答えた。

「私のほうは静かだったわ」チョウが言った。なぜか、チョウはかなりもじもじしていた。

「あの……来月またホグズミード行きがあるわ。掲示を見た？」

「え？　あ、いや。帰ってからまだ掲示板を見てない」

「そうなのよ。バレンタインデーね……」

「そう」ハリーは、なぜチョウがそんなことを自分に言うのだろうといぶかった。「それじゃ、たぶん君は――」

「あなたがそうしたければだけど」チョウが熱を込めて言った。

ハリーは目を見開いた。いま言おうとしたのは、「たぶん君は、次のＤＡの会合がいつなのか知りたいんだろう？」だった。しかし、チョウの受け答えはどうもちぐはぐだ。

「僕――えー――」

「あら、そうしたくないなら、別にいいのよ」チョウは傷ついたような顔をした。「気にしないで。私――じゃ、またね」

チョウは行ってしまった。ハリーはその後ろ姿を見つめ、脳みそを必死で回転させながら突っ立っていた。すると、何かがポンと当てはまった。

「チョウ！　おーい――**チョウ！**」

ハリーはチョウを追いかけ、大理石の階段の中ほどで追いついた。

「えーと――バレンタインデーに、僕と一緒にホグズミードに行かないか？」

「えぇぇ、いいわ！」チョウは真っ赤になってハリーにニッコリ笑いかけた。

「そう……じゃ……それで決まりだ」

ハリーは今日一日がまったくのむだではなかったという気がした。午後の授業の前に、ロンとハーマイオニーを迎えに図書館に行くとき、ハリーはほとんど体がはずんでいた。

しかし、夕方の六時になると、チョウ・チャンに首尾よくデートを申し込んだ輝かしさも、もはや不吉な気持ちを明るくしてはくれなかった。スネイプの研究室に向かう一歩ごとに、不吉さがつのった。部屋にたどり着くとドアの前に立ち止まり、ハリーは、この部屋以外ならどこだって行くのにと思った。それから深呼吸して、ドアをノックし、ハリーは部屋に入った。

部屋は薄暗く、壁に並んだ棚には、何百というガラス瓶が置かれ、さまざまな色合いの魔法薬に、動物や植物のぬるっとした断片が浮かんでいた。片隅に、材料がぎっしり入った薬戸棚がある。スネイプはハリーがその戸棚から盗んだという言いがかりで——いわれのないものではなかったのだが——ハリーを責めたことがある。しかし、ハリーの気を引いたのは、むしろ机の上にあるルーン文字や記号が刻まれた石の水盆で、ろうそくの光だまりの中に置かれていた。ハリーにはそれが何かすぐわかった——ダンブルドアの「憂いの篩(ふるい)」だ。いったいなんのためにここにあるのだろうといぶかっていたハリーは、スネイプの冷たい声が薄暗がりの中から聞こえてきて、飛び上がった。

「ドアを閉めるのだ、ポッター」

ハリーは言われたとおりにした。自分自身を牢(ろう)に閉じ込めたような気がしてぞっとした。部屋の中に戻ると、スネイプは明るい所に移動していた。そして机の前にある椅子をだまって指した。ハリーが座り、スネイプも腰を下ろした。冷たい暗い目が、瞬きもせずハリーをとらえた。顔のしわの一本一本に嫌悪感が刻まれている。

「さて、ポッター。ここにいる理由はわかっているな」スネイプが言った。「『閉心術』を君に教えるよう、校長から頼まれた。我輩としては、君が『魔法薬』より少しはましなところを見せてくれるよう望むばかりだ」

「ええ」ハリーはぶっきらぼうに答えた。

「ポッター、この授業は、普通とはちがうかもしれぬ」スネイプは憎々しげに目を細めた。「しかし、我輩が君の教師であることに変わりない。であるから、我輩に対して、必ず『先生』とつけるのだ」

「はい……**先生**」ハリーが言った。

「さて、『閉心術』だ。君の大事な名付け親の厨房で言ったように、この分野の術は、外部からの魔法による侵入や影響に対して心を封じる」

「それで、ダンブルドア校長は、どうして僕にそれが必要だと思われるのですか？　先生」

ハリーははたしてスネイプが答えるだろうかといぶかりながら、まっすぐにスネイプの目を見た。

スネイプは一瞬ハリーを見つめ返したが、やがてばかにしたように言った。

「君のような者でも、もうわかったのではないかな？　ポッター。闇の帝王は『開心術』に長けている――」

「それ、なんですか？　**先生？**」

「他人の心から感情や記憶を引っ張り出す能力だ――」

「人の心が読めるんですか？」ハリーが即座に言った。最も恐れていたことが確認されたのだ。

「繊細さのかけらもないな、ポッター」スネイプの暗い目がギラリと光った。「微妙なちがいが、君には理解できない。その欠点のせいで、君はなんとも情けない魔法薬作りしかできない」

スネイプはここで一瞬間を置き、言葉を続ける前に、ハリーをいたぶる楽しみを味わっているように見えた。

「『読心術』はマグルの言い草だ。心は書物ではない。好きなときに開いたり、ひまなときに調べたりするものではない。思考とは、侵入者が誰かれなく一読できるように、頭がい骨の内側に刻み込まれているようなものではない。心とは、ポッター、複雑で、重層的なものだ――少なくとも、大多数の心とはそういうものだ」スネイプがニヤリと笑った。「しかしながら、『開心術』を会得した者は、一定の条件の下で、獲物の心をうがち、そこに見つけたものを解釈できるというのはほんとうだ。たとえば闇の帝王は、誰かがうそをつくと、ほとんど必ず見破る。『閉心術』に長けた者だけが、うそとは裏腹な感情も記憶も閉じ込めることができ、帝王の前で虚偽を口にしても見破られることがない」

スネイプがなんと言おうが、ハリーには「開心術」は「読心術」のようなものに思えた。そして、どうもいやな感じの言葉だ。

「それじゃ、『あの人』は、たったいま僕たちが考えていることがわかるかもしれないんですか？　先生？」

「闇の帝王は相当遠くにいる。しかも、ホグワーツの壁も敷地も、古くからのさまざまな呪文で護られているからして、中に住むものの体ならびに精神的安全が確保されている」スネイプが言った。「ポッター、魔法では時間と空間が物を言う。『開心術』では、往々にして、目を合わせることが重要となる」

「それなら、どうして僕は『閉心術』を学ばなければならないんですか？」

スネイプは、唇を長く細い指の一本でなぞりながら、ハリーを意味ありげに見た。

「ポッター、通常の原則はどうやら君には当てはまらぬ。君を殺しそこねた呪いが、なんらかの絆を、君と闇の帝王との間に創り出したようだ。事実の示唆するところによれば、時折、君の心が非常に弛緩し、無防備な状態になると――たとえば、眠っているときだが――君は闇の帝王と感情、思考を共有する。校長はこの状態が続くのはかんばしくないとお考えだ。我輩に、闇の帝王に対して心を閉じる術を、君に教えてほしいとのことだ」

ハリーの心臓がまたしても早鐘を打ちはじめた。何もかも、理屈に合わない。

「でも、どうしてダンブルドア先生はそれをやめさせたいんですか？」ハリーが唐突に聞いた。「僕だってこんなの好きじゃない。でも、これまで役に立ったじゃありませんか？　つまり……僕は蛇がウィーズリーおじさんを襲うのを見た。もし僕が見なかったら、ダンブルドア先生はおじさんを助けられなかったでしょう？　先生？」

スネイプは、相変わらず指を唇に這わせながら、しばらくハリーを見つめていた。やがて口を開いたスネイプは、一言一言、言葉の重みを量るかのように、考えながら話した。

「どうやら、ごく最近まで、闇の帝王は君との間の絆に気づいていなかったらしい。いままでは、君が帝王の感情を感じ、帝王の思考を共有したが、帝王のほうはそれに気づかなかった。しかし、君がクリスマス直前に見た、あの幻覚は……」

「蛇とウィーズリーおじさんの？」

「口をはさむな、ポッター」スネイプは険悪な声で言った。「いま言ったように、君がクリスマス直前に見たあの幻覚は、闇の帝王の思考にあまりに強く侵入したということであり――」

「僕が見たのは蛇の頭の中だ、あの人のじゃない！」

「ポッター、口をはさむなと、いま言ったはずだが？」

しかし、スネイプが怒ろうが、ハリーはどうでもよかった。ついに問題の核心に迫ろうとしているように思えた。ハリーは座ったままで身を乗り出し、自分でも気づかずに、まるでいまにも飛び立ちそうな緊張した姿勢で、椅子の端に腰かけていた。

「僕が共有しているのがヴォルデモートの考えなら、どうして蛇の目を通して見たんですか？」

「**闇の帝王の名前を言うな！**」スネイプが吐き出すように言った。

いやな沈黙が流れた。二人は「憂いの篩」をはさんでにらみ合った。

「ダンブルドア先生は名前を言います」ハリーが静かに言った。

「ダンブルドアは極めて強力な魔法使いだ」スネイプが低い声で言った。「**あの方**なら名前を言っても安心していられるだろうが……そのほかの者は……」

スネイプは左のひじの下あたりを、どうやら無意識にさすった。そこには、皮膚に焼きつけられた「闇の印」があることを、ハリーは知っていた。

「僕はただ、知りたかっただけです」ハリーはていねいな声に戻すように努力した。「なぜ――」

「君は蛇の心に入り込んだ。なぜなら、闇の帝王があの時そこにいたからだ」スネイプが唸るように言った。「あの時、帝王は蛇に取り憑いていた。それで君も蛇の中にいる夢を見たのだ」

「それで、ヴォル――あの人は――僕があそこにいたのに気づいた？」

「そうらしい」スネイプが冷たく言った。

「どうしてそうだとわかるんですか？」ハリーが急き込んで聞いた。「ダンブルドア先生がそう思っただけなんですか？　それとも――」

「言ったはずだ」スネイプは姿勢も崩さず、目を糸のように細めて言った。「我輩を『先生』と呼べと」

「はい、先生」

ハリーは待ちきれない思いで聞いた。「でも、どうしてそうだとわかるんですか――？」

「そうだとわかっていれば、それでよいのだ」スネイプが押さえつけるように言った。「重要なのは、闇の帝王が、自分の思考や感情に君が入り込めるということに、いまや気づいているということだ。さらに、帝王は、その逆も可能だと推量した。つまり、逆に帝王が君の思考や感情に入り込める可能性があると気づいてしまった――」

「それで、僕に何かをさせようとするかもしれないんですか？」ハリーが聞いた。

「**先生？**」ハリーはあわててつけ加えた。

「そうするかもしれぬ」スネイプは冷たく、無関心な声で言った。

「そこで『閉心術』に話を戻す」

スネイプはローブのポケットから杖を取り出し、ハリーは座ったままで身を固くした。しかし、スネイプは単に自分のこめかみまで杖を上げ、脂っこい髪の根元に杖先を押し当てただけだった。杖を引き抜くと、こめかみから杖先まで、何やら銀色のものが伸びていた。太いクモの糸のようなもので、杖を糸から引き離すと、それは「憂いの篩」にふわりと落ち、気体とも液体ともつかない銀白色の渦を巻いた。さらに二度、スネイプはこめかみに杖を当て、銀色の物質を石の水盆に落とした。それから、一言も自分の行動を説明せず、スネイプは「憂いの篩」を慎重に持ち上げて邪魔にならないように棚に片づけ、杖をかまえてハリーと向き合った。

「立て、ポッター。そして、杖を取れ」

ハリーは、落ち着かない気持ちで立ち上がった。二人は机をはさんで向かい合った。

「杖を使い、我輩を武装解除するもよし、そのほか、思いつくかぎりの方法で防衛するもよし」スネイプが言った。

「それで、先生は何をするんですか?」ハリーはスネイプの杖を不安げに見つめた。

「君の心に押し入ろうとするところだ」スネイプが静かに言った。「君がどの程度抵抗できるかやってみよう。君が『服従の呪い』に抵抗する能力を見せたことは聞いている。これにも同じような力が必要だということがわかるだろう……。かまえるのだ。いくぞ。**開心！　レジリメンス！**」

ハリーがまだ抵抗力を奮い起こしもせず、準備もできないうちに、スネイプが攻撃した。目の前の部屋がぐらぐら回り、消えた。切れ切れの映画のように、画面が次々に心をよぎった。そのあまりの鮮明さに目がくらみ、ハリーはあたりが見えなくなった。

五歳だった。ダドリーが新品の赤い自転車に乗るのを見ている。ハリーの心はうらやましさで張り裂けそうだった……。九歳だった。ブルドッグのリッパーに追いかけられ、木に登った。ダーズリー親子が下の芝生で笑っている……。組分け帽子をかぶって座っている。帽子が、スリザリンならうまくやれるとハリーに言っていた……。ハーマイオニーが医務室に横たわっている。顔が黒い毛でとっぷりと覆われていた……。百あまりの吸魂鬼が、暗い湖のそばでハリーに迫ってくる……。チョウ・チャンが、宿木（やどりぎ）の下でハリーに近づいてきた……。

だめだ。チョウの記憶がだんだん近づいてくると、ハリーの頭の中で声がした。**見せないぞ。見せるもんか。これは秘密だ**――。

ハリーはひざに鋭い痛みを感じた。スネイプの研究室が再び見えてきた。ハリーは床にひざをついている自分に気づいた。片ひざがスネイプの机の脚にぶつかって、ずきずきしていた。ハリーはスネイプを見上げた。杖を下ろし、手首をもんでいた。そこに、焦げたように赤くただれたミミズ腫れがあった。

「『針刺しの呪い』をかけようとしたのか？」スネイプが冷たく聞いた。

「いいえ」ハリーは立ち上がりながら恨めしげに言った。

「ちがうだろうな」スネイプは見下すように言った。「君は我輩を入り込ませすぎた。制御力を失った」

「先生は僕の見たものを全部見たのですか？」答えを聞きたくないような気持ちでハリーは聞いた。

「断片だが」スネイプはニタリと唇をゆがめた。「あれは誰の犬だ？」

「マージおばさんです」ハリーがボソリと言った。スネイプが憎かった。

「初めてにしては、まあ、それほど悪くなかった」スネイプは再び杖を上げた。「君は大声を上げて時間とエネルギーをむだにしたが、最終的にはなんとか我輩を阻止した。気持ちを集中するのだ。頭で我輩をはねつけろ。そうすれば杖に頼る必要はなくなる」

「僕、やってます」ハリーが怒ったように言った。「でも、どうやったらいいか、教えてくれないじゃないですか！」

「態度が悪いぞ、ポッター」スネイプが脅すように言った。「さあ、目をつむりたまえ」

言われたとおりにする前に、ハリーはスネイプをねめつけた。スネイプが杖を持って自分と向き合っているのに、目を閉じてそこに立っているというのは気に入らなかった。

「心をからにするのだ、ポッター」スネイプの冷たい声がした。「すべての感情を捨てろ……」

しかし、スネイプへの怒りは、毒のようにハリーの血管をドクンドクンと駆けめぐった。怒りを捨てろだって？　両足を取りはずすほうがまだたやすい……。

「できていないぞ、ポッター……。もっと克己心が必要だ……。集中しろ。さあ……」

ハリーは心をからにしようと努力した。考えまい、思い出すまい、何も感じまい……。

「もう一度やるぞ……三つ数えて……一――二――三――**レジリメンス！**」

巨大な黒いドラゴンが、ハリーの前で後脚立ちしている……。「みぞの鏡」の中から、父親と母親がハリーに手を振っている……。セドリック・ディゴリーが地面に横たわり、うつろに見開いた目でハリーを見つめている……。

「**いやだああああああ！**」

またしてもハリーは、両手で顔を覆い、両ひざをついていた。誰かが脳みそを頭がい骨から引っ張り出そうとしたかのような頭痛がした。

「立て！」スネイプの鋭い声がした。「立つんだ！　やる気がないな。努力していない。自分の恐怖の記憶に、我輩の侵入を許している。我輩に武器を差し出している！」

ハリーは再び立ち上がった。たったいま、墓場でセドリックの死体を見たかのように、ハリーの心臓は激しく鳴っていた。スネイプはいつもより青ざめ、いっそう怒っているように見えたが、ハリーの怒りにはおよばない。

「僕――努力――している」ハリーは歯を食いしばった。

「感情を無にしろと言ったはずだ！」

「そうですか？　それなら、いま、僕にはそれが難しいみたいです」ハリーは唸るように言った。

「なれば、やすやすと闇の帝王の餌食になることだろう！」スネイプは容赦なく言い放った。「鼻先に誇らしげに心をひけらかすバカ者ども。感情を制御できず、悲しい思い出に浸り、やすやすと挑発される者ども――言うなれば弱虫どもよ――帝王の力の前に、そいつらは何もできぬ！　ポッター、帝王は、やすやすとおまえの心に侵入するぞ！」

「僕は弱虫じゃない」ハリーは低い声で言った。怒りがドクドクと脈打ち、自分はいまにもスネイプを襲いかねないと思った。

「なれば証明してみろ！　己を支配するのだ！」スネイプが吐き出すように言った。「怒りを制するのだ。心を克せよ！　もう一度やるぞ！　かまえろ、いくぞ！　**レジリメンス！**」

ハリーはバーノンおじさんを見ていた。郵便受けを釘づけにしている……百有余の吸魂鬼が、校庭の湖をするすると渡って、ハリーのほうにやってくる……ハリーはウィーズリーおじさんと窓のない廊下を走っていた……廊下の突き当たりにある真っ黒な扉に、二人はだんだん近づいていく……ハリーはそこを通るのだと思った……しかし、ウィーズリーおじさんはハリーを左のほうへと導き、石段を下りていく……。

「**わかった！　わかったぞ！**」

ハリーはまたしても、スネイプの研究室の床に四つんばいになっていた。傷痕にチクチクといやな痛みを感じていた。しかし、口をついて出た声は、勝ち誇っていた。再び身を起こしてスネイプを見ると、杖を上げたままハリーをじっと見つめていた。今度は、どうやらスネイプのほうが、ハリーがまだ抗いもしないうちに術を解いたらしい。

「ポッター、何があったのだ？」スネイプは意味ありげな目つきでハリーを見た。

「わかった——思い出したんだ」ハリーがあえぎあえぎ言った。「いま気づいた……」

「何を？」スネイプが鋭く詰問した。

ハリーはすぐには答えなかった。額をさすりながら、ついにわかったという目くるめくような瞬間を味わっていた。

この何か月間、ハリーは突き当たりに鍵のかかった扉がある、窓のない廊下の夢を見てきたが、それが現実の場所だとは一度も気づかなかった。記憶をもう一度見せられたいま、ハリーは、夢に見続けたあの廊下が、どこだったのかがわかった。八月十二日、魔法省の裁判所に急ぐのに、ウィーズリーおじさんと一緒に走ったあの廊下だ。「神秘部」に通じる廊下だった。おじさんは、ヴォルデモートの蛇に襲われた夜、あそこにいたのだ。

ハリーはスネイプを見上げた。

「『神秘部』には何があるんですか？」

「なんと言った？」スネイプが低い声で言った。なんとうれしいことに、スネイプがうろたえているのがわかった。

「『神秘部』には何があるんですか、と言いました。**先生？**」

「何故」スネイプがゆっくりと言った。「そんなことを聞くのだ？」

「それは」ハリーはスネイプの反応をじっと見ながら言った。「いま、僕が見たあの廊下は——この何か月も僕の夢に出てきた廊下です——それがたったいま、わかったんです——あれは、『神秘部』に続く廊下です……そして、たぶんヴォルデモートの望みは、そこから何かを——」

「**闇の帝王の名前を言うなと言ったはずだ！**」

二人はにらみ合った。ハリーの傷痕がまた焼けるように痛んだ。しかし気にならなかった。スネイプは動揺しているようだった。しかし、再び口を開いたスネイプは、努めて冷静に、無関心を装っているような声で言った。

「ポッター、『神秘部』にはさまざまなものがある。君に理解できるようなものはほとんどないし、また関係のあるものは皆無だ。これで、わかったか？」

「はい」ハリーは痛みの増してきた傷痕をさすりながら答えた。

「水曜の同時刻に、またここに来るのだ。続きはその時に行う」

「わかりました」ハリーは早くスネイプの部屋を出て、ロンとハーマイオニーを探したくてうずうずしていた。

「毎晩寝る前、心からすべての感情を取り去るのだ。心をからにし、無にし、平静にするのだ。わかったな？」

「はい」ハリーはほとんど聞いていなかった。

「警告しておくが、ポッター……。訓練を怠れば、我輩の知るところとなるぞ……」

「ええ」ハリーはボソボソ言った。鞄（かばん）を取り、肩に引っかけ、ハリーはドアへと急いだ。ドアを開けるとき、ちらりと後ろを振り返ると、スネイプはハリーに背を向け、杖先で「憂いの篩」から自分の「憂い」をすくい上げ、注意深く自分の頭に戻していた。ハリーは、それ以上何も言わず、ドアをそっと閉めた。傷痕はまだずきずきと痛んでいた。

ハリーは図書館でロンとハーマイオニーを見つけた。アンブリッジが一番最近出した山のような宿題に取り組んでいた。ほかの生徒たちも、ほとんどが五年生だったが、近くの机でランプの明かりを頼りに、本にかじりついて夢中で羽根ペンを走らせていた。格子窓から見える空は、刻刻と暗くなっていた。ほかに聞こえる音といえば、司書のマダム・ピンスが、自分の大切な書籍にさわる者をしつこく監視し、脅すように通路を往き来するかすかな靴音だけだった。

ハリーは寒気を覚えた。傷痕はまだ痛み、熱があるような感じさえした。ロンとハーマイオニーのむかい側に腰かけたとき、窓に映る自分の顔が見えた。蒼白(そうはく)で、傷痕がいつもよりくっきりと見えるように思えた。

「どうだった?」ハーマイオニーがそっと声をかけた。そして心配そうな顔で聞いた。「ハリー、あなた大丈夫?」

「うん……大丈夫……なのかな」またしても傷痕に痛みが走り、顔をしかめながら、ハリーはじりじりしていた。「ねえ……僕、気がついたことがあるんだ……」

そして、ハリーは、いましがた見たこと、推測したことを二人に話した。

「じゃ……それじゃ、君が言いたいのは……」マダム・ピンスがかすかに靴のきしむ音を立てて通り過ぎる間、ロンが小声で言った。「あの武器が――『例のあの人』が探しているやつが――魔法省の中にあるってこと?」

「『神秘部』の中だ。まちがいない」ハリーがささやいた。「君のパパが、僕を尋問の法廷に連れていってくれたとき、その扉を見たんだ。蛇にかまれたときに、おじさんが護っていたのは、絶対に同じ扉だ」

ハーマイオニーはフーッと長いため息をもらした。

「そうなんだわ」ハーマイオニーがため息まじりで言った。

「何が、そうなんだ？」ロンがちょっといらいらしながら聞いた。

「ロン、考えてもみてよ……スタージス・ポドモアは、魔法省のどこかの扉から忍び込もうとした……その扉だったにちがいないわ。偶然にしてはできすぎだもの！」

「スタージスがなんで忍び込むんだよ。僕たちの味方だろ？」ロンが言った。

「さあ、わからないわ」ハーマイオニーも同意した。「ちょっとおかしいわよね……」

「それで、『神秘部』には何があるんだい？」ハリーがロンに尋ねた。「君のパパが、何か言ってなかった？」

「そこで働いている連中を『無言者』って呼ぶことは知ってるけど」ロンが顔をしかめながら言った。「連中が何をやっているのか、誰もほんとうのところは知らないみたいだから――武器を置いとくにしては、へんてこな場所だなあ」

「全然変じゃないわ、完全に筋が通ってる」ハーマイオニーが言った。「魔法省が開発してきた、何か極秘事項なんだわ、きっと……ハリー、あなた、ほんとうに大丈夫？」

ハリーは、額にアイロンをかけるかのように、両手で強くさすっていた。

「うん……大丈夫……」ハリーは手を下ろしたが、両手が震えていた。「ただ、僕、ちょっと……『閉心術』はあんまり好きじゃない」

「そりゃ、何度もくり返して心を攻撃されたら、誰だってちょっとぐらぐらするわよ」ハーマイオニーが気の毒そうに言った。「ねえ、談話室に戻りましょう。あそこのほうが少しはゆったりできるわ」

しかし、談話室は満員で、笑い声や興奮したかん高い声であふれていた。フレッドとジョージが「いたずら専門店」の最近の商品を試して見せていたのだ。

「首無し帽子！」ジョージが叫んだ。フレッドが、見物人の前で、ピンクのふわふわした羽飾りがついた三角帽子を振って見せた。「一個二ガリオンだよ。さあ、フレッドをごらんあれ！」

フレッドがニッコリ笑って帽子をサッとかぶった。一瞬、ばかばかしい格好に見えたが、次の瞬間、帽子も首も消えた。女子学生が数人、悲鳴を上げたが、ほかのみんなは大笑いしていた。

「はい、帽子を取って！」ジョージが叫んだ。するとフレッドの手が、肩の上あたりのなんにもないように見える所をもぞもぞ探った。そして、首が再び現れ、脱いだピンクの羽飾り帽子を手にしていた。

「あの帽子、どういう仕掛けなのかしら？」

フレッドとジョージを眺めながら、ハーマイオニーは、一瞬宿題から気をそらされていた。

「つまり、あれは一種の『透明呪文』にはちがいないけど、呪文をかけたものの範囲を超えたところまで『透明の場』を延長するっていうのは、かなり賢いわ……呪文の効き目があまり長持ちしないとは思うけど」

ハリーは何も言わなかった。気分が悪かった。

「この宿題、あしたやるよ」ハリーは取り出したばかりの本をまた鞄に押し込みながら、ボソボソ言った。

「ええ、それじゃ、宿題計画帳に書いておいてね！」ハーマイオニーが勧めた。「忘れないために！」

ハリーとロンが顔を見合わせた。ハリーは鞄に手を突っ込み、計画帳を引っ張り出し、開くともなく開いた。

「**あとに延ばしちゃダメになる！　それじゃ自分がダメになる！**」

ハリーがアンブリッジの宿題をメモすると、計画帳がたしなめた。ハーマイオニーが計画帳に満足げに笑いかけた。

「僕、もう寝るよ」ハリーは計画帳を鞄に押し込みながら、チャンスがあったらこいつを暖炉に放り込もうと心に刻んだ。

ハリーは、「首無し帽子」をかぶせようとするジョージをかわして、談話室を横切り、男子寮に続くひんやりと安らかな石の階段にたどり着いた。また吐き気がした。蛇の姿を見た夜と同じような感じだった。しかし、ちょっと横になれば治るだろう、と思った。

寝室のドアを開き、一歩中に入ったとたん、ハリーは激痛を感じた。誰かが、頭のてっぺんに鋭い切れ込みを入れたかのようだった。自分がどこにいるのかも、立っているのか横になっているのかもわからない。自分の名前さえわからなくなった。

狂ったような笑いが、ハリーの耳の中で鳴り響いた……こんなに幸福な気分になったのは久しぶりだ……歓喜、恍惚(こうこつ)、勝利……すばらしい、すばらしいことが起きたのだ……。

「ハリー？　**ハリー！**」

誰かがハリーの顔をたたいた。狂気の笑いが、激痛の叫びでとぎれた。幸福感が自分から流れ出していく……しかし笑いは続いた……。

ハリーは目を開けた。その時、狂った笑い声がハリー自身の口から出ていることに気づいた。気づいたとたん、声がやんだ。ハリーは天井を見上げ、床に転がって荒い息をしていた。額の傷痕がずきずきとうずいた。ロンがかがみ込み、心配そうにのぞき込んでいた。

「どうしたんだ？」ロンが言った。

「僕……わかんない……」ハリーは体を起こし、あえいだ。「やつがとっても喜んでいる……とっても……」

「『例のあの人』が？」

「何かいいことが起こったんだ」ハリーがつぶやくように言った。ウィーズリーおじさんが蛇に襲われるところを見た直後と同じぐらい激しく震え、ひどい吐き気がした。「何かやつが望んでいたことだ」

言葉が口をついて出てきた。グリフィンドールの更衣室で、前にもそういうことがあったが、ハリーの口を借りて誰か知らない人がしゃべっているようだった。しかも、それが真実だと、ハリーにはわかっていた。ロンに吐きかけたりしないようにと、ハリーは大きく息を吸い込んだ。こんな姿をディーンやシェーマスに見られなくてほんとうによかったと思った。

「ハーマイオニーが、君の様子を見てくるようにって言ったんだ」ハリーを助け起こしながら、ロンが小声で言った。「あいつ、君がスネイプに心を引っかき回されたあとだから、いまは防衛力が落ちてるだろうって言うんだ……。でも、長い目で見れば、これって、役に立つんだろ?」

ハリーを支えてベッドに向かいながら、ロンはそうなのかなぁと疑わしげにハリーを見た。ハリーはなんの確信もないままうなずき、枕に倒れ込んだ。ひと晩に何回も床に倒れたせいで体中が痛む上、傷痕がまだチクチクとうずいていた。「閉心術」への最初の挑戦は、心の抵抗力を強めるどころか、むしろ弱めたと思わないわけにはいかなかった。そして、ヴォルデモート卿をこの十四年間になかったほど大喜びさせた出来事はなんだったのかと考えると、ゾクッと戦慄が走った。

第25章　追い詰められたコガネムシ

ハリーの疑問に対する答えは、早速次の日に出た。配達された「日刊予言者新聞」を広げて一面を見ていたハーマイオニーが、急に悲鳴を上げ、周りのみんなが何事かと振り返って見つめた。

「どうした？」ハリーとロンが同時に聞いた。

答えのかわりに、ハーマイオニーは新聞を二人の前のテーブルに広げ、一面べったりにのっている十枚の白黒写真を指差した。魔法使い九人と十人目は魔女だ。何人かはだまってあざけり笑いを浮かべ、ほかは傲慢（ごうまん）な表情で、写真の枠を指でトントンたたいている。一枚一枚に名前とアズカバン送りになった罪名が書いてあった。

アントニン・ドロホフ――面長でねじ曲がった顔の、青白い魔法使いの名前だ。ハリーを見上げてあざ笑っている。「ギデオンならびにファビアン・プルウェットを惨殺した罪」と書いてある。

オーガスタス・ルックウッド――あばた面の脂っこい髪の魔法使いは、たいくつそうに写真の縁に寄りかかっている。「魔法省の秘密を『名前を言ってはいけないあの人』に漏洩（ろうえい）した罪」とある。

ハリーの目は、それよりも、ただ一人の魔女に引きつけられていた。一面をのぞいたとたん、その魔女の顔が目に飛び込んできたのだ。写真では、長い黒髪にくしも入れず、バラバラに広がっていたが、ハリーはそれがなめらかで、ふさふさと輝いているのを見たことがあった。写真の魔女は、腫れぼったいまぶたの下からハリーをぎろりとにらんだ。唇の薄い口元に、人を軽蔑したような尊大な笑いを漂わせている。シリウスと同様、この魔女も、すばらしく整っていたであろう昔の顔立ちの名残をとどめていた。しかし、何かが——おそらくアズカバンが——その美しさのほとんどを奪い去っていた。

ベラトリックス・レストレンジ——フランクならびにアリス・ロングボトムを拷問し、廃人にした罪。

ハーマイオニーはハリーをひじでつつき、写真の上の大見出しを指した。ハリーはベラトリックスにばかり気を取られ、まだそれを読んでいなかった。

アズカバンから集団脱獄
魔法省の危惧——かつての死喰い人、ブラックを旗頭に結集か？

「ブラックが？」ハリーが大声を出した。「まさかシリ——？」

「**シーッ！**」ハーマイオニーがあわててささやいた。「そんなに大きな声出さないで——だまって読んで！」

昨夜遅く魔法省が発表したところによれば、アズカバンから集団脱獄があった。

魔法大臣コーネリウス・ファッジは、大臣室で記者団に対し、特別監視下にある十人の囚人が昨夕脱獄したことを確認し、すでにマグルの首相に対し、これら十人が危険人物であることを通告したと語った。

「まことに残念ながら、我々は、二年半前、殺人犯のシリウス・ブラックが脱獄したときと同じ状況に置かれている」ファッジ氏は昨夜このように語った。「しかも、この二つの脱獄が無関係だとは考えていない。このように大規模な脱獄は、外からの手引きがあったことを示唆しており、歴史上初めてアズカバンを脱獄したブラックこそ、他の囚人がそのあとに続く手助けをするにはもってこいの立場にあることを、我々は思い出さなければならない。我々は、ブラックのいとこであるベラトリックス・レストレンジをふくむこれらの脱獄囚が、ブラックを指導者として集結したのではないかと考えている。しかし、我々は、罪人を一網打尽にすべく全力を尽くしているので、魔法界の諸君が警戒と用心をおさおさ怠りなきよう切にお願いする。どのようなことがあっても、けっしてこれらの罪人たちには近づかぬよう」

「おい、これだよ、ハリー」ロンは恐れ入ったように言った。「きのうの夜、『あの人』が喜んでたのは、これだったんだ」

「こんなの、とんでもないよ」ハリーが唸(うな)った。「ファッジのやつ、脱獄は**シリウス**のせいだって?」

「ほかになんと言える?」ハーマイオニーが苦々しげに言った。「とても言えないわよ。『みなさん、すみません。ダンブルドアがこういう事態を私に警告していたのですが、アズカバンの看守がヴォルデモート卿(きょう)一味に加担し』なんて——ロン、そんな**哀れっぽい声**を上げないでよ——『いまや、ヴォルデモートを支持する最悪の者たちも脱獄してしまいました』なんて言えないでしょ。だって、ファッジは、ゆうに六か月以上、みんなに向かって、あなたやダンブルドアをうそつき呼ばわりしてきたじゃない?」

ハーマイオニーは勢いよく新聞をめくり、中の記事を読みはじめた。

一方ハリーは、大広間を見回した。一面記事でこんな恐ろしいニュースがあるのに、ほかの生徒たちはどうして平気な顔でいられるんだろう。せめて話題にすべきじゃないか。ハリーには理解できなかった。もっとも、ハーマイオニーのように毎日新聞を取っている生徒はほとんどいない。宿題とかクィディッチとか、ほかのどうでもいいような話をしているだけだ。この城壁の外では、十人もの死喰い人がヴォルデモートの陣営に加わったというのに。

ハリーは教職員テーブルに目を走らせた。そこは様子がちがっていた。ダンブルドアとマクゴナガル先生が、深刻な表情で話し込んでいる。スプラウト先生はケチャップの瓶に「日刊予言者」を立てかけ、食い入るように読んでいた。手にしたスプーンが止まったままで、そこから半熟卵の黄身がポタポタとひざに落ちるのにも気づいていない。

一方、テーブルの一番端では、アンブリッジ先生がオートミールを旺盛にかっ込んでいた。ガマガエルのようなぼってりした目が、いつもなら行儀の悪い生徒はいないかと大広間をなめ回しているのに、今日だけはちがった。食べ物を飲み込むたびにしかめっ面をして、ときどきテーブルの中央をちらりと見ては、ダンブルドアとマクゴナガルが話し込んでいる様子に毒々しい視線を投げかけていた。

「まあ、なんて――」ハーマイオニーが新聞から目を離さずに、驚いたように言った。

「まだあるのか?」ハリーはすぐ聞き返した。神経がピリピリしていた。

「これって……**ひどいわ**」

ハーマイオニーはショックを受けていた。十面を折り返し、ハリーとロンに新聞を渡した。

魔法省の役人、非業の死

魔法省の役人であるブロデリック・ボード(49)が鉢植え植物に首をしめられ、ベッドで死亡しているのが見つかった事件で、聖マンゴ病院は、昨夜、徹底的な調査をすると約束した。現場に駆けつけた癒者たちは、ボード氏を蘇生(そせい)させることができなかった。ボード氏は死の数週間前、職場の事故で負傷し、入院中だった。

事故当時、ボード氏の病棟担当だった癒者のミリアム・ストラウトは、戒告処分となり、昨日はコメントを得ることができなかった。しかし、病院のスポークス魔(マ)ンは次のような声明を出した。

「聖マンゴはボード氏の死を心からお悔やみ申し上げます。この悲惨な事故が起こるまで、氏は順調に健康を回復してきていました。

我々は、病棟の飾りつけに関して、厳しい基準を定めておりますが、ストラウト癒師は、クリスマスの忙しさに、ボード氏のベッド脇のテーブルに置かれた植物の危険性を見落としたものと見られます。ボード氏は、言語並びに運動能力が改善していたため、ストラウト癒師は、植物が無害な『ひらひら花』ではなく、『悪魔の罠』の切り枝だったとは気づかず、ボード氏自身が世話をするよう勧めました。植物は、快方に向かっていたボード氏が触れたとたん、たちまち氏をしめ殺しました。

聖マンゴでは、この植物が病棟に持ち込まれたことについて、いまだに事態が解明できておらず、すべての魔法使い、魔女に対し、情報提供を呼びかけています」

「ボード……」ロンが口を開いた。「**ボードか**。聞いたことがあるな……」

「私たち、この人に会ってるわ」ハーマイオニーがささやいた。「聖マンゴで。覚えてる？　ロックハートの反対側のベッドで、横になったままで天井を見つめていたわ。それに、『悪魔の罠』が着いたとき、私たち目撃してる。あの魔女——あの癒者が——クリスマスプレゼントだって言ってたわ」

ハリーはもう一度記事を見た。恐怖感が、苦い胆汁のようにのどに込み上げてきた。

「僕たち、どうして『悪魔の罠』だって気づかなかったんだろう？　前に一度見てるのに……こんな事件、僕たちが防げたかもしれないのに」

「『悪魔の罠』が鉢植えになりすまして、病院に現れるなんて、誰が予想できる？」ロンがきっぱり言った。「僕たちの責任じゃない。誰だか知らないけど、送ってきたやつが悪いんだ！　自分が何を買ったのかよく確かめもしないなんて、まったく、バカじゃないか？」

「まあ、ロン、しっかりしてよ！」ハーマイオニーが身震いした。「『悪魔の罠』を鉢植えにしておいて、触れるものを誰かれかまわずしめ殺すとは思わなかった、なんて言う人がいると思う？　これは――殺人よ……しかも巧妙な手口の……鉢植えの贈り主が匿名だったら、誰が殺ったかなんて、絶対わかりっこないでしょう？」

ハリーは「悪魔の罠」のことを考えてはいなかった。尋問の日に、エレベーターで地下九階まで下りたときのことを思い出していた。あの時、アトリウムの階から乗り込んできた、土気色の顔の魔法使いがいた。

「僕、ボードに会ってる」ハリーはゆっくりと言った。「君のパパと一緒に、魔法省でボードを見たよ」

ロンがあっと口を開けた。

「僕、パパが家でボードのことを話すのを聞いたことがある。『無言者』だって――『神秘部』に勤めてたんだ！」

三人は一瞬顔を見合わせた。それから、ハーマイオニーが新聞を自分のほうに引き寄せてたたみなおし、一面の脱走した十人の死喰い人たちの写真を一瞬にらみつけたが、やがて勢いよく立ち上がった。

「どこに行く気だ？」ロンがびっくりした。

「手紙を出しに」

ハーマイオニーは鞄（かばん）を肩に放り上げながら言った。

「これって……うーん、どうかわからないけど……でも、やってみる価値はあるわね。……それに、私にしかできないことだわ」

「まーたこれだ。**いやな感じ**」

ハリーと二人でテーブルから立ち上がり、ハーマイオニーよりはゆっくりと大広間を出ながら、ロンがブツクサ言った。

「いったい何をやるつもりなのか、一度ぐらい教えてくれたっていいじゃないか？　たいした手間じゃなし。十秒もかからないのにさ。――やあ、ハグリッド！」

ハグリッドが大広間の出口の扉の脇に立って、レイブンクロー生の群れが通り過ぎるのをやり過ごしていた。いまだに、巨人の所への使いから戻った当日と同じぐらい、ひどいけがをしている。しかも鼻っ柱を一文字に横切る生々しい傷があった。

「二人とも、元気か？」

ハグリッドはなんとか笑ってみせようとしたが、せいぜい痛そうに顔をしかめたようにしか見えなかった。

「ハグリッド、大丈夫かい？」

レイブンクロー生のあとからドシンドシンと歩いていくハグリッドを追って、ハリーが聞いた。

「大丈夫だ、だいじょぶだ」

ハグリッドはなんでもないふうを装ったが、見え透いていた。片手を気軽に振ったつもりが、通りがかったベクトル先生をかすめ、危うく脳震盪（のうしんとう）を起こさせるところだった。先生は肝を冷やした顔をした。

「ほれ、ちょいと忙しくてな。いつものやつだ――授業の準備――火トカゲが数匹、うろこがくさってな――それと、観察処分になった」ハグリッドが口ごもった。

「**観察処分だって？**」

ロンが大声を出したので、通りがかった生徒が何事かと振り返った。

「ごめん――いや、あの――観察処分だって？」ロンが声を落とした。

「ああ」ハグリッドが答えた。「ほんと言うと、こんなことになるんじゃねえかと思っちょった。おまえさんたちにゃわからんかったかもしれんが、あの査察は、ほれ、あんまりうまくいかんかった……まあ、とにかく」ハグリッドは深いため息をついた。「火トカゲに、もうちいと粉トウガラシをすり込んでやらねえと、こン次はしっぽがちょん切れっちまう。そんじゃな、ハリー……ロン……」

ハグリッドは玄関の扉を出て、石段を下り、じめじめした校庭を重い足取りで去っていった。これ以上、あとどれだけ多くの悪い知らせにたえていけるだろうかといぶかりながら、ハリーはその後ろ姿を見送った。

ハグリッドが観察処分になったことは、それから二、三日もすると、学校中に知れ渡っていた。しかし、ほとんど誰も気にしていないらしいのが、ハリーは腹立たしかった。それどころか、ドラコ・マルフォイを筆頭に、何人かはかえって大喜びしているようだった。聖マンゴで神秘部の影の薄い役人が一人不審な死をとげたことなどは、ハリー、ロン、ハーマイオニーぐらいしか知らないし、気にもしていないようだった。いまや廊下での話題はただ一つ、十人の死喰い人が脱獄したことだった。この話は、新聞を読みつけているごく少数の生徒から、ついに学校中に浸透していた。ホグズミードで脱獄囚数人の姿を目撃したといううわさが飛び、「叫びの屋敷」に潜伏しているらしいとか、シリウス・ブラックがかつてやったように、その連中もホグワーツに侵入してくるといううわさも流れた。

魔法族の家庭出身の生徒は、死喰い人の名前が、ヴォルデモートとほとんど同じくらい恐れられて口にされるのを聞きながら育っていた。ヴォルデモートの恐怖支配の下で、死喰い人が犯した罪は、いまに言い伝えられていた。

ホグワーツの生徒の中で、親戚に犠牲者がいるという生徒は、身内の凄惨な犠牲という名誉を担い、廊下を歩くとありがたくない視線にさらされることになった。スーザン・ボーンズのおじ、おば、いとこは、十人のうちの一人の手にかかり、全員殺されたのだが、薬草学の時間に、ハリーの気持ちがいまやっとわかったと、しょげきって言った。

「あなた、よくたえられるわね――ああ、いや！」

スーザンは投げやりにそう言うと、「キーキースナップ」の苗木箱に、ドラゴンの堆肥をいやというほどぶち込んだ。苗木は気持ち悪そうに身をくねらせてキーキーわめいた。

確かにハリーは、このごろまたしても、廊下で指差されたり、コソコソ話をされたりする対象になってはいた。ところが、ヒソヒソ声の調子がいままでと少しちがうのが感じ取れるような気がした。いまは、敵意よりむしろ好奇心の声だったし、アズカバン要塞から、なぜ、どのように十人の死喰い人が脱走しおおせたのか、「日刊予言者」版の話では満足できないという断片的会話を、まちがいなく一、二度耳にした。恐怖と混乱の中で、こうした疑いを持つ生徒たちは、それ以外の唯一の説明に注意を向けはじめたようだった。ハリーとダンブルドアが先学期から述べ続けている説明だ。

変わったのは生徒たちの雰囲気ばかりではない。先生も廊下で二人、三人と集まり、低い声でせっぱ詰まったようにささやき合い、生徒が近づくのに気づくと、ふっつりと話をやめるというのが、いまや見慣れた光景になっていた。

「きっと、もう職員室では自由に話せないんだわ」

ある時、マクゴナガル、フリットウィック、スプラウトの三教授が、呪文学の教室の外で額を寄せ合って話しているそばを通りながら、ハーマイオニーが低い声で、ハリーとロンに言った。

「アンブリッジがいたんじゃね」

「先生方は何か新しいことを知ってると思うか？」ロンが三人の先生を振り返ってじっと見ながら言った。

「知ってたところで、僕たちの耳には入らないだろ？」ハリーは怒ったように言った。「だって、あの教育令……もう第何号になったんだっけ？」

その新しい教育令は、アズカバン脱走のニュースが流れた次の日の朝、寮の掲示板に貼り出されていた。

ホグワーツ高等尋問官令

教師は、自分が給与の支払いを受けて教えている科目に厳密に関係すること以外は、生徒に対し、いっさいの情報を与えることを、ここに禁ず。

以上は教育令第二十六号に則ったものである。

高等尋問官　ドローレス・ジェーン・アンブリッジ

この最新の教育令は、生徒の間で、さんざん冗談のネタになった。フレッドとジョージが教室の後ろで「爆発スナップ・ゲーム」をやっていたとき、リー・ジョーダンは、この新しい規則を文言どおり適用すれば、アンブリッジが二人を叱りつけることはできないと、面と向かって指摘した。「先生、『爆発スナップ』は『闇の魔術に対する防衛術』とはなんの関係もありません！　これは先生の担当科目に関係する情報ではありません！」

ハリーがそのあとでリーに会ったとき、リーの手の甲がかなりひどく出血しているのを見て、マートラップのエキスがいいと教えてやった。

アズカバンからの脱走で、アンブリッジが少しはへこむのではないかと、ハリーは思っていた。愛しのファッジの目と鼻の先でこんな大事件が起こったことで、アンブリッジが恥じ入るのではないかと思っていた。ところが、どうやらこの事件は、ホグワーツの生活を何から何まで自分の統制下に置きたいというアンブリッジの激烈な願いに、かえって拍車をかけただけだったらしい。少なくとも、アンブリッジは、まもなく首切りを実施する意思を固めたようで、あとは、トレローニー先生とハグリッドのどちらが先かだけだった。

占い学と魔法生物飼育学は、どの授業にも必ずアンブリッジとクリップボードがついて回った。むっとするような香料が漂う北塔の教室で、アンブリッジは暖炉のかたわらにひそんで様子をうかがい、ますますヒステリックになってきたトレローニー先生の話を、鳥占いやら七正方形学などの難問を出して中断したばかりか、生徒が答える前に、その答えを言い当ててろと迫ったり、水晶玉占い、茶の葉占い、石のルーン文字盤占いなど、次々にトレローニー先生の術を披露せよと要求したりした。トレローニー先生が、そのうちストレスで気が変になるのではと、ハリーは思った。廊下で先生とすれちがうことが何度かあったが――トレローニー先生はほとんど北塔の教室にこもりきりなので、それ自体がありえないような出来事だったのだが――料理用のシェリー酒の強烈なにおいをプンプンさせ、怖気づいた目でちらちら後ろを振り返り、手をもみしだきながら、わけのわからないことをブツブツつぶやいていた。ハグリッドのことを心配していなかったら、ハリーはトレローニー先生をかわいそうだと思ったかもしれない。――しかし、どちらかが職を追われるのであれば、ハリーにとっては、どちらが残るべきかの答えは一つしかなかった。

残念ながら、ハリーの見るところ、ハグリッドの様子もトレローニーよりましだとは言えなかった。ハーマイオニーの忠告に従っているらしく、クリスマス休暇からあとは、恐ろしい動物といっても、せいぜいクラップ（小型のジャック・ラッセル・テリア犬そっくりだが、しっぽが二股に分かれている）ぐらいしか見せていなかったが、ハグリッドも神経がまいっているようだった。授業中、変にそわそわしたり、びくついたり、自分の話の筋道がわからなくなったり、質問の答えをまちがえたり、おまけに、不安そうにアンブリッジをしょっちゅうちらちら見ていた。それに、ハリー、ロン、ハーマイオニーに対して、これまでになかったほどよそよそしくなり、暗くなってから小屋を訪ねることをはっきり禁止した。

「おまえさんたちがあの女に捕まってみろ。俺たち全員のクビが危ねえ」

ハグリッドが三人にきっぱりと言った。これ以上ハグリッドの職が危なくなるようなことはしたくないと、三人は、暗くなってからハグリッドの小屋に行くのを遠慮した。

ホグワーツでの暮らしを楽しくしているものを、アンブリッジが次々と確実にハリーから奪っていくような気がした。ハグリッドの小屋を訪ねること、シリウスからの手紙、ファイアボルトにクィディッチ。ハリーはたった一つ自分ができるやり方で、復讐していた——ＤＡにますます力を入れることだ。

ハリーにとってうれしいことに、野放し状態の死喰い人がいまや十人増えたというニュースで、ＤＡメンバー全員に活が入り、あのザカリアス・スミスでさえ、これまで以上に熱心に練習するようになった。

しかし、なんといっても、ネビルほど長足の進歩をとげた生徒はいなかった。両親を襲った連中が脱獄したというニュースが、ネビルに不思議な、ちょっと驚くほどの変化をもたらした。ネビルは、聖マンゴの隔離病棟でハリー、ロン、ハーマイオニーに出会ったことを、一度たりとも口にしなかった。三人もネビルの気持ちを察して沈黙を守った。そればかりかネビルは、ベラトリックスと、拷問した仲間の脱獄のことを、一言も言わなかった。実際、ネビルは、ＤＡの練習中ほとんど口をきかなかった。ハリーが教える新しい呪いや逆呪いのすべてを、ただひたすらに練習した。ぽっちゃりした顔をゆがめて集中し、けがも事故もなんのその、ほかの誰よりも一生懸命練習した。上達ぶりがあまりに速くて戸惑うほどだった。ハリーが「盾の呪文」を教えたとき——軽い呪いを跳ね返し、襲った側を逆襲する方法だが——ネビルより早く呪文を習得したのは、ハーマイオニーだけだった。

ハリーは、ネビルがＤＡで見せるほどの進歩を、自分が「閉心術」でとげられたら、どんなにありがたいかと思った。すべりだしからつまずいていたスネイプとの授業は、さっぱり進歩がなかった。むしろ、毎回だんだん下手になるような気がした。

「閉心術」を学びはじめるまでは、額の傷がチクチク痛むといってもときどきだったし、たいていは夜だった。あるいは、ヴォルデモートの考えていることや気分が時折パッとひらめくという奇妙な経験のあとに痛んだ。ところがこのごろは、ほとんど絶え間なくチクチク痛み、ある時点でハリーの身に起こっていることとは無関係に、ひんぱんに感情が揺れ動き、いらいらしたり楽しくなったりした。そういうときには必ず傷痕に激痛が走った。なんだか徐々に、ヴォルデモートのちょっとした気分の揺れに波長を合わせるアンテナになっていくような気がして、ハリーはぞっとした。こんなに感覚が鋭くなったのは、スネイプとの最初の「閉心術」の授業からだったのはまちがいない。おまけに、毎晩のように、神秘部の入口に続く廊下を歩く夢を見るようになっていた。夢はいつも、真っ黒な扉の前で何かを渇望しながら立ち尽くすところで頂点に達するのだった。

「たぶん病気の場合とおんなじじゃないかしら」

ハリーがハーマイオニーとロンに打ち明けると、ハーマイオニーが心配そうに言った。

「熱が出たりなんかするじゃない。病気はいったん悪くなってから良くなるのよ」

「スネイプとの練習のせいでひどくなってるんだ」ハリーはきっぱりと言った。「傷痕の痛みはもうたくさんだ。毎晩あの廊下を歩くのは、もううんざりしてきた」

ハリーはいまいましげに額をごしごしこすった。

「あの扉が開いてくれたらなあ。扉を見つめて立っているのはもういやだ――」

「冗談じゃないわ」ハーマイオニーが鋭く言った。「ダンブルドアは、あなたに廊下の夢なんか見ないでほしいのよ。そうじゃなきゃ、スネイプに『閉心術』を教えるように頼んだりしないわ。あなた、もう少し一生懸命練習しなきゃ」

「ちゃんとやってるよ！」ハリーはいら立った。「君も一度やってみろよ――スネイプが頭の中に入り込もうとするんだ――楽しくてしょうがないってわけにはいかないだろ！」

「もしかしたら……」ロンがゆっくりと言った。

「もしかしたらなんなの？」ハーマイオニーがちょっとかみつくように言った。

「ハリーが心を閉じられないのは、ハリーのせいじゃないかもしれない」ロンが暗い声で言った。

「どういう意味？」ハーマイオニーが聞いた。

「うーん。スネイプが、もしかしたら、本気でハリーを助けようとしてないんじゃないかって……」

ハリーとハーマイオニーはロンを見つめた。ロンは意味ありげな沈んだ目で、二人の顔を交互に見た。

「もしかしたら」ロンがまた低い声で言った。「ほんとは、あいつ、ハリーの心をもう少し開こうとしてるんじゃないかな……そのほうが好都合だもの、『例のあの――』」

「やめてよ、ロン」ハーマイオニーが怒った。「何度スネイプを疑えば気がすむの？　それが一度でも正しかったことがある？　ダンブルドアはスネイプを信じていらっしゃるし、スネイプは騎士団のために働いている。それで充分なはずよ」

「あいつ、死喰い人だったんだぜ」ロンが言い張った。「それに、**ほんとうに**こっちの味方になったたっていう証拠を見たことがないじゃないか」

「ダンブルドアが信用しています」ハーマイオニーがくり返した。

「それに、ダンブルドアを信じられないなら、私たち、誰も信じられないわ」


心配事も、やることも山ほどあって——宿題の量が半端ではなく、五年生はしばしば真夜中過ぎまで勉強しなければならなかったし、ＤＡの秘密練習やら、スネイプとの定期的な特別授業やらで——一月はあっという間に過ぎていった。気がついたらもう二月で、天気は少し暖かく湿り気を帯び、二度目のホグズミード行きの日が近づいていた。ホグズミードに二人で行く約束をして以来、ハリーはほとんどチョウと話す時間がなかったが、突然、バレンタインの日をチョウと二人きりで過ごすはめになっていることに気づいた。


十四日の朝、ハリーは特に念入りに支度した。ロンと二人で朝食に行くと、ふくろう便の到着にちょうど間に合った。ヘドウィグはその中にいなかった。——期待していたわけではなかったが——しかし、二人が座ったとき、ハーマイオニーは見慣れないモリフクロウがくちばしにくわえた手紙を引っ張っていた。

「やっと来たわ！　もし今日来なかったら……」

ハーマイオニーは待ちきれないように封筒を破り、小さな羊皮紙を引っ張り出した。ハーマイオニーの目がすばやく手紙の行を追った。そして、何か真剣で満足げな表情が広がった。

「ねえ、ハリー」ハーマイオニーがハリーを見上げた。「とっても大事なことなの。お昼ごろ、『三本の箒（ほうき）』で会えないかしら？」

「うーん……どうかな」ハリーはあいまいな返事をした。「チョウは、僕と一日中一緒だって期待してるかもしれない。何をするかは全然話し合ってないけど」

「じゃ、どうしてもというときは一緒に連れてきて」ハーマイオニーは急を要するような言い方をした。

「とにかくあなたは来てくれる？」

「うーん……いいよ。でもどうして？」

「いまは説明してる時間がないわ。急いで返事を書かなきゃならないの」

ハーマイオニーは、片手に手紙を、もう一方にトーストを一枚引っつかみ、急いで大広間を出ていった。

「君も来るの？」

ハリーが聞くと、ロンはむっつりと首を横に振った。

「ホグズミードにも行けないんだ。アンジェリーナが一日中練習するってさ。それでなんとかなるわけじゃないのに。僕たちのチームは、いままでで最低。スローパーとカークを見ろよ。絶望的さ。僕よりひどい」ロンは大きなため息をついた。「アンジェリーナは、どうして僕を退部させてくれないんだろう」

「そりゃあ、調子のいいときの君はうまいからだよ」ハリーはいらいらと言った。

来るハッフルパフ戦でプレーできるなら、ほかに何もいらないとさえ思っているハリーは、ロンの苦境に同情する気になれなかった。ロンはハリーの声の調子に気づいたらしく、朝食の間、クィディッチのことは二度と口にしなかった。それからまもなく、互いにさよならを言ったときは、二人ともなんとなくよそよそしかった。ロンはクィディッチ競技場に向かい、ハリーのほうは、ティースプーンの裏に映る自分の顔をにらみ、なんとか髪をなでつけようとしたあと、チョウに会いにひとりで玄関ホールに向かった。いったい何を話したらいいやらと、ハリーは不安でしかたがなかった。

チョウは樫の扉のちょっと横でハリーを待っていた。長い髪をポニーテールにして、チョウはとてもかわいく見えた。チョウのほうに歩きながら、ハリーは自分の足がバカでっかく思えた。それに、突然自分に両腕があり、それが体の両脇でぶらぶら揺れているのがどんなに滑稽に見えるかに気づいた。

「こんにちは」チョウがちょっと息をはずませた。

「やあ」ハリーが言った。

二人は一瞬見つめ合った。それからハリーが言った。

「あの――えーと――じゃ、行こうか？」

「え――ええ……」

列に並んでフィルチのチェックを待ちながら、二人はときどき目が合って照れ笑いしたが、話はしなかった。二人で外のすがすがしい空気に触れたとき、ハリーはホッとした。互いにもじもじしながら突っ立っているよりは、だまって歩くほうが気楽だった。風のあるさわやかな日だった。クィディッチ競技場を通り過ぎるとき、ロンとジニーが観客席の上端すれすれに飛んでいるのがちらりと見えた。自分は一緒に飛べないと思うと、ハリーは胸がしめつけられた。

「飛べなくて、とってもさびしいのね？」チョウが言った。

振り返ると、チョウがハリーをじっと見ていた。

「うん」ハリーがため息をついた。「そうなんだ」

「最初に私たちが対戦したときのこと、覚えてる？　三年生のとき」

「ああ」ハリーはニヤリと笑った。「君は僕のことブロックしてばかりいた」

「それで、ウッドが、紳士面するな、必要なら私を箒からたたき落とせって、あなたにそう言ったわ」

チョウはなつかしそうにほほえんだ。「あの人、プライド・オブ・ポーツリーとかいうプロチームに入団したと聞いたけど、そうなの？」

「いや、パドルミア・ユナイテッドだ。去年、ワールドカップのとき、ウッドに会ったよ」

「あら、私もあそこであなたに会ったわ。覚えてる？　同じキャンプ場だったわ。あの試合、ほんとによかったわね？」

クィディッチ・ワールドカップの話題が、馬車道を通って校門を出るまで続いた。こんなに気軽にチョウと話せることが、ハリーには信じられなかった——実際、ロンやハーマイオニーに話すのと同じぐらい簡単だ——自信がついてほがらかになってきたちょうどその時、スリザリンの女子学生の大集団が二人を追い越していった。パンジー・パーキンソンもいる。

「ポッターとチャンよ！」

パンジーがキーキー声を出すと、いっせいにクスクスとあざけり笑いが起こった。

「うぇー、チャン。あなた、趣味が悪いわね……少なくともディゴリーはハンサムだったけど！」

女子生徒たちは、わざとらしくしゃべったり叫んだりしながら、足早に通り過ぎた。ハリーとチョウを大げさにちらちら見る子も多かった。みんなが行ってしまうと、二人はバツの悪い思いでだまり込んだ。ハリーはもうクィディッチの話題も考えつかず、チョウは少し赤くなって、足元を見つめていた。

「それで……どこに行きたい？」

ホグズミードに入ると、ハリーが聞いた。ハイストリート通りは生徒でいっぱいだった。ぶらぶら歩いたり、ショーウィンドウをあちこちのぞいたり、歩道にたむろしてふざけたりしている。

「あら……どこでもいいわ」チョウは肩をすくめた。「んー……じゃあ、お店でものぞいてみましょうか？」

二人はぶらぶらと、「ダービシュ・アンド・バングズ店」のほうに歩いていった。窓には大きなポスターが貼られ、ホグズミードの村人が二、三人それを見ていたが、ハリーとチョウが近づくと脇によけた。ハリーは、またしても脱獄した十人の死喰い人の写真と向き合ってしまった。「魔法省通達」と書かれたポスターには、写真の脱獄囚の誰か一人でも、再逮捕に結びつくような情報を提供した者には、一千ガリオンの懸賞金を与えるとなっていた。

「おかしいわねえ」死喰い人の写真を見つめながら、チョウが低い声で言った。「シリウス・ブラックが脱走したときのこと、覚えてるでしょう？　ホグズミード中に、捜索の吸魂鬼がいたわよね？　それが、今度は十人もの死喰い人が逃亡中なのに、吸魂鬼はどこにもいない……」

「うん」ハリーはベラトリックス・レストレンジの写真から無理に目をそらし、ハイストリート通りの端から端まで視線を走らせた。「うん、確かに変だ」

近くに吸魂鬼がいなくて残念だというわけではない。しかし、よく考えてみると、いないということには大きな意味がある。吸魂鬼は、死喰い人を脱獄させてしまったばかりか、探そうともしていない……。もはや魔法省は、吸魂鬼を制御できなくなっているかのようだ。

ハリーとチョウが通り過ぎる先々の店のウィンドウで、脱獄した十人の死喰い人の顔がにらんでいた。「スクリベンシャフト」の店の前を通ったとき、雨が降ってきた。冷たい大粒の雨が、ハリーの顔を、そして首筋を打った。

「あの……コーヒーでもどうかしら？」

雨足がますます強くなり、チョウがためらいがちに言った。

「ああ、いいよ」ハリーはあたりを見回した。「どこで？」

「ええ、すぐそこにとってもすてきな所があるわ。マダム・パディフットのお店に行ったことない？」

チョウは明るい声でそう言うと、脇道に入り、小さな喫茶店へとハリーを誘った。ハリーはこれまでそんな店に気がつきもしなかった。狭苦しくてなんだかむんむんする店で、何もかもフリルやリボンで飾り立てられていた。ハリーはアンブリッジの部屋を思い出していやな気分になった。

「かわいいでしょ?」チョウがうれしそうに言った。

「ん……うん」ハリーは気持ちをいつわった。

「ほら、見て。バレンタインデーの飾りつけがしてあるわ!」チョウが指差した。

それぞれの小さな丸テーブルの上に、金色のキューピッドがたくさん浮かび、テーブルに座っている人たちに、ときどきピンクの紙ふぶきを振りかけていた。

「まぁぁ……」

二人は、白く曇った窓のそばに一つだけ残っていたテーブルに座った。レイブンクローのクィディッチ・キャプテン、ロジャー・デイビースが、ほんの数十センチしか離れていないテーブルに、かわいいブロンドの女の子と一緒に座っていた。手と手を握っている。ハリーは落ち着かない気分になった。その上、店内を見回すとカップルだらけで、みんな手を握り合っているのが目に入り、ますます落ち着かなくなった。チョウも、ハリーが**チョウの**手を握るのを期待するだろう。

「お二人さん、何になさるの?」

マダム・パディフットは、つやつやした黒髪をひっつめ髷(まげ)に結った、たいそう豊かな体つきの女性で、ロジャーのテーブルとハリーたちのテーブルの間のすきまに、ようやっと入り込んでいた。

「コーヒー二つ」チョウが注文した。

コーヒーを待つ間に、ロジャー・デイビースとガールフレンドは、砂糖入れの上でキスしはじめた。キスなんかしなきゃいいのに、とハリーは思った。デイビースがお手本になって、まもなくチョウが、ハリーもそれに負けないようにと期待するだろう。ハリーは顔がほてってくるのを感じ、窓の外を見ようと思った。しかし、窓が真っ白に曇っていて、外の通りが見えなかった。チョウの顔を見つめざるをえなくなる瞬間を先延ばしにしようと、ペンキの塗り具合を調べるかのように天井を見上げたハリーは、上に浮かんでいたキューピッドに、顔めがけて紙ふぶきを浴びせられた。

それからまたつらい数分が過ぎ、チョウがアンブリッジのことを口にした。ハリーはホッとしてその話題に飛びついた。それから数分は、アンブリッジのこき下ろしで楽しかったが、もうこの話題はＤＡでさんざん語り尽くされていたので、長くは持たなかった。再び沈黙が訪れた。隣のテーブルからチューチューいう音が聞こえるのが、ことさら気になって、ハリーはなんとかしてほかの話題を探そうと躍起になった。

「あー……あのさ、お昼に僕と一緒に『三本の箒』に来ないか？　そこでハーマイオニー・グレンジャーと待ち合わせてるんだ」

チョウの眉がぴくりと上がった。

「ハーマイオニー・グレンジャーと待ち合わせ？　今日？」

「うん。彼女にそう頼まれたから、僕、そうしようかと思って。一緒に来る？　来てもかまわないって、ハーマイオニーが言ってた」

「あら……ええ……それはご親切に」

しかし、チョウの言い方は、ご親切だとはまったく思っていないようだった。むしろ、冷たい口調で、急に険しい表情になった。

だまりこくって、また数分が過ぎた。ハリーはせわしなくコーヒーを飲み、もうすぐ二杯目が必要になりそうだった。すぐ脇のロジャー・デイビースとガールフレンドは、唇の所でのりづけされているかのようだった。

チョウの手が、テーブルのコーヒーの脇に置かれていた。ハリーはその手を握らなければというプレッシャーがだんだん強くなるのを感じていた。**やるんだ。**ハリーは自分に言い聞かせた。弱気と興奮がごた混ぜになって、胸の奥から湧き上がってきた。**手を伸ばして、サッとつかめ。**驚いた——たったの三十センチ手を伸ばしてチョウの手に触れるほうが、猛スピードのスニッチを空中で捕まえるより難しいなんて……。

しかし、ハリーが手を伸ばしかけたとき、チョウがテーブルから手を引っ込めた。チョウは、ロジャー・デイビースがガールフレンドにキスしているのを、ちょっと興味深げに眺めていた。

「あの人、私を誘ったの」

チョウが小さな声で言った。

「ロジャーが。二週間前よ。でも、断ったわ」

ハリーは、急にテーブルの上に伸ばした手のやり場を失い、砂糖入れをつかんでごまかしたが、なぜチョウがそんな話をするのか見当がつかなかった。隣のテーブルに座ってロジャー・デイビースに熱々のキスをされていたかったのなら、そもそもどうして僕とデートするのを承知したのだろう？

ハリーはだまっていた。テーブルのキューピッドが、また紙ふぶきをひとつかみ二人に振りかけた。その何枚かが、ハリーがまさに飲もうとしていた、飲み残しの冷たいコーヒーに落ちた。

「去年、セドリックとここに来たの」チョウが言った。

チョウが何を言ったのかがわかるまでに、数秒かかった。その間に、ハリーは体の中が氷のように冷えきっていた。いまこのときに、チョウがセドリックの話をしたがるなんて、ハリーには信じられなかった。周りのカップルたちがキスし合い、キューピッドが頭上に漂っているというのに。

チョウが次に口を開いたときは、声がかなり上ずっていた。

「ずっと前から、あなたに聞きたかったことがあるの……セドリックは——あの人は、わ——私のことを、死ぬ前にちょっとでも口にしたかしら?」

金輪際話したくない話題だった。特にチョウとは。

「それは——してない——」ハリーは静かに言った。「そんな——何か言うなんて、そんな時間はなかった。ええと……それで……君は……休暇中にクィディッチの試合をたくさん見たの? トルネードーズのファンだったよね?」

ハリーの声はうつろに快活だった。しかし、チョウの両目に、クリスマス前の最後のDAが終わったときと同じように涙があふれているのを見て、ハリーはうろたえた。

「ねえ」ほかの誰にも聞かれないように前かがみになり、ハリーは必死で話しかけた。「いまはセドリックの話はしないでおこう……何かほかのことを話そうよ……」

どうやらこれは逆効果だった。

「私——」チョウの涙がポタポタとテーブルに落ちた。「私、**あなたならきっと**、わ——わ——わかってくれると思ったのに! 私、このことを話す**必要があるの!** あなただって、きっと、ひ——必要なはずだわ! だって、あなたはそれを見たんですもの。そ——そうでしょう?」

まるで悪夢だった。何もかも悪いほうにばかり展開した。ロジャー・デイビースのガールフレンドは、わざわざのりづけをはがして振り返り、泣いているチョウを見た。

「でも——僕はもう、そのことを話したんだ」ハリーがささやいた。「ロンとハーマイオニーに。でも——」

「あら、ハーマイオニー・グレンジャーには話すのね!」

涙で顔を光らせ、チョウはかん高い声を出した。キスの最中だったカップルが何組か、見物のために分裂した。

「それなのに、私には話さないんだわ！　も――もう……し――支払いをすませましょう。そして、あなたは行けばいいのよ。ハーマイオニー・グ――グレンジャーの所へ。あなたのお望みどおり！」

ハリーは何がなんだかわからずにチョウを見つめた。チョウはフリルいっぱいのナプキンをつかみ、涙にぬれた顔に押し当てていた。

「チョウ？」

ハリーは恐る恐る呼びかけた。ロジャーが、ガールフレンドをつかまえて、またキスを始めてくれればいいのに。そうすればハリーとチョウをじろじろ見るのをやめるだろうに。

「行ってよ。早く！」

チョウは、いまやナプキンに顔をうずめて泣いていた。

「私とデートした直後にほかの女の子に会う約束をするなんて、なぜ私を誘ったりしたのかわからないわ……ハーマイオニーのあとには、あと何人とデートするの？」

「そんなんじゃないよ！」

何が気にさわっていたのかがやっとわかって、ホッとすると同時に、ハリーは笑ってしまった。とたんに、しまったと思ったが、もう遅かった。

チョウがパッと立ち上がった。店中がシーンとなって、いまやすべての目が二人に注がれていた。

「ハリー、じゃ、さよなら」

チョウは劇的に一言言うなり、少ししゃくり上げながら、出口へと駆けだし、ぐいとドアを開けて土砂降りの雨の中に飛び出していった。

「チョウ！」

ハリーは追いかけるように呼んだが、ドアはすでに閉まり、チリンチリンという音だけが鳴っていた。

店内は静まり返っていた。目という目がハリーを見ていた。ハリーはテーブルに一ガリオンを放り出し、ピンクの紙ふぶきを頭から払い落としてチョウを追って外に出た。

雨が激しくなっていた。そして、チョウの姿はどこにも見えなかった。何が起こったのか、ハリーにはさっぱりわからなかった。三十分前まで、二人はうまくいっていたのに。

「女ってやつは！」

両手をポケットに突っ込み、雨水の流れる道をビチャビチャ歩きながら、ハリーは腹を立ててつぶやいた。

「だいたい、なんでセドリックの話なんかしたがるんだ？　どうしていつも、自分が人間散水ホースみたいになる話を引っ張り出すんだ？」

ハリーは右に曲がり、バシャバシャと駆けだした。何分もかからずに、ハリーは「三本の箒」の戸口に着いた。ハーマイオニーと会う時間には早すぎたが、ここなら誰か時間をつぶせる相手がいるだろうと思った。ぬれた髪を、ブルッと目から振り払い、ハリーは店内を見回した。ハグリッドが、一人でむっつりと隅のほうに座っていた。

「やあ、ハグリッド！」

混み合ったテーブルの間をすり抜け、ハグリッドの脇に椅子を引き寄せて、ハリーが声をかけた。

ハグリッドは飛び上がって、まるでハリーが誰だかわからないような目で見下ろした。ハグリッドの顔に新しい切り傷が二つと打ち身が数か所できていた。

「おう、ハリー、おまえさんか」ハグリッドが口をきいた。「元気か？」

「うん、元気だよ」

ハリーはうそをついた。傷だらけで悲しそうな顔をしたハグリッドと並ぶと、自分のほうはそんなにたいしたことではないと思ったのも事実だ。

「あー――ハグリッドは大丈夫なの？」

「俺？」ハグリッドが言った。「ああ、俺なら、大元気だぞ、ハリー、大元気」

大きなバケツほどもある錫の大ジョッキの底をじっと見つめて、ハグリッドはため息をついた。ハリーはなんと言葉をかけていいかわからなかった。二人は並んで座り、しばらくだまっていた。すると出し抜けにハグリッドが言った。

「おんなじだなぁ。おまえと俺は……え？　ハリー？」

「アー――」ハリーは答えに詰まった。

「うん……前にも言ったことがあるが……二人ともはみ出しもんだ」ハグリッドが納得したようにうなずきながら言った。「そんで、二人とも親がいねえ。うん……二人とも孤児だ」

ハグリッドはぐいっと大ジョッキをあおった。

「ちがうもんだ。ちゃんとした家族がいるっちゅうことは」ハグリッドが言葉を続けた。「俺の父ちゃんはちゃんとしとった。そんで、おまえさんの父さんも母さんもちゃんとしとった。親が生きとったら、人生はちがったもんになっとっただろう。なあ？」

「うん……そうだね」

ハリーは慎重に答えた。ハグリッドはなんだか不思議な気分に浸っているようだった。

「家族だ」ハグリッドが暗い声で言った。「なんちゅうても、血ってもんは大切だ……」

そしてハグリッドは目に滴る血をぬぐった。

「ハグリッド」ハリーはがまんできなくなって聞いた。「いったいどこで、こんなに傷だらけになるの？」

「はあ？」ハグリッドはドキッとしたような顔をした。「どの傷だ？」

「全部だよ！」ハリーはハグリッドの顔を指差した。

「ああ……いつものやつだよ、ハリー。こぶやら傷やら」

ハグリッドはなんでもないという言い方をした。

「俺の仕事は荒っぽいんだ」

ハグリッドは大ジョッキを飲み干し、テーブルに戻し、立ち上がった。

「そんじゃな、ハリー……気ぃつけるんだぞ」

そしてハグリッドは、打ちしおれた姿でドシンドシンとパブを出ていき、滝のような雨の中へと消えた。ハリーはみじめな気持ちでその後ろ姿を見送った。ハグリッドは不幸なんだ。それに何か隠している。だが、断固助けを拒むつもりらしい。いったい何が起こっているんだろう？　それ以上何か考える間もなく、ハリーの名前を呼ぶ声が聞こえた。

「ハリー！　ハリー、こっちよ！」

店のむこう側で、ハーマイオニーが手を振っていた。ハリーは立ち上がって、混み合ったパブの中をかき分けて進んだ。あと数テーブルというところで、ハリーは、ハーマイオニーが一人ではないのに気づいた。飲み仲間としてはどう考えてもありえない組み合わせがもう二人、同じテーブルに着いていた。ルーナ・ラブグッドと、誰あろう、リータ・スキーター、元「日刊予言者新聞」の記者で、ハーマイオニーが世界で一番気に入らない人物の一人だ。

「早かったのね！」

ハリーが座れるように場所を空けながら、ハーマイオニーが言った。

「チョウと一緒だと思ったのに。あと一時間はあなたが来ないと思ってたわ！」

「チョウ？」リータが即座に反応し、座ったまま体をねじって、まじまじとハリーを見つめた「**女の子**

と？」

リータはワニ革ハンドバッグを引っつかみ、中をゴソゴソ探した。

「ハリーが百人の女の子とデートしようが、**あなたの**知ったことじゃありません」ハーマイオニーが冷たく言った。「だから、それはすぐしまいなさい」

リータがハンドバッグから、黄緑色の羽根ペンをまさに取り出そうとしたところだった。「臭液」を無理やり飲み込まされたような顔で、リータはまたバッグをパチンと閉めた。

「君たち、何するつもりだい？」

腰かけながら、ハリーはリータ、ルーナ、ハーマイオニーの顔を順に見つめた。

「ミス優等生がそれをちょうど話そうとしていたところに、君が到着したわけよ」リータはグビリと音を立てて飲み物を飲んだ。「こちらさんと**話す**のはお許しいただけるんざんしょ？」リータがキッとなってハーマイオニーに言った。

「ええ、いいでしょう」ハーマイオニーが冷たく言った。

リータに失業は似合わなかった。かつては念入りにカールしていた髪は、くしも入れず、顔の周りにだらりと垂れ下がっていた。六センチもあろうかという鉤爪（かぎづめ）に真っ赤に塗ったマニキュアはあちこちはげ落ち、フォックス型めがねのイミテーションの宝石が二、三個欠けていた。リータはもう一度ぐいっと飲み物をあおり、唇を動かさずに言った。

「かわいい子なの？　ハリー？」

「これ以上ハリーのプライバシーに触れたら、取引はなしよ。そうしますからね」ハーマイオニーがいら立った。

「なんの取引ざんしょ？」リータは手の甲で口をぬぐった。「小うるさいお嬢さん、まだ取引の話なんかしてないね。あたしゃ、ただ顔を出せと言われただけで。うーっ、いまに必ず……」

リータがブルッと身震いしながら息を深く吸い込んだ。

「ええ、ええ、いまに必ず、あなたは、私やハリーのことで、もっととんでもない記事を書くでしょうよ」ハーマイオニーは取り合わなかった。「そんな脅しを気にしそうな相手を探せばいいわ。どうぞご自由に」

「あたくしなんかの手を借りなくとも、新聞には今年、ハリーのとんでもない記事がたくさんのってたざんすよ」

グラスの縁越しに横目でハリーの顔を見ながら、リータは耳ざわりなささやき声で聞いた。

「それで、どんな気持ちがした？　ハリー？　裏切られた気分？　動揺した？　誤解されてると思った？」

「もちろん、ハリーは怒りましたとも」ハーマイオニーが厳しい声で凛（りん）と言い放った。「ハリーは魔法大臣にほんとうのことを話したのに、大臣はどうしようもないバカで、ハリーを信用しなかったんですからね」

「それじゃ、君はあくまで言い張るわけだ。『名前を言ってはいけないあの人』が戻ってきたと？」

リータはグラスを下げ、射るような目でハリーを見すえ、指がうろうろと物欲しげにワニ革バッグの留め金のあたりに動いていった。

「ダンブルドアがみんなに触れ回っているたわ言を、『例のあの人』が戻ったとか、君が唯一の目撃者だとかを、君も言い張るわけざんすね？」

「僕だけが目撃者じゃない」ハリーが唸るように言った。「十数人の死喰い人も、その場にいたんだ。名前を言おうか？」

「いいざんすね」

今度はバッグにもぞもぞと手を入れ、こんな美しいものは見たことがないという目でハリーを見つめながら、リータが息を殺して言った。

「ぶち抜き大見出し『**ポッター、告発す**』……小見出しで『**ハリー・ポッター、身近に潜伏する死喰い人の名前をすっぱ抜く**』。それで、君の大きな顔写真の下には、こう書く。『**「例のあの人」に襲われながらも生き残った、心病める十代の少年、ハリー・ポッター（15）は、昨日、魔法界の地位も名誉もある人物たちを死喰い人であると告発し、世間を激怒させた……**』」

自動速記羽根ペンQQQを実際に手に持ち、口元まで半分ほど持っていったところで、リータの顔から恍惚（こうこつ）とした表情が失せた。

「でも、だめだわね」

リータは羽根ペンを下ろし、険悪な目つきでハーマイオニーを見た。

「ミス優等生のお嬢さんが、そんな記事はお望みじゃないざんしょ？」

「実は」ハーマイオニーがやさしく言った。「ミス優等生のお嬢さんは、まさにそれを**お望みなの**」

リータは目を丸くしてハーマイオニーを見た。ハリーもそうだった。

一方ルーナは、夢見るように「ウィーズリーこそわが王者」と小声で口ずさみながら、串刺しにしたカクテル・オニオンで飲み物をかき混ぜた。

「あたくしに、『名前を言ってはいけないあの人』についてハリーが言うことを、記事にして**ほしいん**ざんすか？」リータは声を殺して聞いた。

「ええ、そうなの」ハーマイオニーが言った。「真実の記事を。すべての事実を。ハリーが話すとおりに。ハリーは全部くわしく話すわ。あそこでハリーが見た、『隠れ死喰い人』の名前も、現在ヴォルデモートがどんな姿なのかも――あら、しっかりしなさいよ」

テーブル越しにナプキンをリータのほうに放り投げながら、ハーマイオニーが軽蔑したように言った。ヴォルデモートという名前を聞いただけで、リータがひどく飛び上がり、ファイア・ウィスキーをグラス半分も自分にひっかけてしまったのだ。

ハーマイオニーを見つめたまま、リータは汚らしいレインコートの前をふいた。それから、リータはあけすけに言った。

「『予言者新聞』はそんなもの活字にするもんか。お気づきでないざんしたら一応申し上げますけどね、ハリーのうそ話なんて誰も信じないざんすよ。みんな、ハリーの妄想癖だと思ってるざんすからね。まあ、あたくしにその角度から書かせてくれるんざんしたら――」

「ハリーが正気を失ったなんて記事はこれ以上いりません！」ハーマイオニーが怒った。「そんな話はもういやというほどあるわ。せっかくですけど！　私は、ハリーが真実を語る機会をつくってあげたいの！」

「そんな記事は誰ものせないね」リータが冷たく言った。

「ファッジが許さないから『予言者新聞』はのせないっていう意味でしょう」ハーマイオニーがいら立った。

リータはしばらくじっとハーマイオニーをにらんでいた。やがて、ハーマイオニーに向かってテーブルに身を乗り出し、まじめな口調で言った。

「確かに、ファッジは『予言者新聞』にてこ入れしている。でも、どっちみち同じことざんす。ハリーがまともに見えるような記事はのせないね。そんなもの、誰も読みたがらない。大衆の風潮に反するんだ。先日のアズカバン脱獄だけで、みんな充分不安感をつのらせてる。『例のあの人』の復活なんか、とにかく信じたくないってわけざんす」

「それじゃ、『日刊予言者新聞』は、みんなが喜ぶことを読ませるために存在する。そういうわけね？」

ハーマイオニーが痛烈に皮肉った。

リータは身を引いて元の姿勢に戻り、両眉を吊り上げて、残りのファイア・ウィスキーを飲み干した。

「『予言者新聞』は売るために存在するざんすよ。世間知らずのお嬢さん」リータが冷たく言った。

「私のパパは、あれはへぼ新聞だって思ってるよ」

ルーナが唐突に会話に割り込んできた。カクテル・オニオンをしゃぶりながら、ルーナは、ちょっと調子っぱずれの、飛び出したギョロ目でリータをじっと見た。

「パパは、大衆が知る必要があると思う重要な記事を出版するんだ。お金もうけは気にしないよ」

リータは軽蔑したようにルーナを見た。

「察するところ、あんたの父親は、どっかちっぽけな村のつまらないミニコミ誌でも出してるんざんしょ？」リータが言った。「たぶん、『**マグルに紛れ込む二十五の方法**』とか、次の飛び寄り売買バザーの日程だとか？」

「ちがうわ」

ルーナはオニオンをギリーウォーターにもう一度浸しながら言った。

「パパは『ザ・クィブラー』の編集長よ」

リータがブーッと噴き出した。その音があんまり大きかったので、近くのテーブルの客が何事かと振り向いた。

「『大衆が知る必要があると思う重要な記事』だって？　え？」

リータはこっちをひるませるような言い方をした。

「あたしゃ、あのボロ雑誌の臭い記事を庭の肥やしにするね」

「じゃ、あなたが、『ザ・クィブラー』の格調をちょっと引き上げてやるチャンスじゃない？」ハーマイオニーが快活に言った。「ルーナが言うには、お父さんは喜んでハリーのインタビューを引き受けるって。これで、誰が出版するかは決まり」

リータはしばらく二人を見つめていたが、やがてけたたましく笑いだした。

「『ザ・クィブラー』**だって！**」リータはゲラゲラ笑いながら言った。「ハリーの話が『ザ・クィブラー』にのったら、みんながまじめに取ると思うざんすか？」

「そうじゃない人もいるでしょうね」ハーマイオニーは平然としていた。「だけど、アズカバン脱獄の『日刊予言者新聞』版にはいくつか大きな穴があるわ。何が起こったのか、もっとまし な説明はないものかって考えている人は多いと思うの。だから、別な筋書きがあるとなったら、それがのっているのが、たとえ――」ハーマイオニーは横目でちらりとルーナを見た。「たとえ――その、**異色の**雑誌でも――読みたいという気持ちが相当強いと思うわ」

リータはしばらく何も言わなかった。ただ、首を少しかしげて、油断なくハーマイオニーを見ていた。

「よござんしょ。仮にあたくしが引き受けるとして」リータが出し抜けに言った。「どのくらいお支払いいただけるんざんしょ？」

「パパは雑誌の寄稿者に支払いなんかしてないと思うよ」ルーナが夢見るように言った。「みんな名誉だと思って寄稿するんだもン。それに、もちろん、自分の名前が活字になるのを見たいからだよ」

リータ・スキーターは、またしても口の中で「臭液」の強烈な味がしたような顔になり、ハーマイオニーに食ってかかった。

「**ギャラなし**でやれと？」

「ええ、まあ」

ハーマイオニーは飲み物をひと口すすり、静かに言った。

「さもないと、よくおわかりだと思うけど、私、あなたが未登録の『動物もどき』だって、然るべき所に通報するわよ。もっとも、『予言者新聞』は、あなたのアズカバン四人日記にはかなりたくさん払ってくれるかもしれないわね」

リータは、ハーマイオニーの飲み物に飾ってある豆唐かさを引っつかんで、その鼻の穴に押し込んでやれたらどんなにスーッとするか、という顔をした。

「どうやらあんまり選択の余地はなさそうざんすね？」

リータの声が少し震えていた。リータは再びワニ革ハンドバッグを開き、羊皮紙を一枚取り出し、自動速記羽根ペンQQQをかまえた。

「パパが喜ぶわ」ルーナが明るく言った。リータのあごの筋肉がひくひくけいれんした。

「さあ、ハリー？」ハーマイオニーがハリーに話しかけた。「大衆に真実を話す準備はできた？」

「まあね」ハリーの前に置いた羊皮紙の上に、リータが自動速記羽根ペンを立たせ、バランスを取って準備するのを眺めながら、ハリーが言った。

「それじゃ、リータ、やってちょうだい」

グラスの底からチェリーをひと粒つまみ上げながら、ハーマイオニーが落ち着き払って言った。

第26章　過去と未来

ハリーをインタビューしたリータの記事が、いつごろ『ザ・クィブラー』にのるかわからないと、ルーナは漠然と言った。パパが「しわしわ角スノーカック」を最近目撃したというすてきに長い記事が寄稿されるのを待っているからというのだ。「――もちろん、それって、とっても大切な記事だもン。だから、ハリーのは次の号まで待たなきゃいけないかも」

ヴォルデモートが復活した夜のことを語るのは、ハリーにとって生やさしいことではなかった。リータは事細かに聞き出そうとハリーに迫ったし、ハリーも、真実を世に知らせるまたとないチャンスだという意識で、思い出せるかぎりのすべてをリータに話した。はたしてどんな反応が返ってくるだろうと、ハリーは考えた。多くの人が、ハリーは完全に狂っているという見方を再確認するだろう。何しろハリーの話は、愚にもつかない「しわしわ角スノーカック」の話と並んで掲載されるのだ。しかし、ベラトリックス・レストレンジと仲間の死喰い人たちが脱走したことで、ハリーは、うまくいくいかないは別として、とにかく**何か**をしたいという、燃えるような思いにかられていた。

「君の話がおおっぴらになったら、アンブリッジがどう思うか、楽しみだ」月曜の夕食の席で、ディーンが感服したように言った。シェーマスはディーンのむかい側で、チキンとハムのパイをごっそりかき込んでいた。しかしハリーには、話を聞いていることがわかっていた。

「いいことをしたね、ハリー」テーブルの反対側に座っていたネビルが言った。かなり青ざめていたが、低い声で言葉を続けた。「きっと……つらかっただろう？　……それを話すのって……？」

「うん」ハリーがボソリと言った。「でも、ヴォルデモートが何をやってのけるのか、みんなが知らないといけないんだ。そうだろう？」

「そうだよ」ネビルがこっくりした。「それと、死喰い人のことも……みんな、知るべきなんだ……」

ネビルは中途半端に言葉をとぎらせ、再び焼きジャガイモを食べはじめた。シェーマスが目を上げたが、ハリーと目が合うと、あわてて自分の皿に視線を戻した。しばらくして、ディーン、シェーマス、ネビルが談話室に向かい、ハリーとハーマイオニーだけがテーブルに残ってロンを待った。クィディッチの練習で、ロンはまだ夕食をとっていなかった。

チョウ・チャンが友達のマリエッタと大広間に入ってきた。ハリーの胃がぐらっと気持ちの悪い揺れ方をした。しかし、チョウはグリフィンドールのテーブルには目もくれず、ハリーに背を向けて席に着いた。

「あ、聞くのを忘れてたわ」ハーマイオニーがレイブンクローのテーブルをちらりと見ながら、ほがらかに聞いた。「チョウとのデートはどうだったの？　どうしてあんなに早く来たの？」

「んー……それは……」ハリーはルバーブ・クランブルのデザート皿を引き寄せ、おかわりを自分の皿に取り分けながら言った。「めっちゃくちゃさ。聞かれたから言うだけだけど」

ハリーは、マダム・パディフットの喫茶店で起こったことを、ハーマイオニーに話して聞かせた。

「……というわけで」数分後にハリーは話し終わり、ルバーブ・クランブルの最後のひと口も食べ終わった。「チョウは急に立ち上がって、そう、こう言うんだ。『ハリー、じゃ、さよなら』。それで走って出ていったのさ！」ハリーはスプーンを置き、ハーマイオニーを見た。「つまり、いったいあれはなんだったんだ？　何が起こったっていうんだ？」

ハーマイオニーはチョウの後ろ姿をちらりと見て、ため息をついた。

「ハリーったら」ハーマイオニーは悲しげに言った。「言いたくはないけど、あなた、ちょっと無神経だったわ」

「**僕が？** 無神経？」ハリーは憤慨した。「二人でうまくいってるなと思ったら、次の瞬間、チョウはロジャー・デイビースがデートに誘ったの、セドリックとあのバカバカしい喫茶店に来ていちゃいちゃしたのって、僕に言うんだぜ――いったい僕にどう思えって言うんだ？」

「あのねえ」ハーマイオニーは、まるで駄々をこねるよちよち歩きの子供に、１＋１＝２だということを言い聞かせるように、辛抱強く言った。「デートの途中で私に会いたいなんて、言うべきじゃなかったのよ」

「だって、だって」ハリーが急き込んで言った。「だって――十二時に来いって、それにチョウも連れてこいって君がそう言ったんだ。チョウに話さなきゃ、そうできないじゃないか？」

「言い方がまずかったのよ」ハーマイオニーは、またしゃくにさわるほどの辛抱強さで言った。「こう言うべきだったわ。――ほんとうに困るんだけど、ハーマイオニーに『三本の箒』に来るように約束**させられた**。ほんとうは行きたくない。できることなら一日中チョウと一緒にいたい。だけど、残念ながらあいつに会わないといけないと思う。どうぞ、お願いだから、僕と一緒に来てくれ。そうすれば、僕はもっと早くその場を離れることができるかもしれない。――それに、私のことを、とってもブスだ、とか言ったらよかったかもしれないわね」

最後の言葉を、ハーマイオニーはふと思いついたようにつけ加えた。

「だけど、僕、君がブスだなんて思ってないよ」ハリーが不思議そうな顔をした。

ハーマイオニーが笑った。

「ハリー、あなたったら、ロンよりひどいわね……おっと、そうでもないか」

ハーマイオニーがため息をついた。ロンが泥だらけで、不機嫌な顔をぶら下げて、大広間にドスドスと入ってきたところだった。

「あのね――あなたが私に会いにいくって言ったから、チョウは気を悪くしたのよ。だから、あなたにやきもちを焼かせようとしたの。あなたがどのくらいチョウのことを好きなのか、彼女なりのやり方で試そうとしたのよ」

「チョウは、そういうことをやってたわけ？」ハリーが言った。

ロンは二人に向き合う場所にドサッと座り、手当たりしだい食べ物の皿を引き寄せていた。

「それなら、僕が君よりチョウのほうが好きかって聞いたほうが、ずっと簡単じゃない？」

「女の子は、だいたいそんなものの聞き方はしないものよ」ハーマイオニーが言った。

「でも、そうすべきだ！」ハリーの言葉に力が入った。「そうすりゃ、僕、チョウが好きだって、ちゃんと言えたじゃないか。そうすれば、チョウだって、セドリックが死んだことをまた持ち出して、大騒ぎしたりする必要はなかったのに！」

「チョウがやったことが思慮深かったとは言ってないのよ」ハーマイオニーが言った。ちょうど、ジニーが、ロンと同じように泥んこで、同じようにぶすっとして席に着いたところだった。「ただ、その時の彼女の気持ちを、あなたに説明しようとしているだけ」

「君、本を書くべきだよ」ロンがポテトを切り刻みながら、ハーマイオニーに言った。「女の子の奇怪な行動についての解釈をさ。男の子が理解できるように」

「そうだよ」ハリーがレイブンクローのテーブルに目をやりながら、熱を込めて言った。チョウが立ち上がったところだった。そして、ハリーのほうを見向きもせずに、大広間を出ていった。なんだかがっくりして、ハリーはロンとジニーに向きなおった。

「それで、クィディッチの練習はどうだった？」

「悪夢だったさ」ロンは気が立っていた。

「やめてよ」ハーマイオニーがジニーを見ながら言った。「まさか、それほど――」

「それほどだったのよ」ジニーが言った。「ぞっとするわ。アンジェリーナなんか、しまいには泣きそうだった」

　夕食のあと、ロンとジニーはシャワーを浴びにいった。ハリーとハーマイオニーは混み合ったグリフィンドールの談話室に戻り、いつものように宿題の山に取りかかった。ハリーが天文学の新しい星図と三十分ほど格闘したころ、フレッドとジョージが現れた。

「ロンとジニーは、いないな？」椅子を引き寄せ、周りを見回しながら、フレッドが聞いた。

　ハリーは首を振った。すると、フレッドが言った。

「ならいいんだ。俺たち、あいつらの練習ぶりを見てたけど、ありゃ死刑もんだ。俺たちがいなけりゃ、あいつらまったくのクズだ」

「おいおい、ジニーはそうひどくないぜ」ジョージが、フレッドの隣に座りながら訂正した。「実際、あいつ、どうやってあんなにうまくなったのかわかんねえよ。俺たちと一緒にプレーさせてやったことなんかないぜ」

「ジニーはね、六歳のときから庭の箒置き場に忍び込んで、あなたたちの目を盗んで、二人の箒にかわりばんこに乗っていたのよ」ハーマイオニーが、山と積まれた古代ルーン文字の本の陰から声を出した。

「へえ」ジョージがちょっと感心したような顔をした。「なーるへそ――それで納得」

「ロンはまだ一度もゴールを守っていないの？」

『魔法象形文字と記号文字』の本の上からこっちをのぞきながら、ハーマイオニーが聞いた。

「まあね、誰も自分を見ていないと思うと、ロンのやつ、ブロックできるんだけど」フレッドはやれやれという目つきをした。「だから、俺たちが何をすべきかと言えば、土曜日の試合で、あいつのほうにクアッフルが行くたびに、観衆に向かって、そっぽを向いて勝手にしゃべってくれって頼むことだな」

フレッドは立ち上がって、落ち着かない様子で窓際まで行き、暗い校庭を見つめた。

「あのさ、俺たち、唯一クィディッチがあるばっかりに、学校にとどまったんだ」

ハーマイオニーが厳しい目でフレッドを見た。

「もうすぐ試験があるじゃない！」

「前にも言ったけど、N・E・W・T（イモリ）試験なんて、俺たちはどうでもいいんだ」フレッドが言った。「例の『スナックボックス』はいつでも売り出せる。あの吹き出物をやっつけるやり方も見つけた。マートラップのエキス数滴で片づく。リーが教えてくれた」

ジョージが大あくびをして、曇った夜空を憂鬱そうに眺めた。

「今度の試合は見たくもない気分だ。ザカリアス・スミスに敗れるようなことがあったら、俺は死にたいよ」

「むしろ、あいつを殺すね」フレッドがきっぱりと言った。

「これだからクィディッチは困るのよ」再びルーン文字の解読にかじりつきながら、ハーマイオニーが上の空で言った。「おかげで、寮の間で悪感情やら緊張が生まれるんだから」

『スペルマンのすっきり音節』を探すのにふと目を上げたハーマイオニーは、フレッド、ジョージ、ハリーが、いっせいに自分をにらんでいるのに気づいた。三人ともあっけに取られた、苦々しげな表情を浮かべている。

「ええ、そうですとも！」ハーマイオニーがいら立たしげに言った。「たかがゲームじゃない？」

「ハーマイオニー」ハリーが頭を振りながら言った。「君って人の感情とかはよくわかってるけど、クィディッチのことはさっぱり理解してないね」

「そうかもね」また翻訳に戻りながら、ハーマイオニーが悲観的な言い方をした。「だけど、少なくとも、私の幸せは、ロンのゴールキーパーとしての能力に左右されたりしないわ」

しかし、土曜日の試合観戦後のハリーは、自分もクィディッチなんかどうでもいいと思えるものなら、ガリオン金貨を何枚出しても惜しくないという気持ちになっていた。もっともハーマイオニーの前でこんなことを認めるくらいなら、天文台塔から飛び下りたほうがましだった。

この試合で最高だったのは、すぐ終わったことだった。グリフィンドールの観客は、たった二十二分の苦痛に耐えるだけですんだ。何が最低だったかは、判定が難しい。ロンが十四回もゴールを抜かれたことか、スローパーがブラッジャーを撃ちそこねて、かわりに棍棒でアンジェリーナの口を引っぱたいたことか、クアッフルを持ったザカリアス・スミスが突っ込んできたときに、カークが悲鳴を上げて箒から仰向けに落ちたことか、ハリーの見るところ、どっこいどっこいのいい勝負だ。奇跡的に、グリフィンドールは、たった一〇点差で負けただけだった。ジニーが、ハッフルパフのシーカー、サマービーの鼻先から、からくもスニッチを奪い取ったので、最終得点は二四〇対二三〇だった。

「見事なキャッチだった」談話室に戻ったとき、ハリーがジニーに声をかけた。談話室はまるでとびっきり陰気な葬式のような雰囲気だった。

「ラッキーだったのよ」ジニーが肩をすくめた。「あんまり早いスニッチじゃなかったし、サマービーが風邪を引いてて、ここぞというときに、くしゃみして目をつぶったの。とにかく、あなたがチームに戻ったら――」

「ジニー、僕は**一生涯**、禁止になってるんだ」

「アンブリッジが学校にいるかぎり、禁止になってるのよ」ジニーが訂正した。「一生涯とはちがうわ。とにかく、あなたが戻ったら、私はチェイサーに挑戦するわ。アンジェリーナもアリシアも来年は卒業だし、どっちみち、私はシーカーよりゴールで得点するほうが好きなの」

ハリーはロンを見た。ロンは、隅っこにかがみ込み、バタービールの瓶をつかんで、ひざこぞうをじっと見つめている。

「アンジェリーナがまだロンの退部を許さないの」ハリーの心を読んだかのように、ジニーが言った。「ロンに力があるのはわかってるって、アンジェリーナはそう言うの」

ハリーは、アンジェリーナがロンを信頼しているのがうれしかった。しかし、同時に、ほんとうはロンを退部させてやるほうが親切ではないかとも思った。ロンが競技場を去るとき、またしてもスリザリン生が悦に入って、「ウィーズリーこそわが王者」の大合唱で見送ったのだった。スリザリンは、いまや、クィディッチ杯の最有力候補だった。

フレッドとジョージがぶらぶらやってきた。

「俺、あいつをからかう気にもなれないよ」ロンの打ちしおれた姿を見ながら、フレッドが言った。「ただし……あいつが十四回目のミスをしたとき――」フレッドは上向きで犬かきをするように、両腕をむちゃくちゃに動かした。

「――まあ、これはパーティ用に取っておくか、な？」

それからまもなく、ロンはのろのろと寝室に向かった。ロンの気持ちを察して、ハリーは少し時間をずらして寝室に上がっていった。ロンがそうしたいと思えば、寝たふりができるようにと思ったのだ。案の定、ハリーが寝室に入ったとき、ロンのいびきは、本物にしては少し大きすぎた。

ハリーは試合のことを考えながらベッドに入った。はたで見ているのは、なんとも歯がゆかった。ジニーの試合ぶりはなかなかのものだったが、自分がプレーしていたら、もっと早くスニッチを捕らえられたのに……。スニッチがカークのかかとのあたりをひらひら飛んでいた、あの一瞬にジニーがためらわなかったら、グリフィンドールの勝利をかすめ取ることができたろうに。

アンブリッジはハリーやハーマイオニーより数列下に座っていた。一度か二度、べったり腰を下ろしたまま、振り返ってハリーを見た。ガマガエルのような口が横に広がり、ハリーには、いい気味だとほくそ笑んでいるように見えた。暗闇の中に横たわり、思い出すだにハリーは怒りで熱くなった。しかし、その数分後には、寝る前にすべての感情を無にすべきだったと思い出した。スネイプが「閉心術」の特訓のあと、いつもハリーにそう指示していたのだ。

ハリーは一、二分努力してみたが、アンブリッジのことを思い出した上にスネイプのことを考えると、怨念が強まるばかりだった。気がつくと、むしろ自分がこの二人をどんなに毛嫌いしているかに気持ちが集中していた。ロンのいびきが、だんだん弱くなり、ゆっくりした深い寝息に変わっていった。ハリーのほうは、それからしばらく寝つけなかった。体はつかれていたが、脳が休むまでに長い時間がかかった。

ネビルとスプラウト先生が「必要の部屋」でワルツを踊っている夢を見た。マクゴナガル先生がバグパイプを演奏していた。ハリーは幸せな気持ちで、しばらくみんなを眺めていたが、やがて、DAのほかのメンバーを探しに出かけようと思った。

ところが、部屋を出たハリーは、「バカのバーナバス」のタペストリーではなく、石壁の腕木で燃える松明(たいまつ)の前にいた。ハリーはゆっくりと左に顔を向けた。そこに、窓のない廊下の一番奥に、飾りも何もない黒い扉があった。

ハリーは高鳴る心で扉に向かって歩いた。ついに運が向いてきたという、とても不思議な感覚があった。今度こそ扉を開ける方法が見つかる……。あと数十センチだ。ハリーは心が躍った。扉の右端に沿ってぼんやりと青い光の筋が見える……扉がわずかに開いている……ハリーは手を伸ばし、扉を大きく押し開こうとした。そして――。

ロンがガーガーと本物の大きないびきをかいた。ハリーは突然目が覚めた。何百キロも離れた所にある扉を開けようと、右手を暗闇に突き出していた。失望と罪悪感の入りまじった気持ちで、ハリーは手を下ろした。扉の夢を見てはいけないことはわかっていた。しかし、同時に、そのむこう側に何があるのかと好奇心にさいなまれ、ロンを恨みに思った。ロンがあと一分、いびきをがまんしてくれていたら……。

月曜の朝、朝食をとりに大広間に入ると同時にふくろう便も到着した。「日刊予言者新聞」を待っていたのは、ハーマイオニーだけではない。ほとんど全員が、脱獄した死喰い人の新しいニュースを待ち望んでいた。目撃したという報せが多いにもかかわらず、誰もまだ捕まってはいなかった。ハーマイオニーは配達ふくろうに一クヌート支払い、急いで新聞を広げた。ハリーはオレンジジュースに手を伸ばした。この一年間、ハリーはたった一度メモを受け取ったきりだったので、目の前にふくろうが一羽、バサッと降り立ったとき、まちがえたのだろうと思った。

「誰を探してるんだい？」ハリーは、くちばしの下から面倒くさそうにオレンジジュースをどけ、受取人の名前と住所をのぞき込んだ。

ホグワーツ校
大広間

ハリー・ポッター

ハリーは、顔をしかめてふくろうから手紙を取ろうとした。しかし、その前に、三羽、四羽、五羽と、最初のふくろうの脇に別のふくろうが次々と降り立ち、バターを踏みつけるやら、塩をひっくり返すやら、自分が一番乗りで郵便を届けようと、押し合いへし合いの場所取り合戦をくり広げた。

「何事だ?」ロンが仰天した。

グリフィンドールのテーブルの全員が、身を乗り出して見物する中、最初のふくろう群の真っただ中に、さらに七羽ものふくろうが着地し、ギーギー、ホーホー、パタパタと騒いだ。

「ハリー!」ハーマイオニーが羽毛の群れの中に両手を突っ込み、長い円筒形の包みを持ったコノハズクを引っ張り出し、息をはずませた。「私、なんだかわかったわ——これを最初に開けて!」

ハリーは茶色の包み紙を破り取った。中から、きっちり丸めた『ザ・クィブラー』の三月号が転がり出た。広げてみると、表紙から自分の顔が、気恥ずかしげにニヤッと笑いかけた。その写真を横切って、真っ赤な大きな字でこう書いてある。

ハリー・ポッターついに語る
「名前を言ってはいけないあの人」の真相——僕がその人の復活を見た夜

「いいでしょう?」

いつの間にかグリフィンドールのテーブルにやってきて、フレッドとロンの間に割り込んで座っていたルーナが言った。

「きのう出たんだよ。パパに一部無料であんたに送るように頼んだんだもㇴ。きっと、これ」ルーナは、ハリーの前でまだもみ合っているふくろうの群れに手を振った。「読者からの手紙だよ」

「そうだと思ったわ」ハーマイオニーが夢中で言った。「ハリー、かまわないかしら？　私たちで——」

「自由に開けてよ」ハリーは少し困惑していた。

ロンとハーマイオニーが封筒をビリビリ開けはじめた。

「これは男性からだ。この野郎、君がいかれてるってさ」手紙をちらりと見ながら、ロンが言った。

「こっちは女性よ。聖マンゴで、ショック療法呪文のいいのを受けなさいだって」ハーマイオニーががっかりした顔で、二通目をくしゃくしゃ丸めた。

「でも、これは大丈夫みたいだ」ペイズリーの魔女からの長い手紙を流し読みしていたハリーが、ゆっくり言った。「ねえ、僕のこと信じるって！」

「こいつはどっちつかずだ」フレッドも夢中で開封作業に加わっていた。「こう言ってる。君が狂っているとは思わないが、『例のあの人』が戻ってきたとは信じたくない。だから、いまはどう考えていいかわからない。なんともはや、羊皮紙のむだ使いだな」

「こっちにもう一人、説得された人がいるわ、ハリー！」ハーマイオニーが興奮した。「あなたの側の話を読み、私は『日刊予言者』があなたのことを不当に扱ったという結論に達しないわけにはいきません……『名前を言ってはいけないあの人』が戻ってきたとは、なるべく考えたくはありませんが、あなたが真実を語っていることを受け入れざるをえません……。ああ、すばらしいわ！」

「また一人、君は頭が変だって」ロンは丸めた手紙を肩越しに後ろに放り投げた。「……でも、こっちのは、君に説得されたってさ。彼女、いまは君が真の英雄だと思ってるって——写真まで入ってるぜ

——うわー！

「何事なの？」少女っぽい、甘ったるい作り声がした。

ハリーは封書を両手いっぱいに抱えて見上げた。アンブリッジ先生がフレッドとルーナの後ろに立っていた。ガマガエルのように飛び出した目が、ハリーの前のテーブルにごちゃごちゃ散らばった手紙とふくろうの群れを眺め回している。そのまた背後に、大勢の生徒が、何事かと首を伸ばしているのが見えた。

「どうしてこんなにたくさん手紙が来たのですか？　ミスター・ポッター？」アンブリッジ先生がゆっくりと聞いた。

「今度は、これが罪になるのか？」フレッドが大声を上げた。「手紙をもらうことが？」

「気をつけないと、ミスター・ウィーズリー、罰則処分にしますよ」アンブリッジが言った。

「さあ、ミスター・ポッター？」

ハリーは迷ったが、自分のしたことを隠しおおせるはずがないと思った。アンブリッジが『ザ・クィブラー』誌に気づくのは、どう考えても時間の問題だ。

「僕がインタビューを受けたので、みんなが手紙をくれたんです」ハリーが答えた。「六月に僕の身に起こったことについてのインタビューです」

こう答えながら、ハリーはなぜか教職員テーブルに視線を走らせた。ダンブルドアがつい一瞬前までハリーを見つめていたような、とても不思議な感覚が走ったからだ。しかし、ハリーが校長先生のほうを見たときには、フリットウィック先生と話し込んでいるようだった。

「インタビュー？」アンブリッジの声がことさらに細く、かん高くなった。「どういう意味ですか？」

「つまり、記者が僕に質問して、僕が質問に答えました」ハリーが言った。

「これです――」ハリーは『ザ・クィブラー』をアンブリッジに放り投げた。アンブリッジが受け取って、表紙を凝視した。たるんだ青白い顔が、醜い紫のまだら色になった。

「いつこれを？」アンブリッジの声が少し震えていた。

「この前の週末、ホグズミードに行ったときです」ハリーが答えた。

アンブリッジは怒りでメラメラ燃え、ずんぐり指に持った雑誌をわなわな震わせてハリーを見上げた。

「ミスター・ポッター。あなたにはもう、ホグズミード行きはないものと思いなさい」アンブリッジが小声で言った。「よくもこんな……どうしてこんな……」アンブリッジは大きく息を吸い込んだ。「あなたには、うそをつかないよう、何度も何度も教え込もうとしました。その教訓が、どうやらまだ浸透していないようですね。グリフィンドール、五〇点減点。それと、さらに一週間の罰則」

アンブリッジは『ザ・クィブラー』を胸元に押しつけ、肩を怒らせて立ち去った。大勢の生徒の目がその後ろ姿を追った。

昼前に、学校中にデカデカと告知が出た。寮の掲示板だけでなく、廊下にも教室にも貼り出された。

ホグワーツ高等尋問官令

『ザ・クィブラー』を所持しているのが発覚した生徒は退学処分に処す。

以上は教育令第二十七号に則ったものである。

高等尋問官　ドローレス・ジェーン・アンブリッジ

なぜかハーマイオニーは、この告知を目にするたびにうれしそうにニッコリした。

「いったい、なんでそんなにうれしそうなんだい？」ハリーが聞いた。

「あら、ハリー、わからない？」ハーマイオニーが声をひそめた。「学校中が、一人残らずあなたのインタビューを確実に読むようにするために、アンブリッジができることはただ一つ。禁止することよ！」

どうやらハーマイオニーが図星だった。ハリーは学校のどこにも『ザ・クィブラー』のクの字も見かけなかったのに、その日のうちに、あらゆるところでインタビューの内容が話題になっているようだった。教室の前に並びながらささやき合ったり、昼食のときや授業中に教室の後ろのほうで話し合ったりするのがハリーの耳に入ったし、ハーマイオニーの報告によると、古代ルーン文字の授業の前にちょっと立ち寄った女子トイレでは、トイレの個室同士で全員その話をしていたと言う。

「それで、みんなが私に気づいて、私があなたを知っていることは、当然みんなが知っているものだから、質問攻めにあったわ」ハーマイオニーは目を輝かせてハリーに話した。「それでね、ハリー、みんな、あなたを信じたと思うわ。ほんとうよ。あなた、とうとう、みんなを信用させたんだわ！」

一方、アンブリッジ先生は、学校中をのし歩き、抜き打ちに生徒を呼び止めては本を広げさせたり、ポケットをひっくり返すように命じたりした。『ザ・クィブラー』を探し出そうとしていることがハリーにはわかっていたが、生徒たちのほうが数枚上手だった。ハリーのインタビューのページに魔法をかけ、自分たち以外の誰かが読もうとすると、教科書の要約に見えるようにしたり、次に自分たちが読むまでは白紙にしておいたりしていた。まもなく、学校中の生徒が一人残らず読んでしまったようだった。

先の教育令第二十六号で、もちろん先生方も、インタビューのことを口にすることは禁じられていた。

にもかかわらず、ほかのなんらかの方法で、自分たちの気持ちを表した。スプラウト先生は、ハリーが水やりのじょうろを先生に渡したことで、グリフィンドールに二〇点を与えた。フリットウィック先生は、呪文学の授業の終わりに、ニッコリして、チューチュー鳴く砂糖ネズミ菓子をひと箱ハリーに押しつけ、「シーッ！」と言って急いで立ち去った。トレローニー先生は、占い学の授業中に突然ヒステリックに泣きだし、クラス全員が仰天し、アンブリッジがしぶい顔をする前で、結局ハリーは早死にしないし、充分に長生きし、魔法大臣になり、子供が十二人できると宣言した。

しかし、ハリーを一番幸せな気持ちにしたのは、次の日、急いで変身術の教室に向かっていたとき、チョウが追いかけてきたことだった。何がなんだかわからないうちに、チョウの手がハリーの手の中にあり、耳元でチョウがささやく声がした。

「ほんとに、ほんとにごめんなさい。あのインタビュー、とっても勇敢だったわね……私、泣いちゃった」

またもや涙を流したと聞いて、ハリーはすまない気持ちになったが、また口をきいてもらえるようになってとてもうれしかった。もっとうれしいことに、チョウが急いで立ち去る前にハリーのほおにすばやくキスした。さらに、なんと変身術の教室に着くや否や、信じられないことに、またまたいいことが起こった。シェーマスが列から一歩進み出てハリーの前に立った。

「君に言いたいことがあって」シェーマスが、ハリーの左のひざあたりをちらっと見ながら、ボソボソ言った。「僕、君を信じる。それで、あの雑誌を一部、ママに送ったよ」

幸福な気持ちの仕上げは、マルフォイ、クラッブ、ゴイルの反応だった。その日の午後遅く、ハリーは、図書館で三人が額を寄せ合っているところに出くわした。一緒にいるひょろりとした男の子は、セオドール・ノットという名だとハーマイオニーが耳打ちした。書棚を見回して「部分消失術」の本を探していると、四人がハリーを振り返った。ゴイルは脅すように拳をポキポキ鳴らしたし、マルフォイは、もちろん悪口にちがいないが、何やらクラッブにささやいた。ハリーは、なぜそんな行動を取るかよくわかっていた。四人の父親が死喰い人だと名指しされたからだ。

「それに、一番いいことはね」図書館を出るとき、ハーマイオニーが大喜びで言った。「あの人たち、あなたに反論できないのよ。だって、自分たちが記事を読んだなんて認めることができないもの！」

最後の総仕上げは、ルーナが夕食のときに、『ザ・クィブラー』がこんなに飛ぶように売れたことはないと告げたことだった。

「パパが増刷してるんだよ！」ハリーにそう言ったとき、ルーナの目が興奮で飛び出していた。「パパは信じられないんだ。みんなが『しわしわ角スノーカック』よりも、こっちに興味を持ってるみたいだって、パパがそう言うんだ！」

その夜、グリフィンドールの談話室で、ハリーは英雄だった。大胆不敵にも、フレッドとジョージは『ザ・クィブラー』の表紙の写真に「拡大呪文」をかけ、壁にかけた。ハリーの巨大な顔が、部屋のありさまを見下ろしながら、ときどき大音響でしゃべった。

「**魔法省のまぬけ野郎**」「**アンブリッジ、くそくらえ**」

ハーマイオニーはこれがあまりゆかいだとは思わず、集中力がそがれると言った。そして、とうとういらだって早めに寝室に引き上げてしまった。ハリーも、一、二時間後にはこのポスターがそれほどおもしろくないと認めざるをえなかった。特に、「おしゃべり呪文」の効き目が薄れてくると、「**くそ**」とか「**アンブリッジ**」とか切れ切れに叫ぶだけで、それもだんだんひんぱんに、だんだんかん高い声になってきた。おかげで、事実ハリーは頭痛がして、傷痕がまたもやチクチクと痛みだし、気分が悪くなった。ハリーを取り囲んで、もう何度目かわからないほどくり返しインタビューの話をせがんでいた生徒たちはがっかりしてうめいたが、ハリーは自分も早く休みたいと宣言した。

ハリーが寝室に着いたときは、ほかに誰もいなかった。ハリーは、ベッド脇のひんやりした窓ガラスに、しばらく額を押しつけていた。傷痕に心地よかった。それから着替えて、頭痛が治ればいいがと思いながらベッドに入った。少し吐き気もした。ハリーは横向きになり、目を閉じるとほとんどすぐ眠りに落ちた……。

ハリーは暗い、カーテンをめぐらした部屋に立っていた。小さな燭台（しょくだい）が一本だけ部屋を照らしている。ハリーの両手は、前の椅子の背をつかんでいた。何年も太陽に当たっていないような白い、長い指が、椅子の黒いビロードの上で、大きな青白いクモのように見える。

椅子のむこう側の、ろうそくに照らし出された床に、黒いローブを着た男がひざまずいている。

「どうやら俺様はまちがった情報を得ていたようだ」

ハリーの声はかん高く、冷たく、怒りが脈打っていた。

「ご主人様、どうぞお許しを」ひざまずいた男がかすれ声で言った。後頭部がろうそくの灯（あか）りでかすかに光った。震えているようだ。

「おまえを責めるまい、ルックウッド」ハリーが冷たく残忍な声で言った。

ハリーは椅子を握っていた手を離し、回り込んで、床に縮こまっている男に近づいた。そして、暗闇の中で、男の真上に覆いかぶさるように立ち、いつもの自分よりずっと高い所から男を見下ろした。

「ルックウッド、おまえの言うことは、確かな事実なのだな？」ハリーが聞いた。

「はい。ご主人様。はい……。私は、な、何しろ、かつてあの部に勤めておりましたので……」

「ボードがそれを取り出すことができるだろうと、エイブリーが俺様に言った」

「ご主人様、ボードはけっしてそれを取ることができなかったでしょう……。ボードはできないことを知っていたのでございましょう……まちがいなく。だからこそ、マルフォイの『服従の呪文』にあれほど激しく抗ったのです」

「立つがよい、ルックウッド」ハリーがささやくように言った。

ひざまずいていた男は、あわてて命令に従おうとして、転びかけた。あばた面だ。ろうそくの灯りで、傷痕が浮き彫りになった。男は少し前かがみのまま立ち上がり、半分おじぎをするような格好で、恐れおののきながらハリーの顔をちらりと見上げた。

「そのことを俺様に知らせたのは大儀」ハリーが言った。「仕方あるまい……どうやら、俺様は、無駄なくわだてに何か月も費やしてしまったらしい……しかし、それはもうよい……いまからまた始めるのだ。ルックウッド、おまえにはヴォルデモート卿が礼を言う……」

「わが君……はい、わが君」ルックウッドは、緊張が解けて声がかすれ、あえぎあえぎ言った。

「おまえの助けが必要だ。俺様には、おまえの持てる情報がすべて必要なのだ」

「御意、わが君、どうぞ……なんなりと……」

「よかろう……下がれ。エイブリーを呼べ」

ルックウッドはおじぎをしたまま、あたふたとあとずさりし、ドアの向こうに消えた。

暗い部屋に一人になると、ハリーは壁のほうを向いた。あちこち黒ずんで割れた古鏡が、暗がりの壁にかかっている。ハリーは鏡に近づいた。暗闇の中で、自分の姿がだんだん大きく、はっきりと鏡に映った……骸骨よりも白い顔……両眼は赤く、瞳孔は細く切り込まれ……。

「**いやだあぁぁぁぁぁぁぁ！**」

「なんだ？」近くで叫ぶ声がした。

ハリーはのた打ち回り、ベッドカーテンにからまってベッドから落ちた。しばらくは、自分がどこにいるのかもわからなかった。白い、骸骨のような顔が、暗がりから再び自分に近づいてくるのが見えるにちがいないと思った。すると、すぐ近くでロンの声がした。

「じたばたするのはやめてくれよ。ここから出してやるから！」

ロンがからんだカーテンをぐいと引っ張った。ハリーは仰向けに倒れ、月明かりでロンを見上げていた。傷痕が焼けるように痛んだ。ロンは着替えの最中だったらしく、ローブから片腕を出していた。

「また誰か襲われたのか？」ロンがハリーを手荒に引っ張って立たせながら言った。「パパかい？　あの蛇なのか？」

「ちがう――みんな大丈夫だ――」ハリーがあえいだ。額が火を噴いているようだった。「でも……エイブリーは……危ない……あいつに、まちがった情報を渡したんだ……ヴォルデモートがすごく怒ってる……」

ハリーはうめき声を上げて座り込み、ベッドの上で震えながら傷痕をもんだ。

「でも、ルックウッドがまたあいつを助ける……あいつはこれでまた軌道に乗った……」

「いったいなんの話だ？」ロンはこわごわ聞いた。「つまり……たったいま『例のあの人』を見たって言うのか？」

「僕が『例のあの人』**だった**」答えながらハリーは、暗闇で両手を伸ばし、顔の前にかざして、死人のように白く長い指はもうついていないことを確かめた。「あいつはルックウッドと一緒にいた。アズカバンから脱獄した死喰い人の一人だよ。覚えてるだろう？　ルックウッドがたったいま、あいつに、ボードにはできなかったはずだと教えた」

「何が？」

「何かを取り出すことがだ……。ボードは自分にはできないことを知っていたはずだって、ルックウッドが言った……。ボードは『服従の呪文』をかけられていた……マルフォイの父親がかけたって、ルックウッドがそう言ってたと思う」

「ボードが何かを取り出すために呪文をかけられた？」ロンが聞き返した。「まてよ——ハリー、それってきっと——」

「武器だ」ハリーがあとの言葉を引き取った。「そうさ」

寝室のドアが開き、ディーンとシェーマスが入ってきた。ハリーは急いで両足をベッドに戻した。たったいま変なことが起こったように見られたくなかった。せっかくシェーマスが、ハリーが狂っていると思うのをやめたばかりなのだから。

「君が言ったことだけど」ロンがベッドの脇机にある水差しからコップに水を注ぐふりをしながら、ハリーのすぐそばに頭を近づけ、つぶやくように言った。「**君が**『例のあの人』だったって？」

「うん」ハリーが小声で言った。

ロンは思わずガブッと水を飲み、口からあふれた水があごを伝って胸元にこぼれた。

「ハリー」ディーンもシェーマスも着替えたりしゃべったりでガタガタしているうちに、ロンが言った。

「話すべきだよ——」

「誰にも話す必要はない」ハリーがすっぱりと言った。「『閉心術』ができたら、こんなことを見るはずがない。こういうことを閉め出す術を学ぶはずなんだ。みんながそれを望んでいる」

「みんな」と言いながら、ハリーはダンブルドアのことを考えていた。ハリーはベッドに寝転び、横向きになってロンに背を向けた。しばらくすると、ロンのベッドがきしむ音が聞こえた。ロンも横になったらしい。ハリーの傷痕がまた焼けつくように痛みだした。ハリーは枕を強くかみ、声を押し殺した。ハリーにはわかっていた。どこかで、エイブリーが罰せられている。

次の日、ハリーとロンは午前中の休み時間を待って、ハーマイオニーに一部始終を話した。絶対に盗み聞きされないようにしたかった。中庭の、いつもの風通しのよい冷たい片隅に立って、ハリーは思い出せるかぎりくわしく、ハーマイオニーに夢のことを話した。語り終えたとき、ハーマイオニーはしばらく何も言わなかった。そのかわり、痛いほど集中してフレッドとジョージを見つめた。中庭の反対側で、首無し姿の二人が、マントの下から魔法の帽子を取り出して売っていた。

「それじゃ、それでボードを殺したのね」

やっとフレッドとジョージから目を離し、ハーマイオニーが静かに言った。

「武器を盗み出そうとしたとき、何かおかしなことがボードの身に起きたのよ。誰にも触れられないように、武器そのものかその周辺に『防衛呪文』がかけられていたのだと思うわ。だからボードは聖マンゴに入院したわけよ。頭がおかしくなって、話すこともできなくなって。でも、あの癒者がなんと言ったか覚えてる？　ボードは治りかけていた。それで、連中にしてみれば、治ったら危険なわけでしょう？　つまり、武器にさわったとき、何かが起こって、そのショックで、たぶん『服従の呪文』は解けてしまった。声を取り戻したら、ボードは自分が何をやっていたかを説明するわよね？　武器を盗み出すためにボードが送られたことを知られてしまうわ。もちろん、ルシウス・マルフォイなら、簡単に呪文をかけられたでしょうね。マルフォイはずっと魔法省に入り浸ってるんでしょう？」

「僕の尋問があったあの日は、うろうろしていたよ」ハリーが言った。「どこかに――ちょっと待って……」ハリーは考えた。「マルフォイはあの日、神秘部の廊下にいた！　君のパパが、あいつはたぶんこっそり下におりて、僕の尋問がどうなったか探るつもりだったって言った。でも、もしかしたら実は――」

「スタージスよ！」ハーマイオニーが雷に打たれたような顔で、息をのんだ。

「え？」ロンはけげんな顔をした。

「スタージス・ポドモアは――」ハーマイオニーが小声で言った。「扉を破ろうとして逮捕されたわ！　ルシウス・マルフォイがスタージスにも呪文をかけたんだわ！　ハリー、あなたがマルフォイを見たあの日にやったに決まってる。スタージスはムーディの透明マントを持っていたのよね？　だから、スタージスが扉の番をしていて、姿は見えなくとも、マルフォイがその動きを察したのかもしれないし――それとも、誰かがそこにいるとマルフォイが推量したか――または、もしかしたらそこに護衛がいるかもしれないから、とにかく『服従の呪文』をかけたとしたら？　そして、スタージスに次にチャンスがめぐってきたとき――たぶん、次の見張り番のとき――スタージスが神秘部に入り込んで、武器を盗もうとした。ヴォルデモートのために。――ロン、騒がないでよ――でも捕まってアズカバン送りになった……」

ハーマイオニーはハリーをじっと見た。

「それで、今度はルックウッドがヴォルデモートに、どうやって武器を手に入れるかを教えたのね？」

「会話を全部聞いたわけじゃないけど、そんなふうに聞こえた」ハリーが言った。「ルックウッドはかつてあそこに勤めていた……ヴォルデモートはルックウッドを送り込んでそれをやらせるんじゃないかな？」

ハーマイオニーがうなずいた。どうやらまだ考え込んでいる。それから突然言った。

「だけど、ハリー、あなた、こんなことを見るべきじゃなかったのよ」

「えっ？」ハリーはぎくりとした。

「あなたはこういうことに対して、心を閉じる練習をしているはずだわ」ハーマイオニーが突然厳しい口調になった。

「それはわかってるよ」ハリーが言った。「でも――」

「あのね、私たち、あなたの見たことを忘れるように努めるべきだわ」ハーマイオニーがきっぱりと言った。「それに、あなたはこれから、『閉心術』にもう少し身を入れてかかるべきよ」

その週は、それからどうもうまくいかなかった。魔法薬の授業で、ハリーは二回も「D・落第」を取ったし、ハグリッドがクビになるのではないかと、緊張でずっと張りつめていた。それに、自分がヴォルデモートになった夢のことを、どうしても考えてしまうのだった。――しかし、ロンとハーマイオニーには、二度とそのことを持ち出さなかった。ハーマイオニーからまた説教されたくなかった。シリウスにこのことを話せたらいいのにと思ったが、そんなことはとても望めなかった。それで、このことは、心の奥に押しやろうとした。

残念ながら、心の奥も、もはやかつてのように安全な場所ではなかった。

「立て、ポッター」

ルックウッドの夢から二週間後、スネイプの研究室で、ハリーはまたしても床にひざをつき、なんとか頭をすっきりさせようとしていた。自分でも忘れていたような小さいときの一連の記憶を、無理やり呼び覚まされた直後だった。だいたいは、小学校のときダドリー軍団にいじめられた屈辱的な記憶だった。

「あの最後の記憶は」スネイプが言った。「あれはなんだ?」

「わかりません」ぐったりして立ち上がりながら、ハリーが答えた。スネイプが次々に呼び出す映像と音の奔流から、記憶をばらばらに解きほぐすのがますます難しくなっていた。

「いとこが僕をトイレに立たせた記憶のことですか?」

「いや」スネイプが静かに言った。「男が暗い部屋の真ん中にひざまずいている記憶のことだが……」

「それは……なんでもありません」

スネイプの暗い目がハリーの目をぐりぐりとえぐった。「開心術」には目と目を合わせることが肝要だとスネイプが言ったことを思い出し、ハリーは瞬きして目をそらした。

「あの男と、あの部屋が、どうして君の頭に入ってきたのだ？　ポッター？」スネイプが聞いた。

「それは――」ハリーはスネイプをさけてあちこちに目をやった。「それは――ただの夢だったんです」

「夢？」スネイプが聞き返した。

一瞬間が空き、ハリーは紫色の液体が入った容器の中でプカプカ浮いている死んだカエルだけを見つめていた。

「君がなぜここにいるのか、わかっているのだろうな？　ポッター？」スネイプは低い、険悪な声で言った。「我輩が、なぜこんなたいくつ極まりない仕事のために夜の時間を割いているのか、わかっているのだろうな？」

「はい」ハリーはかたくなに言った。

「なぜここにいるのか、言ってみたまえ。ポッター」

「『閉心術』を学ぶためです」今度は死んだウナギをじっと見つめながら、ハリーが言った。

「そのとおりだ、ポッター。そして、君がどんなに鈍くとも――」ハリーはスネイプのほうを見た。憎かった。「――二か月以上も特訓をしたからには、少しは進歩するものと思っていたのだが。闇の帝王の夢を、あと何回見たのだ？」

「この一回だけです」ハリーはうそをついた。

「おそらく」スネイプは暗い、冷たい目をわずかに細めた。「おそらく君は、こういう幻覚や夢を見ることを、事実、楽しんでいるのだろうが、ポッター。たぶん、自分が特別だと感じられるのだろう――

重要人物だと?」

「ちがいます」ハリーは歯を食いしばり、指は杖を固く握りしめていた。

「そのほうがよかろう、ポッター」スネイプが冷たく言った。「おまえは特別でも重要でもないのだから。それに、闇の帝王が死喰い人たちに何を話しているかを調べるのは、おまえの役目ではない」

「ええ――それは先生の仕事でしょう?」ハリーはすばやく切り返した。

そんなことを言うつもりはなかったのに、言葉がかんしゃく玉のように破裂した。しばらくの間、二人はにらみ合っていた。ハリーはまちがいなく言いすぎだったと思った。しかしスネイプは、奇妙な、満足げとさえ言える表情を浮かべて答えた。

「そうだ、ポッター」スネイプの目がギラリと光った。「それは我輩の仕事だ。さあ、準備はいいか。もう一度やる」

スネイプが杖を上げた。「一――二――三――**レジリメンス!**」

百有余の吸魂鬼が、校庭の湖を渡り、ハリーを襲ってくる……ハリーは顔がゆがむほど気持ちを集中させた……。だんだん近づいてくる……フードの下に暗い穴が見える……しかも、ハリーは目の前に立っているスネイプの姿も見えた。ハリーの顔に目をすえ、小声でブツブツ唱えている……そして、なぜか、スネイプの姿がはっきりしてくるにつれ、吸魂鬼の姿は薄れていった……。

ハリーは自分の杖を上げた。

「**プロテゴ! 防げ!**」

スネイプがよろめいた――スネイプの杖が上に吹っ飛び、ハリーからそれた――すると突然、ハリーの頭は、自分のものではない記憶で満たされた。鉤鼻の男が、縮こまっている女性をどなりつけ、隅のほうで小さな黒い髪の男の子が泣いている……脂っこい髪の十代の少年が、暗い寝室にぽつんと座り、杖を天井に向けてハエを撃ち落としている……やせた男の子が、乗り手を振り落とそうとする暴れ箒に乗ろうとしているのを、女の子が笑っている——。

「**やめろ！**」

ハリーは胸を強く押されたように感じた。よろよろと数歩後退し、スネイプの部屋の壁を覆う棚のどれかにぶつかり、何かが割れる音を聞いた。スネイプはかすかに震え、蒼白（そうはく）な顔をしていた。

ハリーのローブの背がぬれていた。倒れて寄りかかった拍子に容器の一つが割れ、水薬がもれ出し、ホルマリン漬けのぬるぬるしたものが容器の中で渦巻いていた。

「**レパロ、直れ**」スネイプは口の端で呪文を唱えた。容器の割れ目がひとりでに閉じた。

「さて、ポッター……いまのは確実に進歩だ……」

少し息を荒らげながら、スネイプは「憂いの篩（ふるい）」をきちんと置きなおした。授業の前に、スネイプはまたしてもその中に自分の「憂い」をいくつか蓄えていたのだが、それがまだ中にあるかどうかを確かめているかのようだった。

「君に『盾の呪文』を使えと教えた覚えはないが……確かに有効だった……」

ハリーはだまっていた。何を言っても危険だと感じていた。たったいま、スネイプの記憶に踏み込んだにちがいない。スネイプの子供時代の場面を見てしまったのだ。わめき合う両親を見て泣いていた、いたいけな少年が、実はいまハリーの前に、激しい嫌悪の目つきで立っていると思うと、落ち着かない不安な気持ちになった。

「もう一度やる。いいな？」スネイプが言った。

ハリーはぞっとした。いましがた起こったことに対して、ハリーはつけを払わされる。そうにちがいない。二人は机をはさんで対峙した。ハリーは、今度こそ心を無にするのがもっと難しくなるだろうと思った。

「三つ数える合図だ。では」スネイプがもう一度杖を上げた。「一――二――」

ハリーが集中する間もなく、心をからにする間もないうちに、スネイプが叫んだ。

「**レジリメンス！**」

ハリーは、神秘部に向かう廊下を飛ぶように進んでいた。殺風景な石壁を過ぎ、松明を過ぎ――飾りも何もない黒い扉がぐんぐん近づいてきた。あまりの速さで進んでいたので、ハリーは扉に衝突しそうだった。あと数十センチというところで、またしてもハリーは、かすかな青い光の筋を見た――。

扉がパッと開いた！　ついに扉を通過した。そこは、青いろうそくに照らされた、壁も床も黒い円筒形の部屋で、周囲がぐるりと扉、扉、扉だった。――進まなければならない――しかし、どの扉から入るべきなのか――？

「**ポッター！**」

ハリーは目を開けた。また仰向けに倒れていた。どうやってそうなったのかまったく覚えがない。その上、ハァハァ息を切らしていた。ほんとうに神秘部の廊下を駆け抜けたかのように、ほんとうに疾走して黒い扉を通り抜け、円筒形の部屋を発見したかのように。

「説明しろ！」スネイプが怒り狂った表情で、ハリーに覆いかぶさるように立っていた。

「僕……何が起こったかわかりません」ハリーは立ち上がりながらほんとうのことを言った。後頭部が床にぶつかってこぶができていた。しかも熱っぽかった。「あんなものは前に見たことがありません。あの、扉の夢を見たことはお話ししました……でも、これまで一度も開けたことがなかった……」

「おまえは充分な努力をしておらん！」

なぜかスネイプは、いましがたハリーに自分の記憶をのぞかれたときよりずっと怒っているように見えた。

「おまえは怠け者でだらしがない。ポッター、そんなことだから当然、闇の帝王が――」

「お聞きしてもいいですか？　**先生？**」ハリーはまた怒りが込み上げてきた。「先生はどうしてヴォルデモートのことを闇の帝王と呼ぶんですか？　僕は、死喰い人がそう呼ぶのしか聞いたことがありません」

スネイプが唸（うな）るように口を開いた。――その時、どこか部屋の外で、女性の悲鳴がした。

スネイプはぐいと上を仰いだ。天井を見つめている。

「いったい――？」スネイプがつぶやいた。

ハリーの耳には、どうやら玄関ホールとおぼしき所から、こもった音で騒ぎが聞こえてくる。スネイプは顔をしかめてハリーを見た。

「ここに来る途中、何か異常なものは見なかったか？　ポッター？」

ハリーは首を振った。どこか二人の頭上で、また女性の悲鳴が聞こえた。スネイプは杖をかまえたまま、つかつかと研究室のドアに向かい、すばやく出ていった。ハリーは一瞬とまどったが、あとに続いた。

悲鳴はやはり玄関ホールからだった。地下牢（ろう）からホールに上がる石段へと走るうちに、だんだん声が大きくなってきた。石段を上りきると、玄関ホールは超満員だった。まだ夕食が終わっていなかったので、何事かと、大広間から見物の生徒があふれ出してきたのだ。ほかの生徒は大理石の階段に鈴なりになっていた。ハリーは背の高いスリザリン生が固まっている中をかき分けて前に出た。見物人は大きな円を描き、何人かはショックを受けたような顔をし、また何人かは恐怖の表情さえ浮かべていた。マクゴナガル先生がホールの反対側の、ハリーの真正面にいる。目の前の光景に気分が悪くなったような様子だ。

トレローニー先生が玄関ホールの真ん中に立っていた。片手に杖を持ち、もう一方の手にからっぽのシェリー酒の瓶を引っさげ、完全に様子がおかしい。髪は逆立ち、めがねがずれ落ちて片目だけが不ぞろいに拡大され、何枚ものショールやスカーフが肩から勝手な方向に垂れ下がり、先生はいまにも崩壊しそうだ。その脇に大きなトランクが二つ、一つは上下逆さまに置かれていた。どうやら、トランクは、トレローニー先生のあとから、階段を突き落とされたように見える。トレローニー先生は、見るからにおびえた表情で、ハリーの所からは見えなかったが、階段下に立っている何かを見つめていた。

「いやよ！」トレローニー先生がかん高く叫んだ。「**いやです！**　こんなことが起こるはずがない……こんなことが……あたくし、受け入れませんわ！」

「あなた、こういう事態になるという認識がなかったの？」

少女っぽい高い声が、平気でおもしろがっているような言い方をした。ハリーは少し右側に移動して、トレローニー先生が恐ろしげに見つめていたものが、ほかでもないアンブリッジ先生だとわかった。

「明日の天気さえ予測できない無能力なあなたでも、わたくしが査察していた間の嘆かわしい授業ぶりや進歩のなさからして、解雇がさけられないことぐらいは、確実におわかりになったのではないこと？」

「あなたに、そんなこと、で──できないわ！」トレローニー先生が泣きわめいた。涙が巨大なめがねの奥から流れ、顔を洗った。「で──できないわ。あたくしをクビになんて！　ここに、あたくし、もう──もう十六年も！　ホ──ホグワーツはあた──あたくしの、い──家です！」

「家**だった**のよ」アンブリッジ先生が言った。

身も世もなく泣きじゃくり、トランクの一つに座り込むトレローニー先生を見つめるガマガエル顔に、楽しそうな表情が広がるのを見て、ハリーは胸くそが悪くなった。

「一時間前に魔法大臣が解雇辞令に署名なさるまではね。さあ、どうぞこのホールから出ていってちょうだい。恥さらしですよ」

そう言いながらも、ガマガエルはそこに立ったままだった。トレローニー先生が嘆きの発作を起こしたようにトランクに座って体を前後に揺すり、けいれんしたりうめいたりする姿を、卑しい悦(よろこ)びに舌なめずりして眺めている。左のほうから押し殺したようなすすり泣きの声が聞こえ、ハリーが振り返ると、ラベンダーとパーバティが抱き合って、さめざめと泣いていた。

その時、足音が聞こえた。マクゴナガル先生が見物人の輪を抜け出し、つかつかとトレローニー先生に歩み寄り、背中を力強くポンポンとたたきながら、ローブから大きなハンカチを取り出した。

「さあ、さあ、シビル……落ち着いて……これで鼻をかみなさい……あなたが考えているほどひどいことではありませんよ。さあ……ホグワーツを出ることにはなりませんよ……」

「あら、マクゴナガル先生、そうですの？」アンブリッジが数歩進み出て、毒々しい声で言った。「そう宣言なさる権限がおありですの……？」

「それはわしの権限じゃ」深い声がした。

正面玄関の樫(かし)の扉が大きく開いていた。扉脇の生徒が急いで道を空けると、ダンブルドアが戸口に現れた。校庭でダンブルドアが何をしていたのか、ハリーには想像もつかなかったが、不思議に霧深い夜を背に、戸口の四角い枠に縁取られてすっくと立ったダンブルドアの姿には、威圧されるものがあった。扉を広々と開け放したまま、ダンブルドアは見物人の輪を突っ切り、堂々とトレローニー先生に近づいた。トレローニー先生は、マクゴナガル先生に付き添われ、トランクに腰かけて、涙で顔をぐしょぐしょにして震えていた。

「あなたの？　ダンブルドア先生？」

アンブリッジはとびきり不快な声で小さく笑った。

「どうやらあなたは、立場がおわかりになっていらっしゃらないようですわね。これ、このとおり――」アンブリッジはローブから丸めた羊皮紙を取り出した。「――解雇辞令。わたくしと魔法大臣の署名がありますわ。『教育令第二十三号により、ホグワーツ高等尋問官は、彼女が――つまりわたくしのことですが――魔法省の要求する基準を満たさないと思われるすべての教師を査察し、停職に処し、解雇する権利を有する』。トレローニー先生は基準を満たさないと、わたくしが判断しました。わたくしが解雇しました」

驚いたことに、ダンブルドアは相変わらずほほえんでいた。トランクに腰かけて泣いたりしゃくり上げたりし続けているトレローニー先生を見下ろしながら、ダンブルドアが言った。

「アンブリッジ先生、もちろん、あなたのおっしゃるとおりじゃ。高等尋問官として、あなたは確かにわしの教師たちを解雇する権利をお持ちじゃ。しかし、この城から追い出す権限は持っておられない。遺憾ながら」ダンブルドアは軽く頭を下げた。「その権限は、まだ校長が持っておる。そしてそのわしが、トレローニー先生には引き続きホグワーツに住んでいただきたいのじゃ」

この言葉で、トレローニー先生が狂ったように小さな笑い声を上げたが、ヒックヒックのしゃくり上げが混じっていた。

「いいえ――いえ、あたくし、で――出てまいります。ダンブルドア！　ホグワーツをは――離れ、ど――どこかほかで――あたくしの成功を――」

「いいや」ダンブルドアが鋭く言った。「わしの願いじゃ、シビル。あなたはここにとどまるのじゃ」

ダンブルドアはマクゴナガル先生のほうを向いた。

「マクゴナガル先生、シビルに付き添って、上まで連れていってくれるかの？」

「承知しました」マクゴナガルが言った。「お立ちなさい、シビル……」

見物客の中から、スプラウト先生が急いで進み出て、トレローニー先生のもう一方の腕をつかんだ。二人でトレローニー先生を引率し、アンブリッジの前を通り過ぎ、大理石の階段を上がった。そのあとから、フリットウィック先生がちょこまか進み出て、杖を上げ、キーキー声で唱えた。

「**ロコモーター　トランク！　運べ！**」

するとトレローニー先生のトランクが宙に浮き、持ち主に続いて階段を上がった。フリットウィック先生がしんがりを務めた。

アンブリッジ先生はダンブルドアを見つめ、石のように突っ立っていた。ダンブルドアは相変わらず物やわらかにほほえんでいる。

「それで」アンブリッジのささやくような声は玄関ホールの隅々まで聞こえた。「わたくしが新しい『占い学』の教師を任命し、あの方の住処（すみか）を使う必要ができたら、どうなさるおつもりですの？」

「おお、それはご心配にはおよばん」ダンブルドアがほがらかに言った。「それがのう、わしはもう、新しい『占い学』教師を見つけておる。その方は、一階に棲（す）むほうが好ましいそうじゃ」

「見つけた――？」アンブリッジがかん高い声を上げた。「**あなたが**、見つけた？　お忘れかしら、ダンブルドア、教育令第二十二号によれば――」

「魔法省は、適切な候補者を任命する権利がある、ただし――校長が候補者を見つけられなかった場合のみ」ダンブルドアが言った。「そして、今回は、喜ばしいことに、わしが見つけたのじゃ。ご紹介させていただこうかの？」

ダンブルドアは開け放った玄関扉のほうを向いた。いまや、そこから夜霧が忍び込んできていた。ハリーの耳にひづめの音が聞こえた。玄関ホールに、ざわざわと驚きの声が流れ、扉に一番近い生徒たちは、急いでもっと後ろに下がった。客人に道を空けようと、あわてて転びそうになる者もいた。

霧の中から、顔が現れた。ハリーはその顔を、前に一度、禁じられた森での暗い、危険な一夜に見たことがある。プラチナ・ブロンドの髪に、驚くほど青い目、頭と胴は人間で、その下は黄金の馬、パロミノの体だ。

「フィレンツェじゃ」

雷に打たれたようなアンブリッジに、ダンブルドアがにこやかに紹介した。

「あなたも適任だと思われることじゃろう」

第27章　ケンタウルスと密告者

「占い学をやめなきゃよかったって、いま、きっとそう思ってるでしょう？　ハーマイオニー？」パーバティがニンマリ笑いながら聞いた。

　トレローニー先生解雇の二日後の朝食のときだった。パーバティはまつげを杖に巻きつけてカールし、仕上がり具合をスプーンの裏に映して確かめていた。午前中にフィレンツェの最初の授業があることになっていた。

「そうでもないわ」ハーマイオニーは「日刊予言者新聞」を読みながら、興味なさそうに答えた。「もともと馬はあんまり好きじゃないの」

　ハーマイオニーは新聞をめくり、コラム欄にざっと目を通した。

「あの人は馬じゃないわ。ケンタウルスよ！」ラベンダーがショックを受けたような声を上げた。

「**目の覚めるような**ケンタウルスだわ……」パーバティがため息をついた。

「どっちにしろ、脚は四本あるわ」ハーマイオニーが冷たく言った。

「ところで、あなたたち二人は、トレローニーがいなくなってがっかりしてると思ったけど？」

「してるわよ！」ラベンダーが強調した。「私たち、先生の部屋を訪ねたの。ラッパスイセンを持ってね――スプラウト先生が育てているラッパを吹き鳴らすやつじゃなくて、きれいなスイセンをよ」

「先生、どうしてる？」ハリーが聞いた。

「おかわいそうに、あまりよくないわ」ラベンダーが気の毒そうに言った。「泣きながら、アンブリッジがいるこの城にいるより、むしろ永久に去ってしまいたいっておっしゃるの。無理もないわ。アンブリッジが、先生にひどいことをしたんですもの」

「あの程度のひどさはまだ序の口だという感じがするわ」ハーマイオニーが暗い声を出した。

「ありえないよ」ロンは大皿盛りの卵とベーコンに食らいつきながら言った。「あの女、これ以上悪くなりようがないだろ」

「まあ、見てらっしゃい。ダンブルドアが相談もなしに新しい先生を任命したことで、あの人、仕返しに出るわ」ハーマイオニーは新聞を閉じた。「しかも任命したのがまたしても半人間。フィレンツェを見たときのあの人の顔、見たでしょう？」

朝食のあと、ハーマイオニーは数占いの教室へ、ハリーとロンはパーバティとラベンダーに続いて玄関ホールに行き、占い学に向かった。

「北塔に行くんじゃないのか？」

パーバティが大理石の階段を通り過ぎてしまったので、ロンがけげんそうな顔をした。パーバティは振り向いて、叱りつけるような目でロンを見た。

「フィレンツェがあのはしご階段を上れると思うの？　十一番教室になったのよ。きのう、掲示板に貼ってあったわ」

十一番教室は一階で、玄関ホールから大広間とは逆の方向に行く廊下沿いにあった。ハリーは、この教室が、定期的に使われていない部屋の一つだということを知っていた。そのため、納戸や倉庫のような、なんとなくほったらかしの感じがする部屋だ。ロンのすぐあとから教室に入ったハリーは、一瞬ポカンとした。そこは森の空き地の真っただ中だった。

「これはいったい――？」

教室の床は、ふかふかと苔むして、そこから樹木が生えていた。こんもりと茂った葉が、天井や窓に広がり、部屋中にやわらかな緑の光の筋が何本も斜めに射し込み、光のまだら模様を描いていた。先に来ていた生徒たちは、土の感触がする床に座り込み、木の幹や、大きな石にもたれかかって、両腕でひざを抱えたり、胸の上で固く腕組みしたりして、ちょっと不安そうな顔をしていた。空き地の真ん中にはフィレンツェが立ち木がなく、フィレンツェが立っていた。

「ハリー・ポッター」ハリーが入っていくと、フィレンツェが手を差し出した。

「あ――やあ」

ハリーは握手した。ケンタウルスは驚くほど青い目で、瞬きもせずハリーを観察していたが、笑顔は見せなかった。

「あ――また会えてうれしいです」

「こちらこそ」ケンタウルスは銀白色の頭を軽く傾けた。「また会うことは、予言されていました」

ハリーは、フィレンツェの胸にうっすらと馬蹄形の打撲傷があるのに気づいた。地面に座っているほかの生徒たちの所に行こうとすると、みんながいっせいにハリーに尊敬のまなざしを向けていた。どうやら、みんなが怖いと思っているフィレンツェと、ハリーが言葉を交わす間柄だということに、ひどく感心したらしい。

ドアが閉まり、最後の生徒がくずかごの脇の切り株に腰を下ろすと、フィレンツェがぐるりと部屋を見渡した。

「ダンブルドア先生のご厚意で、この教室が準備されました」

生徒全員が落ち着いたところで、フィレンツェが言った。

「私の棲息地に似せてあります。できれば禁じられた森で授業をしたかったのです。そこが――この月曜日までは――私の棲まいでした……しかし、もはやそれはかないません」

「あの――えーと――先生――」パーバティが手を挙げ、息を殺して尋ねた。「――どうしてですか？

私たち、ハグリッドと一緒にあの森に入ったことがあります。怖くありません！」

「君たちの勇気が問題なのではありません」フィレンツェが言った。「私の立場の問題です。私はもはやあの森に戻ることができません。群れから追放されたのです」

「群れ？」ラベンダーが困惑した声を出した。ハリーは、牛の群れを考えているのだろうと思った。

「なんです――あっ！」

わかったという表情がパッと広がった。

「**先生の仲間がもっと**いるのですね？」ラベンダーがびっくりしたように言った。

「ハグリッドが繁殖させたのですか？　セストラルみたいに？」ディーンが興味津々で聞いた。

フィレンツェの頭がゆっくりと回り、ディーンの顔を直視した。ディーンはすぐさま、何かとても気にさわることを言ってしまったと気づいたらしい。

「そんなつもりでは――つまり――すみません」最後は消え入るような声だった。

「ケンタウルスはヒト族の召し使いでも、なぐさみ者でもない」

フィレンツェが静かに言った。しばらく間が空いた。それから、パーバティがもう一度しっかり手を挙げた。

「あの、先生……どうしてほかのケンタウルスが先生を追放したのですか？」

「それは、私がダンブルドアのために働くことを承知したからです」フィレンツェが答えた。

「仲間は、これが我々の種族を裏切るものだと見ています」

ハリーは、もうかれこれ四年前のことを思い出していた。フィレンツェがハリーを背中に乗せて安全な所まで運んだことで、ケンタウルスのベインがフィレンツェをどなりつけ、「ただのロバ」呼ばわりした。ハリーは、もしかしたら、フィレンツェの胸を蹴ったのはベインではないかと思った。

「では始めよう」

そう言うと、フィレンツェは、白く輝くしっぽをひと振りし、頭上のこんもりした天蓋に向けて手を伸ばし、その手をゆっくりと下ろした。すると、部屋の明かりが徐々に弱まり、まるで夕暮れ時に森の空き地に座っているような様子になった。天井に星が現れ、あちこちで「**オーッ**」という声や、息をのむ音がした。ロンは声に出して「おっどろきー！」と言った。

「床に仰向けに寝転んで」フィレンツェがいつもの静かな声で言った。「天空を観察してください。見る目を持った者にとっては、我々の種族の運命がここに書かれているのです」

ハリーは仰向けになって伸びをし、天井を見つめた。キラキラ輝く赤い星が、上からハリーに瞬いた。

「みなさんは、天文学で惑星やその衛星の名前を勉強しましたね」フィレンツェの静かな声が続いた。「そして、天空をめぐる星の運行図を作りましたね。ケンタウルスは、何世紀もかけて、こうした天体の動きの神秘を解き明かしてきました。その結果、天空に未来が顔をのぞかせる可能性があることを知ったのです――」

「トレローニー先生は占星術を教えてくださったわ！」パーバティが興奮して言った。寝転んだまま手を前に出したので、その手が空中に突き出た。

「火星は事故とか、火傷(やけど)とか、そういうものを引き起こし、その星が、土星とちょうどいまみたいな角度を作っているとき――」パーバティは空中に直角を描いた。「――それは、熱いものを扱う場合、特に注意が必要だということを意味するの――」

「それは」フィレンツェが静かに言った。「ヒトのばかげた考えです」

パーバティの手が力なく落ちて体の脇に収まった。

「些細なけがや人間界の事故など」フィレンツェはひづめで苔むした床を強く踏み鳴らしながら、話し続けた。「そうしたものは、広大な宇宙にとって、忙しく這い回るアリほどの意味しかなく、惑星の動きに影響されるようなものではありません」

「トレローニー先生は――」パーバティが傷ついて憤慨した声で何か言おうとした。

「――ヒトです」フィレンツェがさらりと言った。「だからこそ、みなさんの種族の限界のせいで、視野が狭く、束縛されているのです」

ハリーは首をほんの少しひねって、パーバティを見た。腹を立てているようだった。パーバティの周りにいる何人かの生徒も同じだった。

「シビル・トレローニーは『予見』したことがあるかもしれません。私にはわかりませんが」

フィレンツェは話し続け、生徒の前を往ったり来たりしながら、しっぽをシュッと振る音が、ハリーの耳に入った。

「しかしあの方は、ヒトが予言と呼んでいる、自己満足のたわ言に、大方の時間を浪費している。私は、個人的なものや偏見を離れた、ケンタウルスの叡智を説明するためにここにいるのです。我々が空を眺めるのは、そこに時折記されている、邪悪なものや変化の大きな潮流を見るためです。我々がいま、見ているものが何であるかがはっきりするまでに、十年もの歳月を要することがあります」

フィレンツェはハリーの真上の赤い星を指差した。

「この十年間、魔法界が、二つの戦争の合間の、ほんのわずかな静けさを生きているにすぎないと記されていました。戦いをもたらす火星が、我々の頭上に明るく輝いているのは、まもなく再び戦いが起こるであろうことを示唆しています。どのくらい差し迫っているかを、ケンタウルスはある種の薬草や木の葉を燃やし、その炎や煙を読むことで占おうとします……」

これまでハリーが受けた中で、一番風変わりな授業だった。みんなが実際に教室の床の上でセージやゼニアオイを燃やした。フィレンツェはツンと刺激臭のある煙の中に、ある種の形や印を探すように教えたが、誰もフィレンツェの説明する印を見つけることができなくとも、まったく意に介さないようだった。ヒトはこういうことが得意だったためしがないし、ケンタウルスも能力を身につけるまでに長い年月がかかっていると言い、最後には、いずれにせよ、こんなことを信用しすぎるのは愚かなことだ、ケンタウルスでさえ時には読みちがえるのだから、としめくくった。

ハリーがいままで習ったヒトの先生とはまるでちがっていた。フィレンツェにとって大切なのは、自分の知っていることを教えることではなく、むしろ、何事も、ケンタウルスの叡智でさえ、絶対に確実なものなどないのだと生徒に印象づけることのようだった。

「フィレンツェはなんにも具体的じゃないね？」ゼニアオイの火を消しながら、ロンが低い声で言った。「だってさ、これから起ころうとしている戦いについて、もう少しくわしいことが知りたいよな？」

終業ベルが教室のすぐ外で鳴り、みんな飛び上がった。ハリーは、自分たちがまだ城の中にいることをすっかり忘れて、ほんとうに森の中にいると思い込んでいた。みんな少しぼうっとしながら、ぞろぞろと教室を出ていった。

ハリーとロンも列に並ぼうとしたとき、フィレンツェが呼び止めた。

「ハリー・ポッター、ちょっとお話があります」

ハリーが振り向き、ケンタウルスが少し近づいてきた。ロンはもじもじした。

「あなたもいていいですよ」フィレンツェが言った。「でも、ドアを閉めてください」

ロンが急いで言われたとおりにした。

「ハリー・ポッター、あなたはハグリッドの友人ですね？」ケンタウルスが聞いた。

「はい」ハリーが答えた。

「それなら、私からの忠告を伝えてください。ハグリッドがやろうとしていることは、うまくいきません。放棄するほうがいいのです」

「やろうとしていることが、うまくいかない？」ハリーはポカンとしてくり返した。

「それに、放棄するほうがいい、と」フィレンツェがうなずいた。

「私が自分でハグリッドに忠告すればいいのですが、追放の身ですから――いま、あまり森に近づくのは賢明ではありません――ハグリッドは、この上ケンタウルス同士の戦いまで抱え込む余裕はありません」

「でも――ハグリッドは何をしようとしているの？」ハリーが不安そうに聞いた。

フィレンツェは無表情にハリーを見た。

「ハグリッドは最近、私にとてもよくしてくださった。それに、すべての生き物に対するあの人の愛情を、私はずっと尊敬していました。あの人の秘密を明かすような不実はしません。しかし、誰かがハグリッドの目を覚まさなければなりません。あの試みはうまくいきません。そう伝えてください、ハリー・ポッター。ではごきげんよう」


『ザ・クィブラー』のインタビューがもたらした幸福感は、とっくに雲散霧消していた。どんよりした三月がいつの間にか風の激しい四月に変わり、ハリーの生活は、再びとぎれることのない心配と問題の連続になっていた。

アンブリッジは引き続き毎回「魔法生物飼育学」の授業に来ていたので、フィレンツェの警告をハグリッドに伝えるのはなかなか難しかった。やっとある日、『幻の動物とその生息地』の本を忘れてきたふりをして、ハリーは、授業が終わってからハグリッドの所へ引き返した。フィレンツェの言葉を伝えると、ハグリッドは一瞬、腫れ上がって黒いあざになった目で、ぎょっとしたようにハリーを見つめた。やがて、なんとか気を取り戻したらしい。

「いいやつだ、フィレンツェは」ハグリッドがぶっきらぼうに言った。「だが、このことに関しちゃあ、あいつはなんにもわかってねえ。あのことは、ちゃんとうまくいっちょる」

「ハグリッド、いったい何をやってるんだい？」ハリーは真剣に聞いた。「だって、気をつけないといけないよ。アンブリッジはもうトレローニーをクビにしたんだ。僕が見るところ、あいつは勢いづいてる。ハグリッドが何かやっちゃいけないようなことしてるんだったら、きっと――」

「世の中にゃ、職を守るよりも大切なことがある」

そう言いながらも、ハグリッドの両手がかすかに震え、ナールのフンでいっぱいの桶(おけ)を床に取り落とした。

「俺のことは心配するな、ハリー。さあ、もう行け、いい子だから」

床いっぱいに散らばったフンを掃き集めているハグリッドを残して、ハリーはそこを去るしかなかった。しかし、がっくり気落ちして、城に戻る足取りは重かった。

一方、先生方もハーマイオニーも口をすっぱくしてハリーたちに言い聞かせていたが、O・W・L(ふくろう)試験がだんだん迫っていた。五年生全員が、多かれ少なかれストレスを感じていたが、まず、ハンナ・アボットが音を上げた。薬草学の授業中に突然泣きだし、自分の頭では試験は無理だから、いますぐ学校を辞めたいと泣きじゃくって、マダム・ポンフリーの「鎮静水薬」を飲まされる第一号になったのだ。

ＤＡがなかったら、自分はどんなにみじめだったろうと、ハリーは思った。「必要の部屋」で過ごす数時間のために生きているように感じることさえあった。きつい練習だったが、同時に楽しくてしかたがなかった。DAのメンバーを見回し、みんながどんなに進歩したかを見るたびに、ハリーは誇りで胸がいっぱいになった。O・W・L試験の「闇の魔術に対する防衛術」で、DAのメンバーが全員「O・優」を取ったら、アンブリッジがどんな顔をするだろうと、ときどき本気でそう考えることがあった。

DAでは、ついに「守護霊」の練習を始めた。みんなが練習したくてたまらなかった術だ。しかし、守護霊を創り出すといっても、明るい照明の教室でなんの脅威も感じないときと、吸魂鬼のようなものと対決しているときとでは、まったくちがうのだと、ハリーはくり返し説明した。

「まあ、そんな興ざめなこと言わないで」

イースター休暇前の最後の練習で、自分が創り出した銀色の白鳥の形をした守護霊が「必要の部屋」をふわふわ飛び回るのを眺めながら、チョウがほがらかに言った。

「とってもかわいいわ!」

「かわいいんじゃ困るよ。君を守護するはずなんだから」ハリーが辛抱強く言った。「ほんとうは、まね妖怪か何かが必要だ。僕はそうやって学んだんだから。まね妖怪が吸魂鬼のふりをしている間に、なんとかして守護霊を創り出さなきゃならなかったんだ――」

「だけど、そんなの、とっても怖いじゃない!」

ラベンダーの杖先から銀色の煙がポッポッと噴き出していた。

「それに、私まだ――うまく――出せないのよ!」ラベンダーは怒ったように言った。

ネビルも苦労していた。顔をゆがめて集中しても、杖先からは細い銀色の煙がヒョロヒョロと出てくるだけだった。

「何か幸福なことを思い浮かべないといけないんだよ」ハリーが指導した。

「そうしてるんだけど」ネビルがみじめな声で言った。本当に一生懸命で、丸顔が汗で光っていた。

「ハリー、僕、できたと思う！」ディーンに連れられて、ＤＡに初めて参加したシェーマスが叫んだ。

「見て――あ――消えた……だけど、ハリー、確かに何か毛むくじゃらなやつだったぜ！」

ハーマイオニーの守護霊は、銀色に光るカワウソで、ハーマイオニーの周りを跳ね回っていた。

「**ほんとに**、ちょっとすてきじゃない？」ハーマイオニーは、自分の守護霊をいとおしそうに眺めていた。

「必要の部屋」のドアが開いて、閉まった。ハリーは誰が来たのだろうと振り返ったが、誰もいないようだった。しばらくして、ハリーは、ドア近くの生徒たちがひっそりとなったのに気づいた。すると、何かがひざのあたりで、ハリーのローブを引っ張った。見下ろすと、驚いたことに、屋敷しもべ妖精のドビーが、いつもの八段重ねの毛糸帽の下から、ハリーをじっと見上げていた。

「やあ、ドビー！」ハリーが声をかけた。「何しに――どうかしたのかい？」

妖精は恐怖で目を見開き、震えていた。ハリーの近くにいたＤＡのメンバーがだまり込んだ。部屋中がドビーを見つめている。何人かがやっと創り出した数少ない守護霊も、銀色の霞となって消え、部屋は前よりもずっと暗くなった。

「ハリー・ポッター様……」妖精は頭からつま先までブルブル震えながら、キーキー声を出した。「ハリー・ポッター様……ドビーめはご注進に参りました……でも、屋敷しもべ妖精というものは、しゃべってはいけないと戒められてきました……」

ドビーは壁に向かって頭を突き出して走りだした。ドビーの自分自身を処罰する習性について経験済みだったハリーは、ドビーを取り押さえようとした。しかし、ドビーは、八段重ねの帽子がクッションになって、石壁から跳ね返っただけだった。ハーマイオニーやほかの数人の女の子が、恐怖と同情心で悲鳴を上げた。

「ドビー、いったい何があったの?」

妖精の小さい腕をつかみ、自傷行為に走りそうなものからいっさい遠ざけて、ハリーが聞いた。

「ハリー・ポッター……あの人が……あの女の人が……」

ドビーはつかまえられていないほうの手を拳にして、自分の鼻を思いきりなぐった。ハリーはそっちの手も押さえた。

「『あの人』って、ドビー、誰?」

しかし、ハリーはわかったと思った。ドビーをこんなに恐れさせる女性は、一人しかいないではないか。妖精は、少しくらくらした目でハリーを見上げ、口の動きだけで伝えた。

「アンブリッジ?」ハリーはぞっとした。

ドビーがうなずいた。そして、ハリーのひざに頭を打ちつけようとした。ハリーは、両腕をいっぱいに伸ばして、ドビーを腕の長さ分だけ遠ざけた。

「アンブリッジがどうかしたの? ドビー――このことはあの人にバレてないだろ?――僕たちのことも――DAのことも?」

ハリーはその答えを、打ちのめされたようなドビーの顔に読み取った。両手をしっかりハリーに押さえられているので、ドビーは自分を蹴飛ばそうとして、がくりとひざをついてしまった。

「あの女が来るのか?」ハリーが静かに聞いた。

ドビーはわめき声をあげた。

「そうです。ハリー・ポッター、そうです!」

ハリーは体を起こし、じたばたする妖精を見つめて身動きもせずおののいている生徒たちを見回した。

「**何をぐずぐずしてるんだ!**」ハリーが声を張り上げた。「**逃げろ!**」

全員がいっせいに出口に突進した。ドアの所でごった返し、それから破裂したように出ていった。廊下を疾走する音を聞きながら、ハリーは、みんなが分別をつけて、寮まで一直線に戻ろうなんてバカなことを考えなければいいがと願った。いま、九時十分前だ。図書館とか、ふくろう小屋とか、ここから近い所に避難してくれれば――。

「ハリー、早く！」

外に出ようともみ合っている群れの真ん中から、ハーマイオニーが叫んだ。

ハリーは、自分をこっぴどく傷つけようとしてまだもがいているドビーを抱え上げ、列の後ろについて走りだした。

「ドビー――これは命令だ――厨房に戻って、妖精の仲間と一緒にいるんだ。もしあの人が、僕に警告したのかと聞いたら、うそをついて、『ノー』と答えるんだぞ！」ハリーが言った。「それに、自分を傷つけることは、僕が禁ずる！」

やっと出口にたどり着き、ハリーはドビーを下ろしてドアを閉めた。

「ありがとう、ハリー・ポッター！」ドビーはキーキー言うと、超スピードで走り去った。

ハリーは左右に目を走らせた。全員が一目散に走っていたので、廊下の両端に、宙を飛ぶかかとがちらりと見えたと思ったら、すぐに消え去った。ハリーは右に走りだした。その先に男子トイレがある。ずっとそこに入っていたふりをしよう。そこまでたどり着ければの話だが――。

「**あああっっっ！**」

何かにくるぶしをつかまれ、ハリーは物の見事に転倒し、うつ伏せのまま数メートルすべってやっと止まった。誰かが後ろで笑っている。仰向けになって目を向けると、醜いドラゴンの形の花瓶の下に、壁のくぼみに隠れているマルフォイが見えた。

『足すくい呪い』だ、ポッター！」マルフォイが言った。「おーい、先生――**せんせーい！**　一人捕まえました！」

アンブリッジが遠くの角から、息を切らし、しかしうれしそうにニッコリしながら、せかせかとやってきた。

「彼じゃない！」アンブリッジは床に転がるハリーを見て歓声を上げた。「お手柄よ、ドラコ、お手柄、ああ、よくやったわ――スリザリン、五〇点！　あとはわたくしに任せなさい……立つんです、ポッター！」

ハリーは立ち上がって、二人をにらみつけた。アンブリッジがこんなにうれしそうなのは見たことがなかった。アンブリッジは、ハリーの腕を万力でしめるような力で押さえつけ、ニッコリ笑ってマルフォイを見た。

「ドラコ、あなたは飛び回って、ほかの連中を逮捕できるかどうか、やってみて」アンブリッジが言った。「みんなには、図書館を探すように言いなさい――誰か息を切らしていないかどうか――トイレも調べなさい。ミス・パーキンソンが女子トイレを調べられるでしょう――さあ、行って。――あなたのほうは」マルフォイが行ってしまうと、アンブリッジが、とっておきのやわらかい、危険な声で、ハリーに言った。「わたくしと一緒に校長室に行くのですよ、ポッター」

数分もたたないうちに、二人は石の怪獣像（ガーゴイル）の所にいた。ハリーは、ほかのみんなが捕まってしまったかどうか心配だった。ロンのことを考えた――ウィーズリーおばさんはロンを殺しかねないな。――それに、ハーマイオニーは、O・W・L試験を受ける前に退学になったらどう思うだろう。それと、今日はシェーマスの最初のDAだったのに……ネビルはあんなに上手くなっていたのに……。

「**フィフィ・フィズビー**」

アンブリッジが唱えると、石の怪獣像が飛びのき、壁が左右にパックリ開いた。動く石の螺旋階段に乗り、二人は磨き上げられた扉の前に出た。グリフィンの形のドア・ノッカーがついている。アンブリッジはノックもせず、ハリーをむんずとつかんだまま、ずかずかと部屋に踏み込んだ。

校長室は人でいっぱいだった。ダンブルドアはおだやかな表情で机の前に座り、長い指の先を組み合わせていた。マクゴナガル先生が緊張した面持ちで、その脇にぴしりと直立している。魔法大臣、コーネリウス・ファッジが、暖炉のそばで、いかにもうれしそうにつま先立ちで前後に体を揺すっている。扉の両脇に、護衛のように立っているのは、キングズリー・シャックルボルトと、ハリーの知らない厳めしい顔つきの、短髪剛毛の魔法使いだ。そばかす顔にめがねをかけ、羽根ペンと分厚い羊皮紙の巻紙を持って、どうやら記録を取るかまえのパーシー・ウィーズリーが、興奮した様子で壁際をうろうろしている。

歴代校長の肖像画は、今夜は狸寝入りしていない。全員目を開け、まじめな顔で眼下の出来事を見守っている。ハリーが入っていくと、何人かが隣の額に入り込み、切迫した様子で、隣人に何事か耳打ちした。

扉がバタンと閉まったとき、ハリーはアンブリッジの手を振りほどいた。コーネリウス・ファッジは、何やら毒々しい満足感を浮かべてハリーをにらみつけていた。

「さーて」ファッジが言った。「さて、さて、さて……」

ハリーはありったけの憎々しさを目に込めてファッジに応えた。心臓は激しく鼓動していたが、頭は不思議に冷静で、さえていた。

「この子はグリフィンドール塔に戻る途中でした」

アンブリッジが言った。声にいやらしい興奮が感じ取れた。トレローニー先生が玄関ホールでみじめに取り乱すのを見つめていたときのアンブリッジの声にも、ハリーは同じ残忍な喜びを聞き取っていた。

「あのマルフォイ君が、この子を追い詰めましたわ」

「あの子がかね？」ファッジが感心したように言った。「忘れずにルシウスに言わねばなるまい。さて、ポッター……。どうしてここに連れてこられたか、わかっているだろうな？」

ハリーは、挑戦的に「はい」と答えるつもりだった。口を開いた。言葉が半分出かかったとき、ふとダンブルドアの顔が目に入った。ダンブルドアはハリーを直接に見てはいなかった——その視線は、ハリーの肩越しに、ある一点を見つめていた。——しかし、ハリーがその顔をじっと見ると、ダンブルドアがほんのわずかに首を横に振った。

ハリーは半分口に出した言葉を方向転換した。

「は——いいえ」

「なんだね？」ファッジが聞いた。

「いいえ」ハリーはきっぱりと答えた。

「どうしてここにいるのか、**わからん**と？」

「わかりません」ハリーが言った。

ファッジは面食らって、ハリーを、そしてアンブリッジを見た。その一瞬のすきに、ハリーは急いでもう一度ダンブルドアを盗み見た。すると、ダンブルドアはじゅうたんに向かって、かすかにうなずき、ウィンクしたような気配を見せた。

「では、まったくわからんと」ファッジはたっぷりと皮肉を込めて言った。「アンブリッジ先生が、校長室に君を連れてきた理由がわからんと？　校則を破った覚えはないと？」

「校則？」ハリーがくり返した。「いいえ」

「魔法省令はどうだ？」ファッジが腹立たしげに言いなおした。

「いいえ、僕の知るかぎりでは」ハリーは平然と言った。

ハリーの心臓はまだ激しくドキドキしていた。ファッジの血圧が上がるのを見られるだけでも、うそをつく価値があると言えるくらいだったが、いったいどうやってうそをつきとおせるのか、ハリーには見当もつかなかった。誰かがＤＡのことをアンブリッジに告げ口したのだったら、リーダーの僕は、いますぐ荷物をまとめるしかないだろう。

「では、これは君には初耳かね？」ファッジの声は、いまや怒りでどすがきいていた。「校内で違法な学生組織が発覚したのだが」

「はい、初耳です」ハリーは寝耳に水だと純真無垢な顔をしてみせたが説得力はなかった。

「大臣閣下」すぐ脇で、アンブリッジがなめらかに言った。「通報者を連れてきたほうが、話が早いでしょう」

「うむ、うむ。そうしてくれ」

ファッジがうなずき、アンブリッジが出ていくとき、ダンブルドアをちらりと意地悪な目つきで見た。

「なんと言っても、ちゃんとした目撃者が一番だからな、ダンブルドア？」

「まったくじゃよ、コーネリウス」

ダンブルドアが小首をかしげながら、重々しく言った。

待つこと数分。その間、誰も互いに目を合わせなかった。そして、ハリーの背後で扉の開く音がした。アンブリッジが、チョウの友達の巻き毛のマリエッタの肩をつかんで、ハリーの脇を通り過ぎた。マリエッタは両手で顔を覆っている。

「怖がらなくてもいいのよ」

アンブリッジ先生が、マリエッタの背中を軽くたたきながら、やさしく声をかけた。

「大丈夫ですよ。あなたは正しいことをしたの。大臣がとてもお喜びですよ。あなたのお母様に、あなたがとってもいい子だったって、言ってくださるでしょう。大臣、マリエッタの母親は」アンブリッジはファッジを見上げて言葉を続けた。「魔法運輸部、煙突飛行ネットワーク室のエッジコム夫人です。――ホグワーツの暖炉を見張るのを手伝ってくれていたことはご存じでしょう」

「けっこう、けっこう！」ファッジは心底うれしそうに言った。「この母にしてこの娘ありだな、え？　さあ、さあ、いい子だね。顔を上げて、恥ずかしがらずに。君の話を聞こうじゃ――これは、なんと！」

マリエッタが顔を上げると、ファッジはぎょっとして飛びすさり、危うく暖炉に突っ込みそうになった。マントのすそがくすぶりはじめ、ファッジは悪態をつきながら、バタバタとすそを踏みつけた。マリエッタは泣き声を上げ、ローブを目の所まで引っ張り上げた。しかし、もうみんなが、その変わりはてた顔を見てしまった。マリエッタのほおから鼻を横切って、膿んだ紫色のできものがびっしりと広がり、文字を描いていたのだ。――密告者。

「さあ、そんなブツブツは気にしないで」アンブリッジがもどかしげに言った。「口からローブを離して、大臣に申し上げなさい――」

しかし、マリエッタは口を覆ったままでもう一度泣き声を上げ、激しく首を振った。

「バカな子ね。もうけっこう。**わたくしが**お話しします」

アンブリッジがピシャリとそう言うと、例の気味の悪いニッコリ笑顔を貼りつけ、話しだした。

「さて、大臣、このミス・エッジコムが、今夜、夕食後まもなくわたくしの部屋にやってきて、何か話したいことがあると言うのです。そして、八階の、特に『必要の部屋』と呼ばれる秘密の部屋に行けば、わたくしにとって何か都合のよいものが見つかるだろうと言うのです。もう少し問い詰めたところ、この子は、そこでなんらかの会合が行われるはずだと白状しました。残念ながら、その時点で、この呪いが」アンブリッジはマリエッタが隠している顔を指して、いらいらと手を振った。「効いてきました。わたくしの鏡に映った自分の顔を見たとたん、この子は愕然として、それ以上何も話せなくなりました」

「よーし、よし」

ファッジは、やさしい父親のまなざしとはこんなものだろうと自分なりに考えたような目で、マリエッタを見つめながら言った。

「アンブリッジ先生の所に話しにいったのは、とっても勇敢だったね。君のやったことは、まさに正しいことだったんだよ。さあ、その会合で何があったのか、話しておくれ。目的は何かね？　誰が来ていたのかね？」

しかし、マリエッタは口をきかなかった。おびえたように目を見開き、またしても首を横に振るだけだった。

「逆呪いはないのかね？」マリエッタの顔を指しながら、ファッジがもどかしげにアンブリッジに聞いた。「この子が自由にしゃべれるように」

「まだ、どうにも見つかっておりません」アンブリッジがしぶしぶ認めた。ハリーはハーマイオニーの呪いをかける能力に、誇らしさが込み上げてくるのを感じた。

「でも、この子がしゃべらなくとも、問題ありませんわ。その先はわたくしがお話しできます」

「ご記憶とは存じますが、大臣、去る十月にお送りした報告書で、ポッターがホグズミードのホッグズ・ヘッドで、たくさんの生徒たちと会合したと――」

「何か証拠がありますか？」マクゴナガル先生が口をはさんだ。

「ウィリー・ウィダーシンの証言がありますよ、ミネルバ。たまたまその時、そのバーに居合わせましてね。確かに、包帯でぐるぐる巻きでしたが、聞く能力は無傷でしたよ」アンブリッジが得意げに言った。「この男が、ポッターの一言一句をもらさず聞きましてね、早速わたくしに報告しに、学校に直行し――」

「まあ、**だから**、あの男は、一連の逆流トイレ事件を仕組んだ件で、起訴されなかったのですね！」マクゴナガル先生の眉が吊り上がった。「わが司法制度の、おもしろい内幕ですわ！」

「露骨な汚職だ！」ダンブルドアの机の後ろの壁にかかった、でっぷりとした赤鼻の魔法使いの肖像画が吠えた。「わしの時代には、魔法省が小悪党と取引することなどなかった。いいや、絶対に！」

「お言葉を感謝しますぞ、フォーテスキュー。もう充分じゃ」ダンブルドアがおだやかに言った。

「ポッターが生徒たちと会合した目的は」アンブリッジが話を続けた。「違法な組織に加盟するよう、みんなを説得するためでした。組織の目的は、魔法省が学童には不適切だと判断した呪文や呪いを学ぶことであり――」

「ドローレス、どうやらそのへんは思いちがいじゃとお気づきになると思うがの」

ダンブルドアが、折れ曲がった鼻の中ほどにちょんとのった半月めがねの上から、アンブリッジをじっと見て静かに言った。

ハリーはダンブルドアを見つめた。今回のことで、ハリーのためにどう言い逃れするつもりなのか、見当もつかなかった。ウィリー・ウィダーシンがホッグズ・ヘッドで、ほんとうにハリーの言ったことを全部聞いていたなら、もう逃れる術はない。

「ほっほー！」ファッジがまたつま先立ちで体をピョコピョコ上下に揺すった。「よろしい。ポッターの窮地を救うための、新しいほら話をお聞かせ願いましょうか。さあ、どうぞ、ダンブルドア、さあ

――ウィリー・ウィダーシンがうそをついたとでも？　それとも、あの日ホッグズ・ヘッドにいたのは、ポッターとは瓜（うり）二つの双子だったとでも？　または、時間を逆転させたとか、死んだ男が生き返ったとか、見えもしない吸魂鬼が二人いたとかいう、例のらちもない言い逃れか？」

「ああ、お見事。大臣、お見事！」パーシー・ウィーズリーが思いっきり笑った。

ハリーは蹴っ飛ばしてやりたかった。ところが、ダンブルドアを見ると、驚いたことに、ダンブルドアもややわらかくほほえんでいた。

「コーネリウス、わしは否定しておらんよ。――それに、ハリーも否定せんじゃろう――その日にハリーがホッグズ・ヘッドにいたことも、『闇の魔術に対する防衛術』のグループに生徒を集めようとしていたこともの う。わしは単に、その時点で、そのようなグループが違法じゃったとドローレスが言うのは、まったくまちがっておると指摘するだけじゃ。ご記憶じゃろうが、学生の組織を禁じた魔法省令は、ハリーがホグズミードで会合した二日後から発効しておる。じゃから、ハリーはホッグズ・ヘッドで、なんらの規則も破っておらんのじゃ」

パーシーは、何かとても重いもので顔をぶんなぐられたような表情をした。ファッジはポカンと口を開け、ピョコピョコの途中で止まったまま動かなくなった。

アンブリッジが最初に回復した。

「それは大変けっこうなことですわ、校長」アンブリッジが甘ったるくほほえんだ。「でも、教育令第二十四号が発効してから、もう六か月近くたちますわね。最初の会合が違法でなかったとしても、それ以後の会合は全部、まちがいなく違法ですわ」

「さよう」ダンブルドアは組み合わせた指の上から、礼儀上アンブリッジに注意を払いながら言った。「もし、教育令の発効後に会合が**続いておれば**、確かに**違法になりうる**じゃろう。そのような集会が続いていたという証拠を、何かお持ちかな？」

　ダンブルドアが話している間に、ハリーは背後で、サワサワという音を聞いた。そして、キングズリーが何かをささやいたような気がした。それに、まちがいなく脇腹を、何かがサッとなでたような感じがした。一陣の風か、鳥の翼のようなやわらかいものだ。しかし、下を見ても、何も見えなかった。

「証拠？」アンブリッジは、ガマガエルのように口を広げ、ニタリと恐ろしい微笑を見せた。

「お聞きになってらっしゃいませんでしたの？　ダンブルドア？　ミス・エッジコムがなぜここにいるとお思いですの？」

「おお、六か月分の会合のすべてについて話せるのかね？」ダンブルドアは眉をくいと上げた。「わしはまた、ミス・エッジコムが、今夜の会合のことを報告していただけじゃという印象じゃったが」

「ミス・エッジコム」アンブリッジが即座に聞いた。「いい子だから、会合がどのくらいの期間続いていたのか、話してごらん。うなずくか、首を横に振るかだけでいいのよ。そのせいで、できものがひどくなることはありませんからね。この六か月、定期的に会合が開かれたの？」

　ハリーは胃袋がズドーンと落ち込むのを感じた。おしまいだ。僕たちは動かしようのない証拠をつかまれた。ダンブルドアだってごまかせやしない。

「首を縦に振るか、横に振るかするのよ」アンブリッジがなだめすかすようにマリエッタに言った。

「ほら、ほら、それでまた呪いが効いてくることはないのですから」

　部屋の全員が、マリエッタの顔の上部を見つめていた。引っ張り上げたローブと、巻き毛の前髪とのすきまに、目だけが見えていた。暖炉の灯り（あか）のいたずらか、マリエッタの目は、妙にうつろだった。そして——ハリーにとっては青天の霹靂だったが——マリエッタは首を横に振った。

　アンブリッジはちらりとファッジを見たが、すぐにマリエッタに視線を戻した。

「質問がよくわからなかったのね？　そうでしょう？　わたくしが聞いたのはね、あなたが、この六か月にわたり、会合に参加していたかどうかということなのよ。参加していたんでしょう？」

　マリエッタはまたもや首を横に振った。

「首を振ったのはどういう意味なの？」アンブリッジの声がいら立っていた。

「私は、どういう意味か明白だと思いましたが」マクゴナガル先生が厳しい声で言った。「この六か月間、秘密の会合はなかったということです。そうですね？　ミス・エッジコム？」

　マリエッタがうなずいた。

「でも、今夜会合がありました！」アンブリッジが激怒した。「会合はあったのです。ミス・エッジコム、あなたがわたくしにそう言いました。『必要の部屋』でと！　そして、ポッターが首謀者だった。そうでしょう？　ポッターが組織した。ポッターが――**どうしてあなた、首を横に振ってるの？**」

「まあ、通常ですと、首を横に振るときは」マクゴナガルが冷たく言った。「『いいえ』という意味です。ですから、ミス・エッジコムが、まだヒトの知らない使い方で合図を送っているのでなければ――」

　アンブリッジ先生はマリエッタをつかみ、ぐるりと回して自分のほうに向かせ、激しく揺すぶりはじめた。間髪を容れず立ち上がったダンブルドアが、杖を上げた。キングズリーがずいと進み出た。アンブリッジは、まるで火傷をしたかのように両手をプルプル振りながら、マリエッタから飛びのいた。

「ドローレス、わしの生徒たちに手荒なことは許さぬ」ダンブルドアはこのとき初めて怒っているように見えた。

「マダム・アンブリッジ、落ち着いてください」キングズリーがゆったりした深い声で言った。「面倒を起こさないほうがいいでしょう」

「そうね」アンブリッジはそびえるようなキングズリーの姿をちらりと見上げながら、息をはずませて言った。「つまり、ええそう――あなたの言うとおりだわ、シャックルボルト――わたし――わたくし、つい我を忘れて」

マリエッタは、アンブリッジが手を離したその位置で、そのまま突っ立っていた。突然アンブリッジにつかみかかられても動揺した様子がなく、放されてホッとした様子もない。奇妙にうつろな目の所までローブを引き上げたまま、まっすぐ前を見つめていた。

突然、ハリーはもしやと思った。キングズリーのささやきと、脇腹をかすめた感覚とに結びつく疑いだった。

「ドローレス」何かに徹底的に決着をつけようという雰囲気で、ファッジが言った。「今夜の会合だが――まちがいなく行われたとわかっている集会のことだが――」

「はい」アンブリッジは気を取りなおして答えた。「はい……ええ、ミス・エッジコムがわたくしにもらし、わたくしは**信用できる**生徒たちを何人か連れて、すぐさま八階におもむきました。会合に集まった生徒たちを現行犯で捕まえようと思いましたのでね。ところが、わたくしが来るという警告が前もって伝わったらしく、八階に着いたときには、みんながクモの子を散らすように逃げていくところでした。しかし、それはどうでもよろしい。全員の名前がここにあります。ミス・パーキンソンが、わたくしの命で、何か残っていないかと『必要の部屋』に駆け込みましてね。証拠が必要でしたが、それが部屋にありました」

ハリーにとっては最悪なことに、アンブリッジはポケットから、「必要の部屋」の壁に貼ってあった名簿を取り出し、ファッジに手渡した。

「このリストにポッターの名前を見た瞬間、わたくしは問題が何かわかりました」アンブリッジが静かに言った。

「でかした」ファッジは満面の笑みだった。「でかしたぞ、ドローレス。さて……なんと……」

ファッジは、杖を軽く握ってマリエッタのそばに立ったままのダンブルドアを見た。

「生徒たちが、グループをなんと命名したかわかるか?」ファッジが低い声で言った。「**ダンブルドア軍団だ**」

ダンブルドアが手を伸ばしてファッジから羊皮紙を取った。ハーマイオニーが何か月も前に手書きした会の名前をじっと見つめ、ダンブルドアは、しばらく言葉が出ないように見えた。それから目を上げたダンブルドアは、ほほえんでいた。

「さて、万事休すじゃな」ダンブルドアはさばさばと言った。「わしの告白書をお望みかな、コーネリウス?――それとも、ここにおいでの目撃者を前に一言述べるだけで充分かの?」

マクゴナガルとキングズリーが顔を見合わせるのを、ハリーは見た。二人とも恐怖の表情を浮かべていた。何が起こっているのか、ハリーにはわからなかった。どうやらファッジもわからなかったらしい。

「一言述べる?」ファッジがのろのろと言った。「いったい――なんのことやら――?」

「ダンブルドア軍団じゃよ、コーネリウス」ダンブルドアは、ほほえんだまま、名簿をファッジの目の前でひらひらさせた。「ポッター軍団ではない。**ダンブルドア軍団**じゃ」

「し――しかし――」

突然ファッジの顔に、わかったというひらめきが走り、ぎょっとなってあとずさりしたとたん、短い悲鳴を上げて暖炉から飛び出した。

「あなたが?」ファッジはまたしてもくすぶるマントを踏みつけながら、ささやくように言った。

「そうじゃ」ダンブルドアは愛想よく言った。

「あなたがこれを組織した?」

「いかにも」ダンブルドアが答えた。

「あなたがこの生徒たちを集めて――あなたの軍団を?」

「今夜がその最初の会合のはずじゃった」ダンブルドアがうなずきながら言った。「みんなが、それに加わることに関心を持つかどうかを見るだけのものじゃったが。どうやら、ミス・エッジコムを招いたのは、明らかにまちがいだったようじゃの」

マリエッタがうなずいた。ファッジは胸をそらしながら、マリエッタからダンブルドアへと視線を移した。

「では、**やっぱり**、あなたは私をおとしいれようとしていたのだな!」ファッジがわめいた。

「そのとおりじゃ」ダンブルドアはほがらかに言った。

「**だめです!**」ハリーが叫んだ。

キングズリーがハリーにすばやく警告のまなざしを送った。マクゴナガルは脅すようにカッと目を見開いた。しかし、ダンブルドアが何をしようとしているのか、ハリーは突然気づいたのだ。そんなことをさせてはならない。

「だめです――ダンブルドア先生――!」

「静かにするのじゃ、ハリー。さもなくば、わしの部屋から出ていってもらうことになろうぞ」ダンブルドアが落ち着いて言った。

「そうだ、だまれ、ポッター!」恐怖と喜びが入りまじったような目でダンブルドアをじろじろ見ながら、ファッジが吠え立てた。「ほう、ほう、ほう――今夜はポッターを退学にするつもりでやってきたが、かわりに――」

「かわりにわしを逮捕することになるのう」ダンブルドアがほほえみながら言った。「海老(えび)で鯛(たい)を釣ったようなものじゃな？」

「ウィーズリー！」いまやまちがいなく喜びに打ち震えながら、ファッジが叫んだ。「ウィーズリー、全部書き取ったか？　言ったことをすべてだ。ダンブルドアの告白を。書き取ったか？」

「はい、閣下。大丈夫です、閣下！」パーシーが待ってましたとばかりに答えた。猛スピードでメモを取ったので、鼻の頭にインクが飛び散っている。

「ダンブルドアが魔法省に対抗する軍団を作り上げようとしていたくだりは？　私を失脚させようと画策していたくだりは？」

「はい、閣下。書き取りましたとも！」嬉々としてメモに目を通しながら、パーシーが答えた。

「よろしい、では」ファッジはいまや、歓喜に顔を輝かせている。「ウィーズリー、メモを複写して、一部を即刻、『日刊予言者新聞』に送れ。ふくろう速達便を使えば、朝刊に間に合うはずだ！」

パーシーは脱兎のごとく部屋を飛び出し、扉をバタンと閉めた。ファッジがダンブルドアのほうに向きなおった。

「おまえをこれから魔法省に連行する。そこで正式に起訴され、アズカバンに送られ、そこで裁判を待つことになる！」

「ああ」ダンブルドアがおだやかに言った。「やはりのう。その障害に突き当たると思うておったが」

「障害？」ファッジの声はまだ喜びに震えていた。「ダンブルドア、私にはなんの障害も見えんぞ！」

「ところが」ダンブルドアが申し訳なさそうに言った。「わしには見えるのう」

「ほう、そうかね？」

「さて――あなたはどうやら、わしが――どういう表現じゃったかの？――**神妙にする**、という幻想のもとに骨を折っているようじゃ。残念ながら、コーネリウス、わしは神妙に引かれてはいかんよ。アズカバンに送られるつもりはまったくないのでな。もちろん、脱獄はできるじゃろうが――それはまったくの時間のむだというものじゃ。正直言って、わしにはほかにいろいろやりたいことがあるのでな」

アンブリッジの顔が、着実にだんだん赤くなってきた。まるで、体の中に、熱湯が注がれていくようだった。ファッジはまぬけ面でダンブルドアを見つめていた。まるで、突然パンチを食らったのに、それが信じられないという顔だ。息が詰まったような音を出し、ファッジはキングズリーを振り返った。それから、これまでただ一人、ずっとだまりこくっていた、短い白髪頭の男を振り返った。その男は、ファッジに大丈夫というようにうなずき、壁から離れてわずかに前に出た。ハリーは、その男の手が、ほとんどなにげない様子でポケットのほうに動くのを見た。

「ドーリッシュ、愚かなことはやめるがよい」ダンブルドアがやさしく言った。「君は確かに優秀な闇祓いじゃ――N・E・W・T試験で全科目『O』を取ったことを覚えておるよ――しかし、もしわしを力ずくで、その――あー――**連行する**つもりなら、君を傷つけねばならなくなる」

ドーリッシュと呼ばれた男は、毒気を抜かれたような顔で、目をしばたたいた。それから、再びファッジを見たが、今度は、どうするべきか指示を仰いでいるようだった。

「すると」我に返ったファッジがあざけるように言った。「おまえは、たった一人で、ドーリッシュ、シャックルボルト、ドローレス、それに私を相手にする心算かね？　え、ダンブルドア？」

「いや、まさか」ダンブルドアはほほえんでいる。「あなたが、愚かにも無理やりそうさせるなら別じゃが」

「ダンブルドアはひとりじゃありません！」マクゴナガル先生が、すばやくローブに手を突っ込みながら、大声で言った。

「いや、ミネルバ、わしひとりじゃ！」ダンブルドアが厳しく言った。「ホグワーツはあなたを必要としておる！」

「何をごたごたと！」ファッジが杖を抜いた。「ドーリッシュ！　シャックルボルト！　**かかれ！**」

部屋の中に、銀色の閃光（せんこう）が走った。ドーンと銃声のような音がして、床が震えた。二度目の閃光が走ったとき、手が伸びてきて、ハリーの襟首をつかみ、体を床に押し倒した。肖像画が何枚か、悲鳴を上げた。フォークスがギャーッと鳴き、ほこりがもうもうと舞った。ほこりにむせながら、ハリーは、黒い影が一つ、目の前にばったり倒れるのを見た。悲鳴、ドサッという音、そして誰かが叫んだ。「だめだ！」そして、ガラスの割れる音、バタバタとあわてふためく足音、うめき声……そして静寂。

ハリーはもがいて、誰が自分をしめ殺しかかっているのか見ようとした。マクゴナガル先生が、ハリーのそばにうずくまっているのが見えた。ハリーとマリエッタの二人を押さえつけて、危害がおよばないようにしていた。ほこりはまだ飛び交い、ゆっくりと三人の上に舞い降りてきた。少し息を切らしながら、ハリーは背の高い誰かが近づいてくるのを見た。

「大丈夫かね？」ダンブルドアだった。

「ええ！」マクゴナガル先生が、ハリーとマリエッタを引っ張り上げながら立ち上がった。

ほこりが収まってきた。破壊された部屋がだんだん見えてきた。ダンブルドアの机はひっくり返り、華奢（きゃしゃ）なテーブルは全部床に倒れて、上にのっていた銀の計器類は粉々になっていた。ファッジ、アンブリッジ、キングズリー、ドーリッシュは、床に転がって動かない。不死鳥のフォークスは、静かに歌いながら、大きな円を描いて頭上に舞い上がった。

「気の毒じゃが、キングズリーにも呪いをかけざるをえなかった。そうせんと、きっと怪しまれるじゃろうからのう」ダンブルドアが低い声で言った。「キングズリーは非常によい勘をしておった。みながよそ見をしているすきに、すばやくミス・エッジコムの記憶を修正してくれた。――わしが感謝しておったと伝えてくれるかの？　ミネルバ？」

「さて、みなも、まもなく気がつくであろう。わしらが話をする時間があったことを悟られぬほうがよかろう——あなたは、時間がまったく経過していなかったかのように、あたかもみんな床にたたきつけられたばかりだったかのように振る舞うのですぞ。記憶はないはずじゃから——」

「どちらに行かれるのですか？　ダンブルドア？」マクゴナガル先生がささやいた。「グリモールド・プレイスに？」

「いや、ちがう」ダンブルドアは厳しい表情でほほえんだ。「わしは身を隠すわけではない。ファッジは、わしをホグワーツから追い出したことを、すぐに後悔することになるじゃろう。まちがいなくそうなる」

「ダンブルドア先生……」ハリーが口を開いた。

何から言っていいのかわからなかった。そもそもＤＡを始めたことでこんな問題を引き起こしてしまい、どんなに申し訳なく思っているかと言うべきだろうか？　それとも、ハリーを退学処分から救うためにダンブルドアが去っていくことが、どんなにつらいかと言うべきだろうか？　しかし、ダンブルドアは、ハリーが何も言えないでいるうちに、ハリーの口を封じた。

「よくお聞き、ハリー」ダンブルドアは差し迫ったように言った。「『閉心術』を一心不乱に学ぶのじゃ。よいか？　スネイプ先生の教えることを、すべて実行するのじゃ。特に、毎晩寝る前に、悪夢を見ぬよう心を閉じる練習をするのじゃ——なぜそうなのかは、まもなくわかるじゃろう。しかし、約束しておくれ——」

ドーリッシュと呼ばれた男がかすかに身動きした。ダンブルドアはハリーの手首をつかんだ。

「よいな——心を閉じるのじゃ——」

しかし、ダンブルドアの指がハリーの肌に触れたとき、額の傷痕に痛みが走った。そして、ハリーはまたしても、恐ろしい、蛇のような衝動が湧いてくるのを感じた。――ダンブルドアを襲いたい、かみついて傷つけたい――。

「――わかる時がくるじゃろう」ダンブルドアがささやいた。

フォークスが輪を描いて飛び、ダンブルドアの上に低く舞い降りてきた。ダンブルドアはハリーを放し、手を上げて不死鳥の長い金色の尾をつかんだ。パッと炎が上がり、ダンブルドアの姿は不死鳥とともに消えた。

「あいつはどこだ？」ファッジが床から身を起こしながら叫んだ。「**どこなんだ？**」

「わかりません！」床から飛び起きながら、キングズリーが叫んだ。

「『姿くらまし』したはずはありません！」アンブリッジがわめいた。「学校の中からはできるはずがないし――」

「階段だ！」ドーリッシュはそう叫ぶなり、扉に向かって身をひるがえし、ぐいと開けて姿が見えなくなった。そのすぐあとに、キングズリーとアンブリッジが続いた。ファッジは躊躇していたが、ゆっくり立ち上がり、ローブの前からほこりを払った。痛いほどの長い沈黙が流れた。

「さて、ミネルバ」ファッジがずたずたになったシャツのそでをまっすぐに整えながら、意地悪く言った。「お気の毒だが、君の友人、ダンブルドアもこれまでだな」

「そうでしょうかしら？」マクゴナガル先生が軽蔑したように言った。

ファッジには聞こえなかったようだ。壊れた部屋を見回していた。肖像画の何枚かが、ファッジに向かってシューシューと非難を浴びせ、手で無礼なしぐさをしたのも一、二枚あった。

「その二人をベッドに連れていきなさい」ファッジはハリーとマリエッタに、もう用はないとばかりにうなずき、マクゴナガル先生を振り返って言った。

マクゴナガル先生は何も言わず、ハリーとマリエッタを連れてつかつかと扉のほうに歩いた。扉がバタンと閉まる間際に、ハリーはフィニアス・ナイジェラスの声を聞いた。

「いやあ、大臣。私は、ダンブルドアといろいろな点で意見が合わないのだが……しかし、あの人は、とにかく粋ですよ……」

第28章　スネイプの最悪の記憶

魔法省令

ドローレス・ジェーン・アンブリッジ（高等尋問官）は、
アルバス・ダンブルドアにかわりホグワーツ魔法魔術学校の校長に就任した。

以上は教育令第二十八号に則ったものである。

魔法大臣　コーネリウス・オズワルド・ファッジ

一夜にして、この知らせが学校中に掲示された。しかし、城中の誰もが知っている話が、どのように広まったのかは、この掲示では説明できなかった。ダンブルドアが逃亡するとき、闇祓い(やみばらい)を二人、高等尋問官、魔法大臣、さらにその下級補佐官をやっつけたという話だ。ハリーの行く先々で、城中がダンブルドアの逃亡の話でもちきりだった。話が広まるにつれて、確かに細かい所では尾鰭(おひれ)がついていたが（二年生の女子が同級生に、ファッジは頭がかぼちゃになって、現在聖マンゴに入院していると、まことしやかに話しているのが、ハリーの耳に入ってきた）、それ以外は驚くほど正確な情報が伝わっていた。

たとえば、ダンブルドアの校長室で現場を目撃した生徒が、ハリーとマリエッタだけだったということはみんなが知っていた。マリエッタはいま、医務室にいるので、ハリーはみんなに取り囲まれ、直体験の話をせがまれるはめになった。

「ダンブルドアはすぐに戻ってくるさ」

薬草学からの帰り道、ハリーの話を熱心に聞いたあとで、アーニー・マクミランが自信たっぷりに言った。

「僕たちが二年生のときも、あいつら、ダンブルドアを長くは遠ざけておけなかったし、今度だってきっとそうさ。『太った修道士』が話してくれたんだけど――」

アーニーが密談をするように声を落としたので、ハリー、ロン、ハーマイオニーは、アーニーのほうに顔を近づけて聞いた。

「――アンブリッジがきのうの夜、城内や校庭でダンブルドアを探したあと、校長室に戻ろうとしたらしいんだ。怪獣像(ガーゴイル)の所を通れなかったんだってさ。校長室は、ひとりでに封鎖して、アンブリッジを締め出したんだ」アーニーがニヤリと笑った。「どうやら、あいつ、相当かんしゃくを起こしたらしい」

「ああ、あの人、きっと校長室に座る自分の姿を見てみたくてしょうがなかったんだわ」

玄関ホールに続く石段を上がりながら、ハーマイオニーがきつい言い方をした。

「ほかの先生より自分が偉いんだぞって。バカな思い上がりの、権力に取り憑(つ)かれたばばぁの――」

「おーや、君、**本気**で最後まで言うつもりかい？　グレンジャー？」

ドラコ・マルフォイが、クラッブとゴイルを従え、扉の陰からするりと現れた。青白いあごのとがった顔が、悪意で輝いている。

「気の毒だが、グリフィンドールとハッフルパフから少し減点しないといけないねえ」

マルフォイが気取って言った。

「監督生同士は減点できないぞ、マルフォイ」アーニーが即座に言った。

「**監督生なら**お互いに減点できないのは知ってるよ」マルフォイがせせら笑った。クラッブとゴイルもあざけり笑った。「しかし、『尋問官親衛隊』なら——」

「いま**なんて**言った?」ハーマイオニーが鋭く聞いた。

「尋問官親衛隊だよ、グレンジャー」

マルフォイは、胸の監督生バッジのすぐ下にとめた、Iの字形の小さな銀バッジを指差した。

「魔法省を支持する、少数の選ばれた学生のグループでね。アンブリッジ先生直々の選り抜きだよ。とにかく、尋問官親衛隊は、減点する力を**持っている**んだ……そこでグレンジャー、新しい校長に対する無礼な態度で五点減点。マクミラン、僕に逆らったから五点。ポッター、おまえが気に食わないから五点。ウィーズリー、シャツがはみ出しているから、もう五点減点。ポッター、ああ、そうだ。忘れていた。おまえは『穢(けが)れた血』だ、グレンジャー。だから一〇点減点」

ロンが杖(つえ)を抜いた。ハーマイオニーが押し戻し、「だめよ!」とささやいた。

「賢明だな、グレンジャー」マルフォイがささやくように言った。「新しい校長、新しい時代だ……いい子にするんだぞ、ポッティ……ウィーズル王者(ばか)……」

思いっきり笑いながら、マルフォイはクラッブとゴイルを率いて意気揚々と去っていった。

「ただの脅しさ」アーニーが愕然(がくぜん)とした顔で言った。「あいつが点を引くなんて、許されるはずがない……そんなこと、ばかげてるよ……監督生制度が完全にくつがえされちゃうじゃないか」

しかし、ハリー、ロン、ハーマイオニーは、背後の壁のくぼみに設置されている、寮の点数を記録した巨大な砂時計のほうに、自然に目が行った。今朝までは、グリフィンドールとレイブンクローが接戦で一位を争っていた。いまは見る間に石が飛び上がって上に戻り、下にたまった量が減っていった。事実、まったく変わらないのは、エメラルドが詰まったスリザリンの時計だけだった。

「気がついたか?」フレッドの声がした。

ジョージと二人で大理石の階段を下りてきたところで、ハリー、ロン、ハーマイオニー、アーニーと砂時計の前で一緒になった。

「マルフォイが、いま僕たちからほとんど五〇点も減点したんだ」グリフィンドールの砂時計から、また石が数個上に戻るのを見ながら、ハリーが憤慨した。

「うん。モンタギューのやつ、休み時間に、俺たちからも減点しようとしやがった」ジョージが言った。

「『しようとした』って、どういうこと?」ロンがすばやく聞いた。

「最後まで言い終わらなかったのさ」フレッドが言った。「俺たちが、二階の『姿をくらますキャビネット棚』に頭から突っ込んでやったんでね」

ハーマイオニーがショックを受けた顔をした。

「そんな、あなたたち、とんでもないことになるわ!」

「モンタギューが現れるまでは大丈夫さ。それまで数週間かかるかもな。やつをどこに送っちまったのかわかんねえし」フレッドがさばさばと言った。「とにかくだ……俺たちは、問題に巻き込まれることなどもう気にしない、と決めた」

「気にしたことあるの?」ハーマイオニーが聞いた。

「そりゃ、あるさ」ジョージが答えた。「一度も退学になってないだろ?」

「俺たちは、常に一線を守った」フレッドが言った。

「時には、つま先ぐらいは線を越えたかもしれないが」ジョージが言った。

「だけど、常に、ほんとうの大混乱を起こす手前で踏みとどまったのだ」フレッドが言った。

「だけど、いまは？」ロンが恐る恐る聞いた。

「そう、いまは――」ジョージが言った。

「――ダンブルドアもいなくなったし――」フレッドが言った。

「――ちょっとした大混乱こそ――」ジョージが言った。

「――まさに、親愛なる新校長にふさわしい」フレッドが言った。

「ダメよ！」ハーマイオニーがささやくように言った。「ほんとに、ダメ！　あの人、あなたたちを追い出す口実なら大喜びだわよ！」

「わかってないなあ、ハーマイオニー」フレッドがハーマイオニーに笑いかけた。

「俺たちはもう、ここにいられるかどうかなんて気にしないんだ。いますぐにでも出ていきたいところだけど、ダンブルドアのために、まず俺たちの役目をはたす決意なんでね。そこで、とにかく」フレッドが腕時計を確かめた。「第一幕がまもなく始まる。悪いことは言わないから、昼食を食べに大広間に入ったほうがいいぜ。そうすりゃ、先生方も、おまえたちは無関係だとわかるからな」

「何に無関係なの？」ハーマイオニーが心配そうに聞いた。

「いまにわかる」ジョージが言った。「さ、早く行けよ」

フレッドとジョージはみんなに背を向け、昼食を食べに階段を下りてくる人混みがふくれ上がってきた中へと姿を消した。

困惑しきった顔のアーニーは、変身術の宿題がすんでいないとかなんとかつぶやきながらあわてていなくなった。

「ねえ、**やっぱり**ここにはいないほうがいいわ」ハーマイオニーが神経質に言った。「万が一……」

「うん、そうだ」ロンが言った。

そして、三人は、大広間の扉に向かった。しかし、その日の大広間の天井を、白い雲が飛ぶように流れていくのをちらりと見たとたん、誰かがハリーの肩をたたいた。振り向くと、管理人のフィルチが、目と鼻の先にいた。ハリーは急いで二、三歩下がった。フィルチの顔は遠くから見るにかぎる。

「ポッター、校長がおまえに会いたいとおっしゃる」フィルチが意地の悪い目つきをした。

「僕がやったんじゃない」

ハリーは、ばかなことを口走った。フレッドとジョージが何やらたくらんでいることを考えていたのだ。フィルチは声を出さずに笑い、あごがわなわな震えた。

「後ろめたいんだな、え？」フィルチがゼイゼイ声で言った。「ついて来い」

ハリーはロンとハーマイオニーをちらりと振り返った。二人とも心配そうな顔だ。ハリーは肩をすくめ、フィルチについて玄関ホールに戻り、腹ぺこの生徒たちの波に逆らって歩いた。

フィルチはどうやら上機嫌で、大理石の階段を上りながら、きしむような声で、そっと鼻歌を歌っていた。最初の踊り場で、フィルチが言った。

「ポッター、状況が変わってきた」

「気がついてるよ」ハリーが冷たく言った。

「そうだ……ダンブルドア校長は、おまえたちに甘すぎると、私はもう何年もそう言い続けてきた」

フィルチがクックッといやな笑い方をした。「私が鞭で皮がむけるほど打ちのめすことができるとわかっていたら、小汚い小童のおまえたちだって、『臭い玉』を落としたりはしなかっただろうが？　くるぶしを縛り上げられて私の部屋の天井から逆さ吊りにされるなら、廊下で『かみつきフリスビー』を投げようなどと思う童は一人もいなかっただろうが？　しかし、教育令第二十九号が出るとな、ポッター、私にはそういうことが許されるんだ……**その上**、あの方は大臣に、ピーブズ追放令に署名するよう頼んでくださった……ああ、**あの方が**取り仕切れば、ここも様変わりするだろう……」

フィルチを味方につけるため、アンブリッジが相当な手を打ったのは確かだ、とハリーは思った。最悪なのは、フィルチが重要な武器になりうるということだ。学校の秘密の通路や隠れ場所に関してのフィルチの知識たるや、それをしのぐのは、おそらくウィーズリーの双子だけだ。

「さあ着いたぞ」

フィルチは意地の悪い目でハリーを見ながら、アンブリッジ先生の部屋のドアを三度ノックし、ドアを開けた。

「ポッターめを連れて参りました。先生」

罰則で何度も来た、おなじみのアンブリッジの部屋は、以前と変わっていなかった。一つだけちがったのは、木製の大きな角材が机の前方に横長に置かれていることで、金文字で「**校長**」と書いてある。さらに、ハリーのファイアボルトと、フレッドとジョージの二本のクリーンスイープが——ハリーは胸が痛んだ——机の後ろの壁に打ち込まれたがっしりとした鉄の杭(くい)に、鎖でつながれて南京錠をかけられていた。

アンブリッジは机に向かい、ピンクの羊皮紙に、何やらせわしげに走り書きしていたが、二人が入っていくと、目を上げ、ニターッとほほえんだ。

「ごくろうさま、アーガス」アンブリッジがやさしく言った。

「とんでもない、先生、おやすい御用で」

フィルチはリューマチの体が耐えられる限界まで深々とおじぎし、あとずさりで部屋を出ていった。

「座りなさい」

アンブリッジは椅子を指差してぶっきらぼうに言った。ハリーが腰かけた。アンブリッジはそれからまたしばらく書き物を続けた。アンブリッジの頭越しに、憎たらしい子猫が皿の周りを跳ね回っている絵を眺めながら、ハリーは、いったいどんな恐ろしいことが新たに自分を待ち受けているのだろうと考えていた。

「さてと」

やっと羽根ペンを置き、アンブリッジは、ことさらにうまそうなハエを飲み込もうとするガマガエルのような顔をした。

「何か飲みますか？」

「えっ？」ハリーは聞きちがいだと思った。

「飲み物よ、ミスター・ポッター」

アンブリッジは、ますますニターッと笑った。

「紅茶？　コーヒー？　かぼちゃジュース？」

飲み物の名前を言うたびに、アンブリッジは短い杖を振り、机の上に茶碗やグラスに入った飲み物が現れた。

「何もいりません。ありがとうございます」ハリーが言った。

「一緒に飲んでほしいの」アンブリッジの声が危険な甘ったるさに変わった。「どれか選びなさい」

「それじゃ……紅茶を」ハリーは肩をすくめながら言った。

アンブリッジは立ち上がってハリーに背中を向け、大げさな身振りで紅茶にミルクを入れた。それから、不吉に甘い微笑をたたえ、カップを持ってせかせかと机を回り込んでやって来た。

「どうぞ」と紅茶をハリーに渡した。

「冷めないうちに飲んでね。さーてと、ミスター・ポッター……昨夜の残念な事件のあとですから、ちょっとおしゃべりをしたらどうかと思ったのよ」

ハリーはだまっていた。アンブリッジは自分の椅子に戻り、答えを待った。沈黙の数分が長く感じられた。やがてアンブリッジが陽気に言った。

「飲んでないじゃないの*!*」

ハリーは急いでカップを口元に持っていったが、また急に下ろした。アンブリッジの背後にある、趣味の悪い絵に描かれた子猫の一匹が、マッド‐アイ・ムーディの魔法の目と同じ丸い大きな青い目をしていたので、敵とわかっている相手に勧められた飲み物をハリーが飲んだと聞いたら、マッド‐アイがなんと言うだろうと思ったのだ。

「どうかした？」アンブリッジはまだハリーを見ていた。「お砂糖が欲しいの？」

「いいえ」ハリーが答えた。

ハリーはもう一度口元までカップを持っていき、ひと口飲むふりをしたが、唇を固く結んだままだった。アンブリッジの口がますます横に広がった。

「そうそう」アンブリッジがささやくように言った。「それでいいわ。さて、それじゃ……」アンブリッジが少し身を乗り出した。「**アルバス・ダンブルドアはどこなの？**」

「知りません」ハリーが即座に答えた。

「さあ、飲んで、飲んで」

アンブリッジはニターッとほほえんだままだ。

「さあ、ミスター・ポッター、子供だましのゲームはやめましょうね。ダンブルドアがどこに行ったのか、あなたが知っていることはわかっているのよ。あなたとダンブルドアは、初めから一緒にこれをたくらんでいたんだから。自分の立場を考えなさい。ミスター・ポッター……」

「どこにいるか、僕、知りません」

ハリーはもう一度飲むふりをした。

「けっこう」アンブリッジは不機嫌な顔をした。「それなら、教えていただきましょうか。シリウス・ブラックの居場所を」

ハリーの胃袋がひっくり返り、カップを持つ手が震えて、受け皿がカタカタ鳴った。唇を閉じたまま、口元でカップを傾けたので、熱い液体が少しローブにこぼれた。

「知りません」答え方が少し早口すぎた。

「ミスター・ポッター」アンブリッジが迫った。「いいですか、十月に、グリフィンドールの暖炉で、犯罪者のブラックをいま一歩で逮捕するところだったのは、ほかならぬわたくしですよ。ブラックが会っていたのはあなただと、わたくしにははっきりわかっています。わたくしが証拠をつかんでさえいたら、はっきり言って、あなたもブラックも、いま、こうして自由の身ではいられなかったでしょう。もう一度聞きます。ミスター・ポッター……シリウス・ブラックはどこですか？」

「知りません」ハリーは大声で言った。「見当もつきません」

二人はそれから長いことにらみ合っていた。ハリーは目がうるんできたのを感じた。アンブリッジがふいに立ち上がった。

「いいでしょう、ポッター。今回は信じておきます。しかし、警告しておきますよ。わたくしには魔法省の後ろ盾があるのです。学校を出入りする通信網は全部監視されています。煙突飛行ネットワークの監視人が、ホグワーツのすべての暖炉を見張っています――わたくしの暖炉だけはもちろん例外ですが。『尋問官親衛隊』が城を出入りするふくろう便を全部開封して読んでいます。それに、フィルチさんが城に続くすべての秘密の通路を見張っています。わたくしが証拠のかけらでも見つけたら……」

ドーン！

部屋の床が揺れた。アンブリッジが横すべりし、ショックを受けた顔で、机にしがみついて踏みとどまった。

「いったいこれは――？」

アンブリッジがドアのほうを見つめていた。そのすきに、ハリーはほとんど減っていない紅茶を、一番近くのドライフラワーの花瓶に捨てた。数階下のほうから、走り回る音や悲鳴が聞こえた。

「昼食に戻りなさい、ポッター！」

アンブリッジは杖を上げ、部屋から飛び出していった。ハリーはひと呼吸置いてから、大騒ぎの元は何かを見ようと、急いで部屋を出た。

騒ぎの原因は難なく見つかった。一階下は大混乱の伏魔殿だった。誰かが（ハリーは誰なのかを敏感に見抜いていたが）、巨大な魔法の仕掛け花火のようなものを爆発させたらしい。

全身が緑と金色の火花でできたドラゴンが何頭も、階段を往ったり来たりしながら、火の粉をまき散らし、バンバン大きな音を立てている。直径一・五メートルもある、ショッキングピンクのネズミ花火が、空飛ぶ円盤群のようにビュンビュンと破壊的に飛び回っている。ロケット花火がキラキラ輝く銀色の星を長々と噴射しながら、壁に当たって跳ね返っている。線香花火は勝手に空中に文字を書いて悪態をついている。ハリーの目の届くかぎり至る所に、爆竹が地雷のように爆発している。普通なら燃え尽きたり、消えたり、動きを止めたりするはずなのに、この奇跡の仕掛け花火は、ハリーが見つめれば見つめるほどエネルギーを増すかのようだった。

フィルチとアンブリッジは、恐怖で身動きできないらしく、階段の途中に立ちすくんでいた。ハリーが見ている前で、大きめのネズミ花火が、もっと広い場所で動こうと決めたらしく、アンブリッジとフィルチに向かって、**シュルシュルシュルシュルシュル**と不気味な音を立てながら回転してきた。二人とも恐怖の悲鳴を上げて身をかわした。するとネズミ花火はそのまままっすぐ二人の背後の窓から飛び出し、校庭に出ていった。その間、ドラゴンが数匹と、不気味な煙を吐いていた大きな紫のコウモリが、廊下の突き当たりのドアが開いているのをいいことに、三階に抜け出した。

「早く、フィルチ、早く！」アンブリッジが金切り声を上げた。「なんとかしないと、学校中に広がるわ――**ステューピファイ！　まひせよ！**」

アンブリッジの杖先から、赤い光が飛び出し、ロケット花火の一つに命中した。空中で固まるどころか、花火は大爆発し、野原の真ん中にいるセンチメンタルな顔の魔女の絵に穴を開けた。魔女は間一髪で逃げ出し、数秒後に隣の絵にぎゅうぎゅうぎゅう入り込んだ。隣の絵でトランプをしていた魔法使いが二人、急いで立ち上がって魔女のために場所を空けた。

「『失神』させてはダメ、フィルチ！」アンブリッジが怒ったように叫んだ。まるで、呪文を唱えたのは、何がなんでもフィルチだったかのような言い草だ。

「承知しました。校長先生！」フィルチがゼイゼイ声で言った。フィルチはできそこないのスクイブで、花火を「失神」させることなど、花火を飲み込むと同じぐらい不可能な技だ。フィルチは近くの倉庫に飛び込み、箒（ほうき）を引っ張り出し、空中の花火をたたき落としはじめたが、数秒後、箒の先が燃えだした。

ハリーはその場面を満喫して、笑いながら、頭を低くして駆けだした。ちょっと先の廊下にかかったタペストリーの裏に、隠れたドアがあることを知っていたのだ。すべり込むと、そこにフレッドとジョージが隠れていた。アンブリッジとフィルチが叫ぶのを聞きながら、声を押し殺し、体を震わせて笑いこけていた。

「すごいよ」ハリーはニヤッと笑いながら低い声で言った。「ほんとにすごい……君たちのせいで、ドクター・フィリバスターも商売上がったりだよ。まちがいない……」

「ありがと」ジョージが笑いすぎて流れた涙をふきながら小声で言った。「ああ、あいつが今度は『消失呪文』を使ってくれるといいんだけどな……そのたびに花火が十倍に増えるんだ」

花火は燃え続け、その午後、学校中に広がった。相当な被害を引き起こし、特に爆竹がひどかったが、先生方はあまり気にしていないようだった。

「おや、まあ」

マクゴナガル先生は、自分の教室の周りにドラゴンが一頭舞い上がり、バンバン大きな音を出したり火を吐いたりするのを見て、ちゃかすように言った。

「ミス・ブラウン。校長先生の所に走っていって、この教室に逃亡した花火がいると報告してくれませんか？」

結局のところ、アンブリッジは校長として最初の日の午後を、学校中を飛び回って過ごした。先生方が、校長なしではなぜか自分の教室から花火を追い払えないと、校長を呼び出したからだ。最後の終業ベルが鳴り、みんなが鞄（かばん）を持ってグリフィンドール塔に帰る途中、ハリーは、フリットウィック先生の教室からよれよれになって出てくるアンブリッジを見た。髪を振り乱し、すすだらけで汗ばんだ顔のアンブリッジを見て、ハリーは大いに満足した。

「先生、どうもありがとう！」フリットウィック先生の小さなキーキー声が聞こえた。「線香花火はもちろん私でも退治できたのですが、何しろ、そんな**権限**があるかどうか、はっきりわからなかったので」

フリットウィック先生は、ニッコリ笑って、かみつきそうな顔のアンブリッジの鼻先で教室のドアを閉めた。

その夜のグリフィンドール談話室で、フレッドとジョージは英雄だった。ハーマイオニーでさえ、興奮した生徒たちをかき分けて、二人におめでとうを言った。

「すばらしい花火だったわ」ハーマイオニーが称賛した。

「ありがとよ」ジョージは、驚いたようなうれしいような顔をした。『ウィーズリーの暴れバンバン花火』さ。問題は、ありったけの在庫を使っちまったから、またゼロから作りなおしなのさ」

「それだけの価値ありだったよ」フレッドは大騒ぎのグリフィンドール生から注文を取りながら言った。「順番待ちリストに名前を書くなら、ハーマイオニー、『基本火遊びセット』が五ガリオン、『デラックス大爆発』が二十ガリオン……」

ハーマイオニーはハリーとロンがいるテーブルに戻った。二人とも鞄をにらみ、中の宿題が飛び出して、ひとりでに片づいてくれないかとでも思っているような顔だった。

「まあ、今晩は休みにしたら?」ハーマイオニーがほがらかに言った。ちょうどその時、ウィーズリー・ロケット花火が銀色の尾を引いて窓の外を通り過ぎていった。「だって、金曜からはイースター休暇だし、そしたら時間はたっぷりあるわ」

「気分は悪くないか?」ロンが信じられないという顔でハーマイオニーを見つめた。

「聞かれたから言うけど」ハーマイオニーはうれしそうに言った。「なんていうか……気分はちょっと……**反抗的**なの」

一時間後、ハリーがロンと二人で寝室に戻ってきたとき、逃げた爆竹のバンバンという音が、まだ遠くで聞こえていた。服を脱いでいると、線香花火が塔の前をふわふわ飛んでいった。しっかりと文字を描き続けている——**クソ**。

ハリーはあくびをしてベッドに入った。めがねをはずすと、窓の外をときどき通り過ぎる花火がぼやけて、暗い空に浮かぶ、美しくも神秘的なきらめく雲のように見えた。アンブリッジがダンブルドアの仕事に就いての一日目を、どんなふうに感じているだろうと思いながら、ハリーは横向きになった。そして、ほとんど一日中、学校が大混乱だったと聞いたら、ファッジがどういう反応を示すだろうと思った。一人でニヤニヤしながら、ハリーは目を閉じた……。

校庭に逃げ出した花火の、シュルシュル、バンバンという音が、遠のいたような気がする……いや、もしかしたら、ハリーが花火から急速に遠ざかっていたのかもしれない……。

ハリーは、まっすぐ、神秘部に続く廊下に降り立った。飾りも何もない黒い扉に向かって、ハリーは急いでいた……**開け**……**開け**……。

扉が開いた。ハリーは同じような扉がずらりと並ぶ円い部屋の中にいた……部屋を横切り、ほかとまったく見分けのつかない扉の一つに手をかけた。扉はパッと内側に開いた……。

いまハリーは、細長い、長方形の部屋の中にいた。部屋は機械的なコチコチという奇妙な音でいっぱいだ。壁には点々と灯りが踊っていた。しかし、ハリーは立ち止まって調べはしなかった……先に進まなければ……。

一番奥に扉がある……その扉も、ハリーが触れると開いた……。

今度は、薄明かりの、教会のように高く広い部屋で、何段も何段も高くそびえる棚があり、その一つ一つに、小さな、ほこりっぽいガラス繊維の球が置いてある……いまやハリーの心臓は、興奮で激しく動悸していた……どこに行くべきか、ハリーにはわかっていた……ハリーは駆けだした。しかし、人気のない巨大な部屋は、ハリーの足音をまったく響かせなかった……。

この部屋に、自分の欲しいものが、とても欲しいものがあるのだ……。

自分の欲しいもの……それとも別の誰かが欲しいもの……。

ハリーの傷痕が痛んだ……。

バーン!

ハリーはたちまち目を覚ました。混乱していたし、腹が立った。暗い寝室は笑い声に満ちていた。「かっこいい!」窓の前に立ったシェーマスの黒い影が言った。「ネズミ花火とロケット花火がぶつかって、ドッキングしちゃったみたいだぜ。来て見てごらんよ!」

ロンとディーンが、よく見ようと、あわててベッドから飛び出す音が聞こえた。ハリーはだまって、身動きもせずに横たわっていた。傷痕の痛みは薄らいでいたが、失望感がひたひたと押し寄せていた。すばらしいごちそうが、最後の最後に引ったくられたような気分だった……今度こそあんなに近づいていたのに。

ピンクと銀色に輝く羽の生えた子豚が、ちょうどグリフィンドール塔を飛び過ぎていった。その下で、グリフィンドール生が、ウワーッと歓声を上げるのを、ハリーは横たわったまま聞いていた。明日の夜、「閉心術」の訓練があることを思い出すと、ハリーの胃袋が揺れ、吐き気がした。

一番新しい夢で神秘部にさらに深く入り込んだことをスネイプが知ったら、なんと言うだろうと、次の日、ハリーは一日中それを恐れていた。前回の特訓以来、一度も「閉心術」を練習していなかったことに気づき、罪悪感が込み上げてきた。ダンブルドアがいなくなってから、あまりにいろいろなことが起こり、たとえ努力したところで、心をからにすることはできなかったろうと、ハリーにはわかっていた。しかし、そんな言い訳はスネイプに通じないだろうと思った。

その日の授業中に、ハリーは少しだけ泥縄式の練習をしてみたが、うまくいかなかった。すべての想念や感情をしめ出そうとしてだまりこくるたびに、ハーマイオニーがどうかしたのかと聞くのだ。それに、先生方が復習の質問を次々とぶつけてくる授業中は、頭をからにするのに最適の時間とは言えなかった。

最悪を覚悟し、ハリーは夕食後、スネイプの研究室に向かった。しかし、玄関ホールを半分ほど横切ったところで、チョウが急いで追ってきた。

「こっちへ」

スネイプと会う時間を先延ばしにする理由が見つかったのがうれしくて、ハリーはチョウに合図し、玄関ホールの巨大な砂時計の置いてある片隅に呼んだ。グリフィンドールの砂時計は、いまやほとんどからっぽだった。

「大丈夫かい？　アンブリッジが君にＤＡのことを聞いたりしなかった？」

「ううん」チョウが急いで答えた。「そうじゃないの。ただ……あの、私、あなたに言いたくて……ハリー、マリエッタが告げ口するなんて、私、夢にも……」

「ああ、まあ」ハリーはふさぎ込んで言った。

チョウがもう少し慎重に友達を選んだほうがいいと思ったのは確かだ。最新情報では、マリエッタはまだ医務室に入院中で、マダム・ポンフリーは吹き出物をまったくどうすることもできないと聞いていたが、ハリーの腹の虫は治まらなかった。

「マリエッタはとってもいい人よ」チョウが言った。「過ちを犯しただけなの――」

ハリーは信じられないという顔でチョウを見た。

「**過ちを犯したけどいい人？**　あの子は、君もふくめて、僕たち全員を売ったんだ！」

「でも……全員逃げたでしょう？」チョウがすがるように言った。「あのね、マリエッタのママは魔法省に勤めているの。あの人にとっては、ほんとうに難しいこと――」

「ロンのパパだって魔法省に勤めてるよ！」ハリーは憤慨した。「それに、気づいてないなら言うけど、**ロン**の顔には『密告者』なんて書いてない――」

「ハーマイオニー・グレンジャーって、ほんとにひどいやり方をするのね」チョウが激しい口調で言った。「あの名簿に呪いをかけたって、私たちに教えるべきだったわ――」

「僕はすばらしい考えだったと思う」ハリーは冷たく言った。チョウの顔にパッと血が上り、目が光りだした。

「ああ、そうだった。忘れていたわ――もちろん、あれは愛しい**ハーマイオニー**のお考えだったわね――」

「また泣きだすのはごめんだよ」ハリーは警戒するように言った。

「そんなつもりはなかったわ！」チョウが叫んだ。

「そう……まあ……よかった」ハリーが言った。「僕、いま、いろいろやることがいっぱいで大変なんだ」

「じゃ、さっさとやればいいでしょう！」

チョウは怒ってくるりと背を向け、つんけんと去っていった。

ハリーは憤慨しながらスネイプの地下牢（ろう）への階段を下りていった。怒ったり恨んだりしながらスネイプの所に行けば、スネイプはよりやすやすとハリーの心に侵入するだろうと、経験でわかってはいたが、研究室のドアにたどり着くまでずっと、マリエッタのことでチョウにもう少し言ってやるべきだったと思うばかりで、結局どうにもならなかった。

「遅刻だぞ、ポッター」

ハリーがドアを閉めると、スネイプが冷たく言った。

スネイプは、ハリーに背を向けて立ち、いつものように、想いをいくつか取り出しては、ダンブルドアの「憂いの篩（ふるい）」に注意深くしまっているところだった。最後の銀色のひと筋を石の水盆にしまい終わると、スネイプはハリーのほうを振り向いた。

「で？」スネイプが言った。「練習はしていたのか？」

「はい」ハリーはスネイプの机の脚の一本をしっかり見つめながら、うそをついた。

「まあ、すぐにわかることだがな」スネイプはよどみなく言った。「杖をかまえろ、ポッター」

ハリーはいつもの場所に移動し、机をはさんでスネイプと向き合った。チョウへの怒りと、スネイプが自分の心をどのぐらい引っ張り出すのだろうかという不安で、ハリーは動悸がした。

「では、三つ数えて」スネイプが面倒くさそうに言った。「一――二――」

部屋のドアがバタンと開き、ドラコ・マルフォイが走り込んできた。

「スネイプ先生――あっ――すみません――」

マルフォイはスネイプとハリーを、少し驚いたように見た。

「かまわん、ドラコ」スネイプが杖を下ろしながら言った。「ポッターは『魔法薬』の補習授業に来ている」

マルフォイのこんなにうれしそうな顔をハリーが見たのは、アンブリッジがハグリッドの査察に来て以来だった。

「知りませんでした」マルフォイはハリーを意地悪い目つきで見た。ハリーは自分でも顔が真っ赤になっているのがわかった。マルフォイに向かって、ほんとうのことを叫ぶことができたらどんなにいいだろう。――いや、いっそ、強力な呪いをかけてやれたらもっといい。

「さて、ドラコ、なんの用だね？」スネイプが聞いた。

「アンブリッジ先生のご用で――スネイプ先生に助けていただきたいそうです」マルフォイが答えた。

「モンタギューが見つかったんです、先生。五階のトイレに詰まっていました」

「どうやってそんな所に？」スネイプが詰問した。

「わかりません、先生。モンタギューは少し混乱しています」

「よし、わかった。ポッター」スネイプが言った。「この授業は明日の夕方にやりなおしだ」

スネイプは向きを変えて研究室からサッと出ていった。あとについて部屋を出る前に、マルフォイはスネイプの背後で、口の形だけでハリーに言った。

「**ま・ほ・う・や・く・の・ほ・しゅ・う？**」

怒りで煮えくり返りながら、ハリーは杖をローブにしまい、部屋を出ようとした。どっちみち二十四時間は練習できる。危ういところを逃れられたのはありがたかったが、魔法薬の補習が必要だと、マルフォイが学校中に触れ回るという代償つきでは、素直に喜べなかった。

研究室のドアの所まで来たとき、何かが見えた。扉の枠にちらちらと灯りが踊っていた。ハリーの足が止まった。立ち止まって灯りを見た。何か思い出しそうだ……そして、思い出した。昨夜の夢で見た灯りにどこか似ている。神秘部を通り抜けるあの旅で、二番目に通り過ぎた部屋の灯りだ。

ハリーは振り返った。その灯りは、スネイプの机に置かれた「憂いの篩」から射していた。銀白色のものが、中に吸い込まれ、渦巻いている。スネイプの「憂い」……ハリーがまぐれでスネイプの護りを破ったときに、ハリーに見られたくないもの……。

ハリーは「憂いの篩」をじっと見た。好奇心が湧き上がってくる……。スネイプがそんなにもハリーから隠したかったのは、なんだろう？

銀色の灯りが壁に揺らめいた……ハリーは考え込みながら、机に二歩近づいた。もしかして、スネイプが絶対に見せたくないのは、神秘部についての情報ではないのか？

ハリーは背後を見た。心臓がこれまで以上に強く、速く鼓動している。スネイプがモンタギューをトイレから助け出すのに、どのくらいかかるだろう？　そのあとまっすぐ研究室に戻るだろうか、それともモンタギューを連れて医務室に行くだろうか？　絶対医務室だ。……モンタギューはスリザリンのクィディッチ・チームのキャプテンだもの。スネイプは、モンタギューが大丈夫だということを、確かめたいにちがいない。

ハリーは「憂いの篩」まで、あと数歩を歩き、その上にかがみ込み、その深みをじっと見た。ハリーは躊躇し、耳を澄まし、それから再び杖を取り出した。研究室も、外の廊下もシーンとしている。ハリーは杖の先で、「憂いの篩」の中身を軽く突いた。

中の銀色の物質が、急速に渦を巻きだした。のぞき込むと、中身が透明になっているのが見えた。またしてもハリーは、天井の丸窓からのぞき込むような形で、一つの部屋をのぞいていた……いや、もしあまり見当ちがいでなければ、そこは大広間だ。

ハリーの息が、スネイプの「憂い」の表面を文字通り曇らせていた……脳みそが停止したみたいだ……強い誘惑にかられてこんなことをするのは、正気の沙汰じゃない……ハリーは震えていた……スネイプはいまにも戻ってくるかもしれない……しかし、チョウのあの怒り、マルフォイのあざけるような顔を思い出すと、ハリーはどうにでもなれと向こう見ずな気持ちになっていた。

ハリーはガブッと大きく息を吸い込み、顔をスネイプの「憂い」に突っ込んだ。たちまち、研究室の床が傾き、ハリーは「憂いの篩」に頭からのめり込んだ……。

冷たい暗闇の中を、ハリーは独楽のように回りながら落ちていった。そして――。

ハリーは大広間の真ん中に立っていた。しかし、四つの寮のテーブルはない。かわりに、百以上の小机がみな同じ方向を向いて並んでいる。それぞれに生徒が座り、うつむいて羊皮紙の巻紙に何かを書いている。聞こえる音といえば、カリカリという羽根ペンの音と、ときどき誰かが羊皮紙をずらす音だけだった。試験の時間にちがいない。

　高窓から陽の光が流れ込んで、うつむいた頭に射しかかり、明るい光の中で髪が栗色や銅色、金色に輝いている。ハリーは注意深く周りを見回した。スネイプがどこかにいるはずだ……これは**スネイプ**の記憶なのだから……。

　見つけた。ハリーのすぐ後ろの小机だ。ハリーは目を見張った。十代のスネイプは、筋ばって生気のない感じだった。ちょうど、暗がりで育った植物のようだ。髪は脂っこく、だらりと垂れて机の上で揺れている。鉤鼻を羊皮紙にくっつけんばかりにして、何か書いている。ハリーはその背後に回り、試験の題を見た。


闇の魔術に対する防衛術──普通魔法レベル試験

　するとスネイプは十五か十六で、ハリーと同じぐらいの年だ。スネイプの手が羊皮紙の上を飛ぶように動いている。少なくとも一番近くにいる生徒たちより三十センチは長いし、しかも字が細かくてびっしりと書いている。

「あと五分！」

　その声でハリーは飛び上がった。振り向くと、少し離れた所に、机の間を動いているフリットウィック先生の頭のてっぺんが見えた。フリットウィック先生はくしゃくしゃな黒髪の男の子の脇を通り過ぎた……ほんとうにくしゃくしゃな黒髪だ……。

　ハリーはすばやく動いた。あまりに速くて、もし体があったら、机をいくつかなぎ倒していたかもしれない。そうはならず、ハリーは夢の中のようにするすると、机の間の通路を二つ過ぎ、三つ目に移動した。黒髪の男の子の後頭部がだんだん近づいてきた……いま、背筋を伸ばし、羽根ペンを置き、自分の書いたものを読み返すのに、羊皮紙の巻物をたぐり寄せている……。

ハリーは机の前で止まり、十五歳の父親をじっと見下ろした。

胃袋の奥で、興奮がはじけた。自分自身を見つめているようだったが、わざとまちがえたようなちがいがいくつかあった。ジェームズの目はハシバミ色で、鼻はハリーより少し高い。それに額には傷痕がない。しかし、ハリーと同じ細面で、口も眉も同じだ。ジェームズの髪は、ハリーとまったく同じに、頭の後ろでぴんぴん突っ立っている。両手はハリーの手と言ってもいいぐらいだ。それに、ジェームズが立ち上がれば、背丈は数センチとちがわないだろうと見当がつく。

ジェームズは大あくびをし、髪をかきむしり、ますますくしゃくしゃにした。それからフリットウィック先生をちらりと見て、椅子に座ったまま振り返り、四列後ろの男の子を見てニヤリとした。

ハリーはまた興奮でドキッとした。シリウスが、ジェームズに親指を上げて、オーケーの合図をするのが見えたのだ。シリウスは椅子をそっくり返らせて二本脚で支え、のんびりもたれかかっていた。とてもハンサムだ。黒髪が、ジェームズもハリーも絶対まねできないやり方で、はらりと優雅に目のあたりにかかっている。そのすぐ後ろに座っている女の子が、気を引きたそうな目でシリウスを見ていたが、シリウスは気づかない様子だ。

その女の子の横二つ目の席に――ハリーの胃袋が、またまたうれしさにくねった――リーマス・ルーピンがいる。かなり青白く、病気のようだ（満月が近いのだろうか？）。試験に没頭している。答えを読み返しながら、羽根ペンの羽根の先であごをかき、少し顔をしかめている。

ということは、ワームテールもどこかそのあたりにいるはずだ……やっぱりいた。すぐ見つかった。鼻のとがった、くすんだ茶色の髪の小さな子だ。不安そうだ。爪をかみ、答案をじっと見ながら、足の指で床を引っかいている。ときどき、あわよくばと、周りの生徒の答案を盗み見ている。

ハリーはしばらくワームテールを見つめていたが、やがてジェームズに視線を戻した。今度は、羊皮紙の切れ端に落書きをしている。スニッチを描き、「L・E」という文字をなぞっている。なんの略字だろう？

「はい、羽根ペンを置いて！」フリットウィック先生がキーキー声で言った。「こら、君もだよ、ステビンス！　答案羊皮紙を集める間、席を立たないように！　**アクシオ、来い！**」

百本以上の羊皮紙が宙を飛び、フリットウィック先生の伸ばした両腕にブーンと飛び込み、先生を反動で吹っ飛ばした。何人かの生徒が笑った。前列の数人が立ち上がって、フリットウィック先生のひじを抱え込んで助け起こした。

「ありがとう……ありがとう」フリットウィック先生はあえぎながら言った。「さあ、みなさん、出てよろしい！」

ハリーは父親を見下ろした。すると、落書きでいろいろ飾り模様をつけていた「L・E」をぐしゃぐしゃっと消して勢いよく立ち上がり、鞄に羽根ペンと試験用紙を入れてポンと肩にかけ、シリウスが来るのを待った。

ハリーが振り返って、少し離れたスネイプをちらりと見ると、玄関ホールへの扉に向かって机の間を歩いているところだった。まだ試験問題用紙をじっと見ている。猫背なのに角ばった体つきで、ぎくしゃくした歩き方はクモを思わせた。脂っぽい髪が、顔の周りでばさばさ揺れている。

ペチャクチャしゃべる女子学生の群れが、スネイプと、ジェームズ、シリウス、ルーピンたちとを分けていた。その群れの真ん中に身を置くことで、ハリーはスネイプの姿をとらえたままで、ジェームズとその仲間の声がなんとか聞こえる所にいた。

「ムーニー、第十問は気に入ったかい？」玄関ホールに出たとき、シリウスが聞いた。

「ばっちりさ」ルーピンがきびきびと答えた。「**狼人間を見分ける五つの兆候を挙げよ。**いい質問だ」

「全部の兆候を挙げられたと思うか？」ジェームズが心配そうな声を出してみせた。

「そう思うよ」太陽の降り注ぐ校庭に出ようと正面扉の前に集まってきた生徒の群れに加わりながら、ルーピンがまじめに答えた。「一、狼人間は僕の椅子に座っている。二、狼人間は僕の服を着ている。三、狼人間の名はリーマス・ルーピン」

笑わなかったのはワームテールだけだった。

「僕の答えは、口元の形、瞳孔、ふさふさのしっぽ」ワームテールが心配そうに言った。「でも、そのほかは考えつかなかった――」

「ワームテール、おまえ、バカじゃないか？」ジェームズがじれったそうに言った。「一か月に一度は狼人間に出会ってるじゃないか――」

「小さい声で頼むよ」ルーピンが哀願した。

ハリーは心配になってまた振り返った。スネイプは試験問題用紙に没頭したまま、まだ近くにいた――しかし、これはスネイプの記憶だ。いったん校庭に出て、スネイプが別な方向に歩きだせば、ハリーはもうジェームズを追うことができないのは明らかだ。しかし、ジェームズと三人の友達が湖に向かって芝生を闊歩しだすと――ああよかった――スネイプがついてくる。まだ試験問題を熟読していて、どうやらどこに行くというはっきりした考えもないらしい。スネイプより少し前を歩くことで、ハリーはなんとかジェームズたちを観察し続けることができた。

「まあ、僕はあんな試験、楽勝だと思ったね」シリウスの声が聞こえた。「少なくとも僕は、最高点の『O』が取れなきゃおかしい」

「僕もさ」そう言うと、ジェームズはポケットに手を突っ込み、バタバタもがく金色のスニッチを取り出した。

「どこで手に入れた？」

「ちょいと失敬したのさ」ジェームズが事もなげに言った。

ジェームズはスニッチをもてあそびはじめた。三十センチほど逃がしてはパッと捕まえる。すばらしい反射神経だ。ワームテールが感服しきったように眺めていた。

四人は湖のはたにあるブナの木陰で立ち止まった。ハリー、ロン、ハーマイオニーが、宿題をすませるのに、そのブナの木の下で日曜日を過ごしたことがある。四人は芝生に体を投げ出した。ハリーはまた後ろを振り返ったが、なんとうれしいことに、スネイプは灌木の茂みの暗がりで、芝生に腰を下ろしていた。相変わらずＯ・Ｗ・Ｌ試験問題用紙に没頭している。おかげでハリーは、ブナの木と灌木の間に腰を下ろし、木陰の四人組を眺め続けることができた。陽の光が、なめらかな湖面にまぶしく、岸辺には大広間からさっき出てきた女子学生のグループが座り、笑いさざめきながら、靴もソックスも脱ぎ、足を水につけてすずんでいた。

ルーピンは本を取り出して読みはじめた。シリウスは芝生ではしゃいでいる生徒たちをじっと見回していた。少し高慢ちきにかまえ、たいくつそうだったが、それが実にハンサムだった。ジェームズは相変わらずスニッチとたわむれていた。だんだん遠くに逃がし、ほとんど逃げられそうになりながら、最後の瞬間に必ず捕まえた。ワームテールは口をポカンと開けてジェームズを見ていた。特に難しい技で捕まえるたびに、ワームテールは息をのみ、手をたたいた。

五分ほど見ているうちに、ハリーは、どうしてジェームズがワームテールに、騒ぐなと言わないのか気になった。しかし、ジェームズは注目されるのを楽しんでいるようだった。父親を見ていると、髪をくしゃくしゃにするくせがある。あまりきちんとならないようにしているかのようだった。それに、しょっちゅう水辺の女の子たちのほうを見ていた。

「それ、しまえよ」ジェームズがすばらしいキャッチを見せ、ワームテールが歓声を上げるかたわらで、シリウスがとうとうそう言った。「ワームテールが興奮してもらしっちまう前に」

ワームテールが少し赤くなったが、ジェームズはニヤッとした。

「君が気になるならね」ジェームズはスニッチをポケットにしまった。シリウスだけがジェームズの見せびらかしをやめさせることができるのだと、ハリーははっきりそう感じた。

「たいくつだ」シリウスが言った。「満月だったらいいのに」

「君はそう思うかもな」ルーピンが本の向こうで暗い声を出した。「まだ変身術の試験がある。たいくつなら、僕をテストしてくれよ。さあ……」ルーピンが本を差し出した。

しかし、シリウスはフンと鼻を鳴らした。

「そんなくだらない本はいらないよ。全部知ってる」

「これで楽しくなるかもしれないぜ、パッドフット」ジェームズがこっそり言った。「あそこにいるやつを見ろよ……」

シリウスが振り向いた。そして、ウサギのにおいをかぎつけた猟犬のように、じっと動かなくなった。

「いいぞ」シリウスが低い声で言った。「**スニベルス**(なきみそ)**だ**」

ハリーは振り返ってシリウスの視線を追った。

スネイプが立ち上がり、鞄にO・W・L試験用紙をしまっていた。スネイプが灌木の陰を出て、芝生を歩きはじめたとき、シリウスとジェームズが立ち上がった。

ルーピンとワームテールは座ったままだった。ルーピンは本を見つめたままだったが、目が動いていなかったし、かすかに眉根にしわを寄せていた。ワームテールはわくわくした表情を浮かべ、シリウスとジェームズからスネイプへと視線を移していた。

「スニベルス、元気か？」ジェームズが大声で言った。

スネイプはまるで攻撃されるのを予測していたかのように、すばやく反応した。鞄を捨て、ローブに手を突っ込み、杖を半分ほど振り上げた。その時、ジェームズが叫んだ。

「**エクスペリアームス！　武器よ去れ！**」

スネイプの杖が、三、四メートル宙を飛び、トンと小さな音を立てて背後の芝生に落ちた。シリウスが吠えるような笑い声を上げた。

「**インペディメンタ！　妨害せよ！**」

シリウスがスネイプに杖を向けて唱えた。スネイプは落ちた杖に飛びつく途中で、跳ね飛ばされた。周り中の生徒が振り向いて見た。何人かは立ち上がってそろそろと近づいてきた。心配そうな顔をしている者もあれば、おもしろがっている者もいた。

スネイプは荒い息をしながら地面に横たわっていた。ジェームズとシリウスが杖を上げてスネイプに近づいてきた。途中でジェームズは、水辺にいる女の子たちを、肩越しにちらりと振り返った。ワームテールもいまや立ち上がり、よく見ようとルーピンの周りをじわじわ回り込み、意地汚い顔で眺めていた。

「試験はどうだった？　スニベリー？」ジェームズが聞いた。

「僕が見ていたら、こいつ、鼻を羊皮紙にくっつけてたぜ」シリウスが意地悪く言った。「大きな油じみだらけの答案じゃ、先生方は一語も読めないだろうな」

見物人の何人かが笑った。スネイプは明らかに嫌われ者だ。ワームテールがかん高い冷やかし笑いをした。スネイプは起き上がろうとしたが、呪いがまだ効いている。見えない縄で縛られているかのように、スネイプはもがいた。

「いまに――見てろ」スネイプはあえぎながら、憎しみそのものという表情でジェームズをにらみつけた。「覚えてろ！」

「何を？」シリウスが冷たく言った。「何をするつもりなんだ？　スニベリー？　僕たちに洟でもひっかけるつもりか？」

スネイプは悪態と呪いを一緒くたに、次々と吐きかけたが、杖が三メートルも離れていてはなんの効き目もなかった。

「口が汚いぞ」ジェームズが冷たく言った。「**スコージファイ！　清めよ！**」

たちまち、スネイプの口から、ピンクのシャボン玉が噴き出した。泡で口が覆われ、スネイプは吐き、むせた――。

「**やめなさい！**」

ジェームズとシリウスがあたりを見回した。ジェームズの空いているほうの手が、すぐさま髪の毛に飛んだ。

湖のほとりにいた女の子の一人だった。たっぷりとした濃い赤毛が肩まで流れ、驚くほど緑色の、アーモンド形の目――ハリーの目だ。

ハリーの母親だ。

「元気かい、エバンズ？」ジェームズの声が突然、快活で、深く、大人びた調子になった。

「彼にかまわないで」リリーが言った。ジェームズを見る目が、徹底的に大嫌いだと言っていた。「彼があなたに何をしたというの？」

「そうだな」ジェームズはそのことを考えるような様子をした。「むしろ、こいつが存在するって事実そのものがね。わかるかな……」

取り巻いている学生の多くが笑った。シリウスもワームテールも笑った。しかし、本に没頭しているふりを続けているルーピンも、リリーも笑わなかった。

「冗談のつもりでしょうけど」リリーが冷たく言った。「でも、ポッター、あなたはただの傲慢で弱い者いじめの、いやなやつだわ。彼に**かまわないで**」

「エバンズ、僕とデートしてくれたらやめるよ」ジェームズがすかさず言った。「どうだい……僕とデートしてくれれば、親愛なるスニベリーには二度と杖を上げないけどな」

ジェームズの背後で、「妨害の呪い」の効き目が切れてきたスネイプが、せっけんの泡を吐き出しながら、落とした杖のほうにじりじりと這っていった。

「あなたか巨大イカのどちらかを選ぶことになっても、あなたとはデートしないわ」リリーが言った。

「残念だったな、プロングズ」

シリウスはほがらかにそう言うと、スネイプのほうを振り返った。

「**おっと！**」

しかし、遅すぎた。スネイプは杖をまっすぐにジェームズに向けていた。閃光が走り、ジェームズのほおがパックリ割れ、ローブに血が滴った。ジェームズがくるりと振り向いた。二度目の閃光が走り、スネイプは空中に逆さまに浮かんでいた。ローブが顔に覆いかぶさり、やせこけた青白い両足と、灰色に汚れたパンツがむき出しになった。

小さな群れをなしていた生徒たちの多くがはやしたてた。シリウス、ジェームズ、ワームテールは大声で笑った。

リリーの怒った顔が、一瞬笑いだしそうにピクピクしたが、「下ろしなさい！」と言った。

「承知しました」

そう言うなり、ジェームズは杖をくいっと上に振った。スネイプは地面に落ちてくしゃくしゃっと丸まった。からまったローブから抜け出すと、スネイプはすばやく立ち上がって杖をかまえた。しかし、シリウスが「**ペトリフィカス　トタルス！　石になれ！**」と唱えると、スネイプはまた転倒して、一枚板のように固くなった。

「**彼にかまわないでって言ってるでしょう！**」リリーが叫んだ。

いまやリリーも杖を取り出していた。ジェームズとシリウスが、油断なく杖を見た。

「ああ、エバンズ、君に呪いをかけたくないんだ」ジェームズがまじめに言った。

「それなら、呪いを解きなさい！」

ジェームズは深いため息をつき、スネイプに向かって反対呪文を唱えた。

「ほーら」スネイプがやっと立ち上がると、ジェームズが言った。「スニベルス、エバンズが居合わせて、ラッキーだったな――」

「あんな汚らしい『穢れた血』の助けなんか、必要ない！」

リリーは目をしばたたいた。

「けっこうよ」リリーは冷静に言った。「これからは邪魔しないわ。それに、**スニベルス**、パンツは洗濯したほうがいいわね」

「エバンズに謝れ！」ジェームズがスネイプに向かって脅すように杖を突きつけ、吠えた。

「**あなた**からスネイプに謝れなんて言ってほしくないわ」リリーがジェームズのほうに向きなおって叫んだ。「あなたもスネイプと同罪よ」

「えっ？」ジェームズが素っ頓狂な声を上げた。「僕は**一度も**君のことを――なんとかかんとかなんて！」

「かっこよく見せようと思って、箒から降りたばかりみたいに髪をくしゃくしゃにしたり、つまらないスニッチなんかで見せびらかしたり、呪いをうまくかけられるからといって、気に入らないと廊下で誰かれなく呪いをかけたり――そんな思い上がりのでっかち頭を乗せて、よく箒が離陸できるわね。あなたを見てると**吐き気がするわ**」

リリーはくるりと背を向けて、足早に行ってしまった。

「エバンズ！」ジェームズが追いかけるように呼んだ。「おーい、**エバンズ！**」

しかし、リリーは振り向かなかった。

「あいつ、どういうつもりだ？」

ジェームズは、どうでもいい質問だがというさりげない顔を装おうとして、装いきれていなかった。

「つらつら行間を読むに、友よ、彼女は君がちょっとうぬぼれていると思っておるな」

シリウスが言った。

「よーし」ジェームズが、今度は頭に来たという顔をした。「よし――」

また閃光が走り、スネイプはまたしても逆さ宙吊りになった。

「誰か、僕がスニベリーのパンツを脱がせるのを見たいやつはいるか？」

ジェームズがほんとうにスネイプのパンツを脱がせたかどうか、ハリーにはわからずじまいだった。誰かの手が、ハリーの二の腕をぎゅっとつかみ、ペンチで締めつけるように握った。痛さにひるみながら、ハリーは誰の手だろうと見回した。恐怖の戦慄が走った。成長しきった大人サイズのスネイプが、ハリーのすぐ脇に、怒りで蒼白（そうはく）になって立っているのが目に入ったのだ。

「楽しいか？」

ハリーは体が宙に浮くのを感じた。周囲の夏の日がパッと消え、ハリーは氷のような暗闇を浮き上がっていった。スネイプの手がハリーの二の腕をしっかり握ったままだ。そして、空中で宙返りしたようなふわっとした感じとともに、ハリーの両足がスネイプの地下牢教室の石の床を打った。ハリーは再び、薄暗い、現在の魔法薬学教授研究室の、スネイプの机に置かれた「憂いの篩」のそばに立っていた。

「すると」スネイプに二の腕をきつく握られているせいで、ハリーの手がしびれてきた。「**すると……**お楽しみだったわけだな？　ポッター？」

「い、いいえ」ハリーは腕を振り離そうとした。

恐ろしかった。スネイプは唇をわなわな震わせ、蒼白な顔で、歯をむき出していた。

「おまえの父親は、ゆかいな男だったな？」

スネイプが激しくハリーを揺すぶったので、めがねが鼻からずり落ちた。

「僕は――そうは――」

スネイプはありったけの力でハリーを投げ出した。ハリーは地下牢の床にたたきつけられた。

「見たことは、誰にもしゃべるな*！*」スネイプがわめいた。

「はい」ハリーはできるだけスネイプから離れて立ち上がった。「はい、もちろん、僕――」

「出ていけ、出るんだ。この研究室で、二度とその面見たくない*！*」

ドアに向かって疾走するハリーの頭上で、死んだゴキブリの入った瓶が爆発した。ハリーはドアをぐいと開け、飛ぶように廊下を走った。スネイプとの距離が三階隔たるまで止まらなかった。そこでやっとハリーは壁にもたれ、ハァハァ言いながら痛む腕をもんだ。

早々とグリフィンドール塔に戻る気にも、ロンやハーマイオニーにいま見たことを話す気にもなれなかった。

ハリーは恐ろしく、悲しかった。どなられたからでも、瓶を投げつけられたからでもない。見物人のど真ん中ではずかしめられる気持ちが、ハリーにはわかったからだ。ハリーの父親にあざけられたときのスネイプの気持ちが痛いほどわかったからだ。そして、いま見たことから判断すると、ハリーの父親が、スネイプからいつも聞かされていたとおり、どこまでも傲慢だったからだ。

第29章　進路指導

「だけど、どうしてもう『閉心術』の訓練をやらないの？」ハーマイオニーが眉をひそめた。

「**言ったじゃないか**」ハリーがもごもご言った。「スネイプが、もう基本はできてるから、僕ひとりで続けられるって考えたんだよ」

「じゃあ、もう変な夢は見なくなったのね？」ハーマイオニーは疑わしげに聞いた。

「まあね」ハリーはハーマイオニーの顔を見なかった。

「ねえ、夢を抑えられるってあなたが絶対に確信を持つまでは、スネイプはやめるべきじゃないと思うわ」ハーマイオニーが憤慨した。「ハリー、もう一度スネイプの所へ行って、お願いするべきだと――」

「いやだ」ハリーは突っ張った。「もう言わないでくれ、ハーマイオニー、いいね？」

その日は、イースター休暇の最初の日で、いつもの習慣どおり、ハーマイオニーは一日の大部分を費やして、三人のための学習予定表を作った。ハリーとロンは勝手にやらせておいた。ハーマイオニーと言い争うよりそのほうが楽だったし、いずれにせよ計画表は役に立つかもしれない。

ロンは、試験まであと六週間しかないと気づいて仰天した。

「どうしていまごろそれがショックなの？」

ロンの予定表のひとこまひとこまを杖（つえ）で軽くたたき、学科によってちがう色で光るようにしながら、ハーマイオニーが詰問した。

「どうしてって言われても」ロンが言った。「いろんなことがあったから」

「はい、できたわ」

ハーマイオニーがロンに予定表を渡した。

「このとおりにやれば、大丈夫よ」

ロンは憂鬱そうに表を見たが、とたんに顔が輝いた。

「毎週一回、夜を空けてくれたんだね！」

「それは、クィディッチの練習用よ」ハーマイオニーが言った。

ロンの顔から笑いが消えた。

「意味ないよ」ロンが言った。「僕らが今年クィディッチ優勝杯を取る可能性は、パパが魔法大臣になるのと同じぐらいさ」

ハーマイオニーは何も言わなかった。ハリーを見つめていたのだ。クルックシャンクスがハリーの手に前脚をのせて耳をかいてくれとせがんでいるのに、ハリーはぼんやりと談話室のむかい側の壁を見つめていた。

「ハリー、どうかしたの？」

「えっ？」ハリーはハッとして答えた。「なんでもない」

ハリーは『防衛術の理論』の教科書を引き寄せ、索引で何か探すふりをした。クルックシャンクスはハリーに見切りをつけて、ハーマイオニーの椅子の下にしなやかにもぐり込んだ。

「さっきチョウを見たわ」

ハーマイオニーはためらいがちに言った。

「あの人もとってもみじめな顔だった……あなたたち、またけんかしたの？」

「えっ——あ、うん、したよ」ハリーはありがたくその口実に乗った。

「何が原因？」

「あの裏切り者の友達のこと、マリエッタさ」ハリーが言った。

「うん、そりゃ、無理もないぜ！」

ロンは学習予定表を下に置き、怒ったように言った。

「あの子のせいで……」

ロンがマリエッタ・エッジコムのことで延々と毒づきはじめたのは、ハリーには好都合だった。ただ、ロンが息をつく合間に、怒ったような顔をしてうなずいたり、「うん」とか「そのとおりだ」とかあいづちを打ったりすればよかったからだ。頭の中では、ますますみじめな気持ちになりながら、「憂いの篩（ふるい）」で見たことを反芻（はんすう）していた。

ハリーは、その記憶が、自分を内側からむしばんでいくような気がした。両親がすばらしい人だったと信じて疑わなかったからこそ、スネイプが父親の性格についてどんなに悪口を言おうと、苦もなくうそだと言いきることができた。ハグリッドもシリウスも、父親がどんなにすばらしい人だったかと、ハリーに**言ったではないか？**（**ああ、そうさ。でも、見ろよ、シリウス自身がどんな人間だったか。**ハリーの頭の中で、しつこい声が言った……**同じワルだったじゃないか？**）そうだ、マクゴナガル先生が、父さんとシリウスには手を焼かされたと言っていたのを、一度盗み聞きしたことがある。しかし、先生は、二人が双子のウィーズリーの先輩格だという言い方をした。フレッドやジョージが、おもしろ半分に誰かを逆さ吊りにすることなど、ハリーには考えられなかった……心から嫌っているやつでなければ……たとえばマルフォイとか、そうされて当然のやつでなければ……。

ハリーはなんとかして、スネイプがジェームズの手で苦しめられるのが当然だという理屈をつけようとした。

しかし、リリーが「彼があなたに何をしたというの?」と言ったではないか。それに対してジェームズは、「むしろ、こいつが**存在する**って事実そのものがね。わかるかな……」と答えた。そもそもジェームズは、シリウスがたいくつだと言ったという単純な理由で、あんなことを始めたのではなかったか?　ルーピンがグリモールド・プレイスで言ったことをハリーは思い出した。ダンブルドアが、ルーピンを監督生にしたのは、ルーピンならジェームズとシリウスをなんとか抑えられると期待したからだと……しかし、「憂いの篩」では、ルーピンは座ったまま、成り行きを見守っていただけだ……。

ハリーは、リリーが割って入ったことを何度も思い出していた。母さんはきちんとした人だった。しかし、リリーがジェームズをどなりつけたときの表情を思い出すと、ほかの何よりも心がかき乱された。リリーははっきりとジェームズを嫌っていた。どうして結局結婚することになったのか、ハリーはとにかく理解できなかった。一、二度、ハリーはジェームズが無理やり結婚に持ち込んだのではないかとさえ思った……。

ほぼ五年間、父親を思う気持ちが、ハリーにとってはなぐさめと励ましの源になっていた。誰かにジェームズに似ていると言われるたびに、ハリーは内心、誇りに輝いた。ところがいまは……父親を思うと寒々とみじめな気持ちになった。

イースター休暇中に、風はさわやかになり、だんだん明るく、暖かくなってきた。しかし、ハリーは、ほかの五年生や七年生と同じに屋内に閉じ込められ、勉強ばかりで、図書館との間を重い足取りで往復していた。ハリーは、自分の不機嫌さは試験が近づいているせいにすぎないと見せかけていた。ほかのグリフィンドール生も勉強でくさくさしていたせいで、誰もハリーの言い訳を疑わなかった。

「ハリー、あなたに話しかけてるのよ。聞こえる?」

「はあ?」

ハリーは周りを見回した。ハリーがひとりで座っていた図書館のテーブルに、さんざん風に吹かれた格好のジニー・ウィーズリーが来ていた。日曜日の夜遅い時間だった。ハーマイオニーは、「古代ルーン文字」の復習をするのにグリフィンドール塔に戻り、ロンはクィディッチの練習に行っている。

「あ、やあ」ハリーは教科書を自分のほうへ引き寄せた。

「君、練習はどうしたんだい？」

「終わったわ」ジニーが答えた。「ロンがジャック・スローパーに付き添って、医務室に行かなきゃならなくて」

「どうして？」

「それが、よくわからないの。でも、たぶん、自分のクラブで**自分を**ノックアウトしたんじゃないかしら」

ジニーが大きなため息をついた。

「それは別として……たったいま、小包が届いたの。アンブリッジの新しい検閲を通ってきたばかりよ」

ジニーは、茶色の紙で包まれた箱をテーブルに上げた。確かにいったん開けられ、それからいいかげんに包みなおされていた。赤インクで横に走り書きがある。

ホグワーツ高等尋問官検閲済み

「ママからのイースターエッグよ」ジニーが言った。

「あなたの分も一つ……はい」

ジニーが渡してくれたこぎれいなチョコレート製の卵には、小さなスニッチの砂糖飾りがいくつもついていた。包み紙には「チョコの中にフィフィ・フィズビーひと袋入り」と表示してある。ハリーはしばらく卵チョコを眺めていた。すると、のどの奥から熱いものが込み上げてくるのを感じて狼狽(ろうばい)した。

「大丈夫？　ハリー？」ジニーがそっと聞いた。

「ああ、大丈夫」

ハリーはガサガサ声で言った。のどに込み上げてきたものが痛かった。イースターエッグがなぜこんな気持ちにさせるのか、ハリーにはわからなかった。

「このごろとってもめいってるみたいね」ジニーが踏み込んで聞いた。「ねえ、とにかくチョウと**話せば**、きっと……」

「僕が話したいのはチョウじゃない」ハリーがぶっきらぼうに言った。

「じゃ、誰なの？」ジニーが聞いた。

「僕……」

ハリーはサッとあたりを見回し、誰も聞いていないことを確かめた。マダム・ピンスは、数列離れた本棚のそばで、大わらわのハンナ・アボットが積み上げた本の山に貸し出し印を押していた。

「シリウスと話せたらいいんだけど」ハリーがつぶやいた。「でも、できないことはわかってる」

食べたいわけではなかったが、むしろ何かやることが欲しくて、ハリーはイースターエッグの包みを開き、ひとかけ大きく割って口に入れた。

「そうね」ジニーも卵形のチョコレートを少しほおばりながら、ゆっくり言った。「本気でシリウスと話したいなら、きっと何かやり方を考えられると思うわよ」

「まさか」ハリーはお手上げだという言い方をした。「アンブリッジが暖炉を見張ってるし、手紙を全部読んでるのに？」

「ジョージやフレッドと一緒に育ってよかったと思うのは」ジニーが考え深げに言った。「度胸さえあればなんでもできるって、そんなふうに考えるようになるの」

ハリーはジニーを見つめた。チョコレートの効果かもしれないが――ルーピンが、吸魂鬼との遭遇のあとはチョコレートを食べるように、いつもすすめてくれたっけ――でなければ、この一週間、胸の中でもんもんとしていた願いをやっと口にしたせいかもしれないが、ハリーは少し希望が持てるような気になってきた。

「**あなたたち、なんてことをしてるんです！**」

「やばいっ」ジニーがつぶやきざまぴょんと立ち上がった。「忘れてた――」

マダム・ピンスがしなびた顔を怒りにゆがめて、二人に襲いかかってきた。

「**図書館でチョコレートなんて！**」マダム・ピンスが叫んだ。「出てけ――**出てけ**――**出てけっ！**」

マダム・ピンスの杖が鳴り、ハリーの教科書、鞄(かばん)、インク瓶が二人を追い立て、ハリーとジニーは頭をボンボンたたかれながら走った。

差し迫った試験の重要性を強調するかのように、イースター休暇が終わる少し前に、魔法界の職業を紹介する小冊子やチラシ、ビラなどが、グリフィンドール塔のテーブルに積み上げられるようになり、掲示板にはまたまた新しいお知らせが貼り出された。

進路指導

夏学期の最初の週に、五年生は全員、寮監と短時間面接し、将来の職業について相談すること。

個人面接の時間は左記リストのとおり。

リストをたどると、ハリーは月曜の二時半にマクゴナガル先生の部屋に行くことになっていた。そうすると、占い学の授業はほとんど出られないことになる。ハリーもほかの五年生たちも、休暇最後の週末の大部分を、生徒たちが目を通すようにと寮に置かれていた職業紹介資料を読んで過ごした。

「まあね、癒術はやりたくないな」

休暇最後の夜、ロンが言った。骨と杖が交差した紋章がついた表紙の、聖マンゴのパンフレットに没頭しているところだった。

「こんなことが書いてあるよ。N・E・W・T（イモリ）試験で、『魔法薬学』、『薬草学』、『変身術』、『呪文学』、『闇の魔術に対する防衛術』で、少なくとも『E・期待以上』を取る必要があるってさ。これって……おっどろき……期待度が低くていらっしゃるよな？」

「でも、それって、とっても責任のある仕事じゃない？」ハーマイオニーが上の空で答えた。

ハーマイオニーがなめるように読んでいるのは、鮮やかなピンクとオレンジの小冊子で、表題は**『あなたはマグル関係の仕事を考えていますね？』**だった。

「マグルと連携していくには、あんまりいろんな資格は必要ないみたい。要求されているのは、マグル学のO・W・Lだけよ。『より大切なのは、あなたの熱意、忍耐、そして遊び心です！』だって」

「僕のおじさんとかかわるには、遊び心だけでは足りないよ」ハリーが暗い声を出した。「むしろ、いつ身をかわすかの心だな」

ハリーは、魔法銀行の小冊子を半分ほど読んだところだった。「これ聞いて。『やりがいのある職業を求めますか？　旅行、冒険、危険がともなう宝探しと、相当額の宝のボーナスはいかが？　それなら、グリンゴッツ魔法銀行への就職を考えましょう。現在、「呪い破り」を募集中。海外でのぞくぞくするようなチャンスがあります……』。でも、『数占い』が必要だ。ハーマイオニー、君ならできるよ！」

「私、銀行にはあんまり興味ないわ」

ハーマイオニーが漠然と言った。今度は別の小冊子に熱中している。『君はトロールをガードマンとして訓練する能力を持っているか？』

「オッス」ハリーの耳に声が飛び込んできた。振り返ると、フレッドとジョージが来ていた。

「ジニーが、君のことで相談に来た」

フレッドが、三人の前のテーブルに足を投げ出したので、魔法省の進路に関する小冊子が数冊、床にすべり落ちた。

「ジニーが言ってたけど、シリウスと話したいんだって？」

「えーっ？」ハーマイオニーが鋭い声を上げ、『魔法事故・惨事部でバーンと行こう』に伸ばしかけた手が途中で止まった。

「うん……」ハリーはなにげない言い方をしようとした。「まあ、そうできたらと――」

「バカなこと言わないで」ハーマイオニーが背筋を伸ばし、信じられないという目つきでハリーを見た。「アンブリッジが暖炉を探りまわってるし、ふくろうは全部ボディチェックされてるのに？」

「まあ、俺たちなら、それも回避できると思うね」ジョージが伸びをしてニヤッと笑った。「ちょっと騒ぎを起こせばいいのさ。さて、お気づきとは思いますがね、俺たちはこのイースター休暇中、混乱戦線ではかなりおとなしくしていたろ？」

「せっかくの休暇だ。それを混乱させる意味があるか？」フレッドがあとを続けた。「俺たちはそう自問したよ。そしてまったく意味はないと自答したね。それに、もちろん、みんなの学習を乱すことにもなりかねないし、そんなことは俺たちとしては絶対にしたくないからな」

フレッドはハーマイオニーに向かって、神妙にちょっとうなずいてみせた。そんな思いやりに、ハーマイオニーはちょっと驚いた顔をした。

「しかし、明日からは平常営業だ」フレッドはきびきびと話を続けた。「そして、せっかくちょいと騒ぎをやらかすなら、ハリーがシリウスと軽く話ができるようにやってはどうだろう？」

「そうね、でも**やっぱり**」ハーマイオニーは、相当鈍い人にとても単純なことを説明するような雰囲気で言った。「騒ぎで気をそらすことが**できたとしても**、ハリーはどうやってシリウスと話をするの？」

「アンブリッジの部屋だ」ハリーが静かに言った。

この二週間、ハリーはずっと考えていたが、それ以外の選択肢は思いつかなかった。見張られていないのは自分の暖炉だけだと、アンブリッジ自身がハリーに言った。

「あなた――気は――確か？」ハーマイオニーが声をひそめた。

ロンはキノコ栽培業の案内ビラを持ったまま、成り行きを用心深く眺めていた。

「確かだと思うけど」ハリーが肩をすくめた。

「それじゃ、第一、どうやってあの部屋に入り込むの？」

ハリーはもう答えを準備していた。

「シリウスのナイフ」

「それ、何？」

「おととしのクリスマスに、シリウスが、どんな錠でも開けるナイフをくれたんだ」ハリーが言った。

「だから、あいつがドアに呪文をかけて『アロホモラ』が効かないようにしていても――絶対にそうしてるはずだけど――」

「あなたはどう思うの？」

ハーマイオニーがロンに水を向けた。ハリーはふとウィーズリーおばさんのことを思い出してしまった。グリモールド・プレイスで、ハリーにとっての最初の夕食のとき、おばさんはおじさんに向かって助けを求めたっけ。

「さあ」意見を求められたことで、ロンはびっくりした顔をした。「ハリーがそうしたければ、ハリーの問題だろ？」

「さすが真の友、そしてウィーズリー一族らしい答えだ」フレッドがロンの背中をバンとたたいた。「よーし、それじゃ俺たちは、あした、最後の授業の直後にやらかそうと思う。何せ、みんなが廊下に出ているときこそ最高に効果が上がるからな。――ハリー、俺たちは東棟のどっかで仕掛けて、アンブリッジを部屋から引き離す。――たぶん、君に保証できる時間は、そうだな、二十分はどうだ？」フレッドがジョージの顔を見た。

「軽い、軽い」ジョージが言った。

「どんな騒ぎを起こすんだい？」ロンが聞いた。

「弟よ、見てのお楽しみだ」ジョージとそろって腰を上げながら、フレッドが言った。「明日の午後五時ごろ、『おべんちゃらのグレゴリー像』のある廊下のほうに歩いてくれれば、どっちにしろ見えるさ」

次の日、ハリーは早々と目が覚めた。魔法省での懲戒尋問があった日の朝とほとんど同じぐらい不安だった。アンブリッジの部屋に忍び込んで、シリウスと話をするためにその部屋の暖炉を使う、ということだけが不安だったのではない。もちろんそれだけでも充分に大変なことだったが、その上今日は、スネイプの研究室から放り出されて以来初めて、スネイプの近くに行くことになるのだ。

ハリーはその日一日のことを考えながらしばらくベッドに横たわっていたが、やがてそっと起き出し、ネビルのベッド脇の窓際まで行って外を眺めた。すばらしい夜明けだった。空はオパールのようにおぼろに霞み、青く澄んだ光を放っている。まっすぐむこうに、高くそびえるブナの木が見えた。かつてハリーの父親が、あの木の下でスネイプを苦しめた。「憂いの篩」でハリーが見たことを帳消しにしてくれるような何かを、シリウスが言ってくれるかどうか、ハリーにはわからなかった。しかし、どうしても、シリウス自身の口から、あの事件の説明が聞きたかった。なんでもいいから、情状酌量の余地があれば知りたい。父親の振る舞いの口実が欲しい……。

ふとハリーの目が何かをとらえた。禁じられた森のはずれで動くものがある。朝日に目を細めて見ると、ハグリッドが木の間から現れるのが見えた。足を引きずっているようだ。ずっと見ていると、ハグリッドはよろめきながら小屋の戸にたどり着き、その中に消えた。ハリーはしばらく小屋を見つめていた。ハグリッドはもう出てこなかったが、煙突から煙がくるくると立ち昇った。どうやら、火がおこせないほどひどいけがではなかったらしい。

ハリーは窓際から離れ、トランクのほうに戻って着替えはじめた。

アンブリッジの部屋に侵入するくわだてがある以上、今日という日が安らかであるとは期待していなかった。しかし、ハーマイオニーがほとんどひっきりなしに、五時にやろうとしている計画をやめさせようと、ハリーを説得するのは計算外だった。ビンズ先生の魔法史の授業中、ハーマイオニーは少なくともハリーやロンと同じぐらい注意力散漫だった。そんなことはいままでなかった。小声でハリーを忠告攻めにし、聞き流すのがひと苦労だった。

「……それに、アンブリッジがあそこであなたを捕まえてごらんなさい。退学処分だけじゃすまないわよ。スナッフルズと話をしていたと推量して、今度こそきっと、**無理やり**あなたに『真実薬』を飲ませて質問に答えさせるわ……」

「ハーマイオニー」ロンが憤慨した声でささやいた。「ハリーに説教するのをやめて、ビンズの講義を聞くつもりあるのか？　それとも僕が自分でノートを取らなきゃならないのか？」

「たまには自分で取ったって罰は当たらないでしょ！」

地下牢教室に行くころには、ハリーもロンもハーマイオニーと口をきかなくなっていた。めげるどころか、ハーマイオニーは二人がだまっているのをいいことに、恐ろしい警告をひっきりなしに流し続けた。声をひそめて言うので、激しいシューッという音になり、シェーマスは自分の大鍋がもれているのではないかと調べて、まるまる五分をむだにした。

一方スネイプは、ハリーが透明であるかのように振る舞うことにしたらしい。もちろん、ハリーはこの戦術には慣れっこだった。バーノンおじさんの得意技の一つだ。結局、もっとひどい仕打ちにならなかったのが、ハリーにはありがたかった。事実、あざけりや、ねちねちと傷つけるような言葉にたえなければならなかったこれまでに比べれば、この新しいやり方はましだと思った。そして、まったく無視されれば、「強化薬」も、たやすく調合できるとわかってうれしかった。授業の最後に、薬の一部をフラスコにすくい取り、コルク栓をして、採点してもらうためにスネイプの机の所まで持っていった。ついに、どうにか「期待以上」の「E」がもらえるかもしれないと思った。

提出して後ろを向いたとたん、ハリーはガチャンと何かが砕ける音を聞いた。マルフォイが大喜びで笑い声を上げた。ハリーはくるりと振り返った。ハリーの提出した薬が粉々になって床に落ちていた。スネイプが、いい気味だという目で、ハリーを見てほくそ笑んでいた。

「おーっと」スネイプが小声で言った。「これじゃ、また零点だな、ポッター」

ハリーは怒りで言葉も出なかった。もう一度フラスコに詰めて、是が非でもスネイプに採点させてやろうと、ハリーは大股で自分の大鍋に戻った。ところがなんと、鍋に残った薬が消えていた。

「ごめんなさい！」ハーマイオニーが両手で口を覆った。「ほんとうにごめんなさい、ハリー。あなたがもう終わったと思って、きれいにしてしまったの！」

ハリーは答える気にもなれなかった。終業ベルが鳴ったとき、ハリーはちらとも振り返らず地下牢教室を飛び出した。昼食の間はわざわざネビルとシェーマスの間に座り、アンブリッジの部屋を使う件で、ハーマイオニーがまたガミガミ言いはじめたりできないようにした。

占い学の教室に着くころには、ハリーの機嫌は最悪で、マクゴナガル先生との進路指導の約束をすっかり忘れていた。ロンに、どうして先生の部屋に行かないのかと聞かれてやっと思い出し、飛ぶように階段を駆け戻り、息せき切って到着したときは、数分遅れただけだった。

「先生、すみません」ハリーは息を切らしてドアを閉めながら謝った。「僕、忘れていました」

「かまいません、ポッター」

マクゴナガル先生がきびきびと言った。ところが、その時、誰かが隅のほうでフンフン鼻を鳴らした。

ハリーは振り返った。

アンブリッジ先生が座っていた。ひざにはクリップボードをのせ、首の周りをごちゃごちゃうるさいフリルで囲み、悦に入った気持ちの悪い薄ら笑いを浮かべている。

「おかけなさい、ポッター」

マクゴナガル先生がそっけなく言った。机に散らばっているたくさんの案内書を整理する先生の手が、わずかに震えていた。

ハリーはアンブリッジに背を向けて腰かけ、クリップボードに羽根ペンで書く音が聞こえないふりをするよう努力した。

「さて、ポッター、この面接は、あなたの進路に関して話し合い、六年目、七年目でどの学科を継続するかを決める指導をするためのものです」マクゴナガル先生が言った。「ホグワーツ卒業後、何をしたいか、考えがありますか？」

「えーっと――」ハリーが言った。

後ろでカリカリ音がするのでとても気が散った。

「なんですか？」マクゴナガル先生がうながした。

「あの、考えたのは、『闇祓い』はどうかなぁと」ハリーはもごもご言った。

「それには、最優秀の成績が必要です」マクゴナガル先生はそう言うと、机の上の書類の山から、小さな黒い小冊子を抜き出して開いた。「N・E・W・Tは少なくとも五科目パスすることが要求され、しかも『E・期待以上』より下の成績は受け入れられません。なるほど。それから、闇祓い本部で、一連の厳しい性格・適性テストがあります。狭き門ですよ、ポッター、最高の者しか採りません。事実、この三年間は一人も採用されていないと思います」

この時、アンブリッジ先生が小さく咳をした。まるでどれだけ静かに咳ができるのかを試したかのようだった。マクゴナガル先生は無視した。

「どの科目を取るべきか知りたいでしょうね？」マクゴナガル先生は前より少し声を張り上げて話し続けた。

「はい」ハリーが答えた。「『闇の魔術に対する防衛術』、なんかですね？」

「当然です」マクゴナガル先生がきっぱり言った。「そのほか私がすすめるのは――」

アンブリッジ先生が、また咳をした。今度はさっきより少し聞こえた。マクゴナガル先生は一瞬目を閉じ、また開けて、何事もなかったかのように続けた。

「そのほか変身術をすすめます。なぜなら、闇祓いは往々にして、仕事上変身したり元に戻ったりする必要があります。それで、いまはっきり言っておきますが、ポッター、私のN・E・W・Tのクラスには、O・W・Lレベルで『E・期待以上』つまり『良』以上を取った者でなければ入れません。あなたはいま、平均で『A・まあまあ』つまり『可』です。今後も継続するチャンスが欲しいなら、今度の試験までに相当がんばる必要があります。さらに呪文学です。これは常に役に立ちます。それと、魔法薬学。そうです、ポッター、『魔法薬学』ですよ」

マクゴナガル先生は、ニコリともせずにつけ加えた。

「闇祓いにとって、毒薬と解毒剤を学ぶことは不可欠です。それに、言っておかなければなりませんが、スネイプ先生はO・W・Lで『O・優』を取った者以外は絶対に教えません。ですから――」

アンブリッジ先生はこれまでで一番はっきり聞こえる咳をした。

「のどあめを差し上げましょうか、ドローレス？」マクゴナガル先生は、アンブリッジのほうを見もせずに、そっけなく言った。

「あら、けっこうですわ、ご親切にどうも」アンブリッジはハリーの大嫌いな例のニタニタ笑いをした。「ただね、ミネルバ、ほんの一言、口をはさんでもよろしいかしら？」

「どのみちそうなるでしょう」マクゴナガル先生は、歯を食いしばったまま言った。

「ミスター・ポッターは、性格的に**はたして**闇祓いに向いているのかしらと思いましたの」アンブリッジ先生は甘ったるく言った。

「そうですか？」マクゴナガル先生は高飛車に言った。

「さて、ポッター」何も聞かなかったかのように、先生が言葉を続けた。「真剣にその志を持つなら、変身術と魔法薬学を最低線まで持っていけるよう集中して努力することをすすめます。フリットウィック先生のあなたの評価は、この二年間、『A』と『E』の中間のようです。ですから、『呪文学』は満足できるようです。『闇の魔術に対する防衛術』ですが、あなたの点数はこれまでずっと、全般的に高いです。特にルーピン先生は、あなたのことを――**のどあめはほんとうにいらないのですか、ドローレス？**」

「あら、いりませんわ。どうも、ミネルバ」アンブリッジ先生は、これまでで最大の咳をしたところだった。「一番最近の『闇の魔術に対する防衛術』のハリーの成績を、もしやお手元にお持ちではないのではと、わたくし、ちょっと気になりましたの。まちがいなくメモをはさんでおいたと思いますわ」

「これのことですか？」

マクゴナガル先生は、ハリーのファイルの中から、ピンクの羊皮紙を引っ張り出しながら、嫌悪感を声にあらわにした。眉を少し吊り上げてメモに目を通し、それからマクゴナガル先生は、何も言わずにそのままファイルに戻した。

「さて、ポッター、いま言いましたように、ルーピン先生は、あなたがこの学科に卓越した適性を示したとお考えでした。当然、闇祓いにとっては――」

「わたくしのメモがおわかりになりませんでしたの？　ミネルバ？」アンブリッジ先生が、咳をするのも忘れて甘ったるく言った。

「もちろん理解しました」マクゴナガル先生は、言葉がくぐもって聞こえるほどギリギリ歯を食いしばった。

「あら、それでしたら、どうしたことかしら……わたくしにはどうもわかりませんわ。どうしてまた、ミスター・ポッターにむだな望みを――」

「むだな望み？」マクゴナガル先生は、かたくなにアンブリッジのほうを見ずに、くり返した。「『闇の魔術に対する防衛術』のすべてのテストで、この子は高い成績を収めていますように、ハリーはわたくしのクラスでは大変ひどい成績ですの――」

「お言葉を返すようで、大変申し訳ございませんが、ミネルバ、わたくしのメモにありますように、ハリーはわたくしのクラスでは大変ひどい成績ですの――」

「もっとはっきり申し上げるべきでしたわ」マクゴナガル先生がついにアンブリッジを真正面から見た。「この子は、有能な教師によって行われた『闇の魔術に対する防衛術』のすべてのテストで、高い成績を収めています」

電球が突然切れるように、アンブリッジ先生の笑みが消えた。椅子に座りなおし、クリップボードの紙を一枚めくって猛スピードで書き出し、ギョロ目が、右へ左へとゴロゴロ動いた。マクゴナガル先生は、骨ばった鼻の穴をふくらませ、目をギラギラさせてハリーに向きなおった。

「何か質問は？　ポッター？」

「はい」ハリーが聞いた。「もしちゃんとN・E・W・Tの点が取れたら、魔法省はどんな性格・適性試験をするのですか？」

「そうですね、圧力に抵抗する能力を発揮するとか」マクゴナガル先生が答えた。「忍耐や献身も必要です。なぜなら、闇祓いの訓練は、さらに三年を要するのです。言うまでもなく、実践的な防衛術の高度な技術も必要です。卒業後もさらなる勉強があるということです。ですから、その決意がなければ――」

「それに、どうせわかることですが」いまやひやりと冷たくなった声で、アンブリッジが言った。「魔法省は闇祓いを志願する者の経歴を調べます。犯罪歴を」

「――ホグワーツを出てから、さらに多くの試験を受ける決意がなければ、むしろほかの――」

「つまり、この子が闇祓いになる確率は、ダンブルドアがこの学校に戻ってくる可能性と同じということとです」

「それなら、大いに可能性ありです」マクゴナガル先生が言った。

「ポッターは犯罪歴があります」アンブリッジが声を張り上げた。

「ポッターはすべての廉で無罪になりました」マクゴナガルがもっと声を張り上げた。

アンブリッジ先生が立ち上がった。とにかく背が低く、立ってもたいして変わりはなかった。しかし、小うるさい、愛想笑いの物腰が消え、猛烈な怒りのせいで、だだっ広いたるんだ顔が妙に邪悪に見えた。

「ポッターが闇祓いになる可能性はまったくありません！」

マクゴナガル先生も立ち上がった。こちらの立ち上がりぶりのほうがずっと迫力があった。マクゴナガル先生はアンブリッジを高みから見下ろした。

「ポッター」マクゴナガル先生の声が凛と響いた。「どんなことがあろうと、私はあなたが闇祓いになるよう援助します！　毎晩手ずから教えることになろうとも、あなたが必要とされる成績を絶対に取れるようにしてみせます！」

「魔法大臣は絶対にポッターを採用しません！」アンブリッジの声は怒りで上ずっていた。

「ポッターの準備ができるころには、新しい魔法大臣になっているかもしれません！」マクゴナガル先生が叫んだ。

「はっはーん！」アンブリッジ先生がずんぐりした指でマクゴナガルを指し、金切り声で言った。

「ほーら！　ほら、ほら、ほら！　それがお望みなのね？　ミネルバ・マクゴナガル？　あなたはアルバス・ダンブルドアがコーネリウス・ファッジに取ってかわればいいと思っている！　わたくしのいまの地位に就くことを考えているんだわ。なんと、魔法大臣上級次官並びに校長の地位に！」

「何をたわ言を」マクゴナガル先生は見事にさげすんだ。「ポッター、これで進路相談は終わりです」

ハリーは鞄を肩に背負い、あえてアンブリッジ先生を見ずに、急いで部屋を出た。二人の舌戦が、廊下を戻る間ずっと聞こえ続けていた。

その日の午後の授業で、「闇の魔術に対する防衛術」の教室に荒々しく入ってきたアンブリッジ先生は、短距離レースを走った直後のように、まだ息をはずませていた。

「ハリー、計画を考えなおしてくれないかしら」

教科書の第三十四章「報復ではなく交渉を」のページを開いたとたん、ハーマイオニーがささやいた。

「アンブリッジったら、もう相当険悪ムードよ……」

時折、アンブリッジが怖い目でハリーをにらみつけた。ハリーはうつむいたまま、うつろな目で『防衛術の理論』の教科書を見つめ、じっと考えていた……。

マクゴナガル先生がハリーの後ろ盾になってくれてから数時間もたたないうちに、ハリーがアンブリッジの部屋に侵入して捕まったりしたら、先生がどんな反応を見せるか、ハリーには想像できる……このままおとなしくグリフィンドール塔に戻り、次の夏休みの間に、「憂いの篩」で目撃した光景についてシリウスに尋ねる機会を待つ。これでいいではないか……これでいいはずだ。しかし、そんな良識的な行動を取ると思うと、まるで胃袋に鉛のおもりが落とされたような気分になる……それに、フレッドとジョージのことがある。陽動作戦はもう動きだしている。その上、シリウスからもらったナイフは、父親からの「透明マント」と一緒に、いま、鞄に収まっている。

しかし、もし捕まったらという懸念は残る……。

「ダンブルドアは、あなたが学校に残れるように、犠牲になったのよ、ハリー！」アンブリッジに見えないよう、教科書を顔の所まで持ち上げて、ハーマイオニーがささやいた。「もし今日放り出されたら、それも水の泡じゃない！」

計画を放棄して、二十年以上前のある夏の日に父親がしたことの記憶を抱えたまま生きることもできるだろう……。

しかしその時、ハリーは上の階のグリフィンドールの談話室の暖炉で、シリウスが言ったことを思い出した。

君は私が考えていたほど父親似ではないな……ジェームズなら危険なことをおもしろがっただろう……。

だが、僕はいまでも父さんに似ていたいと思っているだろうか？

「ハリー、やらないで。お願いだから！」

終業のベルが鳴ったときのハーマイオニーの声は、苦悶に満ちていた。

ハリーは答えなかった。どうしていいかわからなかった。

ロンは何も意見を言わず、助言もしないと決めているかのようだった。ハリーのほうを見ようとしなかった。しかし、ハーマイオニーがもう一度ハリーを止めようと口を開くと、低い声で言った。

「いいから、もうやめろよ。ハリーが自分で決めることだ」

教室から出るとき、ハリーの心臓は早鐘のようだった。廊下に出て半分ほど進んだとき、遠くのほうで紛れもなく陽動作戦の音が炸裂するのが聞こえた。どこか上の階から、叫び声や悲鳴が響いてきた。ハリーの周りの教室という教室から出てきた生徒たちが、いっせいに足を止め、こわごわ天井を見上げた――。

アンブリッジが、短い足なりに全速力で教室から飛び出してきた。杖を引っ張り出し、アンブリッジは急いで反対方向へと離れていった。やるならいまだ。いましかない。

「ハリー――お願い！」ハーマイオニーが弱々しく哀願した。

しかし、ハリーの心は決まっていた。鞄をしっかり肩にかけなおし、東棟での騒ぎがいったい何かを見ようと急ぎだした生徒たちの間を縫って、ハリーは逆方向に駆けだした。

ハリーはアンブリッジの部屋がある廊下に着き、誰もいないのを確かめた。大きな甲冑（かっちゅう）の裏に駆け込み——兜（かぶと）がギーッとハリーを振り返った——鞄を開けてシリウスのナイフをつかみ、ハリーは透明マントをかぶった。それからゆっくり、慎重に甲冑の裏から出て廊下を進み、アンブリッジの部屋のドアに着いた。

ドアの周囲のすきまに魔法のナイフの刃を差し込み、そっと上下させて引き出すと、小さくカチリと音がして、ドアがパッと開いた。ハリーは身をかがめて中に入り、急いでドアを閉めて周りを見回した。没収された箒（ほうき）の上にかかった飾り皿の中で、小憎らしい子猫がふざけているほかは、何一つ動くものはなかった。

ハリーはマントを脱ぎ、急いで暖炉に近づいた。探し物はすぐ見つかった。小さな箱に入ったキラキラ光る粉、「煙突飛行粉」だ。

ハリーは火のない火格子の前にかがんだ。両手が震えた。やり方はわかっているつもりだが、実際にやったことはない。ハリーは暖炉に首を突っ込んだ。飛行粉を大きくひとつまみして、伸ばした首の下にきちんと積んである薪の上に落とした。薪はたちまちボッと燃え、エメラルド色の炎が上がった。

「グリモールド・プレイス十二番地！」ハリーは大声で、はっきり言った。

これまで経験したことのない、奇妙な感覚だった。もちろん飛行粉で移動したことはあるが、そのときは全身が炎の中でぐるぐる回転し、国中に広がる魔法使いの暖炉網を通った。今度は、ひざがアンブリッジの部屋の冷たい床にきっちり残ったままで、頭だけがエメラルドの炎の中を飛んでいく……。

そして、回りはじめたときと同じように唐突に、回転が止まった。少し気分が悪かった。首の周りに特別熱いマフラーを巻いているような気持ちになりながら、ハリーが目を開けると、そこは厨房の暖炉の中で、木製の長いテーブルに腰かけた男が、一枚の羊皮紙をじっくり読んでいるのが見えた。

「シリウス？」

男が飛び上がり、振り返った。シリウスではなくルーピンだった。

「ハリー！」ルーピンがびっくり仰天して言った。「いったい何を——どうした？　何かあったのか？」

「ううん」ハリーが答えた。「ただ、僕できたら——あの、つまり、ちょっと——シリウスと話したくて」

「呼んでくる」ルーピンはまだ困惑した顔で立ち上がった。「クリーチャーを探しに上へ行ってるんだ。また屋根裏に隠れているらしい……」

ルーピンが急いで厨房を出ていくのが見えた。残されたハリーが見るものといえば、椅子とテーブルの脚しかない。炎の中から話をするのがどんなに骨が折れることか、シリウスはどうして一度も言ってくれなかったんだろう。ハリーのひざはもう、アンブリッジの硬い石の床に長い間触れていることに抗議していた。

まもなくルーピンが、すぐあとにシリウスを連れて戻ってきた。

「どうした？」

シリウスは目にかかる長い黒髪を払いのけ、ハリーと同じ目の高さになるよう暖炉前にひざをつき、急き込んで聞いた。ルーピンも心配そうな顔でひざまずいた。

「大丈夫か？　助けが必要なのか？」

「ううん」ハリーが言った。「そんなことじゃないんだ……僕、ちょっと話したくて……父さんのことで」

二人が驚愕したように顔を見合わせた。しかしハリーは、恥ずかしいとか、きまりが悪いとか感じているひまはなかった。刻一刻とひざの痛みがひどくなる。それに、陽動作戦が始まってからもう五分は経過しただろう。ジョージが保証したのは二十分だ。ハリーはすぐさま「憂いの篩」で見たこととの話に入った。

話し終わったとき、シリウスもルーピンも一瞬だまっていた。それからルーピンが静かに言った。

「ハリー、そこで見たことだけで君の父さんを判断しないでほしい。まだ十五歳だったんだ――」

「僕だって十五だ！」ハリーの言葉が熱くなった。

「いいか、ハリー」シリウスがなだめるように言った。「ジェームズとスネイプは、最初に目を合わせた瞬間からお互いに憎み合っていた。そういうこともあるというのは、君にもわかるね？ジェームズは、スネイプがなりたいと思っているものをすべて備えていた――人気者で、クィディッチがうまかった――ほとんどなんでもよくできた。ところがスネイプは、闇の魔術に首までどっぷり浸かった偏屈なやつだった。それにジェームズは――君の目にどう映ったか別として、ハリー――どんなときも闇の魔術を憎んでいた」

「うん」ハリーが言った。「でも、父さんは、特に理由もないのにスネイプを攻撃した。ただ単に――えーと、シリウスおじさんが『たいくつだ』と言ったからなんだ」ハリーは少し申し訳なさそうな調子で言葉を結んだ。

「自慢にはならないな」シリウスが急いで言った。

ルーピンが横にいるシリウスを見ながら言った。

「いいかい、ハリー。君の父さんとシリウスは、何をやらせても学校中で一番よくできたということを、理解しておかないといけないよ。――みんなが二人は最高にかっこいいと思っていた――二人がときどき少しいい気になったとしても――」

「私たちがときどき傲慢でいやなガキだったとしてもと言いたいんだろう？」シリウスが言った。

ルーピンがニヤッとした。

「父さんはしょっちゅう髪の毛をくしゃくしゃにしてた」ハリーが困惑したように言った。

シリウスもルーピンも笑い声を上げた。

「そういうくせがあったのを忘れていたよ」シリウスがなつかしそうに言った。

「ジェームズはスニッチをもてあそんでいたのか？」ルーピンが興味深げに聞いた。

「うん」シリウスとルーピンが顔を見合わせ、思い出にふけるようにニッコリと笑うのを、理解しがたい思いで見つめながら、ハリーが答えた。「それで……僕、父さんがちょっとバカをやっていると思った」

「ああ、当然あいつはちょっとバカをやったさ！」シリウスが威勢よく言った。「私たちはみんなバカだった！　まあ――ムーニーはそれほどじゃなかったな」シリウスがルーピンを見ながら言いすぎを訂正した。

しかしルーピンは首を振った。「私が一度でも、スネイプにかまうのはよせって言ったか？　私に、君たちのやり方はよくないと忠告する勇気があったか？」

「まあ、いわば」シリウスが言った。「君は、ときどき僕たちのやっていることを恥ずかしいと思わせてくれた……それが大事だった……」

「それに」ここに来てしまった以上、気になっていることは全部言ってしまおうと、ハリーは食い下がった。「父さんは、湖のそばにいた女の子たちに自分のほうを見てほしいみたいに、しょっちゅうちらちら見ていた！」

「ああ、まあ、リリーがそばにいると、ジェームズはいつもバカをやったな」シリウスが肩をすくめた。

「リリーのそばに行くと、ジェームズはどうしても見せびらかさずにはいられなかった」

「母さんはどうして父さんと結婚したの？」ハリーは情けなさそうに言った。「父さんのことを大嫌いだったくせに！」

「いいや、それはちがう」シリウスが言った。

「七年生のときにジェームズとデートしはじめたよ」ルーピンが言った。

「ジェームズの高慢ちきが少し治ってからだ」シリウスが言った。

「そして、おもしろ半分に呪いをかけたりしなくなってからだよ」ルーピンが言った。

「スネイプにも？」ハリーが聞いた。

「そりゃあ」ルーピンが考えながら言った。「スネイプは特別だった。つまり、スネイプはすきあらばジェームズに呪いをかけようとしたんだ。ジェームズだって、おとなしくやられっ放しというわけにはいかないだろう？」

「でも、母さんはそれでよかったの？」

「正直言って、リリーはそのことはあまり知らなかった」シリウスが言った。「そりゃあ、ジェームズがデートにスネイプを連れていって、リリーの目の前で呪いをかけたりはしないだろう？」

まだ納得できないような顔のハリーに向かって、シリウスは顔をしかめた。

「いいか」シリウスが言った。「君の父さんは、私の無二の親友だったし、いいやつだった。十五歳のときには、たいていみんなバカをやるものだ。ジェームズはそこを抜け出した」

「うん、わかったよ」ハリーは気が重そうに言った。「ただ、僕、スネイプをかわいそうに思うなんて、考えてもみなかったから」

「そういえば」ルーピンがかすかに眉間にしわを寄せた。「全部見られたと知ったときのスネイプの反応はどうだったのかね？」

「もう二度と『閉心術』を教えないって言った」ハリーが無関心に言った。「まるでそれで僕ががっかりするとでも――」

「あいつが、**なんだと？**」

シリウスの叫びで、ハリーは飛び上がり、口いっぱいに灰を吸い込んでしまった。

「ハリー、ほんとうか？」ルーピンがすぐさま聞いた。「あいつが君の訓練をやめたのか？」

「うん」過剰と思える反応に驚きながら、ハリーが言った。「だけど、問題ないよ。どうでもいいもの。僕、ちょっとホッとしてるんだ。ほんとのこと言う――」

「むこうへ行って、スネイプと話す！」

シリウスが力んで、ほんとうに立ち上がろうとした。しかしルーピンが無理やりまた座らせた。

「誰かがスネイプに言うとしたら、私しかいない！」ルーピンがきっぱりと言った。「しかし、ハリー、まず君がスネイプの所に行って、どんなことがあっても訓練をやめてはいけないと言うんだ――ダンブルドアがこれを聞いたら――」

「そんなことスネイプに言えないよ。殺される！」ハリーが憤慨した。「二人とも、『憂いの篩』から出てきたときのスネイプの顔を見てないんだ」

「ハリー、君が『閉心術』を習うことは、何よりも大切なことなんだ！」ルーピンが厳しく言った。「わかるか？　何よりもだ！」

「わかった、わかったよ」ハリーはすっかり落ち着かない気持ちになり、いらだった。「それじゃ……それじゃ、スネイプに何か言ってみるよ……だけど、そんなことしても――」

ハリーがだまり込んだ。遠くに足音を聞いたのだ。

「クリーチャーが下りてくる音？」

「いや」シリウスがちらりと振り返りながら言った。「君の側の誰かだな」

ハリーの心臓が拍動を数拍吹っ飛ばした。

「帰らなくちゃ！」

ハリーはあわててそう言うと、グリモールド・プレイスの暖炉から首を引っ込めた。一瞬、首が肩の上で回転しているようだったが、やがてハリーは、アンブリッジの暖炉の前にひざまずいていた。首はしっかり元に戻り、エメラルド色の炎がちらついて消えていくのを見ていた。

「急げ、急げ！」

ドアの外で誰かがゼイゼイと低い声で言うのが聞こえた。

「ああ、先生は鍵もかけずに――」

ハリーが透明マントに飛びつき頭からかぶったとたんに、フィルチが部屋に飛び込んできた。有頂天になって、うわ言のようにひとりで何かを言いながら、フィルチは部屋を横切り、アンブリッジの机の引き出しを開け、中の書類をしらみつぶしに探しはじめた。

「鞭(むち)打ち許可証……鞭打ち許可証……とうとうその日が来た……もう何年も前から、あいつらはそうされるべきだった……」

フィルチは羊皮紙を一枚引っ張り出し、それにキスし、胸元にしっかり握りしめて、不格好な走り方であたふたとドアから出ていった。

ハリーははじけるように立ち上がった。鞄を持ったかどうか、透明マントで完全に覆われているかどうかを確かめ、ドアをぐいと開け、フィルチのあとから部屋を飛び出した。フィルチは足を引きずりながら、これまで見たことがないほど速く走っていた。

アンブリッジの部屋から一つ下がった踊り場まで来て、ハリーはもう姿を現しても安全だと思った。マントを脱ぎ、鞄に押し込み、先を急いだ。玄関ホールから叫び声や大勢が動く気配が聞こえてきた。

大理石の階段を駆け下りて見ると、そこにはほとんど学校中が集まっているようだった。

ちょうど、トレローニー先生が解雇された夜と同じだった。壁の周りに生徒が大きな輪になって立ち(何人かはどう見ても「臭液」と思われる物質をかぶっているのにハリーは気づいた)、先生とゴーストもまじっていた。見物人の中でも目立つのが、ことさらに満足げな顔をしている「尋問官親衛隊」だ。ピーブズが頭上にヒョコヒョコ浮かびながらフレッドとジョージをじっと見下ろしていた。二人はホールの中央に立ち、紛れもなく、たったいま追い詰められたという顔をしていた。

「さあ！」アンブリッジが勝ち誇ったように言った。気がつくと、ハリーのほんの数段下の階段にアンブリッジが立ち、改めて自分の獲物を見下ろしているところだった。「それじゃ——あなたたちは、学校の廊下を沼地に変えたらおもしろいと思っているわけね？」

「相当おもしろいね、ああ」フレッドがまったく恐れる様子もなく、アンブリッジを見上げて言った。

フィルチが人混みをひじで押し分けて、幸せのあまり泣かんばかりの様子でアンブリッジに近づいてきた。

「校長先生、書類を持ってきました」フィルチは、いましがたハリーの目の前でアンブリッジの机から引っ張り出した羊皮紙をひらひらさせながら、しわがれ声で言った。「書類を持ってきました。それに、鞭も準備してあります……ああ、いますぐ執行させてください……」

「いいでしょう、アーガス」アンブリッジが言った。「そこの二人」フレッドとジョージを見下ろしてにらみながら、アンブリッジが言葉を続けた。「わたくしの学校で悪事を働けばどういう目にあうかを、これから思い知らせてあげましょう」

「ところがどっこい」フレッドが言った。「思い知らないね」

フレッドが双子の片われを振り向いた。

「ジョージ、どうやら俺たちは、学生稼業を卒業しちまったな？」

「ああ、俺もずっとそんな気がしてたよ」ジョージが気軽に言った。

「俺たちの才能を世の中で試すときが来たな？」フレッドが聞いた。

「まったくだ」ジョージが言った。

そして、アンブリッジが何も言えないうちに、二人は杖を上げて同時に唱えた。

「**アクシオ！　箒よ、来い！**」

どこか遠くで、ガチャンと大きな音がした。左のほうを見たハリーは、間一髪で身をかわした。フレッドとジョージの箒が、持ち主めがけて廊下を矢のように飛んできたのだ。一本は、アンブリッジが箒を壁に縛りつけるのに使った、重い鎖と鉄の杭(くい)を引きずったままだ。箒は廊下から左に折れ、階段を猛スピードで下り、双子の前でぴたりと止まった。鎖が石畳の床でガチャガチャと大きな音を立てた。

「またお会いすることもないでしょう」フレッドがパッと足を上げて箒にまたがりながら、アンブリッジに言った。

「ああ、連絡もくださいますな」ジョージも自分の箒にまたがった。

フレッドは集まった生徒たちを見回した。群れは声もなく見つめていた。

「上の階で実演した『携帯沼地』をお買い求めになりたい方は、ダイアゴン横丁九十三番地までお越しください。『ウィーズリー・ウィーズ店』でございます」フレッドが大声で言った。「我々の新店舗です！」

「我々の商品を、この老いぼればばぁを追い出すために使うと誓っていただいたホグワーツ生には、特別割引をいたします」ジョージがアンブリッジを指差した。

「**二人を止めなさい！**」

アンブリッジが金切り声を上げたときには、もう遅かった。尋問官親衛隊が包囲網を縮めたときには、フレッドとジョージは床を蹴り、五メートルの高さに飛び上がっていた。ぶら下がった鉄製の杭が危険をはらんでぶらぶら揺れていた。フレッドは、ホールの反対側で、群集の頭上に自分と同じ高さでピョコピョコ浮いているポルターガイストを見つけた。

「ピーブズ、俺たちにかわってあの女をてこずらせてやれよ」

ピーブズが生徒の命令を聞く場面など、ハリーは見たことがなかった。そのピーブズが、鈴飾りのついた帽子をサッと脱ぎ、敬礼の姿勢を取った。眼下の生徒たちのやんやの喝采を受けながら、フレッドとジョージはくるりと向きを変え、開け放たれた正面の扉をすばやく通り抜け、輝かしい夕焼けの空へと吸い込まれていった。

第30章　グロウプ

フレッドとジョージの自由への逃走は、それから数日間、何度もくり返し語られた。ハリーは、まもなくこの話がホグワーツの伝説になることはまちがいないと思った。その場面を目撃した者でさえ、それから一週間のうちに、箒(ほうき)に乗った双子が急降下爆撃して、アンブリッジめがけてクソ爆弾を浴びせかけ、正面扉から飛び去ったという話を半分真に受けていた。二人が去った余波で、その直後は双子に続けという大きなうねりが起こった。生徒たちがその話をするのが、しょっちゅうハリーの耳に入ってきた。「正直言って、僕も箒に飛び乗ってここから出ていきたいって思うことがあるよ」とか、「あんな授業がもう一回あったら、僕は即、ウィーズリーしちゃうな」とかだ。

その上、フレッドとジョージは、誰もがそう簡単に二人を忘れられないようにして出ていった。たとえば、東棟の六階の廊下に広がる沼地を消す方法を残していかなかった。アンブリッジとフィルチが、いろいろな方法で取り除こうとしている姿が見られたが、成功していなかった。ついにその区域に縄が張りめぐらされ、フィルチは怒りにギリギリ歯ぎしりしながら、渡し舟で生徒を教室まで運ぶ仕事をさせられた。マクゴナガル先生やフリットウィック先生なら、簡単に沼地を消せるだろうと、ハリーには確信があったが、フレッドとジョージの「暴れバンバン花火」事件のときと同じで、先生方にとっては、アンブリッジに格闘させて眺めるほうがよかったらしい。

さらに、アンブリッジの部屋のドアには箒の形の大穴が二つ開いていた。フレッドとジョージのクリーンスイープが、ご主人様の所に戻るときにぶち開けた穴だ。フィルチが新しいドアを取りつけ、ハリーのファイアボルトはそこから地下牢に移された。うわさでは、アンブリッジがそこに武装したトロールの警備員を置いて、見張らせているらしい。しかし、アンブリッジの苦労はまだまだこんなものではなかった。

フレッドとジョージの例に触発され、大勢の生徒が、いまや空席になった「悪ガキ大将」の座を目指して競いはじめたのだ。新しいドアを取りつけたのに、誰かがこっそりアンブリッジの部屋に「毛むくじゃら鼻ニフラー」を忍び込ませ、それがキラキラ光るものを探して、たちまち部屋をめちゃめちゃにしたばかりか、アンブリッジが部屋に入ってきたとき、ずんぐり指をかみ切って指輪を取ろうと飛びかかった。「クソ爆弾」や「臭い玉」がしょっちゅう廊下に落とされ、いまや教室を出るときには「泡頭の呪文」をかけるのが流行になった。誰もかれもが金魚鉢を逆さにかぶったような奇妙な格好にはなったが、確かにそれで新鮮な空気は確保できた。

フィルチは、乗馬用の鞭を手に、悪ガキを捕まえようと血眼で廊下のパトロールをしたが、何しろ数が多いので、どこから手をつけてよいやらさっぱりわからなくなっていた。「尋問官親衛隊」もフィルチを助けようとしていたが、隊員に変なことが次々に起こった。スリザリンのクィディッチ・チームのワリントンは、ひどい皮膚病らしいと医務室にやってきたが、コーンフレークをまぶしたような肌になっていた。パンジー・パーキンソンは鹿の角が生えてきて、次の日の授業を全部休むはめになった。ハーマイオニーは大喜びした。

一方、フレッドとジョージが学校を去る前に、「ずる休みスナックボックス」をどんなにたくさん売っていたかがはっきりした。アンブリッジが教室に入ってくるだけで、気絶するやら、吐くやら、危険な高熱を出すやら、さもなければ鼻血がどっと出てくる生徒が続出した。怒りといらいらで金切り声を上げ、アンブリッジはなんとかしてわけのわからない症状の原因を突き止めようとしたが、生徒たちはかたくなに、「アンブリッジ炎です」と言い張った。四回続けてクラス全員を居残らせたあと、どうしても謎が解けないまま、アンブリッジはしかたなくあきらめ、生徒たちが鼻血を流したり、卒倒したり、汗をかいたり、吐いたりしながら、列を成して教室を出ていくのを許可した。

しかし、そのスナック愛用者でさえ、フレッドの別れの言葉を深く胸に刻んだドタバタの達人、ピーブズにはかなわなかった。狂ったように高笑いしながら、ピーブズは学校中を飛び回り、テーブルをひっくり返し、黒板から急に姿を現し、銅像や花瓶を倒した。ミセス・ノリスは二度も甲冑に閉じ込められ、悲しそうな鳴き声を上げて、カンカンになったフィルチに助け出された。ピーブズはランプを打ち壊し、ろうそくを吹き消し、生徒たちの頭上で火のついた松明をお手玉にして悲鳴を上げさせたし、きちんと積み上げられた羊皮紙の山を、暖炉めがけて崩したり、窓から飛ばせたり、トイレの水道の蛇口を全部引き抜いて三階を水浸しにしたり、朝食のときに毒グモのタランチュラをひと袋、大広間に落としたりした。ちょっとひと休みしたいときは、何時間もアンブリッジにくっついてプカプカ浮かび、アンブリッジが一言言うたびに「ベーッ」と舌を出した。

アンブリッジにわざわざ手を貸す教職員は、フィルチ以外に誰もいなかった。それどころか、フレッド・ジョージ脱出後一週間目に、クリスタルのシャンデリアをはずそうと躍起になっているピーブズのそばを、マクゴナガル先生が知らん顔で通り過ぎるのをハリーは目撃したし、しかも、先生が口を動かさずに「反対に回せばはずれます」とポルターガイストに教えるのを確かに聞いた。

極めつきは、モンタギューがトイレへの旅からまだ回復していないことだった。いまだに混乱と錯乱が続いて、ある火曜日の朝、両親がひどく怒った顔で校庭の馬車道をずんずん歩いてくるのが見えた。

「何か言ってあげたほうがいいかしら？」

モンタギュー夫妻が足音も高く城に入ってくるのを見ようと、呪文学の教室の窓ガラスにほおを押しつけながら、ハーマイオニーが心配そうな声で言った。

「何があったのかを。そうすればマダム・ポンフリーの治療に役立つかもしれないでしょ？」

「もちろん、言うな。あいつは治るさ」ロンが無関心に言った。

「とにかく、アンブリッジにとっては問題が増えただろ？」ハリーが満足げな声で言った。

ハリーもロンも、呪文をかけるはずのティーカップを杖(つえ)でたたいていた。ハリーのカップに足が四本生えたが、短すぎて机に届かず、空中で足をむなしくバタバタさせていた。ロンのほうは、細い足が四本、ひょろひょろと生え、机からカップを持ち上げきれずに、二、三秒ふらふらしたかと思うと、ぐにゃりと曲がり、カップは真っ二つになった。

「**レパロ**」ハーマイオニーが即座に唱え、杖を振ってロンのカップを直した。「それはそうでしょうけど、でも、モンタギューが永久にあのままだったらどうする？」

「どうでもいいだろ？」

ロンがいらいらと言った。カップは、また酔っ払ったように立ち上がり、ひざが激しく震えていた。

「グリフィンドールから減点しようなんて、モンタギューのやつが悪いんだ。そうだろ？　誰かのことを心配したいなら、ハーマイオニー、僕のことを心配してよ！」

「あなたのこと？」

ハーマイオニーは、自分のカップが、柳模様のしっかりした四本の足で、うれしそうに机の上を逃げていくのを捕まえ、目の前にすえなおしながら言った。

「どうして私があなたのことを心配しなきゃいけないの？」

「ママからの次の手紙が、ついにアンブリッジの検閲を通過して届いたら」

弱々しい足でなんとか重さを支えようとするカップに手を添えながら、ロンが苦々しげに言った。

「僕にとって問題は深刻さ。ママがまた『吠えメール』を送ってきても不思議はないからな」

「でも――」

「見てろよ、フレッドとジョージが出ていったのは僕のせいってことになるから」ロンが憂鬱そうに言った。「ママは僕があの二人を止めるべきだったって言うさ。箒の端をつかまえて、ぶら下がるとか、なんとかして……そうだよ、何もかも僕のせいになるさ」

「だけど、もし**ほんとに**おばさんがそんなことをおっしゃるなら、それは理不尽よ。あなたにはどうすることもできなかったもの！　でも、そんなことはおっしゃらないと思うわ。だって、もしほんとうにダイアゴン横丁に二人の店があるなら、前々から計画していたにちがいないもの」

「うん、でも、それも気になるんだ。どうやって店を手に入れたのかなあ？」

そう言いながら、ロンはカップを強くたたきすぎた。コップの足がまたくじけ、目の前でひくひくしながら横たわった。

「ちょっとうさんくさいよな？　ダイアゴン横丁なんかに場所を借りるのには、ガリオン金貨がごっそりいるはずだ。そんなにたくさんの金貨を手にするなんて、あの二人はいったい何をやってたのか、ママは知りたがるだろうな」

「ええ、そうね。私もそれは気になっていたの」

ハーマイオニーは、足が机につかないハリーの短足カップの周りで、自分のカップにきっちり小さな円を描いてジョギングさせながら言った。

「マンダンガスが、あの二人を説得して盗品を売らせていたとか、何かとんでもないことをさせたんじゃないかと考えていたの」

「マンダンガスじゃないよ」ハリーが短く言った。

「どうしてわかるの？」ロンとハーマイオニーが同時に言った。

「それは――」

ハリーは迷ったが、ついに告白する時が来たと思った。だまっているせいで、フレッドとジョージに犯罪の疑いがかかるなら、沈黙を守る意味がない。

「それは、あの二人が僕から金貨をもらったからさ。六月に、三校対抗試合の優勝賞金をあげたんだ」

ショックで沈黙が流れた。やがて、ハーマイオニーのカップがジョギングしたまま机の端から墜落し、床に当たって砕けた。

「まあ、ハリー、**まさか！**」ハーマイオニーが言った。

「ああ、まさかだよ」ハリーが反抗的に言った。「それに、後悔もしていない。僕には金貨は必要なかったし、あの二人なら、すばらしい『いたずら専門店』をやっていくよ」

「だけど、それ、最高だ！」ロンはわくわく顔だ。「みんな君のせいだよ、ハリー――ママは僕を責められない！ママに教えてもいいかい？」

「うん、そうしたほうがいいだろうな」ハリーはしぶしぶ言った。「特に、二人が盗品の大鍋とか何かを受け取っていると、おばさんがそう思ってるんだったら」

ハーマイオニーはその授業の間、口をきかなかった。しかし、ハリーは、ハーマイオニーの自制心が破れるのは時間の問題だと、鋭く感じ取っていた。そのとおり、休み時間に城を出て、五月の弱い陽射し（ひざし）の下でぶらぶらしていると、ハーマイオニーが何か聞きたそうな目でハリーを見つめ、決心したような雰囲気で口を開いた。

ハリーは、ハーマイオニーが何も言わないうちにさえぎった。

「ガミガミ言ってもどうにもならないよ。もうすんだことだ」ハリーはきっぱりと言った。「フレッドとジョージは金貨を手に入れた――どうやら、もう相当使ってしまった――それに、もう返してもらうこともできないし、そのつもりもない。だから、ハーマイオニー、言うだけむださ」

「フレッドとジョージのことなんか言うつもりじゃなかったわ！」

ハーマイオニーが感情を害したように言った。

ロンがうそつけとばかりフンと鼻を鳴らし、ハーマイオニーはじろりとロンをにらんだ。

「いいえ、ちがいます！」ハーマイオニーが怒ったように言った。「実は、いつになったらスネイプの所に戻って、『閉心術』の訓練を続けるように頼むのかって、それをハリーに聞こうと思ったのよ！」

ハリーは気分が落ち込んだ。フレッド、ジョージの劇的な脱出の話題が尽きてしまうと――もちろんそれまでには何時間もかかったことは確かだが――ロンとハーマイオニーはシリウスがどうしているかを知りたがった。二人に何を話すべきか、ハリーはなかなか考えつかなかった。二人には理由を打ち明けていなかったので、そもそもなぜシリウスと話したかったのか、二人には理由を打ち明けていなかったので、最終的には正直に、シリウスはハリーが「閉心術」の訓練を再開することを望んでいたと二人に話した。それ以来、話してしまったことをずっと後悔していた。ハーマイオニーはけっしてこの話題を忘れず、ハリーの不意をついて何度も蒸し返したのだ。

「変な夢を見なくなったなんて、もう私には通じないわよ」今度はこう来た。「だって、きのうの夜、あなたがまたブツブツ寝言を言ってたって、ロンが教えてくれたもの」

ハリーはロンをにらみつけた。ロンは恥じ入った顔をするだけのたしなみがあった。

「ほんのちょっとブツブツ言っただけだよ」ロンが弁解がましくもごもご言った。「『もう少し先まで』とか」

「君のクィディッチ・プレーを観ている夢だった」ハリーは残酷なうそをついた。「僕、君がもう少し手を伸ばして、クアッフルをつかめるようにしようとしてたんだ」
ロンの耳が赤くなった。ハリーは復讐の喜びのようなものを感じた。もちろん、ハリーはそんな夢を見たわけではなかった。

昨夜、ハリーはまたしても「神秘部」の廊下を旅した。円形の部屋を抜け、コチコチという音とゆらめく灯りで満ちている部屋を通り、ハリーはまたあのがらんとした、びっしりと棚のある部屋に入り込んだ。棚にはほこりっぽいガラスの球体が並んでいた。

ハリーはまっすぐに九十七列目へと急いだ。左に曲がり、まっすぐ走り……たぶんそのときに寝言を言ったのだろう……**もう少し先まで**……自分の意識が、目を覚まそうともがいているのを感じたからだ……そして、その列の端にたどり着かないうちに、ハリーはベッドに横たわり、四本柱の天蓋を見つめている自分に気づいたのだ。

「心を閉じる**努力はしている**のでしょう？」ハーマイオニーが探るようにハリーを見た。『閉心術』は続けているのよね？」

「当然だよ」

ハリーはそんな質問は屈辱的だという調子で答えたが、ハーマイオニーの目をまっすぐ見てはいなかった。ほこりっぽい球がいっぱいのあの部屋に何が隠されているのか、ハリーは興味津々で、夢が続いてほしいと願っていたのだ。

試験まで一か月を切ってしまい、空き時間はすべて復習に追われ、ベッドに入るころには頭が勉強した内容でいっぱいになり、眠ることさえ難しくなってきたことが問題だった。やっと眠ったと思えば、過度に興奮した脳みそは、毎晩試験に関するばかばかしい夢ばかり見せてくれた。それに、どうやらいまや心の一部が——その部分はハーマイオニーの声で話すことが多かったのだが——廊下をさまよい黒い扉にたどり着くたびに、後ろめたい気持ちを感じるようになったのではないかとハリーは思った。心のその部分が、旅の終わりにたどり着く前にハリーを目覚めさせた。

「あのさ」ロンがまだ耳を真っ赤にしたままで言った。「モンタギューがスリザリン対ハッフルパフ戦までに回復しなかったら、僕たちにも優勝杯のチャンスがあるかもしれないよ」

「そうだね」ハリーは話題が変わってうれしかった。

「だって、一勝一敗だから——今度の土曜にスリザリンがハッフルパフに敗れれば——」

「うん、そのとおり」ハリーは何がそのとおりなのかわからないで答えていた。ちょうどチョウ・チャンが、絶対にハリーのほうを見ないようにして、中庭を横切っていったところだった。


クィディッチ・シーズンの最後の試合、グリフィンドール対レイブンクローは、五月最後の週末に行われることになっていた。スリザリンはこの前の試合でハッフルパフに僅差で敗れていたが、グリフィンドールはとても優勝する望みを持てる状態ではなかった。その主な理由は（当然誰も本人にはそう言わなかったが）、ゴールキーパーとしてのロンの惨憺たる成績だった。しかし、ロン自身は、新しい楽観主義に目覚めたかのようだった。

「だって、僕はこれ以上下手になりようがないじゃないか？」試合の日の朝食の席で、ロンが暗い顔でハリーとハーマイオニーに言った。「いまや失うものは何もないだろ？」

「あのね」それからまもなく、興奮気味の群集にまじってハリーと一緒に競技場に向かう途中、ハーマイオニーが言った。「フレッドとジョージがいないほうが、ロンはうまくやれるかもしれないわ。あの二人はロンにあんまり自信を持たせなかったから」

ルーナ・ラブグッドが、生きた鷲のようなものを頭のてっぺんに止まらせて二人を追い越していった。

「あっ、まあ、忘れてた！」鷲を見て、ハーマイオニーが叫んだ。ルーナはスリザリン生のグループがゲタゲタ笑いながら指差す中を、鷲の翼をはばたかせながら、平然と通り過ぎていった。「チョウがプレーするんだったわね？」

ハリーは忘れていなかったが、ただ唸るようにあいづちを打った。

二人はスタンドの一番上から二列目に席を見つけた。澄みきった晴天だ。ロンにとってはこれ以上望めないほどの日和だ。ハリーは、どうせだめかもしれないが、「ウィーズリーこそわが王者」の合唱でスリザリンが盛り上がる場面を、ロンがこれ以上作らないでほしいと願った。

リー・ジョーダンはフレッドとジョージがいなくなってからずいぶん元気をなくしていたが、いつものように解説していた。両チームが次々とピッチに出てくると、リーは選手の名前を呼び上げたが、いつもの覇気がなかった。

「……ブラッドリー……デイビース……チャン」

チョウがそよ風につややかな黒髪を波打たせてピッチに現れると、ハリーの胃袋が、後ろ宙返りとまではいかなかったが、かすかによろめいた。どうなってほしいのか、ハリーにはもうわからなくなっていた。ただ、これ以上けんかはしたくなかった。箒にまたがる用意をしながら、ロジャー・デイビースと生き生きとしゃべるチョウの姿を見ても、ほんのちょっとズキンと嫉妬を感じただけだった。

「さて、選手が飛び立ちました！」リーが言った。「デイビースがたちまちクアッフルを取ります。レイブンクローのキャプテン、デイビースのクアッフルです。ジョンソンをかわしました。ベルをかわした。スピネットも……まっすぐゴールをねらいます！　シュートします――そして――そして――」リーが大声で悪態をついた。「デイビースの得点です」

ハリーもハーマイオニーもほかのグリフィンドール生と一緒にうめいた。予想どおり、反対側のスタンドで、スリザリンがいやらしくも歌いはじめた。

ウィーズリーは守れない
万に一つも守れない……

「ハリー」しわがれ声がハリーの耳に入ってきた。「ハーマイオニー……」

横を見ると、ハグリッドの巨大なひげ面が席と席の間から突き出していた。後列の席の前を通ってそこまで来たらしい。通り道に座っていた一年生と二年生が、くしゃくしゃになってつぶれているように見えた。なぜかハグリッドは、姿を見られたくないかのように体を折り曲げていたが、それでもほかの人より少なくとも一メートルは高い。

「なあ」ハグリッドがささやいた。「一緒に来てくれねえか？　いますぐ？　みんなが試合を見ているうちに？」

「あ……待てないの、ハグリッド？」ハリーが聞いた。「試合が終わるまで？」

「だめだ」ハグリッドが言った。「ハリー、いまでねえとだめだ……みんながほかに気を取られているうちに……なっ？」

ハグリッドの鼻からゆっくり血が滴っていた。両目ともあざになっている。こんなに近くで見るのは、ハグリッドが帰ってきて以来だった。ひどく悲しげな顔をしている。

「いいよ」ハリーは即座に答えた。「もちろん、行くよ」

ハリーとハーマイオニーは、そろそろと列を横に移動した。席を立って二人を通さなければならない生徒たちがブツブツ言った。ハグリッドが移動している列の生徒は文句を言わず、ただできるだけ身を縮めようとしていた。

「すまねえな、お二人さん、ありがとよ」階段の所まで来たとき、ハグリッドが言った。下の芝生に下りるまで、ハグリッドはきょろきょろと神経質にあたりを見回し続けた。「あの女が俺たちの出ていくのに気づかねばええが」

「アンブリッジのこと？」ハリーが聞いた。「大丈夫だよ。『親衛隊』が全員一緒に座ってる。見なかったのかい？　試合中に何か騒ぎが起こると思ってるんだ」

「ああ、まあ、ちいと騒ぎがあったほうがええかもしれん」ハグリッドは立ち止まって、競技場の周囲に目をこらし、そこから自分の小屋まで誰もいないことを確かめた。「時間がかせげるからな」

「ハグリッド、なんなの？」禁じられた森に向かって芝生を急ぎながら、ハーマイオニーが心配そうな顔でハグリッドを見上げた。

「ああ――すぐわかるこった」競技場から大歓声が沸き起こったので、後ろを振り返りながら、ハグリッドが言った。「おい――誰か得点したかな？」

「レイブンクローだろ」ハリーが重苦しく言った。

「そうか……そうか……」ハグリッドは上の空だ。「そりゃええ……」

ハグリッドは大股でずんずん芝生を横切り、二歩歩くごとにあたりを見回した。二人は走らないと追いつかなかった。小屋に着くと、ハーマイオニーは当然のように入口に向かって左に曲がった。ところがハグリッドは、小屋を通り過ぎ、森の一番端の木立の陰に入り、木に立てかけてあった石弓を取り上げた。二人がついてきていないことに気づくと、ハグリッドは二人のほうに向きなおった。

「こっちに行くんだ」ハグリッドは、もじゃもじゃ頭でぐいと背後を指した。

「森に？」ハーマイオニーは当惑顔だ。

「おう」ハグリッドが言った。「さあ、早く。見つからねえうちに！」

ハリーとハーマイオニーは顔を見合わせた。それからハグリッドに続いて木陰に飛び込んだ。ハグリッドは腕に石弓をかけ、うっそうとした緑の暗がりに入り込み、どんどん二人から遠ざかっていた。

ハリーとハーマイオニーは、走って追いかけた。

「ハグリッド、どうして武器を持ってるの？」ハリーが聞いた。

「用心のためだ」ハグリッドは小山のような肩をすくめた。

「セストラルを見せてくれた日には、石弓を持っていなかったけど」ハーマイオニーがおずおずと聞いた。

「うんにゃ。まあ、あんときゃ、そんなに深いとこまで入らんかった」ハグリッドが言った。

「ほんで、とにかく、ありゃ、フィレンツェが森を離れる前だったろうが？」

「フィレンツェがいなくなるとどうしてちがうの？」ハーマイオニーが興味深げに聞いた。

「ほかのケンタウルスが俺に腹を立ててちょる。だからだ」

ハグリッドが周りに目を配りながら低い声で言った。

「連中はそれまで――まあ、つき合いがええとは言えんかっただろうが――いちおう俺たちはうまくいっとった。連中は連中で群れとった。そんでも、俺が話してえと言えばいっつも出てきた。もうそうはいかねえ」

ハグリッドは深いため息をついた。

「フィレンツェは、ダンブルドアのために働くことにしたから、みんなが怒ったって言ってた」

ハリーはハグリッドの横顔を眺めるのに気を取られて、突き出している木の根につまずいた。

「ああ」ハグリッドが重苦しく言った。「怒ったなんてもんじゃねえ。烈火のごとくだ。俺が割って入らんかったら、連中はフィレンツェを蹴り殺してたな――」

「フィレンツェを攻撃したの？」ハーマイオニーがショックを受けたように言った。

「した」低く垂れ下がった枝を押しのけながら、ハグリッドがぶっきらぼうに答えた。「群れの半数にやられとった」

「それで、ハグリッドが止めたの？」ハリーは驚き、感心した。「たった一人で？」

「もちろん止めた。だまってフィレンツェが殺られるのを見物しとるわけにはいくまい」ハグリッドが答えた。「俺が通りかかったのは運がよかった、まったく……そんで、バカげた警告なんぞよこす前に、フィレンツェはそのことを思い出すべきだろうが！」ハグリッドが出し抜けに語気を強めた。

ハリーとハーマイオニーは驚いて顔を見合わせたが、ハグリッドはしかめっ面をして、それ以上何も説明しなかった。

「とにかくだ」ハグリッドはいつもより少し荒い息をしていた。「それ以来、ほかの生き物たちも俺に対してカンカンでな。連中がこの森では大っきな影響力を持っとるからやっかいだ……ここではイッチ（一）ばん賢い生き物だからな」

「ハグリッド、それが私たちを連れてきた理由なの？」ハーマイオニーが聞いた。「ケンタウルスのことが？」

「いや、そうじゃねえ」ハグリッドはそんなことはどうでもいいというふうに頭を振った。

「うんにゃ、連中のことじゃねえ。まあ、そりゃ、連中のこたぁ、問題を複雑にはするがな、うん……いや、俺が何を言っとるか、もうじきわかる」

わけのわからないこの一言のあと、ハグリッドはだまり込み、また少し速度を上げて進んだ。ハグリッドが一歩進むと、二人は三歩で、追いつくのが大変だった。

小道はますます深い茂みに覆われ、森の奥へと入れば入るほど、木立はびっしりと立ち並んで、夕暮れ時のような暗さだった。ハグリッドがセストラルを見せた空き地は、やがてはるか後方になってしまった。ハグリッドが突然歩道をそれ、木々の間を縫うように、暗い森の中心部へと進みはじめると、それまでは何も不安を感じていなかったハリーも、さすがに心配になった。

「ハグリッド！」ハグリッドがやすやすとまたいだばかりの、イバラのからまり合った茂みを通り抜けようと格闘しながら、ハリーが呼びかけた。かつてこの小道をそれたとき、自分の身に何が起こったかを、ハリーは生々しく思い出していた。「僕たちいったいどこへ行くんだい？」

「もうちっと先だ」ハグリッドが振り返りながら答えた。「さあ、ハリー……これからは固まって行動しねえと」

木の枝やらとげとげしい茂みやらで、ハグリッドについていくのに二人は大奮闘だった。ハグリッドはまるでクモの巣を払うかのようにやすやすと進んだが、ハリーとハーマイオニーのローブは引っかかったりからまったりで、それも半端なもつれ方ではなく、ほどくのにしばらく立ち止まらなければならないこともしばしばだった。ハリーの腕も脚も、たちまち切り傷やすり傷だらけになった。すでに森の奥深く入り込み、薄明かりの中でハグリッドの姿を見ても、前を行く巨大な黒い影のようにしか見えないこともあった。押し殺したような静寂の中では、どんな音も恐ろしく聞こえる。小枝の折れる音が大きく響き、ごく小さなカサカサという音でさえ、それがなんの害もないスズメの立てる音だったとしても、怪しげな姿が見えるのではと、ハリーは暗がりに目を凝らした。そう言えば、こんなに奥深く入り込んだのに、なんの生き物にも出会わなかったのは初めてだ。なんの姿も見えないことが、ハリーにはむしろ不吉な前兆に思えた。

「ハグリッド、杖に灯りをともしてもいいかしら？」ハーマイオニーが小声で聞いた。

「あー……ええぞ」ハグリッドがささやき返した。「むしろ――」ハグリッドが突然立ち止まり、後ろを向いた。ハーマイオニーがまともにぶつかり、仰向けに吹っ飛んだ。森の地面にたたきつけられる前に、ハリーが危うく抱きとめた。

「ここらでちいと止まったほうがええ。俺が、つまり……おまえさんたちに話して聞かせるのに」ハグリッドが言った。「着く前にな」

「よかった！」ハリーに助け起こされながら、ハーマイオニーが言った。

「**ルーモス！　光よ！**」二人が同時に唱えた。

杖の先に灯がともった。二本の光線が揺れ、その灯りに照らされて、ハグリッドの顔が暗がりの中から浮かび上がった。ハリーは、その顔がさっきと同じく、気づかわしげで悲しそうなのを見た。

「さて」ハグリッドが言った。「その……なんだ……事は……」

ハグリッドが大きく息を吸った。

「つまり、俺は近々クビになる可能性が高い」

ハリーとハーマイオニーは顔を見合わせ、それからまたハグリッドを見た。

「だけど、これまでもちこたえたじゃない――」ハーマイオニーが遠慮がちに言った。「どうしてそんなふうに思う――」

「アンブリッジが、ニフラーを部屋に入れたのは俺だと思っとる」

「そうなの？」ハリーはつい聞いてしまった。

「まさか、絶対俺じゃねえ！」ハグリッドが憤慨した。「ただ、魔法生物のことになると、アンブリッジは俺と関係があると思うっちゅうわけだ。俺がここに戻ってからずっと、アンブリッジは俺を追い出す機会をねらっとったろうが。もちろん、俺は出ていきたくはねえ。しかし、ほんとうは……特別な事情がなけりゃ、そいつをこれからおまえさんたちに話すが、俺はすぐにでもここを出ていくところだ。トレローニーのときみてえに、学校のみんなの前であいつがそんなことをする前にな」

ハリーとハーマイオニーが抗議の声を上げたが、ハグリッドは巨大な片手を振って押しとどめた。

「なんも、それで何もかもおしめえだっちゅうわけじゃねえ。ここを出たら、ダンブルドアの手助けができる。騎士団の役に立つことができる。そんで、おまえさんたちにゃグラブリー‐プランクがいる――おまえさんたちは――ちゃんと試験を乗り切れる……」

ハグリッドの声が震え、かすれた。ハーマイオニーがハグリッドの腕をやさしくたたこうとすると、ハグリッドがあわてて言った。

「俺のことは心配ねえ」

ベストのポケットから水玉模様の巨大なハンカチを引っ張り出し、ハグリッドは目をぬぐった。

「ええか、どうしてもっちゅう事情がなけりゃ、こんなこたあ、おまえさんたちに話しはしねえ。なあ、俺がいなくなったら……その、これだけはどうしても……誰かに言っとかねえと……何しろ俺は――俺はおまえさんたち二人の助けがいるんだ。それと、もしロンにその気があったら」

「僕たち、もちろん助けるよ」ハリーが即座に答えた。「何をすればいいの？」

ハグリッドはグスッと大きく鼻をすすり、無言でハリーの肩をポンポンたたいた。その力で、ハリーは横っ飛びに倒れ、木にぶつかった。

「おまえさんなら、うんと言ってくれると思っとったわい」

ハグリッドがハンカチで鼻をぬぐいながら言った。

「そんでも、俺は……けっして……忘れねえぞ。……そんじゃ……さあ……ここを通ってもうちっと先だ……ほい、気をつけろ、毒イラクサだ……」

それからまた十五分、三人はだまって歩いた。あとどのくらい行くのかと、ハリーが口を開きかけたとき、ハグリッドが右手を伸ばして止まれと合図した。

「ゆーっくりだ」ハグリッドが声を低くした。「ええか、そーっとだぞ……」

三人は忍び足で進んだ。ハリーが目にしたのは、ハグリッドの背丈とほとんど同じ高さの、大きくてなめらかな土塁だった。何かとてつもなく大きな動物のねぐらにちがいないと思うと、ハリーの胃袋が恐怖で揺れた。その周囲はぐるりと一帯に木が根こそぎ引き抜かれ、土塁はむき出しの地面に立ち、その周りに、垣根かバリケードのように、木の幹や太い枝が積んである。ハリー、ハーマイオニー、ハグリッドは、いま、その垣根の外にいた。

「眠っちょる」ハグリッドがヒソヒソ声で言った。

確かに、遠くのほうから、巨大な一対の肺が動いているような規則正しいゴロゴロという音が聞こえてきた。ハリーが横目でハーマイオニーを見ると、わずかに口を開け、恐怖の表情で土塁を見つめている。

「ハグリッド」生き物の寝息に消され、やっと聞き取れるような声で、ハーマイオニーがささやいた。「誰なの？」

ハリーは変な質問だと思った……ハリーは「なんなの？」と聞くつもりだった。

「ハグリッド、話がちがうわ――」いつのまにかハーマイオニーが手にしていた杖が震えている。「誰も来たがらなかったって言ったじゃない！」

ハリーはハーマイオニーからハグリッドに目を移した。ハッと気がついた。もう一度土塁を見たハリーは、恐怖で小さく息をのんだ。

ハリー、ハーマイオニー、ハグリッドの三人が楽々その上に立てるほどの巨大な土塁は、ゴロゴロという深い寝息に合わせて、ゆっくりと上下していた。土塁なんかじゃない。まちがいなく背中の曲線だ。しかも――。

「その、なんだ――いや――来たかったわけじゃねえんだ」ハグリッドの声は必死だった。

「だけんど、連れてこなきゃなんねえかった。ハーマイオニー、俺はどうしても！」

「でも、どうして？」ハーマイオニーは泣きそうな声だった。「どうしてなの？――いったい――ああ、ハグリッド！」

「俺にはわかっていた。こいつを連れて戻って」ハグリッドの声も泣きそうだった。「そんで――そんで少し礼儀作法を教えたら――外に連れ出して、こいつは無害だってみんなに見せてやれるって！」

「無害！」ハーマイオニーが金切り声を上げた。

目の前の巨大な生き物が、眠りながら大きく唸って身動きし、ハグリッドがめちゃめちゃに両手を振って「静かに」の合図をした。

「この人がいままでずっとハグリッドを傷つけていたんでしょう？　だからこんなに傷だらけだったんだわ！」

「こいつは自分の力がわかんねえんだ！」ハグリッドが熱心に言った。「それに、よくなってきたんだ。もうあんまり暴れねえ――」

「それで、帰ってくるのに二か月もかかったんだわ！」

ハーマイオニーは聞いていなかったかのように言った。

「ああ、ハグリッド、この人が来たくなかったのなら、どうして連れてきたの？　仲間と一緒のほうが幸せじゃないのかしら？」

「みんなにいじめられてたんだ、ハーマイオニー、こいつがチビだから！」ハグリッドが言った。

「チビ？」」ハーマイオニーが言った。「**チビ？**」

「ハーマイオニー、俺はこいつを残してこれんかった」ハグリッドの傷だらけの顔を涙が伝い、ひげに滴り落ちた。「なあ――こいつは俺の弟分だ！」

ハーマイオニーは口を開け、ただハグリッドを見つめるばかりだった。

「ハグリッド、『弟分』って」ハリーはだんだんにわかった。「もしかして――？」

「まあ――半分だが」ハグリッドが訂正した。「母ちゃんが父ちゃんを捨てたあと、巨人と一緒になったわけだ。そんで、このグロウプができて――」

「グロウプ？」ハリーが言った。

「ああ……まあ、こいつが自分の名前を言うとき、そんなふうに聞こえる」ハグリッドが心配そうに言った。「こいつはあんまり英語をしゃべらねえ……教えようとしたんだが……とにかく、母ちゃんは俺のこともかわいがらんかったが、こいつもおんなじだったみてえだ。そりゃ、巨人の女にとっちゃ、でっけえ子供を作ることが大事なんだ。こいつは初めっから巨人としちゃあ小柄なほうで――せいぜい五、六メートルだ――」

「ほんとに、ちっちゃいわ！」ハーマイオニーはほとんどヒステリー気味に皮肉った。「顕微鏡で見なきゃ！」

「こいつはみんなにこづき回されてた――俺は、どうしてもこいつを置いては――」

「マダム・マクシームもこの人を連れて戻りたいと思ったの？」ハリーが聞いた。

「う――まあ、俺にとってはそれが大切だっちゅうことをわかってくれた」ハグリッドが巨大な両手をねじり合わせながら言った。「だ――だけんど、しばらくすっと、正直言って、ちいとこいつにあきてな……そんで、俺たちは帰る途中で別れた……誰にも言わねえって約束してくれたがな……」

「いったいどうやって誰にも気づかれずに連れてこれたの？」ハリーが聞いた。

「まあ、だからあんなに長くかかったちゅうわけだ」ハグリッドが言った。「夜だけしか移動できんし、人里離れた荒れ地を通るとか。もちろん、そうしようと思えば、こいつは相当の距離を一気に移動できる。だが、何度も戻りたがってな」

「ああ、ハグリッド、いったいどうしてそうさせてあげなかったの！」

引き抜かれた木にぺたんと座り込み、両手で顔を覆って、ハーマイオニーが言った。

「ここにいたくない暴力的な巨人を、いったいどうするつもりなの！」

「そんな、おい――『暴力的』ちゅうのは――ちいときついぞ」

ハグリッドはそう言いながら、相変わらず両手を激しくもみしだいていた。

「そりゃあ、機嫌の悪いときに、俺に二、三発食らわせようとしたこたぁあったかもしれんが、だんだんよくなってきちょる。ずっとよくなって、ここになじんできちょる」

「それなら、この縄はなんのため？」ハリーが聞いた。

ハリーは、若木ほどの太い縄が、近くの一番大きな数本の木にくくりつけられていることに、たったいま気づいた。縄は、地面に丸まり、背を向けて横たわっているグロウプの所まで伸びていた。

「縛りつけておかないといけないの？」ハーマイオニーが弱々しく言った。

「そのなんだ……ん……」ハグリッドが心配そうな顔をした。「あのなあ――さっきも言ったが――こいつは自分の力がちゃんとわかってねえんだ」

ハリーは、このあたりの森に不思議なほど生き物がいない理由が、いまやっとわかった。

「それで、ハリーとロンと私に、何をしてほしいわけ？」

ハーマイオニーが不安そうに聞いた。

「世話してやってくれ」ハグリッドの声がかすれた。「俺がいなくなったら」

ハリーとハーマイオニーはみじめな顔を見合わせた。ハリーは頼まれたことはなんでもするとハグリッドに約束してしまったことに気づき、やりきれない気持ちになった。

「それ――それって、具体的に何をするの？」ハーマイオニーが尋ねた。

「食いもんなんかじゃねえ！」ハグリッドの声に熱がこもった。「こいつは自分で食いもんは取る。問題ねえ。鳥とか、鹿とか……うんにゃ、友達だ、必要なんは。こいつをちょいと助ける仕事を誰かが続けてくれてると思えば、俺は……こいつに教えたりとか、なあ」

ハリーは何も言わず、目の前の地面に横たわる巨大な姿を振り返った。単に大きすぎる人間のように見えるハグリッドとちがい、グロウプは奇妙な形をしている。大きな土塁の左にある苔むした大岩だと思ったものは、グロウプの頭部だとわかった。人間に比べると、体の割に頭がずっと大きい。ほとんど完全にまん丸で、くるくるとカールした蕨色の毛がびっしり生えている。頭部の一番上に、大きく肉づきのよい耳の縁が片方だけ見え、頭部は、いわばバーノンおじさんのように肩に直接のっかっていて、申し訳程度の首があるだけだ。背中は、獣の皮をざくざく縫い合わせた、汚れた褐色の野良着を着て、とにかく幅広い。グロウプが寝息を立てると、あらい縫い目が少し引っ張られるようだった。両足を胴体の下で丸めている。ハリーは泥んこの巨大なはだしの足裏を見た。ソリのように大きく、地面に二つ重ねて置いてあった。

「僕たちに教育してほしいの……」ハリーはうつろな声で言った。いまになって、フィレンツェの警告の意味がわかった。**ハグリッドがやろうとしていることは、うまくいきません。放棄するほうがいいのです。**当然、森に棲むほかの生き物たちは、グロウプに英語を教えようと、実りのない試みをしているハグリッドの声を聞いていたにちがいない。

「うん――ちょいと話しかけるだけでもええ」ハグリッドが望みをたくすかのように言った。「どうしてかっちゅうと、こいつに話ができたら、俺たちがこいつを好きなんだっちゅうことが、もっとよくわかるんじゃねえかと思うんだ。そんで、ここにいてほしいんだっちゅうこともな」

ハリーはハーマイオニーを見た。ハーマイオニーは顔を覆った指の間から、ハリーをのぞいた。

「なんだか、ノーバートが戻ってきてくれたらいいのにっていう気になるね？」ハリーがそう言うと、ハーマイオニーは頼りなげに笑った。

「そんじゃ、やってくれるんだな？」ハグリッドは、ハリーのいま言ったことがわかったようには見えなかった。

「うーん……」ハリーはすでに約束に縛られていた。「やってみるよ、ハグリッド」

「おまえさんに頼めば大丈夫だと思っとった」

ハグリッドは涙っぽい顔でニッコリし、またハンカチを顔に押し当てた。

「だが、あんまり無理はせんでくれ……おまえさんたちには試験もある……透明マントを着て、一週間に一度ぐれえかな、ちょいとここに来て、こいつとしゃべってやってくれ。そんじゃ、起こすぞ。そんで――おまえさんたちを引き合わせる――」

「えっ――ダメよ！」ハーマイオニーがはじかれたように立ち上がった。「ハグリッド、やめて。起こさないで、ねえ、私たち別に――」

しかしハグリッドは、もう目の前の大木の幹をまたぎ、グロウプのほうへと進んでいた。あと三メートルほどのところで、ハグリッドは折れた長い枝を拾い上げ、振り返ってハリーとハーマイオニーに大丈夫だという笑顔を見せ、枝の先でグロウプの背中の真ん中をぐいと突いた。

巨人はしんとした森に響き渡るような声で吠えた。頭上の梢から小鳥たちが鳴きながら舞い上がり、飛び去っていった。そして、ハリーとハーマイオニーの目の前で、グロウプの巨大な体が地面から起き上がった。ひざ立ちするのに、巨大な片手をつくと、地面が振動した。誰が眠りをさまたげたのだろうと、グロウプは首を後ろに回した。

「元気か？　グロウピー？」もう一度突けるようにかまえ、長い大枝を持ったままあとずさりしながら、ハグリッドは明るい声を装った。「よく寝たか？　ん？」

ハリーとハーマイオニーはグロウプの姿が見える範囲で、できるだけ後退した。グロウプは、まだ引っこ抜いていない二本の木の間にひざをついていた。そのでっかい顔を、二人は驚いて眺めた。空き地の暗がりに、灰色の満月がすべり込んできたかのような顔だ。巨大な石の玉に目鼻を彫り込んだかのようだ。ずんぐりした不格好な鼻、ひん曲がった口、れんが半分ほどの大きさの黄色い乱杭歯、目は巨人の尺度で言えば小さく、にごった緑褐色で、起き抜けのいまは半分目やにでふさがれている。グロウプはクリケットのボールほどもある汚い指関節でゴシゴシ両目をこすり、なんの前触れもなく、驚くほどすばやく、機敏に立ち上がった。

「アーッ！」ハリーのそばで、ハーマイオニーが恐怖の声を上げるのが聞こえた。

グロウプの両手と両足を縛った縄のくくりつけられている木々が、ギシギシと不吉にきしんだ。ハグリッドの言ったとおり、グロウプは少なくとも五メートルはある。寝ぼけまなこであたりを見回すと、グロウプはビーチパラソルほどもある手を伸ばし、そびえ立つ松の木の高い枝にあった鳥の巣をつかみ、鳥がいないのに気を悪くしたらしく、吠えながら巣をひっくり返した。鳥の卵が手榴弾のように地面めがけて落ち、ハグリッドは両腕でサッと頭をかばった。

「ところでグロウピー」また卵が落ちてきはしないかと心配そうな顔で上を見ながら、ハグリッドが叫んだ。「友達を連れてきたぞ。覚えとるか？　連れてくるかもしれんと言ったろうが？　俺がちっと旅に出るかもしれんから、おまえの世話をしてくれるように、友達に任せていくちゅうたが、覚えとるか？　どうだ？　グロウピー？」

しかしグロウプはまた低く吠えただけだった。ハグリッドの言うことを聞いているのかどうか、だいたい、その音を言語として認識しているのかどうかもわからなかった。グロウプは、今度は松の木の梢をつかみ、手前に引っ張っていた。手を離したらどこまで跳ね返るかを見て単純に楽しむためらしい。

「さあさあ、グロウピー、そんなことやめろ！」ハグリッドが叫んだ。「そんなことしたから、みんな根こそぎになっちまったんだよ――」

そのとおりだった。ハリーは、木の根元の地面が割れはじめたのを見た。

「おまえに友達を連れてきたんだ！」ハグリッドが叫んだ。「ほれ、友達だ！　下を見ろや、このいたずらっ子め！　友達を連れてきたんだってば！」

「ああ、ハグリッド、やめて」ハーマイオニーがうめくように言った。しかしハグリッドはすでに大枝をもう一度持ち上げ、グロウプのひざに鋭く突きを入れた。

巨人は木の梢から手を離し、木は脅すように揺れたかと思うと、ハグリッドにチクチクした松の葉の雨を降らせた。巨人は下を見た。

「**こっちは**」ハリーとハーマイオニーのいる所に急いで移動して、ハグリッドが言った。

「ハリーだよ、グロウプ！　ハリー・ポッター！　俺が出かけなくちゃなんねえとき、おまえに会いにくるかもしれんよ。いいな？」

巨人はいまやっと、そこにハリーとハーマイオニーがいることに気づいた。巨人が大岩のような頭を低くして、どんよりと二人を見つめるのを、二人とも戦々恐々として見ていた。

「そんで、こっちはハーマイオニーだ。なっ？　ハー――」ハグリッドが言いよどみ、ハーマイオニーのほうを見た。「ハーマイオニー、ハーミーって呼んでもかまわんか？　何せ、こいつには難しい名前なんでな」

「かまわないわ」ハーマイオニーが上ずった声で答えた。

「ハーミーだよ、グロウプ！　そんで、この人も訪ねてくるからな！　よかったなあ？　え？　友達が二人もおまえを――**グロウピー、ダメ！**」

グロウプの手が突然シュッとハーマイオニーのほうに伸びてきた。ハリーがハーマイオニーをつかまえ、後ろの木の陰へと引っ張った。グロウプの手が空を握り、握り拳がその木の幹をこすった。

「**悪い子だ、グロウピー！**」ハグリッドのどなる声が聞こえた。ハーマイオニーは木の陰でハリーにしがみつき、ヒイヒイ悲鳴を上げながら震えていた。「**とっても悪い子だ！　そんなふうにつかむんじゃ――イテッ！**」

ハリーが木の陰から首を突き出すと、ハグリッドが手で鼻を押さえて仰向けに倒れているのが見えた。グロウプはどうやら興味がなくなったようで、また頭を上げ、松の木をもう一度引っ張れるだけ引っ張っていた。

「よーふ」ハグリッドは片手で鼻血の出ている鼻をつまみ、もう一方で石弓を握りながら立ち上がり、フガフガと言った。「さてと……これでよし……おまえさんたちはこいつに会ったし――今度ここに来るときは、こいつはおまえさんたちのことがわかる。うん……さて……」

ハグリッドはグロウプを見上げた。グロウプは大岩のような顔に、無心な喜びの表情を浮かべ、松の木を引っ張っていた。松の根が地面から引き裂かれてきしむ音がした。

「まあ、今日のところは、こんなとこだな」ハグリッドが言った。「そんじゃ――もう帰るとするか？」

ハリーとハーマイオニーがうなずいた。ハグリッドは石弓を肩にかけなおし、鼻をつまんだまま、先頭に立って森の中に戻っていった。

しばらく誰も話をしなかった。遠くから、グロウプがついに松の木を引き抜いてしまったらしいドスンという音が聞こえたときも、だまっていた。ハーマイオニーは青ざめて厳しい顔をしていた。ハリーは言うべき言葉を何も思いつかなかった。ハグリッドがグロウプを禁じられた森に隠していると誰かに知れたら、いったいどうなるんだろう？　しかも、ハリーは、ロン、ハーマイオニーと三人で巨人を教育するという、まったく無意味なハグリッドの試みを継続すると約束してしまった。牙のある怪物はかわいくて無害だと思い込む能力がとんでもなく豊かなハグリッドだが、グロウプがヒトと交わることができるようになるなんて、よくもそんな思い込みができるものだ。

「ちょっと待て」突然ハグリッドが言った。その後ろで、ハリーとハーマイオニーが、うっそうとしたニワヤナギの群生地を通り抜けるのに格闘しているときだった。ハグリッドは肩の矢立てから矢を一本引き抜き、石弓につがえた。ハリーとハーマイオニーは杖をかまえた。歩くのをやめたので、二人にも近くで何か動く物音が聞こえた。

「おっと、こりゃあ」ハグリッドが低い声で言った。

「ハグリッド、言ったはずだが？」深い男の声だ。「もう君は、ここでは歓迎されざる者だと」

男の裸の胴体が、まだらな緑の薄明かりの中で、一瞬宙に浮いているように見えた。やがて、男の腰の部分が、栗毛の馬の胴体になめらかに続いているのが見えた。気位の高い、ほお骨の張った顔、長い黒髪のケンタウルスだった。ハグリッドと同じように、武装している。矢の詰まった矢立てと長弓とを両肩に引っかけていた。

「元気かね、マゴリアン？」ハグリッドが油断なく挨拶した。

そのケンタウルスの背後の森がガサゴソ音を立て、あと四、五頭のケンタウルスが現れた。黒い胴体、あごひげを生やした一頭は、見覚えのあるベインだ。ほぼ四年前、フィレンツェに出会ったと同じあの夜に会っている。ベインはハリーを見たことがあるというそぶりをまったく見せなかった。

「さて」ベインは危険をはらんだ声でそう言うと、すぐにマゴリアンのほうを見た。「この森に再びこのヒトが顔を出したら、我々はどうするかを決めてあったと思うが」

「いま俺は、『このヒト』なのか?」ハグリッドが不機嫌に言った。「おまえたち全員が仲間を殺すのを止めただけなのに?」

「ハグリッド、君は介入するべきではなかった」マゴリアンが言った。「我々のやり方は、君たちとはちがうし、我々の法律もちがう。フィレンツェは仲間を裏切り、我々の名誉をおとしめた」

「どうしてそういう話になるのか、俺にはわからん」ハグリッドがもどかしそうに言った。「あいつはアルバス・ダンブルドアを助けただけだろうが――」

「フィレンツェはヒトの奴隷になり下がった」深いしわが刻まれた険しい顔の、灰色のケンタウルスが言った。

「**奴隷!**」ハグリッドが痛烈な言い方をした。「ダンブルドアの役に立っとるだけだろうが――」

「我々の知識と秘密を、ヒトに売りつけている」マゴリアンが静かに言った。「それほどまでの恥辱を回復する道はありえない」

「そんならそれでええ」ハグリッドが肩をすくめた。「しかし、俺に言わせりゃ、おまえさんたちはどえらいまちがいを犯しちょる――」

「おまえもそうだ、ヒトよ」ベインが言った。「我々の警告にもかかわらず、我らの森に戻ってくるとは――」

「おい、よく聞け」ハグリッドが怒った。「言わせてもらうが、『我らの』森が聞いてあきれる。森に誰が出入りしようと、おまえさんたちの決めるこっちゃねえだろうが——」

「君が決めることでもないぞ、ハグリッド」マゴリアンがよどみなく言った。「今日のところは見逃してやろう。君には連れがいるからな。君の若駒が——」

「こいつのじゃない！」ベインが軽蔑したようにさえぎった。「マゴリアン、学校の生徒だぞ！　たぶん、すでに、裏切り者のフィレンツェの授業の恩恵を受けている」

「そうだとしても」マゴリアンが落ち着いて言った。「仔馬(こうま)を殺すのは恐ろしい罪だ——我々は無垢(むく)なものに手出しはしない。今日は、ハグリッド、行くがよい。これ以後は、ここに近づくではない。裏切り者フィレンツェが我々から逃れるのに手を貸したときから、君はケンタウルスの友情を喪失したのだ」

「おまえさんたちみてえな老いぼれラバの群れに、森からしめ出されてたまるか！」ハグリッドが大声を出した。

「ハグリッド」ハーマイオニーがかん高い恐怖の声を上げた。ベインと灰色のケンタウルスの二頭がひづめで地面をかいていた。「行きましょう。ねえ、行きましょうよ！」

ハグリッドは立ち去りかけたが、石弓をかまえたまま、目は脅すようにマゴリアンをにらみ続けていた。

「君が森に何を隠しているか、我々は知っているぞ、ハグリッド！」ケンタウルスたちの姿が見えなくなったとき、マゴリアンの声が背後から追いかけてきた。「それに、我々の忍耐も限界に近づいているのだ！」

ハグリッドは向きを変えた。マゴリアンの所にまっすぐ取って返したいという様子がむき出しだった。

「あいつがこの森にいるかぎり、おまえたちは忍耐しろ！　森はおまえたちのものでもあるし、あいつのものでもあるんだ！」ハグリッドが叫んだ。ハリーとハーマイオニーは、ハグリッドをそのまま歩かせようと、モールスキンの半コートを力のかぎり押していた。しかめっ面のまま、ハグリッドは下を見た。二人が自分を押しているのを見ると、ハグリッドの顔はちょっと驚いた表情に変わった。押されているのを感じていなかったらしい。

「落ち着け、二人とも」ハグリッドは歩きはじめた。二人はハァハァ言いながら、その後ろについていった。「しかし、いまいましい老いぼれラバだな、え？」

「ハグリッド」ハーマイオニーが来るときも通ってきた毒イラクサの群生をさけて通りながら、声をひそめて言った。「ケンタウルスが森にヒトを入れたくないとすれば、ハリーも私も、どうにもできないんじゃないかって気が――」

「ああ、連中が言ったことを聞いたろうが」ハグリッドは相手にしなかった。「仔馬――つまり、子供は傷つけねえ。とにかく、あんな連中に振り回されてたまるか」

「いい線いってたけどね」ハリーががっくりしているハーマイオニーに向かってつぶやいた。

やっと歩道の小道に戻り、十分ほど歩くと、木立が徐々にまばらになり、青空が切れ切れに見えるようになってきた。そして遠くから、はっきりした歓声と叫び声が聞こえてきた。

「またゴールを決めたんか？」クィディッチ競技場が見えてきたとき、木々に覆われた場所で立ち止まって、ハグリッドが聞いた。「それとも、試合が終わったと思うか？」

「わからないわ」ハーマイオニーがみじめな声を出した。ハリーが見ると、森でよれよれになったハーマイオニーの姿は悲惨だった。髪は小枝や木の葉だらけで、ローブは数か所破れ、顔や腕に数え切れないほどの引っかき傷がある。自分も同じようなものだとハリーは思った。

「どうやら終わったみてえだぞ！」ハグリッドはまだ競技場のほうに目を凝らしていた。「ほれ――もうみんな出てきた――二人とも、急げば集団に紛れ込める。そんで、二人がいなかったことなんぞ、誰にもわかりゃせん！」

「そうだね」ハリーが言った。「さあ……ハグリッド、それじゃ、またね」

「信じられない」ハグリッドに聞こえない所まで来たとたん、ハーマイオニーが動揺しきった声で言った。「信じられない。**ほんとに**信じられない」

「落ち着けよ」ハリーが言った。

「落ち着けなんて！」ハーマイオニーは興奮していた。「巨人よ！　森に巨人なのよ！　それに、その巨人に私たちが英語を教えるんですって！　しかも、もちろん、殺気立ったケンタウルスの群れに、途中気づかれずに森に出入りできればの話じゃない！　ハグリッドったら、信じられない。ほんとに**信じられない**わ」

「僕たち、まだなんにもしなくていいんだ！」ペチャクチャしゃべりながら城へと帰るハッフルパフの流れにもぐり込みながら、ハリーは低い声でハーマイオニーをなだめようとした。

「追い出されなければ、ハグリッドは僕たちになんにも頼みやしない。それに、ハグリッドは追い出されないかもしれない」

「まあ、ハリー、いいかげんにしてよ！」ハーマイオニーが憤慨し、その場で石のように動かなくなったので、後ろを歩いていた生徒たちは、ハーマイオニーを迂回(うかい)して歩かなければならなかった。

「ハグリッドは必ず追い出されるわよ。それに、はっきり言って、いましがた目撃したことから考えて、アンブリッジが追い出しても無理もないじゃない？」

一瞬言葉がとぎれ、ハリーがハーマイオニーをじっとにらんだ。ハーマイオニーの目にじんわりと涙がにじんできた。

「本気で言ったんじゃないよね」ハリーが低い声で言った。

「ええ……でも……そうね……本気じゃないわ」ハーマイオニーは怒ったように目をこすった。

「でもどうしてハグリッドは苦労をしょい込むのかしら？　……それに**私たちにまでどうして？**」

「さあ――」

ウィーズリーはわが王者
ウィーズリーはわが王者
クアッフルをば止めたんだ
ウィーズリーはわが王者……

「それに、あのバカな歌を歌うのをやめてほしい」ハーマイオニーは打ちひしがれたように言った。

「あの連中、まだからかい足りないって言うの？」

大勢の生徒が、競技場から芝生をひたひたと上ってきた。

「さあ、スリザリン生と顔を合わせないうちに中に入りましょうよ」ハーマイオニーが言った。

ウィーズリーは守れるぞ
万に一つも逃さぬぞ
だから歌うぞ、グリフィンドール
ウィーズリーはわが王者

「ハーマイオニー……」ハリーが何かに気づいたように言った。

歌声はだんだん大きくなってきた。しかし、緑と銀色の服を着たスリザリン生の群れからではなく、ゆっくりと城に向かってくる、赤と金色の集団から湧き上がっていた。誰かが大勢の生徒に肩車されている。

ウィーズリーはわが王者
ウィーズリーはわが王者
クアッフルをば止めたんだ
ウィーズリーはわが王者……

「うそ?」ハーマイオニーが声を殺した。

「**やった!**」ハリーが大声を上げた。

「**ハリー! ハーマイオニー!**」

銀色のクィディッチ優勝杯を振りかざし、我を忘れて、ロンが叫んでいる。

「**やったよ! 僕たち勝ったんだ!**」

ロンが通り過ぎるとき、二人はニッコリとロンを見上げた。正面扉のあたりが混雑してもみ合い、ロンは楣石(まぐさいし)にかなりひどく頭をぶつけた。それでも誰もロンを下ろそうとしなかった。歌い続けながら、群れは無理やり玄関ホールを入り、姿が見えなくなった。ハリーとハーマイオニーはニッコリ笑いながら、「ウィーズリーはわが王者」の最後の響きが聞こえなくなるまで集団を見送った。それから二人で顔を見合わせた。笑いが消えていった。

「あしたまでだまっていようか？」ハリーが言った。

「ええ、いいわ」ハーマイオニーがうんざりしたように言った。「私は急がないわよ」

二人は一緒に石段を上った。正面扉のところで二人とも無意識に禁じられた森を振り返った。錯覚かどうかハリーには自信がなかったが、遠くの木の梢から、小鳥の群れがいっせいに飛び立ったような気がした。いままで巣をかけていた木が、根元から引っこ抜かれたかのように。

第31章　ふ・く・ろ・う

　グリフィンドールにからくも優勝杯をもたらした立役者のロンは、有頂天で、次の日はなんにも手につかないありさまだった。試合の一部始終を話したがるばかりで、ハリーとハーマイオニーは、グロウプのことを切り出すきっかけがなかなかつかめなかった。もっとも二人とも積極的に努力したわけではない。こんな残酷なやり方でロンを現実に引き戻すのは、どちらも気が進まなかったのだ。その日も暖かな晴れた日だったので、二人は湖のほとりのブナの木陰で勉強しようとロンを誘った。談話室よりそこのほうが盗み聞きされる危険性が少ないはずだ。

　ロンは、はじめあまり乗り気ではなかった。――ときどき爆発する「ウィーズリーはわが王者」の歌声はもちろんのこと、グリフィンドール生がロンの座っている椅子を通り過ぎるとき、背中をたたいていくのがすっかり気に入っていたからだ――しかし、しばらくすると、新鮮な空気を吸ったほうがいいという意見に従った。

　ブナの木陰で本を広げ、それぞれに座ったが、ロンは試合最初のゴールセーブの話を、もう十数回目になるのに、またしても一部始終二人に聞かせた。

「でもさ、ほら、もうデイビースのゴールを一回許しちゃったあとだから、僕、そんなに自信はなかったんだ。だけど、どうしたのかなぁ、ブラッドリーがどこからともなく突っ込んできたとき、僕は思ったんだ――**やるぞ！**　どっちの方向に飛ぶかを決めるのはほんの一瞬さ。だって、やつは右側のゴールをねらっているみたいに見えたんだ――もちろん僕の右、やつの左ね――だけど、変なんだよね。僕、やつがフェイントをかましてくるような気がしたんだ。一か八か、僕は左に跳んだね——やつの右だけどね——そして——まあ——結果は観(み)てただろう」

ロンは最後を控えめに語り終え、必要もないのに髪を後ろにかき上げ、見せびらかすように風に吹かれた効果を出しながら近くにいた生徒たちにちらっと目をやり——ハッフルパフの三年生が固まってうわさ話をしていた——自分の話が聞こえたかどうかチェックした。

「それで、チェンバーズがそれから五分後に攻めてきたとき——どうしたんだ？」ハリーの表情を見て、ロンは話を中断した。「何をニヤニヤしてるんだ？」

「してないよ」

ハリーはあわててそう言うと、下を向いて変身術のノートを見ながら、まじめな顔に戻そうとした。ほんとうのことを言えば、ロンの姿がもう一人別のグリフィンドールのクィディッチ選手と重なってしかたがなかったのだ。かつてこの同じ木の下に座って髪をくしゃくしゃにしていた人だ。

「ただ、僕たちが勝ったのがうれしいだけさ」

「ああ」ロンは「**僕たちが勝った**」の言葉をかみしめるかのようにゆっくりと言った。

「ジニーに鼻先からスニッチを奪われたときの、チャンの顔を見たか？」

「たぶん、泣いたんじゃないか？」ハリーは苦い思いで言った。

「ああ、うん——どっちかっていうとかんしゃくを起こして泣いたっていうほうが……」ロンはけげんな顔をした。「だけど、チャンが地上に降りたとき、箒(ほうき)を投げ捨てたのは見たんだろ？」

「んー——」ハリーが言いよどんだ。

「あの、実は……ロン、見てないの」ハーマイオニーが大きなため息をつき、本を置いて申し訳なさそうにロンを見た。「実はね、ハリーと私が観たのは、デイビースが最初にゴールしたところだけなの」

念入りにくしゃくしゃにしたロンの髪が、がっくりとしおれたように見えた。

「観てなかったの？」二人の顔を交互に見ながら、ロンがか細く言った。「僕がゴールを守ったとこ、一つも見てないの？」

「あの――そうなの」ハーマイオニーが、なだめるようにロンのほうに手を差し伸べながら言った。

「でも、ロン、そうしたかったわけじゃないのよ――どうしても行かなきゃならなかったの！」

「へえ？」ロンの顔がだんだん赤くなってきた。「どうして？」

「ハグリッドのせいだ」ハリーが言った。「巨人の所から帰って以来、いつも傷だらけだったわけを、僕たちに教えてくれる気になったんだ。一緒に森に来てほしいって言われて、断れなかった。ハグリッドのやり方はわかるだろ？　それで……」

話は五分で終わった。最後のほうになると、ロンの怒りは、まったく信じられないという表情に変わっていた。

「**一人連れて帰って、森に隠してた？**」

「そう」ハリーが深刻な顔で言った。

「まさか」否定することで事実を事実でなくすることができるかのように、ロンが言った。「まさか、そんなことしないだろう」

「それが、したのよ」ハーマイオニーがきっぱり言った。

「グロウプは約五メートルの背丈、六メートルもの松の木を引っこ抜くのが好きで、私のことは」ハーマイオニーはフンと鼻を鳴らした。「**ハーミー**って名前で知ってるわ」

ロンは不安をごまかすかのように笑った。

「それで、ハグリッドが僕たちにしてほしいことって……？」

「英語を教えること。うん」ハリーが言った。

「正気を失ってるな」ロンが恐れ入りましたという声を出した。

「ほんと」ハーマイオニーが『中級変身術』の教科書をめくり、ふくろうがオペラグラスに変身する一連の図解をにらみながら、いらいらと言った。「そう。私もハグリッドがおかしくなったと思いはじめてるのよ。でも、残念ながら、私もハリーも約束させられたの」

「じゃ、約束を破らないといけない。それで決まりさ」ロンがきっぱりと言った。「だってさ、いいか……試験が迫ってるんだぜ。しかも、あとこのくらいで──」ロンは手を上げて、親指と人差し指をほとんどくっつくぐらいに近づけてみせた。「──僕たち追い出されそうなんだぜ。なんにもしなくとも。それに、とにかく……ノーバートを覚えてるか？　アラゴグは？　ハグリッドの仲よし怪物とつき合って、よかった例があるか？」

「わかってるわ。でも──私たち、約束したの」ハーマイオニーが小さな声で言った。

ロンは不安そうな顔で、髪を元どおりになでつけた。

「まあね」ロンがため息をついた。「ハグリッドはまだクビになってないだろ？　これまでもちこたえたんだ。今学期いっぱいもつかもしれないし、そしたらグロウプの所に行かなくてすむかもしれない」

城の庭はペンキを塗ったばかりのように、陽の光に輝いていた。雲一つない空が、キラキラ光るなめらかな湖に映る自分の姿にほほえみかけ、つややかな緑の芝生が、やさしいそよ風に時折さざ波を立てている。もう六月だった。しかし、五年生にとっては、その意味はただ一つだ。ついにO・W・L試験がやってきた。

先生方はもう宿題を出さず、試験に最も出題されそうな予想問題の練習に時間を費やした。目的に向から熱っぽい雰囲気が、ハリーの頭からO・W・L以外のものをほとんど全部追い出していた。ただときどき、魔法薬の授業中に、ルーピンはスネイプに「閉心術」の特訓を続けなければならないと言ったのだろうか、と考えることがあった。もし言ったのなら、スネイプはいま、ハリーを無視していると同じように、ルーピンをも完全に無視していることになる。ハリーにとっては好都合だった。スネイプとの追加の訓練がなくともハリーは充分に忙しかったし、緊張していた。ハーマイオニーもこのごろは試験に気を取られるあまり、「閉心術」についてしつこく言わなくなっていたので、ハリーはホッとしていた。ハーマイオニーは長い時間ひとりでブツブツ言っていたし、このところ何日もしもべ妖精の服を置いていない。

O・W・L試験が確実に近づいてくると、おかしな行動を取るのはハーマイオニーだけではなかった。アーニー・マクミランは誰かれなく捕まえては勉強のことを質問するというくせがつき、みんなをいらいらさせた。

「一日に何時間勉強してる?」

ハリーとロンが薬草学の教室の外に並んでいると、マクミランがギラギラと落ち着かない目つきで質問した。

「さあ」ロンが言った。「数時間だろ」

「八時間より多いか、少ないか?」

「少ないと思うけど」ロンは少し驚いた顔をした。

「僕は八時間だ」アーニーが胸をそらした。「八時間か九時間さ。毎日朝食の前に一時間やってる。平均で八時間だ。週末に調子がいいときは十時間できるし、月曜は九時間半やった。火曜はあんまりよくなかった——七時間十五分しかやらなかった。それから水曜日は——」

この時点で、スプラウト先生がみんなを三号温室に招じ入れ、アーニーは独演会をやめざるをえなくなったので、ハリーはとてもありがたかった。

一方、ドラコ・マルフォイはちがったやり方で周りにパニックを引き起こしていた。

「もちろん、知識じゃないんだよ」

試験開始の数日前、魔法薬の教室の前で、マルフォイがクラッブとゴイルに大声で話しているのをハリーは耳にした。

「誰を知っているかなんだ。ところで、父上は魔法試験局の局長とは長年の友人でね――グリゼルダ・マーチバンクス女史さ――僕たちが夕食にお招きしたり、いろいろと……」

「ほんとうかしら？」ハーマイオニーは驚いてハリーとロンにささやいた。

「もしほんとうでも、僕たちにはなんにもできないよ」ロンが憂鬱そうに言った。

「ほんとうじゃないと思うよ」三人の背後でネビルが静かに言った。「だって、グリゼルダ・マーチバンクスは僕のばあちゃんの友達だけど、マルフォイの話なんか一度もしてないもの」

「ネビル、その人、どんな人？」ハーマイオニーが即座に質問した。「厳しい？」

「ちょっとばあちゃんに似てる」ネビルの声が小さくなった。

「でも、その人と知り合いだからって、君が不利になるようなことはないだろ？」ロンが力づけるように言った。

「ああ、全然関係ないと思う」ネビルはますますみじめそうに言った。「ばあちゃんが、マーチバンクス先生にいっつも言うんだ。僕が父さんのようにはできがよくないって……ほら……ばあちゃんがどんな人か、聖マンゴで見ただろ……」

ネビルはじっと床を見つめた。ハリー、ロン、ハーマイオニーは互いに顔を見合わせたが、なんと言っていいかわからなかった。魔法病院で三人に出会ったことをネビルが認めたのは、これが初めてだった。

そうこうするうちに、五年生と七年生の間では、精神集中、頭の回転、眠気覚ましに役立つものの闇取引が大繁盛しだした。ハリーとロンは、レイブンクローの六年生、エディ・カーマイケルが売り込んだ「バルッフィオの脳活性秘薬」に相当ひかれた。一年前の夏、自分がO・W・Lで九科目も「O・優」を取れたのは、まったくこの秘薬のおかげだと請け合い、半リットル瓶一本をたったの十二ガリオンで売るというのだ。ロンは、卒業して仕事についたらすぐに代金の半分をハリーに返すと約束した。ところが売買交渉がまとまりかけたとき、ハーマイオニーがカーマイケルから瓶を没収し、中身をトイレに捨ててしまった。

「ハーマイオニー、僕たちあれが買いたかったのに！」ロンが叫んだ。

「バカなことはやめなさい」ハーマイオニーがいがんだ。「いっそのことハロルド・ディングルのドラゴンの爪の粉末でも飲んで、けりをつければ？」

「ディングルがドラゴンの爪の粉末を持ってるの？」ロンが勢い込んだ。

「もう持っていないわ」ハーマイオニーが言った。「私がそれも没収しました。あんなもの、どれも効かないわよ」

「ドラゴンの爪は効くよ！」ロンが言った。「信じられない効果なんだって。脳がほんとに活性化して、数時間ものすごく悪知恵が働くようになるんだって――ハーマイオニー、ひとつまみ僕にくれよ。ねえ、別に毒になるわけじゃなし――」

「なるわ」ハーマイオニーが怖い顔をした。「よく見たら、あれ、実はドクシーのフンを乾かしたものだったもの」

この情報で、ハリーとロンの脳刺激剤熱が冷めた。

次の変身術の授業のとき、O・W・L試験の時間割とやり方についての詳細が知らされた。

「ここに書いてあるように」

マクゴナガル先生は、生徒が黒板から試験の日付と時間を写し取る間に説明した。

「みなさんのO・W・Lは二週間にわたって行われます。午前中は理論に関する筆記試験、午後は実技です。天文学の実技試験は、もちろん夜に行います」

「警告しておきますが、筆記試験のペーパーには最も厳しいカンニング防止呪文がかけられています。『自動解答羽根ペン』は持ち込み禁止です。『思い出し玉』、『取り外し型カンニング用カフス』、『自動修正インク』も同様です。残念なことですが、毎年少なくとも一人は、魔法試験局の決めたルールをごまかせると考える生徒がいるようです。それがグリフィンドールの生徒でないことを願うばかりです。わが校の新しい――女校長が――」

この言葉を口にしたとき、マクゴナガル先生は、ペチュニアおばさんが特にしつこい汚れをじっと見るときと同じ表情をした。

「――カンニングは厳罰に処すと寮生に伝えるよう、各寮の寮監に要請しました――理由はもちろん、みなさんの試験成績しだいで、本校における新校長体制の評価が決まってくるからです――」

マクゴナガル先生は小さくため息をもらした。骨高の鼻の穴がふくれるのを、ハリーは見た。

「――だからといって、みなさんがベストを尽くさなくてもよいことにはなりません。みなさんは自分の将来を考えるべきなのですから」

「先生」ハーマイオニーが手を挙げた。「結果はいつわかるのでしょうか？」

「七月中にふくろう便がみなさんに送られます」

「よかった」ディーン・トーマスがわざと聞こえるようなささやき声で言った。「なら、夏休みまでは心配しなくてもいいんだ」

ハリーは、これから六週間後にプリベット通りの自分の部屋で、O・W・Lの結果を待つ姿を想像した。まあいいや――ハリーは思った――夏休み中に必ず一回は便りが来るんだから。

最初の試験、呪文学の理論は月曜の午前中に予定されている。日曜の昼食後、ハリーはハーマイオニーのテストの準備を手伝うことを承知したが、すぐに後悔した。ハーマイオニーは神経過敏になっていて、自分の答えが完璧かどうかをチェックするのに、ハリーが手にした教科書を何度も引ったくり、はてはハリーの鼻を『呪文学問題集』の本の角でいやというほどたたいてしまった。

「自分ひとりでやったらどうだい？」ハリーは涙をにじませながら本を突っ返した。

一方ロンは、両耳に指を突っ込んで、口をパクパクさせながら、二年分の呪文学のノートを読み返していた。シェーマス・フィネガンは、床に仰向けに寝転び、「実体的呪文」の定義を復唱し、ディーンがそれを『基本呪文集（五学年用）』と照らし合わせてチェックしていた。パーバティとラベンダーは、基本的な「移動呪文」の練習中で、それぞれのペンケースをテーブルの縁に沿って動かし、競争させていた。

その夜の夕食は意気が上がらなかった。ハリーとロンはあまり話さなかったが、一日中勉強したあとなので、もりもり食べた。ところがハーマイオニーは、しょっちゅうナイフとフォークを置き、テーブルの下にもぐり込んでは鞄（かばん）から本をつかみ出し、事実や数字を確かめていた。ちゃんと食べないと夜眠れなくなるよとロンが忠告したその時、ハーマイオニーの指の力が抜け、皿にすべり落ちたフォークがガチャッと大きな音を立てた。

「ああ、どうしよう」玄関ホールのほうをじっと見ながら、ハーマイオニーがかすかな声で言った。

「あの人たちかしら？　試験官かしら？」

ハリーとロンは腰かけたままくるりと振り向いた。大広間につながる扉を通して、アンブリッジと、そのそばに立っている古色蒼然たる魔法使いたちの小集団が見えた。ハリーにとってはうれしいことに、アンブリッジがかなり神経質になっているようだった。

「近くに行ってもっとよく見ようか？」ロンが言った。

ハリーとハーマイオニーがうなずき、三人は玄関ホールに続く両開きの扉のほうへと急いだ。敷居を越えたあとはゆっくり歩き、落ち着き払って試験官のそばを通り過ぎた。ハリーは、腰の曲がった小柄な魔女がマーチバンクス教授ではないかと思った。顔はしわくちゃで、クモの巣をかぶっているように見える。アンブリッジがうやうやしく話しかけていた。マーチバンクス教授は少し耳が遠いらしく、アンブリッジ先生とは数十センチしか離れていないのに、大声で答えていた。

「旅は順調でした。順調でしたよ。もう何度も来ているのですからね！」マーチバンクス教授はいらだったように言った。

「ところでこのごろダンブルドアからの便りがない！」箒置き場からでもダンブルドアがひょっこり現れるのを期待しているかのように、教授は目をこらしてあたりを見回した。「どこにおるのか、皆目わからないのでしょうね？」

「わかりません」アンブリッジはハリー、ロン、ハーマイオニーをじろりとにらみながら言った。今度はロンが靴のひもを結びなおすふりをしながら、三人は階段下でぐずぐずしていた。

「でも、魔法省がまもなく突き止めると思いますわ」

「さて、どうかね」小柄なマーチバンクス教授が大声で言った。「ダンブルドアが見つかりたくないのなら、まず無理だね！　私にはわかりますよ……この私が、N・E・W・T（イモリ）の変身術と呪文学の試験官だったのだから……あれほどまでの杖使いは、それまで見たことがなかった」

「ええ……まあ……」アンブリッジが言った。三人は一歩一歩足を持ち上げ、できるだけのろのろと大理石の階段を上っていくところだった。

「教職員室にご案内いたしましょう。長旅でしたから、お茶などいかがかと」

なんだか落ち着かない夜だった。誰もが最後の追い込みで勉強していたが、たいしてはかどっているようには見えなかった。ハリーは早めにベッドに入ったが、何時間もたったのではと思えるほど長い間目がさえて、眠れなかった。進路相談で、どんなことがあってもハリーを「闇祓い」にするために力を貸すと、マクゴナガルが激しく宣言したことを思い出した。いざ試験のときが来てみると、もう少し実現可能な希望を言えばよかったと思った。眠れないのは自分だけではないと、ハリーは気配を感じていた。しかし、寝室の誰も口をきかず、やがて一人、二人とみな眠りに落ちていった。

翌日の朝食のときも、五年生は口数が少なかった。パーバティは小声で呪文の練習をし、目の前の塩入れをピクピクさせていた。ハーマイオニーは『呪文学問題集』を読みなおしていたが、目の動きの早いこと。目玉がぼやけて見えるほどだった。ネビルはナイフとフォークを落としてばかりで、マーマレードを何度もひっくり返した。

朝食が終わると、生徒はみんな教室に行ったが、五年生と七年生は玄関ホールにたむろしてうろうろしていた。九時半になると、クラスごとに呼ばれ、再び大広間に入った。そこは、ハリーが「憂いの篩」で見たとおりに模様替えされていた。父親、シリウス、スネイプがO・W・Lを受けていた場面だ。四つの寮のテーブルは片づけられ、かわりに個人用の小さな机がたくさん、奥の教職員テーブルのほうを向いて並んでいた。一番奥に、生徒と向かい合う形でマクゴナガル先生が立っている。全員が着席し、静かになると、「始めてよろしい」の声とともに、先生は自分の机に置かれた巨大な砂時計をひっくり返した。先生の机にはそのほか、予備の羽根ペン、インク瓶、羊皮紙の巻紙が置いてあった。

ハリーはドキドキしながら試験用紙をひっくり返した。――ハリーの右に三列、前に四列離れた席で、ハーマイオニーはもう羽根ペンを走らせている――ハリーは最初の問題を読んだ。

(a) 物体を飛ばすために必要な呪文を述べよ。

(b) さらにそのための杖の動きを記述せよ。

棍棒(こんぼう)が空中高く上がり、トロールの分厚い頭がい骨の上にボクッと大きな音を立てて落ちたときの思い出が、ちらりと頭をよぎった……ハリーはフッと笑顔になり、答案用紙に覆いかぶさるようにして書きはじめた。

「まあ、それほど大変じゃなかったわよね?」

二時間後、玄関ホールで、試験問題用紙をしっかり握ったまま、ハーマイオニーが不安そうに言った。

「『元気の出る呪文』を充分に答えたかどうか自信がないわ。時間が足りなくなっちゃって。しゃっくりを止める反対呪文を書いた? 私、判断がつかなくて。書きすぎたような気がしたし――それと二十三番の問題は――」

「ハーマイオニー」ロンが厳しい声で言った。「もうこのことは了解済みのはずだ……終わった試験をいちいち復習するなよ。本番だけでたくさんだ」

五年生はほかの生徒たちと一緒に昼食をとった(昼食時には四つの寮のテーブルがまた戻っていた)。それから、ぞろぞろと大広間の脇にある小部屋に移動し、実技試験に呼ばれるのを待った。名簿順に何人かずつ名前が呼ばれ、残った生徒はブツブツ呪文を唱えたり、杖の動きを練習したり、ときどきまちがえて互いに背中や目を突いたりしていた。

ハーマイオニーの名前が呼ばれた。一緒に呼ばれたアンソニー・ゴールドスタイン、グレゴリー・ゴイル、ダフネ・グリーングラスとともに、ハーマイオニーは震えながら小部屋を出ていった。テストのすんだ生徒はもう部屋に戻らなかったので、ハリーもロンも、ハーマイオニーの試験がどうだったかわからない。

「大丈夫だよ。呪文学のテストで一度一一二点も取ったこと、覚えてるか？」ロンが言った。

十分後、フリットウィック先生が呼んだ。「パーキンソン、パンジー――パチル、パドマ――パチル、パーバティ――ポッター、ハリー」

「がんばれよ」ロンが小声で声援した。

ハリーは手が震えるほど固く杖を握りしめて、大広間に入った。

「トフティ教授の所が空いているよ、ポッター」

扉のすぐ内側に立っていたフリットウィック先生が、キーキー声で言った。先生の指差した奥の隅に小さいテーブルがあり、見たところ一番年老いて一番はげた試験官が座っていた。少し離れた所にマーチバンクス教授がいて、ドラコ・マルフォイのテストを半分ほど終えたところらしい。

「ポッター、だね？」

ハリーが近づくと、トフティ教授はメモを見ながら、鼻めがね越しにハリーの様子をうかがった。

「有名なポッターかね？」

ハリーは、マルフォイがあざけるような目つきで見るのを、目の端からはっきり見た。マルフォイの浮上させていたワイングラスが、床に落ちて砕けた。ハリーはつい、ニヤリとした。トフティ教授が、励ますようにニッコリ笑い返した。

「よーし、よし」教授が年寄りっぽいわなわな声で言った。「硬くなる必要はないでな。さあ、このゆで卵立てを取って、コロコロ回転させてもらえるかの」

全体としてなかなかうまくできたと、ハリーは思った。「浮遊呪文」は、まちがいなくマルフォイのよりずっとよかった。ただ、まずかったと思ったのは、「変色呪文」と「成長呪文」を混同したことで、オレンジ色に変わるはずのネズミが、びっくりするほどふくれ上がり、ハリーがまちがいに気づいて訂正するまでに、穴熊ほどの大きさになっていた。ハリーはその場にハーマイオニーがいなくてよかったと思い、あとになってもそのことはだまっていたが、ロンには話すことができた。ロンが、ディナー用大皿を大キノコに変えてしまい、しかもどうしてそうなったかさっぱりわからなかった、と打ち明けたからだ。

その夜ものんびりしているひまはなかった。夕食後は談話室に直行し、次の日の変身術の復習に没頭した。ベッドに入ったとき、ハリーの頭は複雑な呪文モデルや理論でガンガン鳴っていた。

次の日の午前中、筆記試験では「取り替え呪文」の定義を忘れたが、実技のほうは思ったほど悪くはなかった。少なくともイグアナ一匹をまるまる「消失」させることに成功した。一方悲劇は隣のテーブルのハンナ・アボットで、完全に上がってしまい、どうやったのか、課題のケナガイタチをどんどん増やしてフラミンゴの群れにしてしまい、鳥を捕まえたり大広間から連れ出したりで、試験は十分間中断された。

水曜日は薬草学の試験だった（「牙つきゼラニウム」にちょっとかまれたほかは、ハリーはまあまあのできだったと思った）。そして、木曜日、「闇の魔術に対する防衛術」だ。ここで初めて、ハリーは確実に合格したと思った。筆記試験はどの質問にも苦もなく解答したし、特に楽しかったのは、実技だった。玄関ホールへの扉のそばで冷ややかに見ているアンブリッジの目の前で、ハリーは「逆呪い」や「防衛呪文」をすべてこなした。

「おーっ、ブラボー！」

「まね妖怪追放呪文」を完全にやってのけたのを見て、再びハリーの試験官をしていたトフティ教授が歓声を上げた。

「いやあ、実によかった！　ポッター、これでおしまいじゃが……ただし……」

教授が少し身を乗り出した。

「わしの親友のティベリウス・オグデンから、君は守護霊を創り出せると聞いたのじゃが？　特別点はどうじゃな……？」

ハリーは杖をかまえ、まっすぐアンブリッジを見つめて、アンブリッジがクビになることを想像した。

「**エクスペクト　パトローナム！　守護霊よ来たれ！**」

杖先から銀色の牡鹿(おじか)が飛び出し、大広間を端から端までゆっくりと駆けた。試験官全員が振り向いてその動きを見つめた。牡鹿が銀色の霞(かすみ)となって消えていくと、トフティ教授が静脈の浮き出たゴツゴツした手で、夢中になって拍手した。

「すばらしい！」教授が言った。「よろしい。ポッター、もう行ってよし！」

扉脇のアンブリッジのそばを通り過ぎるとき、二人の目が合った。アンブリッジのだだっ広い、しまりのない口元に意地の悪い笑いが浮かんでいた。しかし、ハリーは気にならなかった。自分の大きな思いちがいでなければ（思いちがいということもあるので、誰にも言うつもりはなかったが）、たったいま、ハリーはO・W・L試験で「O・優」を取ったはずだ。

金曜日、ハーマイオニーは古代ルーン文字学の試験だったが、ハリーとロンは一日休みだった。週末に時間がたっぷりあるので勉強はひと休みと、二人は決めた。開け放した窓のそばで伸びをしたりあくびしたりしながら、二人はチェスに興じた。窓から暖かな初夏の風が流れ込んできた。森の端で授業をしているハグリッドの姿が遠くに見えた。ハリーは、どんな生き物を観察しているのだろうと想像した——ユニコーンにちがいない。男の子が少し後ろに下がっているようだから。——その時、肖像画の入口が開いて、ハーマイオニーがよじ登ってきた。ひどく機嫌が悪そうだ。

「ルーン文字学はどうだった？」ロンがウーンと伸びをしながら、あくびまじりで聞いた。

「一つ訳しまちがえたわ」ハーマイオニーが腹立たしげに言った。「『**エーフワズ**』は『**協同**』っていう意味で『**防衛**』じゃないのに。私、『**アイフワズ**』と勘ちがいしたの」

「ああ、そう」ロンは面倒くさそうに言った。「たった一か所のまちがいだろ？　それなら、まだ君は——」

「そんなこと言わないで！」ハーマイオニーが怒ったように言った。「たった一つのまちがいが合格、不合格の分かれ目になるかもしれないのよ。それに、誰かがアンブリッジの部屋にまたニフラーを入れたわ。あの新しいドアからどうやって入れたのかしらね。とにかく、私、いまそこを通ってきたら、アンブリッジがものすごい剣幕で叫んでた——どうやら、ニフラーがアンブリッジの足をパックリ食いちぎろうとしたみたい——」

「いいじゃん」ハリーとロンが同時に言った。

「**よくないの！**」ハーマイオニーが熱くなった。「アンブリッジはハグリッドがやったと思うわ。覚えてる？　ハグリッドがクビになってほしく**ない**でしょ！」

「ハグリッドはいま授業中。ハグリッドのせいにはできないよ」ハリーが窓の外をあごでしゃくった。

「まあ、ハリーったら、ときどきとっても**おひとよし**ね。アンブリッジが証拠の挙がるのを待つとでも思うの？」そう言うなり、ハーマイオニーはカンカンに怒ったままでいることに決めたらしく、さっさと女子寮のほうに歩いていき、ドアをバタンと閉めた。

「愛らしくてやさしい性格の女の子だよな」

クイーンを前進させてハリーのナイトをたたきのめしながら、ロンが小声で言った。

ハーマイオニーの険悪ムードはほとんど週末中続いたが、土、日の大部分を月曜の「魔法薬学」の試験準備に追われていたハリーとロンにとって、無視するのはたやすかった。ハリーが一番受けたくない試験――それに、この試験が「闇祓い」の野望から転落するきっかけになることはまちがいないとハリーは思った。案の定、筆記試験は難しかった。ただ、「ポリジュース薬」の問題は満点が取れたのではないかと思った。二年生のとき、禁を破って飲んだので、その効果は正確に記述できた。

午後の実技は、ハリーの予想していたほど恐ろしいものではなかった。スネイプがかかわっていないと、ハリーはいつもよりずっと落ち着いて魔法薬の調合ができた。ハリーのすぐそばに座っていたネビルも、魔法薬のクラスでハリーが見たことがないほどうれしそうだった。

マーチバンクス教授が、「試験終了です。大鍋から離れてください」と言ったとき、サンプル入りのフラスコにコルク栓をしながら、ハリーは、高い点は取れないかもしれないが、運がよければ落第点はまぬかれるだろうという気がした。

「残りはたった四つ」グリフィンドールの談話室に戻りながら、パーバティ・パチルがうんざりしたように言った。

「たった！」ハーマイオニーがかみつくように言った。「**私なんか**、まだ数占いがあるのよ。たぶん一番手強い学科だわ！」

誰もかみつき返すほど愚かではなかったので、ハーマイオニーはどなる相手が見つからず、結局、談話室でのクスクス笑いの声が大きすぎると、一年生を何人か叱りつけるだけで終わった。

ハリーは、ハグリッドの体面を保つために、火曜日の魔法生物飼育学は絶対によい成績を取ろうと決心していた。実技試験は禁じられた森の端の芝生で、午後に行われた。まず、十二匹のハリネズミの中に隠れているナールを正確に見分ける試験だった（コツは、順番にミルクを与えることだ。ナールの針にはいろいろな魔力があり、非常に疑り深く、ミルクを見ると自分を毒殺するつもりだと思って狂暴になることが多い）。次にボウトラックルの正しい扱い方、大火傷（やけど）を負わずに火蟹（ファイア・クラブ）に餌をやり、小屋を清掃すること、たくさんある餌の中から病気のユニコーンに与える治療食を選ぶことだった。

ハグリッドが小屋の窓から心配そうにのぞいているのが見えた。今日の試験官はぽっちゃりした小柄な魔女だったが、ハリーにほほえみかけて、もう行ってよろしいと言った。ハリーは城に戻る前に、ハグリッドに向かって「大丈夫」と親指をサッと上げて見せた。

水曜の午前中、天文学の筆記試験は充分な出来だった。木星の衛星の名前を全部正しく書いたかどうかは自信がなかったが、少なくともどの衛星にも小ネズミは棲（す）んでいないという確信があった。実技試験は夜まで待たなければならなかったので、午後はそのかわりに占い学だった。

占い学に対するハリーの期待はもともと低かったが、それにしても結果は惨憺（さんたん）たるものだった。水晶玉は頑として何も見せてくれず、机の上で絵が動くのを見る努力をしたほうがまだましだと思った。「茶の葉占い」では完全に頭に血が上り、「マーチバンクス教授はまもなく丸くて黒いびしょぬれの見知らぬ者と出会うことになる」と予言した。大失敗の極めつきは、「手相学」で生命線と知能線を取りちがえ、「マーチバンクス教授は先週の火曜日に死んでいたはずだ」と告げたことだった。

「まあな、こいつは落第することになってたんだよ」

大理石の階段を上りながら、ロンががっくりして言った。ロンの打ち明け話で、ハリーは少し気分が軽くなっていた。ロンは水晶玉に鼻にイボがある醜い男が見えると、試験官にくわしく描写してみせたらしい。目を上げてみれば、玉に映った試験官本人の顔を説明していたことに気づいたと言うのだ。

「こんなバカげた学科はそもそも最初から取るべきじゃなかったんだ」ハリーが言った。

「でも、これでもうやめられるぞ」ロンが言った。

「ああ、木星と天王星が親しくなりすぎたらどうなるかと心配するふりはもうやめだ」ハリーが言った。

「それに、これからは、茶の葉が『**死ね、ロン、死ね**』なんて書いたって気にするもんか──しかるべき場所、つまりごみ箱に捨ててやる」

ハリーが笑った。その時、後ろからハーマイオニーが走ってきて二人に追いついた。かんにさわるのはまずいと、ハリーはすぐに笑いを止めた。

「ねえ、『数占い』はうまくいったと思うわ」ハリーとロンはホッとため息をついた。「じゃ、夕食の前に、急いで星座図を見なおす時間があるわね……」

「天文学」の塔のてっぺんに着いたのは十一時だった。星を見るのには打ってつけの、雲のない静かな夜だ。校庭が銀色の月光を浴び、夜気が少し肌寒かった。生徒はそれぞれに望遠鏡を設置し、マーチバンクス教授の合図で、配布されていた星座図に書き入れはじめた。

マーチバンクス、トフティ両教授が生徒の間をゆっくり歩き、生徒たちが恒星や惑星を観測して正しい位置を図に書き入れていくのを見てまわった。羊皮紙がこすれる音、時折望遠鏡と三脚の位置を調整する音、そして何本もの羽根ペンが走る音以外は、あたりは静まり返っていた。三十分が経過し、やがて一時間が過ぎた。城の窓灯り(まどあか)が一つ一つ消えていくと、眼下の校庭に映っていた金色に揺らめく小さな四角い光が、次々にフッと暗くなった。

ハリーがオリオン座を図に書き入れ終わったその時、ハリーが立っている手すり壁の真下にある正面玄関の扉が開き、石段とその少し前の芝生まで明かりがこぼれた。ハリーは望遠鏡の位置を少し調整しながら、ちらりと下を見た。明るく照らし出された芝生に、五、六人の細長い影が動くのが見えた。それから扉がピシャリと閉じ、芝生は再び元の暗い海に戻った。

ハリーはまた望遠鏡に目を当て、焦点を合わせなおして、今度は金星を観測した。星座図を見下ろし、金星をそこに書き入れようとしたが、どうも何かが気になる。羊皮紙の上に羽根ペンをかざしたまま、ハリーは目をこらして暗い校庭を見た。五つの人影が芝生を歩いているのが見えた。影が動いていなければ、そして月明かりがその頭を照らしていなければ、その姿は足元の芝生にのまれて見分けがつかなかっただろう。こんな距離からでも、ハリーにはなぜか、集団を率いているらしい一番ずんぐりした姿の歩き方に見覚えがあった。

真夜中過ぎにアンブリッジが散歩をする理由は思いつかない。ましてや四人を従えてだ。その時、誰かが背後で咳(せき)をし、ハリーは試験の真っ最中だということを思い出した。金星がどこにあったのかをすっかり忘れてしまった。ハリーは望遠鏡に目を押しつけて金星を再び見つけ出し、もう一度星座図に書き入れようとした。

その時、怪しい物音に敏感になっていたハリーの耳に、遠くでノックをする音が、人気のない校庭を伝わって響いてきた。その直後に、大型犬の押し殺したような吠(ほ)え声が聞こえた。

ハリーは顔を上げた。心臓が早鐘を打っていた。ハグリッドの小屋の窓に灯りがともり、さっき芝生を横切っていくのを見た人影が、今度はその灯りを受けてシルエットを見せている。戸が開き、輪郭がくっきりとわかる五人の姿が敷居をまたぐのがはっきり見えた。戸が再び閉まり、しんとなった。

ハリーは気が気ではなかった。ロンとハーマイオニーも自分と同じように気づいているかどうか、あたりをちらちら見回した。しかしその時、マーチバンクス教授が背後に巡回してきたので、誰かの答案を盗み見ていると思われてはまずいと、ハリーは急いで自分の星座図をのぞき込み、何か書き加えているふりをした。その実、ハリーは、手すり壁の上から、ハグリッドの小屋をのぞき見ていた。影のような姿はいま、小屋の窓を横切り、一時的に灯りをさえぎった。

マーチバンクス教授の目を首筋に感じて、ハリーはもう一度望遠鏡に目を押し当て、月を見上げたが、月の位置はもう一時間も前に書き入れていたのだ。マーチバンクス教授が離れていったとき、ハリーは遠くの小屋からの吠え声を聞いた。声は闇をつんざいて響き渡り、天文学塔のてっぺんまで聞こえてきた。ハリーの周りの数人が、望遠鏡の後ろからヒョイと顔を出し、ハグリッドの小屋のほうを見た。

トフティ教授がコホンとまた軽く咳をした。

「みなさん、気持ちを集中するんじゃよ」教授がやさしく言った。

大多数の生徒はまた望遠鏡に戻った。ハリーが左側を見ると、ハーマイオニーが放心したようにハグリッドの小屋を見つめていた。

「ゥオホン――あと二十分」トフティ教授が言った。

ハーマイオニーは飛び上がって、すぐに星座図に戻った。ハリーも自分の星座図を見た。金星をまちがえて火星と書き入れていたことに気づき、かがんで訂正した。

校庭に**バーン**と大音響がした。あわてて下を見ようとした何人かが、望遠鏡の端で顔を突いてしまい、「アイタッ！」と叫んだ。

ハグリッドの小屋の戸が勢いよく開き、中からあふれ出る光でハグリッドの姿がはっきりと見えた。五人に取り囲まれ、巨大な姿が吠え、両の拳を振り回している。五人がいっせいにハグリッドめがけて細い赤い光線を発射している。「失神」させようとしているらしい。

「やめて！」ハーマイオニーが叫んだ。

「つつしみなさい！」トフティ教授がとがめるように言った。「試験中じゃよ！」

しかし、もう誰も星座図など見てはいなかった。ハグリッドの小屋の周りで赤い光線が飛び交い続けていた。しかし、光線はなぜかハグリッドの体で跳ね返されているようだ。ハグリッドは依然としてがっしりと立ち、ハリーの見るかぎりまだ戦っていた。怒号と叫び声が校庭に響き渡った。

「おとなしくするんだ、ハグリッド！」男が叫んだ。

「おとなしくがくそくらえだ。ドーリッシュ、こんなことで俺は捕まらんぞ！」ハグリッドが吠えた。

ファングの姿が小さく見えた。ハグリッドを護ろうと、周りの魔法使いに何度も飛びかかっている。しかし、ついに「失神光線」に撃たれ、ばったり倒れた。ハグリッドは怒りに吠え、ファングを倒した犯人を体ごと持ち上げて投げ飛ばした。男は数メートルも吹っ飛んだろうか、そのまま起き上がらなかった。ハーマイオニーは両手で口を押さえ、息をのんだ。ハリーがロンを振り返ると、ロンも恐怖の表情を浮かべていた。三人とも、いままでハグリッドが本気で怒ったのを見たことがなかった。

「見て！」手すり壁から身を乗り出していたパーバティが金切り声を上げ、城の真下を指差した。正面扉が再び開いていた。暗い芝生にまた光がこぼれ、一つの細長い影が、芝生を波立たせて進んでいった。

「ほれ、ほれ！」トフティ教授が気をもんだ。「あと十六分しかないのですぞ！」

しかし、いまや誰一人として教授の言うことに耳を傾けてはいなかった。ハグリッドの小屋を目指し、戦いの場へと疾走する人影を見つめていた。

「なんということを！」人影が走りながら叫んだ。「**なんということを！**」

「マクゴナガル先生だわ！」ハーマイオニーがささやいた。

「おやめなさい！　**やめるんです！**」マクゴナガル先生の声が闇を走った。「なんの理由があって攻撃するのです？　何もしていないのに。こんな仕打ちを――」

ハーマイオニー、パーバティ、ラベンダーが悲鳴を上げた。小屋の周りの人影から、四本もの「失神光線」がマクゴナガル先生めがけて発射された。小屋と城のちょうど半ばで、赤い光線がマクゴナガル先生を突き刺した。一瞬、先生の体が輝き、不気味な赤い光を発した。そして体が跳ね上がり、仰向けにドサッと落下し、そのまま動かなくなった。

「南無三！」試験のことをすっかり忘れてしまったかのように、トフティ教授が叫んだ。

「不意打ちだ！　けしからん仕業だ！」

「**卑怯者！**」ハグリッドが大音声で叫んだ。

「**とんでもねえ卑怯者め！　これでも食らえ――これでもか――**」

その声は塔のてっぺんまでにもはっきり聞こえた。城の中でもあちこちで灯りがつきはじめた。

「あーっ――」ハーマイオニーが息をのんだ。

ハグリッドが一番近くで攻撃していた二つの人影に思いっきりパンチをかました。あっという間に二人が倒れた。気絶したらしい。ハリーはハグリッドが背中を丸めて前かがみになるのを見た。ついに呪文に倒れたかのように見えた。しかし、倒れるどころか、ハグリッドは次の瞬間、背中に袋のようなものを背負ってぬっと立ち上がった。――ぐったりしたファングを肩に担いでいるのだと、ハリーはすぐ気づいた。

「捕まえなさい、捕まえろ！」アンブリッジが叫んだ。しかし一人残った助っ人はハグリッドの拳の届く範囲に近づくのをためらっていた。むしろ、急いであとずさりしはじめ、気絶した仲間の一人につまずいて転んだ。ハグリッドは向きを変え、首にファングを巻きつけるように担いだまま走りだした。アンブリッジが「失神光線」で最後の追い討ちをかけたが、はずれた。ハグリッドは全速力で遠くの校門へと走り、闇に消えた。

静寂に震えが走り、長い一瞬が続いた。全員が口を開けたまま校庭を見つめていた。やがてトフティ教授が弱々しい声で言った。「うむ……みなさん、あと五分ですぞ」

ハリーはまだ三分の二しか図を埋めていなかったが、早く試験が終わってほしかった。ようやく終わると、ハリー、ロン、ハーマイオニーは望遠鏡をいいかげんにケースに押し込み、螺旋階段を飛ぶように下りた。生徒は誰も寮には戻らず、階段の下で、いま見たことを興奮して大声で話し合っていた。

「あの悪魔！」ハーマイオニーがあえぎながら言った。怒りでまともに話もできないほどだった。「真夜中にこっそりハグリッドを襲うなんて！」

「トレローニーの二の舞をさけたかったのはまちがいない」アーニー・マクミランが、人垣を押し分けて三人の会話に加わり、思慮深げに言った。

「ハグリッドはよくやったよな？」ロンは感心したというより怖いという顔で言った。「どうして呪文が跳ね返ったんだろう？」

「巨人の血のせいよ」ハーマイオニーが震えながら言った。「巨人を『失神』させるのはとても難しいわ。トロールと同じで、とってもタフなの……でもおかわいそうなマクゴナガル先生……『失神光線』を四本も胸に。もうお若くはないでしょう？」

「ひどい、実にひどい」アーニーはもったいぶって頭を振った。「さあ、僕はもう寝るよ。みんな、おやすみ」

いま目撃したことを興奮冷めやらずに話しながら、三人の周りからだんだん人が去っていった。

「少なくとも、連中はハグリッドをアズカバン送りにできなかったな」ロンが言った。「ハグリッドはダンブルドアの所へ行ったんだろうな？」

「そうだと思うわ」ハーマイオニーは涙ぐんでいた。「ああ、ひどいわ。ダンブルドアがすぐに戻っていらっしゃると、ほんとにそう思ってたのに、今度はハグリッドまでいなくなってしまうなんて」

三人が足取りも重くグリフィンドールの談話室に戻ると、そこは満員だった。校庭での騒ぎで何人かの生徒が目を覚まし、その何人かが急いで友達を起こしたのだ。三人より先に帰っていたシェーマスとディーンが、天文学塔のてっぺんで見聞きしたことを、みんなに話して聞かせていた。

「だけど、どうしていまハグリッドをクビにするの？」アンジェリーナ・ジョンソンが腑に落ちないと首を振った。「トレローニーの場合とはちがう。今年はいつもよりずっとよい授業をしていたのに！」

「アンブリッジは半ヒトを憎んでるわ」ひじかけ椅子に崩れるように腰を下ろしながら、ハーマイオニーが苦々しげに言った。「前からずっとハグリッドを追い出そうとねらっていたのよ」

「それに、ハグリッドが自分の部屋にニフラーを入れたって思ったのよ」ケイティ・ベルが言った。

「ゲッ、やばい」リー・ジョーダンが口を覆った。「ニフラーをあいつの部屋に入れたのは僕だよ。フレッドとジョージが二、三匹僕に残していったんだ。浮遊術で窓から入れたのさ」

「アンブリッジはどっちみちハグリッドをクビにしたさ」ディーンが言った。「ハグリッドはダンブルドアに近すぎたもの」

「そのとおりだ」ハリーもハーマイオニーの隣のひじかけ椅子に埋もれた。

「マクゴナガル先生が大丈夫だといいんだけど」ラベンダーが涙声で言った。

「みんなが城に運び込んだよ。僕たち、寮の窓から見てたんだ」コリン・クリービーが言った。「あんまりよくないみたいだった」

「マダム・ポンフリーが治すわ」アリシア・スピネットがきっぱりと言った。「いままで治せなかったことがないもの」

談話室がからになったのはもう明け方の四時近くだった。ハリーは目がさえていた。ハグリッドが暗闇に疾走していく姿が、脳裏を離れなかった。アンブリッジに腹が立って、どんな罰を与えても充分ではないような気がした。ただし、腹ぺこの尻尾爆発スクリュートの檻に餌として放り込めというロンの意見は、一考する価値があると思った。

ハリーは、身の毛のよだつような復讐はないかと考えながら眠りについたが、三時間後に起きたときは、まったく寝たような気がしなかった。

最後の試験は魔法史で、午後に行われる予定だった。朝食後、ハリーはまたベッドに戻りたくてしかたがなかった。しかし、午前中を最後の追い込みに当てていたので、談話室の窓際に座り、両手で頭を抱え、必死で眠り込まないようにしながら、ハーマイオニーが貸してくれた一メートルの高さに積み上げられたノートを拾い読みした。

五年生は二時に大広間に入り、裏返しにされた試験問題の前に座った。ハリーはつかれはてていた。とにかくこれを終えて眠りたい。そして明日、ロンと二人でクィディッチ競技場に行こう――ロンの箒を借りて飛ぶんだ――そして、勉強から解放された自由を味わうんだ。

「試験問題を開けて」大広間の奥からマーチバンクス教授が合図し、巨大な砂時計をひっくり返した。

「始めてよろしい」

ハリーは最初の問題をじっと見た。数秒後に、一言も頭に入っていない自分に気づいた。高窓の一つにスズメバチがぶつかり、ブンブンと気が散る音を立てていた。ゆっくりと、まだるっこく、ハリーはやっと答えを書きはじめた。

名前がなかなか思い出せなかったし、年号もあやふやだった。四番の問題は吹っ飛ばした。

四、杖規制法は、十八世紀の小鬼(ゴブリン)の反乱の原因になったか。それとも反乱をよりよく掌握するのに役立ったか。意見を述べよ。

時間があったらあとでこの問題に戻ろうと思い、第五問に挑戦した。

五、一七四九年の秘密保護法の違反はどのようなものであったか。また、再発防止のためにどのような手段が導入されたか。

自分の答えは重要な点をいくつか見落としているような気がして、どうにも気がかりだ。どこかで吸血鬼が登場したような感じがする。

ハリーは後ろのほうの問題を見て、絶対に答えられるものを探した。十番の問題に目がとまった。

十、国際魔法使い連盟の結成にいたる状況を記述せよ。また、リヒテンシュタインの魔法戦士が加盟を拒否した理由を説明せよ。

頭はどんよりとして動かなかったが、**これならわかる**、とハリーは思った。ハーマイオニーの手書きの見出しが目に浮かぶ。「国際魔法使い連盟の結成」……このノートは今朝読んだばかりだ。

ハリーは書きはじめた。ときどき目を上げてマーチバンクス教授の脇の机に置いてある大型砂時計を見た。ハリーの真ん前はパーバティ・パチルで、長い黒髪が椅子の背よりも下に流れている。一、二度、パーバティが頭を少し動かすたびに、髪に小さな金色の光がきらめくのをじっと見つめている自分に気づき、ハリーは自分の頭をブルブルッと振ってはっきりさせなければならなかった。

「……国際魔法使い連盟の初代最高大魔法使いはピエール・ボナコーであるが、リヒテンシュタインの魔法社会は、その任命に異議を唱えた。何故ならば――」

ハリーの周り中で、誰もかれもが、あわてて巣穴を掘るネズミのような音を立てて、羊皮紙に羽根ペンで書きつけていた。頭の後ろに太陽が当たって暑かった。ボナコーは何をしてリヒテンシュタインの魔法使いを怒らせたんだっけ？　トロールと関係があったような気がするけど……ハリーはまたぼうっとパーバティの髪を見つめた。「開心術」が使えたら、パーバティの後頭部の窓を開いて、ピエール・ボナコーとリヒテンシュタインの不和の原因になったのはトロールのなんだったのかが見られるのに……。

ハリーは目を閉じ、両手に顔をうずめた。まぶたの裏の赤いほてりが、暗くひんやりとしてきた。ボナコーはトロール狩をやめさせ、トロールに権利を与えようとした……しかし、リヒテンシュタインは特に狂暴な山トロールの一族にてこずっていた……それだ。

ハリーは目を開けた。羊皮紙の輝くような白さが目にしみて涙が出た。ゆっくりと、ハリーはトロールについて二行書き、そこまでの答えを読み返した。この答えでは情報も少ないしくわしくもない。しかしハーマイオニーの連盟に関するノートは何ページも何ページも続いていたはずだ。

ハリーはまた目を閉じた。ノートが見えるように、思い出せるように……連盟の第一回の会合はフランスで行われた。そうだ。でも、それはもう書いてしまった……。

小鬼は出席しようとしたが、しめ出された……それも、もう書いた……。

そして、リヒテンシュタインからは誰も出席しようとしなかった……。

考えるんだ。両手で顔を覆い、ハリーは自分自身に言い聞かせた。周囲で羽根ペンがカリカリと、はてしのない答えを書き続けている。正面の砂時計の砂がサラサラと落ちていく……。

ハリーはまたしても、神秘部の冷たく暗い廊下を歩いていた。目的に向かうしっかりとした足取りで、時折走った。今度こそ目的地に到達するのだ……いつものように、黒い扉がパッと開いてハリーを入れた。ここは、たくさんの扉がある円形の部屋だ……。

石の床をまっすぐ横切り、二番目の扉を通り……壁にも床にも点々と灯りが踊り、そしてあの奇妙なコチコチという機械音。しかし、探求している時間はない。急がなければ……。

第三の扉までの最後の数歩は駆け足だった。この扉も、ほかの扉と同じくひとりでにパッと開いた……。

再びハリーは、大聖堂のような広い部屋にいた。棚が立ち並び、たくさんのガラスの球が置いてある……心臓がいまや激しく鼓動している……今度こそ、そこに着く……九十七番に着いたとき、ハリーは左に曲がり、二列の棚の間の通路を急いだ……。

しかし、突き当たりの床に人影がある。黒い影が、手負いの獣のようにうごめいている……。ハリーの胃が恐怖で縮んだ……いや興奮で……。

ハリーの口から声が出た。かん高い、冷たい、人間らしい思いやりのかけらもない声……。

「それを取れ。俺様のために……さあ、持ち上げるのだ……俺様は触れることができぬ……しかし、おまえにはできる……」

床の黒い影がわずかに動いた。指の長い白い手が、ハリー自身の腕の先についている。その手が杖をつかんで上がるのが見えた……かん高い冷たい声が「**クルーシオ！　苦しめ！**」と唱えるのを、ハリーは聞いた。

床の男が苦痛に叫び声をもらし、立とうとしたが、また倒れてのた打ち回った。ハリーは笑っていた。

ハリーは杖を下ろした。呪いが消え、人影はうめき声を上げ、動かなくなった。

「ヴォルデモート卿が待っているぞ……」

床の男は、両腕をわなわなと震わせ、ゆっくりと肩をわずかに持ち上げ、顔を上げた。血まみれの、やつれた顔が、苦痛にゆがみながらも、頑として服従を拒んでいた……。

「殺すなら殺せ」シリウスがかすかな声で言った。

「言われずとも最後はそうしてやろう」冷たい声が言った。「しかし、ブラック、まず俺様のためにそれを取るのだ……これまでの痛みがほんとうの痛みだと思っているのか？　考えなおせ……時間はたっぷりある。誰にも貴様の叫び声は聞こえぬ……」

ところが、ヴォルデモートが再び杖を下ろしたとき、誰かが叫んだ。誰かが大声を上げ、机から冷たい石の床へと横ざまに落ちた。床にぶつかり、ハリーは目を覚ました。まだ大声で叫んでいた。傷痕が火のように熱く、ハリーの周りで、大広間は騒然となっていた。

第32章　炎の中から

「行きません……医務室に行く必要はありません……行きたくない……」

トフティ教授を振りほどこうとしながら、ハリーは切れ切れに言葉を吐いた。生徒がいっせいに見つめる中を、ハリーを支えて玄関ホールまで連れ出したトフティ教授は、気づかわしげにハリーを見ていた。

「僕――僕、なんでもありません、先生」ハリーは顔の汗をぬぐい、つっかえながら言った。「大丈夫です……眠ってしまって……怖い夢を見て……」

「試験のプレッシャーじゃな！」

老魔法使いは、ハリーの肩をわなわなする手で軽くたたきながら、同情するように言った。

「さもありなん、お若いの、さもありなん！　さあ、冷たい水を飲んで。大広間に戻っても大丈夫かの？　試験はもうほとんど終わっておるが、最後の答えの仕上げをしてはどうかな？」

「はい」ハリーは自分が何を答えたのかもわかっていなかった。「あの……いいえ……もう、いいです……できることはやったと思いますから……」

「そうか、そうか」老魔法使いはやさしく言った。「私が君の答案用紙を集めようの。君はゆっくり横になるがよい」

「そうします」ハリーはこっくりとうなずいた。「ありがとうございます」

老教授のかかとが大広間の敷居のむこうに消えたとたん、ハリーは大理石の階段を駆け上がり、廊下を突っ走った。あまりの速さに、通り道の肖像画がブツブツ非難した。さらに何階かの階段を矢のように走り、最後は医務室の両開き扉を開けて嵐のように突っ込んだ。マダム・ポンフリーが――ちょうどモンタギューに口を開けさせ、鮮やかなブルーの液体をスプーンで飲ませているところだった――驚いて悲鳴を上げた。

「ポッター、どういうつもりです？」

「マクゴナガル先生にお会いしたいんです」ハリーが息も絶え絶えに言った。「いますぐ……緊急なんです！」

「ここにはいませんよ、ポッター」マダム・ポンフリーが悲しそうに言った。

「今朝、聖マンゴに移されました。あのお年で、『失神光線』が四本も胸を直撃でしょう？　命があったのが不思議なくらいです」

「先生が……いない？」ハリーはショックを受けた。

すぐ外でベルが鳴り、いつものように生徒たちが、医務室の上や下の廊下にあふれ出すドヤドヤという騒音が遠くに聞こえた。ハリーはマダム・ポンフリーを見つめたまま、じっと動かなかった。恐怖が湧き上がってきた。

話せる人はもう誰も残っていない。ダンブルドアは行ってしまった。ハグリッドも行ってしまった。それでも、マクゴナガル先生にはいつでも頼れると思っていた。短気で融通がきかないところはあるかもしれないが、いつでも信頼できる確実な存在だった……。

「驚くのも無理はありません、ポッター」

マダム・ポンフリーが怒りを込めて、まったくそのとおりという顔をした。

「昼日中に一対一で対決したら、あんな連中なんぞにミネルバ・マクゴナガルが『失神』させられるものですか！　卑怯者、そうです……見下げはてた卑劣な行為です……私がいなければ生徒はどうなるかと心配でなかったら、私だって抗議の辞任をするところです」

「ええ」ハリーは何も理解せずにあいづちを打った。

頭が真っ白のまま、医務室から混み合った廊下に出たハリーは、人混みにもまれながら立ち尽くした。言いようのない恐怖が、毒ガスのように湧き上がり、頭がぐらぐらして、どうしていいやらとほうにくれた……。

ロンとハーマイオニー——頭の中で声がした。

ハリーはまた走りだした。生徒たちを押しのけ、みんなが怒る声にも気づかなかった。全速力で二つの階を下り、大理石の階段の上に着いたとき、二人が急いでハリーのほうにやってくるのが見えた。

「ハリー！」ハーマイオニーが、引きつった表情ですぐさま呼びかけた。「何があったの？　大丈夫？　気分が悪いの？」

「どこに行ってたんだよ？」ロンが問い詰めるように聞いた。

「一緒に来て」ハリーは急き込んで言った。「早く。話したいことがあるんだ」

ハリーは二人を連れて二階の廊下を歩き、あちこち部屋をのぞき込んで、やっと空いている教室を見つけ、そこに飛び込んだ。ロンとハーマイオニーを入れるとすぐにドアを閉め、ハリーはドアに寄りかかって二人と向き合った。

「シリウスがヴォルデモートに捕まった」

「**えっ？**」

「どうしてそれが——？」

「見たんだ。ついさっき。試験中に居眠りしたとき」

「でも――でもどこで？　どんなふうに？」真っ青な顔で、ハーマイオニーが聞いた。

「どうやってかはわからない」ハリーが言った。「でも、どこなのかははっきりわかる。神秘部に、小さなガラスの球で埋まった棚がたくさんある部屋があるんだ。二人は九十七列目の棚の奥にいる……あいつがシリウスを使って、なんだか知らないけどそこにある自分の手に入れたいものを取らせようとしてるんだ……あいつがシリウスを拷問してる……最後には殺すって言ってるんだ！」

ハリーは、ひざが震え、声も震えている自分に気づいた。机に近づき、その上に腰かけ、なんとか自分を落ち着かせようとした。

「僕たち、どうやったらそこへ行けるかな？」ハリーが聞いた。

一瞬、沈黙が流れた。やがてロンが言った。「そこへ、い――行くって？」

「神秘部に行くんだ。シリウスを助けに！」ハリーは大声を出した。

「でも――ハリー……」ロンの声が細くなった。

「なんだ？　**なんだよ？**」ハリーが言った。

まるで自分が理不尽なことを聞いているかのように、二人があっけに取られたような顔で自分を見ているのが、ハリーには理解できなかった。

「ハリー」ハーマイオニーの声は、なんだか怖がっているようだった。「あの……どうやって……ヴォルデモートはどうやって、誰にも気づかれずに神秘部に入れたのかしら？」

「僕が知るわけないだろ？」ハリーが声を荒らげた。「**僕たちが**どうやってそこに入るかが問題なんだ！」

「でも……ハリー、ちょっと考えてみて」ハーマイオニーが一歩ハリーに詰め寄った。

「いま、夕方の五時よ……魔法省には大勢の人が働いているわ……ヴォルデモートもシリウスも、どうやって誰にも見られずに入れる？　ハリー……二人とも世界一のお尋ね者なのよ……闇祓（やみばら）いだらけの建物に、気づかれずに入ることができると思う？」

「さあね。ヴォルデモートは透明マントとかなんとか使ったのさ！」ハリーが叫んだ。

「とにかく、神秘部は、僕がいつ行ってもからっぽだ――」

「あなたは一度も神秘部に行ってはいないわ」ハーマイオニーが静かに言った。「そこの夢を見た。それだけよ」

「普通の夢とはちがうんだ！」

今度はハリーが立ち上がってハーマイオニーに一歩詰め寄り、真正面からどなった。ガタガタ揺すぶってやりたかった。

「ロンのお父さんのことはいったいどうなんだ？　あれはなんだったんだ？　おじさんの身に起こったことを、どうして僕がわかったんだ？」

「それは言えてるな」ロンがハーマイオニーを見ながら静かに言った。

「でも、今度は――あんまりにも**ありえない**ことよ！」ハーマイオニーがほとんど捨て鉢で言った。

「ハリー、シリウスはずっとグリモールド・プレイスにいるのに、いったいどうやってヴォルデモートがシリウスを捕まえたっていうの？」

「シリウスが、神経が参っちゃって、ちょっと気分転換したくなったかも」ロンが心配そうに言った。

「ずいぶん前から、あそこを出たくてしょうがなかったからな――」

「でも、なぜなの？」ハーマイオニーが言い張った。「ヴォルデモートが武器だかなんだかを取らせるのに、いったいなぜ**シリウスを**使いたいわけ？」

「知るもんか。理由は山ほどあるだろ！」ハリーがハーマイオニーに向かってどなった。「たぶん、シリウスの一人や二人、痛めつけたって、ヴォルデモートはなんとも感じないんだろ――」

「あのさあ、いま思いついたんだけど」ロンが声をひそめた。「シリウスの弟が死喰い人だったよね？　たぶん弟がシリウスに、どうやって武器を手に入れるかの秘密を教えたんだ！」

「そうだ――だからダンブルドアは、あんなにシリウスを閉じ込めておきたがったんだ！」ハリーが言った。

「ねえ、悪いけど」ハーマイオニーの声が高くなった。「二人ともつじつまが合ってないわ。それに、言ってることになんの証拠もないわ。ヴォルデモートとシリウスがそこにいるかどうかさえ証拠がないし――」

「ハーマイオニー、ハリーが二人を見たんだ！」ロンが急にハーマイオニーに詰め寄った。

「いいわ」ハーマイオニーは気圧されながらもきっぱりと言った。「これだけは言わせて――」

「なんだい？」

「ハリー……あなたを批判するつもりじゃないのよ！　でも、あなたって……なんて言うか……つまり……ちょっとそんなところがあるんじゃないかって――その――**人助けぐせ**っていうかな？」

ハリーはハーマイオニーをにらみつけた。

「それ、どういう意味なんだ？　『人助けぐせ』って？」

「あの……あなたって……」ハーマイオニーはますます不安そうな顔をした。「つまり……たとえば去年も……湖で……三校対抗試合のとき……すべきじゃなかったのに……つまり、あのデラクールの妹を助ける必要がなかったのに……あなた少し……やりすぎて……」

チクチクするような熱い怒りがハリーの体を駆けめぐった。こんな時に、あの失敗を思い出させるなんて、どういうつもりだ？

「もちろん、あなたがそうしたのは、ほんとうに偉かったわ」ハリーの表情を見て、すくみ上がり、ハーマイオニーがあわてて言った。「みんなが、すばらしいことだって思ったわ――」

「それは変だな」ハリーは声が震えた。「だって、ロンがなんて言ったかはっきり覚えてるけど、僕が**英雄気取り**で時間をむだにしたって……。今度もそうだって言いたいのか？　僕がまた英雄気取りになってると思うのか？」

「ちがうわ。ちがう、ちがう！」ハーマイオニーはひどく驚いた顔をした。「そんなことを言ってるんじゃないわ！」

「じゃ、言いたいことを全部言えよ。僕たち、ただ時間をむだにしてるじゃないか！」

　ハリーがどなった。

「私が言いたいのは――ハリー、ヴォルデモートはあなたのことを知っているわ！　ジニーを秘密の部屋に連れていったのは、あなたを誘い出すためだった。『あの人』はそういう手を使うわ。『あの人』は知ってるのよ、あなたが――シリウスを救いにいくような人間だって！　『あの人』がただ、**あなたを**神秘部におびきよせようとしてるんだったら――？」

「ハーマイオニー、あいつが僕をあそこに行かせるためにやったかどうかなんて、どうでもいいんだ――マクゴナガルは聖マンゴに連れていかれたし、僕たちが話のできる騎士団は、もうホグワーツに一人もいない。そして、もし僕らが行かなければ、シリウスは死ぬんだ！」

「でもハリー――あなたの夢が、もし――単なる夢だったら？」

　ハリーはじれったさにわめき声を上げた。ハーマイオニーはビクッとして、ハリーから離れるようにあとずさりした。

「君にはわかってない！」ハリーがどなりつけた。「悪夢を見たんじゃない。ただの夢じゃないんだ！　なんのための『閉心術』だったと思う？　ダンブルドアがなぜ僕にこういうことを見ないようにさせたかったと思う？　なぜなら全部**ほんとうのこと**だからなんだ、ハーマイオニー——シリウスが窮地におちいってる。僕はシリウスを見たんだ。ヴォルデモートに捕まったんだ。ほかには誰も知らない。つまり、助けられるのは僕らしかいないんだ。君がやりたくないなら、いいさ。だけど、僕は行く。わかったね？　それに、僕の記憶が正しければ、君を吸魂鬼から救い出したとき、君は『**人助けぐせ**』が問題だなんて言わなかった。それに——」ハリーはロンを見た。「——君の妹を僕がバジリスクから助けたとき——」

「僕は問題だなんて一度も言ってないぜ！」ロンが熱くなった。

「だけど、ハリー、あなた、たったいま自分で言ったわ」ハーマイオニーが激しい口調で言った。「ダンブルドアは、あなたにこういうことを頭からしめ出す訓練をしてほしかったのよ。ちゃんと『閉心術』を実行していたら、見なかったはずよ、こんな——」

「**なんにも見なかったかのように振る舞えって言うんだったら**——」

「シリウスが言ったでしょう。あなたが心を閉じることができるようになるのが、何よりも大切だって！」

「**いいや、シリウスも言うことが変わるさ。僕がさっき見たことを知ったら**——」

教室のドアが開いた。ハリー、ロン、ハーマイオニーがサッと振り向いた。ジニーが何事だろうという顔で入ってきた。そのあとから、いつものように、たまたま迷い込んできたような顔で、ルーナが入ってきた。

「こんにちは」ジニーがとまどいながら挨拶した。「ハリーの声が聞こえたのよ。なんでどなってるの？」

「なんでもない」ハリーが乱暴に言った。

ジニーが眉を吊り上げた。

「私にまで八つ当たりする必要はないわ」ジニーが冷静に言った。「何か私にできることはないかと思っただけよ」

「じゃ、ないよ」ハリーはぶっきらぼうだった。

「あんた、ちょっと失礼よ」ルーナがのんびりと言った。

ハリーは悪態をついて顔をそむけた。いまこんな時に、ルーナ・ラブグッドとバカ話なんか、絶対にしたくない。

「待って」突然ハーマイオニーが言った。「待って……ハリー、この二人に**手伝ってもらえるわ**」

ハリーとロンがハーマイオニーを見た。

「ねえ」ハーマイオニーが急き込んだ。「ハリー、私たち、シリウスがほんとに本部を離れたのかどうか、はっきりさせなきゃ」

「言っただろう。僕が見たん――」

「ハリー、お願いだから!」ハーマイオニーが必死で言った。「お願いよ。ロンドンに出撃する前に、シリウスが家にいるかどうかだけ確かめましょう。もしあそこにいなかったら、そのときは、約束する。もうあなたを引き止めない。私も行く。私、やるわ――シリウスを救うために、ど――どんなことでもやるわ」

「シリウスが拷問されてるのは、**いまなんだ!**」ハリーがどなった。「ぐずぐずしてる時間はないんだ」

「でも、もしヴォルデモートの罠(わな)だったら。ハリー、確かめないといけないわ。どうしてもよ」

「どうやって?」ハリーが問い詰めた。「どうやって確かめるんだ?」

「アンブリッジの暖炉を使って、それでシリウスと接触できるかどうかやってみなくちゃ」ハーマイオニーは考えただけでも恐ろしいという顔をした。「もう一度アンブリッジを遠ざけるわ。でも、見張りが必要なの。そこで、ジニーとルーナが使えるわ」

「うん、やるわよ」いったい何が起こっているのか、理解に苦しんでいる様子だったが、ジニーは即座に答えた。

「『シリウス』って、あんたたちが話してるのはスタビィ・ボードマンのこと?」ルーナも言った。

誰も答えなかった。

「オーケー」ハリーは食ってかかるようにハーマイオニーに言った。「オーケー。手早くそうする方法が考えられるんだったら、賛成するよ。そうじゃなきゃ、僕はいますぐ神秘部に行く」

「神秘部?」ルーナが少し驚いたような顔をした。「でも、どうやってそこへ行くの?」

またしてもハリーは無視した。

「いいわ」

ハーマイオニーは両手をからみ合わせて机の間を往ったり来たりしながら言った。

「いいわ……それじゃ……誰か一人がアンブリッジを探して――別な方向に追い払う。部屋から遠ざけるのよ。口実は――そうね――ピーブズがいつものように、何かとんでもないことをやらかそうとしているとか……」

「僕がやる」ロンが即座に答えた。

「ピーブズが変身術の部屋をぶち壊してるとかなんとか、あいつに言うよ。アンブリッジの部屋からずーっと遠い所だから。どうせだから、途中でピーブズに出会ったら、ほんとにそうしろって説得できるかもしれないな」

変身術の部屋をぶち壊すことにハーマイオニーが反対しなかったことが、事態の深刻さを示していた。

「オーケー」

ハーマイオニーは眉間にしわを寄せて、往ったり来たりし続けていた。「さて、私たちが部屋に侵入している間、生徒をあの部屋から遠ざけておく必要があるわ。じゃないと、スリザリン生の誰かが、きっとアンブリッジに告げ口する」

「ルーナと私が廊下の両端に立つわ」ジニーがすばやく答えた。「そして、誰かが『首絞めガス』をどっさり流したから、あそこに近づくなって警告するわ」

ハーマイオニーは、ジニーが手回しよくこんなうそを考えついたことに驚いた顔をした。ジニーは肩をすくめた。

「フレッドとジョージが、いなくなる前に、それをやろうって計画していたのよ」

「オーケー」ハーマイオニーが言った。「それじゃ、ハリー、あなたと私は透明マントをかぶって、部屋に忍び込む。そしてあなたはシリウスと話ができる——」

「ハーマイオニー、シリウスはあそこにいないんだ！」

「あのね、あなたは——シリウスが家にいるかどうか確かめられるっていう意味よ。その間、私が見張ってるわ。アンブリッジの部屋にあなた一人だけでいるべきじゃないと思うの。リーがニフラーを窓から送り込んで、窓が弱点だということは証明済みなんだから」

怒ってはいらいらしてはいたものの、一緒にアンブリッジの部屋に行くとハーマイオニーが申し出たのは、団結と忠誠の証だとハリーにはよくわかった。

「僕……オーケー、ありがとう」ハリーがボソボソ言った。

「これでよしと。さあ、こういうことを全部やっても、五分以上は無理だと思うわ」ハリーが計画を受け入れた様子なので、ホッとしながらハーマイオニーが言った。「フィルチもいるし、『尋問官親衛隊』なんていう卑劣なのがうろうろしてるしね」

「五分で充分だよ」ハリーが言った。「さあ、行こう——」

「**いまから？**」ハーマイオニーが度肝を抜かれた顔をした。

「もちろんいまからだ！」ハリーが怒って言った。「なんだと思ったんだい？　夕食のあとまで待つとでも？　ハーマイオニー、シリウスは**たったいま**、拷問されてるんだぞ！」

「私――ええ、いいわ」ハーマイオニーが捨て鉢に言った。「じゃ、透明マントを取りに行ってきて。私たちは、アンブリッジの廊下の端であなたを待ってるから。いい？」

ハリーは答えもせず、部屋から飛び出し、外でうろうろたむろしている生徒たちをかき分けはじめた。二つ上の階で、シェーマスとディーンに出くわした。二人は陽気にハリーに挨拶し、今晩、寮の談話室で、試験終了のお祝いを明け方まで夜明かしでやる計画だと話した。ハリーはほとんど聞いていなかった。二人がバタービールを闇で何本調達する必要があるかを議論しているうちに、ハリーは肖像画の穴を這い上った。透明マントとシリウスのナイフをしっかり鞄に入れて肖像画の穴から戻ってきたとき、二人はハリーが途中でいなくなったことにさえ気づいていなかった。

「ハリー、ガリオン金貨を二、三枚寄付しないか？　ハロルド・ディングルがファイア・ウィスキーを少し売れるかもしれないって言うんだけど――」

しかし、ハリーはもう、猛烈な勢いで廊下を駆け戻っていた。数分後に、最後の二、三段は階段を飛び下りて、ロン、ハーマイオニー、ジニー、ルーナの所へ戻った。四人はアンブリッジの部屋がある廊下の端に固まっていた。

「取ってきた」ハリーがハァハァ言った。「それじゃ、準備はいいね？」

「いいわよ」ハーマイオニーがヒソヒソ声で言った。ちょうどやかましい六年生の一団が通り過ぎたところだった。「じゃ、ロン――アンブリッジを牽制しにいって……ジニー、ルーナ、みんなを廊下から追い出しはじめてちょうだい……ハリーと私はマントを着て、周りが安全になるまで待つわ……」

ロンが大股で立ち去った。真っ赤な髪が廊下のむこう端に行くまで見えていた。ジニーは、押し合いへし合いしている生徒の間を縫って、赤毛頭を見え隠れさせながら廊下の反対側に向かった。そのあとを、ルーナのブロンド頭がついていった。

「こっちに来て」

ハーマイオニーがハリーの手首をつかみ、石の胸像が立っているくぼんだ場所に引っ張り込んだ。中世の醜い魔法使いの胸像は、台の上でブツブツひとり言を言っていた。

「ねえ――ハリー、ほんとうに大丈夫なの？　まだとっても顔色が悪いわ」

「大丈夫」

ハリーは鞄から透明マントを引っ張り出しながら、短く答えた。確かに傷痕はうずいていたが、それほどひどくはなかったので、ハリーはヴォルデモートがまだシリウスに致命傷は与えていないという気がした。ヴォルデモートがエイブリーを罰したときはこんな痛みよりもっとひどかった……。

「ほら」

ハリーは透明マントをハーマイオニーと二人でかぶった。目の前の胸像がラテン語でブツブツひとり言を言うのを聞き流し、二人は耳をそばだてた。

「ここは通れないわよ！」ジニーがみんなに呼びかけていた。「だめ。悪いけど、回転階段を通って回り道してちょうだい。誰かがすぐそこで『首絞めガス』を流したの――」

みんながブーブー言う声が聞こえてきた。誰かが不機嫌な声で言った。

「ガスなんて見えないぜ」

「無色だからよ」ジニーがいかにも説得力のあるいらいら声で言った。「でも、突っ切って歩きたいならどうぞ。私たちの言うことを信じないバカがほかにいたら、あなたの死体を証拠にするから」

だんだん人がいなくなった。「首絞めガス」のニュースがどうやら広まったらしく、もう誰もこっちのほうに来なくなった。ついに周辺に誰もいなくなったとき、ハーマイオニーが小声で言った。

「これくらいでいいんじゃないかしら、ハリー――さあ、やりましょう」

二人はマントに隠れたまま前進した。ルーナがこっちに背中を見せて、廊下のむこう端に立っている。ジニーのそばを通るとき、ハーマイオニーがささやいた。

「うまくやったわね……合図を忘れないで」

「合図って？」

アンブリッジの部屋のドアに近づきながら、ハリーがそっと聞いた。

「アンブリッジが来るのを見たら、『ウィーズリーはわが王者』を大声で合唱するの」ハーマイオニーが答えた。ハリーはシリウスのナイフの刃をドアと壁のすきまに差し込んでいた。ドアがカチリと開き、二人は中に入った。

絵皿のけばけばしい子猫が、午後の陽射しを浴びてぬくぬくとひなたぼっこをしていた。それ以外は、前のときと同じように、部屋は静かで人気がない。ハーマイオニーはホッとため息をもらした。

「二匹目のニフラーのあとで、何か安全対策が増えたかと思ってたけど」

二人はマントを脱ぎ、ハーマイオニーは急いで窓際に行って見張りに立ち、杖をかまえて校庭を見下ろした。ハリーは暖炉に急行し、「煙突飛行粉」のつぼをつかみ、火格子にひとつまみ投げ入れた。たちまちエメラルドの炎が燃え上がった。ハリーは急いでひざをつき、メラメラ踊る炎に頭を突っ込んで叫んだ。

「グリモールド・プレイス十二番地！」

ひざは冷たい床にしっかりついたままだったが、ハリーの頭は、遊園地の回転乗り物から降りたばかりのときのようにぐるぐるめまいを感じた。灰が渦巻く中で目をギュッと閉じていたが、回転が止まったとき目を開くと、グリモールド・プレイスの冷たい長い厨房が目に入った。

誰もいなかった。それは予想していた。しかし、誰もいない厨房を見たとき、突然胃の中で飛び散ったどろどろした熱い恐怖には、ハリーは無防備だった。

「シリウスおじさん？」ハリーが叫んだ。「シリウス、いないの？」

ハリーの声が厨房中に響いた。しかし、返事はない。暖炉の右のほうで、何かがチョロチョロうごめく小さな音がした。

「そこに誰かいるの？」ただのネズミかもしれないと思いながら、ハリーが呼びかけた。

屋敷しもべ妖精のクリーチャーが見えた。なんだかひどくうれしそうだ。ただ、両手を最近ひどく傷つけたらしく、包帯をぐるぐる巻きにしていた。

「ポッター坊主の頭が暖炉にあります」

妙に勝ち誇った目つきで、コソコソとハリーを盗み見ながら、からっぽの厨房に向かって、クリーチャーが告げた。

「この子はなんでやって来たのだろう？　クリーチャーは考えます」

「クリーチャー、シリウスはどこだ？」ハリーが問いただした。

しもべ妖精はゼイゼイ声でふくみ笑いした。

「ご主人様はお出かけです、ハリー・ポッター」

「どこへ出かけたんだ？　**クリーチャー、どこへ行ったんだ？**」

クリーチャーはケッケッと笑うばかりだった。

「いいかげんにしないと」そう言ったものの、こんな格好では、クリーチャーを罰する方法などほとんどないことぐらい、ハリーにはよくわかっていた。

「ルーピンは？　マッド‐アイは？　誰か、誰もいないの？」

「ここにはクリーチャーのほか誰もいません！」

しもべ妖精はうれしそうにそう言うと、ハリーに背を向けて、のろのろと厨房の奥の扉のほうに歩きはじめた。

「クリーチャーは、いまこそ奥様とちょっとお話をしようと思います。長いことその機会がなかったのです。クリーチャーのご主人様が、奥様からクリーチャーを遠ざけられた――」

「シリウスはどこに行ったんだ？」ハリーは妖精の後ろから叫んだ。

「**クリーチャー、神秘部に行ったのか？**」

クリーチャーは足を止めた。ハリーの目の前には椅子の脚が林立し、そこを通してクリーチャーのはげた後頭部がやっと見えた。

「ご主人様は、哀れなクリーチャーにどこに出かけるかを教えてくれません」妖精が小さい声で言った。

「でも、知ってるんだろう！」ハリーが叫んだ。「そうだな？　どこに行ったか知ってるんだ！」

一瞬沈黙が流れた。やがて妖精は、これまでにない高笑いをした。

「ご主人様は神秘部から戻ってこない！」クリーチャーは上機嫌で言った。「クリーチャーはまた奥様と二人きりです！」

そしてクリーチャーはチョコチョコ走り、扉を抜けて玄関ホールへと消えていった。

「こいつ――！」

しかし、悪態も呪いも一言も言わないうちに、頭のてっぺんに鋭い痛みを感じた。ハリーは灰を吸い込んでむせた。炎の中をぐいぐい引き戻されていくのを感じた。そしてぎょっとするほど唐突に、ハリーは、だだっ広い青ざめたアンブリッジの顔を見上げていた。アンブリッジはハリーの髪をつかんで暖炉から引き戻し、ハリーののどをかっ切らんばかりに、首をぎりぎりまで仰向かせた。

「よくもまあ」アンブリッジはハリーの首をさらに引っ張って天井を見上げさせた。「二匹もニフラーを入れられたあとで、このわたくしが、汚らわしいごみあさりの獣を一匹たりとも忍び込ませるものですか。この愚か者。二匹目のあとで、出入口には全部『隠密探知呪文』をかけてあったのよ。こいつの杖を取り上げなさい」

アンブリッジが見えない誰かに向かって叫ぶと、誰かの手がハリーのローブのポケットを探り、杖を取り出す気配がした。

「あの子のも」

ドアのそばでもみ合う音が聞こえ、ハリーはハーマイオニーの杖も、たったいまもぎ取られたことがわかった。

「なぜわたくしの部屋に入ったのか、言いなさい」

アンブリッジはハリーの髪の毛をつかんだ手をガタガタ振った。ハリーはよろめいた。

「僕――ファイアボルトを取り返そうとしたんだ！」ハリーがかすれ声で答えた。

「うそつきめ」アンブリッジがまたハリーの頭をガタガタいわせた。「ファイアボルトは地下牢で厳しい見張りをつけてある。よく知ってるはずよ、ポッター。わたくしの暖炉に頭を突っ込んでいたわね。誰と連絡していたの？」

「誰とも――」ハリーはアンブリッジから身を振りほどこうとしながら言った。髪の毛が数本、頭皮と別れ別れになるのを感じた。

「**うそつきめ！**」アンブリッジが叫んだ。アンブリッジがハリーを突き放し、ハリーは机にガーンとぶつかった。すると、ハーマイオニーがミリセント・ブルストロードに捕まり、壁に押しつけられているのが見えた。マルフォイが窓に寄りかかり、薄笑いを浮かべながら、ハリーの杖を片手で放り上げてはまた片手で受けていた。

外が騒がしくなり、でかいスリザリン生が数人入ってきた。ロン、ジニー、ルーナをそれぞれがっちり捕まえている。そして――ハリーはうろたえた――ネビルがクラッブに首をしめられ、いまにも窒息しそうな顔で入ってきたのだ。四人ともさるぐつわをかまされていた。

「全部捕らえました」ワリントンがロンを乱暴に前に突き出した。「**あいつ**ですが」ワリントンが太い指でネビルを指した。「**こいつ**を捕まえるのを邪魔しようとしたんで」今度はジニーを指差した。ジニーは自分を捕まえている大柄なスリザリンの女子生徒のむこうずねを蹴飛ばそうとしていた。「それで一緒に連れてきました」

「けっこう、けっこう」ジニーが暴れるのを眺めながらアンブリッジが言った。「さて、まもなくホグワーツは『非ウィーズリー地帯』になりそうだわね？」

マルフォイがへつらうように大声で笑った。アンブリッジは満足げにニーッと笑い、チンツ張りのひじかけ椅子に腰を下ろし、花園のガマガエルよろしく、目をパチクリパチクリしながら捕虜を見上げた。

「さて、ポッター」アンブリッジが口を開いた。「おまえはわたくしの部屋の周りに見張りを立て、この道化を差し向けて」アンブリッジはロンのほうをあごでしゃくった――マルフォイがますます大声で笑った――「ポルターガイストが変身術の部屋を壊しまくっていると言わせたわね。わたくしはね、そいつが学校の望遠鏡のレンズにインクを塗りたくるのに忙しいということを百も承知だったのよ――フィルチさんがそう教えてくれたばかりだったのでね」

「おまえが誰かと話すことが大事だったのは明白だわ。アルバス・ダンブルドアだったの？　それとも半ヒトのハグリッド？　ミネルバ・マクゴナガルじゃないわね。まだ弱っていて誰とも話せないと聞いてますしね」

マルフォイと尋問官親衛隊のメンバーが二、三人、それを聞いてまた笑った。ハリーは怒りと憎しみとで体が震えるのがわかった。

「誰と話そうが関係ないだろう」ハリーが唸るように言った。

アンブリッジのたるんだ顔が引きしまった。

「いいでしょう」例の危険極まりない、偽の甘ったるい声でアンブリッジが言った。「けっこうですよ、ミスター・ポッター……自発的に話すチャンスを与えたのに。おまえは断った。強制するしか手はないようね。ドラコ――スネイプ先生を呼んできなさい」

マルフォイはハリーの杖をローブにしまい、ニヤニヤしながら部屋を出ていった。しかしハリーはそれをほとんど意識していなかった。たったいま、あることに気づいたのだ。忘れていたなんて、なんてバカだったのだろう。ハリーのシリウス救出に手を貸せる騎士団の団員はみんないなくなってしまったと思っていた――まちがいだった。不死鳥の騎士団が、まだ一人ホグワーツに残っていた――スネイプだ。

部屋がしんとなった。ただ、スリザリン生がロンやほかの捕虜を押さえつけようともみ合い、すったもんだする音だけが聞こえた。ロンはワリントンのハーフ・ネルソン首しめ技に抵抗して、唇から血を流し、アンブリッジの部屋のじゅうたんに滴らせていた。ジニーは両腕をがっちりつかまれながらも、六年生の女子生徒の足を踏みつけようと、まだがんばっていた。ネビルはクラッブの両腕を引っ張りながらも、顔がだんだん紫色になってきていた。ハーマイオニーはミリセント・ブルストロードをはねのけようと、むなしく抵抗していた。しかし、ルーナは自分を捕らえた生徒のそばにだらんと立ち、成り行きにたいくつしているかのように、ぼんやり窓の外を眺めていた。

ハリーは自分をじっと見つめているアンブリッジを見返した。廊下で足音がしても、ハリーは意識的に無表情で平気な顔をしていた。ドラコ・マルフォイが戻ってきて、ドアを押さえてスネイプを部屋に入れた。

「校長、お呼びですか？」スネイプはもみ合っている二人組たちを、まったく無関心の表情で見回しながら言った。

「ああ、スネイプ先生」アンブリッジがニコーッと笑って立ち上がった。「ええ、『真実薬』をまたひと瓶欲しいのですが、なるべく早くお願いしたいの」

「最後のひと瓶を、ポッターを尋問するのに持っていかれましたが」スネイプは、すだれのようなねっとりした黒髪を通して、アンブリッジを冷静に観察しながら答えた。「まさか、あれを全部使ってしまったということはないでしょうな？　三滴で充分だと申し上げたはずですが」

アンブリッジが赤くなった。

「もう少し調合していただけるわよね？」憤慨するといつもそうなるのだが、アンブリッジの声がますます甘ったるく女の子っぽくなった。

「もちろん」スネイプはフフンと唇をゆがめた。「成熟するまでに満月から満月までを要するので、大体一か月で準備できますな」

「一か月？」アンブリッジがガマガエルのようにふくれてがなり立てた。「**一か月？**　わたくしは今夜必要なのですよ、スネイプ！　たったいま、ポッターがわたくしの暖炉を使って誰だか知りませんが、一人、または複数の人間と連絡していたのを見つけたんです！」

「ほう？」スネイプはハリーを振り向き、初めてかすかな興味を示した。「まあ、驚くにはあたりませんな。ポッターはこれまでも、あまり校則に従う様子を見せたことがありませんので」

冷たい暗い目がハリーをえぐるように見すえた。ハリーはひるまずに見返し、一心に夢で見たことに意識を集中した。スネイプが自分の心を読んで理解してくれますように……。

「こいつを尋問したいのよ！」アンブリッジが怒ったように叫び、スネイプはハリーから目をそらして怒りに震えるアンブリッジの顔を見た。「こいつに無理にでも真実を吐かせる薬が欲しいのっ！」

「すでに申し上げたとおり」スネイプがすらりと答えた。「『真実薬』の在庫はもうありません。ポッターに毒薬を飲ませたいなら別ですが――また、校長がそうなさるなら、我輩としては、お気持ちはよくわかると申し上げておきましょう――だが、お役には立てませんな。問題は、大方の毒薬というものは効き目が早すぎ、飲まされた者は真実を語る間もないということでして」

スネイプはハリーに視線を戻した。ハリーはなんとかして無言で意思を伝えようと、スネイプを見つめた。

ヴォルデモートが神秘部でシリウスを捕らえた。ハリーは必死で意識を集中した。**ヴォルデモートがシリウスを捕らえた――。**

「あなたは停職です！」

アンブリッジが金切り声を上げ、スネイプは眉をわずかに吊り上げてアンブリッジを見返した。

「あなたはわざと手伝おうとしないのです！　もっとましかと思ったのに。ルシウス・マルフォイが、いつもあなたのことをとても高く評価していたのに！　さあ、わたくしの部屋から出ていって！」

スネイプは皮肉っぽくおじぎをし、立ち去りかけた。騎士団に対していま、何が起こっているかを伝える最後の望みが、いま、ドアから出ていこうとしている……。

「あの人がパッドフットを捕まえた！」ハリーが叫んだ。「あれが隠されている場所で、あの人がパッドフットを捕まえた！」

スネイプがアンブリッジのドアの取っ手に手をかけて止まった。

「パッドフット？」アンブリッジがまじまじとハリーを見て、スネイプを見た。「パッドフットとはなんなの？　何が隠されているの？　スネイプ、こいつは何を言っているの？」

スネイプはハリーを振り返った。不可解な表情だった。スネイプがわかったのかどうか、ハリーにはわからなかった。しかし、アンブリッジの前で、これ以上はっきり話すことはとうていできない。

「さっぱりわかりませんな」スネイプが冷たく言った。「ポッター、我輩に向かってわけのわからんことをわめきちらしてほしいときは、君に『戯言薬』を飲用してもらおう。それから、クラッブ、少し手をゆるめろ。ロングボトムが窒息死したら、さんざん面倒な書類を作らねばならんからな。しかもおまえが求職するときの紹介状に、そのことを書かねばならなくなるぞ」

スネイプはピシャリとドアを閉め、残されたハリーは前よりもひどい混乱状態におちいった。スネイプが最後の頼みの綱だった。アンブリッジを見ると、怒りといらいらで胸を波打たせ、ハリーと同じように混乱しているように見えた。

「いいでしょう」アンブリッジは杖を取り出した。「しかたがない……ほかに手はない……この件は学校の規律の枠を超えます……魔法省の安全の問題です……そう……そうだわ……」

アンブリッジは自分で自分を説得しているようだった。ハリーをにらみ、片手に持った杖で、空いているほうの手のひらをパシパシたたきながら、息を荒らげ、神経質に右に左に体を揺らしていた。アンブリッジを見つめながら、ハリーは杖のない自分がひどく無力に感じられた。

「あなたがこうさせるんです、ポッター……やりたくはない」アンブリッジはその場で落ち着かない様子で体を揺すり続けていた。「しかし、場合によっては使用が正当化される……ほかに選択の余地がないということが、大臣にはわかるにちがいない……」

マルフォイは待ちきれない表情を浮かべてアンブリッジを見つめていた。

「『磔の呪い』なら舌もゆるむでしょう」アンブリッジが低い声で言った。

「やめて！」ハーマイオニーが悲鳴を上げた。「アンブリッジ先生――それは違法です」

しかし、アンブリッジはまったく意に介さなかった。ハリーがこれまで見たことがない、いやらしい、意地汚い、興奮した表情を浮かべていた。アンブリッジが杖をかまえた。

「アンブリッジ先生、大臣は先生に法律を破ってほしくないはずです！」ハーマイオニーが叫んだ。

「知らなければ、コーネリウスは痛くもかゆくもないでしょう」アンブリッジが言った。いまや、少し息をはずませ、杖をハリーの体のあちこちに向けて、どこが一番痛むか、ねらいを定めているらしい。「この夏、吸魂鬼にポッターを追えと命令したのはこのわたくしだと、コーネリウスは知らなかったわ。それでも、ポッターを退学にするきっかけができて大喜びしたことに変わりはない」

「**あなたが？**」ハリーは絶句した。「**あなたが**僕に吸魂鬼を差し向けた？」

「**誰かが**行動を起こさなければね」アンブリッジは杖をハリーの額にぴたりと合わせながら、ささやくように言った。「誰もかれも、おまえをなんとかだまらせたいと愚痴ってばかり――おまえの信用を失墜させたいとね――ところが、実際に何か手を打ったのはわたくしだけだった……ただ、おまえはうまく逃れたね、え？　ポッター？　今日はそうはいかないよ。今度こそ――」アンブリッジは息を深く吸い込んで唱えた。「**クル**――」

「**やめてーっ！**」ミリセント・ブルストロードの陰から、ハーマイオニーが悲痛な声で叫んだ。「やめて――ハリー――白状しないといけないわ！」

「絶対ダメだ！」陰に隠れて少ししか姿の見えないハーマイオニーを見つめて、ハリーが叫んだ。

「白状しないと、ハリー、どうせこの人はあなたから無理やり聞き出すじゃない。なんで……なんでがんばるの？」

ハーマイオニーはミリセント・ブルストロードのローブの背中に顔をうずめてめそめそ泣きだした。ミリセントはすぐにハーマイオニーを壁に押しつけるのをやめ、むかむかしたようにハーマイオニーから身を引いた。

「ほう、ほう、ほう！」アンブリッジが勝ち誇ったような顔をした。「ミスなんでも質問のお嬢ちゃんが、答えをくださるのね！　さあ、どうぞ、嬢ちゃん、どうぞ！」

「アー――ミー――ニー――ダミー！」さるぐつわをかまされたままで、ロンが叫んだ。

ジニーはハーマイオニーを初めて見るかのような目で見つめ、ネビルもまだ息を詰まらせながら見つめていた。しかしハリーはふと気づいた。ハーマイオニーは両手に顔をうずめ、絶望的にすすり泣いていたが、一滴の涙も見えない。

「みんな――みんな、ごめんなさい」ハーマイオニーが言った。「でも――私、がまんできない――」

「いいのよ、いいのよ、嬢ちゃん！」アンブリッジがハーマイオニーの両肩を押さえ、自分がさっきまで座っていたチンツ張りの椅子に押しつけるように座らせ、その上にのしかかった。

「さあ、それじゃ……ポッターはさっき、誰と連絡を取っていたの？」

「あの」ハーマイオニーが両手の中でしゃくり上げた。「あの、**なんとかして**ダンブルドア先生と話をしようとしていたんです」

ロンは目を見開いて体を固くした。ジニーは自分を捕まえているスリザリン生のつま先を踏んづけようとがんばるのをやめた。ルーナでさえ少し驚いた顔をした。幸いなことに、アンブリッジも取り巻き連中も、ハーマイオニーのほうばかりに気を取られ、こうした不審な挙動には気づかなかった。

「ダンブルドア？」アンブリッジの言葉に熱がこもった。「それじゃ、ダンブルドアがどこにいるかを知ってるのね？」

「それは……いいえ！」ハーマイオニーがすすり上げた。「ダイアゴン横丁の『漏れ鍋』を探したり、『三本の箒』も『ホッグズ・ヘッド』までも――」

「バカな子だ――ダンブルドアがパブなんかにいるものか。魔法省が省を挙げて捜索しているのに！」

アンブリッジは、たるんだ顔のしわというしわにありありと失望の色を浮かべて叫んだ。

「でも――でも、とっても大切なことを知らせたかったんです！」ハーマイオニーはますますきつく両手で顔を覆いながら泣き叫んだ。ハリーはそれが苦しみのしぐさではなく、相変わらず涙が出ていないことをごまかすためだとわかっていた。

「なるほど？」アンブリッジは急に興奮がよみがえった様子だった。「何を知らせたかったの？」

「私たち……私たち知らせたかったんです。あれが、で――できたって！」ハーマイオニーが息を詰まらせた。

「何ができたって？」アンブリッジが問い詰め、またしてもハーマイオニーの両肩をつかみ、軽く揺すぶった。「何ができたの？　嬢ちゃん？」

「あの……武器です」ハーマイオニーが言った。

「武器？　武器？」アンブリッジの両眼が興奮で飛び出して見えた。

「レジスタンスの手段を何か開発していたのね？　魔法省に対して使う武器ね？　もちろん、ダンブルドアの命令でしょう？」

「は――は――はい」ハーマイオニーがあえぎあえぎ言った。「でも、ダンブルドアは完成する前にいなくなって、それで、やっ――やっ――やっと私たちで完成したんです。それなのに、ダンブルドアが見──見──見つからなくて、知ら──知ら──知らせられないんです！」

「どんな武器なの？」アンブリッジは、ずんぐりした両手でハーマイオニーの肩をきつく押さえ続けながら、厳しく問いただした。

「私たちには、よ──よ──よくわかりません」ハーマイオニーは激しく鼻をすすり上げた。

「私たちは、た──た──ただ言われたとおり、ダン──ダン──ダンブルドア先生に言われたとおり、やっ──やっ──やったの」

アンブリッジは狂喜して身を起こした。

「武器の所へ案内しなさい」アンブリッジが言った。

「見せたくないです……**あの人たちには**」ハーマイオニーが指の間からスリザリン生を見回して、かん高い声を出した。

「おまえが条件をつけるわけじゃない」アンブリッジ先生が厳しく言った。

「いいわ」ハーマイオニーがまた両手に顔をうずめてすすり泣いた。「いいわ……みんなに見せるといいわ。みんながあなたに向かって武器を使うといいんだわ！　ほんとは、たくさん、たくさん人を呼んで見せてほしいわ！　それ──それがあなたにふさわしいわ──ああ、そうなってほしい──学校中が武器のありかを知って、その使い──使い方も。そしたら、あなたが誰かにいやがらせをしたとき、みんながあなたを、こ──攻撃できるわ！」

これはアンブリッジに相当効き目があった。アンブリッジはちらりと疑り深い目で尋問官親衛隊を見た。飛び出した目が一瞬マルフォイを捕らえた。意地汚い貪欲な表情を浮かべていたマルフォイは、とっさにそれを隠すことができなかった。

アンブリッジは考え込みながら、しばらくハーマイオニーを見つめていたが、やがて、自分ではまちがいなく母親らしいと思い込んでいる声で話しかけた。

「いいでしょう、嬢ちゃん、あなたとわたくしだけにしましょう……それと、ポッターも連れていきましょうね？　さあ、立って」

「先生」マルフォイが熱っぽく言った。「アンブリッジ先生、誰か親衛隊の者が一緒に行って、お役に――」

「わたくしは、れっきとした魔法省の役人ですよ、マルフォイ。杖もない十代の子供を二人ぐらい、わたくし一人では扱いきれないとでも思うのですか？」アンブリッジが鋭く言った。

「いずれにしても、この武器は、学生が見るべきものではないようです。あなたたちはここにいて、わたくしが戻るまで、この連中が誰も――」アンブリッジはロン、ジニー、ネビル、ルーナをぐるりと指した。「逃げないようにしていなさい」

「わかりました」マルフォイはがっかりしてすねた様子だった。

「さあ、二人ともわたくしの前を歩いて、案内しなさい」アンブリッジはハーマイオニーとハリーに杖を突きつけた。「先に行きなさい」

第33章　闘争と逃走

ハーマイオニーがいったい何をくわだてているのか、いや、くわだてがあるのかどうかさえ、ハリーには見当もつかなかった。アンブリッジの部屋を出て、廊下を歩くとき、ハリーはハーマイオニーより半歩遅れて歩いた。どこに向かっているのかをハリーが知らない様子を見せたら、疑われるのがわかっていたからだ。アンブリッジが、荒い息づかいが聞こえるほどハリーのすぐ後ろを歩いているので、ハリーはハーマイオニーに話しかけることなどとうていできなかった。

ハーマイオニーは階段を下り、玄関ホールへと先導した。大広間の両開きの扉から、大きな話し声や皿の上でカチャカチャ鳴るナイフやフォークの騒音が響いてきた。――ハリーには信じられなかった。ほんの数メートル先に、なんの心配事もなく夕食を楽しみ、試験が終わったことを祝っている人がいるなんて……。

ハーマイオニーは正面玄関の樫（かし）の扉をまっすぐに抜け、石段を下りて、とろりと心地よい夕暮れの外気の中に出た。太陽が、禁じられた森の木々の梢（こずえ）にまさに沈もうとしていた。ハーマイオニーは目的地を目指し、芝生をすたすた歩いた――アンブリッジが小走りについてきた――三人の背後に、長い影がマントのように芝生に黒々と波打った。

「ハグリッドの小屋に隠されているのね？」

アンブリッジが待ちきれないようにハリーの耳元で言った。

「もちろん、ちがいます」

ハーマイオニーが痛烈に言った。

「ハグリッドがまちがえて起動してしまうかもしれないもの」

「そうね」アンブリッジはますます興奮が高まってきたようだった。「そう、もちろん、あいつならやりかねない。あのデカブツのウスノロの半ヒトめ」

アンブリッジが笑った。ハリーは振り向いて、アンブリッジの首根っこをしめてやりたいという強い衝動にかられたが、踏みとどまった。やわらかな夕闇の中で、額の傷痕がうずいていたが、まだ灼熱の痛みではなかった。ヴォルデモートがしとめにかかっていたなら激痛が走るだろうと、ハリーにはわかっていた。

「それじゃ……どこなの？」ハーマイオニーが禁じられた森へとずんずん歩き続けるので、アンブリッジの声が少し疑わしげだった。

「あの中です、もちろん」ハーマイオニーは黒い木々を指差した。

「生徒が偶然に見つけたりしない所じゃないといけないでしょう？」

「そうですとも」

そうは言ったものの、アンブリッジの声が今度は少し不安げだった。

「そうですとも……けっこう、それでは……二人ともわたくしの前を歩き続けなさい」

「それじゃ、先生の杖を貸してくれませんか？　僕たちが先を歩くなら」ハリーが頼んだ。

「いいえ、そうはいきませんね、ミスター・ポッター」

アンブリッジが杖でハリーの背中を突きながら甘ったるく言った。

「お気の毒だけど、魔法省は、あなたたちの命よりわたくしの命のほうにかなり高い価値をつけていますからね」

森の取っつきの木立の、ひんやりした木陰に入ったとき、ハリーはなんとかしてハーマイオニーの目をとらえようとした。さっきからいろいろむちゃなことをやらかしはしたが、杖なしで森を歩くのはそれ以上に無鉄砲だと思えた。しかし、ハーマイオニーは、アンブリッジを軽蔑したようにちらりと見て、まっすぐ森へと突っ込んでいった。その速さときたら、短足のアンブリッジが追いつくのに苦労するほどだった。

「ずっと奥なの？」イバラでローブを破られながら、アンブリッジが聞いた。

「ええ、そうです」ハーマイオニーが言った。「ええ、しっかり隠されてるんです」

ハリーはますます不安になった。ハーマイオニーはグロウプを訪ねたときの道ではなく、三年前、怪物蜘蛛(ぐも)のアラゴグの巣に行ったときの道をたどっていた。あの時ハーマイオニーは一緒ではなかった。行く手にどんな危険があるのか、ハーマイオニーは知らないのかもしれない。

「えーと——この道でまちがいないかい？」ハリーははっきり指摘するような聞き方をした。

「ええ、大丈夫」ハーマイオニーは不自然なほど大きな音を立てて下草を踏みつけながら、冷たく硬い声で答えた。

背後で、アンブリッジが倒れた若木につまずいて転んだ。二人とも立ち止まって助け起こしたりしなかった。

ハーマイオニーは、振り返って大声で「もう少し先です！」と言ったきり、どんどん進んだ。

「ハーマイオニー、声を低くしろよ」急いで追いつきながら、ハリーがささやいた。「ここじゃ、何が聞き耳を立ててるかわからないし——」

「聞かせたいのよ」ハーマイオニーが小声で言った。アンブリッジがやかましい音を立てながら後ろから走ってくるところだった。「いまにわかるわ……」

ずいぶん長い時間歩いたような気がした。やがて、またしても、密生する林冠がいっさいの光をさえぎる森の奥深くへと入り込んだ。前にもこの森で感じたことがあったが、ハリーは、見えない何ものかの目がじっと注がれているような気がした。

「あとどのくらいなんですか？」ハリーの背後で、アンブリッジが怒ったように問いただした。

「もうそんなに遠くないです！」薄暗い湿った平地に出たとき、ハーマイオニーが叫んだ。「もうほんのちょっと——」

空を切って一本の矢が飛んできた。そしてドスッと恐ろしげな音を立て、ハーマイオニーの頭上の木に突き刺さった。あたりの空気がひづめの音で満ち満ちた。森の底が揺れているのを、ハリーは感じた。アンブリッジは小さく悲鳴を上げ、ハリーを盾にするように自分の前に押し出した。

ハリーはそれを振りほどき、周りを見た。四方八方から五十頭あまりのケンタウルスが現れた。矢をつがえ、弓をかまえ、ハリー、ハーマイオニー、アンブリッジをねらっている。三人はじりじりと平地の中央にあとずさりした。アンブリッジは恐怖でヒイヒイと小さく奇妙な声を上げている。ハリーは横目でハーマイオニーを見た。ニッコリと勝ち誇った笑顔を浮かべている。

「誰だ？」声がした。

ハリーは左を見た。包囲網の中から、マゴリアンと呼ばれていた栗毛のケンタウルスが、同じく弓矢をかまえて歩み出てきた。ハリーの右側で、アンブリッジがまだヒイヒイ言いながら、進み出てくるケンタウルスに向かって、わなわな震える杖を向けていた。

「誰だと聞いているのだぞ、ヒトよ」マゴリアンが荒々しく言った。

「わたくしはドローレス・アンブリッジ！」アンブリッジが恐怖で上ずった声で答えた。「魔法大臣上級次官、ホグワーツ校長、並びにホグワーツ高等尋問官です！」

「魔法省の者だと？」マゴリアンが聞いた。周囲を囲む多くのケンタウルスが、落ち着かない様子でザワザワと動いた。

「そうです！」アンブリッジがますます高い声で言った。「だから、気をつけなさい！　魔法生物規制管理部の法令により、おまえたちのような半獣がヒトを攻撃すれば――」

「我々のことを**なんと**呼んだ？」

荒々しい風貌の黒毛のケンタウルスが叫んだ。ハリーにはそれがベインだとわかった。三人の周りで憤りの声が広がり、弓の弦がキリキリとしぼられた。

「この人たちをそんなふうに呼ばないで！」

ハーマイオニーが憤慨したが、アンブリッジには聞こえていないようだった。マゴリアンに震える杖を向けたまま、アンブリッジはしゃべり続けた。

「法令第十五号『B』にはっきり規定されているように、『ヒトに近い知能を持つと推定され、それ故その行為に責任がともなうと思料される魔法生物による攻撃は――』」

「『ヒトに近い知能？』」

マゴリアンがくり返した。ベインやほかの数頭が、激怒して唸り、ひづめで地をかいていた。

「ヒトよ！　我々はそれが非常な屈辱だと考える！　我々の知能は、ありがたいことに、おまえたちのそれをはるかに凌駕している」

「我々の森で、何をしている？」

険しい顔つきの灰色のケンタウルスがとどろくような声で聞いた。ハリーとハーマイオニーがこの前に森に来たとき見た顔だ。

「どうしてここにいるのだ？」

「**おまえたちの森？**」

アンブリッジは恐怖のせいばかりではなく、今度はどうやら憤慨して震えていた。

「いいですか。魔法省がおまえたちに、ある一定の区画に棲むことを許しているからこそ、ここに棲めるのです――」

一本の矢がアンブリッジの頭すれすれに飛んできて、くすんだ茶色の髪の毛に当たって抜けた。アンブリッジは耳をつんざく悲鳴を上げ、両手でパッと頭を覆った。数頭のケンタウルスが吠えるように声援し、ほかの何頭かはごうごうと笑った。薄明かりの平地にこだまする、いななくような荒々しい笑い声と、地をかくひづめの動きが、いやがうえにも不安感をかき立てた。

「ヒトよ、さあ、誰の森だ？」ベインが声をとどろかせた。

「汚らわしい半獣！」アンブリッジは両手でがっちり頭を覆いながら叫んだ。「けだもの！　手に負えない動物め！」

「だまって！」

ハーマイオニーが叫んだが、遅すぎた。アンブリッジはマゴリアンに杖を向け、金切り声で唱えた。

「**インカーセラス！　縛れ！**」

縄が太い蛇のように空中に飛び出してケンタウルスの胴体にきつく巻きつき、両腕を捕らえた。マゴリアンは激怒して叫び、後脚で立ち上がって縄を振りほどこうとした。ほかのケンタウルスが襲いかかってきた。

ハリーはハーマイオニーをつかみ、引っ張って地面に押しつけた。周りに雷のようなひづめの音が鳴り響き、ハリーは恐怖を覚えながら地面に顔を伏せていた。しかしケンタウルスは、怒りに叫び、吠えたけりながら、二人を飛び越えたり迂回したりしていった。

「やめてぇぇぇぇぇ！」アンブリッジの悲鳴が聞こえた。「やめてぇぇぇぇぇ……わたくしは上級次官よ……おまえたちなんかに──放せ、けだもの……あぁぁぁぁぁ！」

ハリーは赤い閃光が一本走るのを見た。アンブリッジがどれか一頭を失神させようとしたにちがいない。次の瞬間、アンブリッジが大きな悲鳴を上げた。ハリーが頭をわずかに持ち上げて見ると、アンブリッジが背後からベインに捕らえられ、空中高く持ち上げられて恐怖に叫びながらもがいていた。杖が手を離れて地上に落ちた。ハリーは心が躍った。手が届きさえすれば──。しかし、杖に手を伸ばしたとき、一頭のケンタウルスのひづめがその上に下りてきて、杖は真っ二つに折れた。

「さあ！」ハリーの耳に吠え声が聞こえ、太い毛深い腕がどこからともなく下りてきて、ハリーを引っ張り起こした。ハーマイオニーも同じく引っ張られ、立たせられた。さまざまな色のケンタウルスの背中や首が激しく上下するそのむこうに、ハリーはベインに連れ去られていくアンブリッジの姿を木の間隠れに見た。ひっきりなしに悲鳴を上げていたが、その声はだんだんかすかになり、ひづめで地面を蹴る周りの音にかき消されてついに聞こえなくなった。

「それで、こいつらは？」ハーマイオニーをつかんでいた、険しい顔の灰色のケンタウルスが言った。

「この子たちは幼い」ハリーの背後でゆったりとした悲しげな声が言った。「我々は仔馬を襲わない」

「こいつらはあの女をここに連れてきたんだぞ、ロナン」ハリーをがっちりとつかんでいたケンタウルスが答えた。「しかもそれほど幼くはない……こっちの子は、もう青年になりかかっている」ケンタウルスがハリーのローブの首根っこをつかんで揺すった。

「お願いです」ハーマイオニーが息を詰まらせながら言った。「お願いですから、私たちを襲わないでください。私たちはあの女の人のような考え方はしません。魔法省の役人じゃありません！ ここに来たのは、ただ、あの人をみなさんに追い払ってほしいと思ったからです」

ハーマイオニーをつかんでいた灰色のケンタウルスの表情から、ハリーはハーマイオニーがとんでもないまちがいを言ったとすぐ気づいた。灰色のケンタウルスは首をブルッと後ろに振り、後脚で激しく地面を蹴り、吠えるように言った。

「ロナン、わかっただろう？　こいつらはもう、ヒト類の持つ傲慢（ごうまん）さを持っているのだ。つまり、人間の女の子よ、おまえたちのかわりに、我々が手を汚すというわけだな？　おまえたちの奴隷として行動し、忠実な猟犬のようにおまえたちの敵を追い払うというわけか？」

「ちがいます！」ハーマイオニーは恐怖のあまり金切り声を上げた。「お願いです――そんなつもりじゃありません！　私はただ、みなさんが――助けてくださるんじゃないかと――」

これが事態をますます悪くしたようだった。

「我々はヒトを助けたりしない！」ハリーをつかんでいたケンタウルスが唸るように言った。つかんだ手に一段と力が入り、同時に後脚で少し立ち上がったので、ハリーの足が一瞬地面から浮き上がった。「我々は孤高の種族だ。そのことを誇りにしている。おまえたちがここを立ち去ったあと、おまえたちのくわだてを我々が実行したなどと吹聴することを許しはしない！」

「僕たち、そんなことを言うつもりはありません！」ハリーが叫んだ。「僕たちの望むことを実行したのじゃないことはわかっています――」

しかし、誰もハリーに耳を貸さないようだった。

群れの後方のあごひげのケンタウルスが叫んだ。

「こいつらは頼みもしないのにここに来た。つけを払わなければならない！」

そのとおりだという唸り声が沸き起こった。そして月毛のケンタウルスが叫んだ。

「あの女の所へ連れていけ！」

「あなたたちは罪のないものは傷つけないって言ってたのに！」

ハーマイオニーは今度こそ本物の涙をほおに伝わらせながら叫んだ。

「あなたたちを傷つけることは何もしていないわ。杖も使わないし、脅しもしなかった。私たちは学校に帰りたいだけなんです。お願いです。帰して――」

「我々全員が裏切り者のフィレンツェと同じわけではないのだ、人間の女の子！」

灰色のケンタウルスが叫ぶと、仲間から同調するいななきがさらに沸き起こった。

「我々のことを、きれいなしゃべる馬とでも思っていたんじゃないかね？　我々は昔から存在する種族だ。魔法族の侵略も侮辱も許しはしない。おまえたちの法律は認めないし、おまえたちが我々より優秀だとも認めない。我々は――」

我々がどうなのか、二人には聞こえなかった。その時、開けた平地の端でバキバキという大音響が聞こえてきたのだ。あまりの物音に、ハリーも、ハーマイオニーも、平地を埋めた五十余頭のケンタウルスも、全員が振り返った。ハリーを捕まえていたケンタウルスの両手がサッと弓と矢立てに伸び、ハリーはまた地上に落とされた。ハーマイオニーも落ちた。ハリーが急いでハーマイオニーのそばに行ったとき、二本の太い木の幹が不気味に左右に押し開かれ、その間から巨人グロウプの奇怪な姿が現れた。

グロウプに一番近かったケンタウルスがあとずさりし、背後にいた仲間にぶつかった。平地はいまや弓と矢が林立し、いまにも放たれれんとしていた。うっそうとした林冠のすぐ下にぬうっと現れた灰色味を帯びた巨大な顔を的に、矢はいっせいに上に向けられている。グロウプのねじ曲がった口がポカンと開いている。れんが大の黄色い歯が、おぼろげな明かりの中でかすかに光るのが見えた。泥色の鈍い目が、足元の生き物を見定めるのに細くなった。両方のかかとから、ちぎれたロープが垂れ下がっている。

グロウプはさらに大きく口を開いた。

「ハガー」

ハリーには「ハガー」がなんのことかも、なんの言語なのかもわからなかったが、それもどうでもよかった。ハリーは、ほとんどハリーの背丈ほどもあるグロウプの両足を見つめていた。ハーマイオニーはハリーの腕にしっかりしがみついていた。ケンタウルスは静まり返って巨人を見つめていた。グロウプは、何か落とし物でも探すように、ケンタウルスの間をのぞき込み続け、巨大な丸い頭を右に左に振っている。

「**ハガー！**」グロウプはさっきよりしつこく言った。

「ここを立ち去れ、巨人よ！」マゴリアンが呼びかけた。「我らにとって、おまえは歓迎されざる者だ！」

グロウプにとって、この言葉はなんの印象も与えなかったようだ。少し前かがみになり（ケンタウルスが弓を引きしぼった）、また声をとどろかせた。「**ハガー！**」

数頭のケンタウルスが、今度は心配そうなとまどい顔をした。しかし、ハーマイオニーはハッと息をのんだ。

「ハリー！」ハーマイオニーがささやいた。「『ハグリッド』って言いたいんだと思うわ！」

まさにこの時、グロウプは二人に目をとめた。一面のケンタウルスの群れの中に、たった二人の人間だ。グロウプはさらに二、三十センチ頭を下げ、じっと二人を見つめた。ハリーはハーマイオニーが震えているのを感じた。グロウプは再び大きく口を開け、深くとどろく声で言った。

「ハーミー」

「まあ」ハーマイオニーはいまにも気を失いそうな様子で言った。ハーマイオニーがあまりきつく握りしめるので、ハリーは腕がしびれかけていた。「お――覚えてたんだわ！」

「**ハーミー！**」グロウプが吠えた。「**ハガー、どこ？**」

「知らないの！」ハーマイオニーが悲鳴に近い声を出した。「ごめんなさい、グロウプ、私、知らないの！」

「グロウプ、ハガー、ほしい！」

巨人の巨大な片手が下に伸びてきた。ハーマイオニーは今度こそ本物の悲鳴を上げ、二、三歩走るようにあとずさりして、ひっくり返った。巨人の手がハリーのほうに襲いかかり、白毛のケンタウルスの脚をなぎ倒したとき、ハリーは覚悟を決めた。杖なしで、パンチでもキックでもかみつきでも、なんでもやってやる。

この時をケンタウルスは待っていた。――グロウプの広げた指が、ハリーからあと二、三十センチというところで、巨人めがけて五十本の矢が空を切った。矢は巨大な顔に浴びせかかり、巨人は痛みと怒りで吠えたけりながら身を起こした。巨大な両手で顔をこすると、矢柄は折れたが、矢尻はかえって深々と突き刺さった。

グロウプは叫び、巨大な足を踏み鳴らし、ケンタウルスはその足をよけて散り散りになった。小石ほどもあるグロウプの血の雨を浴びながら、ハリーはハーマイオニーを助け起こした。木の陰に隠れようと全速力で走り、木陰に入るなり、二人は振り返った。グロウプは顔から血を流しながら、闇雲にケンタウルスにつかみかかっていた。ケンタウルスはてんでんばらばらになって退却し、平地のむこう側の木立へと疾駆していた。ハリーとハーマイオニーは、グロウプがまたしても怒りに吠え、両脇の木々をたたき折りながら、ケンタウルスを追って森に飛び込んでいくのを見ていた。

「ああ、もう」ハーマイオニーは激しい震えでひざが抜けてしまっていた。「ああ、怖かった。それにグロウプはみな殺しにしてしまうかも」

「そんなこと気にしないな。正直言って」ハリーが苦々しく言った。

ケンタウルスの駆ける音、巨人が闇雲に追う音が、だんだんかすかになってきた。その音を聞いているうちに、傷痕がまたしても激しくうずいた。恐怖の波がハリーを襲った。

あまりにも時間をむだにしてしまった——あの光景を見たときより、シリウスを救い出すことがいっそう難しくなっていた。ハリーは不幸にも杖を失ってしまったばかりか、禁じられた森のど真ん中で、いっさいの移動の手段もないまま立ち往生してしまったのだ。

「名案だったね」ハーマイオニーに向かって、ハリーは吐き捨てるように言った。せめて怒りのはけ口が必要だった。「まったく名案だったよ。これからどうするんだ？」

「お城に帰らなくちゃ」ハーマイオニーが消え入るように言った。

「そのころには、シリウスはきっと死んでるよ！」

ハリーはかんしゃくを起こして、近くの木を蹴飛ばした。頭上でキャッキャッとかん高い声が上がった。見上げると、怒ったボウトラックルが一匹、ハリーに向かって小枝のような長い指を曲げ伸ばしして威嚇していた。

「でも、杖がなくては、私たち何もできないわ」

ハーマイオニーはしょんぼりそう言いながら、力なく立ち上がった。

「いずれにしてもハリー、ロンドンまでずうっと、いったいどうやって行くつもりだったの？」

「うん、僕たちもそのことを考えてたんだ」

ハーマイオニーの背後で聞きなれた声がした。

ハリーもハーマイオニーも思わず寄り添い、木立を透かしてむこうをうかがった。

ロンが目に入った。ジニー、ネビル、そしてルーナがそのあとから急いでついてくる。全員がかなりぼろぼろだった。——ジニーのほおにはいく筋も長い引っかき傷があり、ネビルの右目の上にはたんこぶが紫色にふくれ上がっていた。ロンの唇は前よりもひどく出血している——しかし、全員がかなり得意げだ。

「それで？」ロンが低く垂れた木の枝を押しのけ、杖をハリーに差し出しながら言った。「何かいい考えはあるの？」

「どうやって逃げたんだ？」ハリーは杖を受け取りながら、驚いて聞いた。

「『失神光線』を二、三発と、『武装解除術』。ネビルは『妨害の呪い』のすごいやつを一発かましてくれたぜ」ロンはなんでもなさそうに答えながら、ハーマイオニーにも杖を渡した。「だけど、なんてったって一番はジニーだな。マルフォイをやっつけた――『コウモリ鼻糞(はなくそ)の呪い』――最高だったね。やつの顔がものすごいビラビラでべったり覆われちゃってさ。とにかく、君たちが森に向かうのが窓から見えたからあとを追ったのさ。アンブリッジはどうしちゃったんだ？」

「連れていかれた」ハリーが答えた。「ケンタウルスの群れに」

「それで、ケンタウルスは、あなたたちを放って行っちゃったの？」ジニーは度肝を抜かれたように言った。

「ううん。ケンタウルスはグロウプに追われていったのさ」ハリーが言った。

「グロウプって誰？」ルーナが興味を示した。

「ハグリッドの弟」ロンが即座に言った。「とにかく、いま、それは置いといて。ハリー、暖炉で何かわかったかい？『例のあの人』はシリウスを捕まえたのか？それとも――」

「そうなんだ」ハリーが答えたその時、傷痕がまたチクチク痛んだ。「だけど、シリウスがまだ生きてるのは確かだ。ただ、助けにいこうにも、どうやってあそこに行けるかがわからない」

みんながだまり込んだ。問題がどうにもならないほど大きすぎて、恐ろしかった。

「まあ、全員飛んでいくほかないでしょう？」ルーナが言った。ハリーがいままで聞いたルーナの声の中で、一番沈着冷静な声だった。

「オーケー」ハリーはいらいらしてルーナに食ってかかった。「まず言っとくけど、自分のこともふくめて言ってるつもりなら、**全員が**何かするわけじゃないんだ。第二に、トロールの警備がついていない箒は、ロンのだけだ。だから――」

「私も箒を持ってるわ！」ジニーが言った。

「ああ、でも、おまえは来ないんだ」ロンが怒ったように言った。

「お言葉ですけど、シリウスのことは、私もあなたたちと同じぐらい心配してるのよ！」

ジニーが歯を食いしばると、急にフレッドとジョージに驚くほどそっくりな顔になった。

「君はまだ――」ハリーが言いかけたが、ジニーは激しく言い返した。

「私、あなたが賢者の石のことで『例のあの人』と戦った年より三歳も上よ。それに、マルフォイがアンブリッジの部屋で特大の空飛ぶ鼻クソに襲われて足止めになっているのは、私がやったからだわ――」

「それはそうだけど――」

「僕たちDAはみんな一緒だったよ」ネビルが静かに言った。「何もかも、『例のあの人』と戦うためじゃなかったの？　今度は、現実に何かできる初めてのチャンスなんだ――それとも、全部ただのゲームだったの？」

「ちがうよ――もちろん、ちがうさ――」ハリーはいらだった。

「それなら、僕たちも行かなきゃ」ネビルが当然のように言った。「僕たちも手伝いたい」

「そうよ」ルーナがうれしそうにニッコリした。

ハリーはロンと目が合った。ロンもまったく同じことを考えていることがわかった。ハリー自身とロンとハーマイオニーのほかに、シリウス救出のために誰かDAのメンバーを選べるとしたら、ジニー、ネビル、ルーナは選ばなかったろう。

「まあ、どっちにしろ、それはどうでもいいんだ」ハリーはじれったそうに言った。「だって、どうやってそこに行くのかまだわからないんだし――」

「それは解決済みだと思ったけど」ルーナはしゃくにさわる言い方をした。「全員飛ぶのよ！」

「あのさあ」ロンが怒りを抑えきれずに言った。「君は箒なしでも飛べるかもしれないよ。でもほかの僕らは、いつでも羽を生やせるってわけにはは――」

「箒のほかにも飛ぶ方法はあるわ」ルーナが落ち着き払って言った。

「カッキー・スノーグルか何かの背中に乗っていくのか？」ロンが問い詰めた。

「『しわしわ角スノーカック』は飛べません」ルーナは威厳のある声で言った。「だけど、**あれ**は飛べるわ。それに、ハグリッドが、あれは乗り手の探している場所を見つけるのがとってもうまいって、そう言ってるもゝ」

ハリーはくるりと振り返った。二本の木の間で白い目が気味悪く光った。セストラルが二頭、まるで会話の言葉が全部わかっているかのように、ヒソヒソ話のほうを見つめていた。

「そうだ！」

ハリーはそうつぶやくと、二頭に近づいた。セストラルは爬虫類（はちゅう）のような頭を振り、長い黒いたてがみを後ろに揺すり上げた。ハリーははやる気持ちで手を伸ばし、一番近くの一頭のつやつやした首をなでた。こいつらが醜いと思ったことがあるなんて！

「それって、へんてこりんな馬のこと？」

ロンが自信なさそうに言いながら、ハリーがなでているセストラルの少し左の一点を見つめた。

「誰かが死んだのを見たことがないと見えないってやつ？」

「うん」ハリーが答えた。

「何頭？」

「二頭だけ」

「でも、三頭必要ね」ハーマイオニーはまだ少しショック状態だったが、覚悟を決めたように言った。

「四頭よ、ハーマイオニー」ジニーがしかめっ面をした。

「ほんとは全部で六人いると思うよ」ルーナが数えながら平然と言った。

「バカなこと言うなよ。全員は行けない！」ハリーが怒った。

「いいかい、君たち――」ハリーはネビル、ジニー、ルーナを指差した。「君たちには関係ないんだ。君たちは――」

三人がまたいっせいに、激しく抗議した。ハリーの傷痕がもう一度、前より強くうずいた。一刻も猶予はない。議論している時間はない。

「オーケー、いいよ。勝手にしてくれ」ハリーがぶっきらぼうに言った。「だけど、セストラルがもっと見つからなきゃ、君たちは行くことができ――」

「あら、もっと来るわよ」ジニーが自信たっぷりに言った。ロンと同じように、馬を見ているような気になっているらしいが、とんでもない方向に目をこらしている。

「なぜそう思うんだい？」

「だって、気がついてないかもしれないけど、あなたもハーマイオニーも血だらけよ」ジニーが平然と言った。「そして、ハグリッドが生肉でセストラルをおびきよせるってことはわかってるわ。そもそもこの二頭だって、たぶん、それで現れたのよ」

その時、ハリーはローブが軽く引っ張られるのを感じて下を見た。一番近いセストラルが、グロウプの血でぬれたそでをなめていた。

「オーケー、それじゃ」すばらしい考えがひらめいた。「ロンと僕がこの二頭に乗って先に行く。ハーマイオニーはあとの三人とここに残って、もっとセストラルをおびきよせればいい」

「私、残らないわよ！」ハーマイオニーが憤然として言った。

「そんな必要ないもン」ルーナがニッコリした。「ほら、もっと来たよ……あんたたち二人、きっとものすごく臭いんだ……」

ハリーが振り向いた。少なくとも六、七頭が、なめし革のような両翼をぴったり胴体につけ、暗闇に目を光らせて、木立を慎重にかき分けながらやってくる。もう言い逃れはできない。

「しかたがない」ハリーが怒ったように言った。「じゃ、どれでも選んで、乗ってくれ」

ハリーは一番近くのセストラルのたてがみにしっかりと手を巻きつけ、手近の切り株に足を乗せて、すべすべした背中を不器用によじ登った。セストラルはいやがらなかったが、首を回し、牙をむき出して、ハリーのローブをもっとなめようとした。

翼のつけ根にひざを入れると安定感があることがわかり、ハリーはみんなを振り返った。ネビルはフウフウ言いながら二番目のセストラルの背に這い上がったところで、今度は短い足の片方を背中のむこう側に回してまたがろうとしていた。ルーナはもう横座りに乗って、毎日やっているかのようなれた手つきでローブをととのえていた。しかし、ロン、ハーマイオニー、ジニーは口をポカンと開けて空を見つめ、その場にじっと突っ立ったままだった。

「どうしたんだ？」ハリーが聞いた。

「どうやって乗ればいいんだ？」ロンが消え入るように言った。「乗るものが見えないっていうのに？」

「あら、簡単だよ」ルーナが乗っていたセストラルからいそいそと降りてきて、ロン、ハーマイオニー、ジニーにすたすたと近づいた。「こっちだよ……」

ルーナは三人を、そのあたりに立っているセストラルの所へ引っ張っていき、一人一人手伝って背中に乗せた。ルーナが乗り手の手を馬のたてがみにからませてやり、しっかりつかむように言うと、三人ともひどく緊張しているようだった。それからルーナは自分の馬の背に戻った。

「こんなの、むちゃだよ」空いている手で恐る恐る自分の馬の首にさわり、上下に動かしながら、ロンがつぶやいた。「むちゃだ……見えたらいいんだけどな――」

「見えないままのほうがいいんだよ」ハリーが沈んだ声で言った。

「それじゃ、みんな、準備はいいね？」

全員がうなずき、ハリーには、五組のひざにローブの下で力が入るのが見えた。

「オーケー……」

ハリーは自分のセストラルの黒いつやつやした後頭部を見下ろし、ゴクリと生つばを飲んだ。

「それじゃ、ロンドン、魔法省、来訪者入口」ハリーは半信半疑で言った。「えーと……どこに行くか……わかったらだけど……」

ハリーのセストラルは何も反応しなかった。そして次の瞬間、ハリーが危うく落馬しそうになるほどすばやい動きで、両翼がサッと伸びた。馬はゆっくりとかがみ込み、それからロケット弾のように急上昇した。あまりの速さで急角度に昇ったので、骨ばった馬の尻からすべり落ちないよう、ハリーは両腕両脚でがっちり胴体にしがみつかなければならなかった。ハリーは目を閉じ、絹のような馬のたてがみに顔を押しつけた。セストラルは、高い木々の梢（こずえ）を突き抜け、血のように赤い夕焼けに向かって飛翔した。

ハリーは、これまでこんなに高速で移動したことはないと思った。セストラルは広い翼をほとんどはばたかせず、城の上を一気に飛んだ。涼しい空気が顔を打ち、吹きつける風にハリーは目を細めた。振り返ると、五人の仲間があとから昇ってくるのが見えた。ハリーのセストラルが巻き起こす後流から身を護（まも）るのに、五人ともそれぞれの馬の首にしがみついて、できるだけ低く伏せている。

ホグワーツの校庭を飛び越え、ホグズミードを過ぎた。眼下に広がる山々や峡谷が見えた。陽（ひ）がかげりはじめると、通り過ぎる村々の小さな光の集落が見えてきた。そして、丘陵地の曲がりくねった一本道を、せかせかと家路に急ぐ一台の車も……。

「気味が悪いよー！」

ハリーの背後でロンが叫ぶのがかすかに聞こえた。こんな高い所を、これといって目に見える支えがないまま猛スピードで飛ぶのは、変な気持ちだろうと、ハリーは思いやった。

陽が落ちた。空はやわらかな深紫色に変わり、小さな銀色の星がまき散らされた。やがて、地上からどんなに離れ、どんなに速く飛んでいるかは、マグルの街灯り（まちあかり）でしかわからなくなった。

ハリーは自分の馬の首に両腕をしっかり巻きつけ、もっと速く飛んでほしいと願っていた。シリウスが神秘部の床に倒れているのを目撃してから、どれくらいの時がたったのだろう？　シリウスは、あとどれほどヴォルデモートに抵抗し続けられるだろう？　確実なのは、ハリーの名付け親が、まだヴォルデモートの望むことをやっていないし、死んでもいないということだけだった。もしそのどちらかが起こっていれば、ヴォルデモートの歓喜か激怒の感情がハリー自身の体を駆けめぐり、ウィーズリー氏が襲われた夜と同じように、傷痕に焼きごてを当てられたような痛みが走るはずだ。

一行は、深まる闇の中を飛びに飛んだ。ハリーの顔は冷えてこわばり、脚はセストラルの胴をきつくはさんでしびれていた。しかし、体位を変えることなどとうていできない。すべり落ちてしまう……。耳元で唸（うな）る轟々（ごうごう）たる風の音で、何も聞こえない。冷たい夜風で口は渇き、凍りついている。どれほど遠くまで来たのか、ハリーにはまったく感覚がなかった。ただ、足元の生き物を信じるだけだった。セストラルは、目的地を定めたかのように猛スピードで夜を貫き、ほとんどはばたきもせずに先へ先へと進んだ。

もしも、遅すぎたら……。

シリウスはまだ生きている。戦っている。僕はそれを感じている……。

もしも、ヴォルデモートがシリウスは屈服しないと見切りをつけたら……。

僕にもわかるはずだ……。

ハリーの胃袋がぐらっとした。セストラルの頭が、急に地上を向き、ハリーは馬の首に沿って少し前にすべった。ついに降りはじめたのだ……背後で悲鳴が聞こえたような気がした。ハリーは危なっかしげに身をよじって振り返ったが、誰かが落ちていく様子はなかった……たぶん、ハリーがいま感じたのと同じように、方向転換で全員が衝撃を受けたのだろう。

前後左右の明るいオレンジ色の灯りがだんだん大きく丸くなってきた。全員の目に建物の屋根が見え、光る昆虫の目のようなヘッドライトの流れや、四角い淡黄色の窓明かりが見えた。出し抜けに、という感じで、全員が矢のように歩道に突っ込んでいった。ハリーは最後の力を振りしぼってセストラルにしがみつき、急な衝撃に備えた。しかし、馬はまるで影法師のように、ふわりと暗い地面に着地した。ハリーはその背中からすべり降り、通りを見回した。打ち壊された電話ボックスも、少し離れた所にあるごみのあふれた大型ごみ運搬容器も、以前のままだった。どちらも、街灯のギラギラしたオレンジ一色を浴び、色彩を失っている。

ロンが少し離れた所に着地し、たちまちセストラルから歩道に転げ落ちた。

「懲りごりだ」

ロンがもそもそ立ち上がりながら言った。セストラルから大股で離れるつもりだったらしいが、何しろ見えないので、その尻に衝突してまた転びかけた。

「二度と、絶対いやだ……最悪だった――」

ハーマイオニーとジニーがそれぞれロンの両脇に着地して、二人ともロンよりは少し優雅にすべり降りたが、ロンと同じように、しっかりした地上に戻れてホッとした顔だった。ネビルは震えながら飛び降り、ルーナはすっと下馬した。

「それで、ここからどこ行くの？」

ルーナはまるで楽しい遠足でもしているように、いちおう行き先に興味を持っているような聞き方をした。

「こっち」

ハリーは感謝を込めてちょっとセストラルをなで、先頭を切って壊れた電話ボックスへと急ぎ、ドアを開けた。

「入れよ。**早く！**」

ためらっているみんなを、ハリーはうながした。

ロンとジニーが従順に入っていった。ハーマイオニー、ネビル、ルーナはそのあとからぎゅうぎゅう押して入った。ハリーが入る前に、もう一度セストラルをちらりと振り返ると、ごみ容器の中からくさった食べ物のくずをあさっていた。ハリーはルーナのあとからボックスに体を押し込んだ。

「受話器に一番近い人、ダイヤルして！　六二四四二！」ハリーが言った。

ロンがダイヤルに触れようと腕を奇妙にねじ曲げながら、数字を回した。ダイヤルが元の位置に戻ると、電話ボックスに落ち着き払った女性の声が響いた。

「魔法省へようこそ。お名前とご用件をおっしゃってください」

「ハリー・ポッター、ロン・ウィーズリー、ハーマイオニー・グレンジャー」ハリーは早口で言った。

「ジニー・ウィーズリー、ネビル・ロングボトム、ルーナ・ラブグッド……ある人を助けにきました。魔法省が先に助けてくれるなら別ですが！」

「ありがとうございます」落ち着いた女性の声が言った。「外来の方はバッジをお取りになり、ローブの胸におつけください」

六個のバッジが、通常なら釣り銭が出てくるコイン返却口の受け皿にすべり出てきた。ハーマイオニーが全部すくい取って、ジニーの頭越しに無言でハリーに渡した。ハリーが一番上のバッジを見た。

——ハリー・ポッター　救出任務。

「魔法省への外来の方は、杖(つえ)を登録いたしますので、守衛室にてセキュリティ・チェックを受けてください。守衛室はアトリウムの一番奥にございます」

「わかった！」ハリーが大声を出した。傷痕がまたうずいたのだ。「さあ、**早く出発**できませんか？」

電話ボックスの床がガタガタ揺れたと思うと、ボックスのガラス窓越しに歩道がせり上がりはじめた。ごみあさりをしているセストラルもせり上がって、姿が見えなくなった。頭上は闇にのまれ、一行はガリガリという鈍いきしみ音とともに魔法省のある深みへと沈んでいった。

ひと筋のやわらかい金色の光が射(さ)し込み、一行の足元を照らした。光はだんだん広がり、体の下から上へと登っていった。ハリーはひざを曲げ、すし詰め状態の中で可能なかぎり杖をかまえ、アトリウムで誰か待ち伏せしていないかと、ガラス窓越しにうかがった。しかし、そこは完全にからっぽのようだった。照明は日中に来た前回のときより薄暗く、壁沿いに作りつけられたいくつものマントルピースの下には火の気がなかった。しかし、エレベーターがなめらかに停止すると、ハリーは例の金色の記号が、暗いブルーの天井にしなやかにくねり続けているのを見た。

「魔法省です。本夕はご来省ありがとうございます」女性の声が言った。

電話ボックスのドアがパッと開いた。ハリーがボックスから転がり出た。ネビルとルーナがそれに続いた。アトリウムには、黄金の噴水が絶え間なく噴き上げる水音しかない。魔法使いと魔女の杖、ケンタウルスの矢尻、小鬼(ゴブリン)の帽子の先、しもべ妖精の両耳から、間断なく水が噴き上げ、周りの水盆に落ちていた。

「こっちだ」ハリーが小声で言った。六人はホールを駆け抜けた。ハリーは先頭に立って噴水を通り過ぎ、守衛室に向かった。ハリーの杖を計量したガード魔ンが座っていたデスクだが、いまは誰もいない。ハリーは必ず守衛がいるはずだと思っていた。いないということは不吉なしるしにちがいないと思った。エレベーターに向かう金色の門をくぐりながら、ハリーはますますいやな予感をつのらせた。ハリーは一番近くの「▼」のボタンを押した。エレベーターがほとんどすぐにガタゴトと現れ、金の格子扉がガチャガチャ大きな音を響かせて横に開いた。みんなが飛び乗った。ハリーが「9」を押すと、扉がガチャンと閉まり、エレベーターがジャラジャラ、ガラガラ下りだした。ウィーズリーおじさんと来た日には、エレベーターがこんなにうるさいことにハリーは気づかなかった。こんな騒音なら、建物の中にいるガード魔ンが一人残らず気づくだろうと思った。しかし、エレベーターが止まると、落ち着き払った女性の声が告げた。

「神秘部です」

格子扉が横に開いた。廊下に出ると、なんの気配もなかった。動くものは、エレベーターからの一陣の風でゆらめく手近の松明しかない。

ハリーは取っ手のない黒い扉に向かった。何か月も夢に見たその場所に、ハリーはついにやってきた。

「行こう」

そうささやくと、ハリーは先頭に立って廊下を歩いた。ルーナがすぐ後ろで、口を少し開け、周りを見回しながらついてきた。

「オーケー、いいか」ハリーは扉の二メートルほど手前で立ち止まった。「どうだろう……何人かはここに残って――見張りとして、それで――」

「それで、何かが来たら、どうやって知らせるの？」ジニーが眉を吊り上げた。「あなたはずーっと遠くかもしれないのに」

「みんな君と一緒に行くよ、ハリー」ネビルが言った。

「よし、そうしよう」ロンがきっぱりと言った。

ハリーは、やはりみんなを連れていきたくはなかった。しかし、それしか方法はなさそうだった。ハリーは扉のほうを向き、歩きだした……夢と同じように、扉がパッと開き、ハリーは前進した。みんながあとに続いて扉を抜けた。

そこは大きな円形の部屋だった。床も天井も、何もかもが黒かった。なんの印もない、まったく同一の取っ手のない黒い扉が、黒い壁一面に間隔を置いて並んでいる。壁のところどころにろうそく立てがあり、青い炎が燃えていた。光る大理石の床に、冷たい炎がチラチラと映るさまは、まるで足元に暗い水があるようだった。

「誰か扉を閉めてくれ」ハリーが低い声で言った。

ネビルが命令に従ったとたん、ハリーは後悔した。背後の廊下から細長く射し込んでいた松明の灯りがなくなると、この部屋はほんとうに暗く、しばらくの間、壁にゆらめく青い炎と、それが床に映る幽霊のような姿しか見えなかった。

夢の中では、ハリーはいつも、入口の扉と正反対にある扉を目指して部屋を横切り、そのまま前進した。しかし、ここには一ダースほどの扉がある。自分の正面にあるいくつかの扉を見つめ、どの扉がそれなのかを見定めようとしていたその時、ゴロゴロと大きな音がして、ろうそくが横に動きはじめた。円形の部屋が回りだしたのだ。

ハーマイオニーは、床も動くのではと恐れたかのように、ハリーの腕をしっかりつかんだ。しかし、そうはならなかった。数秒間、壁が急速に回転する間、青い炎がネオン灯のように筋状にぼやけた。それから、回転を始めたときと同じように突然音が止まり、すべてが再び動かなくなった。

ハリーの目には青い筋が焼きつき、ほかには何も見えなかった。

「あれはなんだったんだ？」ロンがこわごわささやいた。

「どの扉から入ってきたのかわからなくするためだと思うわ」ジニーが声をひそめて言った。

そのとおりだと、ハリーにもすぐにわかった。出口の扉を見分けるのは、真っ黒な床の上でアリを見つけるようなものだ。**その上**、周囲の十二の扉のどれもが、これから前進する扉である可能性がある。

「どうやって戻るの？」ネビルが不安そうに聞いた。

「いや、いまはそんなこと問題じゃない」青い筋の残像を消そうと目をしばたたき、杖をいっそう強く握りしめながら、ハリーが力んだ。

「シリウスを見つけるまでは出ていく必要がないんだから――」

「でも、シリウスの名前を呼んだりしないで！」ハーマイオニーが緊迫した声で言った。

しかし、そんな忠告は、いまのハリーにはまったく必要がなかった。できるだけ静かにすべきだと本能的にわかっていた。

「それじゃ、ハリー、どっちに行くんだ？」ロンが聞いた。

「わからな――」ハリーは言いかけた言葉をのみ込んだ。「夢では、エレベーターを降りた所の廊下の奥にある扉を通って、暗い部屋に入った――この部屋だ――それからもう一つの扉を通って入った部屋は、なんだか……キラキラ光って……。どれか試してみよう」ハリーは急いで言った。「正しい方向かどうか、見ればわかる。さあ」

ハリーはいま自分の正面にある扉へとまっすぐ進んだ。みんながそのすぐあとに続いた。ハリーは左手で冷たく光る扉の表面に触れ、開いたらすぐに攻撃できるように杖をかまえて扉を押した。

簡単にパッと開いた。

最初の部屋が暗かったせいで、天井から金の鎖でぶら下がっているいくつかのランプが、この細長い長方形の部屋をずっと明るい印象にしている。しかし、ハリーが夢で見た、キラキラとゆらめく灯りはなかった。この場所はがらんとしている。机が数卓と、部屋の中央に巨大なガラスの水槽があるだけだ。全員が泳げそうな大きな水槽は、濃い緑色の液体で満たされ、その中に、半透明の白いものがいくつも物憂げに漂っていた。

「これ、なんだい？」ロンがささやいた。

「さあ」ハリーが言った。

「魚？」ジニーが声をひそめた。

「アクアビリウス・マゴット、水蛆虫（みずうじむし）だ！」ルーナが興奮した。「パパが言ってた。魔法省で繁殖してるって――」

「ちがうわ」ハーマイオニーが気味悪そうに言いながら、水槽に近づいて横からのぞき込んだ。「脳みそよ」

「**脳みそ？**」

「そう……いったい魔法省はなんのために？」

ハリーも水槽に近づいた。ほんとうだ。近くで見るとまちがいない。不気味に光りながら、脳みそは緑の液体の深みで、まるでぬめぬめしたカリフラワーのように、ゆらゆらと見え隠れしていた。

「出よう」ハリーが言った。「ここじゃない。別のを試さなきゃ」

「この部屋にも扉があるよ」ロンが周りの壁を指した。ハリーはがっくりした。いったいこの場所はどこまで広いんだ？

「夢では、暗い部屋を通って次の部屋に行った」ハリーが言った。「あそこに戻って試すべきだと思う」

そこで全員が急いで暗い円形の部屋に戻った。ハリーの目に、今度は青いろうそくの炎ではなく、脳みそが幽霊のように泳いでいた。

「待って！」ルーナが脳みその部屋を出て扉を閉めようとしたとき、ハーマイオニーが鋭く言った。

「**フラグレート！　焼き印！**」

ハーマイオニーが空中に×印を描くと、扉に燃えるように赤い「×」が印された。扉がカチリと閉まるや否や、ゴロゴロと大きな音がして、またしても壁が急回転しはじめた。しかし今度は、薄青い中に大きく赤と金色がぼやけて見えた。再び動かなくなったとき、燃えるような「×」は焼き印されたままで、もう試し済みの扉であることを示していた。

「いい考えだよ」ハリーが言った。「オーケー、今度はこれだ――」

ハリーは今度も真正面の扉に向かい、杖をかまえたままで扉を押し開けた。みんながすぐあとに続いた。

今度の部屋は前のより広く、薄暗い照明の長方形の部屋だった。中央がくぼんで、六、七メートルの深さの大きな石坑になっている。穴の中心に向かって急な石段が刻まれ、ハリーたちが立っているのはその一番上の段だった。部屋をぐるりと囲む階段が、石のベンチのように見える。円形劇場か、ハリーが裁判を受けた最高裁のウィゼンガモット法廷のようなつくりだ。ただし、中央には、鎖のついた椅子ではなく石の台座が置かれ、その上に石のアーチが立っていた。アーチは相当古く、ひびが入りぼろぼろで、まだ立っていることだけでもハリーにとっては驚きだった。周りに支える壁もなく、アーチには、すり切れたカーテンかベールのような黒いものがかかっていた。周囲の冷たい空気は完全に静止しているのに、その黒いものは、たったいま誰かが触れたように かすかに波打っている。

「誰かいるのか?」

ハリーは一段下のベンチに飛び下りながら声をかけた。答える声はなかったが、ベールは相変わらずはためき、揺れていた。

「用心して!」ハーマイオニーがささやいた。

ハリーは一段また一段と急いで石のベンチを下り、くぼんだ石坑(せっこう)の底に着いた。台座にゆっくりと近づいていくハリーの足音が大きく響いた。とがったアーチは、いま立っている所から見るほうが、上から見下ろしていたときよりずっと高く見えた。ベールは、いましがた誰かがそこを通ったかのように、まだゆっくりと揺れていた。

「シリウス?」ハリーはまた声をかけたが、さっきより近くからなので、低い声で呼んだ。

アーチの裏側のベールの陰に誰かが立っているような、奇妙な感じがする。杖をしっかりつかみ、ハリーは台座をじりじりと回り込んだ。しかし、裏側には誰もいない。すり切れた黒いベールの裏側が見えるだけだった。

「行きましょう」石段の中腹からハーマイオニーが呼んだ。「なんだか変だわ。ハリー、さあ、行きましょう」

ハーマイオニーの声は、脳みそが泳いでいた部屋のときよりずっとおびえていた。しかし、ハリーは、どんなに古ぼけていても、アーチがどこか美しいと思った。ゆっくり波打つベールがハリーをひきつけた。台座に上がってアーチをくぐりたいという強い衝動にかられた。

「ハリー、行きましょうよ。ね?」ハーマイオニーがより強くうながした。

「うん」

しかしハリーは動かなかった。たったいま、何か聞こえた。ベールの裏側から、かすかにささやく声、ブツブツ言う声が聞こえる。

「何を話してるんだ？」ハリーは大声で言った。声が石のベンチの隅々に響いた。

「誰も話なんかしてないわ、ハリー！」ハーマイオニーが今度はハリーに近づきながら言った。

「この陰で誰かがヒソヒソ話してる」ハリーはハーマイオニーの手が届かない所に移動し、ベールをにらみ続けた。「ロン、君か？」

「僕はここだぜ、おい」ロンがアーチの脇から現れた。

「誰かほかに、これが聞こえないの？」ハリーが問い詰めた。ヒソヒソ、ブツブツが、だんだん大きくなってきたからだ。ハリーは思わず台座に足をかけていた。

「あたしにも聞こえるよ」

アーチの脇から現れ、揺れるベールを見つめながら、ルーナが息をひそめた。

「『**あそこ**』に人がいるんだ！」

「『**あそこ**』ってどういう意味？」

ハーマイオニーが、一番下の石段から飛び下り、こんな場面に不釣り合いなほど怒った声で詰問した。

「『**あそこ**』なんて場所はないわ。ただのアーチよ。誰かがいるような場所なんてないわ。ハリー、やめて。戻ってきて――」

ハーマイオニーはハリーの腕をつかんで引っ張った。ハリーは抵抗した。

「ハリー、私たち、なんのためにここに来たの？　シリウスよ！」ハーマイオニーがかん高い、緊張した声で言った。

「シリウス」ハリーは揺れ続けるベールを、催眠術にかかったように、まだじっと見つめながらくり返した。「うん……」

頭の中で、やっと何かが元に戻った。**シリウス**、捕らわれ、縛られて拷問されている。それなのにハリーはアーチを見つめている。

ハリーは台座から数歩下がり、ベールから無理やり目をそむけた。

「行こう」ハリーが言った。

「私、さっきからそうしようって――さあ、それじゃ行きましょう！」

ハーマイオニーが台座を回り込んで、戻り道の先頭に立った。台座の裏側で、ジニーとネビルが、どうやら恍惚(こうこつ)状態でベールを見つめていた。ハーマイオニーは無言でジニーの腕をつかみ、ロンはネビルの腕をつかんで、二人をしっかりと一番下の石段まで歩かせた。全員が石段を這い上り、扉まで戻った。

「あのアーチはなんだったと思う？」暗い円形の部屋まで戻ったとき、ハリーがハーマイオニーに聞いた。

「わからないけど、いずれにせよ、危険だったわ」ハーマイオニーがまた燃える「×」をしっかり扉に印しながら言った。

またしても壁が回転し、そしてまた静かになった。ハリーは適当な扉に近づき、押した。動かなかった。

「どうしたの？」ハーマイオニーが聞いた。

「これ……鍵がかかってる……」ハリーが体ごとぶつかりながら言った。扉はびくともしない。

「それじゃ、これがそうなんじゃないか？」ロンが興奮し、ハリーと一緒に扉を押し開けようとした。

「きっとそうだ！」

「どいて！」

ハーマイオニーが鋭くそう言うと、通常の扉の鍵の位置に杖を向けて唱えた。

「**アロホモラ！**」

何事も起こらない。

「シリウスのナイフだ！」

ハリーはローブの内側からナイフを引っ張り出し、扉と壁の間に差し込んだ。ハリーがナイフをてっぺんから一番下まで走らせ、取り出し、もう一度肩で扉にぶつかるのを、みんなが息を殺して見守った。扉は相変わらず固く閉まったままだった。その上、ハリーがナイフを見ると、刃が溶けていた。

「いいわ。この部屋は放っておきましょう」ハーマイオニーが決然と言った。

「でも、もしここだったら？」ロンが不安と望みが入りまじった目で扉を見つめながら言った。

「そんなはずないわ。ハリーは夢で全部の扉を通り抜けられたんですもの」

ハーマイオニーはまた燃える「×」をつけ、ハリーは役に立たなくなったシリウスのナイフの柄をポケットに戻した。

「あの部屋に入ってたかもしれないもの、なんだかわかる？」壁がまた回転しはじめたとき、ルーナが熱っぽく言った。

「どうせまた、ブリバリングなんとかでしょうよ」ハーマイオニーがこっそり言った。ネビルが怖さを隠すように小さく笑った。

壁がスーッと止まり、ハリーはだんだん絶望的になりながら、次の扉を押した。

「**ここだ！**」

美しい、ダイヤのきらめくような照明が踊っていることで、ハリーにはすぐここだとわかった。まぶしい光に目がなれてくると、ハリーはありとあらゆる所で時計がきらめいているのを見た。大小さまざまな時計、床置き時計、かけ時計などが、部屋全体に並んだ本棚の間にかけてあったり、机に置いてあったり、絶え間なくせわしくチクタクと、まるで何千人の小さな足が行進しているような音を立てていた。踊るようなダイヤのきらめきは、部屋の奥にそびえ立つ釣り鐘形のクリスタルから出る光だった。

「こっちだ！」

正しい方向が見つかったという思いで、ハリーの心臓は激しく脈打っていた。ハリーは先頭に立ち、何列も並んだ机の間の狭い空間を、夢で見たと同じように光の源に向かって進んだ。ハリーの背丈ほどもあるクリスタルの釣り鐘は、机の上に置かれ、中にはキラキラした風が渦巻いているようだった。

「まあ、**見て！**」全員がそのそばまで来たとき、ジニーが釣り鐘の中心を指差した。

宝石のようにまばゆい卵が、キラキラする渦に漂っていた。釣り鐘の中で卵が上昇すると、割れて一羽のハチドリが現れ、釣り鐘の一番上まで運ばれていった。しかし、風にあおられて落ちていくと、ハチドリの羽はぬれてくしゃくしゃになり、釣り鐘の底まで運ばれて再び卵に閉じ込められた。

「立ち止まらないで！」ハリーが鋭く言った。ジニーが立ち止まって、卵がまた鳥になる様子を見たいというそぶりを見せたからだ。

「あなただって、あの古ぼけたアーチでずいぶん時間をむだにしたわ！」ジニーは不機嫌な声を出したが、ハリーについて釣り鐘を通り過ぎ、その裏にある唯一の扉へと進んだ。

「これだ」心臓の鼓動があまりにも激しく早くなり、ハリーは言葉がさえぎられてしまうのではないかと思った。「ここを通るんだ――」

ハリーは振り向いて全員を見回した。みんな杖をかまえ、急に真剣で不安な表情になった。ハリーは扉に向きなおり、押した。扉がパッと開いた。

「そこ」に着いた。その場所を見つけた。教会のように高く、ぎっしりとそびえ立つ棚以外には何もない。棚には小さなほこりっぽいガラスの球がびっしりと置かれている。棚に沿って間隔を置いて取りつけられた燭台（しょくだい）の灯りで、ガラス球は鈍い光を放っていた。さっき通ってきた円形の部屋と同じように、ろうそくは青く燃えている。部屋はとても寒かった。

　ハリーはじわじわと前に進み、棚の間の薄暗い通路の一つをのぞいた。何も聞こえず、何一つ動く気配もない。

「九十七列目の棚だって言ってたわ」ハーマイオニーがささやいた。

「ああ」ハリーが一番近くの棚の端を見上げながら、息を殺して言った。青く燃えるろうそくをのせた腕木がそこから突き出し、その下に、ぼんやりと銀色の数字が見えた。「53」

「右に行くんだと思うわ」ハーマイオニーが目を細めて次の列を見ながらささやいた。「そう……こっちが五十四よ……」

「杖をかまえたままにして」ハリーが低い声で言った。

　延々と延びる棚の通路を、ときどき振り返りながら、全員が忍び足で前進した。通路の先の先は、ほとんど真っ暗だ。ガラス球の下の棚に一つ一つ、黄色く退色した小さなラベルが貼りつけられている。気味の悪い液体が光っている球もあれば、切れた電球のように暗く鈍い色をしている球もある。

　八十四番目の列を過ぎた……八十五……わずかの物音でも聞き逃すまいと、ハリーは耳をそばだてた。シリウスはいま、さるぐつわをかまされているのか、気を失っているのか……**それとも**——頭の中で勝手に声がした——**もう死んでしまったのかも……**。

　それなら感じたはずだ、とハリーは自分に言い聞かせた。心臓がのどぼとけを打っている。その場合は、僕にはわかるはずだ……。

「九十七よ！」ハーマイオニーがささやいた。

全員がその列の端に固まって立ち、棚の脇の通路を見つめた。そこには誰もいなかった。

「シリウスは一番奥にいるんだ」ハリーは口の中が少し乾いていた。「ここからじゃ、ちゃんと見えない」

そしてハリーは、両側にそそり立つようなガラス球の列の間を、みんなを連れて進んだ。通り過ぎるとき、ガラス球のいくつかがやわらかい光を放った……。

「このすぐ近くにちがいない」一歩進むごとに、ずたずたになったシリウスの姿が、いまにも暗い床の上に見えてくるにちがいないと信じきって、ハリーがささやいた。「もうこのへんだ……とっても近い……」

「ハリー？」ハーマイオニーがおずおずと声をかけたが、ハリーは答えたくなかった。口がカラカラだった。

「どこか……このあたり……」ハリーが言った。

全員がその列の反対側の端に着き、そこを出るとまたしても薄暗いろうそくの灯りだった。誰もいない。ほこりっぽい静寂がこだまするばかりだった。

「シリウスはもしかしたら……」ハリーはかすれ声でそう言うと、隣の列の通路をのぞいた。「いや、もしかしたら……」ハリーは急いで、そのまた一つ先の列を見た。

「ハリー？」ハーマイオニーがまた声をかけた。

「なんだ？」ハリーが唸るように言った。

「ここには……シリウスはいないと思うけど」

誰も何も言わなかった。ハリーは誰の顔も見たくなかった。吐き気がした。なぜここにシリウスがいないのか、ハリーには理解できなかった。ここにいるはずだ。ここで、僕はシリウスを見たんだ……。

ハリーは棚の端をのぞきながら列から列へと走った。からっぽの通路が次々と目に入った。今度は逆方向に、じっと見つめる仲間の前を通り過ぎて走った。どこにもシリウスの姿はない。争った跡さえない。

「ハリー？」ロンが呼びかけた。

「なんだ？」

ハリーはロンの言おうとしていることを聞きたくなかった。自分がバカだったと、ロンに聞かされたくなかったし、ホグワーツに帰るべきだとも言われたくなかった。しかし、顔がほてってきた。しばらくの間、ここの暗がりにじっと身をひそめていたいと思った。上の階のアトリウムの明るみに出る前に、そして仲間のとがめるような視線にさらされる前に……。

「これを見た？」ロンが言った。

「なんだ？」ハリーは今度は飛びつくように答えた――シリウスがここにいたという印、手がかりにちがいない。ハリーはみんなが立っている所へ大股で戻った。九十七列目を少し入った場所だった。しかし、ロンは棚のほこりっぽいガラス球を見つめているだけだった。

「なんだ？」ハリーはぶすっとしてくり返した。

「これ――これ、君の名前が書いてある」ロンが言った。

ハリーはもう少し近づいた。ロンが指差す先に、長年誰も触れなかったらしく、ずいぶんほこりをかぶっていたが、内側からの鈍い灯りで光る小さなガラス球があった。

「僕の名前？」ハリーはキョトンとして言った。

ハリーは前に進み出た。ロンほど背が高くないので、ほこりっぽいガラス球のすぐ下の棚に貼りつけられている黄色味を帯びたラベルを読むのに、首を伸ばさなければならなかった。およそ十六年前の日付が、細長いクモの足のような字で書いてあり、その下にはこう書いてある。

S・P・TからA・P・W・B・Dへ
闇の帝王
そして（?）ハリー・ポッター

ハリーは目を見張った。

「これ、なんだろう?」ロンは不安げだった。「こんな所に、いったいなんで君の名前が?」

ロンは同じ棚のほかのラベルをざっと横に見た。

「僕のはここにないよ」ロンは当惑したように言った。「僕たちの誰もここにはない」

「ハリー、さわらないほうがいいと思うわ」ハリーが手を伸ばすと、ハーマイオニーが鋭く言った。

「どうして?」ハリーが聞いた。「これ、僕に関係のあるものだろう?」

「さわらないで、ハリー」突然ネビルが言った。ハリーはネビルを見た。丸い顔が汗で少し光っている。もうこれ以上のハラハラにはたえられないという表情だ。

「僕の名前が書いてあるんだ」ハリーが言った。

少し無謀な気持ちになり、ハリーはほこりっぽい球の表面を指で包み込んだ。冷たいだろうと思っていたのに、そうではなかった。反対に、何時間も太陽の下に置かれていたような感じだった。まるで中の光が球を温めていたかのようだった。劇的なことが起こってほしい。この長く危険な旅がやはり価値あるものだったと思えるような、わくわくする何かが起こってほしい。そう期待し、願いながら、ハリーはガラス球を棚から下ろし、じっと見つめた。

まったく何事も起こらなかった。みんながハリーの周りに集まり、ハリーが球にこびりついたほこりを払い落とすのをじっと見つめた。

その時、すぐ背後で、気取った声がした。

「よくやった、ポッター。さあ、こっちを向きたまえ。そうら、ゆっくりとね。そしてそれを私に渡すのだ」

第35章　ベールの彼方に

どこからともなく周り中に黒い人影が現れ、右手も左手もハリーたちの進路を断った。フードの裂け目から目をギラつかせ、十数本の光る杖先が、まっすぐにハリーたちの心臓をねらっている。ジニーが恐怖に息をのんだ。

「私に渡すのだ、ポッター」

片手を突き出し、手のひらを見せて、ルシウス・マルフォイの気取った声がくり返して言った。

腸がガクンと落ち込み、ハリーは吐き気を感じた。二倍もの敵に囲まれている。

「私に」マルフォイがもう一度言った。

「シリウスはどこにいるんだ？」ハリーが聞いた。

死喰い人が数人、声を上げて笑った。ハリーの左側の黒い人影の中から、残酷な女の声が勝ち誇ったように言った。

「闇の帝王は常にご存じだ！」

「常に」マルフォイが低い声で唱和した。「さあ、予言を私に渡すのだ。ポッター」

「シリウスがどこにいるか知りたいんだ！」

「**シリウスがどこにいるか知りたいんだ！**」左側の女が声色をまねた。

その女と仲間の死喰い人とが包囲網を狭め、ハリーたちからほんの数十センチの所に迫った。その杖先の光でハリーは目がくらんだ。

「おまえたちが捕まえているんだろう」胸に突き上げてくる恐怖を無視して、ハリーが言った。九十七列目に入ったときから、ハリーはこの恐怖と闘ってきた。

「シリウスはここにいる。僕にはわかっている」

「**ちっちゃな赤ん坊が怖いよーって起っきして、夢が本物だって思いまちた**」

女がぞっとするような赤ちゃん声で言った。脇でロンがかすかに身動きするのを、ハリーは感じた。

「なんにもするな」ハリーが低い声で言った。「まだだ――」

ハリーの声をまねた女が、しわがれた悲鳴のような笑い声を上げた。

「**聞いたか？　聞いたかい？**　私らと戦うつもりなのかね。ほかの子に指令を出してるよ！」

「ああ、ベラトリックス、君は私ほどにはポッターを知らないのだ」マルフォイが静かに言った。「英雄気取りが大きな弱みでね。闇の帝王はそのことをよくご存じだ。**さあ、ポッター、予言を私に渡すのだ**」

「シリウスがここにいることはわかっている」ハリーは恐怖で胸をしめつけられ、まともに息もつけないような気がした。「おまえたちが捕らえたことを知っているんだ！」

さらに何人かの死喰い人が笑った。一番大声で笑ったのはあの女だった。

「現実と夢とのちがいがわかってもよいころだな、ポッター」マルフォイが言った。「さあ、予言を渡せ。さもないと我々は杖を使うことになるぞ」

「使うなら使え」

ハリーは自分の杖を胸の高さにかまえた。同時に、ロン、ハーマイオニー、ネビル、ジニー、ルーナの五本の杖が、ハリーの両脇で上がった。ハリーは胃がぐっとしめつけられる思いだった。もしほんとうに、シリウスがここにいないなら、僕は友達を犬死にさせることになる……。

しかし、死喰い人は攻撃してこなかった。

「予言を渡せ。そうすれば誰も傷つかぬ」マルフォイが落ち着き払って言った。

今度はハリーが笑う番だった。

「ああ、そうだとも！」ハリーが言った。「これを渡せば――予言、とか言ったな？　そうすればおまえは、僕たちをだまって無事に家に帰してくれるって？」

ハリーが言い終わるか終わらないうちに、女の死喰い人がかん高く唱えた。

「**アクシオ　予――**」

ハリーはかろうじて応戦できた。女の呪文が終わらないうちに「**プロテゴ！　護れ！**」と叫んだ。ガラス球は指の先まですべったが、ハリーはなんとか球をつなぎ止めた。

「おー、やるじゃないの、ちっちゃなベビー・ポッターちゃん」フードの裂け目から、女の血走った目がにらんだ。「いいでしょう。それなら――」

「**言ったはずだ。やめろ！**」ルシウス・マルフォイが女に向かって吠えた。「もしもあれを壊したら――！」

ハリーは目まぐるしく考えをめぐらせていた。死喰い人はこのほこりっぽいスパンガラスの球を欲しがっている。ハリーにはまったく関心のないものだ。ただ、みんなを生きてここから帰したい。自分の愚かさのせいで、友達にとんでもない代償を払わせてはならない……。

女が仲間から離れ、前に進み出てフードを脱いだ。アズカバンがベラトリックス・レストレンジの顔をうつろにし、落ちくぼんだ骸骨のような顔にしてはいたが、それが狂信的な熱っぽさに輝いていた。

「もう少し説得が必要なんだね？」ベラトリックスの胸が激しく上下していた。

「いいでしょう――一番小さいのを捕まえろ」ベラトリックスが脇にいた死喰い人に命令した。「小娘を拷問するのを、こやつに見物させるのだ。私がやる」

ハリーはみんながジニーの周りを固めるのを感じた。ハリーは横に踏み出し、予言を胸に掲げて、ジニーの真ん前に立ちはだかった。

「僕たちの誰かを襲えば、これを壊すことになるぞ」ハリーがベラトリックスに言った。「手ぶらで帰れば、おまえたちのご主人様はあまり喜ばないだろう？」

ベラトリックスは動かなかった。舌の先で薄い唇をなめながら、ただハリーをにらみつけている。

「それで？」ハリーが言った。「いったいこれは、なんの予言なんだ？」

ハリーは話し続ける以外、ほかに方法を思いつかなかった。ネビルの腕がハリーの腕に押しつけられ、それが震えているのを感じた。ほかの誰かが、ハリーの背後で荒い息をしていた。どうやってこの場を逃れるか、みんなが必死で考えてくれていることを、ハリーは願った。ハリー自身の頭は真っ白だった。

「なんの予言、だって？」ベラトリックスの薄笑いが消え、オウム返しに聞いた。「冗談だろう、ハリー・ポッター」

「いいや、冗談じゃない」

ハリーは、死喰い人から死喰い人へとすばやく目を走らせた。どこか手薄な所はないか？　みんなが逃れられるすきまはないか？

「なんでヴォルデモートが欲しがるんだ？」

何人かの死喰い人が、シュ―ッと低く息をもらした。

「不敵にもあの方のお名前を口にするか？」ベラトリックスがささやくように言った。

「ああ」ハリーは、また呪文で奪おうとするにちがいないと、ガラス球をしっかり握りしめていた。

「ああ、僕は平気で言える。ヴォル――」

「だまれ！」ベラトリックスがかん高く叫んだ。「おまえの汚らわしい唇で、あの方のお名前を口にするでない。混血の舌で、その名を穢すでない。おまえはよくも――」

「あいつも混血だ。知っているのか？」ハリーは無謀にも言った。ハーマイオニーが小さくうめくのが耳に入った。「そうだとも、ヴォルデモートがだ。あいつの母親は魔女だったけど、父親はマグルだった――それとも、おまえたちには、自分が純血だと言い続けていたのか？」

「**ステューピ――**」

「**やめろ！**」

赤い閃光が、ベラトリックスの杖先から飛び出したが、マルフォイがそれを屈折させた。マルフォイの呪文で、閃光はハリーの左に三十センチほどそれ、棚に当たって、ガラス球が数個、粉々になった。

床に落ちたガラスの破片から、真珠色のゴーストのような半透明な姿が二つ、煙のようにゆらゆらと立ち昇り、それぞれに語りだした。しかし互いの声にかき消され、マルフォイとベラトリックスのどなり合う声の合間に、言葉は切れ切れにしか聞き取れなかった。

「……太陽の至の時、一つの新たな……」ひげの老人の姿が言った。

「**攻撃するな！　予言が必要なのだ！**」

「こいつは不敵にも――よくも――」ベラトリックスは支離滅裂に叫んだ。「平気でそこに――穢れた混血め――」

「**予言を手に入れるまで待て！**」マルフォイがどなった。

「……そしてそのあとには何者も来ない……」若い女性の姿が言った。

砕けた球から飛び出した二つの姿は、溶けるように空に消えた。その姿も、かつての住処も跡形もなく、ただガラスの破片が床に散らばっているだけだった。しかし、その姿が、ハリーにあることを思いつかせた。どうやって仲間にそれを伝えるかが問題だ。

「まだ話してもらっていないな。僕に渡せというこの予言の、どこがそんなに特別なのか」ハリーは時間をかせいでいた。足をゆっくり横に動かし、誰かの足を探った。

「私たちに小細工は通じないぞ、ポッター」マルフォイが言った。

「小細工なんかしてないさ」

ハリーは半分しゃべるほうに気を使い、あとの半分は足で探ることに集中していた。すると誰かの足指に触れた。ハリーはそれを踏んだ。背後で鋭く息をのむ気配がし、ハーマイオニーだな、とハリーは思った。

「なんなの？」ハーマイオニーが小声で聞いた。

「ダンブルドアは、おまえが額にその傷痕を持つ理由が、神秘部の内奥に隠されていると、おまえに話していなかったのか？」マルフォイがせせら笑った。

「僕が――えっ？」一瞬、ハリーは何をしようとしていたのかを忘れてしまった。「僕の傷痕がどうしたって？」

「**なんなの？**」ハリーの背後で、ハーマイオニーがさっきよりせっぱ詰まったようにささやいた。

「あろうことか？」マルフォイが意地の悪い喜びを声に出した。死喰い人の何人かがまた笑った。その笑いに紛れて、ハリーはできるだけ唇を動かさずに、ハーマイオニーにひっそりと言った。「棚を壊せ――」

「ダンブルドアはおまえに一度も話さなかったと？」マルフォイがくり返した。「なるほど、ポッター、おまえがもっと早く来なかった理由が、それでわかった。闇の帝王はなぜなのかいぶかっておられた――」

「――僕が『**いまだ**』って言ったらだよ――」

「――その隠し場所を、闇の帝王が夢でおまえに教えたとき、なぜおまえが駆けつけてこなかったのかと。闇の帝王は、当然おまえが好奇心で、予言の言葉を正確に聞きたがるだろうとお考えだったが……」

「そう考えたのかい？」ハリーが言った。

背後でハーマイオニーが、ハリーの言葉をほかの仲間に伝えているのが、耳でというより気配で感じ取れた。死喰い人の注意をそらすのに、ハリーは話し続けようとした。

「それじゃ、あいつは、僕がそれを取りにやってくるよう望んでいたんだな？　どうして？」

「**どうしてだと？**」

マルフォイは信じがたいとばかり、喜びの声を上げた。

「なぜなら、神秘部から予言を取り出すことを許されるのは、ポッター、その予言にかかわる者だけだからだ。闇の帝王は、ほかの者を使って盗ませようとしたときに、それに気づかれた」

「それなら、どうして僕に関する予言を盗もうとしたんだ？」

「二人に関するものだ、ポッター。二人に関する……おまえが赤ん坊のとき、闇の帝王が何故おまえを殺そうとしたのか、不思議に思ったことはないのか？」

ハリーは、マルフォイのフードの細い切れ目をじっとのぞき込んだ。奥で灰色の目がギラギラ光っている。この予言のせいで僕の両親は死んだのか？　僕が額に稲妻形の傷を持つことになったのか？　すべての答えが、いま、自分のこの手に握られているというのか？

「誰かがヴォルデモートと僕に関する予言をしたというのか？」

ハリーはルシウス・マルフォイを見つめ、温かいガラス球を握る指にいっそう力を込めながら、静かに言った。球はスニッチとほとんど変わらない大きさで、ほこりでまだザラザラしていた。

「そしてあいつが僕に来させて、これを取らせたのか？　どうして自分自身で来て取らなかった？」

「自分で取る？」

ベラトリックスが狂ったように高笑いしながら、かん高い声で言った。

「闇の帝王が魔法省に入り込む？　省がおめでたくもあの方のご帰還を無視しているというのに？　私の親愛なるいとこのために時間をむだにしているこの時に、闇祓いたちの前に闇の帝王が姿を見せる？」

「それじゃ、あいつはおまえたちに汚い仕事をやらせてるわけか？」ハリーが言った。「スタージスに盗ませようとしたように――それにボードも？」

「なかなかだな、ポッター、なかなかだ……」マルフォイがゆっくりと言った。「しかし闇の帝王はご存じだ。おまえが愚か者ではな――」

「**いまだ！**」ハリーが叫んだ。

五つの声がハリーの背後で叫んだ。

「**レダクト！　粉々！**」

五つの呪文が五つの方向に放たれ、ねらわれた棚が爆発した。そびえ立つような棚がぐらりと揺れ、何百というガラス球が割れ、真珠色の姿が空中に立ち昇り、宙に浮かんだ。砕けたガラスと木っ端が雨あられと降ってくる中、久遠の昔からの予言の声が鳴り響いた――。

「**逃げろ！**」ハリーが叫んだ。

棚が危なっかしく揺れ、ガラス球がさらに頭上に落ちかけていた。ハリーはハーマイオニーのローブを片手で握れるだけ握り、ぐいと手前に引っ張りながら、片方の腕で頭を覆った。壊れた棚の塊やガラスの破片が、大音響とともに頭上に崩れ落ちてきた。死喰い人が一人、もうもうたるほこりの中を突っ込んできた。ハリーはその覆面した顔に強烈なひじ打ちを食らわせた。つぶれた棚が轟音を上げ、折り重なって崩れ落ちた。わめき声、うめき声、阿鼻叫喚の中を、球から放たれた「予見者」の切れ切れの声が不気味に響く――。

ハリーは行く手に誰もいないことに気づいた。ロン、ジニー、ルーナが両腕で頭をかばいながら、ハリーの脇を疾走していくのが見える。何か重たいものがハリーの横面にぶつかったが、ハリーは頭を少しかわしただけで全速力で走りだした。誰かの手がハリーの肩をつかんだ。

「**ステューピファイ！　まひせよ！**」

ハーマイオニーの声が聞こえた。手はすぐに離れた――。

みんなが九十七列目の端に出た。ハリーは右に曲がり、全力疾走した。すぐ後ろで足音が聞こえ、ハーマイオニーがネビルを励ます声がした。まっすぐだ。来るとき通った扉は半開きになっている。ガラスの釣り鐘がキラキラ輝くのが見える。ハリーは弾丸のように扉を通った。予言はまだしっかりと安全に握りしめている。ほかのみんなが飛ぶように扉を抜けるのを待って、ハリーは扉を閉めた――。

「**コロポータス！　扉よくっつけ！**」ハーマイオニーが息も絶え絶えに唱えると、扉は奇妙なグチャッという音とともに密閉された。

「みんな――みんなはどこだ？」ハリーがあえぎながら言った。

ロン、ルーナ、ジニーが先にいると思っていた。この部屋で待っていると思っていた。しかし、ここには誰もいない。

「きっと道をまちがえたんだわ！」ハーマイオニーが恐怖を浮かべて小声で言った。

「聞いて！」ネビルがささやいた。

いま封印したばかりの扉のむこうから、足音やどなり声が響いてきた。ハリーは扉に耳を近づけた。ルシウス・マルフォイの吠える声が聞こえた。

「ノットは放っておけ。**放っておけと言っているのだ**――闇の帝王にとっては、そんなけがなど、予言を失うことに比べればどうでもいいことだ。ジャグソン、こっちに戻れ、組織を立てなおす！　二人ずつ組になって探すのだ。いいか、忘れるな。予言を手に入れるまではポッターに手荒なまねはするな。ほかのやつらは、必要なら殺せ――ベラトリックス、ロドルファス、左へ行け。クラッブ、ラバスタン、右だ――ジャグソン、ドロホフ、正面の扉だ――マクネアとエイブリーはこっちから――ルックウッド、あっちだ――マルシベール、私と一緒に来い！」

「どうしましょう？」ハーマイオニーが頭のてっぺんからつま先まで震えながらハリーに聞いた。

「そうだな、とにかく、このまま突っ立って、連中に見つかるのを待つという手はない」ハリーが答えた。「扉から離れよう」

三人はできるだけ音を立てないように走った。小さな卵が孵化をくり返している輝くガラスの釣り鐘を通り過ぎ、部屋の一番むこうにある、円形のホールに出る扉を目指して走った。あと少しというときに、ハーマイオニーが呪文で封じた扉に、何か大きな重いものが衝突する音をハリーは聞いた。

「どいてろ！」荒々しい声がした。「**アロホモラ！**」

扉がパッと開いた。ハリー、ハーマイオニー、ネビルは机の下に飛び込んだ。二人の死喰い人のローブのすそが、せわしく足を動かして近づいてくるのが見えた。

「やつらはまっすぐホールに走り抜けたかもしれん」荒々しい声が言った。

「机の下を調べろ」もう一つの声が言った。

死喰い人たちがひざを折るのが見えた。机の下から杖を突き出し、ハリーが叫んだ。

「**ステューピファイ！　まひせよ！**」

赤い閃光が近くにいた死喰い人に命中した。男はのけぞって倒れ、床置き時計にぶつかり、時計が倒れた。しかし二人目の死喰い人は飛びのいてハリーの呪文をかわし、よくねらいを定めようと机の下から這い出そうとしていたハーマイオニーに、杖を突きつけた。

「**アバダ――**」

ハリーは床を飛んで男のひざのあたりに食らいついた。男は転倒し、的がはずれた。ネビルは助けようとして夢中で机をひっくり返し、もつれ合っている二人に、闇雲に杖を向けて叫んだ。

「**エクスペリアームス！**」

ハリーの杖も死喰い人のも、持ち主の手を離れて飛び、「予言の間」の入口に戻る方角に吹っ飛んだ。二人とも急いで立ち上がり、杖を追った。死喰い人が先頭で、ハリーがすぐあとに続き、ネビルは自分のやってしまったことにあぜんとしながらしんがりを走った。

「ハリー、どいて！」ネビルが叫んだ。絶対にへまを取り返そうとしているらしい。

ハリーは飛びのいた。ネビルが再びねらい定めて叫んだ。

「**ステューピファイ！　まひせよ！**」

赤い閃光が飛び、死喰い人の右肩を通り過ぎて、さまざまな形の砂時計がぎっしり詰まった壁際のガラス戸棚に当たった。戸棚が床に倒れ、バラバラに砕けてガラスが四方八方に飛び散った。しかし、またヒョイと壁際に戻った。完全に元どおりになっている。そしてまた倒れ、またバラバラになった――。

死喰い人が、輝く釣り鐘の脇に落ちていた自分の杖をサッと拾った。男が振り向き、ハリーは机の陰に身をかがめた。死喰い人のフードがずれて、目をふさいでいる。男は空いている手でフードをかなぐり捨て、叫んだ。

「**ステューピ――**」

「**ステューピファイ！　まひせよ！**」

ちょうど追いついたハーマイオニーが叫んだ。赤い閃光が死喰い人の胸の真ん中に当たった。男は杖をかまえたまま硬直した。杖がカラカラと床に落ち、男は仰向けに釣り鐘のほうに倒れた。釣り鐘の硬いガラスにぶつかる**ゴツン**という音がして、男がずるずると床まですべり落ちるだろうとハリーは思った。ところが男の頭は、まるでシャボン玉でできた釣り鐘を突き抜けるように中にもぐり込んだ。男は釣り鐘ののったテーブルに大の字に倒れ、頭だけをキラキラした風が詰まった釣り鐘の中に横たえて、動かなくなった。

「**アクシオ！　杖よ来い！**」ハーマイオニーが叫んだ。ハリーの杖が片隅の暗がりからハーマイオニーの手の中に飛び込み、ハーマイオニーがそれをハリーに投げた。

「ありがとう」ハリーが言った。「よし、ここを出――」

「見て！」ネビルがぞっとしたような声を上げた。その目は釣り鐘の中の死喰い人の頭を見つめていた。三人ともまた杖をかまえた。しかし、誰も攻撃しなかった。男の頭の様子を、三人とも口を開け、あっけに取られて見つめた。

頭は見る見る縮んでいった。だんだんつるつるになり、黒い髪も無精ひげも頭がい骨の中に引っ込み、ほおはなめらかに、頭がい骨は丸くなり、桃のような産毛で覆われた……。

赤ん坊の頭だ。再び立ち上がろうともがく死喰い人の太い筋肉質の首に、赤子の頭がのっているさまは奇怪だった。しかし、三人が口をあんぐり開けて見ている間にも、頭はふくれはじめ、元の大きさに戻り、太い黒い毛が頭皮から、あごからと生えてきた……。

「『時』だわ」ハーマイオニーが恐れおののいた声で言った。「**『時』なんだわ……**」

死喰い人が頭をすっきりさせようと、元のむさくるしい頭を振った。しかし意識がしっかりしないうちに頭がまた縮みだし、赤ん坊に戻りはじめた。

近くの部屋で叫ぶ声がし、衝撃音と悲鳴が聞こえた。

「**ロン?**」目の前で展開しているぞっとするような変身から急いで目をそむけ、ハリーは大声で呼びかけた。「**ジニー? ルーナ?**」

「ハリー!」ハーマイオニーが悲鳴を上げた。

死喰い人が釣り鐘から頭を引き抜いてしまっていた。奇々怪々なありさまだった。小さな赤ん坊の頭が大声でわめき、一方、太い腕を所かまわず振り回すのは危険だった。ハリーに当たりそうになったが、ハリーは危うくそれをかわした。ハリーが杖をかまえると、驚いたことにハーマイオニーがその腕を押さえた。

「赤ちゃんを傷つけちゃダメ!」

そんなことを議論する間はなかった。「予言の間」からの足音がますます増え、大きくなってきたのが聞こえた。大声で呼びかけて、自分たちの居所を知らせてしまったと、ハリーが気づいたときにはすでに遅かった。

「来るんだ!」

醜悪な赤ん坊頭の死喰い人がよたよたと動くのをそのままに、三人は部屋の反対側にある扉に向かって駆けだした。黒いホールに戻るその扉は開いたままになっていた。

扉までの半分ほどの距離を走ったとき、ハリーは、二人の死喰い人が黒いホールのむこうからこちらに向かって走ってくるのを、開いた扉から見た。進路を左に変え、三人は暗いごたごたした小部屋に飛び込んで扉をバタンと閉めた。

「**コロ**――」ハーマイオニーが唱えはじめたが、呪文が終わる前に扉がバッと開き、二人の死喰い人が突入してきた。

勝ち誇ったように、二人が叫んだ。

「**インペディメンタ！　妨害せよ！**」

ハリー、ハーマイオニー、ネビルが三人とも仰向けに吹っ飛んだ。ネビルは机を飛び越し、姿が見えなくなった。ハーマイオニーは本棚に激突し、その上から分厚い本が滝のようにどっと降り注いだ。ハリーは背後の石壁に後頭部を打ちつけ、目の前に星が飛び、しばらくはめまいと混乱で反撃どころではなかった。

「**捕まえたぞ！**」ハリーの近くにいた死喰い人が叫んだ。「**この場所は――**」

「**シレンシオ！　だまれ！**」

ハーマイオニーの呪文で男の声が消えた。フードの穴から口だけは動かし続けていたが、なんの音も出てこなかった。もう一人の死喰い人が男を押しのけた。

「**ペトリフィカス　トタルス！　石になれ！**」

二人目の死喰い人が杖をかまえると同時に、ハリーが叫んだ。両手も両足もぴたりと張りついた死喰い人は、ハリーの足元の敷物の上に前のめりに倒れ、棒のように動かなくなった。

「うまいわ、ハ――」

しかし、ハーマイオニーがだまらせた死喰い人が、急に杖をひと振りした。紫の炎のようなものがひらめき、ハーマイオニーの胸の表面をまっすぐに横切った。ハーマイオニーは驚いたように「アッ」と小さく声を上げ、床にくずおれて動かなくなった。

「**ハーマイオニー！**」

ハリーはハーマイオニーのそばにひざをつき、ネビルは杖を前にかまえながら急いで机の下から這い出してきた。出てくるネビルの頭を死喰い人が強く蹴った――足がネビルの顔に当たった。ネビルは口と鼻を押さえ、痛みにうめき、体を丸めた。ハリーは杖を高く掲げ、振り返った。死喰い人は覆面をかなぐり捨て、杖をまっすぐにハリーに向けていた。細長く青白い、ゆがんだ顔。「日刊予言者新聞」で見覚えがある。アントニン・ドロホフ――プルウェット一家を殺害した魔法使いだ。

ドロホフがニヤリと笑った。空いているほうの手で、ハリーがまだしっかり握っている予言を指し、自分を指し、それからハーマイオニーを指した。もうしゃべることはできないが、言いたいことははっきり伝わった。予言をよこせ、さもないと、こいつと同じ目にあうぞ……。

「僕が渡したとたん、どうせみな殺しのつもりだろう！」ハリーが言った。

パニックで頭がキンキン鳴り、まともに考えられなかった。片手をハーマイオニーの肩に置くと、まだ温かい。しかしハリーはハーマイオニーの顔をちゃんと見る勇気がなかった。死なないで、**どうか死なせないで。もし死んだら、僕のせいだ……**。

「ハリー、何ごあっでも」ネビルが机の下から激しい声で言った。押さえていた両手を放すと、はっきりと鼻が折れ、鼻血が口にあごにと流れているのがあらわになった。「ぞれをわだじじゃダメ！」

その時、扉の外で大きな音がして、ドロホフが振り返った――赤ん坊頭の死喰い人が戸口に現れた。赤ん坊頭が泣きわめき、相変わらず大きな握り拳をむちゃくちゃに振り回している。ハリーはチャンスを逃さなかった。

「**ペトリフィカス　トタルス！　石になれ！**」

防ぐ間も与えず、呪文がドロホフに当たった。ドロホフは先に倒れていた仲間に折り重なって前のめりに倒れた。二人とも棒のように硬直し、ぴくりとも動かない。

「ハーマイオニー」赤ん坊頭の死喰い人が再びまごまごといなくなったので、ハリーはすぐさま、ハーマイオニーを揺り動かしながら呼びかけた。「ハーマイオニー、目を覚まして……」

「あいづ、ハーミーニーに何じだんだろう？」机の下から這い出し、そばにひざをついて、ネビルが言った。鼻がどんどんふくれ上がり、鼻血がだらだら流れている。

「わからない……」

ネビルはハーマイオニーの手首を探った。

「みゃぐだ、ハリー。みゃぐがあるど」

安堵感が力強く体を駆けめぐり、一瞬ハリーは頭がぼうっとした。

「生きてるんだね？」

「ん、ぞう思う」

一瞬、間が空き、ハリーはその間に足音が聞こえはしないかと耳を澄ました。しかし、聞こえるのは、隣の部屋で赤ん坊頭の死喰い人がヒンヒン泣きながらまごついている音だけだった。

「ネビル、僕たち、出口からそう遠くはない」ハリーがささやいた。「あの円形の部屋のすぐ隣にいるんだ……僕たちがあの部屋を通り、ほかの死喰い人が来る前に出口の扉を見つけたら、君はハーマイオニーを連れて廊下を戻り、エレベーターに乗って……それで、誰か見つけてくれ……危険を知らせて……」

「ぞれで、ぎみはどうずるの？」ネビルは鼻血をそでで ぬぐい、顔をしかめてハリーを見た。

「ほかのみんなを探さなきゃ」ハリーが言った。

「じゃ、ぼぐもいっじょにざがず」ネビルがきっぱりと言った。

「でも、ハーマイオニーが――」

「いっじょにづれでいげばいい」ネビルがしっかりと言った。「ぼぐが担ぐ。ぎみのほうがぼぐより戦いがじょーずだがら――」

　ネビルは立ち上がってハーマイオニーの片腕をつかみ、ハリーをにらんだ。ハリーはためらったが、もう一方の腕をつかみ、ぐったりしたハーマイオニーの体をネビルの肩に担がせるのを手伝った。

「ちょっと待って」ハリーは床からハーマイオニーの杖を拾い上げ、ネビルの手に押しつけた。「これを持っていたほうがいい」

　ネビルはゆっくりと扉のほうに進みながら、折れてしまった自分の杖の切れ端を蹴って脇に押しやった。

「ばあぢゃんにごろざれぢゃう」ネビルはフガフガ言った。しゃべっている間にも鼻血がボタボタ落ちた。「あれ、ぼぐのババの杖なんだ」

　ハリーは扉から首を突き出して用心深くあたりを見回した。赤ん坊頭の死喰い人が泣き叫び、あちこちぶつかり、床置き時計を倒し、机をひっくり返し、わめき、混乱している。ガラス張りの戸棚は、たぶん「逆転時計」が入っていたのではないかと、いまハリーはそう思ったが、倒れては壊れ、壊れては元どおりになって壁に立っていた。

「あいつは絶対僕たちに気づかないよ」ハリーがささやいた。「さあ……僕から離れないで……」

　ハリーたちはそっと小部屋を抜け出し、黒いホールに続く扉へと戻っていった。ホールはいま、まったく人影がない。二人はまた二、三歩前進した。ネビルはハーマイオニーの重みで少しよろめきながら歩いた。

「時の間」の扉はハリーたちがホールに入るとバタンと閉まり、ホールの壁がまた回転しはじめた。さっき後頭部を打ったことで、ハリーは安定感を失っているようだった。目を細め、少しふらふらしながら、ハリーは壁の動きが止まるのを待った。ハーマイオニーの燃えるような×印が消えてしまっているのを見て、ハリーはがっくりした。

「さあ、どっちの方向だと――?」

しかし、どっちに行くかを決めないうちに、右側の扉がパッと開き、人が三人倒れ込んできた。

「ロン!」ハリーは声をからし、三人に駆け寄った。「ジニー――みんな大丈――?」

「ハリー」ロンは力なくエヘヘと笑い、よろめきながら近づいて、ハリーのローブの前をつかみ、焦点の定まらない目でじっと見た。「ここにいたのか……ハハハ……ハリー、変な格好だな……めちゃくちゃじゃないか……」

ロンの顔は蒼白で、口の端から何かどす黒いものがたらたら流れていた。次の瞬間、ロンはがっくりとひざをついた。しかし、ハリーのローブをしっかりつかんだままだ。ハリーは引っ張られておじぎをする形になった。

「ジニー?」ハリーが恐る恐る聞いた。「何があったんだ?」

しかし、ジニーは頭を振り、壁にもたれたままずるずると座り込み、ハァハァあえぎながらかかとをつかんだ。

「かかとが折れたんだと思うよ。ポキッと言う音が聞こえたもン」ジニーの上にかがみ込みながら、ルーナが小声で言った。ルーナだけが無傷らしい。「やつらが四人で追いかけてきて、あたしたち、惑星がいっぱいの暗い部屋に追い込まれたんだ。とっても変なとこだったよ。あたしたち、しばらく暗闇にぽっかり浮かんでたんだ――」

「ハリー、『臭い星』を見たぜ!」

ロンはまだ弱々しくエヘヘと笑いながら言った。

「ハリー、わかるか? 僕たち、『モー・クセー』を見たんだ――ハハハ――」

ロンの口の端に血の泡がふくれ、はじけた。

「――とにかく、やつらの一人がジニーの足をつかまえたから、あたし、『粉々呪文』を使って、そいつの目の前で冥王星をぶっとばしたんだ。だけど……」ルーナはしかたがなかったという顔をジニーに向けた。ジニーは目を閉じたまま、浅い息をしていた。

「それで、ロンのほうは？」ハリーがこわごわ聞いた。ロンはエヘヘと笑い続け、まだハリーのローブの前にぶら下がったままだった。

「ロンがどんな呪文でやられたのかわかんない」ルーナが悲しそうに言った。「だけど、ロンがちょっとおかしくなったんだ。連れてくるのが大変だったよ」

「ハリー」ロンがハリーの耳を引っ張って自分の口元に近づけ、相変わらずエヘヘと力なく笑いながら言った。「この子、誰だか知ってるか？　ハリー？　ルーニーだぜ……いかれたルーニー・ラブグッドさ……ハハハ……」

「ここを出なくちゃならない」ハリーがきっぱりと言った。「ルーナ、ジニーを支えられるかい？」

「うん」ルーナは安全のために杖を耳の後ろにはさみ、片腕をジニーの腰に回して助け起こした。

「たかがかかとじゃない。自分で立てるわ！」

ジニーがいらいらしたが、次の瞬間ぐらりと横に倒れそうになり、ルーナにつかまった。ハリーは、何か月か前にダドリーにそうしたように、ロンの腕を自分の肩に回した。ハリーは周りを見回した。一回で正しい出口に出る確率は十二分の一だ――。

ロンを担ぎ、ハリーは扉の一つに向かった。あと一、二メートルというところで、ホールの反対側の別な扉が勢いよく開き、三人の死喰い人が飛び込んできた。先頭はベラトリックス・レストレンジだ。

「**いたぞ！**」ベラトリックスがかん高く叫んだ。

失神光線が室内を飛んだ。ハリーは目の前の扉から突入し、ロンをそこに無造作に放り投げ、ネビルとハーマイオニーを助けにすばやく引き返した。全員が扉を通り、あわやというところで扉をピシャリと閉め、ベラトリックスを防いだ。

「**コロポータス！　扉よくっつけ！**」ハリーが叫んだ。扉のむこうで三人が体当たりする音が聞こえた。

「かまわん！」男の声がした。「ほかにも通路はある——**捕まえたぞ。やつらはここだ！**」

ハリーはハッとして後ろを向いた。「脳の間」に戻っていた。確かに壁一面に扉がある。背後のホールから足音が聞こえた。最初の三人に加勢するために、ほかの死喰い人たちが駆けつけてきたのだ。

「ルーナ——ネビル——手伝ってくれ！」

三人は猛烈な勢いで動き、扉という扉を封じて回った。ハリーは次の扉に移動しようと急ぐあまり、テーブルに衝突してその上を転がった。

「**コロポータス！**」

それぞれの扉のむこうに走ってくる足音が聞こえ、ときどき重い体が体当たりして扉がきしみ、震えた。ルーナとネビルが反対側の壁の扉を呪文で封じていた——そして、ハリーが部屋の一番奥に来たとき、ルーナの叫び声が聞こえた。

「**コロ——あぁぁぁぁぁぁぁぁぅ……**」

振り返ったとたん、ルーナが宙を飛ぶのが見えた。呪文が間に合わなかった扉を破り、五人の死喰い人がなだれ込んできた。ルーナは机にぶつかり、その上をすべってむこう側の床に落下し、そのまま伸びて、ハーマイオニーと同じように動かなくなった。

「ポッターを捕まえろ！」ベラトリックスが叫び、飛びかかってきた。ハリーはそれをかわし、部屋の反対側に疾走した。予言に当たるかもしれないと、連中が躊躇（ちゅうちょ）しているうちは、僕は安全だ——。

「おい！」ロンがよろよろと立ち上がり、ヘラヘラ笑いながら、ハリーのほうに酔ったような千鳥足でやってくるところだった。「おい、ハリー、ここには**脳みそ**があるぜ。ハハハ。気味が悪いな、ハリー？」

「ロン、どくんだ。伏せろ――」

しかし、ロンはもう、水槽に杖を向けていた。

「ほんとだぜ、ハリー、こいつら脳みそだ――ほら――**アクシオ！　脳みそよ、来い！**」

一瞬、すべての動きが止まったかのようだった。ハリー、ジニー、ネビル、そして死喰い人も一人残らず、我を忘れて水槽の上を見つめた。緑色の液体の中から、まるで魚が飛び上がるように、脳みそが一つ飛び出した。一瞬、それは宙に浮き、くるくる回転しながら、ロンに向かって高々と飛んできた。動く画像を連ねたリボンのようなものが何本も、まるで映画のフィルムが解けるように脳から尾を引いている――。

「ハハハ、ハリー、見ろよ――」ロンは、脳みそがけばけばしい中身を吐き出すのを見つめていた。

「ハリー、来てさわってみろよ。きっと気味が――」

「**ロン、やめろ！**」

脳みそのしっぽのように飛んでくる何本もの「思考の触手」にロンが触れたらどうなるか、ハリーにはわからなかったが、よいことであるはずがない。電光石火、ハリーはロンのほうに走ったが、ロンはもう両手を伸ばして脳みそを捕まえていた。

ロンの肌に触れたとたん、何本もの触手が縄のようにロンの腕にからみつきはじめた。

「ハリー、どうなるか見て――あっ――あっ――いやだよ――ダメ、やめろ――**やめろったら**――」

しかし細いリボンは、いまやロンの胸にまで巻きついていた。ロンは引っ張り、引きちぎろうとしたが、脳みそはタコが吸いつくように、しっかりとロンの体をからめとっていた。

「**ディフィンド! 裂けよ!**」

ハリーは目の前でロンに固く巻きついてゆく触手を断ち切ろうとしたが、切れない。ロンが縄目に抵抗してもがきながら倒れた。

「ハリー、ロンが窒息しちゃうわ!」

かかとを折って動けないジニーが、床に座ったまま叫んだ——とたんに、死喰い人の一人が放った赤い閃光が、その顔を直撃した。ジニーは横様に倒れ、その場で気を失った。

「**ステュービフィ!**」ネビルが後ろを向き、襲ってくる死喰い人に向かってハーマイオニーの杖を振った。「**ステュービフィ、ステュービフィ!**」

何事も起こらない。

死喰い人の一人が、逆にネビルに向かって「失神呪文」を放った。わずかにネビルをそれた。いまや五人の死喰い人と戦っているのは、ハリーとネビルだけだった。二人の死喰い人が銀色の光線を矢のように放ち、はずれはしたが、二人の背後の壁がえぐれて穴が開いた。

ベラトリックス・レストレンジがハリーめがけて突進してきた。ハリーは一目散に走った。予言の球を頭の上に高く掲げ、部屋の反対側へと全速力で駆け戻った。ハリーは、死喰い人たちをみんなから引き離すことしか考えなかった。

うまくいったようだ。死喰い人はハリーを追って疾走してくる。椅子をなぎ倒し、テーブルをはね飛ばしながら、それでも予言を傷つけることを恐れて、ハリーに向かって呪文をかけようとはしなかった。ハリーはただ一つだけ開いたままになっていた扉から飛び出した。死喰い人たちが入ってきた扉だ。ハリーは祈った。ネビルがロンのそばにいて、何とか解き放つ方法を見つけてくれますよう。扉のむこう側の部屋に二、三歩走り込んだとたん、ハリーは床が消えるのを感じた——。

急な石段を、ハリーは一段、また一段とぶつかりながら転げ落ち、ついに一番底のくぼみに仰向けに打ちつけられた。息が止まるほどの衝撃だった。くぼみには台座が置かれ、石のアーチが建っていた。部屋中に死喰い人の笑い声が響き渡った。見上げると、「脳の間」にいた五人が階段を下りてくるところだった。さらにほかの死喰い人たちが、別の扉から現れ、石段から石段へと飛び移りながらハリーに迫っていた。ハリーは立ち上がった。しかし足がわなわな震え、ほとんど立っていられないくらいだった。予言は奇跡的に壊れず、ハリーの左手にあった。右手はしっかりと杖を握っている。ハリーは周囲に目を配り、死喰い人を全員視野に入れるようにしながら、あとずさりした。脚の裏側に固いものが当たった。アーチが建っている台座だ。ハリーは後ろ向きのまま台座に上がった。

死喰い人全員が、ハリーを見すえて立ち止まった。何人かはハリーと同じように息を切らしている。一人はひどく出血していた。「全身金縛り術」が解けたドロホフが、杖をまっすぐハリーの顔に向け、ニヤニヤ笑っている。

「ポッター、もはやこれまでだな」

ルシウス・マルフォイが気取った声でそう言うと、覆面を脱いだ。

「さあ、いい子だ。予言を渡せ」

「ほ――ほかのみんなは逃がしてくれ。そうすればこれを渡す！」ハリーは必死だった。

死喰い人の何人かが笑った。

「おまえは取引できる立場にはないぞ、ポッター」

ルシウス・マルフォイの青白い顔が喜びで輝いていた。

「見てのとおり、我らは十人、おまえは一人だ……。それとも、ダンブルドアは数の数え方を教えなかったのか？」

「一人じゃのいぞ！」上のほうで叫ぶ声がした。「まだ、ぼくがいる！」

ハリーはがっくりした。ネビルが不器用に石段を下りてくる。震える手に、ハーマイオニーの杖をしっかり握っていた。

「ネビル――ダメだ――ロンの所へ戻れ」

「**ステュービフィ！**」杖を死喰い人の一人一人に向けながら、ネビルがまた叫んだ。「**ステュービ、フィ！　ステュービ――**」

中でも大柄な死喰い人が、ネビルを後ろからはがいじめにした。ネビルは足をバタバタさせてもがいた。数人の死喰い人が笑った。

「そいつはロングボトムだな？」ルシウス・マルフォイがせせら笑った。「まあ、おまえのばあさんは、我々の目的のために家族を失うことには慣れている……おまえが死んだところでたいしたショックにはなるまい」

「ロングボトム？」ベラトリックスが聞き返した。邪悪そのものの笑みが、落ちくぼんだ顔を輝かせた。「おや、おや、坊ちゃん、私はおまえの両親とお目にかかる喜ばしい機会があってね」

「**知ってるぞ！**」ネビルが吠え、はがいじめにしている死喰い人に激しく抵抗した。男が叫んだ。「誰か、こいつを失神させろ！」

「いや、いや、いや」ベラトリックスが言った。有頂天になっている。興奮で生き生きした顔でハリーを一瞥(いちべつ)し、またネビルに視線を戻した。「いーや。両親と同じように気が触れるまで、どのくらいもちこたえられるか、やってみようじゃないか……それともポッターが予言をこっちへ渡すというなら別だが」

「**わだじじゃだみだ！**」

ネビルは我を忘れてわめいた。ベラトリックスが杖をかまえ、自分と自分を捕まえている死喰い人に近づく間も、足をバタつかせ、全身をよじって抵抗した。

「**あいづらに、ぞれをわだじじゃだみだ、ハリー!**」

ベラトリックスが杖を上げた。

「**クルーシオ! 苦しめ!**」

ネビルは悲鳴を上げ、両足を縮めて胸に引きつけたので、一瞬、死喰い人に持ち上げられる格好になった。死喰い人が手を放し、床に落ちたネビルは苦痛にひくひく体を引きつらせ、悲鳴を上げた。

「いまのはまだご愛嬌(あいきょう)だよ!」ベラトリックスは杖を下ろし、ネビルの悲鳴がやみ、足元に倒れて泣きじゃくるまま放置した。そしてハリーをにらんだ。「さあ、ポッター、予言を渡すか、それともかわいい友が苦しんで死ぬのを見殺しにするか!」

考える必要もなかった。道は一つだ。握りしめた手の温もりで熱くなった予言の球を、ハリーは差し出した。マルフォイがそれを取ろうと飛び出した。

その時、ずっと上のほうで、また二つ、扉がバタンと開き、五人の姿が駆け込んできた。シリウス、ルーピン、ムーディ、トンクス、キングズリーだ。

マルフォイが向きを変え、杖を上げたが、トンクスがもう、マルフォイめがけて「失神呪文」を放っていた。命中したかどうかを見る間もなく、ハリーは台座を飛び下りて光線をよけた。死喰い人たちは、出現した騎士団のメンバーのほうに完全に気を取られていた。五人はくぼみに向かって石段を飛び下りながら、死喰い人に呪文を雨あられと浴びせた。矢のように動く人影と閃光が飛び交う中で、ハリーはネビルが這いずって動いているのを見た。赤い閃光をもう一本かわし、ハリーは床をスライディングしてネビルのそばに行った。

「大丈夫か?」ハリーが大声で聞いたとたん、二人の頭のすぐ上を、また一つ、呪文が飛び過ぎていった。

「うん」ネビルが自分で起き上がろうとした。

「それで、ロンは？」

「大丈夫だどおぼうよ――ぼぐが部屋を出だどぎ、まだ脳びぞど戦っでだ」

二人の間に呪文が当たり、石の床が爆発した。いまのいままでネビルの手があった所がえぐれて、穴が開いていた。二人とも急いでその場を離れた。その時、太い腕がどこからともなく伸びてきて、ハリーの首根っこをつかみ、つま先が床にすれすれに着くぐらいの高さまで引っ張り上げた。

「それをこっちによこせ」ハリーの耳元で声が唸った。「予言をこっちに渡せ――」

男にのどをきつくしめつけられ、ハリーは息ができなかった。涙でかすんだ目で、ハリーは二、三メートル先でシリウスが死喰い人と決闘しているのを見た。キングズリーは二人を相手に戦っている。トンクスはまだ階段の半分ほどの所だったが、下のベラトリックスに向かって呪文を発射していた――誰もハリーが死にかけていることに気づかないようだ。ハリーは杖を後ろ向きにし、男の脇腹をねらったが、呪文を唱えようにも声が出ない。男の空いているほうの手が、予言を握っているハリーの手を探って伸びてきた――。

「**グアアアッ！**」

ネビルがどこからともなく飛び出し、呪文が正確に唱えられないので、ハーマイオニーの杖を、死喰い人の覆面の目出し穴に思いっきり突っ込んでいた。男は痛さに吠え、たちまちハリーを放した。ハリーはすばやく後ろを向き、あえぎながら唱えた。

「**ステューピファイ！　まひせよ！**」

死喰い人はのけぞって倒れ、覆面がすべり落ちた。マクネアだ。バックビークの死刑執行人になるはずだった男は、いまや片目が腫れ上がり血だらけだ。

「ありがとう！」礼を言いながら、ハリーはネビルをそばに引っ張り寄せた。シリウスと相手の死喰い人が突然二人のそばを通り抜けていったからだ。激しい決闘で、二人の杖がかすんで見えた。その時ハリーの足が、何か丸くて固いものに触れ、ハリーはすべった。一瞬、ハリーは予言を落としたかと思ったが、それは床をコロコロ転がっていくムーディの魔法の目だとわかった。

目の持ち主は、頭から血を流して倒れていた。ムーディを倒した死喰い人が、今度はハリーとネビルに襲いかかってきた。ドロホフだ。青白い長い顔が歓喜にゆがんでいる。

「**タラントアレグラ！　踊れ！**」ドロホフは杖をネビルに向けて叫んだ。ネビルの足がたちまち熱狂的なタップダンスを始め、ネビルは体の平衡を崩してまた床に倒れた。

「さあ、ポッター――」

ドロホフはハーマイオニーに使ったと同じ、鞭打つような杖の振り方をしたが、ハリーは同時に「**プロテゴ！　護れ！**」と叫んだ。

顔の脇を、何か鈍いナイフのようなものが猛スピードで通り過ぎたような感じがした。その勢いでハリーは横に吹っ飛ばされ、ネビルのピクピク踊る足につまずいた。しかし「盾の呪文」のおかげで、最悪には至らなかった。

ドロホフはもう一度杖を上げた。「**アクシオ！　予言よ**――」

シリウスがどこからともなく飛んできて、肩からドロホフに体当たりし、はね飛ばした。予言がまたしても指先まで飛び出したが、ハリーはかろうじてつかみなおした。今度はシリウスとドロホフの決闘だ。二人の杖が剣のように光り、杖先から火花が散った――。

ドロホフが杖を引き、ハリーやハーマイオニーに使ったと同じ鞭の動きを始めた。ハリーははじかれたように立ち上がり、叫んだ。

「ペトリフィカス　トタルス！　石になれ！」

またしても、ドロホフの両腕両脚がパチンとくっつき、ドサッという音とともに、ドロホフは仰向けに倒れた。

「いいぞ！」シリウスは叫びながらハリーの頭を引っ込めさせた。二人に向かって二本の失神光線が飛んできたのだ。「さあ、君はここから出て――」

もう一度、二人は身をかわした。緑の閃光が危うくシリウスに当たるところだった。部屋のむこう側で、トンクスが石段の途中から落ちていくのが見えた。ぐったりした体が、一段、一段と転げ落ちていく。ベラトリックスが勝ち誇ったように、乱闘の中に駆け戻っていった。

「ハリー、予言を持って、ネビルをつかんで走れ！」シリウスが叫び、ベラトリックスを迎え撃つのに突進した。ハリーはそのあとのことは見ていなかった。ハリーの視界を横切って、キングズリーが揺れ動いた。覆面を脱ぎ捨てたあばた面のルックウッドと戦っている。ハリーが飛びつくようにネビルに近づいたとき、緑の光線がまた一本、ハリーの頭上をかすめた――。

「立てるかい？」抑制の効かない足をピクピクさせているネビルの耳元で、ハリーが大声で言った。

「腕を僕の首に回して――」

ネビルは言われたとおりにした――ハリーが持ち上げた――ネビルの足は相変わらずあっちこっちと勝手に跳ね上がり、体を支えようとはしなかった。その時、どこからともなく男が襲いかかってきた。二人とも仰向けにひっくり返り、ネビルの足は裏返しのカブトムシのようにバタバタ動いた。ハリーは小さなガラス球が壊れるのを防ごうと、左手を高く差し上げていた。

「予言だ。こっちに渡せ、ポッター！」ルシウス・マルフォイがハリーの耳元で唸った。マルフォイの杖の先が、肋骨にぐいと突きつけられているのを感じた。

「いやだ――杖を――放せ……ネビル――受け取れ！」

ハリーは予言を放り投げた。ネビルは仰向けのまま回転して、球を胸に受け止めた。マルフォイが、今度は杖をネビルに向けた。しかし、ハリーは自分の杖を肩越しにマルフォイに突きつけて叫んだ。

「**インペディメンタ！　妨害せよ！**」

マルフォイが後ろに吹っ飛んだ。ハリーがやっと立ち上がって振り返ると、マルフォイが台座に激突するのが見えた。台座の上で、シリウスとベラトリックスがいま決闘している。マルフォイの杖が再びハリーとネビルをねらった。しかし、攻撃の呪文を唱えようと息を吸い込む前に、ルーピンがその間に飛び込んできた。

「ハリー、みんなを連れて、**行くんだ！**」

ハリーはネビルのローブの肩をつかみ、体ごと最初の石段に引っ張り上げた。ネビルの足はピクピクけいれんして、とても体を支えるどころではない。ハリーは渾身の力で引っ張り、また一段上がった――。

呪文がハリーの足元の石段に当たった。石段が砕けてハリーは一段下に落ちた。ネビルはその場に座り込み、相変わらず足をバタつかせていた。ネビルが予言を自分のポケットに押し込んだ。

「がんばるんだ！」ハリーは必死で叫び、ネビルのローブを引っ張った。「足を踏ん張ってみるんだ――」

ハリーはもう一度満身の力を込めて引っ張った。ネビルのローブが左側の縫い目に沿って裂けた――小さなスパンガラスの球がポケットから落ちた。二人の手がそれをつかまえる間もなく、ネビルのバタつく足がそれを蹴った。球は二、三メートル右に飛び、落ちて砕けた。事態に愕然として、二人は球の割れた場所を見つめた。目だけが極端に拡大された、真珠のように半透明な姿が立ち昇った。気づいているのは二人だけだった。ハリーにはそれが口を動かしているのが見えた。しかし、周りの悲鳴や叫び、もののぶつかり合う音で、予言は一言も聞き取れなかった。語り終えると、その姿は跡形もなく消えてしまった。

「ハリー、ごべんね！」ネビルが叫んだ。両足を相変わらずバタつかせながら、顔はすまなそうに苦悶していた。「ごべんね、ハリー、ぞんなづもりじゃ――」

「そんなこと、どうでもいい！」ハリーが叫んだ。「なんとかして立ってみて。ここから出――」

「**ダブルドー！**」ネビルが言った。汗ばんだ顔がハリーの肩越しに空を見つめ、突然恍惚の表情になった。

「えっ？」

「**ダブルドー！**」

ハリーは振り返って、ネビルの視線を追った。二人のまっすぐ上に、「脳の間」の入口を背に、額縁の中に立つように、アルバス・ダンブルドアが立っていた。杖を高く掲げ、その顔は怒りに白熱していた。ハリーは、体の隅々までビリビリと電気が流れるような気がした――**助かった。**

ダンブルドアがたちまち石段を駆け下り、ネビルとハリーのそばを通り過ぎていった。ダンブルドアはもう石段の下にいた。二人とも、もうここを出ることなど考えていなかった。ダンブルドアはもう石段の下にいた。一番近くにいた死喰い人がその姿に気づき、叫んで仲間に知らせた。一人の死喰い人が、あわてて逃げだした。反対側の石段を、猿がもがくような格好で上っていく。ダンブルドアの呪文が、いともやすやすと、まるで見えない糸で引っかけたかのように男を引き戻した――。

ただひと組だけは、この新しい登場者に気づかないらしく、戦い続けていた。ハリーはシリウスがベラトリックスの赤い閃光をかわすのを見た。ベラトリックスに向かって笑っている。

「さあ、来い。今度はもう少しうまくやってくれ！」シリウスが叫んだ。その声が、広々とした空間に響き渡った。

二番目の閃光がまっすぐシリウスの胸に当たった。

シリウスの顔からは、まだ笑いが消えてはいなかったが、衝撃でその目は大きく見開かれた。

ハリーは無意識にネビルを放した。杖を引き抜き、階段を飛び下りた。ダンブルドアも台座に向かっていた。

シリウスが倒れるまでに、永遠の時が流れたかのようだった。シリウスの体は優雅な弧を描き、アーチにかかっている古ぼけたベールを突き抜け、仰向けに沈んでいった。

かつてあんなにハンサムだった名付け親のやつれはてた顔が、恐れと驚きの入りまじった表情を浮かべて、古びたアーチをくぐり、ベールの彼方へと消えていくのを、ハリーは見た。ベールは一瞬、強い風に吹かれたかのようにはためき、そしてまた元どおりになった。

ハリーはベラトリックス・レストレンジの勝ち誇った叫びを聞いた。しかし、それはなんの意味もない。僕にはわかっている――シリウスはただ、このアーチのむこうに倒れただけだ。いますぐむこう側から出てくる……。

しかし、シリウスは出てこなかった。

「**シリウス！**」ハリーが叫んだ。「**シリウス！**」

激しくあえぎながら、ハリーは階段下に立っていた。シリウスはあのベールのすぐ裏にいるにちがいない。僕が引き戻す……。

しかし、ハリーが台座に向かって駆けだすと、ルーピンがハリーの胸に腕を回して引き戻した。

「ハリー、もう君にはどうすることもできない――」

「連れ戻して。助けて。むこう側に行っただけじゃないか！」

「――もう遅いんだ、ハリー」

「いまならまだ届くよ――」ハリーは激しくもがいた。

しかし、ルーピンは腕を離さなかった……。

「もう、どうすることもできないんだ。ハリー……どうすることも……あいつは行ってしまった」

第36章　「あの人」が恐れた唯一の人物

「シリウスはどこにも行ってない！」ハリーが叫んだ。

信じられなかった。信じてなるものか。ありったけの力で、ハリーはルーピンに抵抗し続けた。ルーピンはわかっていない。あのベールの陰に人が隠れているんだ。最初にこの部屋に入ったとき、人のささやき声を聞いたもの。シリウスは隠れているだけだ。ただ見えない所にひそんでいるだけだ。

「**シリウス！**」ハリーは絶叫した。「**シリウス！**」

「あいつは戻ってこられないんだ、ハリー」なんとかしてハリーを抑えようとしながら、ルーピンが涙声になった。「あいつは戻れない。だって、あいつは――死」

「**シリウスは――死んでなんか――いない！**」ハリーがわめいた。「**シリウス！**」

二人の周囲で動きが続いていた。無意味な騒ぎ。呪文の閃光(せんこう)。ハリーにとってはなんの意味もない騒音。それた呪文が二人のそばを飛んでいったが、どうでもよかった。すべてがどうでもよかった。ただ、ルーピンはうそをつくのをやめてほしい。シリウスはすぐそこに、あの古ぼけたベールの裏に立っているのに――いまにもそこから現れるのに――黒髪を後ろに振り払い、意気揚々と戦いに戻ろうとするのに――そうじゃないふりをするのはやめてほしい。

ルーピンはハリーを台座から引き離した。ハリーはアーチを見つめたまま、今度はシリウスに腹を立てていた。こんなに待たせるなんて――。

しかし、ルーピンを振りほどこうともがきながらも、心のどこかでハリーにはわかっていた。シリウスはいままで僕を待たせたことなんてなかった……どんな危険をおかしてでも、必ず僕に会いにきた。助けにきた……ハリーが命を懸けて、こんなにシリウスを呼んでいるのに、あのアーチから姿を現さないなら、理由は一つしかない。シリウスは帰ってくることができないのだ……シリウスはほんとうに——。

ダンブルドアはほとんどの死喰い人を部屋の中央にひと束にして、見えない縄で拘束したようだった。マッド-アイ・ムーディが、部屋のむこうからトンクスの倒れている場所まで這っていき、トンクスを蘇生させようとしていた。台座の裏側ではまだ閃光が飛び、うめき声、叫び声が聞こえてくる——キングズリーが、シリウスのあとを受け、ベラトリックスと対決するため躍り出ていた。

「ハリー？」

ネビルが一段ずつ石段をすべり下り、ハリーのそばに来ていた。ハリーはもう抵抗していなかったが、ルーピンはそれでも念のためハリーの腕をしっかり押さえていた。

「ハリー……ほんどにごべんね……」ネビルが言った。両足がまだどうしようもなく踊っている。「あのひど——ジリウズ・ブラッグ——ぎみのどもだぢだっだの？」

ハリーはうなずいた。

「さあ」ルーピンが静かにそう言うと、杖をネビルの足に向けて唱えた。「**フィニート、終われ**」

呪文が解け、ネビルの両足は床に下りて静かになった。ルーピンは青ざめた顔をしていた。

「さあ——みんなを探そう。ネビル、みんなはどこだ？」

ルーピンはそう言いながら、アーチに背を向けた。一言一言に痛みを感じているような言い方だった。

「みんなあぞごにいるよ」ネビルが言った。「ロンが脳びぞにおぞわれだけど、だいじょうびだど思う——ハービーニーは気をうじなってるげど、脈があっだ——」

台座の裏側からバーンと大きな音と叫び声が聞こえた。ハリーはキングズリーが苦痛に叫びながら床に倒れるのを見た。ダンブルドアがくるりと振り向くと、ベラトリックス・レストレンジはしっぽを巻いて逃げだした。ダンブルドアが呪文を向けたが、ベラトリックスはそれをそらした。もう、石段の中ほどまで登っている――。

「ハリー――やめろ！」ルーピンが叫んだ。しかしすでにハリーは、ゆるんでいたルーピンの腕を振りほどいていた。

「あいつがシリウスを殺した！」ハリーがどなった。**「あいつが殺した――僕があいつを殺してやる！」**

そして、ハリーは飛び出し、石段をすばやくよじ登った。背後でハリーを呼ぶ声がしたが、気にしなかった。ベラトリックスのローブのすそがひらりと視界から消え、二人は脳みそが泳いでいる部屋に戻っていた……。

ベラトリックスは肩越しに呪いのねらいを定めた。水槽が宙に浮き、傾いた。ハリーは中を満たしていたいやなにおいのする薬液でずぶぬれになった。脳みそがすべり出し、ハリーに取りつき、色鮮やかな長い触手を何本も吐き出しはじめた。

「ウィンガーディアム　レヴィオーサ！　浮遊せよ！」

ハリーが呪文を唱えると、脳みそはハリーを離れ、空中へと飛んでいった。ぬるぬるすべりながら、ハリーは扉へと走った。床でうめいているルーナを飛び越し、ジニーを通り越し――ジニーが「ハリー――いったい――？」と問いかけた――へらへら力なく笑っているロンを、そして、まだ気を失っているハーマイオニーを通り越した。扉をぐいと開けると、黒い円形のホールだ。ベラトリックスがホールの反対側の扉から出ていくのが見えた。そのむこうにエレベーターに通じる廊下がある。

ハリーは走った。しかしベラトリックスは、その扉を出るとピシャリと閉めた。壁がすでに回りはじめていた。またしてもハリーは、ぐるぐる回る壁の燭台から出る、青い光の筋に取り囲まれていた。「出口はどこなんだ？」

「出口はどこだ？」壁が再びゴトゴトと止まったとき、ハリーは捨て鉢になって叫んだ。「出口はどこ

部屋はハリーが尋ねるのを待っていたかのようだった。真後ろの扉がパッと開き、エレベーターへの通路が見えた。松明の灯りに照らされ、人影はない。ハリーは走った……。

前方でエレベーターのガタゴトいう音が聞こえた。ハリーは廊下を疾走し、勢いよく角を曲がり、別のエレベーターを呼ぶボタンを拳でたたいた。ジャラジャラと音を立てながら、エレベーターが下りてきた。格子戸が開くなりハリーは飛び乗って、「アトリウム」のボタンをたたいた。ドアがするすると閉まり、ハリーは昇っていった……。

格子戸が完全に開かないうちにすきまから無理やり体を押し出し、ハリーはあたりを見回した。ベラトリックスは、もうほとんどホールのむこうの電話ボックス・エレベーターにたどり着いていた。しかし、ハリーが全速力で追うと、振り返ってハリーをねらい、呪文を放った。ハリーは「魔法界の同胞の泉」の陰に隠れてそれをかわした。呪文はハリーを飛び越し、アトリウムの奥にある金のゲートに当たった。ゲートは鐘が鳴るような音を出した。もう足音がしない。ベラトリックスは走るのをやめていた。ハリーは泉の立像の陰にうずくまって、耳を澄ました。

「**出てこい、出てこい、ハリーちゃん！**」ベラトリックスが赤ちゃん声を作って呼びかけた。磨き上げられた木の床に、その声が響いた。「どうして私を追ってきたんだい？　私のかわいいいとこの敵を討ちにきたんじゃないのかい？」

「そうだ！」ハリーの声が、何十人ものハリーの幽霊と合唱するように、部屋中にこだました。

そうだ！　そうだ！　そうだ！

「あぁぁぁぁぁ……あいつを**愛してた**のかい？　ポッター赤ちゃん？」

これまでにない激しい憎しみが、ハリーの胸に湧き上がった。噴水の陰から飛び出し、ハリーが大声で叫んだ。

「**クルーシオ！　苦しめ！**」

ベラトリックスが悲鳴を上げた。呪文はベラトリックスをひっくり返らせた。しかし、ネビルのように苦痛に泣き叫んだり、もだえたりはしなかった――息を切らしながら、すでに立ち上がっていた。もう笑ってはいない。ハリーは黄金の噴水の陰にまた隠れた。ベラトリックスの逆呪いが、ハンサムな魔法使いの頭に当たり、頭部が吹っ飛んで数メートル先に転がり、木の床に長々とすり傷をつけた。

『許されざる呪文』を使ったことがないようだね、小僧？」ベラトリックスが叫んだ。もう赤ちゃん声を捨てていた。「**本気に**なる必要があるんだ、ポッター！　苦しめようと本気でそう思わなきゃ――それを楽しまなくちゃ――まっとうな怒りじゃ、そう長くは私を苦しめられないよ――どうやるのか、教えてやろうじゃないか、え？　もんでやるよ――」

ハリーはじりじりと噴水の反対側まで回り込んでいた。その時ベラトリックスが叫んだ。

「**クルーシオ！**」

弓を持ったケンタウルスの腕がくるくる回りながら飛び、ハリーはまた身をかがめざるをえなかった。腕は金色の魔法使いの頭部の近くの床にドスンと落ちた。

「ポッター、おまえが私に勝てるわけがない！」ベラトリックスが叫んだ。

ハリーをぴたりとねらおうと、ベラトリックスが右に移動する音が聞こえた。ハリーはベラトリックスから遠ざかるように、立像を反対側に回り込み、頭をしもべ妖精像の高さと同じぐらいにして、ケンタウルスの脚の陰にかがみ込んだ。

「私は、昔もいまも、闇の帝王のもっとも忠実な従者だ。あの方から直接に闇の魔術を教わった。私の呪文の威力は、おまえのような青二才がどうあがいても太刀打ちできるものではない――」

ハリーは、首無しになってしまった魔法使いにニッコリ笑いかけている小鬼像（ゴブリン）のそばまで回り込み、噴水の周りをうかがっているベラトリックスの背中にねらいを定めた。

「**ステューピファイ！　まひせよ！**」ハリーが叫んだ。

ベラトリックスの応戦はすばやかった。あまりの速さに、ハリーは身をかわす間もないほどだった。

「**プロテゴ！**」

ハリーの「失神呪文」の赤い光線が、跳ね返ってきた。ハリーは急いで噴水の陰に戻ったが、小鬼の片耳が部屋のむこうまで吹っ飛んだ。

「ポッター、一度だけチャンスをやろう！」ベラトリックスが叫んだ。「予言を私に渡せ――いま、こっちに転がしてよこすんだ――そうすれば命だけは助けてやろう！」

「それじゃ、僕を殺すしかない。予言はなくなったんだから！」ハリーは吠（ほ）えるように言った。そのとたん、額に激痛が走った。傷痕がまたしても焼けるように痛んだ。そして、自分自身の怒りとはまったく関連のない激しい怒りが込み上げてくるのを感じた。

「それに、あいつは知っているぞ！」ハリーはベラトリックスの狂ったような笑いに匹敵するほどの笑い声を上げた。「おまえの大切なヴォルデモート様は、予言がなくなってしまったことをご存じだ。おまえのこともご満足はなさらないだろうな？」

「なんだって？　どういうことだ？」ベラトリックスの声が初めておびえた。

「ネビルを助けて石段を上ろうとしたとき、予言の球が砕けたんだ！　ヴォルデモートははたしてなんと言うだろうな？」

ハリーの傷痕がまたしても焼けるように痛んだ……痛みにハリーは目がうるんだ……。

「**うそつきめ！**」ベラトリックスがかん高く叫んだ。しかし、いまやその怒りの裏に、ハリーは恐怖を聞き取っていた。「**おまえは予言を持っているんだ、ポッター、それを私によこすのだ！　アクシオ！　予言よ、来い！　アクシオ！　予言よ、来い！**」

ハリーはまた高笑いした。そうすればベラトリックスが激昂することがわかっていたからだ。頭痛がだんだんひどくなり、頭がい骨が破裂するかとさえ思った。ハリーは片耳になった小鬼像の後ろから、からっぽの手を振って見せ、ベラトリックスがまたもや緑の閃光を飛ばしてよこしたときすばやく手を引っ込めた。

「なんにもないぞ！」ハリーが叫んだ。「呼び寄せるものなんかなんにもない！　予言は砕けた。誰も予言を聞かなかった。おまえのご主人様にそう言え！」

「ちがう！」ベラトリックスが悲鳴を上げた。

「うそだ。おまえはうそをついている！　**ご主人様！　私は努力しました。努力いたしました――どうぞ私を罰しないでください――**」

「言うだけむださ！」ハリーが叫んだ。これまでにないほど激しくなった傷痕の痛みに、ハリーは目を閉じ、顔中をしかめた。「ここからじゃ、あいつには聞こえないぞ！」

「そうかな？　ポッター」

かん高い冷たい声が言った。

ハリーは目を開けた。

背の高い、やせた姿が黒いフードをかぶっていた。恐ろしい蛇のような顔は蒼白（そうはく）で落ちくぼみ、縦に裂けたような瞳孔の真っ赤な両眼がにらんでいる……ヴォルデモート卿（きょう）が、ホールの真ん中に姿を現していた。杖をハリーに向けている。ハリーは凍りついたように動けなかった。

「そうか、おまえが俺様の予言を壊したのだな？」

ヴォルデモートは非情な赤い目でハリーをにらみつけながら、静かに言った。

「いや、ベラ、こいつはうそをついてはいない……こいつの愚にもつかぬ心の中から、真実が俺様を見つめているのが見えるのだ……何か月もの準備、何か月もの苦労……その挙句、わが死喰い人たちは、またしても、ハリー・ポッターが俺様をくじくのを許した……」

「ご主人様、申し訳ありません。私は知りませんでした。『動物もどき（アニメーガス）』のブラックと戦っていたのです！」

ゆっくりと近づくヴォルデモートの足元に身を投げ出し、ベラトリックスがすすり泣いた。

「ご主人様、おわかりくださいませ――」

「だまれ、ベラ」ヴォルデモートの声が危険をはらんだ。「おまえの始末はすぐつけてやる。俺様が魔法省に来たのは、おまえの女々しい弁解を聞くためだとでも思うのか？」

「でも、ご主人様――あの人がここに――あの人が下に――」

ヴォルデモートは一顧だにしなかった。

「ポッター、俺様はこれ以上何もおまえに言うことはない」ヴォルデモートが静かに言った。「おまえはあまりにもしばしば、あまりにも長きにわたって、俺様をいらだたせてきた。**アバダ　ケダブラ！**」

ハリーは抵抗のために口を開くことさえしていなかった。頭が真っ白で、杖はだらりと下を向いたままだった。

ところが、首無しになった黄金の魔法使い像が突如立ち上がり、台座から飛び上がると、ドスンと音を立ててハリーとヴォルデモートの間に着地した。立像が両腕を広げてハリーを護（まも）り、呪文は立像の胸に当たって跳ね返っただけだった。

「なんと——？」ヴォルデモートが周囲に目を凝らした。そして、息を殺して言った。「**ダンブルドアか！**」

ハリーは胸を高鳴らせて振り返った。ダンブルドアが金色のゲートの前に立っていた。

ヴォルデモートが杖を上げ、緑色の閃光がまた一本、ダンブルドアめがけて飛んだ。ダンブルドアはくるりと一回転し、マントの渦の中に消えた。次の瞬間、ヴォルデモートの背後に現れたダンブルドアは、噴水に残った立像に向けて杖を振った。立像はいっせいに動きだした。魔女の像がベラトリックスに向かって走り、ベラトリックスは悲鳴を上げて何度も呪文を飛ばしたが、魔女の胸に当たってむなしく跳ね返っただけだった。魔女はベラトリックスに飛びかかり、床に押さえつけた。一方、小鬼としもべ妖精は、小走りで壁に並んだ暖炉に向かい、腕一本のケンタウルスはヴォルデモートに向かって疾駆した。ヴォルデモートの姿は一瞬消え去り、噴水の脇に再び姿を現した。首無しの像は、ハリーを戦闘の場から遠ざけるように後ろに押しやり、ダンブルドアがヴォルデモートの前に進み出た。

黄金のケンタウルス像がゆっくりと二人の周りをかけた。

「今夜ここに現れたのは愚かじゃったな、トム」ダンブルドアが静かに言った。「闇祓い(やみばらい)たちがまもなくやってこよう——」

「その前に、俺様はもういなくなる。そして貴様は死んでおるわ！」

ヴォルデモートが吐き捨てるように言った。またしても死の呪文がダンブルドアめがけて飛んだが、はずれて守衛のデスクに当たり、たちまち机が炎上した。

ダンブルドアが杖をすばやく動かした。その杖から発せられる呪文の強さたるや、黄金のガードに護られているハリーでさえ、呪文が通り過ぎるとき髪の毛が逆立つのを感じた。ヴォルデモートも、その呪文をそらすためには、空中から輝く銀色の盾を取り出さざるをえないほどだった。その呪文がなんであれ、盾には目に見える損傷は与えなかった。しかし、ゴングのような低い音が反響した――不思議に背筋が寒くなる音だった。

「俺様を殺そうとしないのか？　ダンブルドア？」ヴォルデモートが盾の上から真っ赤な目を細めてのぞいた。「そんな野蛮な行為は似合わぬとでも？」

「おまえも知ってのとおり、トム、人を滅亡させる方法はほかにもある」

ダンブルドアは落ち着き払ってそう言いながら、まっすぐにヴォルデモートに向かって歩き続けた。この世に何も恐れるものはないかのように、ホールのそぞろ歩きを邪魔する出来事など何も起こらなかったかのように。

「確かに、おまえの命を奪うことだけでは、わしは満足はせんじゃろう――」

「死よりも酷なことは何もないぞ、ダンブルドア！」ヴォルデモートが唸るように言った。

「おまえは大いにまちがっておる」

ダンブルドアはさらにヴォルデモートに迫りながら、まるで酒を飲み交わしながら会話をしているような気軽な口調だった。ダンブルドアが無防備に、盾もなしで歩いていくのを見て、ハリーはそら恐ろしかった。警戒するようにと叫びたかった。しかし、首無しのボディガードがハリーを壁際へと押し戻し、ハリーが前に出ようとするたびにことごとく阻止した。

「死よりもむごいことがあるというのを理解できんのが、まさに、昔からのおまえの最大の弱点よのう――」

銀色の盾の陰から、またしても緑の閃光が走った。今度は、ダンブルドアの前に疾駆してきた片腕のケンタウルスがそれを受け、粉々に砕けた。そのかけらがまだ床に落ちないうちに、ダンブルドアが杖をぐっと引き、鞭のように振り動かした。細長い炎が杖先から飛び出し、ヴォルデモートを盾ごとからめ取った。一瞬、ダンブルドアの勝ちだと思われた。しかし、その時、炎のロープが蛇に変わり、たちまちヴォルデモートの縄目を解き、激しくシューッシューッと鎌首をもたげてダンブルドアに立ち向かった。

　ヴォルデモートの姿が消えた。蛇が床から伸び上がり、攻撃の姿勢を取った――。

　ダンブルドアの頭上で炎が燃え上がった。同時にヴォルデモートがまた姿を現し、さっきまで五体の像が立っていた噴水の真ん中の台座に立っていた。

「**あぶない！**」ハリーが叫んだ。

　しかし、すでにヴォルデモートの杖から、またしても緑の閃光がダンブルドアめがけて飛び、蛇が襲いかかっていた。

　フォークスがダンブルドアの前に急降下し、くちばしを大きく開けて緑の閃光を丸飲みした。そして炎となって燃え上がり、床に落ち、小さくしなびて飛ばなくなった。その時ダンブルドアが杖をひと振りした。長い、流れるような動きだった。――まさに、ダンブルドアにガブリと牙を突き立てようとしていた蛇が、空中高く吹き飛び、ひと筋の黒い煙となって消えた。そして、泉の水が立ち上がり、溶けたガラスの繭（まゆ）のようにヴォルデモートを包み込んだ。

　わずかの間、ヴォルデモートは、さざ波のように揺れるぼんやりした顔のない影となり、台座の上でチラチラ揺らめいていた。息を詰まらせる水を払いのけようと、明らかにもがいている――。

　やがて、その姿が消えた。水がすさまじい音を立てて再び泉に落ち、水盆の縁から激しくこぼれて磨かれた床をびしょぬれにした。

「**ご主人様！**」ベラトリックスが絶叫した。

　まちがいなく、終わった。ヴォルデモートは逃げを決めたのにちがいない。ハリーはガードしている立像の陰から走り出ようとした。しかし、ダンブルドアの声が響いた。

「ハリー、動くでない！」

ダンブルドアの声が、初めて恐怖を帯びていた。ハリーにはなぜかわからなかった。ホールはがらんとしていた。ハリーとダンブルドア、魔女の像に押さえつけられたままですすり泣くベラトリックス、そして床の上でかすかに鳴き声を上げる生まれたばかりの不死鳥、フォークスしかいない——。

すると突然、傷痕がパックリ割れた。ハリーは自分が死んだと思った。想像を絶する痛み、たえがたい激痛——。

ハリーはホールにいなかった。真っ赤な目をした生き物のとぐろに巻き込まれていた。あまりにきつくしめつけられ、どこまでが自分の体で、どこからが生き物の体かわからない。二つの体はくっつき、痛みによって縛りつけられていた。逃れようがない——。

そして、その生き物が口をきいた。ハリーの口を通してしゃべった。苦痛の中で、ハリーは自分のあごが動くのを感じた……。

「**俺様を殺せ、いますぐ、ダンブルドア……**」

目も見えず、瀕死（ひんし）の状態で、体のあらゆる部分が解放を求めて叫びながら、ハリーは、またしてもその生き物がハリーを使っているのを感じた……。

「**死が何ものでもないなら、ダンブルドア、この子を殺せ……**」

痛みを止めてくれ、ハリーは思った……僕たちを殺してくれ……終わらせてくれ、ダンブルドア……この苦痛に比べれば、死などなんでもない……。

そうすれば、僕はまたシリウスに会える……。

ハリーの心に熱い感情があふれた。するとその時、生き物のとぐろがゆるみ、痛みが去った。

ハリーはうつ伏せに床に倒れていた。めがねがどこかにいってしまい、ハリーは木の床ではなく氷の上に横たわっているかのように震えていた……。

ホール中に人声が響いている。そんなにたくさんいるはずはないのに……。ハリーは目を開けた。自分をガードしていた首無しの立像のかかとのそばに、めがねが落ちているのが見えた。立像は、しかしいま仰向けに倒れ、割れて動かなかった。ハリーはめがねをかけ、少し頭を上げた。ダンブルドアの折れ曲がった鼻がすぐそばにあるのが見えた。

「ハリー、大丈夫か？」

「はい」震えが激しく、ハリーはまともに頭を上げていられなかった。「ええ、大丈――どこに、ヴォルデモートは、どこに――誰？　こんなに人が――いったい――」

アトリウムは人であふれていた。片側の壁に並んだ暖炉のすべてに火が燃え、そのエメラルド色の炎が床を照らしている。暖炉から、次々と魔法使い、魔女たちが現れ出ていた。ダンブルドアに助け起こされたハリーは、しもべ妖精と小鬼の小さい黄金の立像が、あぜんとした顔のコーネリウス・ファッジを連れてやってくるのを見た。

「『あの人』はあそこにいた！」紅のローブにポニーテールの男が、ホールの反対側の金色の瓦礫の山を指差して叫んだ。そこは、さっきまでベラトリックスが押さえつけられていた場所だ。「ファッジ大臣、私は『あの人』を見ました。まちがいなく、『例のあの人』でした。女を引っつかんで、『姿くらまし』しました！」

「わかっておる、ウィリアムソン、わかっておる。私も『あの人』を見た！」ファッジはしどろもどろだった。細縞のマントの下はパジャマで、何キロも駆けてきたかのように息を切らしている。「なんとまあ――ここで――ここで！――魔法省で！――あろうことか――ありえない――まったく――どうしてこんな——？」

「コーネリウス、下の神秘部に行けば——」ダンブルドアが言った。ハリーが無事なのに安堵したらしく、ダンブルドアは前に進み出た。新しく到着した魔法使いたちは、ダンブルドアがいることに初めて気づいた（何人かは杖をかまえた。あとはただぼうぜんと見つめるばかりだった。しもべ妖精と小鬼の像は拍手した。ファッジは飛び上がり、スリッパばきの両足が床から離れた）。「——脱獄した死喰い人が何人か、『死の間』に拘束されているのがわかるじゃろう。『姿くらまし防止呪文』で縛ってある。大臣がどうなさるのか、処分を待っておる」

「ダンブルドア！」ファッジが興奮で我を忘れ、息をのんだ。「おまえ——ここに——私は——私は——」

ファッジは一緒に連れてきた闇祓いたちをきょろきょろと見回した。誰が見ても、ファッジが「捕まえろ！」と叫ぶかどうか迷っていることは明らかだった。

「コーネリウス、わしはおまえの部下と戦う準備はできておる。——そして、また勝つ！」ダンブルドアの声がとどろいた。「しかし、ついいましがた、君はその目で、わしが一年間君に言い続けてきたことが真実じゃったという証拠を見たであろう。ヴォルデモート卿は戻ってきた。この十二か月、君は見当ちがいの男を追っていた。そろそろ目覚める時じゃ！」

「私は——別に——まあ——」ファッジは虚勢を張り、どうするべきか誰か教えてくれというように周りを見回した。誰も何も言わないので、ファッジが言った。「よろしい——ドーリッシュ！　ウィリアムソン！　神秘部に行って、見てこい……ダンブルドア、おまえ——君は、正確に私に話して聞かせる必要が——『魔法界の同胞の泉』——いったいどうしたんだ？」

最後は半べそになり、ファッジは魔法使い、魔女、ケンタウルスの像の残骸が散らばっている床を見つめた。

「その話は、わしがハリーをホグワーツに戻してからにすればよい」ダンブルドアが言った。

「ハリー――**ハリー・ポッターか？**」

ファッジがくるりと振り返り、ハリーを見つめた。ハリーは壁際に立ったままで、ダンブルドアとヴォルデモートの決闘の間自分を護ってくれ、いまは倒れている立像のそばにいた。

「ハリーが――ここに？」ファッジが言った。「どうして――いったいどういうことだ？」

「わしがすべてを説明しようぞ」ダンブルドアがくり返した。「ハリーが学校に戻ってからじゃ」

ダンブルドアは噴水のそばを離れ、黄金の魔法使いの像の頭部が転がっている所に行った。杖を頭部に向け「**ポータス**」と唱えると、頭部は青く光り、一瞬、床の上でやかましい音を立てて震えたが、また動かなくなった。

「ちょっと待ってくれ、ダンブルドア！」ダンブルドアが頭部を拾い上げ、それを抱えてハリーの所に戻ると、ファッジが言った。「君にはその『移動キー(ポート)』を作る権限はない！　魔法大臣の真ん前で、まさかそんなことはできないのに、君は――君は――」

ダンブルドアが半月めがねの上から毅然(きぜん)とした目でファッジをじっと見ると、ファッジの声がだんだん尻すぼまりになった。

「君は、ドローレス・アンブリッジをホグワーツから除籍する命令を出すがよい」ダンブルドアが言った。「部下の闇祓いたちに、わしの『魔法生物飼育学』の教師を追跡するのをやめさせ、職に復帰できるようにするのじゃ。君には……」ダンブルドアはポケットから十二本の針がある時計を引っ張り出して、ちらりと眺めた。「……今夜、わしの時間を三十分やろう。それだけあれば、ここで何が起こったのか、重要な点を話すのに充分じゃろう。そのあと、わしは学校に戻らねばならぬ。もし、さらにわしの助けが必要なら、もちろん、ホグワーツにおるわしに連絡をくだされば、喜んで応じよう。校長宛の手紙を出せばわしに届く」

　ファッジはますます目を白黒させた。口をポカンと開け、くしゃくしゃの白髪頭の下で、丸顔がだんだんピンクになった。

「私は――君は――」

　ダンブルドアはファッジに背を向けた。

「この移動キーに乗るがよい、ハリー」

　ダンブルドアが黄金の頭部を差し出した。ハリーはその上に手をのせた。次に何をしようが、どこに行こうが、どうでもよかった。

「三十分後に会おうぞ」ダンブルドアが静かに言った。「一……二……三……」

　ハリーは、へその裏側がぐいと引っ張られる、あのいつもの感覚を感じた。足元の磨かれた木の床が消えた。アトリウムもファッジも、ダンブルドアもみんな消えた。そしてハリーは、色と音の渦の中を、前へ、前へと飛んでいった……。

第37章　失われた予言

ハリーの足が固い地面を感じた。ひざががくりと砕け、黄金の魔法使いの頭部が**ゴーン**と音を響かせて床に落ちた。見回すと、そこはダンブルドアの校長室だった。

校長が留守の間に、すべてがひとりでに元どおり修復されたようだった。繊細な銀の道具類は、華奢(きゃしゃ)な脚のテーブルの上で、のどかに回りながらポッポッと煙を吐いている。歴代校長の肖像画は、ひじかけ椅子の背や額縁に頭をもたせかけて、こっくりこっくりしながら寝息を立てている。ハリーは窓から外を見た。地平線がさわやかな薄緑色に縁取られている。夜明けが近い。

動くものとてない静寂。肖像画が時折立てる鼻息や寝言しか破るもののない静寂は、ハリーにとって耐えがたかった。ハリーの心の中が周りのものに投影されるのなら、肖像画は苦痛に泣き叫んでいることだろう。ハリーは、静かな美しい部屋を、荒い息をしながら歩き回った。考えまいとした。しかし、考えてしまう……逃れようがない……。

シリウスが死んだのは僕のせいだ。全部僕のせいだ。僕がヴォルデモートの策略にはまるようなバカなまねをしなかったなら、もし夢で見たことをあれほど強く現実だと思い込まなかったなら、もし、僕の**英雄気取り**をヴォルデモートが利用している可能性があるとハーマイオニーが言ったことを、素直に受け入れていたなら……。

耐えられない。考えたくない。がまんできない……心の中に、ぽっかり恐ろしい穴が開いている。感じたくない、確かめたくない、暗い穴だ。そこにシリウスがいた。そこからシリウスが消えた。この静まり返ったがらんとした穴に、たった一人で向き合っていたくない。がまんできない――。

背後の肖像画が一段と大きいいびきをかき、冷たい声が聞こえた。

「ああ……ハリー・ポッター……」

フィニアス・ナイジェラスが長いあくびをし、両腕を伸ばしながら、抜け目のない細い目でハリーを見た。

「こんなに朝早く、なぜここに来たのかね？」やがてフィニアスが言った。「この部屋は正当なる校長以外は入れないことになっているのだが。それとも、ダンブルドアが君をここによこしたのかね？　ああ、もしかして、また……」フィニアスがまた体中震わせて大あくびをした。「私のろくでなしの曾々孫に伝言じゃないだろうね？」

ハリーは言葉が出なかった。フィニアス・ナイジェラスはシリウスの死を知らない。しかしハリーには言えなかった。口に出せば、それが決定的なものになり、絶対に取り返しがつかないものになる。ほかの肖像画もいくつか身動きしはじめた。質問攻めにあうことが恐ろしく、ハリーは急いで部屋を横切って扉の取っ手をつかんだ。

回らない。ハリーは閉じ込められていた。

「もしかして、これは」校長の机の背後の壁にかかった、でっぷりした赤鼻の魔法使いが、期待を込めて言った。「ダンブルドアがまもなくここに戻るということかな？」

ハリーが後ろを向いた。その魔法使いが、興味深げにじっとハリーを見ている。ハリーはうなずいた。もう一度後ろ向きのまま取っ手を引いたが、びくともしない。

「それはありがたい」その魔法使いが言った。「あれがおらんと、まったくたいくつじゃったよ。いやまったく」

肖像画に描かれた王座のような椅子に座りなおし、その魔法使いはハリーにニッコリと人のよさそうな笑顔を向けた。

「ダンブルドアは君のことをとても高く評価しておるぞ。わかっておるじゃろうが」魔法使いが心地よげに話した。「ああ、そうじゃとも。君を誇りに思っておる」

ハリーの胸に重苦しくのしかかっていた、恐ろしい寄生虫のような罪悪感が、身をくねらせてのた打ち回った。耐えられなかった。自分が自分であることに、もはや耐えられなかった……自分の心と体に、これほど縛りつけられていると感じたことはなかった。誰でもいいから誰か別人になりたいと、こんなに激しく願ったことはなかった……。

火の気のない暖炉にエメラルド色の炎が上がった。ハリーは思わず扉から飛びのき、火格子の中でくるくる回転している姿を見つめた。ダンブルドアの長身が暖炉からするりと姿を現すと、周りの壁の魔法使いや魔女が急に目を覚まし、口々にお帰りなさいと歓声を上げた。

「ありがとう」ダンブルドアがおだやかに言った。

最初はハリーのほうを見ず、ダンブルドアは扉の脇にある止まり木の所に歩いていき、ローブの内ポケットから小さな、醜い、羽毛のないフォークスを取り出し、成鳥のフォークスがいつも止まっている金色の止まり木の下の、やわらかな灰の入った盆にそっとのせた。

「さて、ハリー」やがてひな鳥から目を離し、ダンブルドアが声をかけた。「君の学友じゃが、昨夜の事件でいつまでも残るような傷害を受けた者は誰もおらん。安心したじゃろう」

ハリーは「よかった」と言おうとしたが、声が出なかった。ハリーのもたらした被害がどれほど大きかったかを、ダンブルドアが改めて思い出させようとしているような気がした。ダンブルドアが初めてハリーをまっすぐ見ているのに、そして、非難しているというよりねぎらっているような表情だったのに、ハリーはダンブルドアと目を合わせることができなかった。

「マダム・ポンフリーが、みんなの応急手当をしておる」ダンブルドアが言った。「ニンファドーラ・トンクスは少しばかり聖マンゴで過ごさねばならぬかもしれんが、完全に回復する見込みじゃ」

ハリーは、空が白みはじめ、明るさを増してきたじゅうたんに向かってうなずくしかなかった。ダンブルドアとハリーがいったいどこにいたのか、どうしてけが人が出たのかと、部屋中の肖像画が、ダンブルドアの一言一言に聞き入っているにちがいない。

「ハリー、気持ちはよくわかる」ダンブルドアがひっそりと言った。

「わかってなんかいない」ハリーの声が突然大きく、強くなった。焼けるような怒りが突き上げてきた。ダンブルドアは僕の気持ちなんか**ちっとも**わかっちゃいない。

「どうだい？　ダンブルドア？」フィニアス・ナイジェラスが陰険に言った。「生徒を理解しようとするなかれ。生徒がいやがる。連中は誤解される悲劇のほうがお好みでね。自己憐憫（れんびん）におぼれ、悶々（もんもん）と自らの――」

「もうよい、フィニアス」ダンブルドアが言った。

ハリーはダンブルドアに背を向け、かたくなに窓の外を眺めた。遠くにクィディッチ競技場が見えた。シリウスがあそこに現れたことがあったっけ。ハリーのプレーぶりを見ようと、毛むくじゃらの真っ黒な犬になりすまし……きっと、父さんと同じぐらいうまいかどうか見にきたんだろうな……一度も確かめられなかった……。

「ハリー、君のいまの気持ちを恥じることはない」ダンブルドアの声がした。「それどころか……そのように痛みを感じることができるのが、君の最大の強みじゃ」

ハリーは白熱した怒りが体の内側をメラメラとなめるのを感じた。恐ろしい空虚さの中に炎が燃え、落ち着き払ってむなしい言葉を吐くダンブルドアを傷つけてやりたいという思いがふくれ上がってきた。

「僕の最大の強み。そうですか？」クィディッチ競技場を見つめながら、もう見てはいなかった。声が震えていた。「なんにもわからないくせに……知らないくせに……」

「わしが何を知らないと言うのじゃ？」ダンブルドアが静かに聞いた。

もうたくさんだ。ハリーは怒りに震えながら振り向いた。

「僕の気持ちなんて話したくない！　ほっといて！」

「ハリー、そのように苦しむのは、君がまだ人間だという証じゃ！　この苦痛こそ、人間であることの一部なのじゃ――」

「なら――僕は――人間で――いるのは――いやだ！」

ハリーは吠えたけり、脇の華奢な脚のテーブルから繊細な銀の道具を引っつかみ、部屋のむこうに投げつけた。道具は壁に当たり、粉々に砕けた。肖像画の何人かが、怒りや恐怖に叫び、アーマンド・ディペットの肖像画が声を上げた。

「やれまあ！」

「かまうもんか！」

ハリーは肖像画たちに向かってどなり、望月鏡を引ったくって暖炉に投げ入れた。

「たくさんだ！　もう見たくもない！　やめたい！　終わりにしてくれ！　何もかももうどうでもいい――」

ハリーは銀の道具類がのったテーブルをつかみ、それも投げつけた。テーブルは床に当たってバラバラになり、脚があちこちに転がった。

「どうでもよいはずはない」

ダンブルドアが言った。ハリーが自分の部屋を破壊しても、たじろぎもせず、まったく止めようともしない。静かな、ほとんど超然とした表情だ。

「気にするからこそ、その痛みで、君の心は死ぬほど血を流しているのじゃ」

「**僕は――気にしてない！**」

ハリーが絶叫した。のどが張り裂けたかと思うほどの大声だった。一瞬、ハリーは、ダンブルドアにつっかかり、たたき壊してやりたいと思った。あの落ち着き払った年寄り面を打ち砕き、動揺させ、傷つけ、自分の中の恐怖のほんの一部でもいいから味わわせてやりたい。

「いいや、気にしておる」ダンブルドアはいっそう静かに言った。「君はいまや、母親を、父親を、そして君にとっては初めての、両親に一番近い者として慕っていた人までも失ったのじゃ。気にせぬはずがあろうか」

「**僕の気持ちがわかってたまるか！**」ハリーが吠え叫んだ。「**先生は――ただ平気でそこに――先生なんかに――**」

しかし、言葉ではもう足りなかった。物を投げつけてもなんの役にも立たなかった。走りたい。走って、走って、二度と振り向かないで、自分を見つめるあの澄んだ青い目が、あの憎らしい落ち着き払った年寄りの顔が見えないどこかに行きたかった。ハリーは扉に駆け寄り、再び取っ手をつかんでぐいとひねった。

しかし扉は開かなかった。

ハリーはダンブルドアを振り返った。

「出してください」ハリーは頭のてっぺんからつま先まで震えていた。

「だめじゃ」ダンブルドアはそれだけしか言わなかった。

数秒間、二人は見つめ合っていた。

「出してください」もう一度ハリーが言った。

「だめじゃ」ダンブルドアがくり返した。

「そうしないと――僕をここに引き止めておくなら――もし、僕を出して――」

「かまわぬ。わしの持ち物を破壊し続けるがよい」ダンブルドアがおだやかに言った。「持ち物がむしろ多すぎるのでな」

ダンブルドアは自分の机に歩いていき、そのむこう側に腰かけてハリーを眺めた。

「出してください」ハリーはもう一度、冷たく、ダンブルドアとほとんど同じくらい落ち着いた声で言った。

「わしの話がすむまではだめじゃ」ダンブルドアが言った。

「先生は――僕が聞きたいとでも――僕がそんなことに――僕は**先生が言うことなんかどうでもいい！**」ハリーが吠えたけった。「先生の言うことなんか、**なんにも聞きたくない！**」

「聞きたくなるはずじゃ」ダンブルドアは変わらぬ静かさで言った。

「なぜなら、君はわしに対してもっと怒って当然なのじゃ。もしわしを攻撃するつもりなら、君が攻撃寸前の状態であることはわかっておるが、わしは攻撃されるに値する者として充分にそれを受けたい」

「いったい何が言いたいんです――？」

「シリウスが死んだのは、**わしの**せいじゃ」ダンブルドアはきっぱりと言い切った。「それとも、ほとんど全部わしのせいじゃというべきかもしれぬ――いや、全責任があるなどというのは傲慢(ごうまん)というものじゃ。シリウスは勇敢で、賢く、エネルギーあふれる男じゃった。そういう人間は、ほかの者が危険に身をさらしていると思うと、自分がじっと家に隠れていることなど、通常は満足できぬものじゃ。しかしながら、今夜君が神秘部に行く必要があるなどと、君は露ほども考える必要はなかったのじゃ。もしわしが君に対してすでに打ち明けていたなら、そして打ち明けるべきじゃったのだが、ハリーよ、君はヴォルデモートがいつかは君を神秘部におびき出すかもしれぬということを知っていたはずなのじゃ。さすれば、君はけっして、罠にはまって今夜あそこへ行ったりはしなかったじゃろう。そしてシリウスが君を追っていくこともなかったのじゃ。責めはわしのものであり、わしだけのものじゃ」

ハリーは、無意識に扉の取っ手に手をかけたまま、突っ立っていた。ダンブルドアの顔を凝視し、ほとんど息もせず、耳を傾けていたが、聞こえていてもほとんど理解できなかった。

「腰かけてくれんかの」ダンブルドアが言った。命令しているのではなく、頼んでいた。

ハリーは躊躇したが、ゆっくりと、いまや銀の歯車や木っ端が散らばる部屋を横切り、ダンブルドアの机の前の椅子に腰かけた。

「こういうことかね?」フィニアス・ナイジェラスがハリーの左側でゆっくりと言った。「私の曾々孫が——ブラック家の最後の一人が——死んだと?」

「そうじゃ、フィニアス」ダンブルドアが言った。

「信じられん」フィニアスがぶっきらぼうに言った。

ハリーが振り向くと、ちょうどフィニアスが肖像画を抜け出ていくのが見えた。グリモールド・プレイスにある自分の肖像画を訪ねていったのだ。たぶん、シリウスの名を呼びながら、肖像画から肖像画へと移り、屋敷中を歩くのだろう……。

「ハリー、説明させておくれ」ダンブルドアが言った。「老いぼれの犯したまちがいの説明を。いまにして思えば、わしが君に関してやってきたこと、そしてやらなかったことが、老齢の成せるわざじゃということは歴然としておる。若い者には、老いた者がどのように考え、感じるかはわからぬものじゃ。

しかし、年老いた者が、若いということがなんであるかを忘れてしまうのは罪じゃ……そしてわしは、最近、忘れてしまったようじゃ……」

太陽はもう確実に昇っていた。山々はまばゆいオレンジに縁取られ、空は明るく無色に澄み渡っていた。光がダンブルドアに降り注いだ。その銀色の眉に、あごひげに、深く刻まれた顔のしわに降り注いだ。

「十五年前」ダンブルドアが言った。「君の額の傷痕を見たとき、わしはそれが何を意味するのかを推測した。それが、君とヴォルデモートとの間に結ばれた絆(きずな)の印ではないかと推量したのじゃ」

「それは前にも聞きました。先生」ハリーはぶっきらぼうに言った。無礼だってかまわない。何もかもいまさらどうでもよかった。

「そうじゃな」ダンブルドアはすまなそうに言った。「そうじゃった。しかし、よいか――君の傷痕のことから始める必要があるのじゃ。というのは、君が魔法界に戻ってからまもなく、わしの考えが正しかったことがはっきりしたからじゃ。ヴォルデモートが君の近くにいるとき、または強い感情にかられているときに、傷痕が君に警告を発することが明らかになった」

「知っています」ハリーはうんざりしたように言った。

「そして、その君の能力が――ヴォルデモートの存在を、たとえどんな姿に身をやつしていても検知でき、そしてその感情が高まると、それがどんな感情なのかを知る能力が――ヴォルデモートが肉体と全能力を取り戻したときから、ますます顕著になってきたのじゃ」

ハリーはうなずくことさえ面倒だった。全部知っていることだった。

「ごく最近」ダンブルドアが言った。「ヴォルデモートが君との間に存在する絆に気づいたのではないかと、わしは心配になった。懸念したとおり、君があやつの心と頭にあまりにも深く入り込んでしまい、あやつが君の存在に気づく時が来た。わしが言っているのは、もちろん、ウィーズリー氏が襲われたのを君が目撃した晩のことじゃ」

「ああ、スネイプが話してくれた」ハリーがつぶやいた。

「スネイプ**先生**じゃよ、ハリー」ダンブルドアが静かに訂正した。「しかし君は、なぜこのわしが君にそのことを説明しないのかと、いぶかしく思わなかったのかね？　なぜわしが君に『閉心術』を教えないのかと？　なぜわしが何か月も君を見ようとさえしなかったかと？」

　ハリーは目を上げた。ダンブルドアが悲しげな、つかれた顔をしているのがいまわかった。

「ええ」ハリーが口ごもった。「ええ、なぜだろうと思いました」

「それはじゃ」ダンブルドアが話を続けた。「わしは、時ならずして、ヴォルデモートが君の心に入り込み、考えを操作したり、ねじ曲げたりするであろうと思った。それをさらにあおり立てるようなことはしたくなかったのじゃ。あやつが、わしと君との関係が校長と生徒という以上に親しいと――またはかつて一度でも親しかったことがあると――そう気づけば、それに乗じて、わしをスパイする手段として君を使ったじゃろう。わしは、あやつが君をそんなふうに利用することを恐れ、あやつが君に取り憑く可能性を恐れたのじゃ。ハリー、ヴォルデモートが君をそんなふうに利用するだろうと、わしがそう考えたのは、まちがってはいなかったと思う。稀にではあったが、君がわしのごく近くにおったとき、君の目の奥であやつの影がうごめくのを、わしは見たように思った……」

　ダンブルドアと目を合わせたとき、眠っていた蛇が自分の中で立ち上がり、攻撃せんばかりになったように感じたことを、ハリーは思い出した。

「ヴォルデモートが君に取り憑こうとしたねらいは、今夜あやつが示したように、わしを破滅させることではなく、君を滅ぼすことじゃったろう。先ほどあやつが君に一時的に取り憑いたとき、わしがあやつを殺そうとして、君を犠牲にしてしまうことを、あやつは望んだのじゃ。そういうことじゃから、ハリー、わしは君からわし自身を遠ざけ、君を護ろうとしてきたのじゃ。老人の過ちじゃ……」

ダンブルドアは深いため息をついた。ハリーは聞き流していた。数か月前なら、こういうことがすべて知りたくてたまらなかったろう。しかしいまは、シリウスを失ったことでぽっかり空いた心のすきまに比べれば、何もかもが無意味だった。何一つ重要なことではなかった……。

「アーサー・ウィーズリーが襲われた光景を君が見たその夜、ヴォルデモートが君の中で目覚めるのを君自身が感じたと、シリウスがわしに教えてくれた。最も恐れていたことがまちがいではなかったと、わしにはすぐわかった。ヴォルデモートは君を利用できることを知ってしまった。君の心をヴォルデモートの襲撃に対して武装させようと、わしはスネイプ先生との『閉心術』の訓練を手配したのじゃ」

ダンブルドアが言葉を切った。陽の光が、磨き上げられたダンブルドアの机の上をゆっくりと移動し、銀のインクつぼやしゃれた真紅の羽根ペンを照らすのを、ハリーは見つめていた。周りの肖像画が目を開け、ダンブルドアの説明に夢中で聞き入っているのがわかった。ときどきローブの衣ずれの音や、軽い咳払いが聞こえた。フィニアス・ナイジェラスはまだ戻っていない……。

「スネイプ先生は」ダンブルドアがまた話しはじめた。「君がすでに何か月も神秘部の扉の夢を見ていることを知った。もちろん、ヴォルデモートは、肉体を取り戻したときからずっと、どうしたら予言を聞けるかという思いに取り憑かれておった。あやつが扉のことを考えると、君も考えた。ただし君は、それが持つ意味を知らなかったのじゃが」

「それから君は、ルックウッドの姿を見た。逮捕される前は神秘部に勤めていたあの男が、我々にとっては前からわかっていたあることを、ヴォルデモートに教えた――神秘部にある予言は、厳重に護られており、予言にかかわる者だけが、棚から予言を取り上げても正気を失うことはない――とな。この場合は、ヴォルデモート自身が魔法省に侵入し、ついに姿を現すという危険をおかすか、または、君があやつのかわりに予言を取らなければならないじゃろう。君が『閉心術』を習得することがますます焦眉の急となったのじゃ」

「でも、僕、習得しませんでした」

ハリーがつぶやいた。罪悪感の重荷を軽くしようと、口に出して言ってみた。告白することで、心をしめつけるこのつらい圧迫感がきっと軽くなるはずだ。

「僕、練習しませんでした。どうでもよかったんです。あんな夢を見ることをやめられたかもしれないのに。ハーマイオニーが練習しろって僕に言い続けたのに。練習していれば、あいつは僕にどこへ行けなんて指図できなかったのに。そしたら――シリウスは――シリウスは――」

ハリーの頭の中で何かがはじけた。自分を正当化し、説明したいという何かが――。

「僕、あいつがほんとうにシリウスを捕まえたのかどうか調べようとしたんだ。アンブリッジの部屋に行って、暖炉からクリーチャーに話した。そしたら、クリーチャーが、シリウスはいない、出かけたって言った！」

「クリーチャーがうそをついたのじゃ」ダンブルドアが落ち着いて言った。「君は主人ではないから、クリーチャーはうそをついても自分を罰する必要さえない。クリーチャーは君を魔法省に行かせるつもりだった」

「あいつが――わざわざ僕を行かせた？」

「そうじゃとも。クリーチャーは、残念ながら、もう何か月も二君に仕えておったのじゃ」

「そんなことが？」ハリーはぼうぜんとした。「グリモールド・プレイスから何年も出ていなかったのに」

「クリスマスの少し前に、クリーチャーはチャンスをつかんだのじゃ」ダンブルドアが言った。「シリウスが、クリーチャーに『出ていけ』と叫んだらしいが、その時じゃ。クリーチャーはそれを言葉どおり受け取り、屋敷を出ていけという命令だと解釈した。クリーチャーは、ブラック家の中で、まだ自分が少しでも尊敬できる人物の所に行った……ブラックのいとこのナルシッサ、ベラトリックスの妹でルシウス・マルフォイの妻じゃ」

「どうしてそんなことを知っているんですか？」ハリーが聞いた。心臓の鼓動が速くなった。吐き気がした。クリスマスにクリーチャーがいなくなって不審に思ったこと、屋根裏にひょっこり現れたことも思い出した……。

「クリーチャーが昨夜わしに話したのじゃ」ダンブルドアが言った。「よいか、君がスネイプ先生にあの暗号めいた警告を発したとき、スネイプ先生は、君が、シリウスが神秘部の内奥にとらわれている光景を見たのだと理解した。君と同様、スネイプ先生もすぐにシリウスと連絡を取ろうとした。説明しておくが、不死鳥の騎士団のメンバーは、ドローレス・アンブリッジの暖炉よりもっと信頼できる連絡方法を持っておるのでな。スネイプ先生は、シリウスが生きていて、無事にグリモールド・プレイスにいることを知ったのじゃ」

「ところが、君がドローレス・アンブリッジと森に出かけたまま帰ってこなかったので、スネイプ先生は、君がまだシリウスはヴォルデモート卿にとらわれていると信じているのではないかと心配になり、すぐさま、何人かの騎士団のメンバーに警報を発したのじゃ」

ダンブルドアは大きなため息をついて言葉を続けた。

「その時、本部には、アラスター・ムーディ、ニンファドーラ・トンクス、キングズリー・シャックルボルト、リーマス・ルーピンがいた。全員が、すぐに君を助けにいこうと決めた。スネイプ先生はシリウスに本部に残るようにと頼んだ。わしがまもなく本部に行くはずじゃったから、わしにそのことを知らせるために、誰かが本部に残る必要があった。その間、スネイプ先生自身は、君たちを探しに森に行くつもりだったのじゃ」

「しかし、シリウスは、ほかの者が君を探しにいくというのに、自分があとに残りたくはなかった。わしに知らせる役目をクリーチャーに任せたのじゃ。そういうしだいで、全員が魔法省へと出ていってまもなく、グリモールド・プレイスに到着したわしに話をしたのは、あの妖精じゃった——引きつけを起こさんばかりに笑って——シリウスがどこに行ったかを話してくれた」

「クリーチャーが笑っていた？」ハリーはうつろな声で聞いた。

「そうじゃとも」ダンブルドアが言った。「よいか、クリーチャーは我々を完全に裏切ることはできなかった。騎士団の『秘密の守人』ではないのじゃが、マルフォイたちに、我々の所在を教えることもできなければ、明かすことを禁じられていた騎士団の機密情報も何一つ教えることはできなかった。クリーチャーは、しもべ妖精として呪縛されておる。つまり、自分の主人であるシリウスの直接の命令に逆らうことはできぬ。しかし、シリウスにとってはクリーチャーに他言を禁ずるほどのことはないと思われた些事だったが、ヴォルデモートにとっては非常に価値のある情報を、クリーチャーはナルシッサに与えたのじゃ」

「どんな？」

「たとえば、シリウスがこの世で最も大切に思っているのは君だという事実じゃ」ダンブルドアが静かに言った。「たとえば、君が、シリウスを父親とも兄とも慕っているという事実じゃ。ヴォルデモートはもちろん、シリウスが騎士団に属していることも、君がシリウスの居場所を知っていることも承知していた——しかし、クリーチャーの情報で、ヴォルデモートはあることに気づいた。君がどんなことがあっても助けにいく人物は、シリウス・ブラックだということにじゃ」

ハリーは唇が冷たくなり、感覚を失っていた。

「それじゃ……僕がきのうの夜、クリーチャーにシリウスがいるかって聞いたとき……」

「マルフォイ夫妻が――まちがいなくヴォルデモートの差し金じゃが――クリーチャーに言いつけたのじゃ。シリウスが拷問されている光景を君が見たあとは、シリウスを遠ざけておく方法を考えるようにと。そうすれば、シリウスが屋敷にいるかどうかを君が確かめようとしたら、クリーチャーはいないふりができる。そこで、クリーチャーはきのう、ヒッポグリフのバックビークにけがをさせた。君が火の中に現れたとき、シリウスは上の階でバックビークの手当てをしていたのじゃ」

ハリーは、肺にほとんど空気が入っていないかのように、呼吸が浅く、速くなっていた。

「それで、クリーチャーは先生にそれを全部話して……そして笑った？」ハリーの声がかすれた。

「あれは、わしに話したがらなかった」ダンブルドアが言った。「しかし、わしにも、あれのうそを見抜くぐらいの『開心術士』としての心得はある。そこでわしはあれを――説得して――全貌を聞き出してから、神秘部に向かったのじゃ」

「それなのに」ハリーがつぶやいた。ひざの上で握った拳が冷たかった。「それなのに、ハーマイオニーはいつも僕たちに、クリーチャーにやさしくしろなんて言ってた――」

「それは、そのとおりじゃよ、ハリー」ダンブルドアが言った。「グリモールド・プレイス十二番地を本部に定めたとき、わしはシリウスに警告した。クリーチャーに親切にし、尊重してやらねばならぬと。さらに、クリーチャーが我々にとって危険なものになるやも知れぬとも言うた。シリウスはわしの言うことを真に受けなかったようじゃ。あるいは、クリーチャーが人間と同じように鋭い感情を持つ生き物だとみなしたことがなかったのじゃろう――」

「シリウスを責めるなんて――そんな――言い方をするなんて――シリウスがまるで――」

ハリーは息が詰まった。言葉がまともに出てこなかった。いったん収まっていた怒りが、またしても燃え上がった。ダンブルドアにシリウスの批判なんかさせるものか。

「クリーチャーはうそをついた。――あの汚らわしい――あんなやつは当然――」

「我々魔法使いが、クリーチャーをあのようにしたと言ってもよいのじゃよ、ハリー」ダンブルドアが言った。「げに哀れむべきやつじゃ。君の友人のドビーと同じようにみじめな生涯を送ってきた。あれはいやでもシリウスの命令に従わざるをえなかった。シリウスは、自分が奴隷として仕える家族の最後の生き残りじゃったからのう。しかし、心から忠誠を誓うことができなかった。クリーチャーの咎(とが)は咎として、シリウスがクリーチャーの運命を楽にするために何もしなかったことは、認めねばなるまい――」

「**シリウスのことをそんなふうに言わないで!**」ハリーが叫んだ。

ハリーはまた立ち上がっていた。激しい怒りで、ダンブルドアに飛びかかりかねなかった。ダンブルドアはシリウスをまったく理解していないんだ。どんなに勇敢だったか、どんなに苦しんでいたか……。

「スネイプはどうなったんです?」ハリーが吐き捨てるように言った。「あの人のことはなんにも話さないんですね? ヴォルデモートがシリウスを捕らえたと僕が言ったとき、あの人はいつものように僕をせせら笑っただけだった――」

「ハリー、スネイプ先生は、ドローレス・アンブリッジの前で、君の言うことを真に受けていないふりをするしかなかったのじゃ」ダンブルドアの話しぶりは変わらなかった。「しかし、もう話したとおり、スネイプ先生は、君が言ったことをできるだけ早く騎士団に通報した。森から君が戻らなかったとき、君がどこに行ったかを推測したのはスネイプ先生じゃ。アンブリッジ先生が君に無理やりシリウスの居場所を吐かせようとしたとき、偽の『真実薬』を渡したのもスネイプ先生じゃ」

ハリーは耳を貸さなかった。スネイプを責めるのは残忍な喜びだった。自分自身の恐ろしい罪悪感をやわらげてくれるような気がした。ダンブルドアにハリーの言うとおりだと言わせたかった。

「シリウスが屋敷の中にいることを、スネイプは——スネイプはチクチクついて——苦しめた。——シリウスが臆病者だって決めつけた——」

「シリウスは充分大人で、賢い。そんな軽いからかいで傷つきはしない」ダンブルドアが言った。

「スネイプは『閉心術』の訓練をやめた！」ハリーが唸った。「スネイプが僕を研究室から放り出した！」

「知っておる」ダンブルドアが重苦しく言った。「わし自身が教えなかったのは過ちじゃったと、すでに言うた。ただ、あの時点では、わしの面前で君の心をヴォルデモートに対してさらに開くのは、この上なく危険だと確信しておった——」

「スネイプはかえって状況を悪くしたんだ。僕は訓練のあといつも傷痕の痛みがひどくなった——」ハリーはロンがどう考えたかを思い出し、それに飛びついた。「——スネイプが僕を弱めて、ヴォルデモートが入りやすくしたかもしれないのに、先生にはどうしてそうじゃないってわかるんですか？——」

「わしはセブルス・スネイプを信じておる」ダンブルドアはごく自然に言った。「しかし、失念しておった——これも老人の過ちじゃが——傷が深すぎて治らないこともある。スネイプ先生は、君の父上に対する感情を克服できるじゃろうと思うたのじゃが——わしがまちがっておった」

「だけど、そっちは問題じゃないってわけ？」

壁の肖像画が憤慨して顔をしかめたり、非難がましくつぶやくのを無視して、ハリーが叫んだ。

「スネイプが僕の父さんを憎むのはよくて、シリウスがクリーチャーを憎むのはよくないって言うわけ？」

「シリウスはクリーチャーを憎んだわけではない」ダンブルドアが言った。「関心を寄せたり気にかけたりする価値のない召使いとみなしていた。あからさまな憎しみより、無関心や無頓着のほうが、往々にしてより大きな打撃を与えるものじゃ……今夜わしらが壊してしもうた『同胞の泉』は、虚偽の泉であった。我々魔法使いは、あまりにも長きに渡って、同胞の待遇を誤り、虐待してきた。いま、その報いを受けておるのじゃ」

「**それじゃ、シリウスは、自業自得だったってて？**」ハリーが絶叫した。

「そうは言うておらん。これからもけっしてそんなことは言わぬ」ダンブルドアが静かに答えた。「シリウスは残酷な男ではなかった。屋敷しもべ全般に対してはやさしかった。しかしクリーチャーには愛情を持っていなかった。クリーチャーは、シリウスが憎んでいた家を生々しく思い出させたからじゃ」

「ああ、シリウスはあの家をほんとに憎んでた！」涙声になり、ハリーはダンブルドアに背を向けて歩きだした。いまや太陽はさんさんと部屋に降り注ぎ、肖像画の目がいっせいにハリーのあとを追った。自分が何をしているかの意識もなく、部屋の中の何も目に入らず、ハリーは歩いていた。「先生は、あの屋敷にシリウスを閉じ込めた。シリウスはそれがいやだったんだ。だから昨晩、出ていきたかったんだ──」

「わしはシリウスを生き延びさせたかったのじゃ」ダンブルドアが静かに言った。

「誰だって閉じ込められるのはいやだ！」ハリーは激怒してダンブルドアに食ってかかった。「先生は夏中僕をそういう目にあわせた──」

ダンブルドアは目を閉じ、両手の長い指の中に顔をうずめた。ハリーはダンブルドアを眺めた。しかし、つかれなのか悲しみなのか、それともなんなのか、ダンブルドアらしくないこのしぐさを見ても、ハリーの心はやわらがなかった。それどころか、ダンブルドアが弱みを見せたことでますます怒りを感じた。ハリーが激怒し、ダンブルドアにどなり散らしたいときに、弱みを見せる権利なんてない。

ダンブルドアは手を下ろし、半月めがねの奥からハリーをじっと見た。

「その時が来たようじゃ」ダンブルドアが言った。「五年前に話すべきだったことを君に話す時が。ハリー、おかけ。すべてを話して聞かせよう。少しだけ忍耐しておくれ。わしが話し終わったときに――わしに対して怒りをぶつけようが――どうにでも君の好きなようにするがよい。わしは止めはせぬ」

ハリーはしばらくダンブルドアをにらみつけ、それから、ダンブルドアと向かい合う椅子に身を投げ出すように座り、待った。

ダンブルドアは陽に照らされた校庭を、窓越しにしばらくじっと見ていたが、やがてハリーに視線を戻し、語りはじめた。

「五年前、わしが計画し意図したように、ハリー、君は無事で健やかに、ホグワーツにやってきた。まあ――完全に健やかとは言えまい。君は苦しみに耐えてきた。おじさん、おばさんの家の戸口に君を置き去りにしたとき、そうなるであろうことは、わかっておった。君に、暗くつらい十年の歳月を負わせていることを、わしは知っておった」

ダンブルドアが言葉を切った。ハリーは何も言わなかった。

「君は疑問に思うじゃろう――当然じゃ――なぜそうしなければならなかったのかと。誰か魔法使いの家族が君を引き取ることはできなかったのかと。喜んでそうする家族はたくさんあったろう。君を息子として育てることを名誉に思い、大喜びしたであろう」

「わしの答えは、君を生き延びさせることが、わしにとって最大の優先課題だったということじゃ。君がどんなに危険な状態にあるかを認識しておったのは、わしだけだったじゃろう。ヴォルデモートはそれより数時間前に敗北していたが、その支持者たちは――その多くが、ヴォルデモートに引けを取らぬほど残忍な連中なのじゃが――まだ捕まっておらず、怒り、自暴自棄で暴力的じゃった。さらにわしは、何年か先のことも見越して決断を下さねばならなかった。ヴォルデモートが永久に去ったと考えるべきか？　否。十年先、二十年先、いや五十年先かどうかはわからぬが、わしは、必ずやあやつが戻ってくるという確信があった。それに、あやつを知るわしとしては、あやつが君を殺すまで手をゆるめないじゃろうと確信していた」

「わしは、ヴォルデモートが、存命中の魔法使いの誰をもしのぐ広範な魔法の知識を持っていると知っておった。わしがどのように複雑で強力な呪文で護ったとしても、あやつが戻り、完全にその力を取り戻したときには、破られてしまうじゃろうとわかっておった」

「しかし、わしは、ヴォルデモートの弱みも知っておった。そこで、わしは決断したのじゃ。君を護るのは古くからの魔法であろうと。あやつも知っており、軽蔑していた魔法じゃ。それ故あやつは、その魔法を過小評価してきた。──身をもってその代償を払うことになったが。わしが言っておるのは、もちろん、君の母上が君を救うために死んだという事実のことじゃ。あやつが予想もしなかった持続的な護りを、母上は君に残していかれた。今日まで、君の血の中に流れる護りじゃ。それ故わしは、君の母上の血を信頼した。母上のただ一人の血縁である姉御の所へ、君を届けたのじゃ」

「おばさんは僕を愛していない」ハリーが切り返した。「僕のことなんか、あの人はどうでも──」

「しかし、おばさんは君を引き取った」ダンブルドアがハリーをさえぎった。「やむなくそうしたかもしれんし、腹を立て、苦々しい思いでいやいや引き取ったかもしれん。しかし引き取ったのじゃ。そうすることで、おばさんは、わしが君にかけた呪文を確固たるものにした。君の母上の犠牲のおかげで、わしは血の絆を、最も強い盾として君に与えることができたのじゃ」

「僕まだよく──」

「君が、母上の血縁の住む所を自分の家と呼べるかぎり、ヴォルデモートはそこで君に手を出すことも、傷つけることもできぬ。ヴォルデモートは母上の血を流した。しかしその血は君の中に、そして母上の姉御の中に生き続けている。母上の血が、君の避難所となった。そこに一年に一度だけ帰る必要があるが、そこを家と呼べるかぎり、そこにいる間、あやつは君を傷つけることができぬ。君のおばさんはそれをご存じじゃ。家の戸口に君と一緒に残した手紙で、わしが説明しておいた。おばさんは、君を住まわせたことで、君がこれまで十五年間生き延びてきたのであろうと知っておられる」

「待って」ハリーが言った。「ちょっと待ってください」

ハリーはきちんと椅子に座りなおし、ダンブルドアを見つめた。

『吠えメール』を送ったのは先生だった。先生がおばさんに『思い出せ』って――あれは先生の声だった――」

「わしは」ダンブルドアが軽くうなずきながら言った。「君を引き取ることで契った約束を、おばさんに思い出させる必要があると思ったのじゃ。吸魂鬼の襲撃で、おばさんが、親がわりとして君を置いておくことの危険性に目覚めたかもしれぬと思ったのじゃ」

「ええ、そうです」ハリーが低い声で言った。「でも――おばさんより、おじさんのほうがそうでした。おじさんは僕を追い出したがった。でもおばさんに『吠えメール』が届いて――おばさんは僕に、家にいろって」

ハリーはしばらく床を見つめていたが、やがて言った。

「でも、それと……どういう関係が――」

ハリーはシリウスの名を口にすることができなかった。

「そして五年前」ダンブルドアは話が中断されなかったかのように語り続けた。「君がホグワーツにやってきた。幸福で、まるまるとした子であってほしいというわしの願いどおりの姿ではなかったかもしれぬが、それでも健康で、生きていた。ちやほやされた王子様ではなく、あのような状況の中でわしが望みうるかぎりの、まともな男の子だった。そこまでは、わしの計画はうまくいっていたのじゃ」

「ところが……まあ、ホグワーツでの最初の年の事件のことは、君もわしと同様、よく覚えておろう。君は向かってきた挑戦を、見事に受けて立った。しかも、あんなに早く――わしが予想していたよりずっと早い時期に、君はヴォルデモートと真正面から対決した。君は再び生き残った。そればかりではない。君は、あやつが復活して全能力を持つのを遅らせたのじゃ。君は立派な男として戦った。わしは……誇らしかった。口では言えないほど、君が誇らしかった」

「しかし、わしのこの見事な計画には欠陥があった」ダンブルドアが続けた。「明らかな弱点じゃ。それが計画全体をだいなしにしてしまうかもしれないと、その時すでにわしにはわかっていた。それでも、この計画を成功させることがいかに重要かを思うにつけ、わしは、この欠陥が計画をだいなしにすることなど許しはせぬと、自らに言い聞かせたのじゃ。わしだけが問題を防ぐことができるのじゃから、わしだけが強くあらねばならぬと。そして、わしにとって最初の試練がやって来た。君がヴォルデモートとの戦いに弱りはて、医務室で横になっていたときのことじゃ」

「先生のおっしゃっていることがわかりません」ハリーが言った。

「覚えておらぬか？　医務室で横たわり、君はこう聞いた。赤子だった君を『そもそもヴォルデモートはなんで殺したかったのでしょう？』とな」

ハリーがうなずいた。

「わしはその時に話して聞かせるべきじゃったか？」

ハリーはブルーの瞳をじっとのぞき込んだが、何も言わなかった。心臓が早鐘を打ちはじめた。

「計画の欠陥とは何か、まだわからぬか？　いや……わからんじゃろう。さて、君も知っておるように、わしは答えぬことに決めた。十一歳では――とわしは自分に言い聞かせた――まだ知るには早すぎる。

十一歳で話して聞かせようとは、わしはまったく意図しておらなんだ。そんな幼いときに知ってしまうのは荷が重すぎる、とな」

「その時に、わしは危険な兆候に気づくべきじゃった。いずれは恐ろしい答えを君に与えねばならぬとわかってはいたものの、その時すでに君がその質問をしたということに、わしはなぜもっと狼狽しなかったのか。わしは自らにそう問うてみるべきじゃった。わしは、気づくべきであった。あの日に君に答えずにすんだことで、有頂天になりすぎていたと……君はまだ若すぎる、幼すぎるからと」

「そして、君はホグワーツでの二年目を迎えた。再び君は、大人の魔法使いでさえ立ち向かえぬような挑戦を受けた。そして、またしても君は、わしの想像をはるかに超えるほどに本分をはたした。しかし、君は、ヴォルデモートがなぜその印を君に残したのかという問いを再びわしに聞きはせなんだ。君の傷痕の話はした。おう、そうじゃ……話の核心にかぎりなく近い所まで行ったのじゃ。なぜわしは、君にすべてを話さなかったのじゃろう？」

「いや、そのような知らせを受け取るには、十二歳の年齢は、結局十一歳とあまり変わらぬとわしはそう思うた。返り血を浴びた君が、つかれはて、しかし意気揚々とわしの面前から去るのを、わしはそのままにした。その時話すべきではないかと、チクリと心が痛んだが、それもたちまち沈黙させられた。君はまだ若すぎた。わしにはのう、その勝利の夜をだいなしにすることなど、とてもできなかった……」

「わかったか？　ハリー？　わしのすばらしい計画の弱点が、もうわかったかな？　予測していた罠に、よけられる、よけねばならぬと自分に言い聞かせていた罠に、わしははまってしもうた」

「僕、わかり――」

「君をあまりにも愛おしく思いすぎたのじゃ」ダンブルドアはさらりと言った。「わしにとっては、君が幸せであることのほうが、君が真実を知ることより大事だったのじゃ。わしの計画より君の心の平安のほうが、計画が失敗したときに失われるかもしれない多くの命より、君の命のほうが大事だったのじゃ。つまり、わしはまさに、ヴォルデモートの思うつぼ、人を愛する者が取る愚かな行動を取っていたのじゃ」

「釈明はできるじゃろうか？　君を見守ってきた者であれば誰しも――わしは君が思っている以上に注意深く君を見守ってきたのじゃが――これ以上の苦しみを君に味わわせとうはないと思わぬ者がおろうか？　名も顔も知らぬ人々や生き物が、未来というあいまいな時にどんなに大勢抹殺されようと、君がいま、ここに生きておれば、そして健やかで幸せでさえあれば、わしはそんなことを気にしようか？わしは、自分がそんなふうに思える人間を背負い込むことになろうとは、夢にも思わなんだ」

「三年目に入った。わしは遠くから見ておった。君が吸魂鬼と戦って追い払うのを。シリウスを見出し、彼が何者であるかを知り、そして救い出すのを。君が魔法省の手から、あわやの時に名付け親を意気揚々奪還したその時に、わしは君に話すべきじゃったろうか？　十三歳のあの時、わしはもうだんだん口実が尽きてきておった。まだ若いにもかかわらず、君は特別であることを証明していた。わしの良心はおだやかではなかった。ハリーよ、まもなくこの時が来るじゃろうと、わしにはわかっておった……」

「しかし、昨年、君が迷路から出てきたとき、セドリック・ディゴリーの死を目撃し、君自身がからくも死を逃れてきた……そして、わしは、ヴォルデモートが戻ってきた以上、すぐにも話さなければならないと知りながら、君に話さなかった。そして、今夜、わしは、これほど長く君に隠していたあることを、君はとうに知る準備ができていたのだと思い知った。わしがもっと前にこの重荷を君に負わせるべきであったことを、君が証明してくれたからじゃ。わしの唯一の自己弁明を言おう。君が、この学校に学んだどの学生よりも、多くの重荷を負ってもがいてきたのを、わしはずっと見守ってきたのじゃ。わしは、その上にもう一つの重荷を負わせることができなかった――最も大きな重荷を」

ハリーは待った。しかし、ダンブルドアはだまっていた。

「まだわかりません」

「ヴォルデモートは、君が生まれる少し前に告げられた予言のせいで、幼い君を殺そうとしたのじゃ。あやつは予言の全貌を知らなかったが、予言がなされたことは知っていた。ヴォルデモートは、君がまだ赤子のうちに殺そうと謀った。そうすることで予言がまっとうされると信じたのじゃ。それが誤算であったことを、あやつは身をもって知ることとなった。君を殺そうとした呪いが跳ね返ったからじゃ。そこで、自らの肉体に復活したとき、そして、特に昨年、君があやつから驚くべき生還をはたして以来、あやつはその予言の全部を聞こうと決意したのじゃ。復活以来、あやつが執拗に求めてきた武器というのがこれじゃ。どのように君を滅ぼすかという知識なのじゃ」

いまや太陽はすっかり昇りきっていた。ダンブルドアの部屋は、たっぷりと陽を浴びている。ゴドリック・グリフィンドールの剣が収められているガラス棚が、不透明な白さに輝いた。ハリーが床に投げ捨てた道具の破片が、雨のしずくのようにきらめいた。ハリーの背後で、ひな鳥のフォークスが、灰の巣の中で、チュッチュッと小さな鳴き声を上げていた。

「予言は砕けました」ハリーがうつろに答えた。「石段にネビルを引っ張り上げていて。あの――あのアーチのある部屋で。僕がネビルのローブを破ってしまい、予言が落ちて……」

「砕けた予言は、神秘部に保管してある予言の記録にすぎない。しかし、予言はある人物に向かってなされたのじゃ。そして、その人物は、予言を完全に思い出す術を持っておる」

「誰が聞いたのですか?」答えはすでにわかっていると思いながら、ハリーは聞いた。

「わしじゃ」ダンブルドアが答えた。「十六年前の冷たい雨の夜、ホッグズ・ヘッドのバーの上にある旅籠のひと部屋じゃ。わしは『占い学』を教えたいという志願者の面接に、そこへ出向いた。占い学の科目を続けること自体、わしの意に反しておったのじゃが。しかし、その人物が、卓越した能力のある非常に有名な『予見者』の曽々孫じゃったから、わしは、会うのが一般的な礼儀じゃろうと思うたのじゃ。わしは失望した。その女性本人には才能のかけらもないように思われた。わしは、礼を欠かぬように言ったつもりじゃが、あなたはこの職には向いていないと思うと告げた。そして帰りかけた」

ダンブルドアは立ち上がり、ハリーのそばを通り過ぎて、フォークスの止まり木の脇にある黒い戸棚へと歩いていった。かがんで留め金をずらし、中から浅い石の水盆を取り出した。縁にぐるりとルーン文字が刻んである。ハリーの父親がスネイプをいじめている姿を見た水盆だ。ダンブルドアは机に戻り、「憂いの篩(ふるい)」をその上に置き、杖(つえ)をこめかみに当てた。ふわふわした銀色の細い糸が数筋、杖先にくっついて取り出された。ダンブルドアはそれを水盆に落とした。机のむこうで椅子に寄りかかり、ダンブルドアは、自分の想いが「憂いの篩」の中で渦巻き漂うのを、しばらく見つめていた。それからため息をついて杖を上げ、杖先で銀色の物質をつついた。

中から一つの姿が立ち上がった。ショールを何枚も巻きつけ、めがねの奥で拡大された巨大な目のその女性は、盆の中に両足を入れたまま、ゆっくりと回転した。しかし、シビル・トレローニーが話しはじめると、いつもの謎めいた心霊界の声ではなく、しわがれた荒々しい声だった。ハリーはその声を一度聞いたことがあった。

闇の帝王を打ち破る力を持った者が近づいている……七つ目の月が死ぬとき、帝王に三度抗(あらが)った者たちに生まれる……そして闇の帝王は、その者を自分に比肩する者として印すであろう。しかし彼は、闇の帝王の知らぬ力を持つであろう……一方が他方の手にかかって死なねばならぬ。なんとなれば、一方が生きるかぎり、他方は生きられぬ……闇の帝王を打ち破る力を持った者が、七つ目の月が死ぬときに生まれるであろう……。

ゆっくりと回転するトレローニー先生は、再び足元の銀色の物質に沈み、消えた。

絶対的な静寂が流れた。ダンブルドアもハリーも、肖像画の誰も、物音一つ立てなかった。フォークスさえ沈黙した。

「ダンブルドア先生？」ハリーがそっと呼びかけた。ダンブルドアが「憂いの篩」を見つめたまま、思いにふけっているように見えたからだ。「これは、……その意味は、……どういう意味ですか？」

「この意味は」ダンブルドアが言った。「ヴォルデモート卿を永遠に克服する唯一の可能性を持った人物が、ほぼ十六年前の七月の末に生まれたということじゃ。この男の子は、ヴォルデモートにすでに三度抗った両親の許に生まれるはずじゃ」

ハリーは何かが迫ってくるような気がした。また息が苦しくなった。

「それは──僕ですか？」

ダンブルドアが深く息を吸った。

「奇妙なことじゃが、ハリー」ダンブルドアが静かに言った。「君のことではなかったかもしれんのじゃ。シビルの予言は、魔法界の二人の男の子に当てはまりうるものじゃった。二人ともその年の七月末に生まれた。二人とも、両親が『不死鳥の騎士団』に属していた。どちらの両親も、からくも三度、ヴォルデモートから逃れた。一人はもちろん君じゃ。もう一人は、ネビル・ロングボトム」

「でも、それじゃ……予言に書かれていたのはどうして僕の名前だったんですか？　ネビルのじゃなくて？」

「公式の記録は、ヴォルデモートが赤子の君を襲ったあとに書きなおされたのじゃ」ダンブルドアが言った。「『予言の間』の管理者にとっては、シビルの言及した者が君だとヴォルデモートが知っていたからこそ君を殺そうとした、というのが単純明快だったのじゃろう」

「それじゃ――僕じゃないかもしれない？」

「残念ながら」一言一言をくり出すのがつらいかのように、ダンブルドアがゆっくりと言った。

「それが**君である**ことは疑いがないのじゃ」

「でも、先生は――ネビルも七月末に生まれたと――それにネビルのパパとママは――」

「君は予言の次の部分を忘れておる。ヴォルデモートを打ち破るであろうその男の子を見分ける最後の特徴を……。ヴォルデモート自身が、**その者を自分に比肩する者として印すであろう**。そして、ハリー、ヴォルデモートはそのとおりにした。あやつは君を選んだ。ネビルではない。あやつは君に傷を与えた。その傷は祝福でもあり呪いでもあった」

「でも、まちがって選んだかもしれない！」ハリーが言った。「まちがった人に印をつけたかもしれない！」

「ヴォルデモートは、自分にとって最も危険な存在になりうると思った男の子を選んだのじゃ」ダンブルドアが言った。「それに、ハリー、気づいておるか？　あやつが選んだのは、純血ではなかった。あやつの信条からすれば、純血のみが、魔法使いとして存在価値があり、認知する価値があるのじゃが。そうではなく、自分と同じ混血を選んだ。あやつは、君を見る前から、君の中に自分自身を見ておったのじゃ。そして君にその印の傷をつけることで、君を殺そうとしたあやつの意図にたがい、君に力と、そして未来を与えたのじゃ。そのおかげで君は、一度ならず、これまで四度もあやつの手を逃れた――君の両親もネビルの両親も、そこまで成しとげはしなかった」

「でも、あいつはなぜそんなことをしたのでしょう？」ハリーは体が冷たくなり、感覚がなくなっていた。「どうして赤ん坊の僕を殺そうとしたんでしょう？　大きくなるまで待って、ネビルと僕のどちらがより危険なのかを見極めてから、どちらかを殺すべきだった――」

「確かに、それがより現実的なやり方だったかもしれぬ」ダンブルドアが言った。「しかし、ヴォルデモートの予言に関する情報は、不完全なものじゃった。『ホッグズ・ヘッド』という所は、シビルは安さで選んだのじゃが、昔から、『三本の箒』よりも、なんと言うか、よりおもしろい客を引き寄せてきた所じゃ。君も、君の友人たちも、身をもってそれを学んだはずじゃし、わしも、あの夜そうだったのじゃが、あそこは、誰も盗聴していないと安心できる場所ではない。もちろん、わしがシビル・トレローニーに会いに出かけたときは、誰かに盗み聞きされるほど価値のあることを聞こうとは、夢にも思わなんだのじゃが。わしにとって――そして我々にとっても――一つ幸運だったのは、盗み聞きしていた者が、まだ予言が始まったばかりのときに見つかり、あの居酒屋から放り出されたことじゃ」

「それじゃ、あいつが聞いたのは――？」

「最初の部分のみじゃ。ヴォルデモートに三度抗った両親の許に、七月に男の子が生まれるというくだりの予言だけじゃ。盗聴した男は、君を襲うことが君に力を移し、ヴォルデモートに比肩する者としての印をつけてしまうのだという危険を、ご主人様に警告することができなかった。それじゃから、ヴォルデモートは、君を襲うことの危険性を知る由もなく、もっとはっきりわかるまで待つほうが賢いということを知らなかったのじゃ。あやつは、君が、**闇の帝王の知らぬ力を持つであろうことも知らなかった――**」

「だけど、僕、持っていない！」ハリーは押し殺したような声を出した。「僕はあいつの持っていない力なんか、何一つ持ってない。あいつが今夜戦ったようには、僕は戦えない。人に取り憑くこともできない――殺すことも――」

「神秘部に一つの部屋がある」ダンブルドアがさえぎった。「常に鍵がかかっている。その中には、死よりも不可思議で同時に死よりも恐ろしい力が、人の叡智（えいち）よりも、自然の力よりも、恐ろしい力が入っている。その力は、恐らく、神秘部に内蔵されている数多くの研究課題の中で、最も神秘的なものであろう。その部屋の中に収められている力こそ、君が大量に所持しており、ヴォルデモートにはまったくないものなのじゃ。その力が、今夜君を、シリウス救出に向かわせた。その力が、ヴォルデモートが取り憑くことから君自身を護った。なぜなら、あやつが嫌っておる力が満ちている体には、あやつはとてもとどまることができぬからじゃ。結局、君が心を閉じることができなかったのは、問題ではなかった。君を救ったのは、君の心だったのじゃから」

ハリーは目を閉じた。シリウスを助けにいかなかったら、シリウスは死ななかったろう……答えを求めるというより、むしろ、シリウスのことをまた考えてしまう瞬間をさけたいという思いから、ハリーは質問した。

「予言の最後は……確か……**一方が生きるかぎり**……」

「……**他方は生きられぬ**」ダンブルドアが言った。

「それじゃ」心の中の深い絶望の井戸の底から言葉をさらうように、ハリーは言った。「それじゃ、その意味は……最後には……二人のうちどちらかが、もう一人を殺さなければならない……？」

「そうじゃ」ダンブルドアが言った。

二人とも、長い間無言だった。校長室の壁のむこう、どこかはるかかなたから、大広間に早めに朝食に向かうのだろうか、生徒たちの声がハリーの耳に聞こえてきた。この世の中に、食事がしたいと思う人間がまだいるなんて。笑う人間がいるなんて。シリウス・ブラックが永遠にいなくなったことを知らず、気にもかけない人間がいるなんて、ありえないことのように思われた。

シリウスはもう、何百万キロもかなたに行ってしまったような気がする。いまでも、心のどこかで、ハリーは信じていた。あのベールを僕が開けてさえいたら、シリウスがそこにいて、僕を見返して挨拶したかもしれない……たぶん、あの吠えるような笑い声で……。

「もう一つ、ハリー、わしは君に釈明せねばならぬ」ダンブルドアが迷いながら言った。

「君は、たぶん、なぜわしが君を監督生に選ばなかったかといぶかったのではないかな？　白状せねばなるまい……わしは、こう思ったのじゃ……君はもう、充分すぎるほどの責任を背負っていると」

ハリーはダンブルドアを見上げた。その顔にひと筋の涙が流れ、長い銀色のひげに滴るのが見えた。

第38章　二度目の戦いへ

「名前を言ってはいけないあの人」復活す

コーネリウス・ファッジ魔法大臣は、金曜夜、短い声明を発表し、「名前を言ってはいけないあの人」がこの国に戻り、再び活動を始めたことを確認した。

「まことに遺憾ながら、自らを『なんとか卿(きょう)』と称する者が――あー、誰のことかはおわかりと思うが――生きて戻ってきたのであります」と、ファッジ大臣はつかれて狼狽(ろうばい)した表情で記者団に語った。「同様に遺憾ながら、アズカバンの吸魂鬼が、魔法省に引き続き雇用されることを忌避し、いっせい蜂起しました。我々は、吸魂鬼が現在直接命令を受けているのは、例の『なんとか卿』であると見ているのであります」

「魔法族の諸君は、警戒をおさおさ怠りないように。魔法省は現在、各家庭および個人の防衛に関する初歩的心得を作成中でありまして、一か月のうちには、全魔法世帯に無料配布する予定であります」

『例のあの人』が再び身近で画策しているといううわさは、「事実無根」と、ついこの水曜日まで魔法省が請け合っていただけに、この発表は、魔法界を仰天させ、困惑させている。

魔法省がこのように言をひるがえすにいたった経緯はいまだに霧の中だが、「例のあの人」とその主だった一味の者(「死喰(しく)い人」として知られている)が、木曜の夜、魔法省そのものに侵入したのではないかと見られている。

アルバス・ダンブルドア（ホグワーツ魔法魔術学校校長として復職、国際魔法使い連盟会員資格復活、ウィゼンガモット最高裁主席魔法戦士として復帰）からのコメントは、これまでのところまだ得られていない。この一年間、同氏は「例のあの人」が死んだという大方の希望的観測を否定し、実は再び権力を握るべく仲間を集めている、と主張し続けていた。一方、「生き残った男の子」は――。

「ほうら来た、ハリー。どこかであなたを引っ張り込むと思っていたわ」新聞越しにハリーを見ながら、ハーマイオニーが言った。

医務室の中だった。ハリーはロンのベッドの端のほうに腰かけ、二人とも、ハーマイオニーが「予言者新聞日曜版」の一面記事を読むのを聞いていた。マダム・ポンフリーにあっという間にかかとを治してもらったジニーは、ハーマイオニーのベッドの足元にひざ小僧を抱えて座り、同じように鼻の大きさも形も元どおりに治してもらったネビルは、二つのベッドの間の椅子に腰かけていた。『ザ・クィブラー』の最新号を小脇に抱えてふらりと立ち寄ったルーナは、雑誌を逆さまにして読んでいた。どうやらハーマイオニーの言葉はまったく耳に入らない様子だ。

「それじゃ、ハリーはまた『生き残った男の子』になったわけだ」ロンが顔をしかめた。「もう頭の変な目立ちたがり屋じゃないってわけ？　ん？」

ロンはベッド脇の棚に山と積まれた蛙チョコレートからひとつかみ取って、ハリー、ジニー、ネビルに少し放り投げ、自分の分は包み紙を歯で食いちぎった。脳みその触手に巻きつかれたロンの両方の前腕に、まだはっきりとミミズ腫れが残っていた。マダム・ポンフリーによれば、想念というものは、ほかの何よりも深い傷を残す場合があるとのことだ。しかし、「ドクター・ウッカリーの物忘れ軟膏」をたっぷり塗るようになってから、少しよくなってきたようだった。

「そうよ、ハリー、今度は新聞があなたのことをずいぶんほめて書いてるわ」ハーマイオニーが記事にざっと目を走らせながら言った。

「『孤独な真実の声……精神異常者扱いされながらも自分の説を曲げず……あざけりと中傷の耐え難きを耐え……』、ふぅーん」ハーマイオニーが顔をしかめた。「『予言者新聞』であざけったり中傷したりしたのは自分たちだっていう事実を、書いていないじゃない……」

ハーマイオニーはちょっと痛そうに、手を肋骨に当てた。ドロホフがハーマイオニーにかけた呪いは、声を出して呪文を唱えられなかったので効果が弱められはしたが、それでも、マダム・ポンフリーによれば、「当分おつき合いいただくには充分の損傷」だった。ハーマイオニーは毎日十種類もの薬を飲んでいたが、めきめき回復し、もう医務室にあきてきていた。

「『例のあの人』支配への前回の挑戦――二面から四面、魔法省が口をつぐんできたこと――五面、なぜ誰もアルバス・ダンブルドアに耳を貸さなかったのか――六から八面、ハリー・ポッターとの独占インタビュー――九面……おやおや」ハーマイオニーは新聞を折りたたみ、脇に放り出しながら言った。「確かにいい新聞種になったみたいね。それにハリーのインタビューは独占じゃないわ。『ザ・クィブラー』が何か月も前にのせた記事だもの……」

「パパがそれを売ったんだもン」ルーナが『ザ・クィブラー』のページをめくりながら、漠然と言った。「それに、とってもいい値段で。だから、あたしたち、今年の夏休みに、『しわしわ角スノーカック』を捕まえるのに、スウェーデンに探検に行くんだ」

ハーマイオニーは、一瞬、どうしようかと葛藤しているようだったが、結局、「すてきね」と言った。ジニーはハリーと目が合ったが、ニヤッとしてすぐに目をそらした。

「それはそうと」ハーマイオニーがちょっと座りなおし、また痛そうに顔をしかめた。「学校では何が起こっているの？」

「そうね、フリットウィックがフレッドとジョージの沼を片づけたわ」ジニーが言った。「ものの三秒でやっつけちゃった。でも、窓の下に小さな水たまりを残して、周りをロープで囲ったの――」

「どうして？」ハーマイオニーが驚いた顔をした。

「さあ、これはとってもいい魔法だったって言っただけよ」ジニーが肩をすくめた。

「フレッドとジョージの記念に残したんだと思うよ」チョコレートを口いっぱいにほおばったまま、ロンが言った。

「これ全部、あの二人が送ってきたんだぜ」ロンはベッド脇のこんもりした蛙チョコの山を指差しながらハリーに言った。「きっと、いたずら専門店がうまくいってるんだ。な？」

ハーマイオニーはちょっと気に入らないという顔をした。

「それじゃ、ダンブルドアが帰ってきたから、もう問題はすべて解決したの？」

「うん」ネビルが言った。「ぜんぶ元どおり、普通になったよ」

「じゃ、フィルチは喜んでるだろう？」ロンがダンブルドアの蛙チョコカードを水差しに立てかけながら聞いた。

「ぜーんぜん」ジニーが答えた。「むしろ、すっごく落ち込んでる……」

ジニーは声を落とし、ささやくように言った。

「アンブリッジこそホグワーツ最高のお方だったって、そう言い続けてる……」

六人全員が、医務室の反対側のベッドを振り返った。アンブリッジ先生が、天井を見つめたまま横になっている。ダンブルドアが単身森に乗り込み、アンブリッジをケンタウルスから救い出したのだ。どうやって救出したのか――いったいどうやって、かすり傷一つ負わずに、アンブリッジ先生を支えて木立の中から姿を現したのか――誰にもわからなかった。アンブリッジは、当然何も語らない。城に戻ったアンブリッジは、みんなが知るかぎり、一言もしゃべっていない。どこが悪いのか、誰にもはっきりとはわからなかった。いつもきちんとしていた薄茶色の髪はくしゃくしゃで、まだ小枝や木の葉がくっついていたが、それ以外は負傷している様子もない。

「マダム・ポンフリーは、単にショックを受けただけだって言うの」ハーマイオニーが声をひそめて言った。

「むしろ、すねてるのよ」ジニーが言った。

「うん、こうやると、生きてる証拠を見せるぜ」そう言うと、ロンは軽くパカッパカッと舌を鳴らした。アンブリッジがガバッと起き上がり、きょろきょろあたりを見回した。

「先生、どうかなさいましたか？」マダム・ポンフリーが、事務室から首を突き出して声をかけた。

「いえ……いえ……」アンブリッジはまた枕に倒れ込んだ。「いえ、きっと夢を見ていたのだわ……」

ハーマイオニーとジニーが、ベッドカバーで笑い声を押し殺した。

「ケンタウルスって言えば」笑いが少し収まったハーマイオニーが言った。「『占い学』の先生は、いま、誰なの？　フィレンツェは残るの？」

「残らざるをえないよ」ハリーが言った。「戻っても、ほかのケンタウルスが受け入れないだろう？」

「トレローニーも、二人とも教えるみたいよ」ジニーが言った。

「ダンブルドアは、トレローニーを永久にお払い箱にしたかったと思うけどな」ロンが十四個目の「蛙」をムシャムシャやりながら言った。「いいかい、僕に言わせりゃ、あの科目自体がむだだよ。フィレンツェだって、似たり寄ったりさ……」

「どうしてそんなことが言える？」ハーマイオニーが詰問した。「本物の予言が**存在する**って、わかったばかりじゃない？」

ハリーは心臓がドキドキしはじめた。ロンにも、ハーマイオニーにも、誰にも予言の内容を話していない。ネビルが、「死の間」の階段でハリーが自分を引っ張り上げたときに、予言が砕けたとみんなに話していたし、ハリーも訂正せずに、そう思わせておいた。自分が殺すか殺されるか、それ以外に道はないということをみんなに話したら、どんな顔をするか……。ハリーはまだその顔を見るだけの気持ちの余裕がなかった。

「壊れて残念だったわ」ハーマイオニーが頭を振りながら静かに言った。

「うん、ほんと」ロンが言った。「だけど、少なくとも、『例のあの人』もどんな予言だったのか知らないままだ。――どこに行くの？」

ハリーが立ち上がったので、ロンがびっくりしたような、がっかりしたような顔をした。

「ん――ハグリッドの所」ハリーが言った。「あのね、ハグリッドが戻ってきたばかりなんだけど、僕、会いにいって、君たち二人がどうしているか教えるって約束したんだ」

「そうか。ならいいよ」ロンは不機嫌にそう言うと、窓から四角に切り取ったような明るい青空を眺めた。「僕たちも行きたいなあ」

「ハグリッドによろしくね！」ハリーが歩きだすと、ハーマイオニーが声をかけた。「それに、どうしてるかって聞いて……あの小さなお友達のこと！」

医務室を出ながら、了解という合図に、ハリーは手を振った。

日曜日にしても、城の中は静かすぎるようだった。みんな太陽がいっぱいの校庭に出て、試験が終わり、学期も残すところあと数日で、復習も宿題もないという時を楽しんでいるにちがいない。ハリーは、誰もいない廊下をゆっくり歩きながら窓の外をのぞいた。クィディッチ競技場の上空を飛び回って楽しんでいる生徒もいれば、大イカと並んで湖を泳ぐ生徒もちらほら見える。

誰かと一緒にいたいのかどうか、ハリーにはよくわからなかった。誰かと一緒だと、どこかへ行ってしまいたいと思い、一人だと人恋しくなった。しかし、ほんとうにハグリッドを訪ねてみようかと思った。ハグリッドが帰ってきてから、まだ一度もちゃんと話をしていないし……。

玄関ホールへの大理石の階段の最後の一段を下りたちょうどその時、右側のドアからマルフォイ、クラッブ、ゴイルが現れた。そこはスリザリンの談話室に続くドアだ。ハリーの足がはたと止まった。マルフォイたちも同じだった。聞こえる音といえば、開け放した正面扉を通して流れ込む、校庭の叫び声、笑い声、水のはねる音だけだった。

マルフォイがあたりに目を走らせた──誰か先生の姿がないかどうか確かめているのだと、ハリーにはわかった──ハリーに視線を戻し、マルフォイが低い声で言った。

「ポッター、おまえは死んだ」

ハリーは眉をちょっと吊り上げた。

「変だな」ハリーが言った。「それなら歩き回っちゃいないはずだけど……」

マルフォイがこんなに怒るのを、ハリーは見たことがなかった。あごのとがった青白い顔が怒りにゆがむのを見て、ハリーは冷めた満足感を感じた。

「つけを払うことになるぞ」マルフォイはほとんどささやくような低い声で言った。「**僕が**そうさせてやる。おまえのせいで父上は……」

「そうか。今度こそ怖くなったよ」ハリーが皮肉たっぷりに言った。「おまえたち三人に比べれば、ヴォルデモート卿なんて、ほんの前座だったな。──どうした？」ハリーが聞いた。マルフォイ、クラップ、ゴイルが、名前を聞いていっせいに衝撃を受けた顔をしたからだ。「あいつは、おまえの父親の友達だろう？　怖くなんかないだろう？」

「何様だと思ってるんだ、ポッター」マルフォイは、クラッブとゴイルに両脇を護(まも)られて、今度はハリーに迫ってきた。「見てろ。おまえをやってやる。父上を牢獄(ろうごく)なんかに入れさせるものか――」

「もう入れたと思ったけどな」ハリーが言った。

「吸魂鬼がアズカバンを捨てた」マルフォイが落ち着いて言った。「父上も、ほかのみんなも、すぐ出てくる……」

「ああ、きっとそうだろうな」ハリーが言った。「それでも、少なくともいまは、連中がどんなワルかってことが知れ渡った――」

マルフォイの手が杖(つえ)に飛んだ。しかし、ハリーのほうが早かった。マルフォイの指がローブのポケットに入る前に、ハリーはもう杖を抜いていた。

「ポッター！」

玄関ホールに声が響き渡った。スネイプが自分の研究室に通じる階段から現れた。その姿を見ると、ハリーはマルフォイに対する気持ちなどをはるかに超えた強い憎しみが押し寄せるのを感じた……ダンブルドアがなんと言おうと、スネイプを許すものか……絶対に……。

「何をしているのだ、ポッター？」

四人のほうに大股で近づいてくるスネイプの声は、相変わらず冷たかった。

「マルフォイにどんな呪いをかけようかと考えているところです、先生」

ハリーは激しい口調で言った。スネイプがまじまじとハリーを見た。

「杖をすぐしまいたまえ」スネイプが短く言った。「一〇点減点。グリフィ――」

スネイプは壁の大きな砂時計を見てニヤリと笑った。

「ああ、点を引こうにも、グリフィンドールの砂時計には、もはや点が残っていない。それなれば、ポッター、やむをえず――」

「点を増やしましょうか？」

マクゴナガル先生がちょうど正面玄関の石段をコツコツと城へ上がってくるところだった。タータンチェックのボストンバッグを片手に、もう一本の手でステッキにすがってはいたが、それ以外は至極元気そうだった。

「マクゴナガル先生！」スネイプが勢いよく進み出た。「これはこれは、聖マンゴをご退院で！」

「ええ、スネイプ先生」マクゴナガル先生は、旅行用マントを肩からはずしながら言った。「すっかり元どおりです。そこの二人――クラッブ――ゴイル――」

マクゴナガル先生が威厳たっぷりに手招きすると、二人はデカ足をせかせかと動かし、ぎこちなく進み出た。

「これを」マクゴナガル先生はボストンバッグをクラッブの胸に、マントをゴイルの胸に押しつけた。

「私(わたくし)の部屋まで持っていってください」

二人は回れ右し、大理石の階段をドスドス上がっていった。

「さて、それでは」マクゴナガル先生は壁の砂時計を見上げた。「そうですね。ポッターと友達とが、世間に対し、『例のあの人』の復活を警告したことで、それぞれ五〇点！　スネイプ先生、いかがでしょう？」

「何が？」スネイプがかみつくように聞き返したが、完全に聞こえていたと、ハリーにはわかっていた。

「ああ――うむ――そうでしょうな……」

「では、五〇点ずつ。ポッター、ウィーズリー兄妹、ロングボトム、ミス・グレンジャー」

マクゴナガル先生がそう言い終わらないうちに、グリフィンドールの砂時計の下半分の球に、ルビーが降り注いだ。

「ああ——それにミス・ラブグッドにも五〇点でしょうね」

そうつけ加えると、レイブンクローの砂時計にサファイアが降った。

「さて、ポッターから一〇点減点なさりたいのでしたね、スネイプ先生——では、このように……」

ルビーが数個、上の球に戻ったが、それでもかなりの量が下に残った。

「さあ、ポッター、マルフォイ。こんなすばらしいお天気の日には外に出るべきだと思いますよ」マクゴナガル先生が元気よく言葉を続けた。

言われるまでもなく、ハリーは杖をローブの内ポケットにしまい、スネイプとマルフォイのほうには目もくれず、まっすぐに正面扉に向かった。

ハグリッドの小屋に向かって芝生を歩いていくハリーに、陽射（ひざ）しが痛いほど照りつけた。生徒たちは、芝生に寝そべってひなたぼっこをしたり、しゃべったり、「予言者新聞日曜版」を読んだり、甘い物を食べたりしながら、通り過ぎるハリーを見上げた。呼びかけたり、手を振ったりする生徒もいた。「予言者新聞」と同じように、みんながハリーを英雄のように思っていることを、熱心に示そうとしているのだ。ハリーは誰にも何も言わなかった。三日前何が起こったのか、みんながどれだけ知っているかはわからなかったが、ハリーはこれまで質問されるのをさけてきたし、そうしておくほうがよかったのだ。

ハグリッドの小屋の戸をたたいたとき、最初は留守かと思った。しかし、ファングが物陰から突進してきて大歓迎し、ハリーは突き飛ばされそうになった。ハグリッドは裏庭でインゲン豆をつんでいたらしい。

「よう、ハリー！」ハリーが柵に近づいていくと、ハグリッドがニッコリした。「さあ、入った、入った。タンポポジュースでも飲もうや……」

「調子はどうだ？」木のテーブルに冷たいジュースを一杯ずつ置いて腰かけたとき、ハグリッドが聞いた。「おまえさん――あ――元気か？　ん？」

ハグリッドの心配そうな顔から、体が元気かどうかと聞いているのではないことはわかった。

「元気だよ」ハリーは急いで答えた。ハグリッドが何を考えているかはわかっていたが、その話をするのには耐えられなかった。

「それで、ハグリッドはどこへ行ってたの？」

「山ん中に隠れとった」ハグリッドが答えた。「洞穴だ。ほれ、シリウスがあの時――」

ハグリッドは急に口を閉じ、荒っぽい咳払いをしてハリーをちらりと見ながら、ぐーっとジュースを飲んだ。

「とにかく、もう戻ってきた」ハグリッドが弱々しい声で言った。

「ハグリッドの顔――前よりよくなったね」ハリーは何がなんでも話題をシリウスからそらそうとした。

「なん……？」ハグリッドは巨大な片手を上げ、顔をなでた。「ああ――うん、そりゃ。グロウピーはずいぶんと行儀がようなった。ずいぶんとな。俺が帰ってきたのを見て、そりゃあうれしかったみてえで……あいつはいい若モンだ、うん……誰か女友達を見つけてやらにゃあと考えとるんだが、うん……」

いつものハリーなら、そんなことはやめるようにと、すぐにハグリッドを説得しようとしただろう。禁じられた森に二人目の巨人が棲むかもしれず、しかもグロウプよりもっと乱暴で残酷かもしれないというのは、どう考えても危険だ。しかし、それを議論するだけの力を、なぜか奮い起こすことができない。ハリーはまたひとりになりたくなってきた。早くここから出ていけるようにと、ハリーはタンポポジュースをガブガブ飲み、グラスの半分ほどをからにした。

「ハリー、おまえさんがほんとうのことを言っとったと、いまではみんなが知っちょる」ハグリッドが出し抜けに、静かな声で言った。「少しはよくなったろうが？」

ハリーは肩をすくめた。

「ええか……」ハグリッドがテーブルのむこうから、ハリーのほうに身を乗り出した。「シリウスのこたぁ、俺はおまえさんより昔っから知っちょる……あいつは戦って死んだ。あいつはそういう死に方を望むやつだった――」

「シリウスは、死にたくなんかなかった！」ハリーが怒ったように言った。

ハグリッドのぼさぼさの大きな頭がうなだれた。

「ああ、死にたくはなかったろう」ハグリッドが低い声で言った。「それでもな、ハリー……あいつは、自分が家ん中でじーっとしとって、ほかの人間に戦わせるなんちゅうことはできねえやつだった。自分が助けにいかねえでは、自分自身にがまんできんかったろう――」

ハリーははじかれたように立ち上がった。

「僕、ロンとハーマイオニーのお見舞いに、医務室に行かなくちゃ」ハリーは機械的に言った。

「ああ」ハグリッドはちょっと狼狽した。「ああ……そうか、そんなら、ハリー……元気でな。また寄ってくれや、ひまなときにな……」

「うん……じゃ……」

ハリーはできるだけ急いで出口に行き、戸を開けた。ハグリッドが別れの挨拶を言い終える前に、ハリーは再び陽光の中に出て芝生を歩いていた。またしても、生徒たちが通り過ぎるハリーに声をかけた。

ハリーはしばらく目をつぶり、みんな消えていなくなればいいのにと思った。目を開けたとき、校庭にいるのが自分ひとりだったらいいのに……。

数日前なら――試験が終わる前で、ヴォルデモートがハリーの心に植えつけた光景を見る前だったら――ハリーの言葉が真実だと魔法界が知ってくれるなら、ヴォルデモートの復活をみんなが信じてくれるなら、ハリーがうそつきでもなければ狂ってもいないとわかってくれるなら、何を引き換えにしても惜しくなかっただろう。しかしいまは……。

ハリーは湖の周囲を少しまわり、岸辺に腰を下ろした。通りがかりの人にじろじろ見られないように灌木の茂みに隠れ、キラキラ光る水面を眺めて物思いにふけった……。

ひとりになりたかった。たぶん、ダンブルドアと話して以来、自分がほかの人間から隔絶されたように感じはじめたからだろう。目に見えない壁が、自分と世界とを隔ててしまった。ハリーは「印されし者」だ。ずっとそうだったのだ。ただ、それが何を意味するのか、これまではっきりわかっていなかっただけだ……。

それなのに、こうして湖のほとりに座っていると、悲しみのたえがたい重みに心は沈み、シリウスを失った生々しい痛みが心の中で血を噴いていたが、恐怖の感覚は湧いてこなかった。太陽は輝き、周りの校庭には笑い声が満ち満ちている。自分がちがう人種であるかのように、周囲のみんなが遠くに感じられはしたが、それでもここに座っていると、やはり信じられなかった――自分の人生が、人を殺すか、さもなくば殺されて終わることになるのだとは……。

ハリーは水面を見つめたまま、そこに長い間座っていた。名付け親のことは考えまい……ちょうどこの湖のむこう岸で、シリウスが百を超える吸魂鬼の攻撃から身を護ろうとして、倒れてしまったことなど、思い出すまい……。

ふと寒さを感じたとき、太陽はもう沈んでいた。ハリーは立ち上がり、そでで顔をぬぐいながら城に向かった。

ロンとハーマイオニーが完治して退院したのは、学期が終わる三日前だった。ハーマイオニーは、しょっちゅうシリウスのことを話したそうなそぶりを見せたが、シリウスの名前をハーマイオニーが口にするたびに、ロンは「シーッ」という音を出した。名付け親の話をしたいのかどうか、ハリーにはまだよくわからなかった。その時、その時で気持ちが揺れた。しかし、一つだけはっきりしているのは、確かにいまは不幸でも、数日後にプリベット通り四番地に帰ったときには、ホグワーツがとても恋しくなるだろうということだ。夏休みのたびにそこに帰らなければならない理由がはっきりわかったいまになっても、だからといって帰るのが楽しくなったわけではない。むしろ、帰るのがこんなに怖かったことはない。

アンブリッジ先生は、学期が終わる前の日にホグワーツを去った。夕食時にこっそり医務室を抜け出したらしい。誰にも気づかれずに出発したかったからにちがいないが、アンブリッジにとっては不幸なことに、途中でピーブズに出会ってしまった。ピーブズは、フレッドに言われたことを実行する最後のチャンスとばかり、歩行用のステッキとチョークを詰め込んだソックスとで、交互にアンブリッジをなぐりつけながら追いかけ、嬉々として城から追い出した。大勢の生徒が玄関ホールに走り出て、アンブリッジが小道を走り去るのを見物した。各寮の寮監が生徒たちを制止したが、気が入っていなかった。マクゴナガル先生など、二、三回弱々しくいさめはしたものの、そのあとは教職員テーブルの椅子に深々と座り込み、ピーブズに自分の歩行杖を貸してやったので、自分自身でアンブリッジを追いかけてはやしたててやれないのは残念無念、と言っているのがはっきり聞こえた。

今学期最後の夜が来た。大多数の生徒はもう荷造りを終え、学期末の宴会に向かっていたが、ハリーはまだ荷造りに取りかかってもいなかった。

「いいからあしたにしろよ！」ロンは寝室のドアのそばで待っていた。「行こう。腹ぺこだ」

「すぐあとから行く……ねえ、先に行ってくれ……」

しかし、ロンが寝室のドアを閉めて出ていったあと、ハリーは荷造りを急ぎもしなかった。ハリーにとっていま一番いやなのは、「学年度末さよならパーティ」に出ることだった。ダンブルドアが挨拶するとき、ハリーのことに触れるのが心配だった。ヴォルデモートが戻ってきたことにも触れるにちがいない。去年すでに、生徒たちにその話をしているのだから……。

ハリーはトランクの一番底から、くしゃくしゃになったローブを数枚引っ張り出し、たたんだローブと入れ替えようとした。すると、トランクの隅に乱雑に包まれた何かが転がっているのに気づいた。こんな所に何があるのか見当もつかない。ハリーはかがんで、スニーカーの下になっている包みを引っ張り出し、よく見た。

たちまちそれがなんなのかを思い出した。シリウスが、グリモールド・プレイス十二番地での別れ際に、ハリーに渡したものだ。――**私を必要とするときには、使いなさい。いいね？**

ハリーはベッドに座り込み、包みを開いた。小さな四角い鏡がすべり落ちた。古そうな鏡だ。かなり汚れている。鏡を顔の高さに持つと、自分の顔が見つめ返していた。

鏡を裏返してみた。そこに、シリウスからの走り書きがあった。

これは両面鏡だ。私が対の鏡の片方を持っている。私と話す必要があれば、鏡に向かって私の名前を呼べばいい。私の鏡には君が映り、私は君の鏡の中から話すことができる。ジェームズと私が別々に罰則を受けていたとき、よくこの鏡を使ったものだ。

ハリーは心臓がドキドキしてきた。四年前、死んだ両親を「みぞの鏡」で見たことを思い出した。シリウスとまた話せる。いますぐ。きっとそうだ――。

ハリーはあたりを見回して、誰もいないことを確かめた。寝室はまったく人気(ひとけ)がない。ハリーは鏡に目を戻し、震える両手で鏡を顔の前にかざし、大きく、はっきりと呼んだ。

「シリウス」

息で鏡が曇った。ハリーは鏡をより近づけた。興奮が体中を駆けめぐった。しかし、曇った鏡からハリーに向かって目をしばたたいているのは、紛れもなくハリー自身だった。

ハリーはもう一度鏡をきれいにぬぐい、一語一語、部屋中にはっきりと響き渡るように呼んだ。

「シリウス・ブラック！」

何事も起こらなかった。鏡の中からじりじりして見つめ返している顔は、まちがいなく、今度もまた、ハリー自身だった……。

あのアーチを通っていったとき、シリウスは鏡を持っていなかったんだ。ハリーの頭の中で、小さな声が言った。**それだから**、うまくいかないんだ……。

ハリーはしばらくじっとしていた。それから、いきなり鏡をトランクに投げ返した。鏡はそこで割れた。ほんの一瞬、キラキラと輝く一瞬、信じたのに。シリウスにまた会える、また話ができると……。

失望がのど元を焦がした。ハリーは立ち上がり、トランクめがけて、何もかもめちゃくちゃに、割れた鏡の上にぶち込んだ――。

その時、ある考えがひらめいた……鏡よりいい考え……もっと大きくて、もっと重要な考えだ……どうしてこれまで思いつかなかったんだろう――どうしていままで尋ねなかったんだろう？

ハリーは寝室から飛び出し、螺旋階段を駆け下り、走りながら壁にぶつかってもほとんど気づかなかった。からっぽの談話室を横切り、肖像画の穴を抜け、後ろから声をかける「太った婦人」には目もくれずに廊下を疾走した。

「宴会がもう始まるわよ。ぎりぎりですよ！」

しかし、ハリーは、まったく宴会に行くつもりがなかった……。

用もないときには、ここはゴーストがあふれているというのに、いったいいまは……。

ハリーは階段を走り下り、廊下を走った。しかし、生きた者にも死んだ者にも出会わない。全員が大広間にいるにちがいない。呪文学の教室の前で、ハリーは立ち止まり、息を切らし、落胆しながら考えた。あとまで待たなくちゃ。宴会が終わるまで……。

すっかりあきらめたその時、ハリーは見た――廊下のむこうで、透明な何かがふわふわ漂っている。

「おーい――おい、ニック！　**ニック！**」

ゴーストが壁から首を抜き出した。派手な羽飾りの帽子と、ぐらぐら危険に揺れる頭が現れた。ニコラス・ド・ミムジー‐ポーピントン卿だ。

「こんばんは」ゴーストは硬い壁から残りの体を引っ張り出し、ハリーに笑いかけた。「すると、行きそこねたのは私だけではなかったのですな？　しかし……」ニックがため息をついた。「もちろん、私はいつまでも逝きそこねですが……」

「ニック、聞きたいことがあるんだけど？」

「ほとんど首無しニック」の顔に、えも言われぬ奇妙な表情が浮かんだ。ニックはひだ襟に指を差し入れ、引っ張って少しまっすぐにした。考える時間をかせいでいるらしい。一部だけつながっている首が完全に切れそうになったとき、ニックはやっと襟をいじるのをやめた。

「えー――いまですか、ハリー？」ニックが当惑した顔をした。「宴会のあとまで待てないですか？」

「待てない――ニック――お願いだ」ハリーが言った。「どうしても君と話したいんだ。ここに入れる？」

ハリーは一番近くの教室のドアを開けた。ほとんど首無しニックがため息をついた。

「ええ、いいでしょう」ニックはあきらめたような顔をした。「予想していなかったふりはできません」

ハリーはニックのためにドアを押さえて待ったが、ニックはドアからでなく、壁を通り抜けて入った。

「予想って、何を？」ドアを閉めながら、ハリーが聞いた。

「君が、私を探しにやってくることです」ニックはするすると窓際に進み、だんだん闇の濃くなる校庭を眺めた。「ときどきあることです……誰かが……哀悼しているとき」

「そうなんだ」ハリーは話をそらせまいとした。「そのとおりなんだ。僕――僕、君を探していた」

ニックは無言だった。

「つまり――」ハリーは、思ったよりずっと言い出しにくいことに気づいた。「つまり――君は死んでる。でも、君はまだここにいる。そうだろう？」

ニックはため息をつき、校庭を見つめ続けた。

「そうなんだろう？」ハリーが答えを急き立てた。「君は死んだ。でも僕は君と話している……君はホグワーツを歩きまわれるし、いろいろ、そうだろう？」

「ええ」ほとんど首無しニックが静かに言った。「私は歩きもするし、話もする。そうです」

「それじゃ、君は帰ってきたんでしょう？」ハリーは急き込んだ。「人は、帰ってこられるんでしょう？　ゴーストになって。完全に消えてしまわなくてもいいんでしょう？　**どうなの？**」

ニックがだまりこくっているので、ハリーは待ちきれないように答えをうながした。

ほとんど首無しニックは躊躇（ちゅうちょ）していたが、やがて口を開いた。

「誰もがゴーストとして帰ってこられるわけではありません」

「どういうこと？」ハリーはすぐ聞き返した。

「ただ……ただ、魔法使いだけです」

「ああ」ハリーはホッとして笑いだしそうだった。「じゃ、それなら大丈夫。僕が聞きたかった人は、魔法使いだから。だったら、その人は帰ってこられるんだね？」

ニックは窓から目をそらし、痛ましげにハリーを見た。

「あの人は帰ってこないでしょう」

「誰が？」

「シリウス・ブラックです」ニックが言った。

「でも、君は！」ハリーが怒ったように言った。「君は帰ってきた——死んだのに、姿を消さなかった——」

「魔法使いは、地上に自らの痕跡を残していくことができます。生きていた自分がかつてたどった所を、影の薄い姿で歩くことができます」ニックはみじめそうに言った。「しかし、その道を選ぶ魔法使いはめったにいません」

「どうして？」ハリーが聞いた。「でも——そんなことはどうでもいいんだ——シリウスは、普通とちがうことなんて気にしないもの。帰ってくるんだ。僕にはわかる！」

まちがいないという強い思いに、ハリーはほんとうに振り向いてドアを確かめた。絶対だ、シリウスが現れる。ハリーは一瞬そう思った。真珠のような半透明な白さで、ニッコリ笑いながら、ドアを突き抜けて、ハリーのほうに歩いてくるにちがいない。

「あの人は帰ってこないでしょう」ニックがくり返した。「あの人は……逝ってしまうでしょう」

「『逝ってしまう』って、どういうこと？」ハリーはすぐに聞き返した。「どこに？　ねえ――人が死ぬと、いったい何が起こるの？　どこに行くの？　どうしてみんながみんな帰ってこないの？　なぜここはゴーストだらけにならないの？　どうして――？」

「私には答えられません」ニックが言った。

「君は死んでる。そうだろう？」ハリーはいらいらとたかぶった。「君が答えられなきゃ、誰が答えられる？」

「私は死ぬことが恐ろしかった」ニックが低い声で言った。「私は残ることを選びました。ときどき、そうするべきではなかったのではないかと悩みます……。いや、いまさらどっちでもいいことです……事実、**私が**いるのは、ここでもむこうでもないのですから……」

ニックは小さく悲しげな笑い声を上げた。

「ハリー、私は死の秘密を何一つ知りません。なぜなら、死のかわりに、はかない生の擬態を選んだからです。こういうことは、『神秘部』の学識ある魔法使いたちが研究なさっていると思います――」

「僕にあの場所の話はしないで！」ハリーが激しい口調で言った。

「もっとお役に立てなくて残念です」ニックがやさしく言った。

「さて……さて。それではもう失礼します……何しろ、宴会のほうが……」

そしてニックは部屋を出ていった。一人残されたハリーは、ニックの消えたあたりの壁をうつろに見つめていた。

もう一度シリウスに会い、話ができるかもしれないという望みを失ったいま、ハリーは名付け親を再び失ったような気持ちになっていた。みじめな気持ちで、人気のない城を足取りも重く引き返しながら、ハリーは、二度と楽しい気分になることなどないのではないかと思った。

「太った婦人」の廊下に出る角を曲がったとき、行く手に誰かがいるのが見えた。壁の掲示板にメモを貼りつけている。よく見ると、ルーナだった。近くに隠れる場所もないし、ルーナはもうハリーの足音を聞いたにちがいない。どっちにしろ、いまのハリーには、誰かをさける気力も残っていなかった。

「こんばんは」掲示板から離れ、ハリーをちらっと振り向きながら、ルーナがぼうっと挨拶した。

「どうして宴会に行かないの？」ハリーが聞いた。

「あのさ、あたし、持ち物をほとんどなくしちゃったんだ」ルーナがのんびりと言った。「みんなが持っていって隠しちゃうんだもん。でも、今夜で最後だから、あたし、返してほしいんだ。だから掲示をあちこちに出したんだ」

ルーナが指差した掲示板には、確かに、なくなった本やら洋服やらのリストと、返してくださいというお願いが貼ってあった。

ハリーの心に不思議な感情が湧いてきた。シリウスの死以来、心を占めていた怒りや悲しみとはまったくちがう感情だった。しばらくしてハリーは、ルーナをかわいそうだと思っていることに気づいた。

「どうしてみんな、君のものを隠すの？」ハリーは顔をしかめて聞いた。

「ああ……うーん……」ルーナは肩をすくめた。「みんな、あたしがちょっと変だって思ってるみたい。実際、あたしのこと『いかれたルーニー』ラブグッドって呼ぶ人もいるもんね」

ハリーはルーナを見つめた。そして、また新たに、哀れに思う気持ちが痛いほど強くなった。

「そんなことは、君のものを取る理由にはならないよ」ハリーはきっぱりと言った。「探すのを手伝おうか？」

「あら、いいよ」ルーナはハリーに向かってニコッとした。「戻ってくるもン、いつも最後には。ただ、今夜荷造りしたかっただけ。だけど……**あんたは**どうして宴会に行かないの？」

ハリーは肩をすくめた。「行きたくなかっただけさ」

「そうだね」不思議にぼんやりとした、飛び出した目で、ルーナはハリーをじっと観察した。「そりゃあそうだよね。死喰い人に殺された人、あんたの名付け親だったんだってね？　ジニーが教えてくれた」

ハリーは短くうなずいた。なぜか、ルーナがシリウスのことを話しても気にならなかった。ルーナにもセストラルが見えるということを、その時ハリーは思い出した。

「君は……」ハリーは言いよどんだ。「あの、誰か……君の知っている人が誰か死んだの？」

「うん」ルーナは淡々と言った。

「あたしの母さん。とってもすごい魔女だったんだよ。だけど、実験が好きで、ある時、自分の呪文でかなりひどく失敗したんだ。あたし、九歳だった」

「かわいそうに」ハリーが口ごもった。

「うん。かなり厳しかったなぁ」ルーナはなにげない口調で言った。「いまでもときどき、とっても悲しくなるよ。でも、あたしにはパパがいる。それに、二度とママに会えないっていうわけじゃないもンね？」

「あー――そうかな？」ハリーはあいまいな返事をした。

ルーナは信じられないというふうに頭(かぶり)を振った。

「ほら、しっかりして。聞いたでしょ？　ベールのすぐ裏側で？」

「君が言うのは……」

「アーチのある、あの部屋だよ。みんな、見えない所に隠れているだけなんだ。それだけだよ。あんたには聞こえたんだ」

二人は顔を見合わせた。ルーナはちょっとほほえんでいた。ハリーはなんと言ってよいのか、どう考えてよいのかわからなかった。ルーナはとんでもないことをいろいろ信じている……しかし、あのベールの陰で人声がするのを、ハリーも確かに聞いた。

「君の持ち物を探すのを、ほんとに手伝わなくていいのかい？」ハリーが言った。

「うん、いいんだ」ルーナが言った。「いいよ。あたし、ちょっと下りていって、デザートだけ食べようかな。それで全部戻ってくるのを待とうっと……。最後にはいつも戻るんだ……。じゃ、ハリー、楽しい夏休みをね」

「ああ……うん、君もね」

ルーナは歩いていった。その姿を見送りながら、ハリーは胃袋に重くのしかかっていたものが、少し軽くなったような気がした。


翌日、ホグワーツ特急に乗り、家へと向かう旅には、いくつかの事件があった。まず、マルフォイ、クラッブ、ゴイルだが、この一週間というもの、先生の目が届かない所で襲撃する機会を待っていたにちがいない。ハリーがトイレから戻る途中、三人が車両の中ほどで待ち伏せていた。襲撃の舞台に、うっかり、DAメンバーでいっぱいのコンパートメントのすぐ外を選んでいなかったら、待ち伏せは成功したかもしれない。ガラス戸越しに事件を知ったメンバーが、一丸となってハリーを助けに立ち上がった。アーニー・マクミラン、ハンナ・アボット、スーザン・ボーンズ、ジャスティン・フィンチ－フレッチリー、アンソニー・ゴールドスタイン、テリー・ブートが、ハリーの教えた呪いの数々を使いきったとき、マルフォイ、クラッブ、ゴイルの姿は、ホグワーツの制服に押し込まれた三匹の巨大なナメクジと化していた。それを、ハリー、アーニー、ジャスティンが荷物棚に上げてしまい、三人はそこでグジグジしているほかなかった。

「こう言っちゃなんだけど、マルフォイが列車を降りたときの、母親の顔を見るのが楽しみだなぁ」

上の棚でくねくねするマルフォイを見ながら、アーニーがちょっと満足げに言った。アーニーは、マルフォイが短期間「尋問官親衛隊」だったとき、ハッフルパフから減点したのに憤慨し、けっしてそれを許してはいなかった。

「だけど、ゴイルの母親はきっと喜ぶだろうな」騒ぎを聞きつけて様子を見にきたロンが言った。「こいつ、いまのほうがずっといい格好だもんなあ……。ところでハリー、何か買うんなら、ちょうど車内販売のカートが来てるけど……」

ハリーはみんなに礼を言い、ロンと一緒に自分のコンパートメントに戻った。そこで大鍋ケーキとかぼちゃパイを山ほど買った。ハーマイオニーはまた「日刊予言者新聞」を読んでいた。ジニーは『ザ・クィブラー』のクイズに興じ、ネビルは**ミンビュラス・ミンブルトニア**をなでさすっていた。この一年で相当大きく育ったこの植物は、触れると小声で歌うような奇妙な音を出すようになっていた。

ハリーとロンは、旅のほとんどをハーマイオニーが読んでくれる「予言者」の抜粋を聞きながら、魔法チェスをしてのんびり過ごした。新聞はいまや、吸魂鬼撃退法とか、死喰い人を魔法省が躍起になって追跡する記事、家の前を通り過ぎるヴォルデモート卿を今朝見たと主張するヒステリックな読者の投書などであふれ返っていた。

「まだ本格的じゃないわ」ハーマイオニーが暗い顔でため息をつき、新聞を折りたたんだ。「でも、遠からずね……」

「おい、ハリー」ロンがガラス越しに通路を見てうなずきながら、そっと呼んだ。

ハリーが振り返ると、チョウが目出し頭巾をかぶったマリエッタ・エッジコムと一緒に通り過ぎるところだった。一瞬、ハリーとチョウの目が合った。チョウはほおを赤らめたが、そのまま歩き去った。ハリーがチェス盤に目を戻すと、ちょうど自分のポーンがひと駒、ロンのナイトに升目から追い出されるところだった。

「いったい――えー――君と彼女はどうなってるんだ?」ロンがひっそりと聞いた。

「どうもなってないよ」ハリーがほんとうのことを言った。

「私――えーと――彼女がいま、別な人とつき合ってるって聞いたけど」ハーマイオニーが遠慮がちに言った。

そう聞いてもまったく自分が傷つかないことに、ハリーは驚いた。チョウの気をひきたいと思っていたのは、もう自分とは必ずしも結びつかない昔のことのように思えた。シリウスが死ぬ前にハリーが望んでいた多くのことが、このごろではすべてそんなふうに感じられる……。シリウスを最後に見てからの時間が、一週間よりもずっと長く感じられた。その時間は、シリウスのいる世界といない世界との二つの宇宙の間に長々と伸びていた。

「抜け出してよかったな、おい」ロンが力強く言った。「つまりだ、チョウはなかなかかわいいし、まあいろいろ。だけど君にはもう少しほがらかなのがいい」

「チョウだって、ほかの誰かだったらきっと明るいんだろ」ハリーが肩をすくめた。

「ところでチョウは、いま、誰とつき合ってるんだい?」ロンがハーマイオニーに聞いた。しかし、答えたのはジニーだった。

「マイケル・コーナーよ」

「マイケル――だって――」ロンが座席から首を伸ばして振り返り、ジニーを見つめた。

「だって、おまえがあいつとつき合ってたじゃないか！」

「もうやめたわ」ジニーが断固とした口調で言った。「クィディッチでグリフィンドールがレイブンクローを破ったのが気に入らないって、マイケルったら、ものすごくへそを曲げたの。だから私、捨ててやった。そしたら、かわりにチョウをなぐさめにいったわ」

ジニーは羽根ペンの端で無造作に鼻の頭をかき、『ザ・クィブラー』を逆さにして、自分が書いた答えの点数をつけはじめた。ロンは大いに満足げな顔をした。

「まあね、僕は、あいつがちょっとまぬけだってずっとそう思ってたんだ」そう言うと、ロンは、ハリーの震えているルークに向かってクイーンを進めた。「よかったな。この次は、誰かもっと――いいのを――選べよ」

そう言いながら、ロンはハリーのほうを、妙にこっそりと見た。

「そうね、ディーン・トーマスを選んだけど、ましかしら？」ジニーは上の空で聞いた。

「**なんだって？**」

ロンが大声を出し、チェス盤をひっくり返した。クルックシャンクスは駒を追って飛び込み、ヘドウィグとピッグウィジョンは、頭上で怒ったようにホーッ、ピーッと鳴いた。


キングズ・クロスが近づき、列車が速度を落とすと、ハリーは、こんなにも強く、降りたくないという気持ちになったことはないと思った。降りないと言い張って、列車が自分をホグワーツに連れ戻る九月一日まで、ここをてこでも動かないと言ったらどうなるだろうと、そんな思いがちらりとよぎるほどだった。しかし、ついに列車がシューッと停車すると、ハリーはヘドウィグのかごを下ろし、いつものとおり、トランクを列車から引きずり降ろす準備に取りかかった。

車掌が、ハリー、ロン、ハーマイオニーに、九番線と十番線の間にある魔法の障壁を通り抜けても安全だと合図した。その時、障壁のむこう側でびっくりするようなことがハリーを待っていた。まったく期待していなかった集団がハリーを出迎えていたのだ。

まずは、マッド‐アイ・ムーディが魔法の目を隠すのに山高帽を目深にかぶり、帽子があってもないときと変わりなく不気味な雰囲気で、節くれだった両手に長いステッキを握り、たっぷりした旅行用マントを巻きつけて立っていた。そのすぐ後ろでトンクスが、明るい風船ガムピンク色の髪を、駅の天井の汚れたガラスを通して射し込む陽の光に輝かせていた。継ぎはぎだらけのジーンズに、「**妖女シスターズ**」のロゴ入りの派手な紫のTシャツという服装だ。その隣がルーピンだった。青白い顔に白髪が増え、みすぼらしいセーターとズボンを覆うように、すり切れた長いコートをはおっている。集団の先頭には、手持ちのマグルの服から一張羅を着込んだウィーズリー夫妻と、けばけばしい緑色のうろこ状の生地でできた、新品のジャケットを着たフレッドとジョージがいた。

「ロン、ジニー！」ウィーズリーおばさんが駆け寄り、子供たちをしっかりと抱きしめた。

「まあ、それにハリー――お元気？」

「元気です」おばさんにしっかり抱きしめられながら、ハリーはうそをついた。おばさんの肩越しに、ロンが双子の新品の洋服をじろじろ見ているのが見えた。

「**それ**、いったいなんのつもり？」ロンがジャケットを指差して聞いた。

「弟よ、最高級のドラゴン革だ」フレッドがジッパーをちょっと上下させながら言った。「事業は大繁盛だ。そこで、自分たちにちょっとごほうびをやろうと思ってね」

「やあ、ハリー」

ウィーズリーおばさんがハリーを放し、ハーマイオニーに挨拶しようと向きを変えたところで、ルーピンが声をかけた。

「やあ」ハリーも挨拶した。「予想してなかった……みんな何しにきたの？」

「そうだな」ルーピンがちょっとほほえんだ。「おじさん、おばさんが君を家に連れて帰る前に、少し二人と話をしてみようかと思ってね」

「あんまりいい考えじゃないと思うけど」ハリーが即座に言った。

「いや、わしはいい考えだと思う」ムーディが足を引きずりながらハリーに近づき、唸るように言った。「ポッター、あの連中だな？」

ムーディは自分の肩越しに、親指で後ろを指した。魔法の目が、自分の頭と山高帽とを透視して背後を見ているにちがいない。ムーディの指した先を見るのに、ハリーは数センチ左に体を傾けた。すると、確かにそこには、ハリー歓迎団を見て度肝を抜かれているダーズリー親子三人の姿があった。

「ああ、ハリー！」ウィーズリーおじさんが、ハーマイオニーの両親に熱烈な挨拶をし終わって、ハリーに声をかけた。ハーマイオニーの両親は、いまやっと、娘を交互に抱きしめていた。

「さて――それじゃ、始めようか？」

「ああ、そうだな、アーサー」ムーディが言った。

ムーディとウィーズリー氏が先頭に立って、駅の構内を、ダーズリー親子のほうに歩いていった。親子はどうやら地面に釘づけになっている。ハーマイオニーがそっと母親の腕を振りほどき、集団に加わった。

「こんにちは」ウィーズリー氏は、バーノンおじさんの前で立ち止まり、機嫌よく挨拶した。「覚えていらっしゃると思いますが、私はアーサー・ウィーズリーです」

ウィーズリー氏は、二年前、たった一人でダーズリー家の居間をあらかた壊してしまったことがあった。バーノンおじさんが覚えていなかったら驚異だとハリーは思った。はたせるかな、バーノンおじさんの顔がどす黒い紫色に変わり、ウィーズリー氏をにらみつけた。しかし、何も言わないことにしたらしい。一つには、ダーズリー親子は二対一の多勢に無勢だったからだろう。ペチュニアおばさんは恐怖と狼狽の入りまじった顔で、周りをちらちら見てばかりいた。こんな連中と一緒にいるところを、誰か知人に見られたらどうしようと、恐れているようだった。一方ダドリーは、自分を小さく、目立たない存在に見せようと努力しているようだったが、そんな芸当は土台無理だった。

「ハリーのことで、ちょっとお話をしておきたいと思いましてね」ウィーズリー氏は相変わらずにこやかに言った。

「そうだ」ムーディが唸った。「あなたの家で、ハリーをどのように扱うかについてだが」

バーノンおじさんの口ひげが、憤怒に逆立ったかのようだった。山高帽のせいで、ムーディが自分と同類の人間であるかのような、まったく見当ちがいの印象をバーノンおじさんに与えたのだろう。バーノンおじさんはムーディに話しかけた。

「わしの家の中で何が起ころうと、あなたの出る幕だとは認識してはおらんが――」

「あなたの認識しておらんことだけで、ダーズリー、本が数冊書けることだろうな」ムーディが唸った。

「とにかく、それが言いたいんじゃないわ」トンクスが口をはさんだ。ピンクの髪がほかのことすべてを束にしたよりももっと、ペチュニアおばさんの反感を買ったらしい。おばさんはトンクスを見るより、両目を閉じてしまうほうを選んだ。「要するに、もしあなたたちがハリーを虐待していると、私たちが耳にしたら――」

「――はっきりさせておきますが、そういうことは我々の耳に入りますよ」ルーピンが愛想よく言った。

「そうですとも」ウィーズリー氏が言った。「たとえあなたたちが、ハリーに『話電(フェリトン)』を使わせなくとも――」

「電話（テレフォン）よ」ハーマイオニーがささやいた。

「――まっこと。ポッターがなんらかのひどい仕打ちを受けていると、少しでもそんな気配を感じたら、我々がだまってはおらん」ムーディが言った。

バーノンおじさんが不気味にふくれ上がった。この妙ちきりん集団に対する恐怖より、激怒の気持ちが勝ったらしい。

「あんたは、わしを脅迫しているのか？」

バーノンおじさんの大声に、そばを通り過ぎる人々が振り返ってじろじろ見たほどだ。

「そのとおりだ」

マッド-アイが、バーノンおじさんののみ込みの速さにかなり喜んだように見えた。

「それで、わしがそんな脅しに乗る人間に見えるか？」バーノンおじさんが吠（ほ）えた。

「どうかな……」

ムーディが山高帽を後ろにずらし、不気味に回転する魔法の目をむき出しにした。バーノンおじさんがぎょっとして後ろに飛びのき、荷物用のカートにいやというほどぶつかった。

「ふむ、ダーズリー、そんな人間に見えると言わざるをえんな」

ムーディはバーノンおじさんからハリーのほうに向きなおった。

「だから、ポッター……我々が必要なときは、ひと声叫べ。おまえから三日続けて便りがないときは、こちらから誰かを派遣するぞ……」

ペチュニアおばさんがヒイヒイと悲痛な声を出した。こんな連中が、庭の小道を堂々とやってくる姿を、ご近所さんが見つけたらなんと言うだろうと考えているのは明白だ。

「では、さらば、ポッター」ムーディは、節くれだった手で一瞬ハリーの肩をつかんだ。

「気をつけるんだよ、ハリー」ルーピンが静かに言った。「連絡してくれ」

「ハリー、できるだけ早く、あそこから連れ出しますからね」ウィーズリーおばさんが、またハリーを抱きしめながら、ささやいた。

「またすぐ会おうぜ、おい」ハリーと握手しながら、ロンが気づかわしげに言った。

「ほんとにすぐよ、ハリー」ハーマイオニーが熱を込めて言った。「約束するわ」

ハリーはうなずいた。ハリーのそばにみんながずらりと勢ぞろいする姿を見て、それがハリーにとってどんなに深い意味を持つかを伝えたくとも、なぜかハリーには言葉が見つからなかった。

そのかわり、ハリーはニッコリして、別れに手を振り、背を向けて、太陽の輝く道へと先に立って駅から出ていった。バーノンおじさん、ペチュニアおばさん、ダドリーが、あわててそのあとを追いかけた。

J.K. ローリング

J.K. ローリングは、不朽の人気を誇る「ハリー・ポッター」シリーズの著者。1990年、旅の途中の遅延した列車の中で「ハリー・ポッター」のアイデアを思いつくと、全7冊のシリーズを構想して執筆を開始。1997年に第1巻『ハリー・ポッターと賢者の石』が出版、その後、完結までにはさらに10年を費やし、2007年に第7巻となる『ハリー・ポッターと死の秘宝』が出版された。シリーズは現在85の言語に翻訳され、発行部数は6億部を突破、オーディオブックの累計再生時間は10億時間以上、制作された8本の映画も大ヒットとなった。また、シリーズに付随して、チャリティのための短編『クィディッチ今昔』と『幻の動物とその生息地』(ともに慈善団体〈コミック・リリーフ〉と〈ルーモス〉を支援)、『吟遊詩人ビードルの物語』(〈ルーモス〉を支援)も執筆。『幻の動物とその生息地』は魔法動物学者ニュート・スキャマンダーを主人公とした映画「ファンタスティック・ビースト」シリーズが生まれるきっかけとなった。大人になったハリーの物語は舞台劇『ハリー・ポッターと呪いの子』へと続き、ジョン・ティファニー、ジャック・ソーンとともに執筆した脚本も書籍化された。その他の児童書に『イッカボッグ』(2020年)『クリスマス・ピッグ』(2021年)があるほか、ロバート・ガルブレイスのペンネームで発表し、ベストセラーとなった大人向け犯罪小説「コーモラン・ストライク」シリーズも含め、その執筆活動に対し多くの賞や勲章を授与されている。J.K. ローリングは、慈善信託〈ボラント〉を通じて多くの人道的活動を支援するほか、性的暴行を受けた女性の支援センター〈ベイラズ・プレイス〉、子供向け慈善団体〈ルーモス〉の創設者でもある。
J.K. ローリングに関するさらに詳しい情報はjkrowlingstories.comで。

松岡佑子 訳

翻訳家。国際基督教大学卒、モントレー国際大学院大学国際政治学修士。日本ペンクラブ会員。スイス在住。訳書に「ハリー・ポッター」シリーズ全7巻のほか、「少年冒険家トム」シリーズ、映画オリジナル脚本版「ファンタスティック・ビースト」シリーズ、『ブーツをはいたキティのはなし』『とても良い人生のために』『イッカボッグ』『クリスマス・ピッグ』(以上静山社)がある。

ハリー・ポッターと不死鳥の騎士団〈25周年記念特装版〉

2024年12月1日　第1刷発行

著者　J.K. ローリング
訳者　松岡佑子
発行者　松岡佑子
発行所　株式会社静山社
〒102-0073 東京都千代田区九段北1-15-15
電話・営業 03-5210-7221　https://www.sayzansha.com

装丁　城所潤+大谷浩介(ジュン・キドコロ・デザイン)
装画　カワグチタクヤ
組版　アジュール
印刷　中央精版印刷株式会社
製本　株式会社ブックアート

Printed in Japan　ISBN978-4-86389-922-3　Not to be Sold Separately